EXAMPRESS®

著
公認心理師試験対策研究会

公認心理師

完全合格問題集

第1回～第5回試験解説版

本書の使い方

本書は過去６回分（第１回、第１回追試、第２回、第３回、第４回、第５回）の試験問題を盛り込んだ問題集です。大きく３部構成となっています。

第１部・第２部

過去５回分（第１回、第１回追試、第２回、第３回、第４回）の問題を、①**章別問題**（出題基準の大・中項目※で分類：第１章〜第24章）と②**公認心理師としての対応事例**（第25章）に分けて掲載しており、出題傾向の把握に適しています（一部の章では予想問題も用意）。

●出題回・問題番号
出題回と問題番号です。「追」とあるのは、第１回追試を表しています。
第２部では、公認心理師の活動領域別に並べています。

●加点のポイント
問題と絡めて理解または暗記しておきたいことを記しています。

本書の記載内容は、2022年8月現在の法令等に基づいています。変更される場合もありますので、関連省庁が公表する情報をご確認ください。

問題 005 Check 第３回 問題112

流動性知能の特徴として、不適切なものを１つ選べ。

1 図形を把握する問題で測られる。
2 いわゆる「頭の回転の速さ」と関連する。
3 学校教育や文化的環境の影響を受けやすい。
4 新しい課題に対する探索的問題解決能力である。
5 結晶性知能と比べて能力のピークが早期に訪れる。

問題 006 Check 第３回 問題039

H. Gardner が多重知能理論で指摘した知能に含まれるものとして、不適切なものを１つ選べ。

1 空間的知能
2 言語的知能
3 実用的知能
4 対人的知能
5 論理数学的知能

問題 007 Check 第２回 問題014

乳幼児の社会的参照について、正しいものを１つ選べ。

1 心の理論の成立後に生じてくる。
2 共同注意の出現よりも遅れて１歳以降に現れ始める。
3 自己、他者、状況・事物という三項関係の中で生じる。
4 自分の得た知識を他者に伝達しようとする行為である。
5 乳幼児期以降、徐々にその頻度は減り、やがて消失する。

加点のポイント **三項関係の成立**

生後９か月から15か月の時期に乳児と大人の二項関係より乳児と対象（物や人）と大人の三項関係が成立する。次の４つがみられると三項関係が成立したとされる。

①共同注意	乳児が大人と同じ対象へ同時に注意を向けられる
②指さし	乳児が大人に一緒に見て欲しいものを指さす
③ショーウイング	乳児が所持物や行為を大人に見せる
④社会的参照	乳児にとって重要な他者（母親等）が、ある事態に対して示す表情や態度により、その事態への意味づけを行う

130

第3部

「第5回試験」をそのまま掲載しています。正答と解説を付けました。本番さながら時間内に解いてみてください。

※該当問題のない中項目は掲載していません。

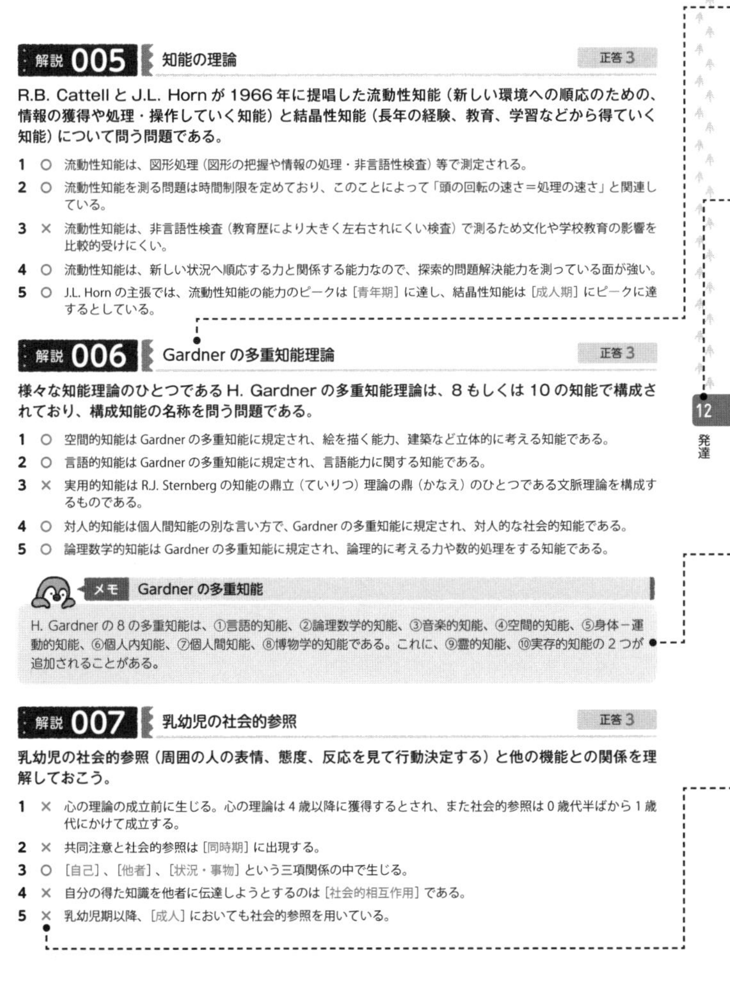

解説 005 知能の理論 正答 3

R.B. Cattell と J.L. Horn が 1966 年に提唱した流動性知能（新しい環境への順応のための、情報の獲得や処理・操作していく知能）と結晶性知能（長年の経験、教育、学習などから得ていく知能）について問う問題である。

1 ○ 流動性知能は、図形処理（図形の把握や情報の処理・非言語性検査）等で測定される。
2 ○ 流動性知能を測る問題は時間制限を定めており、このことによって「頭の回転の速さ＝処理の速さ」と関連している。
3 × 流動性知能は、非言語性検査（教育歴により大きく左右されにくい検査）で測るため文化や学校教育の影響を比較的受けにくい。
4 ○ 流動性知能は、新しい状況へ順応する力と関係する能力なので、探索的問題解決能力を測っている面が強い。
5 ○ J.L. Horn の主張では、流動性知能の能力のピークは［青年期］に達し、結晶性知能は［成人期］にピークに達するとしている。

解説 006 Gardner の多重知能理論 正答 3

様々な知能理論のひとつである H. Gardner の多重知能理論は、8 もしくは 10 の知能で構成されており、構成知能の名称を問う問題である。

1 ○ 空間的知能は Gardner の多重知能に規定され、絵を描く能力、建築など立体的に考える知能である。
2 ○ 言語的知能は Gardner の多重知能に規定され、言語能力に関する知能である。
3 × 実用的知能は R.J. Sternberg の知能の鼎立（ていりつ）理論の鼎（かなえ）のひとつである文脈理論を構成するものである。
4 ○ 対人的知能は個人間知能の別な言い方で、Gardner の多重知能に規定され、対人的な社会的知能である。
5 ○ 論理数学的知能は Gardner の多重知能に規定され、論理的に考える力や数的処理をする知能である。

メモ Gardner の多重知能

H. Gardner の 8 の多重知能は、①言語的知能、②論理数学的知能、③音楽的知能、④空間的知能、⑤身体－運動的知能、⑥個人内知能、⑦個人間知能、⑧博物学的知能である。これに、⑨霊的知能、⑩実存的知能の 2 つが追加されることがある。

解説 007 乳幼児の社会的参照 正答 3

乳幼児の社会的参照（周囲の人の表情、態度、反応を見て行動決定する）と他の機能との関係を理解しておこう。

1 × 心の理論の成立前に生じる。心の理論は 4 歳以降に獲得するとされ、また社会的参照は 0 歳代半ばから 1 歳代にかけて成立する。
2 × 共同注意と社会的参照は［同時期］に出現する。
3 ○ ［自己］、［他者］、［状況・事物］という三項関係の中で生じる。
4 × 自分の得た知識を他者に伝達しようとするのは［社会的相互作用］である。
5 × 乳幼児期以降、［成人］においても社会的参照を用いている。

12 発達

131

●人名

実際の試験に準拠して、人名は原語表記で解説しています。

●章番号・章名

第1部では、過去問題を出題基準の大項目に沿った24の章に分類しています。第2部では、複合的と思われる事例を第25章に集めています。

注：分類は本書独自の見解によるものです。

●メモ

出題されたキーワードに対して、もう一歩進んだ解説や補足事項などを記しています。

●○×と赤文字

○×を市販の赤シートで隠しながら確認できます。赤文字は暗記したいところです。

（○は正しい／適切／該当する／定められている／優先される／行うべき／含まれる／みられる／規定されているもの等を示し、×は誤っている／不適切（適切でない）／該当しない／定められていない／みられない／含まれない／規定されていないもの等を示しています）

公認心理師試験の概要

2015（平成 27）年 9 月 9 日に**公認心理師法**が成立し、2017（平成 29）年 9 月 15 日に施行されたことにより、日本初の心理職の国家資格「公認心理師」が誕生しました。

公認心理師とは

公認心理師が行う業務として、公認心理師法には、以下のように定められています。

保健医療、福祉、教育その他の分野において、専門的知識及び技術をもって、

① 心理に関する支援を要する者の心理状態を観察し、その結果を分析すること。

② 心理に関する支援を要する者に対し、その心理に関する相談に応じ、助言、指導その他の援助を行うこと。

③ 心理に関する支援を要する者の関係者に対し、その相談に応じ、助言、指導その他の援助を行うこと。

④ 心の健康に関する知識の普及を図るための教育及び情報の提供を行うこと。

公認心理師になるには

毎年 1 回行われる試験に合格する必要があります。

■ 受験資格

受験資格は、大学院・大学で「指定科目」を履修したかなど、細かく 7 ルートに分かれています。受験資格の詳細は、一般財団法人日本心理研修センターの Web サイト（http://shinri-kenshu.jp/）で確認してください。

■ 出題基準とブループリント

出題基準とは、試験範囲とレベルを 24 の大項目に分けて整理したもので、それぞれの知識や技能の到達度が確認されます。ここに示されるキーワード（小項目）が試験対策の中心になると考えられます。

ブループリントとは、「試験設計表」であり、出題基準の大項目の「出題割合」を示したものです。

■ 試験地

【北海道】、【宮城県】、【東京都】、【愛知県】、【大阪府・兵庫県】、【岡山県・広島県】、【福岡県・長崎県・大分県】

■ 出題方式

出題は、１択または２択方式で、解答はマークシート方式で行われます。

■ 出題数

第１～5 回試験においては、午前 77 問、午後 77 問、計 154 問が出題されました。うち、事例問題は午前 19 問、午後 19 問でした（全体の約 25%）。

■ 試験時間

時間は次のとおりです。

午前	時間
試験時間	10：00～12：00（120 分）
弱視等受験者（1.3 倍）	10：00～12：40（160 分）
点字等受験者（1.5 倍）	10：00～13：00（180 分）
午後	**時間**
試験時間	13：30～15：30（120 分）
弱視等受験者（1.3 倍）	14：00～16：40（160 分）
点字等受験者（1.5 倍）	14：00～17：00（180 分）

■ 合格基準

合格基準は、総得点の 60%程度以上とされています。

なお、問題の難易度で補正されており、配点は一般問題が**１問１点**、事例問題が１問３点と、**事例問題が重視されている傾向**にあります。

■ 試験スケジュールなど最新情報

最新情報は、一般財団法人日本心理研修センターの Web サイト（http://shinri-kenshu.jp/）で確認してください。

目次

第2部　公認心理師としての対応事例

第3部　本試験問題

本書内容に関するお問い合わせについて

このたびは翔泳社の書籍をお買い上げいただき、誠にありがとうございます。弊社では、読者の皆様からのお問い合わせに適切に対応させていただくため、以下のガイドラインへのご協力をお願い致しております。下記項目をお読みいただき、手順に従ってお問い合わせください。

●ご質問される前に

弊社Webサイトの「正誤表」をご参照ください。これまでに判明した正誤や追加情報を掲載しています。

正誤表　https://www.shoeisha.co.jp/book/errata/

●ご質問方法

弊社Webサイトの「刊行物Q&A」をご利用ください。

刊行物Q&A　https://www.shoeisha.co.jp/book/qa/

インターネットをご利用でない場合は、FAXまたは郵便にて、下記"翔泳社 愛読者サービスセンター"までお問い合わせください。
電話でのご質問は、お受けしておりません。

●回答について

回答は、ご質問いただいた手段によってご返事申し上げます。ご質問の内容によっては、回答に数日ないしはそれ以上の期間を要する場合があります。

●ご質問に際してのご注意

本書の対象を越えるもの、記述個所を特定されないもの、また読者固有の環境に起因するご質問等にはお答えできませんので、予めご了承ください。

●郵便物送付先およびFAX番号

送付先住所　〒160-0006　東京都新宿区舟町5
FAX番号　03-5362-3818
宛先　（株）翔泳社 愛読者サービスセンター

●免責事項

※著者および出版社は，本書の使用による公認心理師試験の合格を保証するものではありません。
※本書の記載内容は，2022年8月現在の法令等に基づいています。
※本書の出版にあたっては正確な記述に努めましたが，著者および出版社のいずれも，本書の内容に対してなんらかの保証をするものではありません。
※本書に記載されたURL等は予告なく変更される場合があります。

第 1 部

章別問題

過去問題 5 回分（第 1 回・第 1 回追試・第 2 回・第 3 回、第 4 回）について、出題基準の大項目を「第 1～24 章」に、さらに中項目に分類しました（一部の科目では予想問題を用意）。大まかな出題傾向をつかんでください。なお、公認心理師としての対応が問われる事例問題は、第 2 部に分類しています。

第 1 章　公認心理師としての職責の自覚

①公認心理師の役割

問題 001　Check　第 1 回　問題 030

公認心理師法に定める内容について、誤っているものを 1 つ選べ。

1　公認心理師は名称独占の資格である。
2　秘密保持義務に違反した者は禁錮刑の対象となる。
3　公認心理師は、公認心理師の信用を傷つけるような行為をしてはならない。
4　クライエントについての秘密を他者に伝えるには、正当な理由が必要である。
5　秘密保持義務に違反した者は、公認心理師の登録を取り消されることがある。

問題 002　Check　第 4 回　問題 001

公認心理師法について、正しいものを 1 つ選べ。

1　公認心理師登録証は、厚生労働大臣及び総務大臣が交付する。
2　公認心理師が信用失墜行為を行った場合は、登録の取消しの対象となる。
3　公認心理師登録証は、公認心理師試験に合格することで自動的に交付される。
4　公認心理師の名称使用の停止を命じられた者は、30 万円以下の罰金に処される。
5　禁錮刑に処せられた場合、執行終了後 1 年を経過すれば公認心理師の登録は可能となる。

問題 003　Check　第 1 回　問題 108

心理に関する支援を要する者に対して、公認心理師が行う行為として公認心理師法に規定されていないものを 1 つ選べ。

1　観察
2　教育
3　指導
4　助言
5　診断

解説 001 公認心理師法

正答 2

公認心理師法に関して罰則での懲役、禁錮、罰金の違いを理解する必要がある。

1 ○ 第 44 条「公認心理師でない者は、公認心理師という名称を使用してはならない」という規定により公認心理師は［名称独占］の資格である。公認心理師法内に［業務独占］に関する規定がないことに注意。

2 × 公認心理師法第 41 条［秘密保持］の義務があり、違反した場合は第 46 条「第 41 条の規定に違反した者は、1 年以下の懲役又は 30 万円以下の罰金に処する」と規定されており、禁錮刑ではない。

3 ○ 第 40 条（信用失墜行為の禁止）に「公認心理師は、公認心理師の信用を傷つけるような行為をしてはならない」とある。

4 ○ 第 41 条（秘密保持義務）「公認心理師は、正当な理由がなく、その業務に関して知り得た人の秘密を漏らしてはならない」という規定から要心理支援者の秘密を他者に伝えるには、正当な理由が必要となる。

5 ○ 第 32 条（登録の取消し等）において、第 41 条（秘密保持義務）に「違反したときは、その登録を取り消し、又は期間を定めて公認心理師の名称及びその名称中における心理師という文字の使用の停止を命ずることができる」とあるのでこの処分が下される。

解説 002 公認心理師法

正答 2

公認心理師法の主要な条文を把握できているかを問う問題である。

1 × 公認心理師登録証は、公認心理師法第 30 条に［文部科学大臣］および［厚生労働大臣］が交付すると定められている。

2 ○ 公認心理師法第 40 条において「信用失墜行為の禁止」が定められている。加えて、第 32 条に「登録の取り消し」事由が定められており、第 40 条に違反した場合、すなわち「信用失墜行為を行った場合」には、「登録の取り消し」または「一定期間の名称の使用停止」が命じられる可能性が規定されている。

3 × 公認心理師は試験に合格すれば自動的に資格が取得できるわけではない。第 28 条に「文部科学省令・厚生労働省令で定める事項の［登録］を受けなければならない」と規定されている。

4 × 公認心理師の名称使用の停止は文部科学大臣・厚生労働大臣によって命ぜられる［行政処分］である。罰則ではないため、罰金刑は規定されていない。ただし、第 44 条に「名称の使用制限」が規定されている。これに違反した場合、第 49 条において公認心理師の名称の使用の停止を命ぜられた期間中に、公認心理師の名称を使用した場合には［30 万円以下の罰金］が科せられる旨が定められている。

5 × 禁錮刑に関する規定は第 3 条の「欠格事由」に定められている。第 3 条には禁錮以上の刑に処せられた場合、その執行が終わり、または執行を受けることがなくなった日から起算して［2 年］を経過しない者とある。よって、「1 年」ではなく「2 年」が正しい。

解説 003 公認心理師の業務

正答 5

公認心理師法第 2 条（定義）を問う問題である。

1 ○ 第 2 条 1 号に「心理に関する支援を要する者の心理状態を［観察］し、その結果を分析すること」とある。

2 ○ 第 2 条 4 号に「心の健康に関する知識の普及を図るための［教育］及び［情報］の提供を行うこと」とある。

3 ○ 第 2 条 2 号に「心理に関する支援を要する者に対し、その心理に関する相談に応じ、助言、［指導］その他の援助を行うこと」とある。

4 ○ 第 2 条 2 号に「心理に関する支援を要する者に対し、その心理に関する相談に応じ、［助言］、指導その他の援助を行うこと」とある。

5 × 診断については、公認心理師法第 2 条他条文に規定がないので公認心理師が行う行為ではない。

問題 004 Check ☐☐☐ 第1回 追 問題 001

公認心理師の登録取消しの事由として、正しいものを 1 つ選べ。

1 成年被後見人になった。
2 民事裁判の被告になった。
3 クライエントの信頼を失った。
4 スーパービジョンを受けなかった。
5 保健医療、福祉、教育等の担当者と連携しなかった。

問題 005 Check ☐☐☐ 予想問題 1

公認心理師法について、不適切なものを 1 つ選べ。

1 公認心理師の資格を定めることはこの法律の目的である。
2 公認心理師の行う業務は 4 つ定められている。
3 多職種と連携することが定められている。
4 公認心理師の支援対象者は、心理に関する支援を要する者とその関係者である。

問題 006 Check ☐☐☐ 予想問題 2

公認心理師の業務について適切なものを 2 つ選べ。

1 心理に関する支援を要する者の心理状態を測定し、その結果を分析すること。
2 心理に関する支援を要する者に対し、その精神疾患に関する相談に応じ、助言、指導、その他の援助を行うこと。
3 心理に関する支援を要する者の関係者に対し、その相談に応じ、助言、指導、その他の援助を行うこと。
4 心の健康に関する知識の普及を図るための教育、情報の提供を行うこと。

メモ 公認心理師法とは

公認心理師法は、2015 (平成 27) 年 9 月に公布、2017 (平成 29) 年に施行された。主な条文とその内容を理解しておこう。

第 1 条	目的
第 2 条	定義 (公認心理師の行う 4 つの業務)
第 3 条	欠格事由 (公認心理師になれない場合)
第 32 条	登録の取消し等 (第 3 条に該当、虚偽又は不正の事実による登録、第 40 条、第 41 条、第 42 条 2 項に違反した場合)
第 40 条	信用失墜行為の禁止 (公認心理師としての信用を傷つけるような行為の禁止)
第 41 条	秘密保持義務 (一生涯、義務を負う)
第 42 条	連携等 (多職種との連携と医師の指示に従うこと)
第 43 条	資質向上の責務
第 44 条	名称の使用制限 (名称独占)
第 46 条	罰則 (秘密保持違反をした場合、1 年以下の懲役又は 30 万円以下の罰金)
第 49 条	罰則 (名称独占に違反した場合、30 万円以下の罰金)

解説 004 公認心理師の登録の取消し

正答 なし

公認心理師法第３条（欠格事由）と第 32 条（登録の取消し等）について整理し、理解しておく必要がある。

1 ✕ 改正により［成年被後見人］という規定ではなくなった※。［精神の機能の障害］により公認心理師の業務を適正に行うにあたって必要な認知、判断および意思疎通を適切に行うことができない場合、欠格事由にあたる。

2 ✕ 民事裁判の被告になっただけでは欠格事由にはならない。

3 ✕ クライエントの信頼を失っただけでは［公認心理師法第 40 条（信用失墜行為の禁止）］に相当するとまで判断ができない。

4 ✕ スーパービジョンを受けなかったのは［公認心理師法第 43 条（資質向上の責務）］に反してはいるが、公認心理師法第 32 条（登録の取消し等）の事由に相当しない。

5 ✕ 担当者と連携をしなかったことは［公認心理師法第 42 条 1 項］に反してはいるが、公認心理師法第 32 条（登録の取消し等）の事由に相当しない。

※ 第 1 回試験追試（2018 年 12 月 16 日）の後、公認心理師法は 2019 年 6 月に改正、同年 12 月 14 日に施行され、第 3 条 1 号の条文が下記のように変更となりました。

改正前：成年被後見人又は被保佐人
改正後：心身の故障により公認心理師の業務を適正に行うことができない者として文部科学省令・厚生労働省令で定めるもの

この第 3 条 1 号の文部科学省令・厚生労働省令で定める者とは、「精神の機能の障害により公認心理師の業務を適正に行うに当たって必要な認知、判断及び意思疎通を適切に行うことができない者とする」と公認心理師法施行規則第 1 条に定められています。
「成年被後見人又は被保佐人」という規定ではなくなったため、上記問題は 2022 年 9 月現在正答なしとなっています。

解説 005 公認心理師法

正答 4

公認心理師法第１条、第２条は暗記すること。

1 ○ ［第 1 条］に、この法律の目的として「この法律は、公認心理師の資格を定めて」とある。

2 ○ ［第 2 条］に、公認心理師が行う業務が 4 つ定められている。

3 ○ ［第 42 条］に、多職種と連携を保たなければならないと定められている。

4 ✕ ［第 1 条］に、「国民の心の健康の保持増進に寄与すること」とあり、［国民全体］が支援対象者となる。

解説 006 公認心理師の業務

正答 3、4

公認心理師の業務については、公認心理師法第２条に定められている。

1 ✕ 心理状態を測定するのではなく、［観察］し、その結果を分析することである。

2 ✕ その精神疾患に関する相談ではなく、その［心理］に関する相談である。

3 ○ 心理に関する支援を要する者だけでなく、その［関係者］に対しても相談に応じて、助言、指導、その他の援助を行う。

4 ○ 公認心理師の支援対象者は［国民全体］であり、心の健康に関する教育や情報提供も業務に含まれる。

問題 007　Check ☑☑☑　第2回　問題001

公認心理師の業務や資格について、正しいものを 1 つ選べ。

1　診断は公認心理師の業務に含まれる。
2　公認心理師資格は一定年数ごとに更新する必要がある。
3　公認心理師の資質向上の責務について、罰則が規定されている。
4　公認心理師が業務を行う対象は、心理に関する支援を要する人に限定されない。
5　公認心理師以外でも、心理関連の専門資格を有していれば「心理師」という名称を用いることができる。

問題 008　Check ☑☑☑　第2回　問題035

公認心理師法について、誤っているものを 1 つ選べ。

1　秘密保持義務についての規定がある。
2　信用失墜行為に対しては罰則が規定されている。
3　主務大臣は文部科学大臣及び厚生労働大臣である。
4　国民の心の健康の保持増進に寄与することが目的である。
5　公認心理師は、心理に関する支援を要する者の心理状態を観察し、その結果の分析を行う。

問題 009　Check ☑☑☑　第2回　問題050

公認心理師法について、正しいものを 2 つ選べ。

1　公認心理師の登録を一旦取り消されると、再度登録を受けることはできない。
2　公認心理師は、心理に関する支援を要する者から相談の求めがあった場合にはこれを拒んではならない。
3　公認心理師は、その業務を行ったときは、遅滞なくその業務に関する事項を診療録に記載しなければならない。
4　公認心理師は、心理に関する支援を要する者に当該支援に係る主治の医師があるときは、その指示を受けなければならない。
5　公認心理師は、公認心理師法に規定する公認心理師が業として行う行為に関する知識及び技能の向上に努めなければならない。

解説 007 公認心理師の資格と業務

正答 4

公認心理師法の主な条文は必ず確認しておこう。特に公認心理師の資格と業務については出題されやすいので暗記するようにしよう。

1 ✕ 診断は医師の業務であり、公認心理師は診断を行うことはできない。

2 ✕ 公認心理師資格には更新制度はない。

3 ✕ 公認心理師の資質向上の責務は公認心理師法第 43 条に定められているが、これには［罰則規定はない］。

4 ○ 公認心理師の目的は「［国民］の心の健康の保持増進に寄与すること」（第 1 条）であり、その業務には「心の健康に関する知識の普及を図るための教育及び情報の提供」が含まれている（第 2 条）。したがって心理に関する支援を要する人だけが対象ではない。

5 ✕ 公認心理師法第 44 条 1 項に「公認心理師でない者は、［公認心理師という名称］を使用してはならない」、2 項に「公認心理師ではない者は、その名称中に心理師という文字を用いてはならない」と規定されている。

解説 008 公認心理師法

正答 2

公認心理師法については、主な条文とその内容を必ずおさえておこう。

1 ○ 第 41 条に［秘密保持義務］が規定されている。

2 ✕ 第 40 条に［信用失墜行為の禁止］が規定されているが、罰則規定はない。

3 ○ 公認心理師の主務大臣は、文部科学大臣および厚生労働大臣である。

4 ○ 第 1 条に［公認心理師法の目的］は「国民の心の健康の保持増進に寄与すること」と規定されている。

5 ○ 第 2 条 1 号に、［公認心理師の業務］は「心理に関する支援を要する者の心理状態を観察し、その結果を分析すること」と定められている。

加点のポイント 公認心理師法に違反した場合

公認心理師法の中で罰則規定のあるものを確認しておこう。

- 秘密保持義務（第 41 条）に違反した場合は、［1 年］以下の懲役又は［30 万円］以下の罰金（第 46 条）。
- 公認心理師の登録取消しまたは使用停止されている者（第 32 条 2 項）又は公認心理師ではない者が「公認心理師」の名称を使用した場合（第 44 条）は、［30 万円］以下の罰金（第 49 条）。
  また、信用失墜行為の禁止（第 40 条）、秘密保持義務（第 41 条）、医師の指示を受けること（第 42 条 2 項）に違反した場合は、文部科学大臣及び厚生労働大臣は公認心理師の［登録取消し］または一定期間の［名称使用停止］を命ずることができる（第 32 条）。

解説 009 公認心理師法

正答 4、5

公認心理師法に定められている第 3 条の欠格事由、第 40 条から第 45 条の公認心理師の義務は重要な内容であるので、キーワードは必ず覚えておこう。

1 ✕ 第 3 条（欠格事由）の 4 に「第 32 条第 1 項第 2 号又は第 2 項の規定により登録を取り消され、その取消しの日から起算して［2］年を経過しない者」とある。つまり［2］年を経過すれば再度登録を受けることができる場合もある。

2 ✕ 公認心理師が、心理に関する支援を要する者からの相談の求めを拒んではならないと規定する条文はない。

3 ✕ 医師法第 24 条には「医師は、診療をしたときは、遅滞なく診療に関する事項を診療録に記載しなければならない」とあるが、公認心理師法にはそのような規定はなく、診療録への記載は義務づけられていない。しかし、適正で効果的な業務を行い、多職種との連携をしていくためには適切な記録を残しておくことが重要である。

4 ○ 第 42 条 2 項に「公認心理師は、その業務を行うに当たって心理に関する支援を要する者に当該支援に係る主治の医師があるときは、その［指示］を受けなければならない」と規定されている。

5 ○ 第 43 条に「公認心理師は、国民の心の健康を取り巻く環境の変化による業務の内容の変化に適応するため、第 2 条各号に掲げる行為に関する［知識及び技能の向上］に努めなければならない」と定められている。

問題 010 Check 第2回 問題107

公認心理師の業務として、公認心理師法第2条に定められていないものを1つ選べ。

1 保健医療、福祉、教育等の関係者等との連携を保つ。
2 心の健康に関する知識の普及を図るための教育及び情報の提供を行う。
3 心理に関する支援を要する者の心理状態を観察し、その結果を分析する。
4 心理に関する支援を要する者の関係者に対し、その相談に応じ、助言、指導、その他の援助を行う。
5 心理に関する支援を要する者に対し、その心理に関する相談に応じ、助言、指導その他の援助を行う。

問題 011 Check 第2回 問題058

公認心理師を養成するための実習について、正しいものを2つ選べ。

1 公認心理師に求められる倫理や態度を学ぶ良い機会である。
2 実習生の評価には多肢選択式の客観的な試験による評価が適している。
3 実習に先立って目標を明示し、実習指導者と実習生が共有することが重要である。
4 実習生は、公認心理師の資格を持っていないため、クライエントの面接を行うべきではない。
5 実習生がクライエントに直接関わらず見学のみの場合は、その同意をクライエントに求める必要はない。

②公認心理師の法的義務及び倫理

問題 012 Check 第1回 問題107

心理職の行動として、不適切なものを1つ選べ。

1 クライエントからの贈り物を断る。
2 部下の家族をカウンセリングする。
3 クライエントに対して人間的な魅力を感じる。
4 クライエントからデートの誘いを受けた際に断る。
5 自身の生徒のカウンセリングを断り、他の専門家を紹介する。

解説 010 公認心理師の業務

正答 1

公認心理師法第２条の内容は全て暗記しておこう。

1 × 保健医療、福祉、教育等の関係者等との連携を保つことは、[第 42 条 1 項] に定められている。

2 ○ 心の健康に関する知識の普及を図るための教育及び情報の提供を行うことは、[第 2 条 4 号] に定められている。

3 ○ 心理に関する支援を要する者の心理状態を観察し、その結果を分析することは、[第 2 条 1 号] に定められている。

4 ○ 心理に関する支援を要する者の関係者に対し、その相談に応じ、助言、指導その他の援助を行うことは、[第 2 条 3 号] に定められている。

5 ○ 心理に関する支援を要する者に対し、その心理に関する相談に応じ、助言、指導その他の援助を行うことは、[第 2 条 2 号] に定められている。

解説 011 公認心理師養成のための実習

正答 1、3

どのような公認心理師を養成することが必要とされているのかを問われる問題である。

1 ○ 公認心理師としての倫理や態度は座学だけで身につくものではなく、実習の中でも学ぶべきものである。

2 × 多肢選択式の客観的な試験によって、公認心理師としての知識を測定することはできるが、公認心理師としての資質を測ることはできない。

3 ○ 効果的な実習のためには、[目標の明確化] は必須である。それを実習指導者と実習生がともに確認し、実習を行うことが重要である。

4 × 実習生は公認心理師の資格は持たないが、有資格者の指導の下に実際にクライエントの面接を行い、経験を積んでいくことが重要である。

5 × 見学であっても個人情報保護の観点から、クライエントの同意（インフォームド・コンセント）が必要である。

解説 012 公認心理師の倫理・多重関係

正答 2

様々な場合での倫理と多重関係について理解しておく必要がある。

1 ○ クライエントからの贈り物を受け取ることは倫理上不適切であり、原則的に断るべきである。

2 × 部下と上司は評価する者と被評価者であり、その部下の家族をカウンセリングすることは受ける側への圧力、評価につながる否定的な問題の隠蔽につながるなど [多重関係] に基づく問題を生じさせる。

3 ○ クライエントに対して人間的な魅力を感じるということは人間として極々普通のことではあるが、そのことが心理相談で影響を与えないように [スーパービジョン] を受ける必要がある。

4 ○ クライエントからデートの誘いを受けた際に断るというのは倫理上適切なことであり、支援者と要心理支援者という関係を逸脱する行為は厳に慎むべきである。

5 ○ 教員であり公認心理師であるという二重身分の場合、自身の生徒からカウンセリングを求められる可能性があるが、評価者と被評価者という関係があるので相談を断り、他の専門家を紹介するのが極めて適切な行為である。

問題 013 Check 第1回 追 問題047

公認心理師法に規定されている内容として、正しいものを2つ選べ。

1 公認心理師は業務独占が認められている。
2 名称使用制限の違反に対しては罰則規定がある。
3 信用失墜行為には法律に違反する行為以外の行為も含まれる。
4 守秘義務はその資格の登録を受けている期間においてのみ発生する。
5 心理に関する支援を要する者の診断は公認心理師の業務に含まれる。

問題 014 Check 予想問題3

公認心理師法について適切なものを1つ選べ。

1 この法律には、公認心理師の信用を傷つけるような行為を禁止する条項がある。
2 公認心理師でなくなってからも5年間は秘密保持の義務があるとされている。
3 資質向上は義務であるとされている。
4 一度公認心理師の登録を取り消されたら、再度登録することはできないとされている。
5 秘密保持義務に違反した場合には、2年以下の懲役または20万円以下の罰金に処せられる。

問題 015 Check 第1回 追 問題078

公認心理師の秘密保持義務違反になる行為として、正しいものを1つ選べ。

1 クライエントの同意を得て裁判所で証言する場合
2 養育者による虐待が疑われ児童相談所に通告する場合
3 意識不明のクライエントの状況について配偶者に説明する場合
4 クライエントのケアに直接関わっている専門家同士で話し合う場合
5 通院中のクライエントのきょうだいから求められ病状を説明する場合

解説 013 公認心理師法

正答 2、3

公認心理師法の各条文と規定を整理しておくことが望ましい。

1 ✕ 公認心理師は公認心理師法において業務独占の条文がなく、[名称独占資格] である。

2 ○ 名称使用制限の違反に対しては [罰則規定] がある。公認心理法第 49 条 2 項「30 万円以下の罰金に処する」とされている。

3 ○ 信用失墜行為には法律に違反する行為以外の行為も含まれる。公認心理師法第 40 条に「公認心理師は、公認心理師の信用を傷つけるような行為をしてはならない」とあり、行為が明確にはされていないが、それは法律違反以外の倫理的な行為も含むと理解すべきである。

4 ✕ 守秘義務はその資格の登録を受けている期間においてのみではなく、公認心理師法第 41 条「公認心理師は、正当な理由がなく、その業務に関して知り得た人の秘密を漏らしてはならない。公認心理師でなくなった後においても、同様とする」という規定から [終生の守秘義務] を担うのである。

5 ✕ 心理に関する支援を要する者の診断は公認心理師の業務に含まれない。公認心理師法第 2 条に 4 つの行為が規定されているが、そこには診断という行為はない。

解説 014 公認心理師法

正答 1

公認心理師に定められている法的義務は必ずおさえておこう。

1 ○ [第 40 条] に「公認心理師の信用を傷つけるような行為をしてはならない」と明記されている。

2 ✕ 秘密保持義務は、[年数に限りがなく生涯] 負う（第 41 条）。

3 ✕ 資質向上については「知識及び技能の向上に努めなければならない」とあり、[努力義務] であるとされている（第 43 条）。

4 ✕ 第 32 条の規定から登録を取り消された場合、[2] 年経過すれば再度登録は可能となる（第 3 条）。

5 ✕ 秘密保持義務違反は、[1] 年以下の懲役または [30 万] 円以下の罰金に処せられる（第 46 条）。

解説 015 秘密保持義務違反

正答 5

公認心理師が業務遂行の上で罰則規定のある秘密保持義務違反を理解しておくことが望ましい。

1 ✕ クライエントの同意を得て裁判所で証言する場合、つまり [同意] を得ているため秘密保持義務違反とはならない。

2 ✕ 養育者による虐待が疑われ児童相談所に通告する場合は [通告義務]（「児童虐待の防止等に関する法律」第 6 条）があり、秘密保持義務違反にはならない。

3 ✕ 意識不明のクライエントの状況について配偶者に説明する場合は、個人情報保護法第 23 条 3 項の「人の生命、身体又は財産の保護のために必要がある場合であって、本人の同意を得ることが [困難] であるとき」に相当するので、秘密保持義務違反にはならない。

4 ✕ クライエントのケアに直接関わっている専門家同士で話し合う場合は [集団守秘義務] が医療・教育・福祉の専門職に課されていることから秘密保持義務違反にはならない。

5 ○ 通院中のクライエントの親族から求められ病状を説明する場合となっているが、この設問では本人の承諾を得ておらず、秘密保持義務違反となる。

問題 016　Check ☑☑☑　第 4 回　問題 078

公認心理師が担当する成人のクライエントに関する情報を、本人の同意なく開示することについて、秘密保持義務違反に当たるものはどれか、最も適切なものを 1 つ選べ。

1　クライエントが、友人に危害を加える可能性が高い場合、当事者に知らせる。
2　クライエントが、1 歳の娘の育児を放棄している場合、児童相談所に通報する。
3　所属する医療チーム内で、クライエントの主治医及び担当看護師と情報を共有する。
4　クライエントが、自殺を企図する可能性が高い場合、同居している保護者に連絡する。
5　別居中の母親から音信不通で心配していると相談された場合、クライエントの居場所を教える。

問題 017　Check ☑☑☑　第 4 回　問題 003

大学の学生相談室のカウンセラーである公認心理師が、学内の保健管理センターの精神科医、障害のある学生を支援するコーディネーター、ハラスメント相談員やクライエントの所属学部の指導教員などと連携して行う支援について、最も適切なものを 1 つ選べ。

1　相談の秘密を守るため、できるだけ連携せずにすむ支援方法を工夫する。
2　情報の取扱方法について、情報共有する関係者の間で合意形成の必要はない。
3　支援に関わる関係者と情報共有することをクライエントに説明し、同意を得る。
4　個人情報保護の観点から、情報共有する関係者は学校に雇用された教職員である必要がある。
5　説明し同意が得られた後は、情報共有の在り方に関するクライエントの要望は受け付けない。

問題 018　Check ☑☑☑　第 4 回　問題 123

倫理的ジレンマがより強まるものとして、最も適切なものを 1 つ選べ。

1　輸血が必要な患者が、宗教上の理由で輸血を拒否している場合
2　疼痛緩和が必要な患者に、医療チームが疼痛コントロールを行う場合
3　医療チームが、新規の治療技術について臨床倫理委員会に申請している場合
4　多職種でコミュニケーションの必要性を認識し、意思疎通を図っている場合

解説 016 秘密保持義務違反

正答 5

「秘密保持義務の例外」について熟知しておく必要がある。ただし、秘密保持義務の例外に該当したとしても直ちに第三者に開示するのではなく、リスクアセスメントを慎重に行い、第三者への情報開示はできる限り避ける努力が求められる。

1 × 相手が特定されている［他害行為］の危険性は秘密保持義務の例外となり、違反にはあたらない。

2 × 児童虐待は「秘密保持義務」よりも「通告義務」が優先される。

3 × クライエントの支援に携わっている医療チームであれば、「集団守秘義務」となる。よって秘密保持義務違反にはあたらない。

4 × 自殺の危険性が高い場合、「秘密保持義務」よりも「安全の確保」が優先される。そのため、同居する家族に連絡することは秘密保持義務違反にはあたらない。

5 ○ 家族であってもクライエントの許可なく情報を伝えてはならない。

解説 017 大学学生相談室における連携

正答 3

公認心理師法第 42 条「連携等」および第 41 条「秘密保持義務」に関連する問題である。公認心理師は連携を重視することが基本であるが、その際、秘密保持義務との関連で注意する必要がある。

1 × 公認心理師法［第 42 条］では「公認心理師は、その業務を行うに当たっては、その担当する者に対し、保健医療、福祉、教育等が密接な連携の下で総合的かつ適切に提供されるよう、これらを提供する者その他の関係者等との連携を保たなければならない」と定められており、［連携］を重視するのが基本である。

2 × 連携のためにはクライエントについての［情報］を関係者と［共有］する必要がある。その際、しっかりと取り扱い方法について決めておかなければならない。

3 ○ 連携では、クライエントの秘密を保持しながらも、連携する相手と秘密を共有するという矛盾が生じる。そのため、クライエントにはあらかじめ支援に関わる情報を関係者間で共有することの［説明］を行い、［同意］を得ておくことが大切である。

4 × ［情報共有］の判断は「学校に雇用された教職員かそうでないか」に基づくものではない。例えば、クライエントの支援に役立つということであれば、医療機関など学外の専門家も含まれる。

5 × クライエントの要望は尊重されるべきであり、［同意取得後］も要望に耳を傾ける必要がある。

解説 018 倫理的ジレンマ

正答 1

「倫理的ジレンマ」とは、クライエントの意志を尊重したいと思う一方で、クライエントの安全や命を守るためには意志を尊重できないといった矛盾した状況になることを意味する。

1 ○ 「輸血を拒否する」という意志を尊重したいが、生命維持には輸血が必要という事態は倫理的ジレンマの典型例である。

2 × 適切な医療が提供されており、ジレンマは生じていない。

3 × 新規の治療技術について臨床倫理委員会に申請することは、矛盾のない適切な動きである。

4 × 多職種連携のためには日ごろからコミュニケーションをとり、意思疎通を図ることが重要である。

問題 019 Check ☑☑☑ 第1回 追 問題110

公認心理師の責務と職業倫理とに基づく相談業務の対応として、不適切なものを 1 つ選べ。

1 国内外の様々な指針や研究結果を実践的に取り入れる。
2 自分が兼務している別の機関にクライエントを紹介する。
3 友人から心理的支援の依頼を受けた場合は、多重関係となるため断る。
4 クライエントに自分自身でどの機関で援助を受けるか決めるよう助言する。
5 初回の面接で自らが不在の際の対応について、クライエントに希望を聞く。

問題 020 Check ☑☑☑ 第1回 問題003

14 歳の女子 A、中学生。摂食障害があり、精神科に通院中である。最近、急激にやせが進み、中学校を休みがちになった。A の母親と担任教師から相談を受けた公認心理師であるスクールカウンセラーが、A の学校生活や心身の健康を支援するにあたり、指示を受けるべき者として、最も適切なものを 1 つ選べ。

1 栄養士
2 学校長
3 主治医
4 養護教諭
5 教育委員会

③要支援者等の安全の確保と要支援者の視点

問題 021 Check ☑☑☑ 第4回 問題002

身体損傷により病院に搬送された患者で自損行為の可能性が疑われる場合、緊急に確認するべき事項として、優先度の低いものを 1 つ選べ。

1 自らの意思で行ったかどうかを確認する。
2 致死的な手段を用いたかどうかを確認する。
3 明確な自殺の意図があったかどうかを確認する。
4 背景にストレス要因があったかどうかを確認する。
5 明確な致死性の予測があったかどうかを確認する。

解説 019 公認心理師の責務と職業倫理 正答 2

公認心理師の職務を遂行していく上で必要な職業倫理について理解しておく必要がある。

1 ○ 国内外の様々な指針や研究結果を実践的に取り入れるにあたって、指針はある程度エビデンスが蓄積されているものとして取り入れる必要があるが、研究結果については［エビデンス］の蓄積などを踏まえて慎重に取り入れていくことが必要である。

2 × 自分が兼務している別の機関にクライエントを紹介することは自己利益につながる［利益誘導］にあたることなので不適切である。

3 ○ 友人から心理的支援の依頼を受けた場合は、治療者－患者関係という脆く特殊な関係と友人関係を混在させることにより反治療的なこととなるので、断るのは倫理的に適切である。

4 ○ クライエントに自分自身でどの機関で援助を受けるか決めるよう助言することは［自己決定権］の行使への気づきとなる適切な行為である。

5 ○ 初回の面接で自らが不在の際の対応について、クライエントに希望を聞くことは、その要望に応えられるかは別として［クライエント］を尊重するという倫理面からみても適切な行為である。

解説 020 公認心理師法 正答 3

要心理支援者（心理に関する支援を要する者）に主治医がいる場合、指示を受けるべき者について公認心理師法第 42 条 2 項に基づき理解する必要がある。

1 × 栄養士は、公認心理師が親等へ栄養士に食事相談をするよう提案するなど連携する者であるが、指示を受ける者ではない。

2 × 学校長から学内での相談活動について指示を受けたり情報共有を行ったりする必要があるが、既に摂食障害であり、通院しているので［第 42 条 2 項が優先］される。

3 ○ 摂食障害があり、精神科に通院中であり、その状況下で急激なやせの進行と中学校を欠席しがちである。こうした状況から公認心理師が指示を受けるべき者としては［主治医］となる。

4 × 選択肢 3 の解説のように優先されるのは主治医であり、養護教諭とは情報共有を行う者ではあるが、指示を受ける者ではない。

5 × 教育委員会はケースによっては指示を受けたり、連携、情報の共有が生じたりするが、この場合は主治医となる。

解説 021 自損行為の緊急対応 正答 4

自損行為とは故意に自らを損傷させた事故のことである。明確な自殺の意図を持った上での行為である可能性が高い。今後の自殺企図の危険性の高さを把握し、本人の安全を確保することがまず優先される。

1 × 身体損傷が「自らの意思」であるのか確認することは自殺予防の［リスクアセスメント］に欠かせない。

2 × どのような［手段］を用いたかを把握することは自殺予防のリスクアセスメントとして重要である。

3 × 意図しない事故や間違いではなく、［明確な意図］があったかどうかもリスクアセスメントの際にしっかり聞くべきことである。

4 ○ 背景のストレス要因の確認は本格的な治療がスタートしてからでもよく、緊急に確認すべき事項は「自殺のリスクの高さ」である。

5 × 確実に死を予測しているかどうかは自殺の危険性の高さを表す。そのため、確認すべき重要な事項である。

問題 022 Check ☑☑☑ 第2回 問題126

クライエントに関する情報提供が秘密保持義務よりも優先される状況について、適切なものを2つ選べ。

1 クライエントが虐待されていることが疑われる場合

2 クライエントに直接関係ない専門家の研修会で事例として取り上げる場合

3 成人のクライエントについて、一親等の家族から情報開示の請求がある場合

4 クライエントとの面接で、誹謗中傷される相手が特定できる可能性がある場合

5 クライエントが自分自身の精神状態や心理的な問題に関連して訴訟を起こし、その裁判所から要請がある場合

問題 023 Check ☑☑☑ 第1回追 問題002

精神科病院に通院中のクライエントが特定の人へ危害を加える可能性があると判断される場合、公認心理師が最初に行うべき行動として、最も適切なものを1つ選べ。

1 ただちに警察に連絡する。

2 クライエントの主治医に状況を報告する。

3 クライエントに入院の可能性が高いことを説明する。

4 犠牲者となり得る人に対して安全な所に身を隠すよう伝える。

5 クライエントの家族に、クライエントの行動について注意するよう助言する。

解説 022 秘密保持義務の例外

正答 1、5

公認心理師には秘密保持の義務が課せられているが、一部例外がある。どのような場合に義務が外れるのか理解しておこう。

1 ○ ［虐待］が疑われる場合は秘密保持義務の例外とされる。

2 × クライエントに直接関係ない専門家の研修会であっても、［個人情報保護］の観点から、クライエントの承諾なしに情報提供することは許されない。

3 × 一親等の家族であっても、クライエントの許可なく情報開示をしてはならない。

4 × 明確で差し迫った［生命の危険］があり、攻撃される相手が特定されている場合（他害の恐れ）は秘密保持義務の例外となるが、誹謗中傷ではそれにあたらない。

5 ○ クライエントが、自分自身の精神状態や心理的な問題に関連する訴えを［裁判］などによって提起した場合は秘密保持義務の例外となる。

加点のポイント 秘密保持義務の例外

公認心理師に課せられている秘密保持義務が外れる場合の例外状況をおさえておこう。

1. 自傷他害の恐れがある場合
2. 虐待が疑われる場合
3. ケース・カンファレンスなど、直接関わりのある専門家同士が話し合いをする場合
4. 法による定めがある場合や医療保険による支払が行われる場合
5. クライエントから情報開示許可の明確な意思表示があった場合（自分の精神状態や心理的問題に関する訴えを提起した場合も）

解説 023 自傷他害の恐れのある場合の危機介入

正答 2

自傷他害の恐れがあるクライエントへの対応の知識を問う問題である。特定の相手に対する他害行為の危険性が高い場合は秘密保持義務（公認心理師法第 41 条）の例外にあたる。しかし、危険性が低いのであればクライエントの信頼を損ねるリスクがあり、この状態を倫理的ジレンマという。自傷他害行為の危険性と守秘義務との見極めは重要である。このような見極めをリスクアセスメントという。

1 × あくまでも現段階では既遂ではなく「他害行為の可能性」であり、警察へ通報するよりも［治療］を行うことが適切である。

2 ○ 主治医の判断により［措置入院］や［応急入院］等の対処が行える。

3 × 入院するかの判断は［医師］が行うことであるため、公認心理師は医師への報告にとどめるべきである。

4 × 加害行為の相手が特定されている場合、［秘密保持の例外］となり、対象者に知らせることは守秘義務違反にならない。しかし、それは最終手段であり、「最初に行うべき行動」としては、クライエントの治療が可能になることを優先する。何よりもクライエント自身の安全を確保するためにも医師に伝え、治療をするべきである。

5 × 自傷他害の可能性が高く、入院措置にならなかった場合には必要になることもあるが、「最初に行うべき行動」と問題文にあるため、まずすべきことは［医師の判断を仰ぐ］ことである。

問題 024　Check ☐☐☐　第4回　問題 079

教育相談の現場での遊戯療法において、小学４年生の女子Ａが、「授業が分からない」、「友達がいなくて学校に居場所がない」、「お父さんがお布団に入ってくる」、「おばあちゃんが入院中で死なないか心配」と話した。
公認心理師として、最も優先的に考慮するべきものを１つ選べ。

1　Ａの学力
2　Ａの祖母の病状
3　Ａの父親の行動
4　Ａの学校での居場所
5　Ａのソーシャル・スキル

問題 025　Check ☐☐☐　第3回　問題 109

公認心理師の対応として、不適切なものを１つ選べ。

1　親友に頼まれて、その妹の心理療法を開始した。
2　カウンセリング中のクライエントに自傷他害のおそれが出現したため、家族に伝えた。
3　治験審査委員会が承認した第 III 相試験で心理検査を担当し、製薬会社から報酬を得た。
4　カウンセリング終結前に転勤が決まり、クライエントへの配慮をしながら、別の担当者を紹介した。
5　1年前から家庭内暴力〈DV〉を受けているクライエントの裁判に出廷し、クライエントの同意を得た相談内容を開示した。

④情報の適切な取扱い

問題 026　Check ☐☐☐　第3回　問題 117

公認心理師が留意すべき職責や倫理について、不適切なものを１つ選べ。

1　心理的支援に関する知識及び技術の習得など資質向上に努めなければならない。
2　法律上の「秘密保持」と比べて、職業倫理上の「秘密保持」の方が広い概念である。
3　心理的支援の内容・方法について、クライエントに十分に説明を行い、同意を得る。
4　心理状態の観察・分析などの内容について、適切に記録し、必要に応じて関係者に説明ができる。
5　クライエントの見捨てられ不安を防ぐため、一度受理したケースは別の相談機関に紹介（リファー）しない。

解説 024 虐待のリスクアセスメント

正答 3

子どもへの支援の際の優先事項を問うている。学力や情緒に対する対処よりも、子どもの安全の確保が第一に重要である。そのため、虐待が疑われる場合にはその把握が最も優先される。問題文では「お父さんがお布団に入ってくる」という発言が認められ、虐待の疑いがある。

1 × 学力への対処は最も優先されることではない。

2 × 祖母の病状などに対する不安感などには共感的に受容しながらも、最も優先すべきことは［虐待の把握］である。

3 ○ 「お父さんがお布団に入ってくる」ということがどういうことであるのか、A の心情に配慮しながら慎重に聴き取り、虐待の可能性が高ければ［児童相談所に通告］するなど早急に対処しなくてはならない。

4 × 学校での居場所についての対処は、虐待の疑いに対する支援が明白になった後である。

5 × ソーシャル・スキルも同様に、A の安全が確保された後の対処である。

解説 025 公認心理師の対応

正答 1

公認心理師の業務および倫理に関する基本的問題である。

1 × 公認心理師の倫理として［多重関係の禁止］がある。「親友の妹の心理療法」は多重関係に該当するため不適切。

2 ○ 公認心理師には「秘密保持義務」が課せられているが、［自傷他害のおそれ］がある場合は［秘密保持義務の例外］に該当し、危機を回避する行動が優先される。

3 ○ 職務に対する報酬を得ることは問題ない。

4 ○ 何らかの事情でカウンセリングが継続できなくなり、かつクライエントが現カウンセラーではなくてもカウンセリングを希望する場合は、［別の機関や担当者を紹介］する。

5 ○ クライエントが裁判を提起した場合およびクライエントの同意を得た上での相談内容の開示は［秘密保持義務の例外］に該当する。

解説 026 公認心理師の職責と倫理

正答 5

公認心理師の職責や倫理および公認心理師法に関する基本的知識を問う問題である。

1 ○ 公認心理師法第 43 条［資質向上の責務］に「公認心理師は、国民の心の健康を取り巻く環境の変化による業務の内容の変化に適応するため、第 2 条各号に掲げる行為に関する知識及び技能の向上に努めなければならない」と定められている。

2 ○ 法的には「隠すことに実質的利益のある事柄」を「秘密」と定義するのに対し、職業倫理上では秘密の価値に対する判断は含まれない。そのため、職業倫理上の「秘密保持」の方が法律上の「秘密保持」よりも広い概念となっている。

3 ○ 心理的支援の内容や方法について、クライエントに説明・同意を得ることを［インフォームド・コンセント］という。

4 ○ ［心理アセスメント］の実施と結果について適切に記録し、必要に応じて関係者にわかりやすく説明することは公認心理師の主要な職務である。

5 × 一度受理したケースであっても、自分あるいは所属機関では対応できないと判断した場合には別の相談機関に［リファー］する。

問題 027 Check 第 1 回 問題 047

公認心理師が他の職種と連携して業務を行う際の秘密保持に関する留意点として、不適切なものを 1 つ選べ。

1 教育分野では、相談内容を担任教師に報告する場合、クライエントである児童生徒の同意が必要である。

2 医療分野では、全職種が守秘義務を有しているため、クライエントの秘密の扱いについて本人に同意を得る必要はない。

3 産業分野では、うつに悩むクライエントから許可を得れば、クライエントの上司に対して業務量の調整を提案してよい。

4 犯罪被害者のカウンセリングで得られた犯人に関する情報の提供を求められても、正当な理由がなく警察官に伝えてはならない。

問題 028 Check 第 1 回 追 問題 126

クライエントに関する個人情報の扱い方について、適切なものを 2 つ選べ。

1 情報を共有してよい者の範囲をクライエントに確認する。

2 親族と名乗る人から電話で問合せを受け、クライエントの悩みを伝える。

3 別の機関に勤める公認心理師にクライエントへの対応について相談する。

4 クライエントの情報が入ったファイルを誰でもアクセス可能な場所に保管する。

5 クライエントの情報を大学院の講義資料として配布するために個人が特定されないように加工する。

問題 029 Check 第 4 回 問題 051

個人情報保護について、誤っているものを 1 つ選べ。

1 本人の同意があれば、当該本人に関する個人データを第三者に提供できる。

2 クライエントが公認心理師に対する信頼に基づいて打ち明けた事柄は、個人情報に該当しない。

3 個人情報には、指紋や DNA の塩基配列など身体に固有の特徴を符号化したデータも含まれる。

4 個人情報取扱事業者は、その取扱う個人データについて、安全管理のために必要な措置を講じなければならない。

解説 027 秘密保持に関する留意点

正答 2

他の職種と連携して各領域で業務を行う際の守秘義務について理解しておく必要がある。

1 ○ 教育分野に限らず原則として［要心理支援者（心理に関する支援を要する者）］の同意が必要である。

2 × 医療分野に限らず多職種が守秘義務を有しているからといって要心理支援者の秘密の扱いについて［同意］を得ないで開示してはいけない。

3 ○ 産業分野に限らず、要心理支援者より許可が得られたら、組織の管理者（上司）に対して［業務分担］や［業務量の調整］を公認心理師が提案してもよい。

4 ○ 正当な理由となる本人の同意、裁判所の令状がない限りはクライエントからの情報を警察官へ伝えてはならない。

解説 028 クライエントに関する個人情報

正答 1、5

公認心理師法第 41 条において「公認心理師は、正当な理由がなく、その業務に関して知り得た人の秘密を漏らしてはならない。公認心理師でなくなった後においても、同様とする」と定められている。

1 ○ クライエントに関する情報の扱い方（秘密保持）については、事前にしっかりと話し合い、クライエントから［同意］を得る必要がある。

2 × 家族、親族であっても［秘密保持の例外状況］を除いてはクライエントの了承なしに業務上知り得た情報を伝えることはできない。

3 × 同業者であっても別の機関に勤める公認心理師にクライエントへの対応を相談するという行為は好ましくない。事前にクライエントに了承を得た上で、スーパービジョンを受けることは問題がない。

4 × クライエントの情報が入ったファイルなどは、個人情報の流出を防ぐために［鍵付きの保管庫で施錠］するなど万全の対策を講じる必要がある。

5 ○ 個人が特定されないように加工されたものは［匿名加工情報］である。匿名加工情報とは、①特定の個人を識別することができないように個人情報を加工して得られる個人に関する情報であって、②元の個人情報を復元できないようにしたものをいう（個人情報保護法第 2 条 9 項）。匿名加工情報は一定の義務を守ることを前提に個人情報にはあたらないとされている。クライエントの情報を大学院の講義資料として配布するという行為は職業倫理的にやや疑問を感じる部分もあるが、法的な問題はないため選択肢 5 も正答とするのが妥当である。

解説 029 個人情報保護

正答 2

個人情報保護法および秘密保持義務、秘密保持義務の例外についてしっかり理解しておく必要がある。

1 ○ 秘密保持義務の例外として「本人の同意」がある場合には、第三者に情報を提供できることがある。

2 × クライエントが公認心理師に対する信頼に基づいて打ち明けた事柄は、秘密保持義務が発生する情報である。

3 ○ 「身体的な特徴を符号化したデータ」であっても個人の特定につながるため個人情報である。

4 ○ 「個人情報の保護に関する法律」によって、個人情報の取り扱いに関するルールが定められている。

問題 030 Check  第 4 回　問題 109

医療関係者が患者から取得した個人情報の開示について、本人の同意を得る手続が例外なく<u>不要なもの</u>を 1 つ選べ。

1 財産の保護のために必要がある場合

2 公衆衛生の向上のために特に必要がある場合

3 医療法に基づく立入検査など、法令に基づく場合

4 本人の生命、身体の保護のために必要がある場合

5 児童の健全な育成の推進のために特に必要がある場合

問題 031 Check 第 4 回　問題 046

公認心理師が、クライエントに心理療法を行う場合、インフォームド・コンセントを取得する上で、最も適切なものを 1 つ選べ。

1 公認心理師が考える最善の方針に同意するように導く。

2 深刻なリスクについては頻度が低くても情報を開示する。

3 心理療法についての説明はクライエントにとって難解なため、最小限に留める。

4 クライエントに対して不利益にならないように、心理療法を拒否したときの負の結果については強調して伝える。

⑤保健医療、福祉、教育その他の分野における公認心理師の具体的な業務

問題 032 Check 第 3 回　問題 001

要支援者と公認心理師の関係について、適切なものを 1 つ選べ。

1 心理療法の面接時間は、要支援者のニーズに合わせてその都度変えるのが良い。

2 投薬が必要となり、精神科に紹介したケースも、必要であれば心理的支援を継続する。

3 知らない人に対して気後れして話ができないという友人の母親のカウンセリングを引き受ける。

4 大学附属の心理相談室で新規ケースのインテーク面接を行う場合、受理するかどうかは自分一人で決める。

5 学校内で自殺者が出た場合の緊急介入時には、事実を伝えるのは亡くなった生徒と親しかった少数のみに限定するのが原則である。

解説 030 個人情報の開示

正答 3

「秘密保持義務の例外」事由について熟知していることが望まれる。

1 ○ 「財産の保護」は「秘密保持義務の例外」に当たらないため、本人の同意を得る必要がある。

2 ○ 「公衆衛生」は「秘密保持義務の例外」に該当しない。

3 × 「[法による定め] がある場合」は「秘密保持義務の例外」に該当する。

4 ○ 本人の「安全の確保」は場合によっては「秘密保持義務の例外」に該当するが、「例外なく不要」ではない。「安全の確保」のためには、できるだけ本人の同意を得るなど努力する必要がある。

5 ○ 相手が児童であっても個人情報の開示には同意を得ることが好ましく、「例外なく不要」とはいえない。

解説 031 インフォームド・コンセント

正答 2

インフォームド・コンセントとは「説明と同意」を意味する。心理療法を行う際には、その内容や方法、限界などをクライエントに説明し、共に話し合うことが必要である。

1 × 公認心理師が意図的に同意へと導くのではない。「拒否」も含めてクライエントの [意思決定] を支えることが役割である。

2 ○ インフォームド・コンセントでは、良い側面だけでなく、[リスクや限界] などについても率直に説明する。

3 × 「最小限に留める」のではなく、クライエントにわかりやすい言葉で詳しく説明することが求められる。

4 × 「負の結果」などの一部分だけを強調することは不適切。さまざまな可能性や利益不利益など、平等に説明することが重要である。

解説 032 公認心理師の職責

正答 2

公認心理師が支援を行う際の基本的な態度および倫理を問う設問である。

1 × 要心理支援者に安定したサポートを提供するために、心理療法の面接時間は基本的には決まった時間で行われる。

2 ○ 精神科に紹介したケースであっても、心理支援が必要であれば医師と連携して行う。

3 × 公認心理師の倫理として、クライエントとカウンセラー以外の関係性を持つことを禁じる [多重関係の禁止] がある。友人の母親のカウンセリングを行うことは多重関係に該当するため不適切。

4 × 大学附属の心理相談室で新規ケースのインテーク面接を行う場合、受理するかどうかは、所属機関の判断を仰ぐ必要がある。

5 × 文部科学省による緊急対応マニュアルにおいては、遺族の意向を最優先した上で、個々の反応に気を配りながらも、うわさや憶測が広がらないように正確で一貫した情報を学校全体あるいは保護者会を開くなど、[そのときにできる範囲] で発信することを基本としている。

問題 033 Check 第3回 問題033

公認心理師の業務について、不適切なものを 1 つ選べ。

1 必要に応じて、他の保健医療の専門家と協力する。
2 心理療法の料金については、心理療法を始める段階で合意しておく必要がある。
3 心理療法の効果に焦点を当て、限界については説明を行わず、心理療法を開始する。
4 心理的アセスメントには、心理検査の結果だけではなく、関与しながらの観察で得た情報も加味する。
5 クライエントが、被虐待の可能性が高い高齢者の場合は、被害者保護のために関係者との情報共有を行う。

問題 034 Check 第1回 追 問題049

チーム医療において公認心理師が行う内容として、適切なものを 2 つ選べ。

1 BDI による評価
2 COGNISTAT の実施
3 バーセルインデックスの評価
4 入院患者のせん妄のリスク評価
5 グラスゴーコーマスケール〈GCS〉の判定

解説 033 公認心理師の業務

正答 3

公認心理師の業務についての基本的知識を問う問題である。

1 ○ 公認心理師法第42条に［多職種との連携］が定められている。

2 ○ 心理療法の料金や頻度などの基本的な［枠組み］は初めに合意しておく必要がある。

3 × 心理療法の実施にあたっては、効果だけではなく［限界］についてもきちんと説明し、話し合う。

4 ○ 心理的アセスメントは心理検査のみを指しているのではない。心理師がクライエントと関わる過程で感じたこともアセスメントに含まれる。

5 ○ 虐待が疑われる場合には［秘密保持義務の例外］となり、秘密保持義務よりも保護義務が優先される。

解説 034 チーム医療で公認心理師が行う職務

正答 1、2

選択肢は検査名が並んでいるため、その検査に関する知識、および心理師が行うべき検査は何かを把握しておくことが必要である。

1 ○ BDIは［ベック抑うつ尺度］のことであり、抑うつ状態の把握としてBDIを用いることは公認心理師の職務である。

2 ○ COGNISTATは、［コグニスタット認知機能検査］のことであり、全般的な認知機能を検査するものである。認知症や記憶障害等の神経心理学的検査は公認心理師の職務である。

3 × バーセルインデックスは、［日常活動動作］と［日常生活における自立度（歩行や着替え等）］を評価するものである。そのため、心理面を専門とする公認心理師より、生活面の身体的ケアを行う職種、例えば看護師や介護福祉士がふさわしい。

4 × せん妄は［認知症］とも間違いやすいため、公認心理師はせん妄の知識が必須である。しかし、入院患者のせん妄のリスク評価は、心理面が原因であることもあるが、まずは［身体疾患］や環境面が原因ではないか検討する。そのため、医師や看護師が行うべきである。

5 × グラスゴーコーマスケールは、［意識レベル］を評価するものである。頭部外傷など外科領域で用いられることが多いため、公認心理師より医師や看護師が行う。

メモ チーム医療での公認心理師の役割とは

チーム医療とは、多職種と連携しながらクライエントの治療にあたることである。チーム医療が求められる代表的な領域に緩和ケアが挙げられる。
公認心理師は、［リエゾン精神医学］として、クライエントと多職種との［つなぎ役］を担い、クライエントに対しては心理面のケアを行う。
緩和ケアとは、がん等の重い身体疾患を抱えるクライエントとその家族に対し、包括的に［アセスメント］し、［生活の質（QOL）］を改善するアプローチである。
公認心理師は、身体疾患そのものの専門家ではないが、がん等の重い身体疾患に関しての基本的知識はもっておきたい。また、必ず知っておくべきことに、せん妄がある。せん妄は認知症とも間違いやすいので、違いを把握し、適切な検査や対処につなげたい。

	せん妄	認知症
意識	薬や環境の変化による意識障害	意識ははっきりしている
進行速度	急に発症	ゆっくり進行
発症時期	特定できる	特定できない
症状の変化	症状は変わる	症状はあまり変わらない

第２章　問題解決能力と生涯学習

①自己課題発見と解決能力

問題 001　Check　予想問題 1

公認心理師としてのコンピテンシーについて述べたもので、正しいものを１つ選べ。

1　公認心理師資格取得までは、継続的訓練と学習が重要である。
2　コンピテンシーは、心理職として効果的であるために必要なものである。
3　コンピテンシーを身につけるためには、スーパーバイザーになる経験が必要である。
4　科学的知識と方法は機能コンピテンシーに含まれる。
5　心理職としての基盤コンピテンシーには、専門家同士のピアアセスメントが含まれる。

問題 002　Check　第４回　問題 047

公認心理師の基本的なコンピテンシーについて、最も適切なものを１つ選べ。

1　科学的な知見を参考にしつつも、直観を優先して判断する。
2　要支援者への関わり方や対応の在り方を自ら振り返って検討する。
3　普遍的な視点に立ち、文化的背景を考慮せず、要支援者を同様に扱う。
4　専門職としての知識と技術をもとに、最低限の実践ができるようになってから職業倫理を学ぶ。

問題 003　Check　第３回　問題 034

対人援助職のセルフケアと自己点検において重要な感情労働について、不適切なものを１つ選べ。

1　感情労働は、第三の労働形態である。
2　感情労働は、A. Hochschild によって定義された概念である。
3　感情労働とは、職業上、自己の感情をコントロールすることが要求される労働のことである。
4　感情労働における深層演技とは、クライエントの感情を無意識的に自分の感情として感じることである。
5　感情労働における表層演技は、自らの感情とは不一致でも他者に表出する感情を望ましいものにしようとすることである。

問題 004　Check　第２回　問題 120

公認心理師がクライエントに対して心理的支援を続行できないときの対応として、最も適切なものを１つ選べ。

1　急病のため、クライエントへの面接の代行を同僚に依頼した。
2　画一的な対応を避けるため、不在時の対応マニュアルの作成への協力を控えた。
3　産前・産後休業を取るにあたって、クライエントと今後の関わりについて相談した。
4　職場の異動に伴い担当者が交代したことを新しい担当者がクライエントに説明した。

解説 001 心理職としてのコンピテンシー

正答 2

心理職として身につけるべきコンピテンシーと、身につけるための方法を理解しておこう。

1 × 資格取得はスタートラインであり、それ以降の［自己研鑽］が重要である。自己研鑽は一生涯欠かすことなく続けていくべきものであり、それは公認心理師法にも定められている。

2 ○ 良い成果をもたらし続けるための行動特性が［コンピテンシー］である。心理職として効果を上げ続けるためには、コンピテンシーを身につけていく必要がある。

3 × スーパーバイザーになる経験が、コンピテンシーを身につけるために必要であるとはいえないが、スーパーバイズをしてもらうことにより、自分の［心理職としての技術］を上げることが重要である。

4 × 科学的知識と方法は基盤コンピテンシーに含まれる。機能コンピテンシーは心理職としての技術向上をスーパービジョンやコンサルテーションなどによって図るものである。

5 × ［基盤コンピテンシー］には自己アセスメントや価値観、行動規範、倫理観などが含まれる。

解説 002 公認心理師のコンピテンシー

正答 2

コンピテンシーとは、専門的知識と倫理観に基づいて良い成果をもたらし続ける行動特性のことである。

1 × 公認心理師は心理学の［専門的知識］と［倫理観］に基づいた判断を行う。よって、直観は判断の際に優先されるものではない。

2 ○ コンピテンシーを身につけるためには、「要支援者への関わり方や対応の在り方を振り返る」という［反省的実践］が重要である。

3 × コンピテンシーには、［様々な人を受け入れる価値観と態度］を持つことが必要である。よって、要支援者それぞれが持っている文化的背景や価値観を理解することが求められる。

4 × 職業倫理は［基盤コンピテンシー］に位置づけられる。最初に身につけるべきことであるため間違い。

解説 003 感情労働

正答 4

対人援助職は、自分の感情の抑制や忍耐が求められる感情労働という側面が強い。

1 ○ 感情労働は、頭脳労働、肉体労働に続く第三の労働形態といわれている。

2 ○ 米国の社会学者 A. Hochschild によって定義された。

3 ○ 感情労働では、仕事のために自分の感情をコントロールすることが不可欠である。

4 × 感情労働における［深層演技］とは、職務上適切な感情と自らの感情が不一致であったときに、表出する感情のみならず、抱く感情そのものを適切なものにしようとすることである。

5 ○ 感情労働における［表層演技］とは、抱く感情を変化させることはしないが、表出する感情を職務上適切なものにしようとすることである。

解説 004 心理的支援の続行が不可能な場合

正答 3

心理的支援を続行できない場合の対応について、原則をおさえておこう。基本原則としてはクライエントの利益と希望が最優先であり、丁寧な対応が求められる。また、組織や相談機関として対応マニュアルを作成しておくことが重要となる。

1 × 心理的支援を続行できない場合は、［要心理支援者の意思］を尊重した対応を行うべきであり、クライエントの意思を確認せずに同僚に代行を依頼すべきではない。

2 × 組織として、不在時の対応についてマニュアルを作成しておくことは必要であり、公認心理師はその作成に協力すべきである。

3 ○ 産前・産後休業は予想のできることであるので、要心理支援者に説明し、今後起こりうることやリファーや終結などについて話し合うことは適切である。

4 × 異動は予想できることであり、今までの担当者が説明責任を果たすべきである。クライエントには、新しい担当者と心理的支援を継続するかどうかを選ぶ権利がある。

②生涯学習への準備

問題 005 Check ☐☐☐ 第1回　問題046

公認心理師であるスーパーバイザーが、クライエントとの間に行き詰まりを経験しているスーパーバイジーに対応するにあたって、不適切なものを1つ選べ。

1 1回のみの指導はスーパービジョンに該当しない。

2 スーパーバイジーが抱える個人的な問題に対して心理療法を用いて援助を行う。

3 心理療法のセッションをリアルタイムで観察しながら介入を指示する方法をライブ・スーパービジョンと呼ぶ。

4 スーパーバイザーとの間においてもクライエントに対するものと同様の行き詰まりが見られることを並行プロセスと呼ぶ。

問題 006 Check ☐☐☐ 第1回 追　問題003

公認心理師に求められるスーパービジョンについて、最も適切なものを1つ選べ。

1 スーパーバイザーはスーパーバイジーを評価しない。

2 スーパービジョンを受ける際クライエントの許可は必要ない。

3 スーパービジョンはスーパーバイジーの発達段階に合わせて行われる。

4 スーパーバイザーはスーパーバイジーへの心理療法を行う責任を有する。

5 スーパーバイザーは気づいたことをすべてスーパーバイジーに伝えることが基本である。

問題 007 Check ☐☐☐ 第2回　問題121

公認心理師に求められるスーパービジョンについて、最も適切なものを1つ選べ。

1 スーパーバイザーとスーパーバイジーの関係は対等である。

2 スーパーバイザーはスーパーバイジーへの心理療法を行うべきではない。

3 スーパーバイザーはスーパーバイジーが行う心理的支援の実践上の責任を負う。

4 スーパービジョンとはスーパーバイザーとスーパーバイジーが1対1で行うものをいう。

解説 005 スーパービジョン

正答 2

スーパービジョンは、経験豊かなスーパーバイザーに自分のクライエントとの面接を報告し、指導・助言を受けることによって、専門性と資質の向上を図るものである。

1 ○ スーパービジョンは、通常は［一定期間、複数回］行うものであり、1 回限りの指導はそれに当たらない。

2 × スーパービジョンは、スーパーバイジーの個人的な問題に対する援助を目的としては行わない。個人的な問題に関しては、［教育分析］または［個人の心理療法］を受けるべきである。

3 ○ ［ライブ・スーパービジョン］は、スーパーバイザーが実際のセッションに同席しながら、助言や指導を行う方法である。［すぐその場］で指導が行われるため、心理職のスキルアップには有効な方法である。

4 ○ クライエントとセラピストの間で起きている関係性が、プラスであれマイナスであれ、スーパーバイザーとスーパーバイジーの間でも起こることがあり、それを［並行プロセス］と呼ぶ。

解説 006 公認心理師の資質向上

正答 3

公認心理師としての資質向上の手段の 1 つであるスーパービジョンを理解しておく必要がある。

1 × スーパーバイザーがスーパーバイジーを［評価］することは、教育であるスーパービジョンに欠かせない。

2 × スーパービジョンを受ける際クライエントの許可を得ることで、公認心理師法第 41 条（秘密保持義務）の規定から見て、クライエントの情報を提供する正当な事由となる。

3 ○ スーパービジョンがスーパーバイジーの［発達段階＝成長過程］に合わせて行われるということは、スーパービジョンの教育機能という側面から見て当然のことである。

4 × スーパーバイザーはスーパーバイジーへの心理療法を行う責任を有するものではない。あくまでもスーパービジョンは［教育機能］であって治療関係ではない。

5 × スーパーバイザーが気づいたことをすべてスーパーバイジーに伝えることは教育的には不適切である。なぜなら、スーパービジョンではスーパーバイジー自らの気づきを重要視するからである。

解説 007 スーパービジョン

正答 2

公認心理師に求められるスーパービジョンについての問題である。スーパービジョンは同じ職種の中でもより経験のあるスーパーバイザーに、スーパーバイジーが自分の持っているケースについての指導を受けるものである。

1 × スーパーバイザーはスーパーバイジーに［指導］をする立場であり、両者の関係は対等ではない。

2 ○ スーパービジョンはスーパーバイジーの心理療法を行う場ではない。カウンセラー個人の問題や課題を解決するための心理療法は［教育分析］で行う。

3 × スーパーバイザーはスーパーバイジーの行う心理的支援に対する指導、助言を行うが、その目的はスーパーバイジーの心理職としての［知識や技能の向上］である。心理的支援そのものの実践上の責任はスーパーバイジーが持つ。

4 × スーパービジョンには 1 対 1 で行う個人スーパービジョンだけでなく、グループで行うものもある。

問題 008 Check 第4回 問題034

心理支援におけるスーパービジョンについて、誤っているものを 1 つ選べ。

1 スーパーバイジーの職業的発達に適合させることが望ましい。
2 スーパービジョンの目的の1つに、特定のスキルの熟達がある。
3 後進の指導に当たる立場では、スーパービジョンの技能を学ぶことが望ましい。
4 スーパービジョンの目的の1つに、心理療法理論の臨床場面への応用と概念化がある。
5 スーパービジョンとは、スーパーバイジー自身の心理的問題を扱うカウンセリングのことである。

問題 009 Check 第3回 問題110

心理臨床の現場で働く公認心理師の成長モデルとスーパービジョンについて、不適切なものを 1 つ選べ。

1 自己研さんの1つとして、教育分析がある。
2 公認心理師の発達段階に合わせたスーパービジョンが必要である。
3 自己課題の発見や自己点検といった内省の促進は、スーパービジョンの目的である。
4 M. H. Rønnestad と T. M. Skovholt は、カウンセラーの段階的な発達モデルを示した。
5 経験の浅い公認心理師のスーパービジョンにおいては、情緒的な支えよりも技術指導が重要である。

メモ 心理職の 6 期発達モデル

心理職の 6 期発達モデルに興味があれば、この論文を読んでみよう。
Rønnestad, M.H. & Skovholt, T.M. (2003). The journey of the counselor and therapist: Research findings and perspectives on professional development. Journal of Career Development, 30, 5-44.

問題 010 Check 予想問題 2

公認心理師としての生涯教育の特徴として、正しいものを 1 つ選べ。

1 反省的実践のためには、スーパービジョンや教育分析が有効である。
2 スーパービジョンでは、スーパーバイジーの心理職としての自己肯定感を高めることを重視する。
3 専門書を読む、講演会を聞きに行くなどの行為は受け身であるので生涯教育には当たらない。
4 教育分析とは、異なる専門家が集まり、クライエントの問題解決について話し合う場である。
5 スーパービジョンは、スーパーバイザーとスーパーバイジーとの治療契約であり、それによってクライエントにより良い援助ができるようにすることである。

解説 008 スーパービジョン

正答 5

心理支援におけるスーパービジョンに関する問題である。

1 ○ スーパービジョンは、スーパーバイジーの［職業的発達］、すなわち心理師として受けてきた訓練や実践経験を踏まえて行われるべきである。

2 ○ スーパービジョンは、スーパーバイジーの足りないところや伸ばしたいスキルを熟達させる目的でも行われる。

3 ○ 後進の指導にあたる人はスーパーバイザー的な役割を果たすことも多く、スーパービジョンの技能を持っていることが望まれる。

4 ○ 心理療法理論を臨床場面に応用できることと概念化できるようになることは心理師として大切な能力であり、スーパービジョンの目的でもある。

5 × スーパービジョンは、スーパーバイジーがクライエントとの面接を報告し、指導・助言を受けるものであり、自身の心理的問題を扱うカウンセリングではない。

解説 009 成長モデルとスーパービジョン

正答 5

公認心理師としての発達段階とスーパービジョンの役割を確認しておこう。

1 ○ ［教育分析］は公認心理師が自己理解の促進や自身の心理的問題解決のために行う自己研さんのひとつである。

2 ○ スーパービジョンの内容は、公認心理師としての［発達段階］に応じて変化する。

3 ○ スーパービジョンは、ケースについての指導・助言を受けることを通して、自己の課題の発見や自己点検などの内省が促進され、より適切にケースに関わることができるようになることを目的としている。

4 ○ M.H. Rønnestad と T.M. Skovholt は論文「The Journey of the Counselor and Therapist（2003）」の中で、心理職の［6 期発達モデル］を提唱した。

5 × 経験の浅い公認心理師にとって技術指導は大切であるが、専門職としての自信を失いやすい時期でもあるので、情緒的な支えも重要になってくる。

解説 010 公認心理師としての生涯教育

正答 1

公認心理師として、資格取得後も生涯教育が重要であることを認識し、どのようなものがそれに当たるのかを理解しておこう。

1 ○ ［反省的実践］は個人で取り組むこともできるが、スーパーバイザーなどとの面接を通して行うこともできる。

2 × スーパービジョンを通して、スーパーバイジーが自分の［心理職としての課題］に気づくことが重要である。

3 × 専門書を読んだり、講演会や学会に参加したりするなどの行為も［生涯教育］である。他にも、ワークショップやシンポジウム、事例検討会に参加することなども含まれる。

4 × 異なる専門家が集まり、クライエントの問題解決について話し合うのは［コンサルテーション］である。［教育分析］は、訓練の一環として、心理職が自分自身の個人的な課題に取り組むためのものである。

5 × スーパービジョンは、クライエントとの面接を報告し、指導を受けるものであって、スーパーバイザーとスーパーバイジーが治療関係にあるわけではない。

加点のポイント コンピテンシー

コンピテンシーとは、自分が良い成果をもたらし続けるための行動特性で、心理職は自分の知識や技術を常にアップデートし、専門家としての倫理観に基づいて行動することが求められる。
基盤コンピテンシー（基本的な姿勢）、機能コンピテンシー（技術の向上）、職業的発達（訓練と実践の水準）、の3つの側面があるので、内容をしっかりとおさえておこう。

第3章　多職種連携・地域連携

①多職種連携・地域連携の意義及びチームにおける公認心理師の役割

問題 001　Check ☐☐☐　予想問題 1

多職種連携に関する記述として最も適切なものを 1 つ選べ。

1 公認心理師の業務では守秘義務の問題があるため、連携を取るのは同じ職場内の多職種を想定している。

2 公認心理師は要心理支援者に主治医がいる場合、必ず指示を受ける必要がある。

3 多職種連携によるチームアプローチにおいては、各々がリーダーシップを発揮することが必要である。

4 多職種連携の際には、共通言語として心理的アセスメントの情報を共有することが大切である。

問題 002　Check ☐☐☐　第 2 回　問題 049

心理的支援を要する者へ多職種チームで対応する際に、公認心理師が留意すべき点として、不適切なものを 1 つ選べ。

1 要支援者もチームの一員とみなす。

2 要支援者の主治医の指示を確認する。

3 多重関係に留意しながら関連分野の関係者と連絡を取り合う。

4 チームに情報を共有するときには、心理学の専門用語を多く用いる。

問題 003　Check ☐☐☐　第 4 回　問題 110

チームアプローチをとる際の公認心理師の姿勢として、不適切なものを 1 つ選べ。

1 自分の役割と限界を自覚する。

2 チーム形成の目的や、支援方針を共有する。

3 チーム内のスタッフ間の葛藤や混乱を整理する。

4 チームアプローチのためには、社会人としての常識を必要とする。

5 チームアプローチであっても、職務に関する問題は、専門家として責任を持って一人で解決を図る。

解説 001　公認心理師の多職種連携　正答 4

公認心理師は多職種連携が重要視されている。連携することの意義について理解しておくことが大切である。

1 ×　公認心理師法第 42 条 1 項において「公認心理師は、その業務を行うに当たっては、その担当する者に対し、保健医療、福祉、教育等が密接な連携の下で総合的かつ適切に提供されるよう、これらを提供する者その他の関係者等との連携を保たなければならない」と定められており、「同じ職場内」とは限定されていない。例えば、産業領域で従業員のメンタルヘルス支援に携わる場合、職場内の産業医や保健師だけでなく [外部医療機関] のスタッフなどとも連携を行う。

2 ×　公認心理師法第 42 条 2 項において、「心理に関する支援を要する者に当該支援に係る主治の医師があるときは、その指示を受けなければならない」と定められているが、公認心理師法第 42 条 2 項に係る主治医の指示に関する運用基準において、[主治医] からの指示を受けなくてもよい場合が記載されている。また、要心理支援者が主治医の関与を望まない場合、「公認心理師は、要支援者の心情に配慮しつつ、主治の医師からの指示の必要性等について丁寧に説明を行うものとする」とされている。そのため、「必ず指示を受ける必要がある」というのは誤りである。

3 ×　多職種連携の際には、お互いが [尊重] し合い、[コミュニケーション] を取ることが重要である。

4 ○　多職種連携において公認心理師が求められる重要な役割として [心理的アセスメント] がある。公認心理師は心理的アセスメントを行い、その内容を他の職種と [共有] することが大切である。

解説 002　多職種チーム支援　正答 4

公認心理師は、保健医療、福祉、教育等の関連する分野の専門家たちと連携を保つことが求められている（公認心理師法第 42 条 1 項）。

1 ○　[要心理支援者] もチームの一員である。また、要（心理）支援者の [家族] もチームの一員としての立場を担っている。

2 ○　公認心理師は、担当する要（心理）支援者に主治医がいる場合は、その主治医の [指示] を受けなければならない（同法第 42 条 2 項）。

3 ○　いずれの活動領域においても、適切で効果的な支援を行うためには、専門職同士の [連携] が必要不可欠である。そのため、関係者との連絡は必要に応じてこまめにとっておくことが大切である。ただし、関係者との連携を取ることが、カウンセラー−クライエント（公認心理師と要心理支援者）関係以外の関係（多重関係）を形成することにつながらないよう留意する。

4 ×　チームに情報を共有するときには、心理学の専門用語を多用せず、なるべくわかりやすい言葉で伝えるよう努力しなければならない。また、チームでの情報共有に限らず、クライエントに対しても専門用語を使わないように気をつける。

解説 003　チームアプローチ　正答 5

チームアプローチにおける公認心理師の姿勢として不適切なものを選択する問題である。

1 ○　自分の職種の思考、行為、感情及び価値観を振り返り、複数の職種との連携協働の経験をより深く理解し、[連携協働] に活かすことはチームアプローチを行う上で大切なコンピテンシーの 1 つである。

2 ○　チームアプローチにおいては、お互いに [目的] や [情報]、[支援方針] を共有することが大切である。

3 ○　チームアプローチを行う上で、公認心理師にはスタッフ間の葛藤や混乱を整理するなど、チームへの貢献が求められている。

4 ○　チームアプローチに限らず、専門的知識・スキル以前に社会人としての常識を身に付けておくことは極めて重要である。

5 ×　チームアプローチでは、それぞれの専門職が異なる専門的視点で要心理支援者の理解に努める。多職種連携によって、要心理支援者が持っている多種多様なニーズに細かく対応することが可能になる。そのため、一人で解決することはしない。

問題 004

Check

第 2 回　問題 102

学校での支援において医療機関との連携が必要な事例として、最も適切なものを 1 つ選べ。

1　小学 3 年生の男児。粗暴で級友とのトラブルが多い。父親からの虐待が疑われる。
2　小学 5 年生の男児。忘れ物が多く、気が散りやすい。順番を待てずに他児を蹴るなど、トラブルが多い。
3　中学 1 年生の女子。しばしば腹痛を訴え、保健室を訪れる。級友からの無視や嫌がらせがある。
4　中学 2 年生の女子。不登校。インターネットで知り合った成人男性との性的関係が疑われる。
5　中学 3 年生の男子。授業中の居眠り。夜遅くまで、高校生の友人とゲームセンターで遊んでいる。

問題 005

Check

第 3 回　問題 124

チーム医療について、最も適切なものを 1 つ選べ。

1　多職種でのカンファレンスは、議論や検討の場ではない。
2　医療に従事する多種多様な医療スタッフが、場所を共有する。
3　患者自身がチームの意思決定や治療選択に関わることはない。
4　各職種の機能と役割について、互いに知っておくことが必要である。

問題 006

Check

第 3 回　問題 078

公認心理師が、成人のクライエントの心理に関する情報を医療チームに提供する場合に事前に必要なものとして、正しいものを 1 つ選べ。

1　成年後見人の同意
2　クライエント本人の同意
3　医療チームが作成した手順書
4　ストレングス・アセスメント
5　シェアード・ディシジョン・メイキング

解説 004 医療機関との連携 正答 2

医療機関との連携についての問題である。例えば、何らかの精神的問題や発達障害、睡眠障害など、医療的ケアが必要と思われる場合は医療機関につなぐ。

1 × 父親からの虐待に限らず虐待が疑われる場合は、[児童相談所等関係機関] に通告する義務が定められている（児童虐待防止法第 6 条）。

2 ○ 忘れ物の多さや気が散りやすいといった症状から AD/HD の可能性が疑われるため、[医療機関] へつなぐことを考える必要がある。

3 × 腹痛といった身体症状が出ているが、級友からの無視や嫌がらせが原因である可能性が高い。まずはその点を解決するよう働きかけることが先決である。児童等がいじめを受けていると思われるときは、いじめの事実の有無の確認を行うための措置を講じ、その結果を当該学校の設置者に報告することが求められる（いじめ防止対策推進法第 23 条）。

4 × [保護者] 及び必要に応じて [警察] との連携が必要なケースである。

5 × 睡眠障害が疑われる場合は医療機関の受診を勧めることが望ましいが、居眠りの原因がはっきりしている。まずは、夜遅くまで高校生の友人と遊んでしまうという問題行動を改善する必要がある。

解説 005 チーム医療 正答 4

チーム医療に関する問題である。チーム医療とは、各々の高い専門性を前提に、一人の患者に対し複数の医療専門職が連携して治療やケアにあたることをいう。

1 × 多職種でのカンファレンスでは、良い治療を提供するためにどうすればよいのかを議論していく。単なる情報交換の場ではなく [議論や検討、調整] を行う場といえる。

2 × 医療に従事する多種多様な医療スタッフが [情報] や患者が抱える問題を共有する。場所を共有するのではない。

3 × チーム医療において患者はチームの一員である。チームに参加することによって、自分自身の治療の選択等に参加することが必要である。

4 ○ チーム医療では、それぞれの専門職の役割や機能についてお互いに理解し、[専門性を尊重] することが大切である。

解説 006 医療チームへの情報提供 正答 2

公認心理師が医療チームの一員としてクライエントの情報を共有する際に必要なことが問われている。情報を共有する必要があると判断される場合は、そのことをクライエントに丁寧に説明し、同意を得なければならない。

1 × 成年後見人とは、認知症、知的障害、精神障害等により [判断能力] が著しく低下した人の財産の管理や契約等の法律行為の代理などを行うために、家庭裁判所から選任され、本人の財産保護や身上監護を行う者をいう。文章からは、クライエントが被成年後見人とは考えにくく、本人の同意を取る必要がある。

2 ○ チームでクライエントの情報を共有する際は、クライエント本人の [同意] が必要である。未成年者の場合は、保護者の許可・同意がいる。

3 × 手順書とは、医師が看護師に診療の補助を行わせるために、その指示として作成する文書のことをいう。したがって、医療チームが手順書を作成することはない。

4 × ストレングス・アセスメントとは、本人の [強み] に着目しアセスメントする方法である。重要なアセスメントでありチームで共有すべき内容ではあるが、事前に必要なものではない。

5 × シェアード・ディシジョン・メイキングとは、[共有意思決定] のことを指す。医師とクライエントが、医学的なエビデンスやクライエントの価値観を共有し、クライエントにとってベストな治療方針を一緒に決定する。情報提供の際、事前に必要な事柄ではない。

問題 007　Check ☐☐☐　予想問題 2

精神科領域のチーム医療において公認心理師に期待されていることとして適切なものを 2 つ選べ。

1　地域生活のサポート
2　技能獲得の訓練
3　心理学的アセスメント
4　家族間の問題解決
5　医療者の心のケア

問題 008　Check ☐☐☐　第 2 回　問題 002

統合失調症のデイケア利用者 A についてのケア会議で、スタッフ B が「A さんは気難しく、人の話を聞いていないので関わりが難しい」と発言した。A には幻聴がある。
会議の中で、B の発言に対する公認心理師の対応として、最も適切なものを 1 つ選べ。

1　スタッフの交代を提案する。
2　専門職に困難はつきものであると諭す。
3　幻聴についてどの程度の知識があるかを質問する。
4　どのような場面で関わりが困難と感じるかを質問する。
5　関わりを拒否するような態度は正しくないことを指摘する。

問題 009　Check ☐☐☐　第 3 回　問題 035

専門職連携を行う際の実践能力として、不適切なものを 1 つ選べ。

1　自分の職種の思考、行為、感情及び価値観について省みることができる。
2　他の職種の思考、行為、感情及び価値観について理解することができる。
3　他の職種との関係の構築、維持及び成長を支援及び調整することができる。
4　他の職種の役割を理解し、自分の職種としての役割を全うすることができる。
5　患者の意向よりも、他の職種との間での共通の目標を最優先にして設定することができる。

●多職種連携コンピテンシーの対象者：医療保健福祉に携わる職種

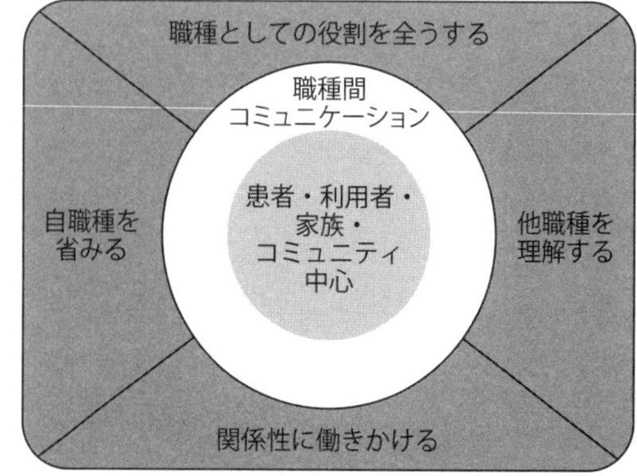

出典：多職種連携コンピテンシー開発チーム「医療保健福祉分野の多職種連携コンピテンシー」（2016 年 3 月 31 日第 1 版）

解説 007 精神科領域におけるチーム医療

正答 3、5

チーム医療推進協議会によると、チーム医療とは「一人の患者に複数の医療専門職が連携して、治療やケアに当たること」をいう。

1 × 地域生活のサポートは、主に［精神保健福祉士］が行う。

2 × 技能獲得の訓練は、主に［作業療法士］が行う。

3 ○ 心理学的アセスメントは公認心理師に求められている役割のひとつである。アセスメントから得られる情報をチームに提供することが大切である。

4 × 家族への働きかけや支援は重要であるが、家族間の問題に介入して解決するというのは適切でない。

5 ○ コンサルテーションや心理教育、［医療者］の心のケアなどもチーム医療において［公認心理師］に求められる役割である。

解説 008 ケア会議における公認心理師の役割

正答 4

デイケア利用者のケア会議における、公認心理師の対応を問う問題である。ケア会議は多職種との連携の中で個別のケースについて検討するものであるから、心理職として何が求められているのかを認識する必要がある。

1 × A の病状や A と B の関係性など、詳細な情報がないまま、B の発言だけをもとにスタッフの交代を提案することは問題の解決にならない。

2 × B に我慢を強いるような形では問題の解決にならない。また公認心理師の役割として求められているのは、ケースの心理面からの見立てであって、スタッフを諭すことではない。

3 × 幻聴についての知識を確認することは重要であるが、これはケア会議の場であり、その中で質問することは、B を責めることにもなりかねない。

4 ○ A と B の間に何が起きているのか、どこが問題であるのかを［アセスメント］することがまずは重要である。

5 × B の態度について指摘をしても、それによってよい効果が出るとは限らない。また 2 と同様、この場におけるスタッフの教育や指導は公認心理師の役割ではない。

解説 009 専門職連携の実践能力

正答 5

多職種連携コンピテンシー（多職種連携を実践するために必要な能力）についての問題である。多職種連携コンピテンシーは 2 つのコアドメインと、コアドメインを支える 4 つのドメインで構成されており、この 4 つのドメインを理解しておくと答えることができる。

1 ○ 4 つのドメインのうちのひとつに［自職種を省みる］がある。すなわち、自分の職種の思考、行為、感情および価値観を振り返り、複数の職種との連携協働の経験をより深く理解し、連携協働に活かすことが重要である。

2 ○ 4 つのドメインのうちのひとつに［他職種を理解する］がある。すなわち、他の職種の思考、行為、感情および価値観を理解し、連携協働に活かすことが求められる。

3 ○ 4 つのドメインのうちのひとつに［関係性に働きかける］がある。これは、複数の職種との関係性の構築・維持・成長を支援および調整することができる、というものである。

4 ○ 4 つのドメインのうちのひとつに［職種としての役割を全うする］がある。これは、お互いの役割を理解し、お互いの知識・技術を活かしそれぞれが自分の職種としての役割を全うするということである。

5 × 多職種連携コンピテンシーのコアドメインは［患者・利用者・家族・コミュニティ中心］である。患者や利用者、家族、コミュニティのために、協働する職種で患者や利用者、家族、地域にとって重要な関心事あるいは課題などに焦点をあて、共通の目標を設定する。したがって、「患者の意向よりも」は誤りである。

問題 010　Check ☑☑☑　第4回　問題080

傷病者若しくはじょく婦に対する療養上の世話又は診療の補助を行うことを業とする職種として、正しいものを1つ選べ。

1　看護師
2　介護福祉士
3　社会福祉士
4　理学療法士
5　精神保健福祉士

問題 011　Check ☑☑☑　第1回　問題078

公認心理師の地域連携の在り方として、最も適切なものを1つ選べ。

1　地域の同じ分野の同世代の者たちと積極的に連携する。
2　他の分野との連携には、自身の分野の専門性の向上が前提である。
3　医師からは指示を受けるという関係であるため、連携は医師以外の者と行う。
4　既存のソーシャルサポートネットワークには入らず、新たなネットワークで連携する。
5　業務を通じた連携を基本とし、業務に関連する研究会や勉強会を通して複数の分野との連携を行う。

解説 010 支援に関わる専門職

正答 1

コメディカルスタッフの業務内容についての問題である。

1 ○ 看護師とは、「傷病者若しくは、じょく婦に対する［療養上の世話］又は［診療の補助］を行うことを業とする者」を指す（保健師助産師看護師法第 5 条）。

2 × 介護福祉士とは、「身体上又は精神上の障害があることにより日常生活を営むのに支障がある者につき心身の状況に応じた［介護］…（中略）…を業とする者」である（社会福祉士及び介護福祉士法第 2 条の 2）。

3 × 社会福祉士とは、「身体上若しくは精神上の障害があること又は環境上の理由により日常生活を営むのに支障がある者の福祉に関する相談に応じ、助言、指導、福祉サービスを提供する者又は医師その他の保健医療サービスを提供する者その他の関係者との［連絡］及び［調整］その他の援助を行うことを業とする者」のことである（社会福祉士及び介護福祉士法第 2 条）。

4 × 理学療法士とは、「理学療法士の名称を用いて、医師の指示の下に、［理学療法］を行なうことを業とする者」である（理学療法士及び作業療法士法第 2 条 3）。

5 × 精神保健福祉士とは、「精神科病院その他の医療施設において精神障害の医療を受け、又は精神障害者の社会復帰の促進を図ることを目的とする施設を利用している者の地域相談支援の利用に関する相談その他の社会復帰に関する相談に応じ、［助言］、［指導］、日常生活への適応のために［必要な訓練］その他の援助を行うことを業とする者」を指す（精神保健福祉士法第 2 条）。

メモ　理学療法

「身体に障害のある者に対し、主としてその基本的動作能力の回復を図るため、治療体操その他の運動を行なわせ、及び電気刺激、マツサージ、温熱その他の物理的手段を加えること」を指す（理学療法士及び作業療法士法第 2 条）。

解説 011 公認心理師の地域連携

正答 5

地域連携とは、要心理支援者にとっての身近な機関や団体である地域の関係者などが連携して対応にあたることを指す。

1 × 地域連携は支援者にとって身近な機関や団体である［地域］の関係者などと連携を行うことである。分野が同じか、また、世代が同じかは関係ない。

2 × 「自身の分野の専門性の向上」とは［資質向上］の責務のことである。公認心理師法第 43 条において定められているが、努力義務である。

3 × 公認心理師法第 42 条 2 項で定められているように、主治医の指示は必須であるが、連携は［医師］も含めた［多職種］と行っていく。

4 × 既存のソーシャルサポートネットワークでも要心理支援者に対する円滑な心理学的支援につながるのであれば、積極的に［連携］していくことが望まれる。

5 ○ 「研究会や勉強会を通して」と限定されている点が気になるところではあるが、内容としては間違いではない。また、他に適切なものがないため、5 を正答とするのが妥当と考えられる。

メモ　地域連携で必要なこと

公認心理師は、要心理支援者に対する心理学的支援が円滑に提供されるように、要心理支援者の地域にあるリソースを把握し、必要に応じ活用していくことが求められる。そのため、普段から地域の関係する専門家とコミュニケーションをとっておくことが大切である。

第4章　心理学・臨床心理学の全体像

①心理学・臨床心理学の成り立ち

問題 001　Check ☐☐☐　第2回　問題003

20世紀前半の心理学の3大潮流とは、ゲシュタルト心理学、行動主義ともう1つは何か、正しいものを1つ選べ。

1　性格心理学
2　精神分析学
3　認知心理学
4　発達心理学
5　人間性心理学

問題 002　Check ☐☐☐　第1回追　問題005

世界で最初の心理学実験室を創設したW. Wundtの心理学の特徴として、正しいものを1つ選べ。

1　行動レベルの反応を測定した。
2　心的過程の全体性を重視した。
3　無意識の研究の発端となった。
4　ヒト以外の動物も実験対象とした。
5　心的要素間の結合様式を解明しようとした。

問題 003　Check ☐☐☐　第1回　問題005

オペラント行動の研究の基礎を築いたのは誰か。正しいものを1つ選べ。

1　A. Adler
2　B.F. Skinner
3　E.C. Tolman
4　I.P. Pavlov
5　J.B. Watson

解説 001 心理学の３大潮流

正答 2

20 世紀前半に、W. Wundt への批判から出てきた３つの心理学（ゲシュタルト心理学、行動主義、精神分析学）の流れを理解しておこう。

1 × 性格心理学は古代ギリシャ哲学の流れから、19 世紀にヨーロッパで確立していった心理学である。

2 ○ W. Wundt が［意識］を研究対象としたのに対し、S. Freud は［無意識］の重要性を主張し、精神分析学を提唱した。

3 × 認知心理学は 20 世紀半ばに、［行動主義］、［新行動主義］の流れの中から生まれてきた心理学である。

4 × 発達心理学は 19 世紀近代市民社会の成立の中で、非合理的存在としての児童を研究することに端を発している。

5 × 人間性心理学は、20 世紀半ば、［人間の主体性］を重視して提唱されたものである。

解説 002 心理学史（W. Wundt の心理学）

正答 5

W. Wundt は近代心理学の創始者ともいわれ、重要な功績を残した心理学者である。

1 × 行動レベルの反応を測定したのは、［J.B. Watson］（行動主義的心理学）である。

2 × 心的過程の全体性を重視したのは、［M. Wertheimer］（ゲシュタルト心理学）である。

3 × 無意識の研究を始めたのは［S. Freud］（精神分析）である。

4 × 動物実験を行ったのは［B.F. Skinner］（行動主義的心理学）である。

5 ○ ［W. Wundt］は［内観法］を用いて、意識を構成する要素に分解し、心的要素の構造を明らかにしようとした。

解説 003 心理学史（オペラント行動の研究者）

正答 2

心理学の成り立ちに関わる、重要な心理学者たちについては、歴史的位置づけとその業績が後の世代に与えた影響をまとめて理解しておこう。

1 × A. Adler は［個人心理学］を提唱。人間を無意識と意識、あるいは感情と思考といった要素に分解するのではなく、人間を全人格的に捉えて全体で１人の個人であると考えた。

2 ○ B.F. Skinner は、オペラント条件づけとレスポンデント条件づけを区別し、スキナーボックスを用いて［強化随伴性］の研究を行い、［オペラント行動研究］の基礎を築いた。

3 × E.C. Tolman は［新行動主義］の立場から、刺激と反応の間に、媒介変数である生体（O）を仮定し、期待、仮説、価値観や信念、認知地図、潜在学習といったものが行動に与える影響を研究した。

4 × I.P. Pavlov は犬に条件反射が形成されることに気づき、［レスポンデント条件づけ］（古典的条件づけ）を体系的に理論づけた。その研究が B.F. Skinner の研究へとつながっていく。

5 × J.B. Watson は、心理学の研究対象は、「客観的に測定（観察）可能な行動」であるべきだと主張し、［行動主義］を提唱した。

問題 004 Check ☑☑☑ 第 1 回　問題 079

認知心理学について、最も適切なものを 1 つ選べ。

1　まとまりのある全体像を重視する。
2　内観と実験との 2 つを研究手法とする。
3　観察可能な刺激と反応との関係性を重視する。
4　心的過程は情報処理過程であるという考え方に基づく。
5　心理の一般性原理を背景にしながら個人の個別性を重視する。

問題 005 Check ☑☑☑ 第 4 回　問題 004

心的過程の「全体」や「場」を重んじ、集団力学誕生の契機となった心理学の考え方として、最も適切なものを 1 つ選べ。

1　構成心理学
2　比較心理学
3　行動主義心理学
4　新行動主義心理学
5　ゲシュタルト心理学

問題 006 Check ☑☑☑ 第 1 回 追　問題 004

ゲシュタルト心理学において中心的に研究され、現在も継続して研究されているものとして、最も適切なものを 1 つ選べ。

1　学習
2　感情
3　態度
4　知覚
5　集団特性

解説 004 認知心理学 正答 4

基本的な心理学の学派についての知識をまとめて覚えておこう。この問題で取り上げられている学派は基本である。

1 × これは［ゲシュタルト心理学］に関する記述である。ゲシュタルト心理学では、人間は、心的過程の働きかけにより、与えられた刺激を個別にではなく、まとまりをもったものとして知覚し、意識すると主張する。

2 × これはW. Wundtによる心理学的研究法の手法についての記述である。Wundtは1879年、Leipzig大学に初めて心理学実験室を開設し、実験という研究手法の基礎を築いた。また、自分自身の心の状態やその動きを観察し、記録にとどめる内観法を用いて、研究を行った。

3 × これはJ.B. Watsonによる［行動主義心理学］に関する記述である。心理学は観察可能な行動を研究対象とすべきであると主張し、刺激を変化させることで反応がどのように変化するのかを研究した。

4 ○ これは［認知心理学］についての記述である。認知心理学ではS（刺激）とR（反応）の間に起こる思考や記憶、学習や推論といった内的過程を情報処理過程として研究し、複雑で高度な行動や学習を説明しようとする。

5 × これは［臨床心理学］に関する記述である。臨床心理学では普遍性や客観性を持った一般性原理をおさえると同時に、実際のクライエント個人の個別性を理解することが必要となる。

解説 005 集団力学の誕生 正答 5

集団力学は、K. Lewinがゲシュタルト心理学の考え方を個人だけではなく集団に応用し、発展させたものである。

1 × ［構成心理学］は、意識を構成する要素の法則性や構造を明らかにしようと試みた。

2 × ［比較心理学］は、異なる種の行動や認知機能を比較することにより人間の心を理解しようとした。

3 × ［行動主義心理学］は、客観的に観察可能な行動を研究対象として、刺激と反応で人間の心を説明しようとした。

4 × ［新行動主義心理学］は、刺激と反応の間に媒介変数（内的要因）があるとし、行動主義心理学を発展させた。

5 ○ ［ゲシュタルト心理学］は、人間は与えられた刺激をまとまりのあるもの「全体」として知覚し意識するという考え方である。［K. Lewin］は人間と環境（場）の相互作用に着目し、それを全体として把握しようとする集団力学を発展させた。

解説 006 ゲシュタルト心理学 正答 4

主な心理学の学派が研究している中心分野について整理しておこう。

1 × 学習は、主に［行動主義心理学］において研究されている。古典的条件づけ、レスポンデント条件づけ、試行錯誤学習、洞察学習、潜在学習、社会的学習などがキーワードとして挙げられる。

2 × 感情は、感情の起源説、認知的評価理論、感情の次元という面からは［認知心理学］、［感情心理学］において研究されている。また感情の発達という面からは発達心理学、感情と文化や社会という面からは社会心理学で研究されている。

3 × 態度は、対人関係という面からは主に［社会心理学］において研究されている。また、物事に対する態度が人間の行動にどう影響しているかという面からは認知心理学において研究されている。

4 ○ 知覚は主に［ゲシュタルト心理学］において研究されている。人は物事を部分や要素の集合ではなく、全体として知覚すると考える学派である。

5 × 集団特性は、主に［社会心理学］、［集団心理学］において研究されている。集団が個人に与える影響や、リーダーシップ、集団としての在り方などが研究されている。

問題 007 Check 第1回 追 問題080

人間性心理学の特徴として、最も適切なものを 1 つ選べ。

1 科学的であることを強く主張する。
2 人間の健康的で積極的な側面を強調する。
3 価値や未来よりも過去や環境を重視する。
4 代表的なものとしてアフォーダンス理論がある。
5 動物と比較して人間らしい性質を系統発生的に明らかにする。

問題 008 Check 第4回 問題081

A. Ellis が創始した心理療法として、最も適切なものを 1 つ選べ。

1 行動療法
2 精神分析療法
3 ゲシュタルト療法
4 論理情動行動療法
5 クライエント中心療法

問題 009 Check 第3回 問題005

遊戯療法と最も関係が深い人物として、正しいものを 1 つ選べ。

1 A. Ellis
2 A. Freud
3 A. T. Beck
4 H. A. Murray
5 J. B. Watson

問題 010 Check 予想問題1

生物心理社会モデルに関する記述として適切なものを 1 つ選べ。

1 対象者の問題を把握するために有用である。
2 生物的要因が最も重要である。
3 このモデルは多職種連携の理解に役立つ。
4 人間を生物的側面・心理的側面・社会的側面から段階的に捉えようとする。

解説 007 人間性心理学 正答 2

人間性心理学は A.H. Maslow や C.R. Rogers などが提唱した、人間の肯定的な側面とその可能性を重視する心理学である。

1 × 人間性心理学では客観性や科学的であることよりも［主観的な意味づけ］を重視する。
2 ○ 人間の肯定的な側面を重視し、［自己実現］、［自己決定］ができるよう促す。
3 × 過去や環境にとらわれず、価値や未来を重視する。
4 × アフォーダンス理論は生態学的見方をもとにした［知覚心理学］の理論である。
5 × この記述は［比較心理学］のものであり、人間性心理学では、動物との比較を研究の対象としては用いない。

解説 008 論理情動行動療法 正答 4

心理療法には精神力動アプローチ、認知行動アプローチ、人間性アプローチの大きな 3 つの流派がある。行動療法から派生した論理情動行動療法は、A.T. Beck の認知療法と統合され、現在では認知行動療法として発展している。

1 × ［行動療法］には創始者はいないが、B.F. Skinner や J. Wolpe、H.J. Eysenck などにより体系化された。
2 × ［精神分析療法］の創始者は S. Freud である。
3 × ［ゲシュタルト療法］の創始者は F.S. Perls である。
4 ○ A. Ellis は出来事（Activating Event）・信念（Belief）・結果（Consequence）からなる［ABC モデル］を提唱し、［非合理的信念］の変容を重視した。
5 × ［クライエント中心療法］の創始者は C.R. Rogers である。

解説 009 遊戯療法の成り立ち 正答 2

遊戯療法と関連の深い人物として、A. Freud と M. Klein の 2 人をおさえておこう。

1 × A. Ellis は、［論理療法］の創始者である。
2 ○ A. Freud は、子どもに対する心理療法のために遊びを導入し、［遊戯療法］を創始した。
3 × A.T. Beck は、［認知療法］を開発した。
4 × H.A. Murray は、C.D. Morgan とともに［TAT（主題統覚検査）］を考案した。
5 × J.B. Watson は［行動主義心理学］の創始者である。

解説 010 生物心理社会モデル 正答 3

生物心理社会モデル（bio-psycho-social model）とは、人間を生物的（医学的）側面・心理的側面・社会的側面から総合的に捉えようとする視点である。

1 × 対象者の［ニーズ］を把握するために有用なモデルである。対象者の問題の理解分析には役立つが、問題を明らかにするためには適切ではない。
2 × 要心理支援者を［総合的、多角的］にみるためのモデルであり、それぞれの側面に順序はない。
3 ○ 要心理支援者への支援は精神的な側面だけでなく、［生物的］側面や［社会的］側面も含めた総合的な視点から行われる必要がある。医療専門職などと［多職種連携］しながら治療にあたることが望まれる。
4 × 段階的にではなく［総合的］に捉えようとするモデルである。

問題 011 Check ☑☑☑ 第２回　問題 078

生物心理社会モデルについて、適切なものを１つ選べ。

1 スピリチュアリティを最も重視するモデルである。
2 クライエントを包括的に理解する上で有用なモデルである。
3 医療技術の高度化を促進するために考案されたモデルである。
4 生物生態学的モデルへの批判を背景に生まれたモデルである。
5 クライエントの健康や疾病に責任を持つのは医療従事者とみなすモデルである。

問題 012 Check ☑☑☑ 第３回　問題 130

生物心理社会モデルに共通する考え方を含んでいるものとして、適切なものを２つ選べ。

1 DSM-5
2 HTP テスト
3 洞察の三角形
4 Cannon-Bard 説
5 国際生活機能分類〈ICF〉

解説 011 生物心理社会モデル

正答 2

生物心理社会モデルは、クライエントを生物的要因、心理的要因、社会的要因と、多角的に捉えようとするモデルであり、心理職としてクライエントを理解するために重要なモデルである。

1 × クライエントの理解には、[生物的要因]と[心理的要因]、[社会的要因]から捉えることが重要であるとするモデルで、スピリチュアリティについては言及していない。

2 ○ クライエントの生物的、心理的、社会的な要因を考慮し、包括的に理解しようとするモデルである。

3 × 医療技術の高度化を目指しているわけではなく、クライエントへのより[多面的]で効果的な治療のために考案されたモデルである。

4 × 1977年にG. Engelが、それまでの主流であった[生物医学モデル]に対して提唱したモデルである。

5 × クライエント理解のためのモデルであって、健康や疾病に対する責任の所在を示すモデルではない。

解説 012 生物心理社会モデル

正答 1、5

生物心理社会モデルは、個人を生物学的要因、心理的要因、社会的要因の３つの側面から総合的に理解しようとするものである。

1 ○ [DSM-5]の診断基準には、生物学的側面、心理的側面だけでなく、生活適応などの社会的な領域での症状を評価する項目があり、生物心理社会モデルに共通する考え方である。

2 × [HTPテスト]は、家屋と樹木と人物を描かせる投影法のパーソナリティ検査である。

3 × [洞察の三角形]は、過去・現在・治療内での対人関係における心の動きをみるという精神分析学的な治療の構造の捉え方である。

4 × [Cannon-Bard説]は、感情の中枢起源説とも呼ばれ、感情の表出に至るプロセスに関するものである。

5 ○ ICF（国際生活機能分類）は、WHOが提唱する障害・健康に関する捉え方で、個人の心身機能や身体構造だけでなく、環境因子や個人因子などを加味した[生活機能モデル]が採用されており、生物心理社会モデルと共通した考え方である。

加点のポイント 試験問題は原則原語表記

公認心理師試験では、人物名、地名などは原語表記される。カタカナ表記しか覚えていないと戸惑うことも。正しい綴りを確認し、Titchener（ティチェナー）、Köhler（ケーラー）などのように原語で覚えよう。

加点のポイント 心理学史

心理学史は、歴史的な流れをまずおさえること。さらに主な学派については、その主張と主要な心理学者、その人の代表的な実験や研究を整理して覚えよう。

第5章　心理学における研究

①心理学における実証的研究法

問題 001　Check ☑☑☑　第2回　問題 005

実験は実験者が操作する変数と観測される変数によって組み立てられるが、前者以外にも後者に影響を与える変数があることが多い。この変数は何か、正しいものを1つ選べ。

1　従属変数

2　剰余変数

3　独立変数

4　離散変数

5　ダミー変数

問題 002　Check ☑☑☑　第4回　問題 125

人を対象とした心理学研究の倫理に関する説明として、最も適切なものを1つ選べ。

1　効率的に研究を進めるために、協力が得られやすい知人を研究対象にする。

2　自発性が保証された状況下で、対象者からインフォームド・コンセントを取得することが求められる。

3　研究計画の立案や研究費の獲得、研究の実行など、個人で複数の役割を担う多重関係は回避すべきである。

4　研究過程で収集した対象者の情報は、データのねつ造ではないことの証明として、研究終了後にすべて公表する。

問題 003　Check ☑☑☑　第4回　問題 063

公認心理師Aが主演者である学会発表において、実験結果の報告のためのスライドを準備している。実験の背景、目的、結果、考察などをまとめた。Aは他者の先行研究で示された実験結果の一部を参考論文から抜き出し、出所を明らかにすることなく自分のデータとして図を含めてスライドに記述した。
このまま発表する場合、該当する不正行為を1つ選べ。

1　盗用

2　改ざん

3　ねつ造

4　多重投稿

5　利益相反

解説 001 統計における変数 　正答 2

実験計画の目的は、実験室において実験者が操作する独立変数が、観測される従属変数に与える影響を検証することである。この従属変数に影響を与えるものとして、独立変数以外の偶然による様々な要因が想定されるが、これを剰余変数という。

1 × [従属変数] は、問題文の「実験者に観測される変数」にあたるため誤りである。

2 ○ [剰余変数] は実験計画において、従属変数に影響を与えると想定する独立変数以外で影響を与える変数であり、[誤差変数] ともいう。

3 × [独立変数] は、問題文の「実験者が操作する変数」にあたるため誤りである。

4 × [離散変数] は、値が連続する [連続変数] に対応するもので、サイコロの目のように 1〜6 だけの値をとり、その間の小数の値はとらない変数のことをいう。

5 × [ダミー変数] は、ある変数を 0 か 1 の 2 つの値の変数に変換したものをいうため、ここでは誤りである。

解説 002 研究倫理 　正答 2

人を対象とした心理学研究では、研究協力者に対する十分な倫理的配慮が必要である。そのため、所属機関の研究倫理審査を受け、承認された研究計画を実行する手続きを踏むことが望ましい。

1 × 知人を研究対象にすることは [縁故法] と呼ばれるが、サンプリングが偏る可能性が高いため適切ではない。

2 ○ 研究実施にあたり、研究者は協力者に対し、研究内容の丁寧な説明を行った上で、自発的に協力・非協力を選択できることを保証すべきである。

3 × 研究計画の立案、研究費の獲得、研究の実行などは同一個人が全て一人で行っても差し支えないため誤り。

4 × 研究過程で収集した対象者の情報は、対象者の個人情報であるため公表には慎重であるべきで、基本的には匿名性を担保した上で、属性等については研究上必要最低限の公表に留めるべきである。

解説 003 学会発表の不正行為（事例） 　正答 1

研究を行う上で研究者が不正を行うことにより、その研究報告そのものの信頼性が疑われることになる。研究者には高い倫理性が求められる。文部科学省「研究活動の不正行為への対応のガイドラインについて」を参照しておくとよい。

1 ○ [盗用] とは、「他の研究者のアイディア、分析・解析方法、データ、研究結果、論文又は用語を、当該研究者の了解もしくは適切な表示なく流用すること」（文部科学省）であり、A の行為はこれに該当する。

2 × [改ざん] とは、「研究資料・機器・過程を変更する操作を行い、データ、研究活動によって得られた結果等を真正でないものに加工すること」（文部科学省）であり、A の行為とは異なる。

3 × [ねつ造] とは「存在しないデータ、研究結果等を作成すること」（文部科学省）であり、A の行為とは異なる。

4 × [多重投稿] とは、同じ論文を同時に複数の学会誌に投稿して査読を受ける行為であり、禁止されているが、A の行為とは異なる。

5 × [利益相反] とは、外部との利益関係によって研究者の社会的責任と、外部との関係によって得る利益が相反することで、研究者として必要な公正性が損なわれる可能性があることを意味するので、A の行為とは異なる。

問題 004

Check ☑☑☑ 第3回 問題008

心理学の実験において、「XがYに及ぼす影響」の因果的検討を行うとき、正しいものを1つ選べ。

1 Xを剰余変数という。
2 Yを独立変数という。
3 研究者があらかじめ操作するのはYである。
4 Xは、値又はカテゴリーが2つ以上設定される。
5 結果の分析には、XとYの相関を求めるのが一般的である。

問題 005

Check ☑☑☑ 第3回 問題012

質問紙法を用いたパーソナリティ検査について、正しいものを1つ選べ。

1 検査得点の一貫性のことを妥当性という。
2 α係数は、検査項目の数が多いほど、低い値をとる。
3 再検査法では、2時点の検査得点間の相関係数を用い、検査の安定性をみる。
4 検査が測定しようとしているものを正しく測定できている程度のことを信頼性という。
5 検査得点の分散に占める真の得点の分散の割合が高いほど、検査結果の解釈が妥当になる。

メモ 信頼性と妥当性

信頼性は、その構成概念の測定の精度を表しており、「結果が正確に測定できているか」という観点から、心理尺度を評価することをいう。一方で妥当性は、「その心理尺度は本当に測定しようとする構成概念を適切にとらえているか」という観点から、心理尺度を評価することをいう。定規に例えれば、信頼性は定規の目盛が正しいかをチェックすることであり、妥当性はそもそも定規が長さを測っているといえるか確認することである。物理的世界において後者のような問いは滑稽に見えるが、心理学が扱う構成概念は目に見えないものである。例えば、新たに○○傾向という心理尺度を作ったとして、本当にその心理尺度の得点が○○傾向の高さを表しているかは、他の基準と照らし合わせないと心もとない。心理尺度では妥当性についてこうした根本的な確認が必要になってくるのである。

問題 006

Check ☑☑☑ 第1回 追 問題081

心理学研究における観察法について、最も適切なものを1つ選べ。

1 生態学的妥当性が低い。
2 因果関係を見い出すのに適している。
3 観察者のバイアスが入り込みやすい。
4 目的に関連する言動だけを効率的に取り出し定量化できる。
5 現象をあるがまま見ることを基本とし、状況に手を加えない。

解説 004 心理学実験

正答 4

心理学実験では要因が結果に影響を及ぼすという仮定ができるが、一時点での調査研究では基本的に変数間に共変関係しか仮定できないこともおさえておきたい。

1 × [剰余変数] は、因果関係にある変数以外の要因を表すため、ここでは誤りとなる。

2 × [独立変数] は、因果関係にある変数のうち原因にあたるため、ここでは誤りとなる。すなわち、問題文の X が独立変数、Y が [従属変数] となる。

3 × 研究者が実験室などであらかじめ [統制] するのは、[独立変数] としての実験条件 X である。

4 ○ 値やカテゴリーが 2 つ以上設定されることによって、[因果関係] の原因としての要因 X が設定される。

5 × 心理学実験においては実験条件を操作した因果関係を検討するため、t 検定や分散分析がよく用いられる。相関係数は、主に質問紙法において、相互の [共変関係] を検討する際に用いられる分析手法であるため誤りとなる。

解説 005 質問紙法

正答 3

質問紙法の作成に関する基本的知識が問われている。

1 × 検査得点の一貫性を示すものは [信頼性] である。

2 × [α係数] は項目の数が多く、各項目の相関係数が高いほど [高い] 値をとる。

3 ○ [再検査法] は、同じ被験者に対して同じ検査を 2 回実施してデータ間の相関を検討することで、検査の [安定性] に関する信頼性を測る。

4 × 検査が測定しているものを正しく測定できているかは [妥当性] という。

5 × 真の得点の分散の割合が高いほど、検査の [信頼性] が認められる。よって、「検査結果の解釈が妥当になる」わけではない。

解説 006 観察法

正答 3

観察法は、対象となる人の行動の特徴や法則性を調べるために行われるもので、量的もしくは質的な方法で記録し、分析する方法である。

1 × [生態学的妥当性] とは、日常の生活環境などに研究の結果をどの程度一般化できるかという考え方である。観察法はより自然な状況下での行動観察を目的としているため、生態学的妥当性は [高い] といえる。

2 × 実験法のように条件統制を厳密にして、原因が結果に及ぼす影響を明らかにする方法とは違い、[観察法] は対象の様子を記録することを主な目的とする。

3 ○ 観察者は観察の目的を自分の期待通りに見てしまう傾向、すなわち [観察者バイアス] に注意しながら研究を進める必要がある。

4 × 目的に関する言動だけを観察するには、ある一定の時間間隔で、観察すべき行動を抽出する [時間見本法] によって、出現率が高い場面を適切に設定すれば可能であるが、本選択肢は記述が不十分である。

5 × 観察法には、現象をあるがまま見ることを基本とする [自然観察法] と、観察対象の場に研究者が人為的・意図的に操作を加えて行う [実験観察法] とがあり、本選択肢は前者のみの説明を観察法の基本としているため不適切である。

問題 007

Check ☑☑☑　第 3 回　問題 080

心理学の研究法において、質問紙法と比較したときの面接法の特徴として、適切なものを 1 つ選べ。

1 臨機応変な対応が困難である。

2 回答者に与える心理的圧力が弱い。

3 回答者の個別の反応を収集しにくい。

4 データの収集に手間と時間がかかる。

5 高齢者や幼い子どもには負担が大きい。

問題 008

Check ☑☑☑　第 1 回　問題 043

乳児期の発達に関する心理学的研究手法について、正しいものを 1 つ選べ。

1 馴化—脱馴化法は、異なる刺激を次々と呈示し、乳児の関心の変化を確かめる。

2 スティルフェイス実験は、他者との相互作用において、乳児がどれだけ無表情になるかを見る。

3 選好注視法は、乳児に 2 つの視覚刺激を交互に続けて呈示し、どちらに対して長く注視するかを見る。

4 期待違反法は、乳児が知っていることとは異なる事象を呈示して、乳児がどれだけ興味や驚きを示し、長く注視するかを見る。

問題 009

Check ☑☑☑　第 2 回　問題 136

網膜像差が奥行き知覚手掛かりとして有効であるかを検討する目的で実験を行った。網膜像差が 0 分、6 分、12 分、18 分の 4 種類からなるランダムドットステレオグラムを各実験参加者にランダムな順序で呈示した。実験参加者はランダムドットステレオグラムを観察し、実験者から渡されたノギスを用いて見かけの奥行き量を再生した。
この実験データから網膜像差の 4 つの条件で再生された奥行き量の平均に差があるかを検討するための統計的方法として、最も適切なものを 1 つ選べ。

1 対応のある 1 要因分散分析

2 対応のある 4 要因分散分析

3 対応のない 1 要因分散分析

4 対応のない 4 要因分散分析

5 対応のある 2 標本の平均の差の検定

解説 007 心理学の研究法

正答 4

面接法には調査的面接法と臨床的面接法があるが、いずれも基本的に 1 対 1 で対象者やクライエントの語りから質的な側面を深く分析する研究法である。

1 × [質問紙法] は集団に一斉に実施するため、調査対象者に対して個別に臨機応変な対応は難しいが、面接法は基本的に 1 対 1 の対応となるので、調査対象者に合わせた対応がしやすい。

2 × 質問紙法はそのほとんどが [匿名] による回答方式なので心理的圧力が相対的に弱いが、面接法は対面で行うため回答者にとって [心理的圧力] が相対的に強くなりやすい。

3 × 質問紙法は集団に一斉実施するため個別の反応は収集しにくいが、面接法は基本的に 1 対 1 の対応となり、回答者の個別の反応を詳細に収集することができる。

4 ○ 質問紙法は集団に一斉実施が可能であるが、面接法は研究目的に合った調査対象者の選定や依頼に多くの労力を要するし、一人あたりの面接にかかる時間も多くなる。

5 × 質問紙法は一定の項目数に対して [自己評定] を行うため、高齢者や幼い子どもが回答する際には質問項目が理解できないなど負担が大きくなりやすい。一方で面接法は質問紙法に回答しにくい子どもや高齢者から直接話を聞くことで回答を得やすいメリットがある。

解説 008 乳児期の発達に関する心理学的研究手法

正答 4

乳児期の発達に関する研究は、乳児の言語的能力が未発達なので質問紙法を用いることができないため、実験法や観察法で研究されることが多い。

1 × 強化を伴わず同一刺激を繰り返し呈示すると反応が減少する [馴化(じゅんか)] と、新奇な現象に再び反応が喚起される [脱馴化] を用いて、乳児が [新奇性] の高い対象を注視する時間を調べるのが [馴化―脱馴化法] である。

2 × 母子または大人が対面交渉中に顔の動きを止めることを [スティルフェイス] と呼び、その反応として乳児が視線や笑顔の減少といった [スティルフェイス] 効果を示すかを調べる方法である。

3 × [選好注視法] は [R.L. Fantz] らが開発した乳児の注視行動を捉える方法であり、どのような図形を好むかや、どの程度図形を弁別できるのかを調べる。

4 ○ [期待違反法] は、およそ生後 3、4 か月の乳児が、ものは見えなくなっても存在し続けること、すなわち [ものの永続性] の理解をしているか調べる際に主に用いられる。

解説 009 心理統計(要因計画)(事例)

正答 1

心理統計に関する事例(実践的)問題である。網膜像差や奥行き知覚手がかりについて理解しているかどうかにかかわらず解答できる問題である。問題文から要因計画や独立変数、従属変数を見極めることがポイントである。

1 ○ 「対応のある」とは、同じ集団に対して [繰り返し] データをとった場合のことを指す。つまり、被験者内計画の場合は対応ありとなる。また、「1 要因」とは [独立変数] が 1 つであることを意味する。本事例の場合、被験者内計画で独立変数は 1 つしかないため、対応のある 1 要因分散分析を行うのが適切と考えられる。

2 × 本事例は [独立変数] が 1 つしかないため、「4 要因」という点は誤りである。

3 × 本事例は [被験者内計画] のため、「対応のない」分散分析を用いることはできない。

4 × 上記 2、3 の解説の通り、「対応のない」も「4 要因」もどちらも不適切である。

5 × 対応のある 2 標本の平均の差の検定(対応のある t 検定)は、被験者内計画で独立変数の水準数が 2 つの場合に用いることができる。本事例の独立変数の水準数は 4 つ(0 分、6 分、12 分、18 分)あるため、この統計的方法を用いることはできない。

加点のポイント 心理統計の見分け方

問題 9(第 2 回問題 136)では、まず、「(実験者が)各実験参加者にランダムな順序で呈示した」というところから、それぞれの実験参加者が 4 つの条件全てを経験した「被験者内計画」であることが読み取れる。また、独立変数は「ランダムドットステレオグラムの種類」、従属変数は「実験参加者が再生した見かけの奥行き量」である。

問題 010 Check 第3回 問題045

心理療法やカウンセリングの効果研究の方法について、最も適切なものを 1 つ選べ。

1 要因統制に基づく実験的な研究であることが必須である。

2 一事例実験にみられる介入効果を評価する場合には、因子分析が用いられることが多い。

3 特定の心理療法を行う実験群と未治療の統制群を設定して、効果の比較を行う必要がある。

4 メタ分析では、ある介入法に基づく複数の効果研究について、効果サイズを算出することができる。

問題 011 Check 第4回 問題082

観察者の有無が作業に及ぼす影響をみる実験において、参加者を作業時に観察者がいる群といない群に分け、各群の参加者に単純課題条件と複雑課題条件の双方を課した。
この結果の分析方法として、最も適切なものを 1 つ選べ。

1 2要因混合分散分析

2 2要因被験者間分散分析

3 2要因被験者内分散分析

4 複数個の1要因被験者間分散分析

5 複数個の対応のある平均値の t 検定

②心理学で用いられる統計手法

問題 012 Check 第2回 問題007

量的な説明変数によって 1 つの質的な基準変数を予測するための解析方法として、最も適切なものを 1 つ選べ。

1 因子分析

2 判別分析

3 分散分析

4 重回帰分析

5 クラスター分析

解説 010 心理療法・カウンセリングの効果研究　正答 4

効果研究はあくまでも研究対象者がクライエントであり、そうした実践的な場で実証的知見にもとづく有効性を検討することが目的であることが重要である。

1 × 心理療法やカウンセリングの［効果研究］は、様々な領域における［心理支援の実践］を通しての研究であり、実験室のように厳密な［要因統制］を行うことは困難である。

2 × ［一事例実験］は、基本的に［介入］によって標的行動の頻度がどれほど低下するのかを測定するもので、分析方法に因子分析を用いるのは不適切である。一事例実験の分析は、実験条件をランダムに振り分けることによる［ランダマイゼーション検定］などが用いられる。

3 × ［ランダム化比較実験］では、研究対象者を、ある特定の［介入］を行う群と、標的とする介入を行わない［統制群］とでランダムに割り付け、介入効果を検討するが、対象者であるクライエントは従来の心理療法やカウンセリングは継続するので、「未治療」のままにすることは不適切である。

4 ○ 効果サイズ（効果量）とは、何らかの尺度得点を用いて、介入を行った群と行わない群との差異を検討したものであり、「効果サイズ＝（介入群の平均値―統制群の平均値）÷統制群の標準偏差」で求められる。

解説 011 分散分析　正答 1

本解説でいう「被験者間」とは、別々の人からデータを得ることである。「被験者内」とは同じ人が繰り返し課題等に取り組んでデータを得ることを意味する。

1 ○ 本実験の要因は「観察者の有無」が被験者間条件、「2 種類の課題」が被験者内条件であるので、2 要因混合分散分析を行うのが適切である。

2 × 2 要因被験者間分散分析は、2 つの要因がいずれも被験者間条件である場合であるが、選択肢 1 の解説の通り本実験に適用するのは不適切である。

3 × 2 要因被験者内分散分析は、2 つの要因いずれもが被験者内条件である場合であるので、選択肢 1 の解説の通り本実験に適用するのは不適切である。

4 × クラスター分析で群分けをして 1 要因分散分析を行う方法もあるが、本実験の場合は 2 要因分散分析を行う方が適切である。

5 × 2 要因の実験計画における群間比較について、t 検定を繰り返すことで分析することは避けた方がよく、不適切な分析方法である。

解説 012 解析法　正答 2

多変量解析には様々な分析手法があり、それぞれ用いられる分析目的が異なっている。なお、説明変数とは原因となり影響を及ぼす変数、基準変数とは結果となり影響を受ける変数である。

1 × ［因子分析］は、複数の観測変数に対して影響を及ぼす潜在変数としての因子を分析する場合に用いられる。

2 ○ ［判別分析］は、基準変数が質的データで説明変数が量的データの際に適用できる分析方法である。なお尺度水準でいえば、質的データは名義尺度か順序尺度のことを指し、量的データは間隔尺度と比率尺度のことを指す。

3 × ［分散分析］は、3 水準以上の要因で平均値を比較する際に用いられる。

4 × 複数の量的な説明変数が 1 つの量的な基準変数を予測する場合を［重回帰分析］という。

5 × ［クラスター分析］は、調査対象者を任意の変数によっていくつかのクラスターに分類する分析方法である。

問題 013　Check □□□　第 1 回 追　問題 006

因子分析の斜交回転において各観測変数と各因子との相関係数を要素とする行列を表すものとして、正しいものを 1 つ選べ。

1 共通性
2 独自性
3 因子構造
4 因子負荷
5 単純構造

問題 014　Check □□□　第 1 回　問題 041

重回帰分析で算出される重相関係数の説明として、正しいものを 1 つ選べ。

1 説明変数間の相関係数のことである。
2 基準変数と予測値との相関係数のことである。
3 説明変数と予測値との相関係数のことである。
4 説明変数と基準変数との相関係数のことである。

メモ　重回帰分析の数式的イメージ

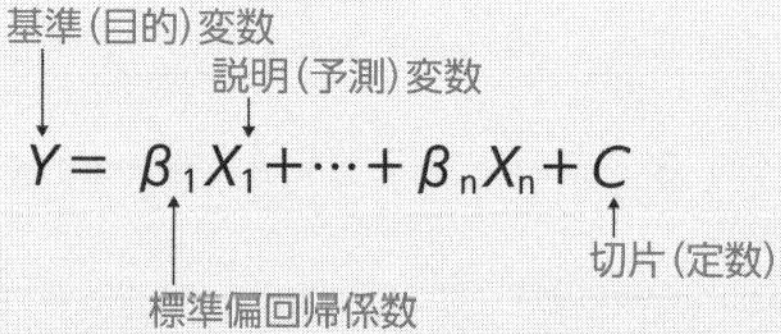

問題 015　Check □□□　第 4 回　問題 059

ストレッサー、ネガティブな自動思考（以下「自動思考」という。）及び抑うつ反応の 3 つの変数を測定した。ストレッサーは、調査前の出来事を測定した。変数間の相関係数を算出したところ、ストレッサーと抑うつ反応の相関係数は、0.30、ストレッサーと自動思考の相関係数は 0.33、自動思考と抑うつ反応の相関係数は 0.70 で、いずれの相関係数も有意であった。パス解析を行ったところ、ストレッサーから自動思考への標準化パス係数は 0.31 で有意であり、自動思考から抑うつ反応への標準化パス係数は 0.64 で有意であり、ストレッサーから抑うつ反応への標準化パス係数は 0.07 で有意ではなかった。
以上の結果から解釈可能なものとして、最も適切なものを 1 つ選べ。

1 自動思考は、抑うつ反応に対して影響を与える説明変数ではない。
2 抑うつ反応は、ストレッサーに対して影響を与える説明変数である。
3 ストレッサーは、抑うつ反応に対して自動思考を介して影響を与えている。
4 自動思考が根本的な原因として、ストレッサーと抑うつ反応の両方を説明している。
5 抑うつ反応に対して、ストレッサーと自動思考は対等に説明する変数となっている。

解説 013 因子分析の斜交回転 正答 3

因子分析は多数の観測変数間に潜在因子としての構成概念を見いだすための多変量解析法である。複数の因子を仮定する際には因子軸の回転を施すが、軸が直交の場合を直交回転、直交でない場合を斜交回転という。直交回転は因子が相互に無相関であると考えるが、因子間に相関が少なからずあると仮定する斜交回転の方が実際のデータに即した分析方法であるため、近年多用されている。

1 × ［共通性］とは、変数が因子によって説明される割合のことをいう。共通性が小さいことはその分析にその変数が貢献していないことを表す。

2 × ［独自性］は、共通性および各変数独特の因子によって説明される。共通性と独自性を足すと 1 になる。

3 ○ 因子分析の結果の出力において、各変数と因子の相関係数を表す結果を［因子構造］という。

4 × 因子分析の主な出力結果であり、例えば斜交回転では回転によって［因子パターン］を単純化しており、各項目の［因子負荷量］の大きさによって属する因子を判断する。

5 × ［単純構造］とは、因子分析の回転後の因子負荷量が、当該因子のみに高くそれ以外の因子には低い値を示す構造のことである。

解説 014 重回帰分析 正答 2

重回帰分析は、基準変数を複数の説明変数で表現する。重相関係数はその際の説明率と呼ばれるものであり、この数値が高いほど基準変数を説明変数が説明している割合が多くなり、分析そのものが妥当である目安とも判断される。

1 × 説明変数間の相関係数自体は分析に用いるが、それを重相関係数ということはない。

2 ○ ［重相関係数］を 2 乗したものを［決定係数］というが、いずれも予測値が基準変数をどの程度説明しているか判断する指標となる。

3 × 予測値とは、説明変数とその影響の強さを示す［標準偏回帰係数（β）］との積であり、それを重相関係数と呼ぶことはない。

4 × これは一見正解と間違えやすいが、2 が正解であり、説明変数と基準変数との相関であれば、単に［ピアソンの積率相関係数］を算出しているに過ぎない。

解説 015 パス解析（事例） 正答 3

パス解析は重回帰分析を繰り返し行うことで理論的根拠にもとづく因果モデルの影響関係を分析できる方法である。本問題はストレス理論にもとづいている。

1 × 自動思考から抑うつ反応への標準化パス係数は 0.64 で有意とあるので、「影響を与える説明変数ではない」とはいえない。

2 × 抑うつ反応はいずれの変数に対しても標準化パス係数が算出されておらず、説明変数となっていないため誤り。

3 ○ ストレッサーから自動思考への標準化パス係数は 0.31 で有意、自動思考から抑うつ反応への標準化パス係数は 0.64 で有意とあるので、ストレッサーから自動思考を媒介変数とした抑うつ反応への［間接効果］は $0.31 \times 0.64 = 0.2$（小数点第 2 位を四捨五入）となる。ストレッサーから抑うつ反応への［直接効果］である標準化パス係数 0.07 が有意でなかったので、間接効果の影響が大きいといえる。

4 × このパス解析のモデルでは最初の原因はストレッサーが想定されているので誤り。

5 × 抑うつ反応へのストレッサーの標準化パス係数は 0.07 で有意ではなく、自動思考は 0.64 で有意なので、対等に説明する変数とはいえない。

問題 016 Check ☐☐☐ 第3回 問題081

個体を最もよく識別できるように、観測変数の重みつき合計得点を求める方法として、最も適切なものを 1 つ選べ。

1 因子分析
2 重回帰分析
3 主成分分析
4 正準相関分析
5 クラスター分析

③統計に関する基礎知識

問題 017 Check ☐☐☐ 第2回 問題006

順序尺度によるデータの散布度として、正しいものを 1 つ選べ。

1 中央値
2 平均値
3 標準偏差
4 不偏分散
5 四分位偏差

問題 018 Check ☐☐☐ 第4回 問題005

観測値として、9、5、7、8、4 が得られたとき、値が 6.6 となる代表値（小数点第 2 位を四捨五入）として、正しいものを 1 つ選べ。

1 中央値
2 幾何平均
3 算術平均
4 相乗平均
5 調和平均

解説 016 多変量解析

正答 3

主成分分析は、できれば複数の観測変数を 1 つの合成変数で表すことを目的とするが、それが難しい場合に複数の主成分を設定することになる。

1 ×　[因子分析] は、多変数の背後に潜む因子構造を探索することを目的に用いられる。

2 ×　[回帰分析] は、ある変数を予測する変数を分析する。予測する変数が複数あるものを [重回帰分析] という。

3 ○　主成分分析は因子分析と異なり、新しい合成変数を作成したり、複雑な変数を要約したりするときに用いられ、単純な合計点でなく [共通部分] を抽出して (つまり観測変数に重みをつけて) 合成する。

4 ×　[正準相関分析] は、2 つの変数群があり、各変数群を 1 つの変数に合成しようとするとき、新たな変数の間の相関を最大となるよう正準変数を合成する分析をいう。

5 ×　[クラスター分析] は、対象者の分類を行うことを目的とし、多変数をもとに類似した対象者を選び出してまとめていく。

解説 017 順序尺度

正答 5

順序尺度は、個々の値の間に等間隔性はないが順序性はあるようなデータのことをいう。例えば、服のサイズ (S、M、L 等) などが該当する。また、データがどれだけ散らばっているかに関する指標のことを散布度という。

1 ×　[中央値] は度数分布で順序が真ん中にくるデータのことであり、散布度ではない。

2 ×　[平均値] は、データの合計をデータ数で除した代表値であり、順序尺度では算出できないのに加え、散布度ではない。

3 ×　[標準偏差] の 2 乗は、[分散] である。分散は間隔尺度以上のデータの散らばり具合を示す代表値であり、順序尺度の散布度ではない。

4 ×　[不偏分散] は、分散のうち特定のサンプルによる [標本分散] に対し、標本が属する母集団における分散の推定値を表すもので、順序尺度の散布度ではない。

5 ○　順序尺度の散布度は [四分位偏差] を用いる。四分位偏差は下から 25%に第 1 四分位数、下から 50%に第 2 四分位数 (中央値の場所) 、下から 75%に第 3 四分位数をとる。

メモ　尺度水準

[尺度水準] には、他に [名義尺度] (順序性の違いがなく単なるカテゴリー) 、[間隔尺度] (個々の値の間に等間隔性はあるが、基点としてのゼロはない) 、[比率尺度] (個々の値の間に等間隔性があり、基点としてのゼロがある) の 3 つがある。

解説 018 代表値

正答 3

代表値には算術平均、中央値などがある。本問題は通常は平均として覚える算術平均以外に様々な平均があるという知識が必要となっている。

1 ×　[中央値] とはデータを大小の順序で並べて真ん中になった値をいうため誤り。問題文のデータの中央値は 7 である。

2 ×　[幾何平均] は「値の相乗の n 乗根」をとるため誤り。問題文のデータでは $\sqrt[5]{9\times5\times7\times8\times4}=6.3$ (小数点第 2 位を四捨五入) となる。

3 ○　[算術平均] とは「値の総和を n 個で割る」ものであり、問題文のデータで (9+5+7+8+4)÷ 5=6.6 となるので正しい。

4 ×　[相乗平均] は幾何平均と同じ意味なので誤り。

5 ×　[調和平均] は「逆数の算術平均の逆数」であるため誤り。問題文のデータでは $\frac{5}{\frac{1}{9}+\frac{1}{5}+\frac{1}{7}+\frac{1}{8}+\frac{1}{4}}=6.0$ (小数点第 2 位を四捨五入) となる。

問題 019　Check　第3回　問題082

2×2のクロス集計表における2変数間の関連性を示す指標として、最も適切なものを1つ選べ。

1　偏相関係数
2　順位相関係数
3　積率相関係数
4　部分相関係数
5　四分点相関係数

問題 020　Check　第2回　問題080

1要因分散分析の帰無仮説として、正しいものを1つ選べ。

1　全ての水準の母平均は等しい。
2　全ての水準間の母分散は等しい。
3　全ての水準の母平均は等しくない。
4　少なくとも1組の水準間の母平均は等しい。
5　少なくとも1組の水準間の母平均は等しくない。

問題 021　Check　第1回　問題113

心理学研究で行われている統計的仮説検定において利用される有意水準の説明として、最も適切なものを1つ選べ。

1　帰無仮説が真であるとき帰無仮説を棄却する確率である。
2　帰無仮説が真であるとき帰無仮説を採択する確率である。
3　対立仮説が真であるとき帰無仮説を棄却する確率である。
4　対立仮説が真であるとき帰無仮説を採択する確率である。

解説 019 心理学統計法

正答 5

2×2のクロス集計表とは、質的変数である名義尺度や順序尺度による変数同士で、それぞれの頻度をまとめた表のことである。

1 × ［偏相関係数］は、第3の変数の影響を取り除いた上での2変数間の相関係数を算出する。

2 × ［順位相関係数］は、順位尺度による変数間の関連性を示す指標である。

3 × ［積率相関係数］は、量的変数である［間隔尺度］と［比率尺度］の変数間の関連性を示す指標である。

4 × ［部分相関係数］は、相関を求める2つの変数のうち、1つの変数から［第3の変数の影響］を除いたものと、もう1つの変数との相関係数を示す。なお、部分相関係数は、重回帰分析における予測変数の追加の際に、既にある予測変数との相関関係を評価する際に用いられることがある。偏相関係数と似ているが、その前段階の分析が部分相関係数であるといえる。

5 ○ ［四分点相関係数］は、2つの値しかとらない変数（非喫煙者＝0、喫煙者＝1など）の相関係数のことをいい、［φ（ファイ）係数］ともいう。

解説 020 分散分析

正答 1

1要因分散分析とは、独立変数である要因を1つ設定した分散分析のことをいう。帰無仮説とは、統計的仮説検定の手続きで、最初に本来主張したいこととは逆の「差がない」という仮説を立てることであり、これが棄却されると「差がないとはいえない」という対立仮説を採択する。

1 ○ 3水準以上の母平均が［全て等しい］という仮説となる。なお、分散分析は3水準以上の平均値の違いを検討するもので、2水準の場合はt検定を行う。

2 × 分散分析は母分散ではなく、［母平均］の比較を行う分析であるので誤り。

3 × これは対立仮説が採択され、なおかつ［多重比較］で全ての水準間に有意差がみられた場合にのみ適用できる結論である。

4 × 帰無仮説とは、全ての水準の平均値に差がないという仮説なので、少なくとも1組の母平均ではなく、全ての母平均が等しい必要がある。

5 × 少なくとも1組の母平均が等しくないというのは、対立仮説の採択に準じた記述である。

解説 021 有意水準

正答 1

統計的仮説検定を用いた推測統計では、第1種の誤りと第2種の誤りが生じることがある。このうち第1種の誤りである「帰無仮説が真であるにもかかわらず、帰無仮説を棄却してしまう誤り」を犯す確率の最大値のことを有意水準と呼ぶ。

1 ○ まさに［第1種の誤り］が生じたケースであるので、有意水準で示される確率を意味する。

2 × ［帰無仮説］とは「母集団では差や関連、効果がないという仮説」であり、それが真（正しい）の場合に、その仮説を採択することは理にかなっており、有意水準でチェックする必要はない。

3 × ［対立仮説］とは「母集団では差や関連、効果があるという仮説」であるが、統計的仮説検定の手続きではまず帰無仮説の採否を判断した後に、対立仮説の採否を判断するので順番が逆である。

4 × ［対立仮説］が真であれば［帰無仮説］は棄却されるので、内容的に完全に誤りである。

メモ 推測統計の2種類の誤り

①第1種の誤り：帰無仮説が正しいのに、帰無仮説を棄却する誤り。
②第2種の誤り：帰無仮説が偽であるのに、帰無仮説を採択してしまう誤り。

メモ 推測統計とは

統計学では本来の対象を母集団というが、実際の研究では母集団における代表値（母数という）は知ることはできないので、その一部を標本抽出してデータとして母数を推定することを推測統計と呼ぶ。

問題 022

Check ☐☐☐　第1回 追　問題 082

クロス集計表の連関の検定で利用される確率分布として、正しいものを 1 つ選べ。

1 F 分布
2 t 分布
3 2 項分布
4 正規分布
5 カイ 2 乗分布

問題 023

Check ☐☐☐　第3回　問題 007

統計的仮説検定の説明として、正しいものを 1 つ選べ。

1 t 検定では、自由度が大きいほど、帰無仮説の上側確率に基づく棄却の限界値は小さい。
2 2 つの条件の平均に有意な差が認められない場合、それらの平均には差がないといえる。
3 K. Pearson の相関係数が 0.1％水準で有意であった場合、2 つの変数間に強い相関があるといえる。
4 対応のない 2 群の t 検定では、各群の標準偏差が大きいほど、有意な差があるという結果が生じやすい。
5 K. Pearson の相関係数の有意性検定では、サンプルサイズが小さいほど、帰無仮説の上側確率に基づく棄却の限界値は小さい。

解説 022 クロス集計表の連関検定

正答 5

確率分布は、様々な統計的仮説検定を行った際に、その検定量が有意であるかを判断するため、データの数にもとづく自由度をもとに示される基準である。

1 × F 分布は、2 群間の［量的変数］の［分散］に差があるか検定する際に用いられる。

2 × t 分布は 2 群間の［量的変数］の［平均値］の差を検定する［t 検定］で用いられる。

3 × 2 項分布とは、結果が成功か失敗かの試行を複数回行った際の成功回数を確率変数とする［離散確率分布］のことである。

4 × 正規分布は、統計学において［母集団］の分布として仮定されることが多く、［左右対称の釣り鐘型］の分布とされる。

5 ○ 複数の要因間で［質的変数］の出現率をまとめたものをクロス集計表といい、その［差］をカイ 2 乗検定によって分析する際に用いる分布がカイ 2 乗分布である。

解説 023 統計的仮説検定

正答 1

いわゆる「有意差」については、サンプリングの問題や、効果量・信頼区間についても十分に理解しておきたい。

1 ○ ［t 検定］で算出する t 値に関する t 分布表では、自由度が高いほど帰無仮説の上側確率にもとづく［棄却の限界値］は小さくなっている。

2 × ［標本平均］に差がないとはいえるが、［母平均］に差がないとはいえないため、「平均には差がない」というのは誤りとなる。

3 × K. Pearson の［相関係数］の強さは、有意性検定を行って有意であった相関係数について、その［絶対値の大きさ］で判断するためここでは誤りとなる。

4 × ［対応のない t 検定］における t 値の算出方法を踏まえても、標準偏差が大きいほど有意差がみられやすいということはいえないため誤りとなる。

5 × K. Pearson の相関係数の有意性検定は、t 値を算出して t 分布表を用いるが、サンプルサイズが大きいほど自由度が大きくなるから、帰無仮説の上側確率に基づく棄却の限界値が小さくなるため誤りである。

第6章　心理学に関する実験

①実験計画の立案

問題 001　Check ☑☑☑　予想問題1

心理学実験において実験参加者に対する留意点の説明として不適切なものを1つ選べ。

1　練習効果とは、実験参加者が特定の課題を複数回行うことで、課題に慣れてしまい、その繰り返しが結果に影響を及ぼすことをいう。
2　順序効果とは、実験参加者が異なる条件の課題を行う際に、その条件提示の順番が影響を与えてしまうことをいう。
3　カウンターバランスとは、実験参加者の順序等をあえて考慮せずに配置することで、結果へのバイアスを減らす手続きをいう。
4　無作為割付とは、実験参加者を特定の偏りのもとで実験条件に配置すると、結果に影響を与えることがあるため、それを避けるための方法である。

問題 002　Check ☑☑☑　第4回　問題006

因子分析による解析を計画している調査用紙の回答形式として、最も適切なものを1つ選べ。

1　順位法
2　一対比較法
3　自由回答法
4　評定尺度法
5　文章完成法

解説 001 実験参加者への留意点

正答 3

実験を行う際は、独立変数と従属変数の因果関係を検証する上で、剰余変数である他の要因をいかに排除するかが重要となる。実験参加者に対する留意点もその一環である。

1 ○ 参加者が繰り返し実験に参加する［被験者内計画］で特に留意する。

2 ○ 順序効果とは、実験条件の実施順序によって生じる影響のことをいう。

3 × ［カウンターバランス］とは、実験参加者の前半部分と後半部分の順序（刺激を提示する順番など）を逆にして、順序効果を相殺する手続きである。

4 ○ 無作為割付は、［実験計画］を立てる上で重要な留意事項である。

メモ 実験時の留意点

実験を行う上で、本来は実験に影響すべきでない剰余変数に留意する。ポイントは以下の通り。

練習効果	被験者内計画の実験参加者は特定の課題を複数回行うことで、課題に慣れてしまい、その繰り返しが従属変数に影響を与えることがある。
順序効果	被験者内計画で実験する場合、実験参加者が異なる条件の課題を行う際に、その条件提示の順番が影響を与えてしまうことがある。
カウンターバランス	被験者内計画で実験する場合、実験参加者の半数は逆の順番にするなどして、順序効果を相殺する。
無作為割付	実験参加者を特定の偏りのもとで実験条件に配置すると、従属変数の結果に影響を与える可能性があるため、実験参加者は無作為（ランダム）に配置することが重要。

解説 002 質問紙の回答方法

正答 4

質問紙法で最もよく用いられるのは「5 段階評定」や「7 段階評定」などの評定尺度法である。ここでは、評定尺度法以外の評価法と相互の違いについて理解しておくとよい。

1 × ［順位法］は、複数の調査対象者に対象の順位づけを求める方法であり、因子分析を行うデータとしては不適切である。

2 × ［一対比較法］は、複数ある対象の順位づけを行うために全てのペアに対して 1 対 1 でいずれか 1 つ選択を求めるもので、因子分析には適さない。

3 × ［自由回答法］は、文章を調査対象者に記入してもらう形式なので、得られるデータは記述データとなり因子分析を行うことはできない。

4 ○ ［評定尺度法］は、複数の項目に対して程度や頻度という形でいくつかの段階を設定して、その中から選択を求める方法であり、潜在的な因子の有無を分析するデータとして適している。

5 × ［文章完成法］は、不完全な文章の前半部分に続けて、意味の通る文章を完成させる方法であり、得られるデータは記述データなので因子分析に適さない。

問題 003 Check 第1回 問題081

研究の目的を偽って実験を行い、実験の終了後に本来の目的を説明することによって、実験の参加者に生じた疑念やストレスを取り除く研究倫理上の行為として、正しいものを 1 つ選べ。

1 個人情報保護
2 ディセプション
3 フィードバック
4 デブリーフィング
5 インフォームド・コンセント

問題 004 Check 第2回 問題112

心理療法の有効性の研究について、誤っているものを 1 つ選べ。

1 介入期間が定められる。
2 介入マニュアルが必要とされる。
3 単一の理論に基づく心理療法が用いられる。
4 クライエントが抱える多様な問題に焦点を当てる。
5 クライエントは無作為に介入群と対照群に割り付けられる。

問題 005 Check 第1回 追 問題148

幼児を対象とした怒りのコントロール法として、新しい方法 X と従来の方法 Y の効果を、置換ブロック法による無作為化比較試験によって検証することとなった。(1) ブロックサイズを 6 とし、84 名の実験参加者を乱数によって A 群：新しい方法 X、B 群：従来の方法 Y の 2 群に割り付ける。(2) 各群にそれぞれ X と Y を実施する。(3) 遊び場面で怒りについての観察によるアセスメントを行う。
この計画において注意すべきことについて、正しいものを 1 つ選べ。

1 (2) と (3) は同一人物が行う。
2 (1) の結果を (3) の実施者に伝えない。
3 ブロックサイズを 4 とし、実験参加者を 90 名にする。
4 割り付けで A 群が 5 回続いた場合、乱数による割り付け結果にかかわらず B 群にする。

解説 003 目的を偽って実験を行う行為

正答 4

研究を行う際は、参加者に不利益が生じないよう細心の注意を払うことが必要である。ただし、研究の目的によっては本来の目的を実験後に伝える場合がある。

1 × ［個人情報保護］とは、研究で得た個人情報を第三者に漏らすことなく、細心の注意を払って情報を管理することをいう。

2 × ［ディセプション］とは、実験の真の目的に気づかれることが実験結果に影響することを防ぐため、うその目的を告げることをいう。

3 × ［フィードバック］は、研究結果を実験参加者が理解しやすい形で報告することをいう。

4 ○ うその目的を告げることが［ディセプション］であり、実験後に真の目的を告げることが［デブリーフィング］なので、両者を混同しないようにすること。

5 × ［インフォームド・コンセント］とは、実験参加者に対してその目的や想定されるリスク等について事前に説明し、参加への同意を確認することをいう。

メモ 倫理審査

研究計画を立案したら、実施内容に倫理的問題がないかチェックする。卒業論文なら指導教員によるチェックで済ますことも多いかもしれないが、大学院生や通常の研究者は所属機関の倫理審査委員会で審査を受け、承認された上で調査を実施することが望ましい。倫理審査は、適切な研究内容となっているか、実験への参加は任意になっているか、個人情報の保護は適切に行われるか、など多岐にわたる観点からチェックされ、問題がある場合は修正を迫られる。これらは、安易な研究計画を実施することによって、実験参加者に不利益を生じさせないための措置であり、研究を行うときには常に実施者としての責任が伴うことを心がけておきたい。

解説 004 心理療法の有効性の研究計画

正答 4

心理療法の有効性の研究とは、新しい心理療法の技法を開発したり、その効果を調べたりするものである。

1 ○ ［介入期間］を定めた上で、介入群と対照群の比較が可能となる。

2 ○ 心理療法の有効性を研究する場合、一定の［介入マニュアル］に基づいて実施することが望ましい。

3 ○ 有効性を検討する心理療法の技法は、単一の理論に基づいている必要がある。

4 × 心理療法ではクライエントが抱える多様な問題に焦点を当てるが、心理療法の有効性を検討する場合には多様な問題ではなく、［特定の問題］に焦点を当てる。

5 ○ 介入群と対照群に［無作為割付］されることが望ましい。

解説 005 実験計画（事例）

正答 2

実験では、偶然の要因であるバイアスを防ぐ必要がある。方法としては、参加者のみが自分が割り当てられた群を知らされない単一盲検法（single-blinding）と、参加者だけでなく実験者も参加者がどの群に割り当てられたか知らされない二重盲検法（double-blinding）がある。

1 × (2) と (3) は異なる人物が実施することが望ましい。

2 ○ ［二重盲検法］となっているのでこれが正しい。

3 × ［置換ブロック法］とは、人の集合をブロックと呼んで、それを一単位としてそれぞれの群に割り付けることをいうが、90名に対しブロックサイズを4とすると、割り切れず統一できないため誤り。

4 × 最初から［乱数］によって割り付けが行われている中で偶然5回続いただけだと考え、意図的にB群にする手続きには問題がある点が誤り。

問題 006 Check 第1回 問題 150

Müller-Lyer 錯視の図形に関して、矢羽根（斜線）の角度が錯視量にどのように影響を与えるのかを調べるために実験を行うことになった。矢羽根が内側に向いた内向図形を標準刺激、矢羽根が外側を向いた外向図形を比較刺激とし、この２つの刺激を接するように横に並べて呈示する。標準刺激の主線（水平線分）の長さは 90mm、比較刺激の主線の長さは可変、標準刺激も比較刺激も矢羽根の長さは 30mm、矢羽根の角度は 15°、30°、45°、60°とした。実験参加者は標準刺激の主線の長さと主観的に同じ長さになるように、比較刺激の主線の長さを調整する。
この実験を行う方法として、正しいものを１つ選べ。

1 標準刺激の位置を左に固定する。
2 矢羽根の角度が異なる刺激をランダムに呈示する。
3 主線の太さを矢羽根の角度によってランダムに変化させる。
4 図形の背景の色を矢羽根の角度によってランダムに変化させる。

問題 007 Check 第1回 問題 136

新しい英語学習法の効果を検証するために実験計画を立てた。新しい学習法を実験群、従来型学習法を統制群とし、実験の参加申込順に最初の 25 人を実験群に、次の 25 人を統制群に割り当てることにした。各群にそれぞれの学習法を体験させ、4 週間後にテストを実施することにしたが、この実験計画には問題点があった。
改善方法として、最も適切なものを１つ選べ。

1 参加者全体の人数を 100 人にする。
2 25 人ずつ無作為に実験群と統制群に割り当てる。
3 学習法を実施する前にも、同様の英語のテストを実施する。
4 参加者全員に従来型学習法と新しい学習法の双方を実施する。
5 先に申込みがあった 25 人を統制群に、次の 25 人を実験群に割り当てる。

解説 006 Müller-Lyer 錯視の実験計画（事例）

正答 2

Müller-Lyer 錯視の図形の実験は、主線の長さの主観的な見え方が矢羽根の向きが内側だと短く見え、外側だと長く見える現象を扱うものである。

1 × [標準刺激] の位置を左に固定するだけでは十分な方法とはいえない。

2 ○ この実験は矢羽根の角度が錯視量に及ぼす影響を調べるものであるから、矢羽根の角度をランダムに変えることが最も適切な実験方法である。

3 × 主線の太さを変えてしまうと、矢羽根の角度とは異なる要因を設定することになってしまうので、実験方法として適切とはいえない。

4 × 背景の色を変えてしまうと別の要因を実験に設定することになるので、適切な方法とはいえない。

メモ 主線と矢羽根の角度

主線と矢羽根の角度のイメージは次のようなものである。

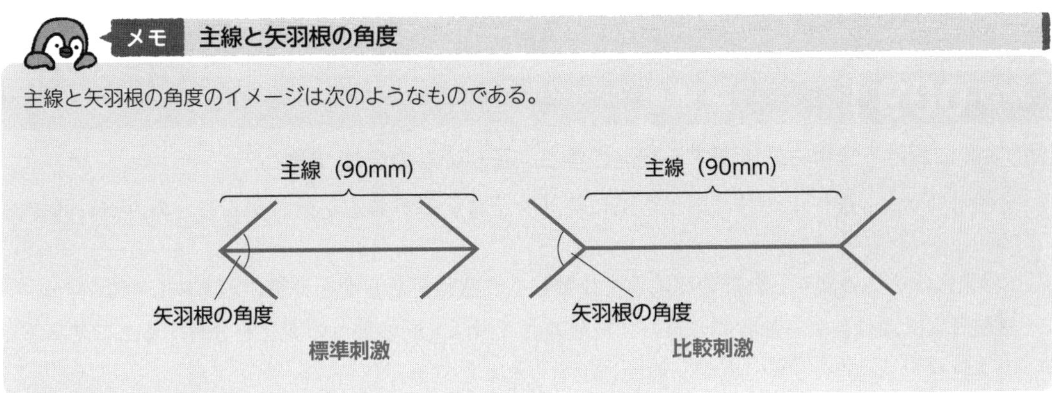

解説 007 英語学習法の効果検証の実験計画（事例）

正答 2

実験法において、参加者をランダムに割り当てることは重要である。もし実験者が意図的に参加者を各群に割り振ってしまうと、実験結果が歪んで結果が信頼できないものとなる恐れが生じる。

1 × [実験群] と [統制群] の参加者人数をそろえることは重要だが、参加者全体の人数を 100 人にする必要はない。

2 ○ 実験群と統制群に [無作為（ランダム）] に参加者を割り当てることがこの実験で最も重要であり、参加申込順という手続きが最も不適切である。

3 × この問題の実験計画の改善点は、選択肢 2 の無作為割付がまずは「最も」優先順位が高く、実施前の英語のテスト実施も適切であるが、優先順位はその次となる。

4 × [実験群] と [統制群] に両方の学習法を実施してしまうと、新しい学習法の効果がわからなくなるので不適切である。

5 × 申し込みの順番で [実験群] と [統制群] に参加者を割り当てる方法には、全く合理的な理由がないので不適切である。

メモ 実験群と統制（対照）群

実験の手続きで重要な点として、実験者によって独立変数による操作が加えられた群のことを実験群と呼ぶのに対し、操作が加えられていない群を統制（対照）群と呼ぶ。例えば、何らかの治療法の効果を見る場合、その治療を施した実験群と、治療を施していない統制群の間で、予後としての症状（従属変数）に差があるか検討する場合などがある。

メモ 実験計画

実験計画は剰余変数をいかに統制し、独立変数の影響を検討するかが重要となる。実験の参加者を被験者と呼ぶが、実験操作によって検討する対象を要因と呼ぶ。実験計画には、無作為に割り振られた被験者がいずれかの実験条件のみを経験する被験者間計画、被験者が全ての実験条件を経験する被験者内計画の 2 つがある。

②実験データの収集とデータ処理

問題 008 Check ☑☑☑ 第1回 追 問題119

心理学実験について、正しいものを1つ選べ。

1 行動に及ぼす要因を明らかにするために実験者が操作する変数を独立変数という。

2 剰余変数を統制するために、複数の実験者が入れ替わり実験を実施することが望ましい。

3 実験者の期待や願望が意図せずして振る舞いに表れ、参加者に対して影響を及ぼすことをホーソン効果という。

4 測定値が最大値に達することにより、説明変数の効果を検出する上で問題が生じることをキャリーオーバー効果という。

問題 009 Check ☑☑☑ 予想問題2

次の実験における分析方法に関する記述のうち、正しいものを1つ選べ。

1 分散分析は、3群以上の各群の平均値に統計的な有意差があるか検討することのみが目的である。

2 t検定には2つの独立した群の平均値を比較して有意差があるかを分析する方法しかない。

3 被験者内計画は実験参加者間の違い、被験者間計画は実験参加者の変化を分析するものである。

4 有意性検定は10%、5%、1%が一般的に用いられる。

5 効果量や信頼区間は、有意性検定の2つの過誤を防ぐため、群間差の実際の大きさを表すという考え方にもとづいている。

問題 010 Check ☑☑☑ 第4回 問題083

他者と比べて、自分についてよりポジティブな判断を行うかどうかを検討する目的で研究を行う。他者に対する性格の評定と自分に対する性格の評定を同時に得る場合に、両者の評定を行う順序について適用すべき方法は何か、最も適切なものを1つ選べ。

1 一定化

2 バランス化

3 マッチング

4 ランダム化

5 カウンターバランス

解説 008 心理学実験

正答 1

実験では独立変数、従属変数、剰余変数を想定する。その目的は、結果としての従属変数に影響を及ぼす、原因としての独立変数の効果を検証するためである。ゆえに実験はできるだけ剰余変数の影響が少ない実験室で行われることが多くなる。

1 ○ ［独立変数］が影響を及ぼすのが、実際の行動などの［従属変数］である。

2 × ［剰余変数］とは偶然による要因を意味し、複数の実験者が入れ替われば偶然による影響力はむしろ増加することになる。

3 × 実験室の中にあって、ある特定の反応を被験者に要求する圧力をもたらすことを［要求特性］と呼ぶ。［ホーソン効果］とは、人は一般に注目されることを好み、特別な扱いを受けると、さらに成果を上げようとする傾向のことをいう。

4 × ［キャリーオーバー効果］とは、前の質問が後の質問に影響を及ぼすことを意味する。

解説 009 実験の分析法

正答 5

実験の分析法は、いくつかの独立変数（要因）が従属変数にどのような影響を与えるか、実験目的に応じた実験デザインによって統計的に分析する方法である。

1 × ［適性処遇交互作用］などが良い例であるが、分散分析では 2 要因以上になると、［主効果］だけでなく［交互作用］を考慮せねばならない。

2 × ［対応のある t 検定］では、例えば同一実験参加者の何らかの変数における時間的変化などを分析する。

3 × ［被験者内計画］では実験参加者の変化、［被験者間計画］では実験参加者間の違いをそれぞれ問題とする。

4 × ［有意性検定］で、一般に有意差があるとされるのは［5%水準］と［1%水準］である。10%水準は有意傾向と呼ばれあまり考慮されることはない。

5 ○ 有意差があるだけで判断するのではなく、その［効果量］の大きさや、［標準誤差］を用いて［信頼区間］を算出し両者を考慮することで、結果をより信頼できるものか判断する。

メモ 実験の分析方法

近年心理学論文の結果の記述の際は、有意差だけでなく、より信頼できる検定統計量（t 値等、統計分析で算出される）を表記することが推奨されている。主に、効果量及び区間推定（いずれも有意性検定の過誤を防ぐため、群間差などの効果の実際の大きさを表す）の考え方に基づく信頼区間が挙げられる。

解説 010 剰余変数の統制

正答 5

心理学実験では独立変数が従属変数に及ぼす影響について、剰余変数と呼ばれる独立変数以外の影響をできるだけ排除することが望ましいとされている。

1 × ［一定化］とは、ある要因が従属変数に影響を与えそうなとき、その要因の変数を全て同じにすることである。

2 × ［バランス化］とは、従属変数に影響を与えそうな変数について群間で同じ割合に割り当てることをいう。例えば、実験参加者が男性 100 名、女性 200 名で 4 群に分けるとすると、男性 25 人、女性 50 人ずつを各群に割り当てることをいう。

3 × ［マッチング］とは、比較する 2 つの群間で、影響力の大きい交絡変数の値をできる限り一致させることである。

4 × ［ランダム化］または無作為割り当ては、研究者が意図的に期待する結果が表れそうな組み合わせばかりを実施せず、どの実験参加者や材料を割り当てるかを無作為に選ぶことをいう。

5 ○ 本問題の場合、自己評定と他者評定の順序について実験参加者の半数は順序を逆にするなどして、順序効果を相殺するのが［カウンターバランス］である。

問題 011

Check ☑☑☑ 第2回 問題122

準実験的研究法の特徴として、最も適切なものを 1 つ選べ。

1 予備実験に用いられることが多い。

2 実験的研究に比べて、内的妥当性が高い。

3 実験的研究に比べて、倫理基準が緩やかである。

4 参加者を無作為に割り付けることができないときに実施が検討される。

問題 012

Check ☑☑☑ 第1回 問題083

観察法において、観察対象者に起こりそうな行動の一覧表を用意し、観察結果を記録する方法として、正しいものを 1 つ選べ。

1 日誌法

2 行動描写法

3 行動目録法

4 場面見本法

5 トランスクリプト

解説 011 準実験的研究法

正答 4

例えば、病院の患者に対して特定の治療法を介入要因として設定し、介入を行った実験群と、介入を行わなかった統制群を設定するような場合に準実験的研究法の実施が検討される。

1 × ［準実験的研究］は［実験的研究］とは別の方法である。［予備実験］は実験的研究または準実験的研究の前に行うものである。

2 × 実験的研究に比べ準実験的研究は、無作為割付が実施できない分、剰余変数の入り込む可能性が高くなるので、［内的妥当性］は低下する。

3 × 実験的研究と準実験的研究はいずれも等しく適切な倫理基準にしたがって実施される必要がある。

4 ○ 準実験的研究とは、現場で因果関係を探る中間的方法であり、実験的研究に比べると、実験者による独立変数の操作ができないこと、各条件への実験参加者の無作為割付ができないことの2点が特徴である。

解説 012 観察法による記録の方法

正答 3

観察法は、幼児の行動などを研究する発達心理学などの分野で用いられる研究方法である。

1 × ［日誌法］は、特定の人や集団を日常生活で観察する方法である。

2 × ［行動描写法］は、観察法の記録方法であり、言葉によって記録する方法である。

3 ○ ［行動目録法］は、観察法において量的データとして行動頻度をカウントする方法である。

4 × ［場面見本法］は、ある行動が生じやすそうな場面を設定し、一定時間内で特定の行動を抽出する方法をいう。

5 × 会話分析などの会話記録のことを［トランスクリプト］といい、一般には音声データの文字起こしのことをいう。

メモ 観察法

観察法とは、主に子どもなどを対象として、標的とする行動を観察してカウントし、データを収集する方法であり、質的データを収集することもある。観察者によるバイアス（歪み）が入り込みやすい。

③実験結果の解釈と報告書の作成

問題 013 Check ☑☑☑ 第1回 追 問題 136

プライム刺激とターゲット刺激の意味的関連性によるプライミング効果について検討する目的で、語彙判断課題を用いた実験を行った。意味的関連がある（SR）条件の方が意味的関連がない（UR）条件よりも語彙判断の反応時間が短くなることを仮説とした。以下は論文における「結果」についての記述の一部である。
「プライム刺激とターゲット刺激の意味的関連がある（SR）条件と意味的関連がない（UR）条件別に、語彙判断の反応時間の平均と標準偏差を算出した。SR 条件では M = 620、SD = 100、UR 条件では M = 640、SD = 100 で統計的に有意であった。このことからプライミング効果が認められたといえる。」
この論文における「結果」の記述の問題点として、最も適切なものを 1 つ選べ。

1 刺激材料についての記述がない。
2 実験手続についての記述がない。
3 文章が過去形で記述されている。
4 適切な統計記号が使われていない。
5 有意差を示す統計量の記述がない。

問題 014 Check ☑☑☑ 第3回 問題 059

石けんの香りが机を清潔に保とうとする行動に影響を与えるかについて実験を行った。香りあり条件と香りなし条件を設けて、机の上の消しくずを掃除する程度を指標として検討した。その結果、全体的には香りあり条件と香りなし条件の差が検出されなかったが、尺度で測定された「きれい好き」得点が高い群は、全体として「きれい好き」得点が低い群よりもよく掃除をした。さらに、高い群では香りあり条件と香りなし条件の差は明瞭でなかったが、低い群では、香りあり条件が香りなし条件よりも掃除をする傾向が顕著に観察された。
この実験の結果の理解として、正しいものを 1 つ選べ。

1 交互作用はみられなかった。
2 実験要因の主効果は有意であった。
3 「きれい好き」要因の主効果は有意ではなかった。
4 実験要因の主効果と交互作用が有意であった可能性が高い。
5 「きれい好き」要因の主効果と交互作用が有意であった可能性が高い。

解説 013 心理学実験（事例）

正答 5

実験「結果」の記述に関しての問題点を選ぶ、という問題である。プライミング効果とは、あらかじめある事柄について見聞きしておくと、別の事柄が覚えやすくなったり思い出しやすくなったりすることをいう。

1 × 「プライム刺激とターゲット刺激の意味的関連がある（SR）条件と意味的関連がない（UR）条件」と、実験刺激の具体的内容として刺激材料の記述はある。

2 × 全体として実験方法の詳細な説明である［実験手続］の流れは適切に記述されている。

3 × 実験結果の記述を過去形で記述することは適切である。

4 × ［平均］を M（mean）、［標準偏差］を SD（standard deviation）とそれぞれ適切な統計記号によって記述しており問題はない。

5 ○ SR 条件と UR 条件の平均値を［t 検定］によって比較するため、統計量（t 値）を算出した上で有意性検定を行った結果を記述せねばならない。

メモ 結果と考察の違い

心理学の研究は一般に、問題、目的、結果、考察、引用文献の 5 つのパートに分かれている。ここでは結果と考察をどのように記載するか、少し述べておきたい。論文における結果とは、データ分析による具体的数値に基づく結果とその客観的説明のみで記述される部分である。したがって、分析結果としての統計量、その説明の繰り返しが結果の部分となる。
考察は、結果に対応して、研究者としての自分の解釈と主張を述べる部分である。ここではできるだけ「〜と考える」という能動態よりも、「〜と考えられる」という受動態が用いられることが多い。それは、考察は研究者としての自分の主張を述べるとはいっても、あくまでも先行研究の結果と今回の研究結果を比較検討した上で、「これぐらいのことはいえるのではないか」という控えめな主張にとどめるべきだからであろう。
心理学の研究は科学的根拠を重視するので、自分の主張をするにしても、主観をできるだけ排除した立場が望ましい。そうした作法については、それぞれのゼミなどで指導を受けることになるが、基本的な姿勢として指摘しておく。

解説 014 心理学実験の結果の理解（事例）

正答 5

本事例は 2 要因被験者間計画による分散分析が行われるが、それ以外の実験計画として被験者内計画や、被験者間要因と被験者内要因を同時に実施する混合計画などがある。

1 × 「石けんの香り」要因と「きれい好き」要因との間に［交互作用］がみられたと考えられる。

2 × 「石けんの香り」要因には条件の差が検出されなかったので、［主効果］は有意でなかったと考えられる。

3 × 「きれい好き」要因には条件の差が検出されたので、主効果が有意であったと考えられる。

4 × 「きれい好き」要因には主効果と交互作用には有意差がみられたが、「石けんの香り」要因の主効果には有意差がみられなかったため誤り。

5 ○ 「きれい好き」要因に主効果がみられ、「石けんの香り」要因と「きれい好き」要因との間に交互作用が有意であったと判断できる。

加点のポイント グラフにしてみる

右は問題 014（第 3 回 問題 059）をグラフにしたもので、横軸に香りあり、香りなしの 2 条件があり、縦軸に掃除行動、実線がきれい好き高群、破線がきれい好き低群を表している。このようにして見てみると、実線の方が破線よりも全体的に掃除行動が高いこと、実線はあまり傾きがなく破線は右下がりの傾きが大きいことがわかる。2 要因分散分析はグラフを描くと理解しやすい。

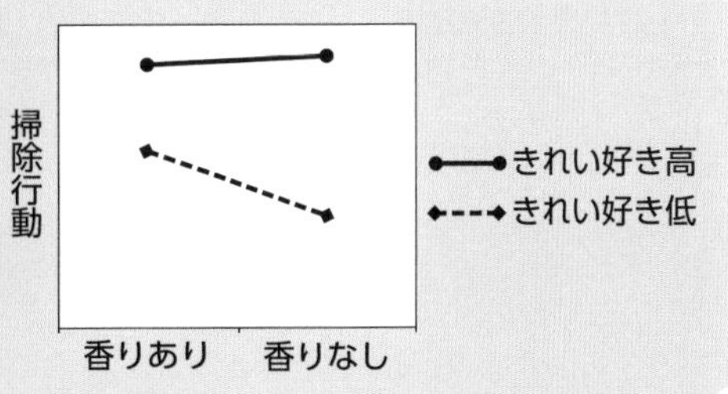

第7章　知覚及び認知

①人の感覚・知覚の機序及びその障害

問題 001　Check ☑☑☑　第1回　問題 082

心理物理学の実験において、反応バイアスを含まない測定を目指す方法として、最も適切なものを 1 つ選べ。

1　極限法
2　調整法
3　一対比較法
4　二肢強制選択法
5　マグニチュード推定法

問題 002　Check ☑☑☑　第1回追　問題 007

コントラストの知覚についての心理測定関数を得て、そこから弁別閾や主観的等価点を推定するための心理物理学的測定法として、最も適切なものを 1 つ選べ。

1　階段法
2　極限法
3　恒常法
4　上下法
5　調整法

問題 003　Check ☑☑☑　第3回　問題 009

100g の重さの知覚における弁別閾を測定したところ 10g であった。このときに予測される 400g の重さの知覚における弁別閾として、正しいものを 1 つ選べ。

1　2.5g
2　10g
3　13.01g
4　20g
5　40g

知覚

「心理物理学的測定法」、「ウェーバーの法則」、「視覚及び聴覚は基礎」が理解できていれば点が取りやすい。

解説 001 心理物理学の実験　正答 4

代表的な心理物理学的測定法については必ず覚えておこう。

1 × ［極限法］は、実験者が刺激を一定の方向に少しずつ変えながら示し、実験参加者の反応が変わる（例：大きい→小さい、小さい→大きい）閾値を探る方法である。実験参加者は刺激に対して推測することができるので、反応にバイアスが［含まれる］。

2 × ［調整法］は、実験参加者自身が刺激の量を調整することで閾値を探る方法である。自ら刺激を変化させるので反応バイアスが［含まれる］。

3 × ［一対比較法］は、実験参加者に刺激を2つずつ組にして提示し、感覚的印象の「大小」や「好き / 嫌い」などについて評定、選択させて刺激の主観的価値を計量化する方法である。比較判断には実験参加者の反応バイアスが［含まれる］。

4 ○ ［二肢強制選択法］は、実験者があらかじめ選択肢の数を2つに設定し、その中から実験参加者に選ばせるというものである。反応バイアスを取り除くために開発されたものが［強制選択法］であるため、二肢強制選択法は反応バイアスを［含まない］。

5 × ［マグニチュード推定法］は、ある刺激を10とした場合、与えられた刺激がいくつになるかを実験参加者が推定し回答する方法である。実験参加者の推定によるので反応バイアスが［含まれる］。

解説 002 心理物理学的測定法　正答 3

問題001（第1回 問題082）同様、心理物理学的測定法の種類に関する問題である。心理物理学的測定法は必ず覚えよう。加えて、弁別閾や主観的等価点とは何か説明できるようにしておきたい。

1 × 階段法は、［極限法］を改良した方法であるが、実験参加者の反応を刺激強度の決定に利用するという点で異なる。例えば、実験参加者の回答が「大きい」から「小さい」に変化すると、次の試行では刺激の強度を変化させる方向が反転する。この方法は閾値（絶対閾）の推定を行うときに用いる。

2 × 極限法は、実験者が刺激を一定の方向に少しずつ変えながら示し、実験参加者の反応が変わる（例：大きい→小さい、小さい→大きい）閾値を探る方法である。絶対閾や弁別閾、主観的等価点も推定できるが［精度］がよくない。

3 ○ 恒常法は、実験者が数段階の刺激をランダムな順序で提示し、極限法と同様に、「大小」「見える / 見えない」などの判断を実験参加者に求める方法である。標準刺激と比較刺激を提示することで［弁別閾］や［主観的等価点］も推定することができる。

4 × 上下法は、［階段法］と同じものを意味するので上記の説明を参照のこと。

5 × 調整法は、実験参加者自身が刺激の量を調整することで閾値を探る方法である。［主観的等価点］の推定はできるが弁別閾の推定には適さない。

解説 003 知覚心理学の弁別閾（ウェーバーの法則）　正答 5

知覚心理学で扱われるウェーバーの法則を理解し、簡単な計算ができるようにしておくことが必要である。

設問において100 gのときの重さの弁別閾（刺激量の違いを感覚量として知覚できる最小の差異）が10gなので、ウェーバーの法則では加重した重さに比例して感覚量も変化するので下式のように正答5の40gとなる。

$$\frac{10}{100}=\frac{40}{400}$$

加点のポイント　ウェーバーの法則

ウェーバーの法則とは、刺激の強さと弁別閾は比例するという法則である。
例：100gのときの弁別閾（違いがわかる最低量）が5gであれば、200gのときの弁別閾は相対的に10gになる。

問題 004 Check ☑☑☑ 第2回 問題081

運動視に関連した現象として、正しいものを 1 つ選べ。

1 McGurk 効果
2 マッハバンド
3 変化の見落とし
4 McCollough 効果
5 フラッシュラグ効果

問題 005 Check ☑☑☑ 第3回 問題006

奥行きの知覚における両眼性の手がかりとして、正しいものを 1 つ選べ。

1 陰影
2 輻輳
3 重なり
4 線遠近法
5 きめの勾配

問題 006 Check ☑☑☑ 第4回 問題084

色覚の反対色過程と関連するものとして、最も適切なものを 1 つ選べ。

1 中心窩の存在
2 色の残効の生起
3 桿体細胞の存在
4 色の恒常性の成立
5 二色型色覚者の存在

問題 007 Check ☑☑☑ 第3回 問題083

ヒトの聴覚について、正しいものを 1 つ選べ。

1 蝸牛にある聴覚受容器は、双極細胞と呼ばれる。
2 音源定位には、両耳間時間差と両耳間強度差が用いられる。
3 ピッチ知覚の場所説は、高周波音の知覚の説明が困難である。
4 聴覚感度は、可聴域内で周波数が高くなるほど単調に減少する。
5 主観的な音の大きさであるラウドネスの単位は、デシベルである。

聴覚

聴覚の可聴域は 16～20,000Hz であり、音の大小を示すラウドネスの単位はソーン (sone) である。

解説 004 運動視

正答 5

視覚に生じる様々な錯視及び運動視により生じる現象を理解しておこう。

1 × ［McGurk 効果（McGurk effect）］とは McGurk & MacDonald によって明らかにされた、聴覚が全て音韻の認識をしているわけではなく、視覚の影響も受けるというクロスモーダル知覚現象（視覚と味覚など異なる知覚が互いに影響を及ぼし合う現象）である。

2 × ［マッハバンド（Mach bands）］とは E. Mach によって報告されたグレーで描かれた図でそのグレーの濃淡によって生じる錯視である。

3 × ［変化の見落とし（Change Blindness）］とは眼球運動、瞬き、動画のカット割りなどによりシーン中の変化に気づかないという、物体とシーンの知覚で生じる現象である。

4 × ［McCollough 効果（McCollough effect）］とは方向随伴色残効のことで、形に随伴する色残効の錯視である。

5 ○ ［フラッシュラグ効果（flash-lag effect）］とは連続的に運動する対象を提示し、その隣に一瞬だけ静止対象（フラッシュ対象）を提示すると運動対象の運動とは反対方向にずれて見えるという、動いている物体を知覚する運動視と関係した現象である。

解説 005 奥行き知覚における両眼性（視）と単眼性（視）

正答 2

視知覚の単眼性（視）により可能な奥行き知覚と両眼性（視）によりはじめて可能なものの差異を問う問題である。

1 × 絵画の手法にある陰影・明暗による影を描く手法での奥行き知覚は単眼であっても認識できる。

2 ○ 輻輳とは両眼球の動きであり、内側および外側に眼球が動き、それにより対象への焦点を合わせるもので、奥行き知覚に必要なものである。

3 × 2 つの四角形を少しずらして重なり合うように描く重なりも単眼であっても奥行きの知覚が可能である。

4 × 平行線をどこか一点に集中していくように描く線遠近法も単眼であっても奥行きの知覚が可能である。

5 × きめが細かいと遠く、きめが大きいと近くに見えるきめの勾配も単眼であっても奥行きの知覚が可能である。

解説 006 色覚の反対色過程

正答 2

E. Hering による色覚の反対色過程についてどのように色覚が生じるか覚えておこう。

1 × ［中心窩］は眼球の黄斑部網膜の中心部であり、色覚ではなく、視力そのものを司る部分である。

2 ○ ［色覚の反対色過程］とは Hering による［赤と緑］、［黄と青］、［白と黒］の 3 組の反対色の残効（残像）の生起により［色覚］が生じるという説である。

3 × ［桿体細胞］は色覚ではなく明暗に反応し、明暗による見え方に関係するものである。

4 × ［色の恒常性の成立］は知覚の恒常性の一つであり、明暗に左右されずに一定の色覚が可能となることである。

5 × ［二色型色覚者］とは色覚障害を持つ人のことであり、色覚の反対色過程とは直接関連しない。

解説 007 聴覚の仕組み

正答 2

聴覚の仕組みや可聴域などに関連することを問う問題である。

1 × ［蝸牛］にある［聴覚受容器］は、［有毛細胞］である。

2 ○ ［音源定位］とは、聴覚入力によって音源の位置を特定することで、これは両耳間時間差（音が左右の耳に到達する時間差）と両耳間強度差（音の左右の耳での強度の差）で行われる。

3 × 聴覚において［ピッチ］とは音の高さのことなので、場所説は入力音によりどの部分の有毛細胞が興奮するかで音の高さが決まるものであり、高周波音（高い音）の知覚の説明に最適である。

4 × ［可聴域］とは 16Hz〜20,000Hz であり、聴覚感度（聞き取りやすく、大きく聞こえる）の高いのは 2,000Hz〜4,000Hz なので「単調に減少する」とはいえない。

5 × ラウドネスの単位は、ソーン（sone）である。

問題 008 Check 第4回 問題112

味覚の基本味に含まれないものを 1 つ選べ。

1 塩味
2 辛味
3 酸味
4 苦味
5 うま味

問題 009 Check 第3回 問題047

知覚や意識について、誤っているものを 1 つ選べ。

1 共感覚は、成人より児童に生じやすい。
2 幻覚は、意識清明時にも意識障害時にも生じる。
3 入眠時幻覚がみられる場合は、統合失調症が疑われる。
4 事故などで、四肢を急に切断した場合、ないはずの四肢の存在を感じることがある。

問題 010 Check 第4回 問題007

P. Wall と R. Melzack のゲートコントロール理論が、元来、対象としていた感覚として、最も適切なものを 1 つ選べ。

1 温覚
2 嗅覚
3 痛覚
4 触圧覚
5 自己受容感覚

解説 008 味覚の基本味

正答 2

味覚の 5 基本味（塩味、甘味、酸味、苦味、うま味）を正確に覚えておこう。

1 ○ ［塩味］は味覚の 5 基本味に含まれる。

2 × 辛味ではなく、［甘味］が正解である。

3 ○ ［酸味］は味覚の 5 基本味に含まれる。

4 ○ ［苦味］は味覚の 5 基本味に含まれる。

5 ○ ［うま味］は味覚の 5 基本味に含まれる。

加点のポイント 5 基本味と 4 基本味の 2 種類に注意しよう

味覚の基本味には本問題の 5 基本味の他にも、H.K.F. Henning の 4 基本味（甘、苦、鹹（塩）、酸）があるため混同しないように注意してほしい。

解説 009 知覚と意識

正答 3

人間に生じる知覚や意識の様々な態様について問う問題である。

1 ○ 共感覚とは 1 つの刺激から同時に異種の感覚が 2 つ生じるものであるが、選択肢のように成人より児童に生じやすいと言い切ってしまっていいかは多少疑問が残る。

2 ○ 幻覚は［意識清明時］（意識がはっきりしている状態）でも［意識障害時］（意識がはっきりしない状態）でも生じるものである。

3 × 入眠時幻覚、特に［幻触］は健康人の入眠時幻覚として表れることがあるので、統合失調症以外の可能性もある。

4 ○ 四肢切断後に生じる［幻肢現象］であり、抜歯後にもこの現象は生じる。

解説 010 ゲートコントロール理論

正答 3

ゲートコントロール理論は、痛覚に関する痛みの皮膚感覚受容器と脊髄神経が関連するというメカニズムであることを理解しておこう。

1 × ［温覚］は皮膚感覚受容器ではあるが、ゲートコントロール理論の対象として不適切である。

2 × ［嗅覚］は鼻腔の感覚受容器なので、ゲートコントロール理論の対象として不適切である。

3 ○ ［痛覚］はゲートコントロール理論の痛みの皮膚感覚受容器と脊髄神経の関係で扱われており、正しい。

4 × ［触圧覚］は身体の各部位における［2 点弁別閾値］に関することなので、ゲートコントロール理論の対象として不適切である。

5 × ［自己受容感覚］とは別名を［運動感覚］ともされ、身体の運動についての感覚であるため、ゲートコントロール理論の対象として不適切である。

問題 011　Check　第4回 問題124

ヒトの知覚の特徴として、最も適切なものを1つ選べ。

1　欠損した情報を補わずに知覚する。
2　感覚刺激が継続して呈示される場合、感度は一定である。
3　音を聞いて色を感じ取るなど、1つの物理的刺激によって複数の感覚知覚が生じることがある。
4　対象の特性を保持して知覚できるのは、対象からの感覚器官に与えられる刺激作用が変化しない場合である。

問題 012　Check　第4回 問題085

ある疾病において、「10%が死亡する」と表現した場合のほうが、「90%が生存する」と表現した場合よりも、リスクが高く感じられる。このことを表す用語として、最も適切なものを1つ選べ。

1　連言錯誤
2　確証バイアス
3　アンカリング効果
4　フレーミング効果
5　利用可能性ヒューリスティック

②人の認知・思考の機序及びその障害

問題 013　Check　第1回 問題049

ヒューマンエラーに<u>該当しないもの</u>を1つ選べ。

1　Aのスイッチを押すつもりであったが、忘れて押さなかった。
2　Aのスイッチを押そうとして、うっかりBのスイッチを押した。
3　Aのスイッチを押すルールがあったが、周知されていなかったため押さなかった。
4　Aのスイッチを押すべき状況で、Bのスイッチを押すべきと思って、Bのスイッチを押した。

解説 011 ヒトの知覚の特徴　正答 3

ヒトの知覚の特徴に関する問題である。知覚は感覚受容器を通して感じ取った物理的刺激に意味づけを行うプロセスである。

1 × ヒトの脳は実際に見えないものを補うという機能が備わっている。[主観的輪郭の補完]（存在しないはずの輪郭が知覚される）という現象がその例であり、「カニッツァの三角形」と呼ばれる錯視図形によって体験することができる。

2 × 感覚刺激を継続的に呈示されることによって、その刺激に対する感度は[低下]する。これを[順応]という。

3 ○ ある感覚刺激（例えば音）によって、他の感覚（例えば色が見える）が生じることがある。これは[共感覚]と呼ばれる現象である。

4 × 感覚器官に与えられる刺激の性質は常に変化する。しかし、刺激作用の変化があったとしても私たちは同一の特性を持つものとして知覚することが可能である。これを[知覚の恒常性]という。

解説 012 フレーミング効果　正答 4

問題文から適切な用語を選択する問題である。ここで挙げられている用語は認知バイアスの一種であり、行動経済学の概念としても知られている。連言錯誤、アンカリング効果、フレーミング効果、利用可能性ヒューリスティックは A. Tversky と D. Kahneman の研究によって明らかにされた概念である。確証バイアスは P.C. Wason によって提唱された概念であり、確証バイアスを検証するための方法として「ウェイソン選択課題（4 枚カード問題）」が有名である。

1 × [連言錯誤]とは、一般的な状況よりも、特殊な状況やより具体的な状況を指定されたほうが、起こる確率が高いと判断してしまうことを指す。

2 × 確証バイアスは、自分の仮説や信念を検証する際、それを裏付ける情報ばかりを集め、これに反証する情報を軽視、排除する傾向のことをいう。

3 × [アンカリング効果]とは、先行する数値情報が後続の数量推定に影響を与えることを指す。

4 ○ [フレーミング効果]とは、問題の提示の仕方が考えや選好に不合理な影響を及ぼす現象のことをいう。人は、どこに焦点を当てるかによって、全く異なる意思決定を行う。

5 × [利用可能性ヒューリスティック]とは、印象に残りやすいものや頭に思い浮かびやすいものを基準に選択してしまうことを指す。

解説 013 ヒューマンエラー　正答 3

ヒューマンエラーとは「人間に起因する誤り」のことである。ヒューマンエラーを引き起こす原因やヒューマンエラーの種類についておさえておこう。結果と原因それぞれの視点で分類することができる。

1 ○ 該当する。「忘れて押さなかった」というのは、忘却や気の緩みなどによって引き起こされているため、人間に起因する誤り（省略エラー・失念）といえる。

2 ○ 該当する。「うっかり B のスイッチを押した」というのは、動作ミスや気の緩みなどによって引き起こされているため、人間に起因する誤り（誤処理エラー・錯誤）といえる。

3 × 該当しない。「周知されていなかったため押さなかった」というのは、押さなかった本人のミスではない。そのため、ヒューマンエラーには該当しない。

4 ○ 該当する。「B のスイッチを押すべきと思って、B のスイッチを押した」というのは、思い込みによって引き起こされているため、人間に起因する誤り（誤処理エラー・錯誤）といえる。

問題 014 Check ☐☐☐ 第1回 追 問題118

記憶について、正しいものを1つ選べ。

1 H. Ebbinghaus の忘却曲線では学習後6日目で最も急激に忘却が進む。
2 Tip-of-the-Tongue〈TOT〉はメタ記憶のモニタリング機能を示す現象である。
3 自転車の乗り方や泳ぎ方など自動的な行動を可能にする記憶を感覚記憶という。
4 A.D. Baddeley によるワーキングメモリのモデルで、視空間的な情報の記憶に関係するのは音韻ループである。

問題 015 Check ☐☐☐ 第1回 追 問題024

記憶について、正しいものを1つ選べ。

1 エピソード記憶は反復によって記憶される。
2 長期記憶の保持には側頭葉や間脳が関わる。
3 短期記憶は一次記憶とも呼ばれ、数時間保持される。
4 運動技能や習慣などに関する記憶は意味記憶と呼ばれる。
5 自分の名前のように生涯保持される記憶は二次記憶と呼ばれる。

問題 016 Check ☐☐☐ 第1回 追 問題050

加齢の影響を受けにくい記憶として、適切なものを<u>2つ</u>選べ。

1 意味記憶
2 手続記憶
3 展望記憶
4 エピソード記憶
5 ワーキングメモリ

解説 014　記憶　　正答 2

記憶の特徴やモデルに関する問題である。

1 × H. Ebbinghausの忘却曲線で表されているのは［節約率］である。例えば1日後の節約率が34%だった場合、記憶した内容を再度覚える負担が34%節約されたことを意味する。6日目に節約率が低下するという実験結果は示されていない。

2 ○ TOTは［のどまで出かかる現象］のことをいい、メタ記憶における［モニタリング機能］を示す。メタ記憶とは、「個人の記憶についての知識」といった知識的側面と「記憶のプロセスや状態のモニタリングおよびコントロール」といった活動的側面を包括した概念である。

3 × 自転車の乗り方や泳ぎ方などは［手続記憶］であり、これによって自動的な行動が可能となる。感覚記憶は、目、鼻、耳などの感覚器官に刺激が入力されたときに一瞬だけ保持される記憶のことをいう。

4 × ワーキングメモリモデルでは、ワーキングメモリは、音韻ループ、視空間スケッチパッド、中央実行系の3つのコンポーネントから構成されるシステムとして捉えられている。このうち、視空間的な情報の記憶に関係するのは［視空間スケッチパッド］である。

解説 015　記憶　　正答 2

記憶については種類や特徴だけでなく関係する脳の部位についても理解しておこう。

1 × エピソード記憶は［体験］することによって記憶される。反復（リハーサル）によって記憶が定着するのは［意味記憶］である。

2 ○ 長期記憶の保持に関わる脳部位は様々だが、［側頭葉］や［間脳］、視床などの損傷によっても健忘症が起こることから、これらの部位は長期記憶の保持に関わるといえる。

3 × 短期記憶は一次記憶と対応するが、保持期間は［数十秒］程度である。

4 × 運動技能や習慣などに関する記憶は［手続記憶］と呼ばれ、［長期記憶］に分類される。自転車の乗り方やピアノの弾き方などがこれにあたる。

5 × 二次記憶は長期記憶とほぼ対応するが、記憶において「生涯保持される」ということはない。

加点のポイント　記憶

記憶は大きく二つに分けられる。記憶の保持時間による分類である感覚記憶、短期記憶、長期記憶、そして記憶される内容による分類であるエピソード記憶、意味記憶、手続記憶をおさえておこう。

解説 016　記憶　　正答 1、2

記憶の特徴に関する問題である。健康な高齢者でも加齢により記憶機能に変化が生じるため、その点についておさえておきたい。

1 ○ 意味記憶は、［一般的な知識］としての事実や概念に関する記憶であり、加齢による影響が［少ない］といわれている。

2 ○ 手続記憶は、［運動技能や習慣］などに関する記憶であり、意味記憶と同様に加齢の影響が［少ない］。身体が覚えている。

3 × 展望記憶は、［将来］に関する記憶（週末に友達と遊ぶ約束、美容院へ行く日時など）であり、［加齢］による影響を受ける。

4 × エピソード記憶は、個人が経験してきた［エピソード］に関する記憶であり、加齢による影響を［受ける］。また、エピソード記憶に関わる脳部位が若年者と高齢者で異なることを示す研究もある。

5 × ワーキングメモリは、情報を［一時的］に保持しつつ、同時に複数のことを処理する能力のことをいう。［加齢］の影響を［受けやすい］。

問題 017　Check ☑☑☑　第1回　問題084

長期記憶について、正しいものを 1 つ選べ。

1　宣言的記憶〈declarative memory〉は手続的記憶とも呼ばれる。
2　意味記憶〈semantic memory〉は時間的文脈と空間的文脈とが明確な記憶である。
3　エピソード記憶〈episodic memory〉は一般的な知識としての事実に関する記憶である。
4　顕在記憶〈explicit memory〉と潜在記憶〈implicit memory〉とは記銘時の意識の有無によって分けられる。
5　非宣言的記憶〈nondeclarative memory〉は技能・習慣、プライミング及び古典的条件づけの 3 つに分けられる。

問題 018　Check ☑☑☑　第1回　問題006

記憶の実験によって示される系列位置効果について、正しいものを 1 つ選べ。

1　初頭効果は、学習直後に遅延を置くと消失する。
2　系列再生法を用いた記憶の実験によって示されるものである。
3　新近効果は、長期記憶に転送された情報の量を反映したものである。
4　学習段階で単語の呈示時間を長くすると、リスト中間部の再生率は低下する。
5　系列位置ごとの再生率を折れ線グラフとして表した系列位置曲線は、U 字型になる。

問題 019　Check ☑☑☑　第2回　問題008

プライミングについて、正しいものを 1 つ選べ。

1　間接プライミングは、主にエピソード記憶研究で用いられる。
2　直接プライミングは、先行情報と後続情報の間に意味的関連性が強い場合に生じる。
3　プライミングは、絵などの画像刺激では生じず、単語などの言語刺激のみで生じる。
4　プライミングには、先行情報が後続情報の処理を促進するだけでなく、抑制する場合もある。
5　プライミングは、先行情報が閾下呈示された場合は生じず、閾上呈示された場合のみで生じる。

解説 017 長期記憶

正答 5

記憶の分類について整理しておこう。

1 × 宣言的記憶は、[陳述記憶] とも呼ばれ、これには [エピソード記憶] や [意味記憶] が含まれる。

2 × 意味記憶は、[一般的な知識] としての事実や概念に関する記憶（例：三角形の内角の和は 180 度）である。

3 × エピソード記憶は、個人が経験してきた [エピソード] に関する記憶であり、[時間的文脈]（「いつ」体験した出来事か）と [空間的文脈]（「どこで」体験した出来事か）を伴うのが特徴である。

4 × 顕在記憶と潜在記憶は、[想起時] の意識の有無によって区別される。顕在記憶は意識が必要であり、潜在記憶は意識を必要としない。

5 ○ 研究者によって分類方法が異なることがあるが、技能・習慣、プライミング及び古典的条件づけが [非宣言的記憶] に含まれることは間違いなく、他の選択肢が明らかに誤りのため本選択肢が正答と考えられる。

解説 018 系列位置効果

正答 5

系列位置効果（初頭効果と新近効果）は二重貯蔵モデルを説明する現象である。それぞれが生じるメカニズムとその違いについて理解しておこう。

1 × [初頭効果] とは、リストの最初の方に呈示された単語が再生されやすい現象のことをいう。リハーサルが十分に行われることにより記憶が [長期記憶] へと転送される。なお、学習直後に遅延を置くと消失するのは [新近効果] の説明である。

2 × 系列再生法ではなく、[自由再生法] による記憶の実験によって示された。[自由再生法] とは、思い出した順に自由に単語を再生してもらう方法である。

3 × [新近効果] とはリストの最後の方に呈示された単語が再生されやすい現象のことをいい、[短期記憶] を反映している。

4 × 単語の呈示時間を短くすると、記銘に向けた処理がより不十分になるためリスト中間部の再生率は [低下] する。

5 ○ リストの最初と最後の数項目の再生率が、リストの中間部分の再生率よりも高くなるため、これを折れ線グラフに表すと [U 字型] になる。

加点のポイント 系列位置効果

記憶の二重貯蔵モデル（短期記憶・長期記憶）を実証している系列位置効果については、初頭効果、系列位置効果、系列位置曲線（U 字型）を説明できるようにしておこう。

解説 019 プライミング効果

正答 4

プライミング効果とは、先に呈示される刺激が後に呈示される刺激の処理を促進・抑制する現象のことである。

1 × 間接プライミングは、通常は [エピソード記憶] ではなく [意味記憶] 研究によって用いられる。

2 × 直接プライミングは、先行する刺激と後続刺激とで同じ刺激が繰り返されることで生じるプライミング効果のことをいう。通常、[知覚レベル] で観察される。意味的関連性が強い場合に生じるのは間接プライミングである。

3 × プライミングは知覚レベル（絵などの画像刺激）や意味レベル（単語などの言語刺激）の [両方] で生じるため誤り。

4 ○ 促進と抑制の両方の場合がある。抑制する場合は [ネガティブプライミング効果] と呼ばれることもある。

5 × プライミング効果は、無意識での潜在的な想起過程でも生じることから、先行刺激が [閾下呈示] された場合でも見受けられる。

問題 020

Check ☑☑☑ 第2回 問題037

メタ記憶的活動のうち、記憶モニタリング（メタ認知的モニタリング）の下位過程として、不適切なものを 1 つ選べ。

1 保持過程
2 確信度判断
3 既知感判断
4 学習容易性判断
5 ソースモニタリング判断

問題 021

Check ☑☑☑ 第3回 問題113

A.D. Baddeley のワーキングメモリ・モデルのサブシステムとして、誤っているものを 1 つ選べ。

1 感覚貯蔵
2 音韻ループ
3 中央実行系
4 エピソード・バッファ
5 視空間スケッチパッド

問題 022

Check ☑☑☑ 第1回 追 問題009

記憶障害について、正しいものを 1 つ選べ。

1 WMS-R は記憶障害の性質を分析できる。
2 Korsakoff 症候群は記憶の保持ができない。
3 獲得された過去の記憶が想起できないことを前向性健忘という。
4 想起障害は手がかりによって思い出すことができる場合を指す。
5 体験が想起できないエピソード記憶障害は潜在記憶の障害である。

解説 020 メタ記憶的活動

正答 1

メタ記憶とは自分の記憶や記憶過程に対する客観的な認知のことを指す。記憶のモニタリングとコントロールが中核機能である。メタ認知的モニタリングの働きを測定する方法として各種のメタ認知的判断がある。

1 × 保持過程とは、[記憶の過程] の一部である。

2 ○ 確信度判断は、[学習（記銘）後] に行われるモニタリングであり、自分の答えが正しい確率の推定を意味する。

3 ○ 既知感判断は、メタ記憶における [記憶状態] のモニタリングであり、自分の記憶システム内の貯蔵情報の有無に関わる主観的評価である。「知っている感じ」のことを既知感という。

4 ○ 学習容易性判断は、[学習（記銘）前] に行われるモニタリングであり、学習課題（例えば記銘する刺激項目）が覚えやすいか、覚えにくいかを推定する。

5 ○ ソースモニタリング判断は、その記憶がいつどこでどのように得られたかという [情報源（ソース）] についてのモニタリングである。

解説 021 A.D. Baddeley のワーキングメモリ・モデル

正答 1

ワーキングメモリ・モデルに関する問題である。当初、ワーキングメモリは、音韻ループ、視空間スケッチパッド、中央実行系の3つのコンポーネントから構成されるシステムとして捉えられていたが、その後エピソード・バッファを付け加えた新しいモデルが提案された。

1 × 感覚貯蔵は、[多重貯蔵庫モデル] における貯蔵庫のひとつである。

2 ○ [音韻ループ] は、音韻形態の情報の維持と貯蔵を行う。言語性ワーキングメモリに対応する。

3 ○ [中央実行系] は、注意の制御を行う。

4 ○ [エピソード・バッファ] は、主に音韻ループと視空間スケッチパッドの調整を行う。

5 ○ [視空間スケッチパッド] は、視空間情報の維持と貯蔵を行う。視覚性ワーキングメモリに対応する。

解説 022 記憶障害

正答 1

記憶障害の原因となる病気や疾患、記憶障害の種類や特徴なども整理しておこう。

1 ○ WMS-R（ウエクスラー記憶検査）は記憶の様々な面を測定することができる検査である。13 の下位検査からなり、[記憶障害の性質（特徴）] を調べることができる。

2 × Korsakoff 症候群は [記銘力] の障害や [失見当識、作話] などを主な症状とする。

3 × 獲得された過去の記憶が想起できない現象は [逆行性健忘] である。前向性健忘は、新しい経験や情報を覚えられなくなることをいう。

4 × [想起障害] は手がかりの有無にかかわらず、記憶の「想起（再生）」に障害がみられることをいう。

5 × エピソード記憶の障害は潜在記憶ではなく [顕在記憶] の障害によるものである。

加点のポイント ウエクスラー記憶検査（WMS-R）

多側面から記憶を測定する検査である。下位検査は次のとおり。

1. 情報と見当識
2. 精神統制
3. 図形の記憶
4. 論理的記憶 I
5. 視覚性対連合 I
6. 言語性対連合 I
7. 視覚性再生 I
8. 数唱
9. 視覚性記憶範囲
10. 論理的記憶 II
11. 視覚性対連合 II
12. 言語性対連合 II
13. 視覚性再生 II

第8章　学習及び言語

①人の行動が変化する過程

問題 001　Check ☑☑☑　第2回　問題009

ある刺激に条件づけられた反応が他の刺激に対しても生じるようになることを何というか、正しいものを1つ選べ。

1 馴化
2 消去
3 般化
4 シェイピング
5 オペラント水準

問題 002　Check ☑☑☑　第1回　問題007

条件づけについて、正しいものを1つ選べ。

1 貨幣やポイントを強化子とした条件づけを二次条件づけと呼ぶ。
2 古典的条件づけは、条件刺激と無条件反応の連合によって成立する。
3 オペラント条件づけによる行動変容以前の行動頻度をオペラント水準と呼ぶ。
4 連続強化による条件づけは、間歇強化による条件づけよりも消去抵抗が強い。
5 古典的条件づけにおいては、逆行条件づけは順行条件づけよりも条件反応の獲得が良好である。

問題 003　Check ☑☑☑　第1回 追　問題039

オペラント条件づけで、逃避学習や回避学習を最も成立させやすいものとして、正しいものを1つ選べ。

1 正の罰
2 負の罰
3 正の強化
4 負の強化

解説 001 学習理論　正答 3

学習理論には、無条件刺激と条件刺激を同時に呈示して条件反応を形成する古典的条件づけと、オペラント行動が自発的に生じた後の環境変化に伴いその後の自発頻度が変化するオペラント条件づけがあり、基本的なメカニズムに加えて、様々な条件づけの形がある。

1 × [馴化] とは、同一の刺激を繰り返し経験すると、その刺激に対する反応が弱まってくる現象であるため誤りである。

2 × [消去] とは、条件づけがなされた個体に、対呈示した無条件刺激を与えずに条件刺激を与えると、自然に条件反応が消えていくことであるため誤り。

3 ○ [般化] とは、条件刺激と似た刺激にも条件反応が起こるようになる現象であり、条件づけの効果が広がることであるため、正答となる。

4 × [シェイピング] は、オペラント条件づけで達成しやすい課題からスモールステップを踏んで、段階的に目標行動に近づけていく方法なので誤り。

5 × [オペラント水準] は、オペラント条件づけによる行動変容以前の行動頻度のことを表すため誤り。

解説 002 条件づけ　正答 3

条件づけは、実際の行動がどのように身につくのかを説明するメカニズムを表す考え方である。無条件刺激、無条件反応、条件刺激、条件反応など、重要な用語が多いのでそれぞれ整理しておくことが必要である。

1 × 貨幣やポイントを強化子とした条件づけは [トークンエコノミー] という。

2 × [古典的条件づけ] で成立するのは、条件刺激と無条件刺激の連合である。

3 ○ 自発的に生じた行動（オペラント行動）の頻度は [オペラント水準] と呼ばれる。オペラント条件づけは [三項随伴性] の順序もあわせて覚えておこう。

4 × [間歇強化] はたまに成功報酬が与えられるもので、連続強化よりも消去抵抗が強い、つまり行動が維持されやすいことが知られている。

5 × 条件刺激の前に無条件刺激を呈示する [逆行条件づけ] は、条件刺激の後に無条件刺激を呈示する [順行条件づけ] よりも新たな行動を獲得しにくい（つまり条件反応を獲得しにくい）。

解説 003 オペラント条件づけ　正答 4

正負と強化・罰について、「正」とは刺激を与えることで、「負」とは刺激を取り去ることで、「強化」は行動が増加し、「罰」は行動が減少すると考える。

1 × [正の罰] は、ルールに違反した場合の罰則などがこれにあたるが、逃避学習や回避学習の促進はしないと考える。

2 × [負の罰] は、ルール違反の行動をすると、ご褒美を取り上げるといった場合がこれにあたり、同様に逃避学習や回避学習にはつながらないと考える。

3 × [正の強化] は、反応に対して報酬を与える訓練なので、行動頻度がさらに増えるため、逃避学習や回避学習とは異なると考える。

4 ○ [負の強化] は、嫌悪刺激を与え、逃避反応が起きると嫌悪刺激を除去する訓練であるため、これが正しい。

メモ 強化のマトリクス

	行動増加（レバーを押すようになる）	行動減少（レバーを押さなくなる）
刺激出現	[正の強化]	[正の弱化（罰）]
刺激消失	[負の強化]	[負の弱化（罰）]

問題 004 Check ☑☑☑ 第4回 問題137

30歳の男性A、会社員。喫煙をやめたいが、なかなかやめられないため、会社の健康管理室を訪れ、公認心理師Bに相談した。Bは、Aが自らの行動を観察した結果を踏まえ、Aの喫煙行動を標的行動とし、標的行動の先行事象と結果事象について検討した。
先行事象が、「喫煙所の横を通ったら、同僚がタバコを吸っている」であるとき、結果事象として、最も適切なものを1つ選べ。

1 喫煙所に入る。
2 タバコを吸う。
3 同僚と話をする。
4 自動販売機で飲み物を買う。
5 コンビニエンス・ストアでタバコを買う。

問題 005 Check ☑☑☑ 第1回 追 問題089

トークンエコノミー法について、正しいものを1つ選べ。

1 タイムアウトを活用する。
2 レスポンスコストに基づく。
3 賞賛によって行動を強化する。
4 バックアップ強化子〈好子〉を用いる。
5 問題行動の減少を主要な目標とする。

解説 004　30歳男性・先行事象と結果事象（事例）　正答 3

応用行動分析に基づく観点から「結果事象」を考える問題である。まずは基本的な分析の枠組み（A：先行事象、B：標的行動、C：結果事象）について理解することが大切である。

1 × 先行事象（A）は「喫煙所の横を通ったら、同僚がタバコを吸っている」、標的行動（B）は「喫煙行動（タバコを吸う）」である。したがって、その後の結果事象として「喫煙所に入る」がくるのは時間の流れとしておかしい。

2 × 「タバコを吸う」という行為は問題文にもあるとおり［標的行動］である。

3 ○ 先行事象（A）は「喫煙所の横を通ったら、同僚がタバコを吸っている」である。その様子をみて喫煙所に入りタバコを吸うと同僚との会話がうまれることが想定される。普段よりも会話が弾んでいるかもしれない。そのことが強化子となり、喫煙行動が維持されていると考えられる。

4 × 結果事象（C）は標的行動（B）を強化しているものである。「自動販売機で飲み物を買う」という行為がタバコを吸うという標的行動を強化しているとは考えられない。「自動販売機で飲み物を買う」を結果事象（C）と仮定した場合、標的行動とつながりがない。

5 × 4と同様。結果事象（C）は標的行動（B）を強化しているものである。「タバコを買う」ことは喫煙行動につながっているかもしれない。しかし、この場合の先行事象（A）は「喫煙所の横を通ったら、同僚がタバコを吸っている」である。ABCで考えた場合、「コンビニエンス・ストアでタバコを買う」という行為を結果事象（C）と仮定した場合、先行事象（A）とのつながりがない。

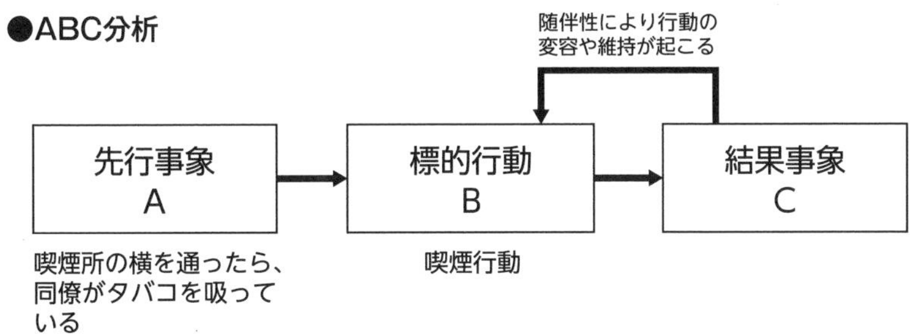

解説 005　トークンエコノミー法　正答 4

トークンエコノミー法は子どもに用いることが多い方法で、代用貨幣と呼ばれるトークンを与えることで、それが一定量になると特定の物や活動と交換してもらえる。この特定の物や活動のことをバックアップ強化子という。

1 × ［タイムアウト］は、子ども等が不適切な行動をとったときに、一時的に何もない部屋等にいさせる罰の効果を意味するので、トークンエコノミー法とは異なる。

2 × ［レスポンスコスト］とは、不適切な行動をとった際に、得られたトークンを没収する手続きをとり、その行動頻度が低下するという原理を用いる。

3 × 賞賛は［トークン（代用貨幣）］とすることが難しいと考え、誤りとなる。

4 ○ トークンエコノミー法は、行動療法のオペラント技法の［正の強化］に基づくものであるため、これが正しい。

5 × トークンエコノミー法は［適応行動や望ましい行動］を増やすことを目的とするので誤り。

問題 006 Check ☑☑☑ 第2回 問題082

動物を対象とした研究において、うつ状態に関連する現象として、最も適切なものを1つ選べ。

1 負の強化
2 学習性無力感
3 嫌悪条件づけ
4 受動的回避学習
5 代理的条件づけ

問題 007 Check ☑☑☑ 第3回 問題036

乳児期の認知発達に関する研究手法である馴化・脱馴化法について、不適切なものを1つ選べ。

1 乳児の弁別能力の発達を調べることができる。
2 吸てつ〈sucking〉反応の変化を指標とすることができる。
3 刺激に対する注視時間の回復を指標とすることができる。
4 乳児の再認記憶の有無を確かめるために使うことができる。
5 実験手法の1つとして、乳児に対して2つの刺激を同時に対呈示することができる。

メモ 選好注視法

選好注視法は、見慣れた対象よりも新奇な対象を長く注視する性質を利用して弁別能力を測定するものであるが、刺激間に選好の偏りがみられない場合には、馴化・脱馴化法が有効である。同じ刺激を繰り返し呈示すると、次第に刺激への反応強度が減少（馴化）し、その後、刺激を変えると反応が回復（脱馴化）する。脱馴化の有無や程度から、刺激の弁別を確認する方法が、馴化・脱馴化法である。

問題 008 Check ☑☑☑ 第3回 問題084

学習の生物的制約を示した実験の例として、最も適切なものを1つ選べ。

1 E. L. Thorndike が行ったネコの試行錯誤学習の実験
2 H. F. Harlow が行ったアカゲザルの学習セットの実験
3 J. Garcia らが行ったラットの味覚嫌悪学習の実験
4 M. E. P. Seligman らが行ったイヌの学習性無力感の実験
5 W. Köhler が行ったチンパンジーの洞察学習の実験

メモ ガルシア効果

たまたま牡蠣などの魚介類などの食べ物を食べて、食あたりや食中毒を起こしてしまい、体調・気分を悪化させる経験をすると、それ以来その食べ物を口にできなくなってしまうという経験をした人も多いのではないだろうか。これが味覚嫌悪学習の典型例である。この現象を実験によって明らかにしたガルシアの名前をとって、ガルシア効果と呼ばれている。味覚嫌悪学習は、条件刺激と無条件刺激の連合に選択性があること、条件刺激と無条件刺激の間隔が空いていても、対呈示が1回であっても条件反応が生じること、消去抵抗が高いことが特徴である。

解説 006 うつ状態に関連する現象

正答 2

学習性無力感理論では、動物実験において非随伴性の経験が持続することで、不安から抑うつへと情動面で変化することが示されている。

1 × [負の強化] は、刺激が消失することで行動が増加することを表しているので誤り。

2 ○ [学習性無力感] とは、どうあがいても逃げられない電気ショックを受けた犬が、回避訓練が始まっても電気ショックを回避する方法を学ぼうとしない現象をいう。最初に自分で電気ショックの回避を統制できない状況を非随伴性という。

3 × [嫌悪条件づけ] は、古典的条件づけ手続きにおける対呈示強化により嫌悪を感じるようにすることなので誤り。

4 × [受動的回避学習] は、動物が行動しないことにより、電気ショックを回避する学習をいうので誤り。

5 × [代理的条件づけ] は、観察学習によって条件づけが成立することなので誤り。

解説 007 乳児期の研究手法

正答 5

言語による反応を求められない乳児を用いた実験では、R.L. Fantz が開発した選好注視法が有名である。

1 ○ 脱馴化が起こる程度を指標として用いることで、弁別能力の発達を測定することも可能。

2 ○ 視覚刺激への注視時間が測定の指標として用いられることが多いが、他にも [吸てつ反応] や心拍数も使用される。

3 ○ 馴化により同じ視覚刺激を呈示されると注視時間が [減少] するが、その後刺激に変化があった場合、脱馴化により注視時間は [増加] する。

4 ○ 対象となる刺激について [記憶] しているかどうかを調べることが可能。記憶対象が変化すれば、脱馴化が生じるということは、再認できていると考えられる。

5 × 複数の刺激を「同時に」という表現があるため、これは継時的に呈示する馴化・脱馴化法ではないと判断する。選好注視法は、複数の刺激を同時に見せるだけでよいため、長時間の実験が難しい場合にも使うことが可能。

解説 008 味覚嫌悪学習（ガルシア効果）

正答 3

この問題はガルシア効果を知っていれば正答できる問題。学習の生物的制約とは、ある種の動物の学習は、条件づけの原理に従って一律に成立するのではなく、生得的に意味のある制約が働くことである。例えば、ガルシア効果（味覚嫌悪学習）にみられる食物嫌悪の学習では、生物の本来の機能に沿った味覚刺激などは、そうでないものより条件づけが成立しやすい。

1 × E.L. Thorndike は、ネコを用いた問題箱の実験を行い、問題解決とは動物の試行錯誤によって漸進的に刺激と反応が連合していく過程であると述べた。

2 × 課題が出されると、最初は試行錯誤を試みるが、それを繰り返すうちに、要領を得てやり方がわかるようになる。このように学習のしかたが学習されることを学習セットが形成されたという。H.F. Harlow は、学習心理学に学習セットの概念を導入した。

3 ○ J. Garcia らは、ラットの [味覚嫌悪学習] に関する実験を行い、それまでの学習理論の原則では十分説明することが難しい新たな事実があることを明らかにし、生物的制約の概念を導入する契機になった。

4 × M.E.P. Seligman らは、事前に逃避も回避もできない電撃を受ける経験により、その後の回避訓練に重大な影響を与えることを実験的に示した（学習性無力感）。

5 × W. Köhler は、チンパンジーが道具の使用により問題を解決することを見いだし、問題解決とは洞察により問題状況に対する知覚・認知の再体制化が生まれる過程であると述べた（洞察学習）。

問題 009 Check ☑☑☑ 第3回 問題010

E. C. Tolman は、ラットの迷路学習訓練において、訓練期間の途中から餌報酬を導入する実験を行っている。この実験により明らかになったこととして、最も適切なものを 1 つ選べ。

1 回避学習
2 観察学習
3 初期学習
4 潜在学習
5 逃避学習

メモ 潜在学習

潜在学習では、迷路を模した装置が使われた。迷路を使った学習では、新行動主義の E.C. Tolman と C.L. Hull の間に考え方の相違がある。強化説の立場をとった Hull は、ゴールに報酬が置いてあること、スタートからゴールまでの反応の連鎖の学習を重視した。一方、Tolman は、空間についての知識獲得を重視し、報酬は必ずしも必要ないと考えた。

問題 010 Check ☑☑☑ 第4回 問題008

大人の攻撃行動を観察していた幼児が、その後、同じ攻撃行動を示した。この過程を示す用語として、最も適切なものを 1 つ選べ。

1 洞察学習
2 モデリング
3 嫌悪条件づけ
4 シェイピング
5 オペラント条件づけ

解説 009 動物を用いた学習心理学の実験

正答 4

回避・逃避学習を実験的に訓練し確かめる際には、シャトル・ボックスや回転カゴが用いられる。

1 × [回避学習] は、やがて経験する嫌悪刺激（電撃など）を事前に避ける学習である。

2 × [観察学習] は、他者の行動を観察することでその行動型を習得する学習である。A. Bandura は観察学習の過程について検討した。

3 × 動物は、出生後の一定期間に経験したことが、永続的に影響を及ぼすことがあり、その経験の効果・学習のことを [初期学習] という。K.Z. Lorenz のカモの刻印づけや H.F. Harlow のサルの代理母実験などがある。

4 ○ E.C. Tolman らは、ネズミと迷路のような実験装置を用いて、数日間にわたるゴールまでの平均誤数の変化を検討した。ゴールに報酬を置く群、置かない群、途中から置く群で比較したところ、途中から置く群では、エサが置かれるようになってから、平均誤数が急激に減少した。Tolman は、ゴールに報酬がない間でも、迷路内を歩きながら空間構造を潜在的に学習（潜在学習）したからスムーズにゴールまで行けるようになったと考えた。

5 × [逃避学習] は、嫌悪刺激（電撃など）を経験している状況から逃れる学習である。

解説 010 社会的学習のうちの観察学習

正答 2

学習の基礎的な概念について、用語だけでなく人物もおさえておくことが重要である。モデリングは、臨床場面でアサーション訓練やソーシャル・スキルの訓練（SST）でも取り入れられていることを覚えておこう。

1 × [洞察学習] とは、問題解決が必要な事態において、その状況を構成している諸情報を統合し一気に解決の見通しを立てる（知覚の再体制化が生じる）ことである。ゲシュタルト学派の W. Köhler がチンパンジーの実験によって考察したもので、E.L. Thorndike の試行錯誤学習の考えに対立するものである。

2 ○ [モデリング] は、直接経験して学ぶのではなく、他者の行動を見ることによって学ぶ社会的学習である。観察学習とも呼ばれる。本事例のように、モデリングによる学習には、好ましい行動ばかりでなく、攻撃行動なども含まれる。

3 × 特定の条件刺激と無条件刺激の組み合わせでは条件反応の学習が速やかかつ強度が大きいという連合選択性があり、嫌悪刺激を無条件刺激とする条件づけは [嫌悪条件づけ] と呼ばれている。食べ物による味覚刺激（条件刺激）により、嘔吐や内臓不快感（無条件刺激）の学習が生じ、消去されにくい（消去抵抗が高い）という味覚嫌悪学習が有名である。

4 × [シェイピング（反応形成）] とは、必要とする反応を引き出していく過程を指す。例えば、空腹の動物はスキナー箱に入れられても最初は周囲を歩きまわったり無関係な行動のみをしたりする（オペラント水準）が、次第に幅広い行動をして、たまたまレバーの前に近づいたときに正の強化子を与えると、その行動が増える。さらにレバーに触れたときに正の強化子を与えると、その行動が増える、このようにして少しずつ強化する行動を絞って、目的の行動に近づけてオペラント反応を形成する。

5 × [オペラント条件づけ] または [道具的条件づけ] とは、生活体の自発的行動を対象とした学習の様式である。試験のための勉強や、翌日の仕事の準備など、日常の多くの行動は、オペラント条件づけに支えられている。

メモ　モデリングによる学習

モデリングは、ゲームやテレビなど映像のモデルを繰り返し見ることによっても学習される。

加点のポイント　オペラント条件づけ

オペラントとは、B.F. Skinner による造語であるが、自発的行動は環境への操作（operation）であるという考えに由来している。オペラント条件づけは、行動分析学を支える重要な概念であり、応用分野として発達障害児者の支援に活用されている。

問題 011 Check ☐☐☐ 第 3 回 問題 024

学習者が自分の目標を決め、その目標を達成するために自らの計画を立て、実行段階で思考、感情及び行為をコントロールし、実行後に振り返り、自らの学習行動を評価するプロセスとして、正しいものを 1 つ選べ。

1 観察学習

2 自己調整学習

3 認知的徒弟制

4 古典的条件づけ

5 有意味受容学習

問題 012 Check ☐☐☐ 第 3 回 問題 098

学びは多様であるが、例えば洋裁を学ぶ際に、工房に弟子入りし、仕上げ、縫製、裁断などの作業に従事し、やがて一人前となるような学びを説明する概念として、最も適切なものを 1 つ選べ。

1 問題練習法

2 ジグソー学習

3 問題解決学習

4 正統的周辺参加

5 プログラム学習

解説 011 自己調整学習

正答 2

子どもの教科の学習を中心とした学びについての心理学的アプローチとして、教育心理学分野には古典的な理論がいくつかあるが、1990 年あたりから、B.J. Zimmerman らの自己調整学習など、学習を規定するメカニズムやプロセスの認知心理学の知見に基づいた実証的な検討が行われている。

1 × 他者の行動を観察することでその行動を学習することを［観察学習］という。A. Bandura は、観察学習について、幼児の攻撃行動に関する実験を行った。

2 ○ ［自己調整学習］とは、学習者が自分自身の動機づけ、学習方略、メタ認知という 3 つの要素について能動的に関与する学習過程のことである。自己調整学習は、予見、遂行コントロール、自己省察という 3 過程を循環しつつ進む。

3 × J.S. Brown と A. Collins は、熟達者と学習者の職業技術訓練モデルとして伝統的な職人の親方と弟子の関係にみられる見習い修業の学習過程を分析し、モデリング、コーチング、足場づくり、フェイディングという認知的要素を含む［認知的徒弟制］という学習方法を理論化した。

4 × ［古典的条件づけ］とは、中性刺激と無条件刺激を対呈示することにより、中性刺激が条件刺激に変わり、新しい反射を引き起こすようになる手続き・現象。Pavlov によって発見された。

5 × D.P. Ausubel は、学習の始まりの段階で前提となる一般的・抽象的な知識や情報を伝え（受容学習）、その後、学習者が既に有している知識に結びつける意味づけを行う（有意味学習）ことで学習が容易になるという有意味受容学習という教授法を提唱した。

解説 012 教授・学習法

正答 4

教育心理学における用語を覚えておく必要がある。新しい理論だけではなく、古典的な理論が出題される場合がある。

1 × ［問題練習法］とは、学習者が問題練習を数多くこなし、実践的な問題に慣れる学習方法である。

2 × E. Aronson は、差別問題や競争主義が懸念される学級内において、相互に学び合うことを目指して、［ジグソー学習］を考案した。ジグソーパズルのように、学習者各々がピースにあたる分割された課題を分担し、後に学習者相互に情報を発信しつつ協調することで全体的な学習を行う。

3 × J. Dewey は、知識を暗記する受け身的な学習ではなく、学習者は能動的に課題を発見し解決する能力を養うことを目的とした［問題解決学習］を提唱した。ここでは、教育者は助言者として学習者の自発性、関心、能動性を引き出すようにはたらきかける。大学教育改革の中のアクティブ・ラーニングで実践されている。

4 ○ J. Lave と E. Wenger は、学習を最初は実践共同体（コミュニティ）に周辺的に参加し、その後、完全な参加に移行していくメンバーのアイデンティティ形成過程であると捉え、［正統的周辺参加］という学びの概念を提唱した。この問題の例のとおりである。

5 × B.F. Skinner は、オペラント条件づけの理論を個別学習に応用し、スモールステップ、即時強化、積極的反応、自己ペースといった原理に基づいた［プログラム学習］を提唱した。この導入により、誰もが同じ過程を経て学習目標を達成できると考えた。［プログラム学習］を効率よく実践するため、学習者のペースに合わせ、段階的に進められるティーチングマシンという機器を考案した。

②言語の習得における機序

問題 013 Check 第4回 問題086

認知言語学の説明として、最も適切なものを 1 つ選べ。

1 生成文法理論をもとに構築されている。
2 言語習得における経験の役割を重視する。
3 言語に特化した認知能力を強調する立場をとる。
4 言語的カテゴリーには、明確な境界線があるとみなす。
5 ゲシュタルト心理学でいう「図と地」の概念には、否定的である。

問題 014 Check 第1回 問題085

コミュニケーションと言語の発達について、正しいものを 1 つ選べ。

1 発達初期に出現する語彙は、動詞や形容詞が名詞よりも多い。
2 語彙の増加は、初語の出現から就学まで概ね均質なスピードで進む。
3 指さしは、リーチングなどとともに生後 6 か月頃から頻繁に観察されるようになる。
4 生後 9～10 か月頃からみられる、対象に対する注意を他者と共有する行動を共同注意と呼ぶ。
5 クーイングとは、乳児期の後半からみられる「バババババ」などの同じ音を繰り返し発声することをいう。

問題 015 Check 第4回 問題036

H.P. Grice の会話の公理〈maxims of conversation〉に該当しないものを 1 つ選べ。

1 根拠があることを話す。
2 場の雰囲気に配慮する。
3 過不足なく情報を伝える。
4 その時の話題に関連したことを言う。
5 曖昧な表現を避け、分かりやすく情報を伝える。

解説 013 認知言語学 正答 2

認知言語学は、1980 年代に G. Lakoff らが提唱し、認知心理学やゲシュタルト心理学の概念や知見を取り入れたもの。認知言語学の研究によって、語の意味、語彙、概念に関する意味論の研究が発展した。N. Chomsky の変形生成文法とは違って、人の言語能力と他の認知機能と相互に影響を及ぼすとされる。

1 × N. Chomsky の変形生成文法とは異なった理論により構築されている。

2 ○ 認知言語学における言語習得理論は、認知能力などの生得性は否定しないものの、生得的な装置などを前提にはせず、環境から得られた具体的な事例をベースとして、認知能力を使って言語知識を抽出すると考える。つまり、言語習得において、経験などの環境要因を重視している。

3 × 言語に特化というよりも、言語能力と他の認知機能相互の関連を及ぼすと考えられる。

4 × 認知言語学における言語的カテゴリーには、グレーゾーンを想定しており境界線はあいまいで連続性があると考えている。

5 × ゲシュタルト心理学の理論の図と地の分化をヒトの言語に取り入れた理論である。

解説 014 コミュニケーションと言語発達 正答 4

乳幼児期のコミュニケーションと言語発達について基本的な事項を理解しておくこと。

1 × 発達初期、早期表出語彙は、[名詞（普通名詞）] が一番多い。

2 × 語彙の増加は、初語の出現後の 1 歳半に [爆発的増加（語彙数の急上昇）] が起こるなど、均質な速度ではない。

3 × 乳児期ではリーチングが [6 か月頃] でみられ、指さしは三項関係の成立時期である [9 か月頃] に出現する。

4 ○ 共同注意は生後 [9～10 か月頃（9～15 か月という説もある）] からみられ、対象への注意を他者と共有する行動である。

5 × 乳児におけるクーイングは生後 2 か月くらいの時期なので、[乳児期前期] もしくは [初期] である。

解説 015 コミュニケーションにおける規則 正答 2

会話の規則は、コミュニケーション、特に発話の意図を推測する上で重要な役割を担う。H.P. Grice は、人間が相互に協力的なコミュニケーションをとり、会話するにあたって役に立つ規則のことを、会話の公理または会話の公準（maxims of conversation）として提唱した。

1 ○ 正しいと考えている情報を提示するという「質の公理（公準）」に該当する。

2 × 場の雰囲気については特に触れられていない。会話の公理は発話をどのように構成することが適切かというルールに加えて、会話に参加する者が相互に遵守しているであろうという前提のもと、発話の意図を推論する際に重要な役割を果たす。

3 ○ 適切な量の情報を提示するという「量の公理（公準）」に該当する。

4 ○ 関連のあることについて述べるという「関連性の公理（公準）」に該当する。

5 ○ 適切な様式により情報を提示するという「様式の公理（公準）」に該当する。

問題 016 Check ☑☑☑ 第3回 問題011

N. Chomsky の言語理論の立場として、正しいものを 1 つ選べ。

1 言語発達のメカニズムは、遺伝的に決定されている。
2 どのような言語にも共通する普遍文法は存在しない。
3 言語の文法は、ヒト以外の動物種にも認めることができる。
4 句構造規則によって作られた文の表層構造は、変形規則によって深層構造となる。
5 脳の中にある言語獲得装置は、報酬と罰の経験によって文法を獲得する働きを持つ。

メモ Chomsky と Bruner

Chomsky は、人間の言語に共通な規則の体系として普遍文法を提唱し、生まれつき子どもには普遍文法を獲得するための言語獲得装置という仕組みが備わっていると考えた。これに対して Bruner は、人間が言語を獲得するためには、養育者の側に子どもの言語発達を促す機能を持つ言語獲得援助システムという仕組みが必要であると考えた。

問題 017 Check ☑☑☑ 第2回 問題108

共同注意行動の例として、<u>誤っているもの</u>を 1 つ選べ。

1 指さし (pointing)
2 クーイング (cooing)
3 参照視 (referential looking)
4 相手に物を手渡す行動 (giving)
5 相手に物を見せる行動 (showing)

問題 018 Check ☑☑☑ 第1回 追 問題040

言語の音韻面の発達について、最も適切なものを 1 つ選べ。

1 生後すぐの新生児には、クーイングと呼ばれる発声がみられる。
2 1歳に達するまでに、徐々に非母語の音韻に対する弁別力は弱くなる。
3 2歳までに言語の音韻的な側面についてのメタ言語的な理解が始まる。
4 種々の韻律的特徴を持つジャーゴンが出現した後に、音節を反復する基準喃語が生じてくる。

解説 016 N. Chomsky の言語獲得理論

正答 1

N. Chomsky の生成文法理論は、ヒトに実在する言語機能の特性を解明することを目標として、ヒトの言語獲得という観点から、言語機能は生得的に備わっているものであり、言語経験に基づき、生得的なその言語機能は、初期状態（普遍文法）から少しずつ変化して最終状態に至ると仮定されている。

1 ○ Chomsky によれば、ヒトの言語発達は、生まれつき脳に普遍文法という個々の言語形式を算出する文法能力の基盤が組み込まれていると考えられているため、［遺伝的］に決定されているということができる。

2 × ［普遍文法］は、個々の言語を超えた共通するシステムと考えられている。

3 × Chomsky は、ヒトに特有の言語を生成する基盤について論じており、ヒト以外の動物の文法については認めていない。一般的に、言語の文法はヒト以外の動物とヒトの知性を隔てる要素と考えられている。

4 × 単語の語順の規則である句構造規則に基づいて文の［深層構造］（実際に使われる文のもととなる規則的な構造を持った文の原型）が作られ、その後、変形という文法操作（変形規則）が働くことで、深層構造が［表層構造］（実際に表出される文）として表現される。この問題では、表層構造と深層構造を入れ替えると正答になる。

5 × Chomsky は、ヒトは脳に［言語獲得装置］を備えて生まれ、周囲の大人の言語に触れることにより、言語獲得装置が発動して文法が作られていくと考えており、文法獲得は報酬と罰の経験ではないとしている。

解説 017 共同注意行動

正答 2

共同注意行動（共同注視：joint attention、対象への注意を他者と共有すること）で乳児がとる行動を理解しておこう。

1 ○ ［指さし］(pointing) とは、養育者に乳児が見てほしいものを指さす三項関係に基づいた共同注意行動である。

2 × ［クーイング］（cooing、言葉の発達の始まりの声だし）とは、生後 2 か月後に生ずる母－子言語関係の始点であり、母子相互作用を示すものである。

3 ○ ［参照視］（referential looking）とは、既知の物を見たときに養育者の方を見る共同注意行動である。

4 ○ ［相手に物を手渡す行動］(giving) とは、養育者に乳児が物を手渡す三項関係に基づいた共同注意行動である。

5 ○ ［相手に物を見せる行動］（showing）とは、養育者に乳児が持っている物を見せる三項関係に基づいた共同注意行動である。

解説 018 言語の音韻面の発達

正答 2

乳幼児の言語獲得過程はクーイング、喃語、一語期、二語期、多語期と進む。

1 × クーイングは［生後 2～4 か月］でみられるため、不適切である。

2 ○ 生後 10～11 か月頃には母語以外の音を［弁別］する力は弱くなる。

3 × ［メタ言語的理解］は、言語における名詞、動詞などの理解を指すが、2 歳までに言語のこのような高度な理解ができることはなく不適切である。

4 × 生後 6 か月頃に［喃語］が生じ、10 か月頃に様々な韻律的特徴を持つ［ジャーゴン］が現れるようになるため、順序が逆である。

メモ 乳幼児の言語獲得過程

0 か月～	叫喚
2 か月～	クーイング
4 か月～	過渡的喃語
6 か月～	基準喃語

10 か月～	ジャーゴン
12 か月～	初語
18 か月～	語彙の爆発
20 か月～	2 語文
24 か月～	多語文

問題 019　Check ☑☑☑　予想問題 1

言語獲得に関する次の記述で最も適切なものを 1 つ選べ。

1　言語獲得装置（LAD：Language Acquisition Device）は、J. Bruner が提唱した。
2　言語獲得装置（LAD）は、子どもの言語獲得を促すような大人が子どもと行う会話などの関わりのことをいう。
3　言語獲得支援システム（LASS：Language Acquisition Support System）は、N. Chomsky が提唱した。
4　言語獲得支援システム（LASS）は、周囲からの言語入力からスムーズに法則性を整理できる仕組みのことをいう。
5　言語獲得装置（LAD）における普遍文法とは、人がもつ言語に、核として生得的に存在するものをいう。

問題 020　Check ☑☑☑　第 1 回　問題 042

言語の障害について、最も適切なものを 1 つ選べ。

1　感覚性失語は多くの場合 Broca 野の損傷が原因となる。
2　ディスレクシアは音声言語の理解と産出の障害である。
3　吃音は幼児期に始まる傾向にあり、女児よりも男児に多い。
4　自閉スペクトラム症／自閉症スペクトラム障害〈ASD〉では統語論的な能力につまずきをもつことが多い。

解説 019 言語獲得の理論

正答 5

言語獲得は N. Chomsky と J. Bruner の理論をおさえておきたい。

1 × 言語獲得装置（LAD）を提唱したのは［N. Chomsky］である。

2 × これは［言語獲得支援システム（LASS）］の説明であり、［言語獲得装置（LAD）］は、周囲からの言語入力からスムーズに法則性を整理できる仕組みのことをいう。

3 × 言語獲得支援システム（LASS）を提唱したのは［J. Bruner］である。

4 × これは［言語獲得装置（LAD）］の説明であり、言語獲得支援システム（LASS）とは、子どもの言語獲得を促すような大人が子どもと行う会話などの関わりのことをいう。

5 ○ 言語獲得装置（LAD）では、問題文の［普遍文法］に加え、人の心の中で文法的に正しい文を無限に生み出す一連のルールの集合である［生成文法］もある。

メモ 語彙獲得

認知的制約	制約により、言葉と物の関係も合理的に理解していくこと
事物全体制約	物の名前は（部分ではなく）その事物全体を指すこと
相互排他性制約	ある物の名前と別の物の名前は重複しないこと
カテゴリ制約	物は名前があると同時にカテゴリの1つであること

解説 020 言語の障害

正答 3

言語の障害は脳機能に起因する Broca（ブローカ）失語、Wernicke（ウェルニッケ）失語を中心として、覚えていくとよい。

1 × 側頭葉にある［感覚性言語中枢］を損傷するのは Wernicke 失語である。Broca 失語は前頭葉の［運動性言語中枢］の損傷による。

2 × ［ディスレクシア（dyslexia）］は会話に不自由はないが、［文章］を読んだり書いたりすることが困難な［学習障害］の一種である。

3 ○ 吃音は、DSM-5（米国精神医学会による精神疾患の診断・統計マニュアル 第5版）では［小児期発症流暢障害］とされ、幼児期に始まり［男児］が［女児］の3倍程度多く、連発（音を繰り返す）、伸発（音を引き伸ばす）、難発（音がつまる）がある。

4 × ［統語論］は文法的な正しさを問題とするが、［語用論］は、話し手が伝えたいと思っている意味を理解することであり、自閉スペクトラム症（ASD：Autism Spectrum Disorder）はこうした［語用論］が問題とするような社会的コミュニケーションがうまくいかない。

メモ 「日本が金メダルをとった」に対する文法的理解

意味論	日本そのものが金メダルをとる、という文章の意味はおかしい
統語論	主語と述語による構成であり、文法的には正しい
語用論	オリンピックの試合中の表現ならば状況として意味が正しく通るので問題ない

問題 021　Check ☑☑☑　第2回　問題086

ディスレクシアに関する説明として、正しいものを 1 つ選べ。

1　限局性学習症に含まれる。

2　読み書き不能の状態である。

3　言語発達に問題はみられない。

4　音読はできるが理解ができない。

5　読みの速度は速いが不正確である。

解説 021 ディスレクシア

正答 1

ディスレクシアは、全般的な発達の遅れはなく会話にも問題はみられないが、読み書きの困難さ（読字障害・書字障害）を示す学習障害の一種である。

1 ○ 発達障害のうち、学習に関する障害は、米国精神医学会の診断基準（DSM-5）では［限局性学習症］と呼ばれ、発達障害者支援法では［学習障害］と呼ばれている。

2 × ディスレクシアは、単語や文字を［音］に変換する部分が正確に速くできない状態のことで、読字障害、難読症、失読症等と訳される。結果として書くことがうまくいかない場合も多く、「読み書き障害」といわれる。しかし、「読み書き不能の状態」は適切でない。

3 × 全般的な［知的発達の遅れ］はないが言語の発達には遅れがみられることも多い。

4 × 文字が読み取りづらく、語句や行を飛ばしたり、逆さ読みをしたり、［音読］が苦手な傾向にある。しかし、一度音読して内容が理解できると２回目は比較的スムーズに音読することができる。

5 × 読みの速度が［遅い］ことがディスレクシアの特徴でもある。

メモ ディスレクシア

ディスレクシア（dyslexia）または発達性ディスレクシア（developmental dyslexia）は、これまで学習障害（LD）といわれていた限局性学習症（SLD：Specific Learning Disorder）の中でも特に「読みの障害」のことを指す用語である。発達期は、読みの苦手さは書字習得にも影響を与えるため、発達性読み書き障害と呼ばれることもある。ディスレクシアでは、音韻認識・処理、視覚認知に関わる脳機能の活動低下が報告されており、原因として中枢神経系の機能障害が推測され、保護者の育て方や本人の努力不足によるものではない。
ディスレクシアは、英語などの音とつづりの対応規則が一律ではない言語においてより顕在化しやすいと言われているが、近年、日本においても一定数存在することが示されており、まれとは言えない。困難の改善のためには、心理的アセスメントに基づいたつまずきの状態把握を行った上で、それに基づいた個々の支援が必要である。ICT 機器などの代替手段の活用など教材を工夫するなど柔軟な対応や配慮が求められる。また、本人の自尊心の低下や抑うつといった二次障害を防ぐことも重要であり、つまずきや苦手さの克服ばかりに目を向けるだけでなく、得意な分野を伸ばしたり興味関心を拡げる指導を行ったりしていくことが不可欠である。

第9章　感情及び人格

①感情に関する理論と感情喚起の機序

問題 001　Check ☑☑☑　第1回追　問題084

感情と認知の関係について、最も適切なものを1つ選べ。

1　現在の気分は将来の出来事の予測には影響を与えない。
2　感情が喚起されるとそれに結びついた知識の活性化が抑制される。
3　自分の気分を能動的に制御する場合は、気分一致効果は生じない。
4　記銘時と想起時の気分が一致していると、記憶が再生されにくくなる。
5　認知心理学の実験における気分誘導法の1つとして、音楽が用いられる。

問題 002　Check ☑☑☑　第1回　問題086

基本感情説における基本感情について、最も適切なものを1つ選べ。

1　それぞれの感情が特異的な反応と結びついている。
2　大脳皮質を中心とする神経回路と結びついている。
3　発達の過程を通して文化に固有のものとして獲得される。
4　喜び、怒り及び悲しみといった感情概念の獲得に依存する。
5　快―不快と覚醒―睡眠の二次元の感情空間によって定義される。

問題 003　Check ☑☑☑　第1回追　問題051

感情の諸理論に関する説明について、適切なものを2つ選べ。

1　戸田正直は、感情は迅速な環境適応のために進化してきたと唱えた。
2　S. Tomkins は、血流変化によって感情の主観的体験が説明されると唱えた。
3　B.L. Fredrickson は、負の感情が注意、思考、活動等のレパートリーの拡大や資源の構築に役立つと唱えた。
4　R.B. Zajonc は、感情反応は認知的評価に先行し、感情と認知はそれぞれに独立した処理過程であると唱えた。
5　S. Schachter と J. Singer は、環境の変化と身体活動の変化によって感情の主観的体験が説明されると唱えた。

解説 001 感情と認知の関係

正答 5

気分一致効果について理解しておく必要がある。

1 × 現在の気分は［将来の出来事］の予測に影響を与えるということは、気分一致効果の実験において明らかにされている。

2 × 気分状態依存効果の実験では、感情が喚起されるとそれに結びついた知識の活性化が［促進］される。

3 × 他者が気分誘導を行わず、「うつ状態もしくは幸福な気分であるように振る舞う」能動的な気分制御でも気分一致効果は生じる。

4 × 気分状態依存効果の実験では、記銘時と想起時の気分が一致している場合は記憶が［再生］されやすくなる。

5 ○ 気分状態依存効果の実験（認知心理学の実験）では、特定の気分誘導法の１つとして［音楽］が用いられるが、文章を読ませる Velten 法、音楽＋文章の方法もある。

解説 002 基本感情説

正答 1

基本感情説とはどのようなものか、そして基本感情の発生について理解すること。

1 ○ 感情は刺激が起きた場合にそれを知覚し、その結果として［特異的な反応］と結びついている。

2 × 感情の発生は大脳皮質を中心とする神経回路であるとするのは［Cannon-Bard］の［中枢起源説］の説明であり、基本感情の説明ではないので誤りである。

3 × 感情の発達は各文化に固有のものもあるが、［P. Ekman］の基本感情説は地域・文化差がない普遍的なものであると主張していることから、設問は半分しか説明しておらず誤りである。

4 × 喜び、怒り、悲しみといった感情概念の獲得に依存するのではなく、逆に基本感情（幸福、怒り、悲しみ、嫌悪、驚き、恐怖）を出発点にして感情概念を［獲得］していくのである。

5 × 設問は、［J. Russell］の提唱した［快－不快］と［覚醒－睡眠］の二次元上に配置される［円環モデル］の説明であり、基本感情の説明ではないので誤りである。

解説 003 感情の諸理論

正答 1、4

感情の生起についての諸理論を理解する。

1 ○ ［戸田正直］の［アージ（urge）理論］は、設問の通りであり、より詳しくいえば、恐怖感情に対して逃避行動を取らせるという生き残り行動を始めとして適応的な感情表出行動によって迅速に環境適応をして進化してきたと提唱した。

2 × ［S. Tomkins］は、顔面筋肉運動の感覚フィードバックにより感情が生じるという［顔面フィードバック仮説］を提唱した。血流変化によって感情の主観的体験が説明されると提唱したのは［R.B. Zajonc］の表情筋の動きで血流が変化し、情動体験へつながるという［顔面血流説］である。

3 × ［B.L. Fredrickson］が提唱したのは、［ポジティブな感情］が注意、思考、活動等のレパートリーの拡大や資源の構築に役立つということである。

4 ○ ［R.B. Zajonc］は、感情反応は認知的評価に先行し、感情と認知はそれぞれに独立した処理過程であり、認知評価は感情の評価に［必要がない］と主張した。

5 × S. Schachter と J. Singer の二要因説は、生理的な［喚起］とその生理的喚起の原因の認知的な［解釈］との相互作用で感情の主観的体験が説明されるものである。

加点のポイント 戸田正直

戸田正直のアージ（urge）理論は、仮説であり、また難解ということもあって、試験勉強の時間をそれほど割く必要性が薄く、設問とその解説を理解していただく程度で十分と考える。

②感情が行動に及ぼす影響

問題 004 Check ☐☐☐ 第 2 回　問題 010

社会的判断に用いる方略を 4 種類に分類し、用いられる方略によって感情が及ぼす影響が異なると考える、感情に関するモデル・説として、正しいものを 1 つ選べ。

1 感情入力説
2 認知容量説
3 感情混入モデル
4 感情情報機能説
5 感情ネットワークモデル

問題 005 Check ☐☐☐ 第 2 回　問題 079

基本感情のうちの怒りについて、適切なものを 1 つ選べ。

1 敵意帰属バイアスは、怒りの喚起を抑制する。
2 パラノイド認知の性格傾向のある人は怒りを生じにくい。
3 進化論の観点からは、怒りは自然淘汰上の有利さをもたらす。
4 怒りの表情に対する認知については、異文化間での共通性はない。
5 タイプ C パーソナリティの人は怒りを含むネガティブ感情を表出しやすい。

問題 006 Check ☐☐☐ 第 4 回　問題 088

「感情は覚醒状態に認知的評価が加わることで生じる」とする感情理論として、最も適切なものを 1 つ選べ。

1 A.R. Damasio のソマティックマーカー説
2 P. Ekman、C.E. Izard の顔面フィードバック説
3 S. Schacter、J. Singer の 2 要因説
4 W.B. Cannon、P. Bard の中枢起源説
5 W. James、C. Lange の末梢起源説

加点のポイント　W. James と C. Lange の末梢部分の違い

末梢起源説において W. James は末梢部の身体変化を内臓を中心としたものと考え、その変化を感じることを感情としたが、C. Lange は末梢部を循環系として、その変化を感じることを感情としたという違いがある。

加点のポイント　P. Ekman と C.E. Izard の基本感情数の違い

P. Ekman は「幸福、悲しみ、怒り、驚き、嫌悪、恐れ」の 6 基本感情には地域的な普遍性があるとした。一方、C.E. Izard は Ekman の普遍性を持つ 6 基本感情をさらに展開させ、「怒り、驚き、嫌悪、恐れ、喜び、苦悩、不安、興味、興奮、軽蔑」の 10 基本感情に地域的な普遍性があるとしている。

解説 004 感情に関するモデル

正答 3

感情に関するモデルについて理解しておこう。

1 × ［感情入力説］とは、行動の持続へとつながる感情が持つ情報の価値、楽しい限りやり続けるというエンジョイ・ルールを背景に持っている。

2 × ［認知容量説］とは、感情ネットワーク説（感情的な出来事と感情の結節）が背景にあり、ポジティブなときはその気分が活性化され拡散することで認知容量をポジティブな事項が占めてしまうとされている。

3 ○ ［感情混入モデル］では、社会的判断に用いる方略を、感情の影響を受けにくい（感情混入が少ない）2 つの方略「直接アクセス処理」「動機充足処理」と、感情の影響を受けやすい（感情混入が多い）2 つの方略「ヒューリスティック処理」「実質的処理」に分類し、感情と判断の関係を説明している。

4 × ［感情情報機能説］とは、気分によって情報処理方略が影響を受け、スキーマやステレオタイプなどヒューリスティックス（直感的な思考方法）を行うとされている。

5 × ［感情ネットワークモデル］ではある感情が生じたときに、その感情と感情的出来事はノード（結節）で連結していて、拡散化活性メカニズムが動くことで、感情と一致した出来事が想起されやすくなるとされている。

解説 005 怒りの感情

正答 3

感情の中で怒りがどのような役割を持っているかを理解しておこう。

1 × 敵意帰属バイアスは、他者からの対人挑発場面で、相手の［敵意］に帰属する傾向なので、［怒り］の喚起を引き起こす。

2 × パラノイド認知は、自分に対する他者からの［悪意］を認知しやすい性格傾向なので、怒りを生じやすい。

3 ○ 進化論の観点である戸田正直のアージ理論において、怒りは［自然淘汰上の有利さ］をもたらすとされている。

4 × P. Ekman らによると、異文化間でも幸福、悲しみ、怒り、驚き、嫌悪の基本感情への表情の認知には［共通性］を持つ。

5 × タイプ C パーソナリティではなく、［タイプ A］パーソナリティの人は怒りを含むネガティブ感情を表出しやすい。

タイプ A、B、C、D パーソナリティ

タイプ A パーソナリティ	怒りやすく攻撃的で過剰に活動的
タイプ B パーソナリティ	マイペースで非攻撃的
タイプ C パーソナリティ	自己犠牲的で否定的な感情を表現しない
タイプ D パーソナリティ	悲観的で常日頃から不安を持つ

解説 006 S. Schacter と J. Singer の 2 要因説

正答 3

感情については設問のように様々な感情理論があるので、それぞれの理論を簡潔にまとめて理解しておこう。

1 × A.R. Damasio の［ソマティックマーカー説］は、外からの情報により引き起こされる心拍数の上昇などの身体反応が腹内側前頭前野にシグナルを伝えて意思決定をするというものである。

2 × ［顔面フィードバック説］は、S.S. Tomkins により提唱され、表情筋の活動が感情を引き起こすという説である。また、P. Ekman と C.E. Izard が提唱したのは地理的普遍性をもつ基本感情説である。

3 ○ S. Schacter と J. Singer の［2 要因説］は、覚醒状態に認知的評価が加わって感情が生じるものであり適切である。

4 × W.B. Cannon と P. Bard の［中枢起源説］は、受容器で受けた情報を視床に集め、それが身体末梢部へ伝達されると身体変化が生じて感情が生まれるとするものである。

5 × W. James と C. Lange の［末梢起源説］は、興奮性の刺激によって起こる身体末梢部での活動変化によって感情が生じるというものである。

問題 007 Check ☑☑☑ 第3回 問題128

感情と文化の関連性について、不適切なものを1つ選べ。

1 各文化にはそれぞれ特異な社会的表示規則があり、それによって感情表出が大きく異なり得る。
2 社会的構成主義によれば、それぞれの文化に固有の感情概念や感情語によって、感情経験が大きく異なり得る。
3 日米比較研究によれば、見知らぬ他者と同席するような状況では、概して日本人は表情が乏しくなる傾向がある。
4 日本で優勢とされる相互協調的自己の文化では、米国で優勢とされる相互独立的自己の文化に比して、怒りや誇りが経験されやすい。

問題 008 Check ☑☑☑ 第1回追 問題124

感情の発達について、不適切なものを1つ選べ。

1 1歳半頃から誇りの感情が現れる。
2 2歳後半になると罪悪感が現れる。
3 出生時に、快（充足）、不快（苦痛）及び興味という感情を備えている。
4 生後半年頃までに、喜び、悲しみ、怒り、恐れ、嫌悪及び驚きという感情が現れる。

③人格の概念及び形成過程

問題 009 Check ☑☑☑ 第1回追 問題008

人格の個人差に関する行動遺伝学的説明について、最も適切なものを1つ選べ。

1 人格は単一の遺伝子によって規定される。
2 遺伝要因と環境要因の交互作用は統計的に検討できない。
3 遺伝要因と環境要因の影響力は、個別には具体的な数値で表せない。
4 成人期では一般的に、共有環境の影響は遺伝や非共有環境の影響よりも小さい。
5 一卵性双生児と二卵性双生児のきょうだいそれぞれにおける人格特性の相関係数は後者の方が高い。

解説 007 感情と文化の関連性

正答 4

感情の表出と文化関連性について問う問題である。

1 ○ R.S. Lazarus や N.H. Frida、また認知的評価理論によると各文化によって社会的な感情の表示規則が異なるため、感情表出は大きく異なることがあり得るとしている。

2 ○ S. Kitayama や S. Oishi の論考によると、社会的構成主義の立場では、各文化固有の感情概念と感情語により感情経験が異なるとしている。

3 ○ W.V. Friesen や D. Matsumoto によると、日米比較研究では概して、日本人は見知らぬ第三者と同席するときは否定的感情を抑制する傾向を持つ。

4 × 相互協調的自己の文化であっても相互独立的自己の文化であっても、感情表出が異なるだけで、「怒り、誇り」のような感情経験に差異があるわけではない。

解説 008 感情の発達

正答 1

M. Lewis の感情の進化について理解しておく必要がある。

1 × 1 歳半頃から誇りの感情が現れるのではなく、M. Lewis の感情の進化では［2～3 歳］頃に誇り、恥、罪悪感という（二次的情動）感情が現れる。

2 ○ ［2 歳後半］になると M. Lewis の感情の進化の考えでは罪悪感が現れる。

3 ○ M. Lewis の感情の進化では［出生時］に、快（充足）・満足、不快（苦痛）及び興味という感情を備えている。

4 ○ ［生後半年］頃までに、M. Lewis の感情の進化では喜び、悲しみ、怒り、恐れ、嫌悪、驚きという（一次的情動）感情が現れる。

メモ　M. Lewis と K.M.B. Bridges の感情の発達による分化説

Lewis の説は生後数か月から半年内に一次的情動の 6 基本感情（幸福、驚き、悲しみ、嫌悪、怒り、恐れ）が成立し、2～3 歳の時点で二次的情動が成立する。
Bridges の説は、出生後間もない時期は興奮が主であり、3 か月前後に快－不快へと分化し、その後、快感情は喜びや愛情へと分化し、不快感情は怒りや嫌悪へと分化していく。

解説 009 人格の行動遺伝学的個人差

正答 4

双子研究による遺伝と環境の影響について理解しておく必要がある。

1 × 人格は単一の遺伝子によって規定されず、［双子研究］においても類似性がひとつのものはなく、人格は複数の遺伝子によって規定される。

2 × 遺伝要因と環境要因の［交互作用］は統計的な検討が双子研究において行われており、遺伝要因と環境要因の関係については一定の成果が出ている。

3 × 遺伝要因と環境要因の影響力は、個別には［具体的な数値］で表せる。これは双子研究である程度の数値が示されている。

4 ○ 成人期では一般的に、共有環境（同じ環境下）の影響は遺伝や非共有環境（異なる環境下）の影響よりも［小さく］なり得る。遺伝や非共有環境の影響が大きくなることでもある。

5 × ［一卵性双生児と二卵性双生児］のきょうだいそれぞれにおける人格特性の相関係数は、より遺伝的性質の類似点の多い一卵性双生児の方が高い。

問題 010　Check ☑☑☑　第2回　問題109

A. Thomas と S. Chess らによって行われた「ニューヨーク縦断研究」で見出された９つの気質に含まれないものを１つ選べ。

1　外向性
2　順応性
3　活動水準
4　接近・回避
5　気の散りやすさ

問題 011　Check ☑☑☑　第3回　問題085

パーソナリティの理論について、正しいものを１つ選べ。

1　場理論では、環境とパーソナリティの二者関係をモデル化する。
2　期待－価値理論では、個人が生得的に有する期待、価値の観点からパーソナリティの個人差を考える。
3　5因子理論では、5つの特性の上位に、行動抑制系、行動賦活系という2つの動機づけシステムを仮定する。
4　認知－感情システム理論では、個人の中に認知的・感情的ユニットを仮定し、パーソナリティの構造を捉える。
5　パーソナル・コンストラクト理論では、個人の中にコンストラクトと呼ばれる単一の認知的枠組みを仮定する。

加点のポイント　パーソナリティ5因子理論の5因子の覚え方

5因子の英語の頭文字を並べるとOCEAN（洋）となります。こうした項目は正確に覚えておくと加点につながるので、ぜひ「洋（5因子）はオーシャン（ocean）よ」の語呂合わせを活用して暗記してみてください。

O：経験への開放性（Openness to Experience）	高さは新奇性への積極性、低さは保守性の高さを示す
C：誠実性（Conscientiousness）	与えられた課題への取り組みの計画性・誠実性の高さ、もしくは低さを示す
E：外向性（Extraversion）	高さは積極性・活動性を示し、低さは内向的であることを示す
A：協調性（Agreeableness）	他者との協調性の高さ、もしくは低さを示す
N：神経症傾向（Neuroticism）	高さは情緒不安を示し、低さは情緒安定を示す

解説 010 ニューヨーク縦断研究（NYLS）9 次元の気質

正答 1

1956 年から行われた、ニューヨーク縦断研究（New York Study:NYLS）で見いだされた 9 次元の気質（主な気質的行動特徴の特性次元）を理解しておこう。設問以外に周期性、反応閾値、反応の強度、気分の質、行動の可変性がある。

1 × 外向性は、主な気質的行動特徴の特性次元に含まれない。

2 ○ 順応性は、気質的行動特徴の特性次元に含まれている。

3 ○ 活動水準は、気質的行動特徴の特性次元に含まれている。

4 ○ 接近・回避は、気質的行動特徴の特性次元に含まれている。

5 ○ 気の散りやすさは、気質的行動特徴の特性次元に含まれている。

加点のポイント A. Thomas と S. Chess のニューヨーク縦断研究

●子どもの気質 9 次元

①活動性	身体の動きの度合い、活動時と不活発な時間の割合
②規則性	睡眠、空腹、排便などの生物的機能サイクルの予測性
③接近・回避	新しい状況や刺激への最初の反応の仕方
④順応性	新しい状況や刺激への慣れやすさ
⑤反応の強さ	外部刺激、内部感覚への反応の強さ
⑥反応の閾値	反応を誘発するのに必要な刺激強度
⑦機嫌	快・不快を示す行動や気分の表出の量
⑧気のまぎれやすさ	行動や活動を止めさせ、変化させるのに必要な刺激の程度
⑨注意の幅と持続性	活動を継続する時間の長さや、妨害や困難があるときの執着度

解説 011 パーソナリティ理論

正答 4

それぞれのパーソナリティ理論を構成する要素について問われた問題である。

1 × K. Lewin の場理論は、環境（Environment）と人（Person）の二者関係のモデル化である。

2 × J.W. Atkinson の提唱した［期待－価値理論］は、パーソナリティ理論ではなく、期待と価値が乗法によって意欲が導き出されるとした人間の動機づけを説明するものである。

3 × ［パーソナリティの 5 因子理論］は、基本語彙仮説から発展した語彙アプローチで作られている。問題文にある［行動抑制系（Behavioral Inhibition System：BIS）］と［行動賦活系（Behavioral Activation System：BAS）］の 2 つの動機づけシステムの競合によって制御されているとするのは、J.A.Gray の気質モデルであり、これは生物学的パーソナリティ理論（パーソナリティと生物学的要因との間にパーソナリティの構造的な妥当性を見いだそうとするもの）である。この 2 つは全く別のパーソナリティ理論である。

4 ○ W. Mischel が提唱した認知－感情システム理論は、個人内の認知的・感情的ユニット（Cognitive-Affective Unit：CAU）を仮定して、パーソナリティの構造を捉えている。

5 × G.A. Kelly の［パーソナル・コンストラクト理論］は、個人の中にコンストラクトと呼ばれる「単一ではなく［固有の認知構造（認知的枠組み）］」を仮定している。

問題 012 Check ☑☑☑ 第 4 回　問題 009

C.R. Rogers のパーソナリティ理論の特徴として、最も適切なものを 1 つ選べ。

1　自己概念を扱う。
2　精神－性発達を扱う。
3　パーソナリティ特性を 5 因子で捉えている。
4　リビドーの向かう方向で内向型と外向型に分類している。
5　パーソナリティ特性を外向－内向と神経症傾向という 2 軸で捉えている。

問題 013 Check ☑☑☑ 第 4 回　問題 087

A.H. Maslow の欲求階層説において、最も下位の欲求として位置付けられるものはどれか、適切なものを 1 つ選べ。

1　安全の欲求
2　自尊の欲求
3　生理的欲求
4　自己実現の欲求
5　所属と愛の欲求

④人格の類型、特性

問題 014 Check ☑☑☑ 第 1 回　問題 009

パーソナリティの特性に根源特性と表面特性とを仮定し、根源特性として 16 因子を見出した心理学者は誰か。正しいものを 1 つ選べ。

1　C.R. Cloninger
2　G.A. Kelly
3　H.J. Eysenck
4　J.P. Guilford
5　R.B. Cattell

解説 012 C.R. Rogers のパーソナリティ理論 正答 1

C.R. Rogers のパーソナリティ理論はクライエント中心療法（Person-Centered Approach：PCA）の理論と関係の深い自己理論の構成要素なので、しっかり暗記をしておこう。

1 ○ ［自己概念］は［Rogers］のパーソナリティ理論で扱われる。
2 × ［精神ー性発達］は心理性的発達理論のことで、［S. Freud］のパーソナリティ理論で扱われる。
3 × パーソナリティ特性を 5 因子で捉えた［Big Five 理論］は、［L.R. Goldberg］のパーソナリティ理論である。
4 × リビドーの向かう方向によって［内向型と外向型］に分けたのは、［C.G. Jung］のパーソナリティ理論である。
5 × パーソナリティ特性を［外向ー内向］と［神経症傾向］の 2 軸に分けたのは、［H.J. Eysenck］のパーソナリティ理論である。

解説 013 A.H. Maslow の欲求階層説 正答 3

A.H. Maslow の欲求階層説は欲求 5 段階説という 5 段階になっており、それぞれの欲求がどの段階にあるかを正確に覚えておこう。

1 × ［安全の欲求］は［下から 2 段階目］に属している。
2 × ［自尊の欲求］は［下から 4 段目］に属し、［承認欲求］とも呼ばれる。
3 ○ ［生理的欲求］は［一番下位］に属する。
4 × ［自己実現の欲求］は［下から 5 段目の最上位］に属する。
5 × ［所属と愛の欲求］は［下から 3 段目］に属し、［社会的欲求］とも呼ばれる。

解説 014 心理学史（特性 16 因子の研究者） 正答 5

パーソナリティ理論に関しては、類型論、特性論の代表的な理論とそれ以外のパーソナリティ理論の知識を整理して理解しておこう。また、その理論をもとに作られている心理テストもあわせて覚えておくとよい。

1 × C.R. Cloninger は［7 因子モデル］を提唱した。それをもとに［TCI］（Temperament and Character Inventory：気質性格検査）が作成された。
2 × G.A. Kelly は認知論的パーソナリティ理論である、［パーソナル・コンストラクト理論］を提唱した。
3 × H.J. Eysenck は類型論と特性論の統合を目指し、性格特性を 4 階層で捉えようとした。彼は［MPI］（モーズレイ性格検査）と、その改訂版である［EPI］（アイゼンク性格検査）を考案した。
4 × J.P. Guilford は［13 因子］による性格特性の測定を行った。これは日本でも標準化され、［YG 性格検査］（矢田部・ギルフォード性格検査）として使われている。
5 ○ R.B. Cattell は［16 因子］モデルを提唱し、それをもとに［16PF］（性格検査）を作成した。

メモ パーソナル・コンストラクト（個人的構成概念）

パーソナル・コンストラクト（個人的構成概念）とは、人間は事象を自分が認知し、構造した枠組みによって、感覚器官などから得た情報を処理し、環境の理解、行動の決定、行動の結果予測を行っていることをいう。

第10章　脳・神経の働き

①脳神経系の構造と機能

問題 001　Check ☐☐☐　第1回　問題011

大脳皮質の機能局在について、正しいものを１つ選べ。

1　Broca 野は頭頂葉にある。
2　一次視覚野は側頭葉にある。
3　一次運動野は後頭葉の中心前回にある。
4　Wernicke 野は側頭葉と前頭葉にまたがる。
5　一次体性感覚野は頭頂葉の中心後回にある。

問題 002　Check ☐☐☐　第1回 追　問題128

大脳の生理学的機能について、正しいものを２つ選べ。

1　Broca 野は発語に関わる。
2　側頭葉は温痛覚と触覚に関わる。
3　頭頂連合野は主に物の判別と記憶に関わる。
4　劣位半球の障害によって失読と失書が起こる。
5　前頭連合野は主に思考、意欲及び情動に関わる。

問題 003　Chook ☐☐☐　第1回　問題087

中枢神経系のうち、意識水準の維持に必須の領域として、正しいものを１つ選べ。

1　小脳
2　前頭葉
3　大脳基底核
4　大脳辺縁系
5　脳幹網様体

解説 001 大脳皮質の機能局在

正答 5

大脳皮質の機能局在については、脳の図と照らし合わせながら学習することで理解が深まる。脳部位と機能を対応させて覚えよう。

1 × Broca 野は［前頭葉］（下前頭回の弁蓋部と三角部）にある。

2 × 一次視覚野は［後頭葉］にある。側頭葉にあるのは［聴覚野］である。

3 × 一次運動野は［前頭葉］の中心前回にある。

4 × Wernicke 野は［側頭葉］（上側頭回の後部）に位置しているため、前頭葉にはまたがっていない。

5 ○ 一次体性感覚野は［頭頂葉］の［中心後回］にある。

解説 002 大脳の生理学的機能

正答 1、5

脳の機能から関係する脳部位を問う問題である。対応関係についておさえておく必要がある。

1 ○ Broca 野は前頭葉（下前頭回の弁蓋部と三角部）に位置する脳領域の一部である。［運動性言語中枢］とも呼ばれ、発話をつかさどっている。

2 × 側頭葉は［聴覚］のほか、［言語］や［記憶］に関わっている。温痛覚や触覚に関わっているのは［視床］であり、視床を経由して一次体性感覚野に伝わる。

3 × 頭頂連合野は主に［空間認識］に関与している。

4 × 失読失書の病巣は［角回］と考えられてきた。その他、［左側頭葉後下部］による損傷でも失読失書が生じることも報告されている。優位半球の障害か劣位半球の障害かは関係ない。なお、［優位半球］とは言語中枢がある方（通常、右利きの人は左）、［劣位半球］は言語中枢がない方（通常、右利きの人は右）のことをいう。「優位」「劣位」といってもどちらが優れている（劣っている）というわけではない。

5 ○ 前頭連合野は［思考］、［意欲］、［情動］、学習、創造、注意、抑制などに関わっている。

解説 003 中枢神経系・意識水準の維持

正答 5

意識水準の維持とは覚醒状態を保つという意味である。機能から関係する脳部位を問う問題である。余裕があれば機能の細かな点についても確認しておこう。

1 × 小脳は運動系の統合や平衡機能、姿勢反射、随意運動の調節など［運動調節］の中枢である。

2 × 前頭葉は［注意や思考、意欲、感情］のコントロールなど様々な機能をつかさどっている。

3 × 大脳基底核は大脳皮質と視床、脳幹を結びつけている神経核の集まりであり、［線条体］（尾状核・被殻）、［淡蒼球］（外節・内節）、［視床下核］、［黒質］からなり、いずれも［運動機能］との関わりが深い。

4 × 大脳辺縁系は［帯状回、偏桃体、海馬、海馬傍回、側坐核］からなり、［感情や記憶、自律神経］などに関わっている。

5 ○ 脳幹には、神経線維が網の目のように張り巡らされ、その間に神経細胞が豊富に分布している。この放射状に分布している神経系を脳幹網様体といい、脳幹網様体と視床からの大脳皮質への広範な投射路を含む上行性毛様体賦活系が［意識水準の維持］に関わっている。

メモ 脳の構造（3 つの主要な溝）

大脳には、①中心溝（ローランド溝）、②外側溝（シルビウス溝）、③頭頂後頭溝といった 3 つの主要な「溝」がある。中心溝の前方が前頭葉、後方が頭頂葉である。外側溝を境にすると、上方が前頭葉、下方が側頭葉である。頭頂後頭溝は外側からは見えないが、頭頂葉と後頭葉を分けている。

問題 004 Check ☑☑☑ 第 1 回　問題 088

視床下部の機能として、正しいものを 1 つ選べ。

1　運動協調の調節
2　摂食行動の調節
3　対光反射の中枢
4　体性感覚の中継
5　短期記憶の形成

問題 005 Check ☑☑☑ 第 1 回 追　問題 127

間脳の解剖と機能について、正しいものを 2 つ選べ。

1　間脳は中脳と小脳の間にある。
2　視床は卵型の白質の塊である。
3　外側膝状体は聴覚の中継に関わる。
4　下垂体は視床下部の支配を受ける。
5　視床は温痛覚や深部感覚の中継に関わる。

問題 006 Check ☑☑☑ 第 3 回　問題 103

大脳皮質運動関連領域の構造と機能について、正しいものを 1 つ選べ。

1　運動前野は、運動に対する欲求に関わる。
2　補足運動野は、運動の準備や計画に関わる。
3　一次運動野は、体幹や四肢の平衡の維持に関わる。
4　一次運動野は、Brodmann の 6 野に位置している。
5　一次運動野が障害されると、同側の対応する筋に麻痺が生じる。

問題 007 Check ☑☑☑ 第 1 回　問題 025

自律神経系について、正しいものを 1 つ選べ。

1　交感神経系の活動が亢進すると、気道が収縮する。
2　交感神経系の活動が亢進すると、血圧が上昇する。
3　副交感神経系の活動が亢進すると、瞳孔が散大する。
4　副交感神経系の活動が亢進すると、発汗が減少する。
5　ストレスが加わると、副交感神経系の活動が亢進する。

解説 004 視床下部の機能

正答 2

問題 003（第 1 回 問題 087）と同様に脳部位と機能に関する問題である。

1 × 運動協調の調節は、[小脳] や [大脳基底核] が関係する。

2 ○ 摂食行動の調節は、[視床下部] がつかさどる機能である。視床下部は [自律神経] の中枢であり、呼吸数や血圧、心拍数、消化液分泌の調節に加えて、[体温や食欲、性欲、情動] などを調節する働きも担っている。

3 × 対光反射とは、瞳孔反射の 1 つであり、[脳幹] の機能検査で用いられる。[中脳] が関係する。

4 × 体性感覚は、[皮膚感覚]（触覚、温度感覚、痛覚）と [深部感覚] からなる。体性感覚情報は、[視床核群]（視床腹側後外側核や視床髄板内核群など）を中継し、[頭頂葉] に位置する体性感覚野に伝わる。

5 × 短期記憶は一時的に [海馬] で保存され、その後必要と判断された記憶のみが [大脳皮質] に転送され長期記憶となる。

解説 005 間脳の解剖と機能

正答 4、5

間脳は、大脳の深部に位置し、視床、視床下部、下垂体からなる。構造と機能をしっかり覚えよう。

1 × 間脳（視床・視床下部）は [大脳] と [中脳] の間にある。中脳と小脳の間にあるのは [橋・延髄] である。

2 × 視床は卵型の [灰白質] の塊である。灰白質とは中枢神経系において神経細胞の細胞体が存在している部分のことで、[灰色] がかってみえる。

3 × 外側膝状体は視床の一部であり、[視覚] の中継に関わる。聴覚の中継は [内側膝状体] が関わっている。

4 ○ 下垂体と視床下部は [ホルモン] を分泌する働きを担う。下垂体は [前葉] と [後葉] に分けられ、下垂体前葉からは [6 種類] のホルモンが分泌されており、これらは [視床下部] から分泌されるホルモンの支配を受けている。下垂体後葉からは 2 種類のホルモンが分泌されるが、これらは視床下部で産生されたものである。

5 ○ 視床は [嗅覚] 以外の全ての感覚の中継に関わる。視床で処理された後に [大脳皮質] へ送られる。

解説 006 大脳皮質運動関連領域

正答 2

中心溝の前方に一次運動野が、後方に一次体性感覚野（Brodmann の 1、2、3a、3b 野）が存在する。

1 × [運動前野] は、一次運動野の前方で前頭前野の後方に位置する。高次運動関連領野のひとつで脳幹や脊髄に直接投射して [運動の実行] に関与する。運動に対する欲求は、[帯状回運動野] が関与する。

2 ○ [補足運動野] は、運動の [準備] や [計画] に関わる。これは一次運動野の前方内側面に存在する部位で、随意的な運動の [開始・抑制]、順序動作の制御、両手の協調運動などに関与する。

3 × 一次運動野は随意的な運動に関わる。体幹や四肢の平衡の維持は大脳基底核や脳幹、小脳の機能である。

4 × 一次運動野は、中心溝前方に位置し、[Brodmann の 4 野] である。Brodmann の 6 野は [前運動野]、[補足運動野] である。

5 × 一次運動野は [錐体で交差] して [対側] の筋肉の運動支配をしている。一次運動野が障害されると、[対側] の対応する筋に麻痺が生じる。

解説 007 自律神経系

正答 2

交感神経系と副交感神経系が混同しないように、それぞれの働きについて覚えよう。

1 × 交感神経系の活動が亢進すると、気道は [拡張] する。

2 ○ 交感神経系の活動が亢進すると、血圧は [上昇] する。交感神経系の中枢である頭側延髄腹外側野のニューロンが興奮することで交感神経系が亢進し、その結果、末梢血管の収縮によって血圧が上昇する。

3 × 副交感神経系の活動が亢進すると、瞳孔は [縮小] する。よって、散大（瞳が開くこと）は誤り。

4 × 発汗は交感神経系によってコントロールされており、交感神経系の活動が亢進すると汗の分泌が [促進] される。副交感神経系の活動が亢進したからといって発汗量が減少するわけではない。

5 × ストレスが加わると [交感神経系] の活動が亢進する。これにより自律神経のバランスが乱れ、様々な不調が生じる。

問題 008 Check 第3回 問題129

副交感神経系が優位な状態として、正しいものを 2つ選べ。

1 血管拡張
2 血糖上昇
3 瞳孔散大
4 胃酸分泌の減少
5 消化管運動の亢進

問題 009 Check 第1回 追 問題099

睡眠について、正しいものを 1 つ選べ。

1 夢を見るのはノンレム睡眠である。
2 ノンレム睡眠は逆説睡眠とも呼ばれる。
3 陰茎の勃起が起こるのはレム睡眠である。
4 全身の骨格筋が緊張するのはレム睡眠である。
5 ノンレム睡眠は脳波によって第1期から第6期に分けられる。

メモ レム睡眠とノンレム睡眠

	レム睡眠	ノンレム睡眠
脳	[活動している]	[休息している]
身体	[休息している]	[休息しているが、筋肉はやや緊張している]
眠り	[浅い]	[深い]
心拍数・呼吸数	[様々]	[通常、または低下する]

問題 010 Check 第3回 問題086

ヒトのサーカディアンリズムと睡眠について、正しいものを 1 つ選べ。

1 加齢による影響を受けない。
2 メラトニンは、光刺激で分泌が低下する。
3 時計中枢は、視床下部の室傍核に存在する。
4 睡眠相遅延（後退）症候群は、夕方から強い眠気が出る。
5 ノンレム睡眠とレム睡眠は、約45分の周期で出現する。

解説 008 副交感神経系

正答 1、5

副交感神経系についての問題である。自律神経のしくみや主な機能は頻出項目であるため、しっかり覚えておこう。

1 ○ 副交感神経系が優位な状態では血管は［拡張］する。

2 × 副交感神経系はインスリン分泌を促す。インスリンは血糖値を［下げる］役割があるため、血糖上昇は誤りである。

3 × 副交感神経系は瞳孔を［縮小］させる。散大は交感神経の働きによる。

4 × 副交感神経系が優位な時には胃酸分泌が［増える］。交感神経が優位な場合に胃酸分泌が減少し、胃の働きが鈍くなる。

5 ○ 副交感神経系が優位になると消化管運動の［亢進］がみられる。

メモ 消化管運動を亢進させる副交感神経刺激薬

消化管の運動には副交感神経が関係しており、アセチルコリンの作用が増強されると副交感神経が活発になる。しかし、消化管運動が低下すると胃もたれや胃痛、胸やけなどが起こる。そこで、アセチルコリンの増強作用がある副交感神経刺激薬によって消化管運動を亢進させ、消化器症状を改善することができる。

解説 009 睡眠

正答 3

睡眠（レム睡眠とノンレム睡眠）についてそれぞれの特徴をおさえておこう。睡眠時の脳波についてもあわせて覚えておきたい。

1 × 睡眠はレム睡眠とノンレム睡眠が交互に現れる。レム睡眠は浅い眠りの状態で急速眼球運動を伴う。この［レム睡眠］時に夢を見ることが多いとされる。

2 × 逆説睡眠とは、身体は寝ているにもかかわらず、脳が覚醒状態にあることで［レム睡眠］と同様の意味である。

3 ○ レム睡眠時は自律神経が［不規則に変化］する。そのため、陰茎の勃起が起こりやすい。

4 × レム睡眠時には、脳は覚醒状態にあるため、全身の骨格筋は緊張が［低下］している。

5 × ノンレム睡眠は脳波によって［第 1 期（浅い）］から［第 4 期（深い）］に分けられる。

解説 010 サーカディアンリズム

正答 2

サーカディアンリズムとは概日リズムともいい、約 24 時間の睡眠覚醒リズムのことを指している。視交叉上核に対する眼からの光刺激や、松果体からのメラトニン分泌そして細胞の時計遺伝子の制御を受けている。

1 × サーカディアンリズムは加齢によって影響を受ける。若年者は遅寝遅起きであり、年齢と共に早寝早起きになる傾向がある。

2 ○ ［メラトニン］は、夜間を中心に体を休息状態にするホルモンで、光刺激によって分泌が低下し、体が活動状態に入る。夜間遅くまでスマホなどを見ているとメラトニンの分泌が阻害されたり、視交叉上核が刺激されたりして寝つけない。

3 × 時計中枢は、視床下部第三脳室底部の［視交叉上核］に存在する。

4 × ［睡眠相遅延（後退）症候群］は、極端に遅寝遅起きで、朝方から昼間の眠気を特徴とする。夕方から強い眠気を生じるのは、［睡眠相前進症候群］である。

5 × ［ノンレム睡眠］（急速眼球運動を伴わない脳の深い眠り）とレム睡眠（急速眼球運動を伴う眠りで、脳は覚醒に近く、筋肉は弛緩）は［約 90 分周期］で交代に現れ、一晩で 4～5 回繰り返す。

②記憶、感情等の生理学的反応の機序

問題 011 Check ☐☐☐ 第1回 問題010

成人の脳波について、正しいものを 1 つ選べ。

1 α 波は閉眼で抑制される。
2 α 波は前頭部に優位である。
3 β 波はレム睡眠で抑制される。
4 δ 波は覚醒時に増加する。
5 θ 波は認知症で増加する。

問題 012 Check ☐☐☐ 第4回 問題089

情動について、最も適切なものを 1 つ選べ。

1 情動処理の脳内部位は、主に下垂体後葉である。
2 情動麻痺は、不可逆的な情動の麻痺状態である。
3 特別な対象を持たない不快な感情と定義されている。
4 情動失禁とは、喜びの感情や興味が失われた状態である。
5 脳内で他者の行動を模倣するミラーニューロンが関与する。

③高次脳機能の障害と必要な支援

問題 013 Check ☐☐☐ 第2回 問題084

脳損傷後に記憶障害を呈する者に対して、スケジュール管理のためのメモリーノートの使用を勧めることがある。これに該当するリハビリテーション手法として、正しいものを 1 つ選べ。

1 環境調整
2 反復訓練
3 外的代償法
4 内的記憶戦略法
5 領域特異的知識の学習

メモ 内的記憶戦略法の代表的な方法

視覚イメージ法	視覚イメージを利用する方法
顔ー名前連想法	特定の個人の名前を具体的で視覚イメージが可能な名詞に変換し、それを個人の顔の顕著な特徴の視覚イメージと連合させて記憶する方法
ペグ法	覚えたいリストや情報を身体の部位などと結びつけて覚える方法
PQRST 法	Preview（予習）、Question（質問）、Read（精読）、State（記述）、Test（試験）からなる学習方法

解説 011 成人の脳波　正答 5

脳波の分類と特徴について整理しておこう。また、健常成人の脳波に加えて、脳波に異常が認められる疾患や高齢者の脳波についてもおさえておきたい。

1 × α波（8～13Hzの周波数）は［覚醒］・［安静］・［閉眼］といった条件のもとで出現する。α波は開眼によって抑制される。このことを［αブロッキング］という。

2 × α波は選択肢1で説明された条件下で［後頭部］優位に出現する。

3 × β波（14～30Hzの周波数）は覚醒・安静・閉眼状態ではほとんど出現せず、［開眼］によって増加するのが特徴である。また、レム睡眠とは急速眼球運動を伴う睡眠であり、θ波が中心となる。

4 × δ波（0.5～3Hzの周波数）はα波より周波数が小さく、徐波と呼ばれる。［覚醒状態］にある安静閉眼時にはほとんど出現しない。

5 ○ θ波（4～7Hzの周波数）はδ波と同様、［徐波］である。認知症の種類や進行の度合いによっても異なるが、［θ波］は［増加］する。また、脳の全般的なθ波の増大は海馬の萎縮と有意な相関があることを示唆する研究もみられる。

解説 012 情動　正答 5

情動の特徴や情動に関与する脳部位についての問題である。

1 × 情動処理に関わる主な脳内部位は［扁桃体］である。

2 × 情動麻痺とは、［強い情動的な体験］によって、驚愕、恐怖、不安などの情動反応が一時的に［麻痺］し、思考や行動が停止した状態になることをいう。

3 × 情動は、短期的に生じる強い主観的・身体的変化を伴うものであり、原因（対象）が比較的明らかであることが多い。

4 × 情動失禁とは、［情動調節］の障害によって、些細な刺激で泣いたり怒ったり笑ったりする状態をいう。

5 ○ ［模倣］に関わるミラーニューロンは共感細胞としても知られており、他者の情動を推測する機能をもつ。

解説 013 脳損傷へのリハビリテーション　正答 3

記憶障害に対するリハビリテーションの目標は、日常生活への適応を図ることである。リハビリテーションの方法としてどのようなものがあるかおさえておこう。

1 × 環境調整とは、記憶障害を呈する人を取り巻く周囲の環境を調整し、生活や仕事などをしやすくすることである。例えば、［物理的環境］、［生活全般］、［コミュニケーション］などの側面において記憶への負担が少ない環境をつくっていくことをいう。

2 × 反復訓練は、何度も［繰り返し］学習を行うことをいう。しかし、記憶すべき素材の反復訓練のみでは記憶機能の改善は難しい。

3 ○ 外的代償法とは、記憶障害に起因する困難さを減らすために、日記やメモ、カレンダーなどを使ったりすることであり、［メモリーノート］もこれに該当する。

4 × 内的記憶戦略法は、［保たれている能力］を用いて行うことが多い。代表的な方法として、［視覚イメージ法］、［顔－名前連想法］、［ペグ法］、［PQRST法］などがある。

5 × 領域特異的知識の学習は、患者自身の日常生活に実用的な意味を持つ特定の領域に限った知識を繰り返し教えていく方法である。

問題 014　Check ☑☑☑　第2回　問題012

神経細胞の生理について、正しいものを 1 つ選べ。

1　グルタミン酸は抑制性神経伝達物質である。
2　活動電位は樹状突起を通して標的に送られる。
3　無髄線維では有髄線維より活動電位の伝導速度が速い。
4　シナプス後細胞の興奮性シナプス後電位は「全か無かの法則」に従う。
5　1つの神経細胞における個々の活動電位の大きさは刺激の強さにかかわらず一定である。

問題 015　Check ☑☑☑　第2回　問題041

右利きの者が右中大脳動脈領域の脳梗塞を起こした場合に、通常はみられないものを 1 つ選べ。

1　失語症
2　左片麻痺
3　全般性注意障害
4　左半身感覚障害
5　左半側空間無視

メモ　全般性注意障害の分類

[持続] 性注意障害	注意を持続的に集中することが困難になる
[選択] 性注意障害	無関係な刺激に対して注意を奪われやすくなり、目的に沿った注意の方向づけが困難になる
[転換] 性注意障害	注意を切り換えることが困難になる
[分配] 性注意障害	同時に複数のことを行うことが困難になる

病巣：右半球、広範囲の脳損傷

問題 016　Check ☑☑☑　第4回　問題010

失読と失書について、最も適切なものを 1 つ選べ。

1　純粋失書では、写字が保たれる。
2　失読失書の主な責任病巣は、海馬である。
3　純粋失読の主な責任病巣は、帯状回である。
4　失読失書では、なぞり読みが意味の理解に有効である。
5　純粋失読では、自分が書いた文字を読むことができる。

解説 014 神経細胞の生理

正答 5

神経細胞（ニューロン）は、①細胞体、②樹状突起、③軸索、④シナプス、⑤神経伝達物質の５つの要素から成り立っている。ニューロンは細胞間情報伝達に機能が特化した細胞であり、それを特徴づけるのは、シナプスと神経伝達物質である。

1 × グルタミン酸は［興奮性］神経伝達物質であり、代表的な［抑制性］神経伝達物質はGABAである。

2 × 活動電位は［軸索］を通して標的に送られる。

3 × 有髄線維は無髄線維よりも約100倍速い速度で活動電位を伝えることができる。

4 × シナプス後細胞の興奮性シナプス後電位とは、シナプスを通じて刺激を受け取った細胞が脱分極することにより発火可能性が高まることである。その細胞の膜電位は「全か無かの法則」に従うのではなく［連続的に変化］する。

5 ○ 神経細胞は電気的には通常静止膜電位をもっているが、受けた刺激が閾値を超えるとイオンチャンネルが開き、活動電位を生じる。一般にニューロンの活動電位の大きさは「全か無かの法則」に従い［一定］であり、個別の細胞内では減弱することなくシナプス末端まで伝わる。これによって神経細胞は効率よく情報伝達を行っている。

解説 015 大脳動脈領域の脳梗塞における症状

正答 1

脳梗塞とは脳の動脈の閉塞により、脳組織の虚血性壊死を来す病態である。

1 × 右利きの者の言語機能の優位半球は［左］半球であるため、多くの場合、左半球の言語に関わる部位の損傷によって失語症が生じる。したがって、右中大脳動脈領域の脳梗塞（右半球の損傷）では失語症は起こりにくい。

2 ○ 右中大脳動脈領域の脳梗塞では病変の対側である［左］片麻痺が高頻度に生じる。

3 ○ 全般性注意障害は高次脳機能障害のひとつであり、ある刺激に焦点を当てることが困難となり、他の刺激に注意を奪われやすい状態である。［右］半球あるいは［広範な領域］の脳損傷の場合に生じてくる。

4 ○ 右中大脳動脈領域の脳梗塞では病変の対側である［左］半身感覚障害が高頻度に生じる。

5 ○ 空間無視とは脳損傷の反対側の空間において刺激を見落とすなどあたかもその空間がないかのように行動することである。右半球損傷では［左］側の空間無視がしばしば認められる。

加点のポイント 大脳半球

左右の大脳半球のうち、ある特定の機能に密接に関係している大脳半球を［優位半球］、そうでない大脳半球を［劣位半球］と呼ぶ。［右利き］成人の95％程度は左半球優位であり、左利き成人では60〜70％程度が左半球優位であるとされる。

解説 016 失読・失書

正答 1

失読・失書の症状と病巣に関する知識が問われる問題である。失読と失書は、それぞれが単独で起きることもあれば、合併して生じることもある。前者を「純粋失読」「純粋失書」、後者を「失読失書」という。

1 ○ 純粋失書は、失行、失認、失語がなく、［書字］に限局した障害である。自発書字や書き取りは障害されるが、基本的に［写字能力］は保たれる。

2 × 失読失書は、「角回型」と「側頭葉後下部型」があり、角回・外側後頭回や側頭葉後下部（中部紡錘状回・下側頭回後部）の損傷により出現する。海馬は関係ない。

3 × ［純粋失読］は、脳梁膨大部を病変に含む「古典型」と脳梁膨大部を病変に含まない「非古典型」に大別される。古典型は後頭葉内側（一次視覚野）および脳梁膨大部、非古典型は中部紡錘状回、後部紡錘状回・後頭葉後下部の病変によって生じる。帯状回は異なる。

4 × 純粋失読の場合、［なぞり読み］が意味の理解を助けることから、リハビリテーションとしても推奨されてきた。失読失書の場合は違う。

5 × 純粋失読は「読む」ことが選択的に障害されている。音声障害はほとんどみられず書字能力も保たれているが、自分で書いた文字を後で読むことができない。

第11章　社会及び集団に関する心理学

①対人関係並びに集団における人の意識及び行動についての心の過程

問題 001

Check ☑☑☑　第3回　問題091

集団や組織、コミュニティにおいて、無力な状態にある人々が自らの中に力があることに気づき、能動的にそれを使い、環境の変化を求めていけるようになることを何というか、最も適切なものを1つ選べ。

1　自己実現
2　コーピング
3　自己効力感
4　コンピテンス
5　エンパワメント

問題 002

Check ☑☑☑　第4回　問題090

親密な対人関係の説明原理として、最も適切なものを1つ選べ。

1　社会的絆理論
2　社会的学習理論
3　社会的交換理論
4　社会的比較理論
5　社会的アイデンティティ理論

問題 003

Check ☑☑☑　第1回　問題014

集団思考〈groupthink〉に関する説明として、正しいものを1つ選べ。

1　集団内で同調圧が高いと感じるときに生じやすい。
2　集団意思決定の質は個人による意思決定に比べて優れている。
3　集団構成員間の親密性が低いとき、思考や発言が抑制されやすい。
4　集団で課題を遂行すると、一人当たりの成績は単独で遂行するときよりも低下する。
5　緊急時に援助できる人が自分以外にもいる場合、自分しかいない場合より援助行動が抑制されやすい。

解説 001 個人と集団

正答 5

コーピングはストレス理論、自己効力感は社会的学習理論というように、それぞれの概念の背景にある理論の文脈の中で理解していくことが望ましい。

1 × [自己実現] とは、人格を内的成長・統合傾向を持った全体的体制として捉え、その固有の成長・発展を意味する。

2 × [コーピング] とは、心理的なストレス状況に直面して受動的に苦しむのではなく、状況に能動的に対処してそれを克服しようとする個人の努力のことをいう。

3 × [自己効力感] とは、自分がある状況において必要な行動をうまく遂行することができると、自分の可能性を認知していることをいう。

4 × [コンピテンス] とは、環境と効果的ないし有能に相互交渉する能力を指し、目標を達成しようとする動機づけの側面も含まれる。

5 ○ [エンパワメント] には、自分自身の生活全般をコントロールできる感覚と、自分の住んでいるコミュニティや環境に参加や関わりを維持することがコントロールできる感覚とが含まれる。

解説 002 社会集団の説明原理

正答 3

主に社会心理学では、様々な理論によって社会集団の現象を説明している。もちろん、教育心理学や犯罪心理学など近接領域でも集団による現象を説明する理論は様々にあるので、整理して理解していく必要がある。

1 × [社会的絆理論] は、非行や犯罪の原因に関する説明原理である。

2 × [社会的学習理論] は、模倣学習や観察学習、モデリング等、社会の中で学習される行動のメカニズムについての説明原理である。

3 ○ [社会的交換理論] は、人の社会的行動を、態度や反応の交換を通して互いに影響し合う過程としてとらえる考え方であり、親密な対人関係の説明原理として適切である。

4 × [社会的比較理論] は、人はつねに他者との比較によって自己評価をしていることを説明する原理である。

5 × [社会的アイデンティティ理論] は、人は社会的カテゴリーとの関係性にもとづく社会的アイデンティティを持っており、自己高揚動機によって外集団より内集団を高く評価しやすいといった、集団のアイデンティティの説明原理である。

解説 003 集団思考

正答 1

集団による意思決定では、集団による議論を通じて結論がより極端なものになる集団極性化という現象がみられる。

1 ○ メンバーの意見を一致させなければというプレッシャーが個々の意見を言いにくくすることから生じる。

2 × 集団意思決定は、あたかも [全員の意見が一致] しているかのような [錯覚] に陥って行われることが多いので、質のよくない決定が下されやすい。

3 × 集団構成員間の [親密性] や、[凝集性] が高いときに思考や発言が抑制されやすい。

4 × これは集団での課題遂行時に、自分１人が怠けても大丈夫だろうという [社会的抑制] に関する説明である。

5 × これは、緊急時に援助できる人間が自分しかいなければ [援助行動] をとる可能性が高くなるが、自分以外に人がいれば「誰かが助けるだろう」と援助行動が抑制される確率が高くなる現象に関する記述で、集団思考の説明ではない。

メモ 集団浅慮

凝集性の高い集団が外部とあまり接触しない状況で強力なリーダーが解決法を提示すると、メンバーは内部の結束を乱すことを恐れて、あたかも全員の意見が一致している錯覚に陥り、質のよくない決定が下される現象を集団浅慮という。

問題 004

Check ☐☐☐ 第2回 問題013

多くの人がいると、一人のときにはするはずの行動が生じなくなる傾向に関連する概念として、正しいものを 1 つ選べ。

1 社会的促進
2 集合的無知
3 集団極性化
4 情報的影響
5 傍観者効果

問題 005

Check ☐☐☐ 第4回 問題011

集団や社会の多くの成員が、自分自身は集団規範を受け入れていないにもかかわらず、他の成員のほとんどがその規範を受け入れていると信じている状況を指す概念として、最も適切なものを 1 つ選べ。

1 集団錯誤
2 集合的無知
3 集団凝集性
4 少数者の影響
5 内集団バイアス

問題 006

Check ☐☐☐ 第3回 問題102

社会的勢力は、組織や集団の目標を実現するためのリーダーの影響力の基盤となる。このうち、メンバーがリーダーに対して好意や信頼、尊敬を抱くことで、自らをリーダーと同一視することに基づく勢力として、正しいものを 1 つ選べ。

1 強制勢力
2 準拠勢力
3 正当勢力
4 専門勢力
5 報酬勢力

解説 004 集団での行動

正答 5

傍観者効果は社会的影響に含まれる。社会的影響は、個人の思考・感情・行動がどのように他者によって影響を受けているか、そして他者に影響を及ぼすかに関する用語である。

1 × [社会的促進] は、自分が行う課題に自信があるときに他者に見られているとパフォーマンスが向上する現象をいう。

2 × [集合的無知] は、集団内で実際には多数派の意見や立場である人たちが、少数派だと錯覚したため、周囲からの拒否を恐れ沈黙することをいう。

3 × [集団極性化] は、多くの成員によって構成された集団で議論した場合、個人の意見の違いを超えて、極端な方向に結論が偏りやすい現象をいう。

4 × [情報的影響] は集団への同調の原因の１つで、「多くの人の判断や行動は、正解に近い」という信念に基づいている考え方である。

5 ○ [傍観者効果] は、援助できる人が自分以外にも多くいると援助行動が抑制される効果である。この研究は、米国で、多くの人が目撃していながら誰１人として警察に通報などの行動をとらず、殺人が実行された事件が契機となった。

解説 005 集団の心理

正答 2

人がたくさん集まり集団を形成すると、人は特徴的な行動をとることがある。災害時のデマによるパニックなどが一例であるが、人は基本的に社会の動きに影響を受けやすいといえるだろう。

1 × [集団錯誤] は G.W. Allport の兄である F.H. Allport が指摘したもので、成員個々の心理を超えて集団に固有の心性があるかのように想定するのは誤りだとする考え方であり、本問題の解答には不適切である。

2 ○ [集合的無知] あるいは [多元的無知] は、集団の中で実際には多数者側の意見を持っている人たちが、自分は少数者であると錯覚し、周囲から拒否されることを恐れて沈黙したりする現象であり、問題文と一致するため正しい。

3 × [集団凝集性] は成員を集団に引きつけて留まらせるように働く力のことで、いわゆる集団の「まとまり」のことであり、問題文の説明としては不適切である。

4 × [少数者の影響] は、少数者が多数者をしのぐ影響力を持つ改革のようなケースを想定する観点であり、本問題の説明としては不適切。

5 × [内集団バイアス] は人が外集団より内集団を高く評価する傾向のことを意味するため、本問題の説明としては不適切。

解説 006 社会的勢力

正答 2

社会的勢力の研究において、J.R.P. Jr.French と B.H. Raven は、影響を受ける側の認知に基づいて、識別可能な勢力関係の基盤として５種を挙げている。

1 × [強制勢力] とは、リーダーの影響の試みに従わなければ罰せられるだろうとメンバーが予期することで成立する。

2 ○ [準拠勢力] とは、その人のようになりたいという理由から影響を受けることをいう。ここでいう同一視とは、リーダーと一体であるとか、一体でありたいというメンバーの感情のことをいう。

3 × [正当勢力] とは、リーダーがメンバーに対して影響を及ぼすべき正当な権利を持ち、メンバーはその影響を受け入れる義務を負うという価値観がメンバー自身に内在化したことから発したものをいう。

4 × [専門勢力] とは、リーダーが特定の知識や技術などについては専門的な能力を持っているというメンバーの認知にもとづいて成立する。

5 × [報酬勢力] とは、リーダーはメンバーに対して与えられるべき報酬の有無や程度を左右する能力を持つというメンバーの認知に基づいて成立する。

②人の態度及び行動

問題 007 Check ☐☐☐ 第4回 問題111

認知的不協和が関わる現象として、<u>不適切なもの</u>を1つ選べ。

1 顕示的消費
2 禁煙の困難さ
3 説得や依頼における段階的要請
4 入会におけるイニシエーション
5 既に購入した製品のパンフレットや広告の閲読

問題 008 Check ☐☐☐ 第1回追 問題010

周囲の状況の影響を十分に考慮せずに、他者の行動が内的属性に基づいて生じていると評価する傾向について、正しいものを1つ選べ。

1 対比効果
2 割増原理
3 転向モデル
4 対応バイアス
5 セルフ・ハンディキャッピング

問題 009 Check ☐☐☐ 第3回 問題014

自己中心性バイアスに該当する現象として、最も適切なものを1つ選べ。

1 ハロー効果
2 スリーパー効果
3 自己関連づけ効果
4 フレーミング効果
5 スポットライト効果

解説 007 認知的不協和

正答 1

認知的不協和とは、個人の中に矛盾する２つの認知があり、それによる不快感を解消するために認知を都合よく変えるなどして、無意識につじつま合わせをすることをいう。

1 × [顕示的消費] とは、必要でない物を、それによって得られる周囲からの羨望のまなざしを意識して行う消費行動である。ここには矛盾する認知はみられないため、認知的不協和にはあてはまらない。

2 ○ 喫煙者は「煙草を吸いたい」「煙草は健康に悪い」という 2 つの認知があって不快感を持つが、「全ての人に煙草による健康への悪影響があるわけではない」などと自分に都合のよい認知に変えて禁煙が困難になるケースがある。

3 ○ [段階的要請法]（フット・イン・ザ・ドアテクニック）では、最初に小さな依頼を承諾した後で大きな依頼を受けたとき、「できれば断りたい」「さっき引き受けたから期待されている」という 2 つの認知が生じて不快感が起き、最終的に大きな依頼も引き受けてしまうことがある。

4 ○ 「入会して大丈夫だろうか」「入会式（イニシエーション）では多数の人が入会するようだ」という 2 つの認知が生じて不快感が生じ、「こんなに多くの人が入会するなら大丈夫だ」と認知を変容するという説明ができる。

5 ○ 「製品を既に購入した」「製品はお金に見合っているだろうか」という 2 つの認知により不快感が生じ、既に購入したのにその製品のパンフレットなどを見て解消しようとしていると説明できる。

解説 008 バイアス

正答 4

バイアスに関する問題である。非常に多数の概念があるので、整理しておくこと。

1 × [対比効果] とは、呈示された刺激を他の刺激と比較することで、その違いをより大きく感じることをいう。

2 × [割増原理] とは、自分にとって阻害的な状況で起こった行動に対して、促進的な要因が高く評価されやすいことをいう。

3 × [転向モデル] とは、「この人はこういう人だ」というカテゴリーにあてはめて考える [ステレオタイプ] に関する考え方である。

4 ○ 対応バイアスは、[基本的な帰属のエラー（誤り）] ともいう。

5 × [セルフ・ハンディキャッピング] とは、あらかじめ失敗するかもしれないなどと予防線を張っておき、実際に失敗した際に自己評価を下げずに済ませるための防衛的な態度をいう。

解説 009 自己中心性バイアス

正答 5

自己中心性バイアスとは、自分の気持ちを参考にしすぎると、他者の気持ちを自分勝手で不正確に推測してしまう現象をいう。

1 × [ハロー効果] とは、例えば人の良い部分をみてその人の全てが良いと判断するなど、過大に評価する現象のこと。

2 × [スリーパー効果] とは、信憑性の低い情報でも時間の経過とともに、情報源に対する記憶がうすらぐため信憑性の高い情報と影響が同等となる現象である。

3 × [自己関連づけ効果] とは、記憶するときに自己に関連した処理を行うと、意味的な処理や他者に関連した処理を行った場合に比べて記憶保持にすぐれる現象を指す。

4 × [フレーミング効果] とは、報道において、起きた出来事の理解の枠組みの提示によって視聴者への受け取られ方の差異をもたらす現象である。

5 ○ [スポットライト効果] とは、行為者が自身が目立つと推測する行為をしたときに、他者が自分に注目していると過度に思う現象のことであり、これは [自己中心的な推論] を行うことを表すので、自己中心性バイアスに該当する現象である。

問題 010 Check ☐☐☐ 第1回 問題013

社会的認知のバイアスについて、正しいものを 1 つ選べ。

1 他者の内面を実際以上に理解していると誤解することを透明性の錯覚〈透明性錯誤〉という。

2 集団の違いと行動傾向との間に、実際にはない関係があると捉えてしまうことを疑似相関という。

3 観察者が状況要因を十分に考慮せず、行為者の内的特性を重視する傾向を行為者－観察者バイアスという。

4 自分の成功については内的要因を、自分の失敗については外的要因を重視する傾向を確証バイアスという。

5 人物のある側面を望ましいと判断すると、他の側面も望ましいと判断する傾向を光背効果〈ハロー効果〉という。

問題 011 Check ☐☐☐ 第1回 追 問題120

プロスペクト理論について、正しいものを 1 つ選べ。

1 損失回避の傾向を説明することができる。

2 主観的な満足の度合いは利得の絶対量に比例する。

3 低い客観的確率は主観的には過小評価されるとする。

4 ある事象の起こりやすさを典型例と類似している程度によって判定するものである。

解説 010　社会的認知のバイアス

正答 5

人の認知は様々な歪みがあることが知られており、これをバイアスという。こうしたバイアスが生じやすいことを念頭に置くことで、集団に生じる現象を理解しやすくなる場合がある。

1 × [透明性の錯覚] とは、人が他者とコミュニケーションをとるとき、自分の意図が他者に知られる、伝わる見込みを過大に見積もる傾向のことをいう。

2 × [疑似相関] とは、2つの事象に因果関係がないのに、見えない要因によって因果関係があるかのように推測されることをいう。

3 × [行為者－観察者バイアス] とは、ある課題での成功や失敗を、自分については課題の困難さなどに帰属させ、他者についてはその人の能力や努力などに帰属させやすいことをいう。この選択肢は [基本的な帰属のエラー] についての説明である。

4 × [確証バイアス] とは、人が自分の考えが正しいことを立証する際に、自分の考えが正しい証拠ばかりを集めてしまい、反証情報に注目しない傾向のことをいう。この選択肢は [自己奉仕的バイアス] の説明である。

5 ○ ハロー効果は [光背効果] ともいい、他者評価の際に生じやすいバイアスのひとつである。

解説 011　プロスペクト理論

正答 1

プロスペクト（期待、予想、見通し）理論は、D. Kahneman と A. Tverskey によって提唱された行動経済学の代表的理論である。

1 ○ 人は利益を目の前にすると損失の回避を優先し、損失を目の前にすると損失そのものを回避しようとする [損失回避性] があることが実験で示されている。

2 × 主観的な満足と客観的な価値、例えば利益の絶対量とは直線的な比例関係にはない。

3 × 人は35%ぐらいまでの客観的確率が小さいときは過大評価し、それ以上の確率になると過小評価する。

4 × これは [代表性ヒューリスティック] の説明である。

メモ　損失回避性

右の図は、D. Kahneman によるプロスペクト理論の損失回避性に関するグラフである。株式投資を例にしてみよう。横軸は株を買って値上がり、または値下がりしたときの金額を表し、縦軸はプラスがうれしさ、マイナスが悲しさとなる。ここで注目すべきなのは、「-200」のときの悲しさが「+200」のときのうれしさの２倍近いことである。株式投資では株が値下がりしたときに売ることを損切というが、値下がりした株を売るのは難しいといわれている。これは損失回避性が人間の判断に影響を与えている一例である。

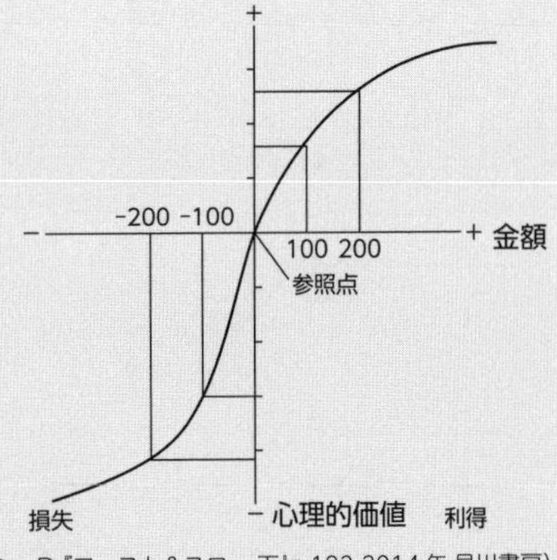

（出典：カーネマン, D.『ファスト＆スロー 下』p.102 2014年 早川書房）

メモ　ナッジ

「ナッジ」とは「軽く肘でつつく」という意味の英語で、行動経済学知見を使うことで、人々がよりよい行動をとりやすくするための仕組みである。ナッジを応用するのは、例えば臓器提供のドナー登録など社会的に望ましいものに人々の行動を促したい取り組み等である。具体的には、日本のように臓器提供の希望者が登録をするのではなく、オーストリアやベルギーなど欧米の一部の国々のように臓器提供が「デフォルト」で、希望者だけ臓器提供登録を取り消すという制度にすると臓器提供の意思表示の機会は確保されている上に、取り消すのは面倒な人が多いので、臓器提供登録率は飛躍的に増加するといった例がある。
（参考文献：大竹文雄『行動経済学の使い方』岩波書店 2019）

問題 012 Check ☑☑☑ 第2回 問題127

対人魅力について、適切なものを2つ選べ。

1 相手からの評価や好意が対人魅力に影響を与える。

2 相手との物理的距離が大きいほど対人魅力につながる。

3 容貌などの身体的特徴は対人魅力に影響を与えることはない。

4 相互作用を伴わない単なる接触の繰り返しが対人魅力につながる。

5 性格が自分と類似した相手より相違点が多い相手に対人魅力を感じやすい。

問題 013 Check ☑☑☑ 第3回 問題087

社会的排斥の原因を説明する理論として、最も適切なものを1つ選べ。

1 衡平理論

2 バランス理論

3 社会的交換理論

4 社会的インパクト理論

5 社会的アイデンティティ理論

解説 012 対人魅力

正答 1、4

友人関係、異性との関係など様々な場面を想定して、人はどのように他者を好きになるか考えることを対人魅力という。

1 ○ 相手から高い評価や好意を示されることは［返報性］の要因であり、対人魅力を高める。

2 × 相手との物理的距離が［小さい］ほど対人魅力が高まる。

3 × 外見の魅力は対人魅力を［高める］要因である。

4 ○ 相互作用を伴わない単なる［接触］の繰り返しでも、対人魅力を高めることにつながる。

5 × 性格が［異なる］相手に対人魅力を感じる［相補性］の要因もあるが、最も大きいのは性格が［似ている］相手に対人魅力を感じる［類似性］の要因である。

メモ 単純接触説

R.B. Zajonc は、特定の刺激が特別の働きかけを行わない場合でも、いつも、あるいはしばしば呈示されたり存在したりしていると、その刺激を熟知し、親しみを覚え、魅力を感じるようになると述べており、これを単純接触説という。例えば、テレビの CM で繰り返し同じ商品を目にしていると、買い物に行ったときに何となくその商品に馴染みができていて、買い物かごに入れるといった行動が挙げられる。

解説 013 社会的排斥

正答 5

社会的排斥とは、集団内で他のメンバーから拒絶されたり、仲間に入れてもらえなかったりすることをいう。

1 × J.S. Adams の［衡平理論］では、交換関係にある人々の間で、分配上の正当性は互いの利益が投資に比例しているときに得られるとする。

2 × F. Heider の［バランス理論］では、自分（P：perceiver）が対象（X）に対してもつ態度は、他者（O：other）との関係によって左右されると説明している。

3 × ［社会的交換理論］は、仲のよい関係は好意や利益などを交換することで成り立っていることを説明する理論である。

4 × ［社会的インパクト理論］は、観察者のインパクト（影響）が、一般に単純な仕事では作業効率を上げたり（社会的促進）、複雑な仕事では作業効率を阻害したり（社会的抑制）することを説明する理論である。

5 ○ ［社会的アイデンティティ理論］は、人が所属集団をアイデンティティの源泉の一部とし、内集団ひいきが生じたり外集団を差別したりすると説明する。だが、好ましくない内集団成員は内集団ひいきの対象とならず、逆に差別されるため（黒い羊効果）、これが社会的排斥につながる。

メモ 社会的アイデンティティ理論

Tajifel, H. & Turner, J.C. は、所属する集団・組織や国籍、人種、性別、宗教といった社会的カテゴリーとの関係性に基づくものを社会的アイデンティティとした。社会的アイデンティティ理論では、人には自分自身を肯定的にとらえていたいという自己高揚動機があるので、自己が所属する内集団とその他の外集団にカテゴリー化すると、自他の集団を比較して内集団を高く評価しやすくなると考える。また、この理論には、第１に人は内集団と外集団を区別していること、第２に人は肯定的な社会的アイデンティティを維持しようとすること、第３に社会的アイデンティティの多くは集団アイデンティティに由来している、という３つの前提がある。

問題 014　Check ☑☑☑　第1回 追　問題 041

精神障害に対するスティグマ（差別、偏見）について、正しいものを1つ選べ。

1　セルフスティグマを軽減する方法はない。
2　社会的スティグマは認知的側面と感情的側面の2つから構成される。
3　社会的スティグマの強さと当事者の自尊感情との間には正の相関がある。
4　対象への反応時間を測定することにより潜在的なスティグマが評価できる。

メモ　差別と偏見

社会心理学では人が所属する集団を内集団と外集団に分けて捉える。そして双方の集団に対するものの見方、感じ方、接し方を［集団間態度］という。集団間態度には、集団成員の属性に関する一般化された固定観念であるステレオタイプ（認知的要素）、好き・嫌いなどの感情を含んだ先入観が加わった偏見（感情的要素）、選択や意思決定などの行動である差別（行動的要素）の3要素がある。似たような概念であるが、差別と偏見の違いに留意しておきたい。

問題 015　Check ☑☑☑　第2回　問題 137

18歳の女性A、大学生。サークルに入部して1か月がたった頃、Aはいつも集合時間に遅刻するため、副部長のBから注意を受けた。そのことをきっかけにBを怖いと思うようになった。その後、忘れ物をした部員にBが注意している場面を偶然見かけ、Bはいつも怒っているので怖いという思いが強くなった。実際には、Bが部員をやさしく励ましたり、場の雰囲気を和ませる発言をしたりする場面も見たことがあるが、そのことはAの印象には残っていなかった。やがてAは「Bがいるからサークルに行きたくない」と言い、サークルを休むことが多くなってきた。
このようなAの心理的特徴として、最も適切なものを1つ選べ。

1　錯誤相関
2　確証バイアス
3　自己評価維持モデル
4　スポットライト効果
5　利用可能性ヒューリスティック

③家族、集団及び文化が個人に及ぼす影響

問題 016　Check ☑☑☑　第1回 追　問題 086

家族システム論について、最も適切なものを1つ選べ。

1　家族システムには上位システムと下位システムがある。
2　家族成員間の境界があいまいな家族を遊離家族という。
3　G. Bateson の一般システム理論の影響を受けて発展してきている。
4　家族の中で問題行動や症状を抱える人をFP〈Family Patient〉という。
5　家族内で、1つの原因から1つの結果が導かれることを円環的因果律という。

解説 014 精神障害に対するスティグマ 正答 4

スティグマとは、烙印ともいわれる差別や偏見のことである。精神障害者はこのスティグマによってさらなるストレスを生じやすい。そのストレスを軽減することは公認心理師の重要な職務である。

1 × [セルフスティグマ] とは、精神障害者自身が持つ偏見である。例えば、「うつ病は怠けであると思っている。だからうつ病である自分は怠け者である」という場合である。これは [認知の歪み] とも捉えることができ、病気の正しい知識を説明する [心理教育] や、[認知行動療法] 等で軽減が可能である。

2 × [社会的スティグマ] は、精神障害者に対して他者（社会）が嫌悪したり避けたりという差別や偏見のことを指す。社会的スティグマには、[認知的側面]、[感情的側面]、[行動的側面] がある。行動的側面が抜けているため間違いである。

3 × 当事者の自尊心が高ければ、社会的スティグマの影響は少なく、本人も社会的スティグマを内在化していないことになる。よって正の相関は考えがたく、むしろ [負の相関] となるであろう。

4 ○ [潜在的スティグマ] とは、はっきりと表明はしていない無意識的な部分の態度である。対象者に対する瞬間の表情や快か不快かの反応時間の測定で判断が可能である。

解説 015 18 歳女性・心理的特徴（事例） 正答 2

社会的認知に関する事例問題である。A は B に対して “怖い” という印象を持っており、B の優しい面については認識できていない点が特徴である。社会心理学の用語についてもしっかりと理解しておこう。

1 × [錯誤相関] とは、統計的には相関がない、あるいはないに近い値を示すにもかかわらず、相関があるように知覚されることをいう。[ステレオタイプ] の形成と関係している。

2 ○ 確証バイアスとは、自分の考えや自分が正しいと信じるものにこだわり、そのことを証明する証拠ばかりを探してしまう傾向のことをいう。[先入観] にとらわれ、[反証情報]（自分の考えや自分が正しいと信じるものと反対のこと）には注目しない傾向が強い。A の心理的特徴もこれにあてはまる。

3 × 自己評価維持モデルとは、「人は自己評価を維持もしくは高揚しようと動機づけられている」「他者との関係は個人の自己評価に多大な影響を及ぼす」という 2 つの基本的前提のもとに自己評価の過程をモデル化したものである。

4 × スポットライト効果とは、[自己中心性バイアス] のひとつで、自分の外見や行動などが実際よりも周囲の注目を集めていると推測することをいう。

5 × 利用可能性ヒューリスティックとは、思い浮かべやすいものほど優先的に考えたり、過大に評価したりしてしまうという心理特性のことである。

解説 016 家族システム論 正答 1

家族を 1 つのシステムとみなし、その機能を考える家族システム論の基本を理解しておこう。

1 ○ 家族という [上位システム] の中に、「夫婦」「親子」「きょうだい」といった [下位システム] が想定されている。

2 × 境界があいまいな家族は [纏綿（てんめん）家族] と呼ばれる。それに対し、[遊離家族] は家族成員間の境界が強固であり、相互のコミュニケーションが働いていない家族のことである。

3 × 家族システム論は G. Bateson の [ダブルバインド理論] の影響を受けている。

4 × 家族の中で問題行動や症状を抱える人は、家族から問題があるとみなされている人という意味で、[IP（Identified Patient）] と呼ばれる。

5 × [円環的因果律] とは、原因と結果が 1 対 1 で対応しているわけではなく、様々な要因が相互に影響し合って今の状況が起きているとする考えのことである。

問題 017 Check ☑☑☑ 第4回 問題094

G. Bateson の二重拘束理論に関連する概念として、最も適切なものを 1 つ選べ。

1 三角関係
2 両親連合
3 世代間境界
4 ホメオスタシス
5 メタ・コミュニケーション

問題 018 Check ☑☑☑ 予想問題 1

家族療法における技法の記述で誤っているものを 1 つ選べ。

1 ジョイニングは、セラピストが家族システムに直接、積極的に参入していく技法である。
2 ジェノグラムは IP を中心とした家系図で、そこに書かれる客観的な情報を用いて、問題の整理や理解、介入に役立たせるものである。
3 リフレーミングは、ある出来事や物事に対する見方を変化させ、その意味付けを変容させることである。
4 パラドックス技法は、問題行動の軽減とは矛盾するような介入を行うことで、家族メンバーの逆説的な行動変化を引き出す技法である。
5 問題の外在化は、家族メンバーの問題を外在化させ、客観視できるようにさせることで、問題に対する取り組みを促す技法である。

解説 017 G. Batesonの二重拘束理論

正答 5

二重拘束理論とは「矛盾した言語的メッセージと非言語的メッセージが同時に発せられることにより、受け手に葛藤が生じる」というものであり、家族療法の発展に大きな影響を及ぼした。

1 × [三角関係] は、二者関係を安定させるために第三者を引き込もうとする、家族心理学における重要な概念であるが、二重拘束理論とは関連がない。

2 × 両親連合とは、両親が他の家族メンバーに対して形成する結びつきのことである。

3 × [世代間境界] は、夫婦サブシステムと子どもサブシステムの間に想定される境界のことである。

4 × [ホメオスタシス] とは恒常性機能のことであり、家族療法では「家族システムは一定の状態や秩序を保とうとする傾向を持っている」と考える。

5 ○ [メタ・コミュニケーション] は、G. Batesonによって「コミュニケーションのコミュニケーション」と定義づけられており、発せられたメッセージとその背後にあるメタ・メッセージが矛盾することにより受け手が葛藤状態に陥るというコミュニケーションパターンを二重拘束理論として提唱した。

解説 018 家族療法の技法

正答 2

家族療法の技法は家族療法のみならず、様々な心理療法においても取り入れられている。基本的な技法を理解しておこう。

1 ○ セラピストはジョイニングによって、家族の [サブメンバー] の位置に立ち、家族に対して積極的に介入し、家族との信頼関係を結んだ上で治療を行っていく。

2 × ジェノグラムには、客観的な情報と [主観的な解釈] や [人間関係] が書き込まれ、世代ごとに繰り返されるパターンや、家族の強み、弱みなどを読み取るものである。

3 ○ リフレーミングによって、その出来事に対する見方を [肯定的] に変えたり、他の視点から見たりすることで、気持ちや感情も肯定的に変化させることができる。

4 ○ パラドックス技法によって、問題行動をあえて維持させる、あるいは悪化させるよう指示することで、かえって問題行動を取り巻く [悪循環] を断ち切ることができる。

5 ○ 問題の外在化によって、家族メンバー自身に問題があるとせずに、問題とメンバーを切り離すことで、問題を [客観的] に捉え、対処しやすくすることができる。

加点のポイント 家族療法の主な技法

Joining ジョイニング	家族と**信頼関係**を結び、家族システムの一部としてセラピストが積極的に参加し、介入すること
Reframing リフレーミング	家族メンバーの行動や出来事、関係性などの「事実」は変えずに、その**文脈**や**意味づけ**を肯定的に変化させること
Enactment エナクトメント	面接場面で、実際の家庭生活でのコミュニケーションパターンを**再演**してもらうこと
Paradox パラドックス技法	逆説的介入ともいわれ、問題行動を**維持**あるいは**強化**するように指示することで悪循環を断とうとすること

第12章 発達

①認知機能の発達及び感情・社会性の発達

問題 001 Check ☑☑☑ 第1回 問題089

J. Piagetの発達理論について、正しいものを1つ選べ。

1 外界に合わせてシェマを改変する過程を「異化」という。

2 「具体的操作期」になると、速度、距離、時間など変数間の数量的な関係が理解できるようになる。

3 「自己中心性」とは、何事も自分中心に考える幼児期の利己的な心性を表し、愛他心の弱さを特徴とする。

4 積木をサンドイッチに見立てて食べるまねをするような「ふり遊び」は、表象の能力が発達する幼児期の後半から出現する。

5 水を元のコップよりも細長いコップに入れ替えると液面が高くなるが、幼児期の子どもは水の量自体も変化したと考えてしまう。

問題 002 Check ☑☑☑ 第2回 問題128

J. Piagetの発達段階説について、正しいものを2つ選べ。

1 発達段階は個人によってその出現の順序が入れ替わる。

2 感覚運動期の終わり頃に、延滞模倣が生じる。

3 前操作期に入ると、対象の永続性に関する理解が進む。

4 形式的操作期に入ると、仮説による論理的操作ができるようになる。

5 具体的操作期に入ると、イメージや表象を用いて考えたり行動したりできるようになる。

問題 003 Check ☑☑☑ 第3回 問題037

L. S. Vygotskyの発達理論に含まれる概念として、不適切なものを1つ選べ。

1 内言

2 自己中心性

3 精神内機能

4 高次精神機能

5 発達の最近接領域

問題 004 Check ☑☑☑ 第1回 追 問題032

知能とその発達について、誤っているものを1つ選べ。

1 知能指数とは一般的に「精神年齢÷生活年齢×100」の値を指す。

2 流動性知能は主に神経生理学的要因の影響を受けて形成される。

3 知能は全般的に青年期前期にピークに達し、その後急速に衰退する。

4 結晶性知能は主に経験や教育などの文化的要因の影響を受けて形成される。

5 知能の発達曲線は横断研究と縦断研究のデータで大きく食い違うことがある。

解説 001 J. Piaget の発達理論

正答 5

J. Piaget の発達理論の用語や各発達段階を正確に理解しておくこと。

1 × 外界に合わせてシェマを変化させる過程とは、外界＝対象に合わせて変化を行う「調節」であり、J. Piaget の考えには「異化」という概念はない。

2 × 速度、距離、時間など変数間の数量的な関係つまり抽象性の理解は［形式的操作期］である。［具体的操作期］は直接的・具体的な対象への理解にとどまるものである。

3 × J. Piaget の「発達理論における自己中心性」は［認知上の限界性］のことであり、設問の利己的で愛他心の弱さという意味ではない。

4 × いわゆる「ふり遊び」は［2 歳］くらいに出現するので、表象の能力が発達し始める前操作期にあたる幼児期の［初期］から出現する。

5 ○ 保存概念が獲得されるのは具体的操作期にあたる［児童期（学童期）］中期以降である。

解説 002 J. Piaget の発達段階説

正答 2、4

J. Piaget の発達段階説の各段階の内容について理解しておこう。

1 × 発達段階は個人によってその出現の順序が入れ替わることはなく、若干の出現の差はあるが［同じ順序］で進んでいく。

2 ○ 感覚運動期の終わり頃の 1 歳半になると［延滞模倣］が生じる。

3 × 対象の永続性に関する理解が進むのは、［感覚運動期］である。前操作期は、推論の操作対象は［実物］のみで、見た目に大きく影響を受ける。言語を用いた思考はまだ未発達である。

4 ○ 形式的操作期になると、「もし～だったら」という仮説を用いた［論理的操作］ができるようになる。

5 × 具体的操作期ではなく、［前操作期］に入るとイメージや表象を用いて考えたり行動したりできるようになる。

解説 003 L.S. Vygotsky の発達理論

正答 2

L.S. Vygotsky の発達理論を構成する概念の内容について問う問題である。

1 ○ ［内言］（思考のツールである音声を伴わない内面化された言語）は Vygotsky の発達理論の概念である。

2 × 自己中心性とは前操作期の子どもは主観的な視点に立脚してしか世界をみられないことであり、J. Piaget の発達理論の概念である。

3 ○ 精神内機能とは「内言」の別の言い方であり、Vygotsky の発達理論の概念である。

4 ○ ［高次精神機能］とは社会的水準（社会活動で発達する精神機能）から心理的水準（個々人の内面化された精神機能）への発達のことであり、Vygotsky の発達理論の概念である。

5 ○ ［発達の最近接領域（ZPD：Zone of Proximal Development）］とは一人ではできないが、大人もしくは先行した発達段階にある子どもの手助けによりできることの差を表す Vygotsky の発達理論の概念である。

解説 004 知能とその発達

正答 3

知能の変化や様々な側面について理解することが必要である。

1 ○ 知能指数とは一般的に「精神年齢÷生活年齢× 100」の値を指す、いわゆる IQ のことであり、［DIQ（偏差知能指数）］との違いを注意すること。

2 ○ 流動性知能は脳髄や個体の生理的成熟と深く結びつき、処理速度が関わっていることから主に［神経生理学的要因］の影響を受けて形成される。

3 × 知能は全般的に青年期前期にピークに達し、その後急速に衰退するのではなく、［結晶性］知能のようにその後も向上するものもある。

4 ○ ［結晶性］知能は主に経験や教育などの文化的要因の影響を受けて形成される。

5 ○ 知能の発達曲線での横断研究は異なる対象集団の［その時点の知能］を見るもので、縦断研究は同一集団への［複数回の知能検査］による変化を見るものであり、大きく食い違うことがある。

問題 005　Check　第3回　問題 112

流動性知能の特徴として、不適切なものを 1 つ選べ。

1　図形を把握する問題で測られる。
2　いわゆる「頭の回転の速さ」と関連する。
3　学校教育や文化的環境の影響を受けやすい。
4　新しい課題に対する探索的問題解決能力である。
5　結晶性知能と比べて能力のピークが早期に訪れる。

問題 006　Check　第3回　問題 039

H. Gardner が多重知能理論で指摘した知能に含まれるものとして、不適切なものを 1 つ選べ。

1　空間的知能
2　言語的知能
3　実用的知能
4　対人的知能
5　論理数学的知能

問題 007　Check　第2回　問題 014

乳幼児の社会的参照について、正しいものを 1 つ選べ。

1　心の理論の成立後に生じてくる。
2　共同注意の出現よりも遅れて 1 歳以降に現れ始める。
3　自己、他者、状況・事物という三項関係の中で生じる。
4　自分の得た知識を他者に伝達しようとする行為である。
5　乳幼児期以降、徐々にその頻度は減り、やがて消失する。

加点のポイント　三項関係の成立

生後 9 か月から 15 か月の時期に乳児と大人の二項関係より乳児と対象（物や人）と大人の三項関係が成立する。次の 4 つがみられると三項関係が成立したとされる。

①共同注意	乳児が大人と同じ対象へ同時に注意を向けられる
②指さし	乳児が大人に一緒に見て欲しいものを指さす
③ショーウイング	乳児が所持物や行為を大人に見せる
④社会的参照	乳児にとって重要な他者（母親等）が、ある事態に対して示す表情や態度により、その事態への意味づけを行う

解説 005 知能の理論

正答 3

R.B. Cattell と J.L. Horn が 1966 年に提唱した流動性知能（新しい環境への順応のための、情報の獲得や処理・操作していく知能）と結晶性知能（長年の経験、教育、学習などから得ていく知能）について問う問題である。

1 ○ 流動性知能は、図形処理（図形の把握や情報の処理・非言語性検査）等で測定される。

2 ○ 流動性知能を測る問題は時間制限を定めており、このことによって「頭の回転の速さ＝処理の速さ」と関連している。

3 × 流動性知能は、非言語性検査（教育歴により大きく左右されにくい検査）で測るため文化や学校教育の影響を比較的受けにくい。

4 ○ 流動性知能は、新しい状況へ順応する力と関係する能力なので、探索的問題解決能力を測っている面が強い。

5 ○ J.L. Horn の主張では、流動性知能の能力のピークは［青年期］に達し、結晶性知能は［成人期］にピークに達するとしている。

解説 006 H. Gardner の多重知能理論

正答 3

様々な知能理論のひとつである H. Gardner の多重知能理論は、8 もしくは 10 の知能で構成されており、構成知能の名称を問う問題である。

1 ○ 空間的知能は Gardner の多重知能に規定され、絵を描く能力、建築など立体的に考える知能である。

2 ○ 言語的知能は Gardner の多重知能に規定され、言語能力に関する知能である。

3 × 実用的知能は R.J. Sternberg の知能の鼎立（ていりつ）理論の鼎（かなえ）のひとつである文脈理論を構成するものである。

4 ○ 対人的知能は個人間知能の別な言い方で、Gardner の多重知能に規定され、対人的な社会的知能である。

5 ○ 論理数学的知能は Gardner の多重知能に規定され、論理的に考える力や数的処理をする知能である。

メモ Gardner の多重知能

H. Gardner の 8 の多重知能は、①言語的知能、②論理数学的知能、③音楽的知能、④空間的知能、⑤身体ー運動的知能、⑥個人内知能、⑦個人間知能、⑧博物学的知能である。これに、⑨霊的知能、⑩実存的知能の 2 つが追加されることがある。

解説 007 乳幼児の社会的参照

正答 3

乳幼児の社会的参照（周囲の人の表情、態度、反応を見て行動決定する）と他の機能との関係を理解しておこう。

1 × 心の理論の成立前に生じる。心の理論は 4 歳以降に獲得するとされているが、社会的参照は 0 歳代半ばから 1 歳代にかけて成立する。

2 × 共同注意と社会的参照は［同時期］に出現する。

3 ○ ［自己］、［他者］、［状況・事物］という三項関係の中で生じる。

4 × 自分の得た知識を他者に伝達しようとするのは［社会的相互作用］である。

5 × 乳幼児期以降、［成人］においても社会的参照を用いている。

問題 008 Check ☐☐☐ 第3回 問題114

U. Neisser が仮定する5つの自己知識について、不適切なものを1つ選べ。

1 公的自己
2 概念的自己
3 対人的自己
4 生態学的自己
5 拡張的／想起的自己

②自己と他者の関係の在り方と心理的発達

問題 009 Check ☐☐☐ 第1回 問題090

ストレンジ・シチュエーション法によるアタッチメントのタイプ分類（A：回避型、B：安定型、C：抵抗／アンビバレント型、D：無秩序・無方向型）について、最も適切なものを1つ選べ。

1 Aタイプの養育者は、子どもに対して虐待など不適切な関わりをしていることが多い。
2 AタイプとCタイプの子どもは、再会場面で感情が元どおりに回復せずに、怒りの感情を表すことがある。
3 BタイプとCタイプの子どもは、分離場面で強く泣くなどの苦痛を表出する。
4 Cタイプの養育者は、子どもに対して拒絶的にふるまうことが多い。
5 Dタイプの養育者は、子どものシグナルに養育者自身の都合で応答するなど一貫性を欠く傾向がある。

問題 010 Check ☐☐☐ 第4回 問題048

ストレンジ・シチュエーション法におけるアタッチメントの類型の説明として、最も適切なものを1つ選べ。

1 回避型は、養育者との分離場面で激しく泣きやすい。
2 安定型は、養育者との分離場面で泣きの表出が少ない。
3 無秩序・無方向型は、養育者との再会場面で激しく泣きやすい。
4 アンビバレント型は、養育者との再会場面でしばしば激しい怒りを表出することがある。

問題 011 Check ☐☐☐ 第2回 問題110

J. Belsky のモデルにおいて、親の養育行動に直接影響するものとして、不適切なものを1つ選べ。

1 学歴
2 仕事
3 夫婦関係
4 子どもの特徴
5 社会的交友・支援関係

解説 008 U. Neisser の自己知識の発達

正答 1

U. Neisser の 5 つの自己知識を問う問題である。

1 × Neisser の自己知識では、公的自己ではなく私的自己であり、これは主観的な意識経験を持つものとしての自己である。

2 ○ 概念的自己とは、自分自身の特性への心的表象（= イメージ）である。

3 ○ 対人的自己とは、社会的やりとりの中で形成される自己である。

4 ○ 生態学的自己とは、環境との関連で知覚される自己である。

5 ○ 拡張的 / 想起的自己（時間的拡張自己）とは、過去（自伝的記憶）か将来のイメージの中の自己である。

解説 009 ストレンジ・シチュエーション法

正答 3

ストレンジ・シチュエーション法のタイプ分類を理解しておきたい。

1 × A タイプの養育者は、子どもに対し、アタッチメント要求を子どもが出したときに［拒否的にふるまう］ことが多いが、必ずしも虐待行為を行っているわけではない。

2 × A タイプの子どもは再会場面で［よそよそしい態度］をとり、C タイプの子どもは再会場面で分離時の［怒り］の感情を引きずり、［怒り］の感情を表し続けることがある。

3 ○ B タイプと C タイプの子どもは、養育者との分離場面で強く泣くなどの［苦痛］を表出する。

4 × C タイプの養育者は、子どもの発するシグナルへの応答性、感受性が相対的に低く［一貫性を欠いた］ふるまいが多い。

5 × D タイプの養育者は、［アタッチメント対象の喪失］などのトラウマ体験を経験していることが多い。

解説 010 ストレンジ・シチュエーション法

正答 4

M.D.S. Ainsworth のストレンジ・シチュエーション法実施により見いだされた養育者との再会時に示されるアタッチメント 4 タイプについて正確に理解し、覚えておこう。

1 × ［回避型（A タイプ）］は養育者との分離場面において激しく泣きやすいのではなく、泣いたり混乱したりすることが少ない。

2 × ［安定型（B タイプ）］は養育者との分離場面で激しく泣くが、再会後にすぐに安定して関われる。

3 × ［無秩序・無方向型（D タイプ）］は養育者との再会場面で激しく泣くというよりも、養育者への接近と回避が同時に見られる。

4 ○ ［アンビバレント型（C タイプ）］は養育者との再会場面で不安定で怒りを激しく表出する。

メモ アタッチメントは 4 タイプを覚えよう

M.D.S. Ainsworth のストレンジ・シチュエーション法によって見いだされたアタッチメント 4 タイプは古いテキストでは 3 タイプであったりするので要注意。国試には 4 タイプが出題される。

解説 011 J. Belsky の養育行動

正答 1

J. Belsky のモデルでの親の養育行動へ直接影響する要因を理解しておこう。

1 × 学歴については Belsky の親の養育行動の規定要因に含まれていない。

2 ○ 仕事（就業）は養育行動の規定要因、すなわち直接影響がある。

3 ○ 夫婦関係は養育行動の規定要因、すなわち直接影響がある。

4 ○ 子どもの特徴（子どもの特性）は養育行動の規定要因、すなわち直接影響がある。

5 ○ 社会的交友・支援関係（社会的ネットワーク）は養育行動の規定要因、すなわち直接影響がある。

③生涯における発達と各発達段階での特徴

問題 012 Check ☑☑☑ 第2回 問題019

ライフサイクルと心の健康の関わりについて、正しいものを１つ選べ。

1 人の心身の発達は、成人期でピークになると考えられている。

2 女性の更年期障害は、閉経後に様々な身体症状や精神症状を来す病態である。

3 青年期は、統合失調症、うつ病、社交不安症などの精神疾患の発症が増える時期である。

4 各ライフサイクルにおいて対応を要する問題は、疾患の種類にはよらず年齢によって決まる。

5 認知症は老年期に発症する病気であるため、成人期における認知機能の低下の原因としては別の疾患を考える。

問題 013 Check ☑☑☑ 第1回 問題015

E.H. Erikson のライフサイクル論について、最も適切なものを１つ選べ。

1 人の生涯を６つの発達段階からなると考えた。

2 成人期前期を様々な選択の迷いが生じるモラトリアムの時期であると仮定した。

3 青年期を通じて忠誠〈fidelity〉という人としての強さ又は徳が獲得されると考えた。

4 各発達段階に固有のストレスフルなライフイベントがあると仮定し、それを危機と表現した。

5 成人期後期に自身の子どもを養育する中で、その子どもに生成継承性〈generativity〉が備わると考えた。

問題 014 Check ☑☑☑ 第1回 追 問題111

青年期の特徴として、不適切なものを１つ選べ。

1 心理的離乳

2 直観的思考

3 モラトリアム

4 ２次性徴の発現

5 発育のスパート

問題 015 Check ☑☑☑ 第3回 問題125

J. E. Marcia が提起した自我同一性地位について、正しいものを１つ選べ。

1 同一性達成型とは、人生上の危機を経験し、職業などの人生の重要な領域に積極的に傾倒している地位である。

2 早期完了型とは、人生上の危機を発達早期に経験し、職業などの人生の重要な領域に積極的に傾倒している地位である。

3 モラトリアム型とは、人生上の危機を経験しておらず、職業などの人生の重要な領域に積極的に傾倒していない地位である。

4 同一性拡散型とは、人生上の危機を経験していないが、職業などの人生の重要な領域に積極的に傾倒しようと努力している地位である。

解説 012 ライフサイクル

正答 3

ライフサイクルにおいて生ずる問題が年齢の幅や問題によって異なることの概要を理解しておこう。

1 × 心身の発達のピークは各機能で異なり、特に精神機能などは成人期以降でも伸びを示す。

2 × 女性の更年期障害とは閉経後のみではなく、閉経前後に様々な身体症状や精神症状を来す病態である。

3 ○ 青年期は、統合失調症、うつ病、社交不安症などの精神疾患の発症が増える時期、いわゆる［好発期］と呼ばれている。

4 × 各ライフサイクルにおいて対応を要する問題は、疾患や年齢で決まるものではなく、発達段階とその危機によって決まる。

5 × 認知症は老年期に発症するだけではなく、若年性認知症もあるため、成人期における認知機能の低下の原因としても常に考慮におく必要がある。

解説 013 E.H. Erikson のライフサイクル論

正答 3

E.H. Erikson のライフサイクル論は８つの発達段階であり、その各発達段階での発達課題を理解しておきたい。

1 × E.H. Erikson のライフサイクル論では［8］つの発達段階からなる。

2 × モラトリアムが生じるのは［青年期］である。

3 ○ 青年期は発達課題である［同一性］と［同一性の拡散］の時期の同一性を得つつ、［忠誠（fidelity）］という人としての強さと徳を獲得する時期である。

4 × 各発達段階に達成しなければならない［発達課題］と［心理社会的危機］がある。心理社会的危機とは、各段階で失敗や課題を解決できず未熟な状態にとどまってしまうことをいう。

5 × 成人期後期に自身の子どもを養育する中で、生成継承性（generativity）を生じるのは［養育者（親側）］である。

解説 014 発達における青年期の特徴

正答 2

発達段階での青年期の様々な特徴について理解する必要がある。

1 ○ 心理的離乳とは、L.S. Hollingworth の離乳食のアナロジーで、親よりの独立の試みを行う［青年期前期］頃の特徴である。

2 × 直観的思考とは、J. Piaget の発達段階における［前操作期（2〜7 歳頃）］の思考である。

3 ○ モラトリアムとは、E.H. Erikson が［青年期］の特徴を表すために使用した。

4 ○ 2 次性徴の発現とは、［青年期前半］に生ずる心・身体の変化である。

5 ○ 発育のスパートとは、［青年期前半］に起きる急速な身体の発育である。

解説 015 J.E. Marcia の自我同一性地位（アイデンティティ・ステイタス）

正答 1

E.H. Erikson の青年期におけるアイデンティティの問題について J.E. Marcia は 4 パターンを見いだしたが、その知識を問う問題である。

1 ○ ［同一性達成型（アイデンティティ達成）］とは、人生の重要な領域に積極的に傾倒（積極的関与）している地位（ステイタス）である。

2 × ［早期完了型］とは、人生上の危機を経験せず、人生の重要な領域に積極的に傾倒（積極的関与）している地位（ステイタス）である。

3 × ［モラトリアム型］とは、人生上の危機を経験している最中であり、人生の重要な領域に積極的に傾倒（積極的関与）しようとしている地位（ステイタス）である。

4 × ［同一性拡散型（アイデンティティ拡散）］とは、人生上の危機を経験しておらず、積極的に傾倒（積極的関与）することの想像が不可能な地位（ステイタス）である。

問題 016 Check ☑☑☑ 第1回 問題031

生後６か月頃までの乳児が示す発達的特徴について、不適切なものを１つ選べ。

1 対面する他者の視線方向を目で追う傾向がある。

2 目鼻口が正しい配置にある顔図形を選好する傾向がある。

3 他児の泣き声を聞くと、つられるように泣き出すことがある。

4 曖昧な状況で養育者の表情を見てからその後の行動を開始するようになる。

5 目の前で舌を出す動作を繰り返し見せると、同じような顔の動きをすることがある。

問題 017 Check ☑☑☑ 第4回 問題061

５歳の男児Ａ、幼稚園児。Ａが４歳のときに、おやつが準備されるのを待てずに手が出てしまう、１歳下の弟とのきょうだいげんかが激しいといったことを母親が心配し、教育センターの公認心理師に相談するために来所した。Ａには、母子関係の問題や発達的なつまずきはみられなかったため、月に１度の相談で経過をみていたところ、５歳の誕生日を過ぎた頃から、弟とのけんかが減った。おやつもすぐに食べずに待てるようになったとのことである。
Ａの状態の背景に考えられる心理的発達として、最も適切なものを１つ選べ。

1 共同注意

2 自己抑制

3 脱中心化

4 メタ認知

5 アタッチメント

解説 016　乳児の発達的特徴　　正答 4

生後 6 か月くらいまでの乳児の視聴覚の発達を理解しておきたい。

1　○　生後間もない段階で視覚機能は高度な能力を示す。［生後 2 か月］の段階でアイコンタクトを行い、対面する人の視線方向を目で追従する傾向がある。

2　○　R.L. Fantz の選好注視法によると［生後 46 時間以降］の乳児は顔図形もしくは適度に複雑な図形を選好する。

3　○　乳児の社会性の発達を示すものとして、［生後早い段階］で、他児の泣き声を聞き、つられて泣き出すことがある。

4　×　社会的参照は［9～15 か月］に生じる。これは曖昧な状況で養育者の表情を参照して、その後の行動を開始するものである。

5　○　A.N. Meltzoff と M.K. Moore の新生児模倣現象によると［生後数時間］で新生児は他者の舌の突き出し、口の開閉、唇の突き出しなどを模倣することができる。

解説 017　5 歳男児・心理的発達（事例）　　正答 2

乳幼児期の発達の特性や幼児期の自己の発達の中の自己抑制の発達について理解しておこう。

1　×　共同注意は幼児期ではなく、［乳児期］の［9～15 か月］に成立するので不適切である。

2　○　自己抑制について、女児は［4 歳前後］に発達するが、男児は問題文のように［5 歳を迎えたくらい］から発達するので適切である。

3　×　脱中心化は J. Piaget の発達段階論の［7～12 歳］の具体的操作段階に生じる自己中心的な認識からの脱却のことであるので不適切である。

4　×　メタ認知は児童期に入ってから発達する［自身の認知活動］を［自身で自覚する認知］のことであり不適切である。

5　×　アタッチメントは［乳児期］の［6～7 か月］にみられる行動であり不適切である。

加点のポイント　自己抑制の 4 領域

自己抑制には①遅延可能、②制止・ルールへの従順、③フラストレーション耐性、④持続的対処・根気の 4 領域があることを覚えておこう。

問題 018　Check ☑☑☑　第1回 追　問題 137

40 歳の男性 A、会社員。仕事でいくつも成果を上げ、大きなやりがいを感じている。部下へのアドバイスやサポートも惜しまず、人望がある。一方、家庭では息子の学業成績の不振や生活態度の乱れに不満を持ち、厳しく注意したり威圧的にふるまったりすることから、それに反発した息子と言い争いになることが多い。最近、息子は A と顔を合わせることを避け、自室に引きこもるようになった。
E. H. Erikson のライフサイクル論における A の発達課題（危機）として、最も適切なものを 1 つ選べ。

1　自律性　対　疑惑
2　親密性　対　孤立
3　信頼性　対　嫌悪
4　勤勉性　対　劣等感
5　生成継承性〈世代性〉　対　停滞

問題 019　Check ☑☑☑　第4回　問題 072

53 歳の女性 A。もともと軽度の弱視がある。大学卒業後、管理栄養士として働いていたが、結婚後、出産を機に退職し、その後、職には就いていない。2 年前に一人娘が就職し一人暮らしを始めた頃から、抑うつ的になることが増え、身体のほてりを感じることがしばしばあり、頭痛や倦怠感がひどくなった。また、これから何をしてよいのか展望が持てなくなり、不安な状態が続いていた。しかし、最近、かつて仕事でも趣味でもあった料理を、ボランティアで 20 歳から 30 歳代の女性らに教える機会を得て、彼女らとの会話を楽しみにするようになっている。
A のここ数年来の心身の状態として、該当しないものを 1 つ選べ。

1　更年期障害
2　空の巣症候群
3　アイデンティティ危機
4　生成継承性〈generativity〉
5　セルフ・ハンディキャッピング

解説 018　40歳男性・中年期の発達課題（危機）（事例）

正答 5

E.H. Eriksonのライフサイクル論の発達課題（危機）について整理し、理解する必要がある。

1 ×「自律性　対　疑惑」は［幼児期前期（1歳半～3歳）］の発達課題である。

2 ×「親密性　対　孤立」は［初期成人期（22歳～35歳）］の発達課題である。

3 ×「信頼性　対　嫌悪」は組合せとして不適切と考えられる。

4 ×「勤勉性　対　劣等感」は［児童期・学童期（6歳～12歳）］の発達課題である。

5 ○「生成継承性〈世代性〉　対　停滞」は［成人期中期・中年期（35歳～60歳）］の発達課題である。

加点のポイント　E.H. Eriksonのライフサイクル論

Eriksonのライフサイクル論はⅠ～Ⅷ段階を正確に覚えておけば必ず解ける問題が多いので、しっかり覚えておこう。

段階	時期	年齢	発達課題と心理社会的危機
Ⅰ	乳児期	0歳～1歳半	基本的信頼　対　基本的不信
Ⅱ	幼児期前期	1歳半～3歳	自律性　対　恥・疑惑
Ⅲ	幼児期後期	3歳～6歳	積極性　対　罪悪感
Ⅳ	児童期・学童期	6歳～12歳	勤勉性　対　劣等感
Ⅴ	青年期	12歳～22歳	同一性　対　同一性拡散
Ⅵ	初期成人期	22歳～35歳	親密性　対　孤立
Ⅶ	成人期中期・中年期	35歳～60歳	生殖　対　停滞（生殖は生成継承性〈世代性〉とされる）
Ⅷ	成人期後期・老年期	60歳以降	統合　対　絶望

解説 019　53歳女性・心身の変化（事例）

正答 5

発達段階の女性の成人期中期に生じる心身の変化について理解しておこう。

1 ○［更年期障害］は40歳代から生じ、心身の症状としてはのぼせ、ほてり、速脈、動悸や息切れ、発汗、イライラ、不安感、抑うつ、不眠を示すものである。

2 ○［空の巣症候群］は、この世代、特に［子どもが自立したこと］を契機に起きる［抑うつ］と［不安］を示すものである。

3 ○［アイデンティティ危機］はこの場合、子どもの世話をする親というアイデンティティを確立して生きてきたが、子どもの自立という現実に直面してアイデンティティの危機が生じているものである。

4 ○［生成継承性（generativity）］は、問題文でいう料理を自分より若い世代へ教える行為に示され、これは［何かしらの価値あるものを次世代へと継承する］よう関心を向けることであり、成人期中期以降に生じる傾向があるものである。

5 ×［セルフ・ハンディキャッピング］とは、あらかじめ失敗したときに自尊感情を低下させないようにする行動や合理化のことであり該当しない。

12
発達

問題 020 Check ☑☑☑ 第3回 問題136

1歳の女児A。Aは離婚した母親Bと共に、Bの実家で祖父母や叔母と住んでいる。実家の敷地内には、伯父夫婦やいとこが住んでいる家もある。昼過ぎから深夜にかけて仕事に出ているBに代わり、祖父母や叔母がときどき農作業の手を休めて、Aの世話をしている。いとこたちが学校や幼稚園から帰宅すると、Aは年長のいとこに見守られ、ときには抱っこされながら、夕食までの時間を過ごしている。
Aに対する養育の解釈として、最も適切なものを1つ選べ。

1 クーイング
2 コーチング
3 マザリーズ
4 ミラーリング
5 アロマザリング

問題 021 Check ☑☑☑ 第2回 問題085

R.L. Selmanによる役割取得（社会的視点取得）の発達段階のうち、自他の視点の両方を考慮する第三者的視点をとれるようになる段階として、正しいものを1つ選べ。

1 相互役割取得の段階
2 主観的役割取得の段階
3 自己中心的役割取得の段階
4 自己内省的役割取得の段階
5 象徴的相互交渉の役割取得の段階

問題 022 Check ☑☑☑ 第4回 問題091

L. Kohlbergの道徳性の発達理論において、「近所のおばあさんは、いつもお菓子をくれるから良い人である」という判断に該当する発達段階として、適切なものを1つ選べ。

1 法と秩序の志向性
2 社会的契約の志向性
3 罰と服従への志向性
4 対人的同調への志向性
5 報酬と取引への志向性

解説 020 1 歳女児・養育状況（事例） 正答 5

乳幼児期である 1 歳児の発達と養育関連の用語を問う問題である。

1 × ［クーイング］は、生後 2 か月ぐらいから始まる新生児の喃語を発する前の発声である。

2 × コーチングは、クライエントの能力を発揮させるためのコミュニケーション技術であり、この状況とは無関係である。

3 × ［マザリーズ］とは、乳幼児とコミュニケーションをとるときに、大人が発するやや高めの独特な韻律で話すことである。

4 × ミラーリングは、カウンセリング時にクライエントと信頼関係を築くための技術のひとつであり、この状況とは無関係である。

5 ○ ［アロマザリング］とは、他者が積極的に子育てに関与することであり、この状況である。

解説 021 役割取得（社会的視点取得） 正答 1

R.L. Selman による役割取得がどの段階で何がとれるようになるかを理解しておこう。

1 ○ 相互役割取得の段階で、自分と他者の視点以外の第三者的視点である社会的視点に立つことができる。

2 × 主観的役割取得の段階では自分と他者の視点を区別し理解できるが、まだ第三者的視点である社会的視点には立てない。

3 × 自己中心的役割取得の段階では、自分と他者の視点を区別できないので、第三者的視点である社会的視点には立てない。

4 × 自己内省的役割取得の段階では、他者視点で自身のことを見ることはできるが、それ限りなので、第三者の視点である社会的視点には立てない。

5 × 象徴的相互交渉の役割取得の段階では、多様な視点が存在する中で、自身の視点が理解できるので、社会的視点取得よりもさらに一歩上の段階である。

解説 022 L. Kohlberg の道徳性の発達理論 正答 5

L. Kohlberg の道徳性の発達理論について具体的な事例と道徳の発達段階を比べて答えられるようにしておこう。

1 × ［法と秩序の志向性］は［習慣的段階の第 4 段階］であり、権威の尊重と社会秩序に従い、権威の維持を志向する段階である。

2 × ［社会的契約の志向性］は［後（脱）習慣的段階の第 5 段階］であり、価値観や意見により正しさが変化するという認識ができた上で、社会契約的合意により行動する。

3 × ［罰と服従への志向性］は［前習慣段階の第 1 段階］であり、罰にあわず、苦痛を与えられないように規則に服従を志向する段階である。

4 × ［対人的同調への志向性］は［習慣的段階の第 3 段階］であり、他人からの承認を得るためによい子としてふるまうことを志向する段階である。

5 ○ ［報酬と取引への志向性（道徳的・快楽志向）］は［前習慣的段階の第 2 段階］であり、自己の利益になることが基準となり、それを志向する段階である。

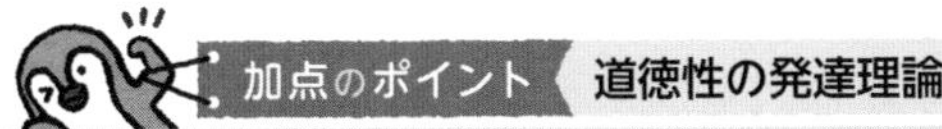

加点のポイント 道徳性の発達理論

L. Kohlberg の道徳性の発達理論については各段階を正確に覚えておけば点数につながる。

問題 023　Check ☑☑☑　第 1 回 追　問題 033

高齢期に関する理論とその理論が重視する高齢期の心理的適応の組合せについて、誤っているものを 1 つ選べ。

1 活動理論－中年期の活動水準を維持すること

2 離脱理論－社会的活動から徐々に引退すること

3 老年的超越論－物質的で合理的な世界観を捨て、宇宙的な世界観を持つこと

4 社会情緒的選択理論－情緒的安定のために他者からの知識獲得を行うこと

5 補償を伴う選択的最適化〈SOC〉理論－喪失を補償すべく領域を選択し、そこでの活動を最適化すること

問題 024　Check ☑☑☑　第 4 回　問題 012

知覚の老化の説明として、正しいものを 1 つ選べ。

1 温度感覚の閾値が下がる。

2 嗅覚の識別機能が低下する。

3 高音域に先行して低音域の聴取が困難になる。

4 近方視力が低下する一方、遠方視力は保たれる。

5 明所から暗所への移動後における視覚の順応時間が短くなる。

問題 025　Check ☑☑☑　第 4 回　問題 038

M.E.P. Seligman が提唱する PERMA のそれぞれの頭文字の意味として、誤っているものを 1 つ選べ。

1 P はポジティブな感情を表す。

2 E は力を獲得することを表す。

3 R は他者との良い関係を表す。

4 M は生きる意味を表す。

5 A は達成を表す。

解説 023 高齢期に関する理論

正答 4

老年社会学の理論を理解し、各理論における高齢者の役割や心理的適応に関する内容を理解する。

1 ○ [活動理論] は、B.W. Lemon によって体系化された。高齢者は定年退職など引退後にも [中年期] と同じような活動水準を維持し活動をすることが望ましいとされる。

2 ○ [離脱理論] は、E. Cumming や W.E. Henry によって体系化された。この理論においては、高齢者と社会は離れていくものとされる。高齢者は自ら社会から離脱を望むものであり、社会は離脱しやすいシステムを設けることが必要であるとされる。

3 ○ [老年的超越論] は、L.L. Tornstam が唱え、[物質的・合理的] な世界観から、[超越的・非合理的] な世界観へ変化し、新たな価値観を見いだすことが重要とされる。

4 × [社会情緒的選択理論] は、L. Carstensen によって提唱された理論であり、高齢になり人生の残り時間が少なくなるにつれて、限られた時間を意識する中で自分が [幸福] である選択をするようになるという理論である。

5 ○ 補償を伴う [選択的最適化理論 (SOC 理論)] は、P.B. Baltes が提唱。[成長と老化] の過程で生じる問題に、いかに [最適] に対処していくかに関する理論である。

解説 024 老化による感覚器の変化

正答 2

老化 (加齢) によって、各感覚器がどのような変化をするかを理解しておこう。

1 × [温度感覚 (温覚)] は老化 (加齢) により、感覚反応を引き起こす最小値である [閾値] が上がる (高齢者の熱中症による死亡が増えるのはそのため)。

2 ○ [嗅覚] は老化 (加齢) により、[嗅神経細胞] が [減少] して、識別能力は低下する。

3 × [聴覚] は老化 (加齢) により、最初に [高音域および小さな音の聞き取り] が [悪く] なる。

4 × [視覚] は老化 (加齢) により、眼球の [水晶体の混濁および硬化]、[毛様体の筋力低下] が生じ、近方視力・遠方視力の双方ともに低下する。

5 × [視覚] は老化 (加齢) により、眼球の水晶体の混濁および硬化、毛様体の筋力低下が生じるために、[明暗順応の反応時間] は [長く] なる傾向がある。

解説 025 M.E.P. Seligman の PERMA

正答 2

M.E.P. Seligman のポジティブ心理学における PERMA モデルの各構成の正確な名称と意味を覚えておこう。

1 ○ [P] は「[Positive Emotion] ーポジティブな感情」の頭文字 P である。

2 × [E] は「[Engagement] ー積極的関与」の頭文字の E であり、設問の「力を獲得すること」は Empowerment を意味しているため誤りである。

3 ○ [R] は「[Relationship] ー他者との良い関係」の頭文字 R である。

4 ○ [M] は「[Meaning] ー生きる意味・価値」の頭文字 M である。

5 ○ [A] は「[Accomplishment] または [Achievement] ー達成 (感)」の頭文字 A である。

問題 026 Check ☑☑☑ 第4回 問題092

サクセスフルエイジングの促進要因として、最も適切なものを 1 つ選べ。

1 防衛機制の使用
2 ライフイベントの多さ
3 ソーシャル・コンボイの維持
4 タイプ A 行動パターンの獲得
5 ワーク・エンゲイジメントの増加

④非定型発達

問題 027 Check ☑☑☑ 第1回 問題091

自閉スペクトラム症／自閉症スペクトラム障害〈ASD〉の基本的な特徴として、最も適切なものを 1 つ選べ。

1 場面緘黙
2 ひきこもり
3 ディスレクシア
4 言葉の発達の遅れ
5 通常の会話のやりとりの困難

問題 028 Check ☑☑☑ 第2回 問題091

自閉スペクトラム症／自閉症スペクトラム障害〈ASD〉について、正しいものを 1 つ選べ。

1 男性よりも女性に多い。
2 知的障害を伴うことはない。
3 精神障害者保健福祉手帳の対象ではない。
4 放課後デイサービスの給付対象ではない。
5 感覚過敏は DSM-5 の診断基準の中に含まれている。

メモ　発達障害者支援法第 2 条

第 2 条　この法律において「**発達障害**」とは、自閉症、アスペルガー症候群その他の広汎性発達障害、学習障害、注意欠陥多動性障害その他これに類する［脳機能］の障害であってその症状が通常［低年齢］において発現するものとして政令で定めるものをいう。
2　この法律において「**発達障害者**」とは、発達障害がある者であって発達障害及び社会的障壁により日常生活又は社会生活に制限を受けるものをいい、「**発達障害児**」とは、発達障害者のうち［18 歳未満］のものをいう。

解説 026 サクセスフルエイジング

正答 3

老年期におけるサクセスフルエイジング（幸福な老い）について、その状態がどのようなことを背景に生じるかについて理解しておこう。

1 × [防衛機制] の使用は自己の受け入れがたい [苦痛] などを [軽減する] ものであり、サクセスフルエイジングの促進よりも、後ろ向き・内向きの生き方になる危険性がある。

2 × [ライフイベント] はその出来事の内容にかかわらず [ストレスを高齢者に与える] ので、多いことは必ずしもサクセスフルエイジングにつながらない可能性がある。

3 ○ [ソーシャル・コンボイ] は喪失するものが多い老年期の人が、まわりの [様々な役割を持った人] に守られながら加齢を重ねるので、サクセスフルエイジングを促進させる。

4 × [タイプ A 行動パターン] とは [野心的、競争的、積極的] などの行動であり、この行動パターンをもつ人は循環器系の疾患の罹病率が高くなり、サクセスフルエイジングとならない。

5 × [ワーク・エンゲイジメント] とは [仕事に関連する積極的で充実した状態] のことで、活力、熱意、没頭を示し、それを増加させることはタイプ A 行動パターンの獲得と同義であり、サクセスフルエイジングにつながらない。

解説 027 自閉スペクトラム症

正答 5

自閉スペクトラム症は、DSM-5 では①社会的コミュニケーション及び対人的相互反応における持続的欠陥、②行動、興味、または活動の限定された反復的な行動様式を持つと定義されている。

1 × DSM-5 では、場面緘黙（選択性緘黙）の除外診断基準として自閉スペクトラム症が挙げられているので、ASD の基本的な特徴ではない。

2 × ひきこもりは、「学校や仕事に行けずに家の中にこもっている状態」であり、ASD と関連があると考えられてはいる。しかし基本的な特徴であるとはいえない。

3 × ディスレクシアは、文字の読み書きに困難のある [学習障害] であって、ASD の人が基本的に持っている特徴であるとはいえない。

4 × ASD では言葉の発達の遅れを伴う場合もあるが、疾病の [診断基準とはされておらず]、基本的な特徴とはいえない。

5 ○ [社会的コミュニケーション] 及び [対人的相互反応] が障害されているため、通常の会話のやりとりの困難さが起きやすく、これは ASD に基本的にみられる特徴であるといえる。

解説 028 自閉スペクトラム症

正答 5

自閉スペクトラム症（対人関係を苦手とし、強いこだわりがある発達障害の 1 つ）の概要及び支援について理解しておこう。

1 × 男性よりも女性に多いのではなく、3～4：1 で [男性] に多い。

2 × 多くは知的障害を伴い、知的障害を伴わないのは 4 人に 1 人程度である。

3 × 精神障害者保健福祉手帳は何らかの精神疾患（てんかん、発達障害などを含む）がその対象となっている。

4 × 放課後デイサービスの給付対象は、障害のある児童であり、児童福祉法における障害児の規定で精神に障害のある児童（発達障害者支援法第 2 条 2 項に規定する発達障害児を含む）も含まれているので給付対象である。

5 ○ DSM-5 の診断基準の B の（4）に感覚過敏が取り上げられている。

問題 029　Check ☑☑☑　第2回　問題015

自閉スペクトラム症／自閉症スペクトラム障害〈ASD〉の特性のうち「中枢性統合の弱さ」として説明できるのは次のうちどれか、正しいものを 1 つ選べ。

1 特定の物音に過敏に反応する。

2 他者の考えを読み取ることが難しい。

3 目標に向けて計画的に行動することが難しい。

4 細部にとらわれ大局的に判断することが難しい。

5 状況の変化に応じて行動を切り替えることが難しい。

加点のポイント　自閉スペクトラム症（ASD）にみられるコミュニケーション

ASD の特異なコミュニケーションは多くみられるが、事例問題を解くためにも、以下の①～⑦を覚えておこう。

①エコラリア（反響言語）	あるフレーズの繰り返し
②せりふ	台詞のような発話
③造語	単語を新たに造る
④奇異な話法	奇妙な単語の使い方
⑤衒学的（げんがくてき）発話	発達年齢・精神年齢から逸脱した発話
⑥クレーン	人の手を道具として使用
⑦一方的な会話	会話のキャッチボールが成立しない

問題 030　Check ☑☑☑　第3回　問題048

「心の理論」について、不適切なものを 1 つ選べ。

1 自他の心の在りようを理解し把握する能力である。

2 標準誤信念課題によって獲得を確認することができる。

3 D. Premack がヒトの幼児の発達研究を通して初めて提案した。

4 「信念－欲求心理学」の枠組みに基づき、人々の行動を予測すると考えられている。

問題 031　Check ☑☑☑　第1回　問題032

注意欠如多動症／注意欠如多動性障害〈AD/HD〉の診断や行動特徴として、不適切なものを 1 つ選べ。

1 女性は男性よりも主に不注意の行動特徴を示す傾向がある。

2 診断には、複数の状況で症状が存在することが必要である。

3 診断には、いくつかの症状が 12 歳になる以前から存在している必要がある。

4 診断には、不注意、多動及び衝動性の 3 タイプの行動特徴を有することが必要である。

5 DSM-5 では、自閉スペクトラム症／自閉症スペクトラム障害〈ASD〉の診断に併記することができる。

解説 029 ASDにおける中枢性統合の弱さ

正答 4

自閉症スペクトラムの「中枢性統合の弱さ」とは、部分的な情報に注意を向ける断片的な情報処理は得手だが、全体的理解が必要な課題は不得手だということを理解しておこう。

1 × 特定の物音に過敏に反応するのは、[感覚の敏感性]である。

2 × 他者の考えを読み取ることが難しいのは、[社会的相互交渉の質的障害]によるものである。

3 × 目標に向けて計画的に行動することが難しいのは、[実行機能の弱さ]によるものである。

4 ○ 細部にとらわれ大局的に判断することが難しいのは、[中枢性統合の弱さ]によるものである。

5 × 状況の変化に応じて行動を切り替えることが難しいのは、[活動や興味の限局（同一性保持）]によるものである。

解説 030 心の理論

正答 3

心の理論（Theory of Mind：ToM）の成り立ちや内容について問う問題である。

1 ○ 自他の心の在りようについてはS.D. Bosackiが2000年に「心の理論」を用いて青年期の自身の心の在りようの理解と把握能力を検討し、H. WimmerとJ. Pernerが1983年に幼児への「心の理論」を用いた他者の心の在りようの理解と把握能力を検討している。

2 ○ [標準誤信念課題]の代表的なものとして、[サリーとアン課題]があり、その課題が通過（正答）するか否かで「心の理論」の獲得を確認することができる。

3 × D. PremackとG. Woodruffは、[霊長類]に[人間の行動を予測する]という課題を解かせる実験を行い、予測する能力を持っていると論じ、そこで初めて「心の理論」というターム（用語）が使われた。その実験をうけて、1983年にH. WimmerとJ. Pernerが幼児に誤信念課題を実施して検証実験を行い、4歳前後に「心の理論」が成立することを明らかにした。

4 ○ 「信念－欲求心理学」とは、心の理論をシミュレーション説で説明するもので、R. Gordonが1986年、A. Goldmanが1989年に提唱し、その内容は他者と同じ信念・欲求を仮想的に持ち、他者と同じ仮想的な意図を形成することで、他人の行動予測は可能となるというものである。

解説 031 AD/HDの見立てと行動特徴

正答 4

DSM-5における注意欠如多動症／注意欠如多動性障害（AD/HD）の診断基準と示す行動を理解しておきたい。

1 ○ 女性は男性よりも[不注意優勢型]に診断されることが多い。これはDSM-IV時代からの研究結果で[不注意]の行動特徴を示すという一致した結果がある。

2 ○ DSM-5の複数診断基準のうち、「[2つ以上]の状況において存在する」ことが診断のために必要である。

3 ○ DSM-5の診断基準では「いくつかの症状が[12歳]になる以前から存在」している必要がある。

4 × 診断には、不注意、多動、衝動性の3タイプ全ての行動特徴を有することは必要でない。いずれかひとつでも特徴があれば診断される。

5 ○ 自閉スペクトラム症／自閉症スペクトラム障害（ASD）に注意欠如多動症／注意欠如多動性障害（AD/HD）を[併発]する場合も多く、なおかつ両方とも神経発達症群／神経発達障害群に属するので診断に[併記]できる。

加点のポイント 臨床家のためのDSM-5 虎の巻

『DSM-5 精神疾患の分類と診断の手引き』（医学書院）は公認心理師試験での必携本であるが、無味乾燥で見ていると眠くなる。そこで、『臨床家のためのDSM-5 虎の巻』（森 則夫他編著、日本評論社）の購入をお勧めする。こちらの参考書は、手引きに味をつけ、乾燥に水を添える一冊である。

問題 032　Check ☑☑☑　第 2 回　問題 129

PECS の説明として、正しいものを 2 つ選べ。

1　質問への応答から指導を始める。
2　応用行動分析の理論に基づいている。
3　身振りを意思伝達の手段として用いる。
4　補助代替コミュニケーションの一種である。
5　自閉スペクトラム症／自閉症スペクトラム障害〈ASD〉ではない子どもに、より効果的である。

問題 033　Check ☑☑☑　第 1 回　問題 068

12 歳の男子 A、小学 6 年生。A は授業中ぼんやりしていることが多く、学習に対して意欲的な様子を見せない。指示をしない限り板書をノートに写すことはせず、学習全般に対して受動的である。常に学習内容の理解は不十分で、テストの点数も低い。一方、教師に対して反抗的な態度を示すことはなく、授業中に落ち着かなかったり立ち歩いたりという不適切な行動も見られない。クラスメイトとの人間関係にも問題があるとは思えず、休み時間などは楽しそうに過ごしている。知能指数は標準的で、言葉の遅れもなく、コミュニケーションにも支障はない。また、読み書きや計算の能力にも問題はない。
A の状態として最も適切なものを 1 つ選べ。

1　学業不振
2　学習障害
3　発達障害
4　学級不適応
5　モラトリアム

加点のポイント　学習障害の定義

学習障害は厳密な定義づけがされているため、それを覚えておくことで「事例問題」の落とし穴にハマらず加点につなげることができる。
●学習障害の定義
①基本的には全般的な知的発達に遅れはない
②聞く、話す、読む、書く、計算する又は推論する能力のうち特定のものの習得と使用に著しい困難を示す様々な状態を示す
③原因として、中枢神経系に何らかの機能障害があると推定される
④視覚障害、聴覚障害、知的障害、情緒障害などの障害が直接的原因となるものではない
⑤環境的な要因も直接的な原因となるものではない

解説 032 PECS 訓練方法

正答 2、4

PECS（The Picture Exchange Communication System）というコミュニケーション行動を短期間で教える訓練方法の概要を理解しておこう。

1 × PECSは質問への応答から指導するのではなく、[自ら始発]する機能的なコミュニケーション行動を訓練する方法である。

2 ○ [応用行動分析]の理論・原理が組み込まれている。

3 × 身振りを意思伝達の手段として用いるのではなく、[絵カード]を意思伝達の補助として用いる。

4 ○ 補助代替コミュニケーションの一種を身につける訓練法である。

5 × 自閉スペクトラム症／自閉症スペクトラム障害（ASD）の子どもの要求言語行動としての機能の発達に適した訓練法である。

メモ PECSとは

[PECS（The Picture Exchange Communication System）]とは、絵カード交換式コミュニケーションシステムのこと。A. BondyとL. Frostが開発したトレーニング方法で、自閉症の子どもが絵カードを使って、自発的にコミュニケーションがとれるよう訓練できる。
ピラミッド教育コンサルタントオブジャパン株式会社がYouTubeで公開している動画（https://www.youtube.com/watch?v=PM-cswNt84A）（2022年6月現在）を参考にされると理解しやすいと思われる。

解説 033 12歳男子・小学生の男児の状態の見立て（事例）

正答 1

小学生の発達障害や学習障害、情緒的問題等の基本的知識を問う問題である。

1 ○ 以下に述べるように発達障害や学習障害の可能性は低い。本文に「意欲的な様子を見せない」とあることから、学習に何らかの心理的抵抗（不安や意欲の低下）が見受けられ、学業不振と考えられる。

2 × 学習障害は、[知的な遅れ]がなく、[読み書きや計算]など特定の領域の習得が、極端にまたは1～2学年遅れていることを指す。よって、「読み書きや計算の能力にも問題はない」とある本事例には該当しない。

3 × 「知能指数は標準的で、言葉の遅れもなく、コミュニケーションにも支障はない」「授業中に落ち着かなかったり立ち歩いたりという不適切な行動も見られない」とある。よって、ASDやAD/HD等の発達障害に該当する記載はない。

4 × 「教師に対して反抗的ではなく、クラスメイトとの関係も良好な様子」であるため、該当しない。

5 × モラトリアムの概念は[青年期]であるため、小学生には適さない。

加点のポイント モラトリアム

自我同一性（エゴ・アイデンティティ）を確立していく過程で生じるモラトリアム。モラトリアムは心理学用語ではなく、元来は経済学用語であり、有事の際に債務の支払いが一時的に猶予されることをいう。
その経済学用語であるモラトリアムを、E.H. Eriksonが青年期において、社会的な責務・義務を担うことを一定期間猶予される状況をモラトリアムとして表現したことを理解しておくことが大切。

⑤高齢者の心理社会的課題と必要な支援

問題 034　Check ☑☑☑　第 1 回　問題 125

高齢期の心理学的適応について、正しいものを 2 つ選べ。

1　ソーシャルコンボイを維持又は補償できるかということは適応を左右する要因の１つである。

2　退職後は以前の高い活動性や社会的関係から、いかに速やかに離脱できるかによって左右される。

3　能力低下への補償として、活動領域を選択的に限定し、従来とは異なる代替方略を用いることが有効である。

4　未来志向的に自身のこれからを熟考させることが、自身の過去への関心を促し回想させるよりも有効とされている。

5　適応が不安定になる１つの要因として、高齢期になると流動性知能に比べて結晶性知能が著しく低下することが挙げられる。

問題 035　Check ☑☑☑　第 2 回　問題 071

79 歳の男性 A。3 人の子どもが独立した後、A は妻と二人暮らしだったが、1 年前にその妻に先立たれた。妻の死後しばらくは、なぜ丈夫だった妻が自分よりも早く死んだのかという思いが強く、怒りのような感情を覚えることが多かったが、最近はむしろ抑うつ感情が目立つようになってきている。近くに住む娘に、20 歳から 30 歳代だった頃の話を突然し始めたり、その一方で「自分のこれまでの人生は無駄だった、もう生きていてもしょうがない」というような発言が増えてきたりしている。また、本人は自覚していないが、既にやり終えたことを忘れてしまうことも少しずつ生じてきている。
A の心理状態の説明として、不適切なものを 1 つ選べ。

1　絶望

2　認知機能の低下

3　レミニセンスバンプ

4　補償を伴う選択的最適化

5　妻の死の受容過程の初期段階

解説 034 高齢期の心理学的適応

正答 1、3

高齢期の社会適応のコンボイモデルや選択的最適化と補償理論、サクセスフル・エイジングと高齢者の認知機能について理解しておきたい。

1 ○ ソーシャルコンボイとは援助を受ける個人を［コンボイ（護送船団）］方式で支えることであり、これが機能していることは［高齢者の適応］がうまくいく大きな要因の 1 つである。

2 × E. Cumming & W.H. Henry の［離脱理論］に基づいた選択肢であるが、速やかに離脱できるかによって心理的適応が左右されるというものではなく、活動性や社会的関係の減少は自然で避けられないものという考え方である。

3 ○ 選択的最適化と補償理論の視点から、高齢者は失ったものの補償として活動可能なものを［選択（SOC 理論）］し、［代替方略］を用いることは適応にとって必要である。

4 × 高齢者へ施行される回想法は、自身の過去の関心を促して回想をすることで、人生を豊かにするものである。

5 × 高齢者の知的能力は［流動性］知能が低下傾向を示すが、［結晶性］知能は比較的低下し難い（人によっては上昇を示す場合もある）ため、［結晶性］知能を活かせる形であれば社会的適応が保たれる。

解説 035 79 歳男性・選択的最適化（事例）

正答 4

ライフ・イベントの中でも「配偶者の死別」は最もストレス度が高いとされており、配偶者などの大切な人を亡くした者や、これから大切な人を亡くそうとする者に起こりうる身体的、精神的、社会的行動に現れる正常な反応として悲嘆がある。

1 ○ A の心理状態などからは「絶望」を感じている様子がうかがえる。

2 ○ 配偶者の死が、環境的要因や精神的要因となり、認知症の症状が進行するという研究は少なくない。

3 ○ ［レミニセンスバンプ］は、人が過去に経験した出来事を想起する際に、10～30 歳の間の出来事を多く思い出す現象である。特に高齢者に顕著にみられるものであり、A の言動に一致する。

4 × ［補償を伴う選択的最適化］（SOC 理論）とは、加齢による心身面の老化で活動が制約される中でできる活動を選び（選択）、効率的にエネルギーを費やし（最適化）、活動が達成できるように不足を補っていく（補償）という考え方である。A はまだ補償を伴う選択的最適化の状態には至っていない。

5 ○ 妻を亡くした男性の［悲嘆のプロセス］を問う問題である。Kübler-Ross の死の受容理論（①否認と孤立、②怒り、③取引、④抑うつ、⑤受容の 5 段階）における①や②の状態に相当することや、［J.W. Worden］の悲嘆の課題モデルにおける［喪失の事実の受容］や［悲嘆の苦痛の経験］に相当することから、妻の死を受け入れようとする過程の初期の段階であると考えることができる。

メモ 悲嘆における反応

具体的には、食欲不振、不眠、神経過敏、無反応、集中力欠如、不安などがあり、反応の程度や期間は個人差がある。高齢社会においては、より重要な課題となっていくことが想定される。

メモ グリーフ・ケア

近しい存在がなくなることについての［悲嘆のプロセス］として、［グリーフ・ケア］が重要である。解説 35（第 2 回問題 71 の解説）では、J.W. Worden の悲嘆の課題モデルを紹介しているが、その他の理論についても学んでおきたい。

メモ J.W. Worden 悲嘆の 4 つの課題モデル

次の 4 つの課題モデルがある。
①喪失の事実の受容、②悲嘆の苦痛の経験、③新しい環境への適応、④故人の気持ち的な位置付け直しと生活の継続

第13章　障害者（児）の心理学

①身体障害、知的障害及び精神障害

問題 001　Check ☑☑☑　第1回　問題097

知的障害について、正しいものを1つ選べ。

1 成人期に発症する場合もある。
2 療育手帳は法律に規定されていない。
3 療育手帳は18歳未満に対して発行される。
4 DSM-5では重症度を知能指数〈IQ〉で定めている。
5 診断する際に生活全般への適応行動を評価する必要はない。

問題 002　Check ☑☑☑　第1回 追　問題087

聴覚障害について、正しいものを1つ選べ。

1 伝音難聴は内耳の疾患によって生じる。
2 日本手話には日本語に対応した文法と単語がある。
3 人工内耳植込術後、速やかに聴力の改善がみられる。
4 発音指導は教育課程において自立活動の領域で行われる。
5 補聴器で音の聞き分けが改善しやすいのは感音難聴である。

②障害者（児）の心理社会的課題と必要な支援

問題 003　Check ☑☑☑　第1回　問題126

WHO〈世界保健機関〉によるICF〈国際生活機能分類〉の障害やその支援に関する基本的な考え方について、正しいものを2つ選べ。

1 生活機能と障害の状態は、健康状態、環境因子及び個人因子が相互に影響し合う。
2 生活機能の障害は、身体の機能不全によって能力低下が引き起こされる中で生じる。
3 障害とは、心身機能、身体構造及び活動で構成される生活機能に支障がある状態である。
4 障害とは、身体的、精神的又は知的機能のいずれかが一般の水準に達しない状態が継続することである。
5 障害への心理的支援においては、診断名ではなく、生活の中での困難さに焦点を当てることが重要である。

解説 001　知的障害　正答 2

知的障害は、①知的機能の障害と、②日常生活能力の障害が発達期（概ね 18 歳まで）に生じている障害である。知的障害者の福祉を図るために、知的障害者福祉法が定められている。

1 × 知的障害は、[発達期]（概ね 18 歳まで）に発症するものであり、成人期に発症するものではない。
2 ○ 療育手帳は [都道府県知事]（政令指定都市の市長）が発行するものであり、法律には規定されていない。
3 × 療育手帳には年齢制限は設けられておらず、18 歳以上であっても発行される。18 歳未満は [児童相談所]、18 歳以上は都道府県に設置されている [知的障害者更生相談所] などにおいて発行される。
4 × DSM-5 では、知能指数だけでなく、[日常生活] の支障の程度を考慮して重症度を定めている。
5 × 家庭、学校、社会生活など、生活全般への [適応行動] を評価して診断する必要がある。

解説 002　聴覚障害　正答 4

聴覚障害とその支援方法の基本についておさえておこう。

1 × 内耳が原因で起こるのは [感音難聴] であり、[伝音難聴] は主に中耳、外耳に原因があって起こる。
2 × [日本語対応手話] は語順や文法などが日本語に対応しているが、[日本手話] は日本語の文法とは全く別のろう者独自の手話である。
3 × 人工内耳の有効性には [個人差] があり、術後すぐに聴力が回復するわけではなく、リハビリを通して徐々に言葉が聞き取れるようになることが多い。
4 ○ 教育の場では、発音指導は聴覚障害児の社会的な自立、参加を促すために行う [自立活動] として個別指導計画を作って行われている。
5 × 補聴器の使用が効果的で改善しやすいのは [伝音難聴] である。[感音難聴] の場合は、補聴器の音量を適切に調整することが必要であり、簡単に改善するわけではない。

解説 003　ICF（国際生活機能分類）　正答 1、5

ICF は障害を、どのくらい機能しているかという肯定的な面からみて健康度を図る。また、環境因子、個人因子を考慮し、それぞれの要素が互いに影響し合うことを重視している。

1 ○ ICF では、個人の健康状態とその人を取り巻く [環境因子] とその人の [個人因子] が影響し合って、生活機能と障害の状態を決定していると考える。
2 × 生活機能の障害は、身体の機能不全による能力低下だけではなく、[活動] や [参加] に制限があることなどが影響し合って生じる。
3 × 障害とは、「心身機能・身体構造」「活動」「参加」の 3 次元で構成される生活機能に支障が起きている状態である。
4 × ICF の捉え方では、身体的、精神的又は知的機能の水準のみで障害と規定することはない。
5 ○ ICF では [生活機能] を中心に考え、その人の生活の中での [困難さ] を軽減することに焦点を当てて心理的支援を行うことを重視する。

加点のポイント　ICIDH モデルと ICF モデル

1980 年に出された ICIDH（国際障害分類）と 2001 年の ICF（国際生活機能分類）の考え方の違いをおさえておこう。ICIDH は医学モデル、つまり疾病の結果に関する分類でいかにそれを克服するかに焦点を当てているものであるのに対し、ICF は社会モデル、つまり生活機能に着目してその人の強みの活用や社会参加を促そうとするものである。

問題 004

Check ☑☑☑ 第4回　問題093

世界保健機関〈WHO〉による国際生活機能分類〈ICF〉の説明として、正しいものを1つ選べ。

1　分類対象から妊娠や加齢は除かれる。

2　医学モデルと心理学モデルに依拠する。

3　社会的不利が能力障害によって生じるとみなす。

4　生活上のプラス面を加味して生活機能を分類する。

5　心身機能・構造と活動が、それぞれ独立しているとみなす。

問題 005

Check ☑☑☑ 第1回　問題127

特別支援教育における通級指導について、正しいものを2つ選べ。

1　中学校では行われない。

2　知的障害は対象にならない。

3　特別支援学校の教員が担当する。

4　障害者総合支援法に定められている。

5　自立活動と各教科の補充指導が行われる。

（注：「障害者総合支援法」とは、「障害者の日常生活及び社会生活を総合的に支援するための法律」である。）

問題 006

Check ☑☑☑ 第2回　問題132

知的障害のある子どもへの対応方針について、適切なものを2つ選べ。

1　失敗体験を積み重ねて失敗に慣れさせる。

2　スモールステップでできることを増やす。

3　得意な面よりも苦手な面を優先して指導する。

4　社会生活に必要な技能や習慣を身に付けさせる。

5　具体的な活動よりも抽象的な内容の理解を重視する。

解説 004 ICF（国際生活機能分類）

正答 4

WHO は 2001 年、障害と障害が及ぼす影響に着目した国際障害分類（ICIDH）から、個人の生きることの困難さに着目した国際生活機能分類（ICF）に改訂した。

1 × 生活機能分類なので、分類対象には疾病だけでなく妊娠や加齢なども含まれる。

2 × 生きることの全体像を示す「生活機能モデル」に依拠する。

3 × 社会的不利が能力障害によって生じるとみなすのは ICIDH の方である。

4 ○ ICF は生活上のプラス面を強調した分類である。生活上のマイナス面についてもより前向き、中立的な表現を心がけながら加味して総合的に評価する。

5 × 生活機能モデルでは「心身機能・身体構造」「活動」「参加」の 3 要素に、「環境因子」と「個人因子」を背景因子として加え、この 5 要素がそれぞれ相互に［影響し合う］というモデルを提唱している。

解説 005 特別支援教育

正答 2、5

通級指導とは、小中学校において通常授業を受けながら、障害に応じた特別の指導を通級指導教室において行う特別支援教育の 1 つである。

1 × ［小学校］、［中学校］、義務教育学校、高等学校または中等教育学校において行われる（学校教育法施行規則第 140 条）。

2 ○ 通級指導の対象は「言語障害者、自閉症者、情緒障害者、弱視者、難聴者、学習障害者、注意欠陥多動性障害者など」となっており、［知的障害］は対象ではない。

3 × 通級指導は、［小学校・中学校の教員免許状を取得している教員］が担当することができる。

4 × 通級指導は、［学校教育法］施行規則第 140 条、第 141 条に定められている。

5 ○ 通級指導では、障害の状態に応じて、自立を促すための［自立活動］と［各教科の補充指導］が行われる。

解説 006 知的障害児への対応

正答 2、4

知的障害のある子どもへの対応方針を問う問題である。知的障害は、知的発達の遅れ、社会性などの適応能力の遅れ、18 歳未満の発症という条件が満たされたときに診断される。特徴としては、全般的に発達が緩やかで特に言葉の発達が遅れる傾向がある。

1 × 失敗体験を重ねても失敗に慣れるわけではなく、逆に自信喪失につながり日常生活にも支障をきたしてしまうこともある。むしろ［成功体験］を積ませ、本人の自信へとつなげることのほうが重要である。

2 ○ ［スモールステップ］で少し頑張ればできることを目標にし、成功体験を重ねてできることを増やしていくことは大切である。

3 × 苦手な面を克服することよりも、本人の得意な面を最大限に伸ばし、それによって苦手な部分を補うことができるように指導する。

4 ○ 将来の生活を考え、知的障害のある子どもが職業や生活に［実際使える技能や習慣］を身につけさせるという視点が非常に重要である。

5 × 抽象的な内容を理解することは苦手な子どもが多いので、それよりも経験したことから学ぶことを重視し、［具体的］な活動を行うようにする。

問題 007 Check 第4回 問題015

TEACCHの説明として、最も適切なものを1つ選べ。

1 青年期までを支援対象とする。
2 生活や学習の環境を構造化する。
3 被虐待児を主な支援対象とする。
4 標準化された統一的な手順を適用する。
5 視覚的手がかりを使わずにコミュニケーションを支援する。

問題 008 Check 第3回 問題043

口唇裂口蓋裂、皮膚血管腫、熱傷などによる可視的差違がもたらす心理社会的問題について、最も適切なものを1つ選べ。

1 家族への依存性が強くなるため、社会的ひきこもりとなることが多い。
2 可視的差違は、子どもの自尊感情の低下を招くリスク要因にはならない。
3 可視的差違を有する子どもの多くは、年齢に応じた心理社会的発達を遂げることが難しい。
4 家族や友人だけではなく、広く社会一般の反応や受容の在り方は、子どもが可視的差違に適応していくに当たり重要な要因となる。

問題 009 Check 第3回 問題046

合理的配慮について、適切なものを1つ選べ。

1 公平性の観点から、入学試験は合理的配慮の適用外である。
2 合理的配慮の対象は、障害者手帳を持っている人に限られる。
3 合理的配慮によって取り除かれるべき社会的障壁には、障害者に対する偏見も含まれる。
4 発達障害児がクールダウンするために部屋を確保することは、合理的配慮には含まれない。

解説 007 TEACCH

正答 2

TEACCH は「Treatment and Education of Autistic and related Communication handicapped Children」の頭文字をとった言葉で、「自閉症及び、それに準ずるコミュニケーションの課題を抱える子ども向けのケアと教育」の略である。米ノースカロライナ州で行われているプログラムであり、個人に合った構造化のアイデアを分析し、スケジュールやカード等を用い、環境をわかりやすく整理、設定することで社会の中で自立して行動できることを目的とする。

1 × TEACCH は［ASD（自閉症スペクトラム障害）の当事者とその家族］を対象とした［生涯支援プログラム］であるため、青年期以降も対象となる。

2 ○ ASD の傾向がある子どもは、「今、何が起きているか」「自分は何をすればいいか」が明確に整理されていない場合に、状況理解が難しくなり混乱してしまうこともある。そのため、TEACCH において［生活や学習の環境を構造化］することは、環境整理や状況理解を容易にする。

3 × 被虐待児ではなく、［ASD の当事者とその家族］を対象としている。

4 × 標準化された手順ではなく、［個別の特性に配慮］した教育や支援を行う。

5 × イラストや写真など視覚的な手がかりを用いてコミュニケーションを支援する。

加点のポイント TEACCH の構造化

物理的構造化：環境の整理。例えば、「休む場所」「勉強する場所」と活動別に場所を決めるなど。
視覚的構造化：コミュニケーションの際に、指示や意思表示をイラストや写真などを用いて行うなど。

解説 008 可視的差違がもたらす心理社会的問題

正答 4

可視的差違とは、病気や障害のために外見が人とは異なることである。可視的差違がもたらす心理社会的問題は、主に対人関係を通じて生じていると考えられている。

1 × 家族への依存性は社会的ひきこもりの一因となりうるが、それが主たる原因であるとは言い切れない。

2 × 可視的差違に限らず、自分の見た目に対する劣等感は子どもの自尊感情の低下を招くリスク要因となりうる。

3 × 可視的差違が子どもの心理社会的発達を阻害する原因になるとは言い切れない。

4 ○ 家族、友人また社会一般の反応や受容の在り方は、子どもの可視的差違への適応を左右する。

解説 009 合理的配慮

正答 3

合理的配慮に関する問題は頻出であるため、しっかりと見直しておこう。

1 × 「文部科学省所管事業分野における障害を理由とする差別の解消の推進に関する対応指針」には、合理的配慮の具体例として、入学試験や検定試験の際の対応が挙げられている。

2 × 合理的配慮の対象となるのは、「障害者　身体障害、知的障害、精神障害（発達障害を含む。）その他の心身の機能の障害（以下「障害」と総称する。）がある者であつて、障害及び社会的障壁により継続的に日常生活又は社会生活に相当な制限を受ける状態にあるもの」（障害者基本法第 2 条 1 項）である。障害者手帳の有無は問わない。

3 ○ ［社会的障壁］は「障害がある者にとつて日常生活又は社会生活を営む上で障壁となるような社会における事物、制度、慣行、観念その他一切のものをいう」（障害者基本法第 2 条 2 項）と定められており、偏見もそれに含まれる。

4 × LD、ADHD、自閉症等の発達障害の子どもがクールダウンするための小部屋等の確保は、文部科学省の「特別支援教育の在り方に関する特別委員会 合理的配慮等環境整備検討ワーキンググループ（第 1 回）配布資料」の「資料 8：合理的配慮について（別紙 2）『合理的配慮』の例」の中で具体例として挙げられている。

問題 010 Check ☑☑☑ 第1回 追 問題012

障害のある児童生徒への合理的配慮に該当する例として、最も適切なものを 1 つ選べ。

1 特別支援学校（視覚障害）の授業で点字を用いる。

2 特別支援教室において個別の取り出し指導を行う。

3 肢体不自由の児童生徒のために学校にエレベーターを設置する。

4 特別支援学校（聴覚障害）の授業で音声言語とともに手話も使う。

5 試験の際、書字障害の児童生徒にパーソナルコンピューターでの答案作成を許可する。

問題 011 Check ☑☑☑ 第2回 問題097

大学における合理的配慮について、最も適切なものを 1 つ選べ。

1 合理的配慮の妥当性の検討には、医師の診断書が必須である。

2 合理的配慮の内容は、授業担当者の個人の判断に任されている。

3 合理的配慮は学生の保護者又は保証人の申出によって検討される。

4 合理的配慮の決定手続は学内規程に沿って組織的に行うべきである。

5 意思決定が困難な学生への合理的配慮は、意思確認を行わず配慮する側の責任で行う。

解説 010 教育における合理的配慮

正答 5

教育における合理的配慮は、障害のある子どもが、他の子どもと平等に教育を受ける権利を享有・行使することを確保するために、個別に提供されるものである。

1 × 特別支援学校において視覚障害の子どものために点字を用いることは［基礎的環境整備］であって、合理的配慮とは異なる。

2 × ［合理的配慮］は障害のある子どもが通常の学級で学ぶことができるように可能な限り配慮することであって、特別支援教室での個別の取り出し指導とは目的を異にする。

3 × エレベーターの設置については、学校に［過度な経済的負担］を課すことにもなり、合理的配慮としては行えない場合もある。この場合には当該児童生徒の教室を1階に固定する、取り付け式のスロープを用いる、などの方法を用いることが合理的配慮として考えられる。

4 × 1と同様、特別支援学校において聴覚障害の子どものために手話を併用することは［基礎的環境整備］である。

5 ○ 書字障害の子どもにPCの使用を認めることは、他の子どもと同様に試験を受けるための配慮であり、［合理的配慮］といえる。

加点のポイント 合理的配慮

合理的配慮は、「身体障害、知的障害、精神障害（発達障害を含む。）その他の心身の機能の障害（以下「障害」と総称する。）がある者」の社会的障壁を取り除き、日常生活および社会生活で制限を受けることがないようにする目的で行われる。特に教育分野と産業分野で問われることが多いので、それぞれの法的根拠や対象者、教育機関や事業者の義務などをおさえておこう。

解説 011 大学における合理的配慮

正答 4

高等教育段階においても、障害者差別解消法の施行とともに、合理的配慮を行うことが求められている。日本学生支援機構「合理的配慮ハンドブック」の「障害のある学生を教えるときに必要なこと」を参照のこと。

1 × 合理的配慮の妥当性のために医師の診断書はあったほうがよいが、必須であるとは定められていない。合理的配慮ハンドブックには「（合理的配慮を）提供する人にとって負担とならない場合、特別な資料がなくても障害の状況が明らかな場合等は、根拠資料がなくても問題ありません。」と書かれている。

2 × 合理的配慮の内容は、学生本人を含む関係者間において可能な限り［合意形成］・［共通理解］を図った上で、委員会等で組織として最終決定し、提供されるべきであり、授業担当者個人の判断で行われることではない。

3 × 権利の主体は学生本人であり、［学生本人の申出］に基づいた調整を行うことが重要である。学生の保護者または保証人の申出は必要ではない。

4 ○ 合理的配慮の決定手続きについては、大学全体の取り組みとして、［学内規程］を定めそれに沿って行うことが望ましい。

5 × 障害のため本人の意思の表明が困難な場合には、コミュニケーションを支援する者が本人を補佐するなどして、［意思表明のプロセス］を支援することが重要である。

問題 012 Check 第2回 問題090

精神障害回復者社会復帰訓練事業におけるデイケアでの利用者ミーティングの運営について、最も適切なものを 1 つ選べ。

1 原則として挙手により発言者を募る。
2 決められた全時間の参加を義務づける。
3 利用者同士の関わりは最小限度にする。
4 司会担当者は利用者の発言を止めてはならない。
5 会話だけでなくホワイトボードや紙に書いて伝達する。

問題 013 Check 第3回 問題115

発達障害のある子どもの親を対象としたペアレント・トレーニングについて、不適切なものを 1 つ選べ。

1 育児から生じるストレスによる悪循環を改善する。
2 対象は母親に限定していないが、参加者の多くは母親である。
3 親と子どもが一緒に行うプレイセラピーを基本として発展してきた。
4 子どもへの関わり方を学ぶことで、より良い親子関係を築こうとするものである。
5 注意欠如多動症／注意欠如多動性障害〈AD/HD〉のある子どもの親に有効である。

解説 012 デイケアにおけるミーティングの運営

正答 5

精神障害者のデイケアでは、病気の再発防止や社会復帰を目的としている。緩やかなカリキュラムを通所者それぞれの状態や事情に合わせて行うことで、生活リズムの改善や基礎体力、対人コミュニケーション能力などをつけていく。

1 × [自由] に発言できる場合がほとんどであり、挙手を原則とするのは誤り。

2 × デイケアに通う精神障害者は、それぞれが抱える症状や事情が異なっている。そのため、まずできそうな時間から参加する場合も多く、全時間の参加は [義務づけられていない] 。

3 × コミュニケーション能力の向上や他者との関わりで得られる気づきのためにも、利用者同士は自然に関わり合ってよい。

4 × ミーティングには複数の利用者が参加するため、1 人の発言が長すぎると進行に影響したり他の人が発言できなくなったりする。また、誰かを攻撃するような発言は止めなければならない。よって場合によっては利用者の発言を止めることがある。

5 ○ 利用者の中には視覚的な情報のほうが覚えやすい人もいる。会話だけではない [いくつかの手段] でわかりやすく情報を伝達する。

解説 013 ペアレント・トレーニング

正答 3

ペアレント・トレーニングは、発達障害児の保護者への支援の一つであり、子どものスキル獲得や行動上の問題の解決のために、保護者が身につけるとよい知識やスキルを獲得できるように意図された行動理論に基づくアプローチである。

1 ○ 子どものスキル獲得や行動上の問題が解決されることで、ストレスによる悪循環を改善することにつながる。

2 ○ 父親の参加を促す取り組みも増えつつあるが、現状の参加者の多くは母親である。

3 × プレイセラピーではなく、[行動理論] に基づくアプローチである。

4 ○ より良い親子関係の構築を目指すことを目標とすることも多い。

5 ○ 注意欠如多動症／注意欠如多動性障害（AD/HD）のある子どもの親に有効である。

第14章　心理状態の観察及び結果の分析

①心理的アセスメントに有用な情報（生育歴や家族の状況等）とその把握の手法等

問題 001

Check ☑☑☑　第1回 追　問題013

心理アセスメントにあたっての基本的な情報の収集方法として、最も適切なものを1つ選べ。

1　ワンウェイミラーの行動観察はアセスメントに必要である。
2　生育歴の聴取はアセスメントの基本となるため、初回面接で行う。
3　心理検査は一定の状況設定で行うため、得られた情報は客観的で信頼できる。
4　アセスメントは面接でクライエントのニーズや来談経緯を聞くことから始まる。
5　家族関係把握のためのジェノグラム作成には動的家族画や合同家族画が役立つ。

問題 002

Check ☑☑☑　第1回 追　問題034

心理アセスメントについて、<u>不適切なもの</u>を1つ選べ。

1　アセスメント面接では構造化されていない自由面接を用いる。
2　アセスメント面接は一般に治療的面接を開始する前に行われる。
3　クライエントのリソースや強みなど肯定的心理的特徴も見定める。
4　クライエントの問題を包括的に捉えるためにテストバッテリーを組む。
5　クライエントの許可を得たうえで、必要に応じて関係者から情報を収集する。

問題 003

Check ☑☑☑　第1回　問題018

ケース・フォーミュレーションについて、正しいものを1つ選べ。

1　一度定式化したものは修正しない。
2　できるだけ複雑な形に定式化する。
3　全体的かつ安定的な心理的要因を検討する。
4　クライエントと心理職との共同作業を重視する。
5　症状を維持するメカニズムや診断名を考慮しない。

解説 001 心理アセスメントの基本的情報収集

正答 4

心理アセスメントに関する一般的で基本的な態度を問う問題である。

1 × ワンウェイミラーの行動観察は、[実験] や [研究] で用いられることが一般であり、心理アセスメントで用いられることは少ない。

2 × 初回面接で最も重要なことは、クライエントとの [ラポール (信頼関係)] の基盤作りである。クライエントが初回では生育歴を話すことに抵抗があったり、他に話したい悩みがあったりする場合には、それを優先する。よって、初回に行うとは限らない。

3 × 心理検査は多種あり、客観的で信頼できるとは限らない。また、一部分しか測れないことも多い。

4 ○ クライエントがどのような悩みを抱えているか、どのようなニーズがあるか等は最初に聞くべき重要なことである。

5 × ジェノグラムは [家系図] であり、クライエントの話を聞きながら家族関係が把握しやすいように心理師が書くことが多い。家族画は、[描画法] であり、アセスメントとしてクライエントに描いてもらう。そのため、ジェノグラムと家族画は別のものである。

解説 002 心理アセスメント

正答 1

心理アセスメントに関する基礎的な知識を問う問題である。

1 × アセスメントでは、自由面接 (非構造化面接) を用いることもあれば、[構造化面接] や [半構造化面接] を用いることもある。そのため、「自由面接」と限定している文言が間違いである。

2 ○ アセスメントはクライエントの [特徴の把握] や [今後の治療方針] の判断材料として行うため、治療的面接の前に行うことが通常である。

3 ○ クライエントが抱える問題のみではなく、クライエントの強みや得意な面といった [リソース] もアセスメントする。

4 ○ アセスメントは一部分をみて行うものではない。できる限り [包括的多面的] に行うことが望ましい。そのため、テストバッテリーを組むことは有用である。

5 ○ より包括的にクライエントをアセスメントするために、きちんと [許可] を取った上で、関係者から情報を得ることは適切なアセスメントにつながる。

解説 003 ケース・フォーミュレーション

正答 4

ケース・フォーミュレーションとは、クライエントが抱える問題が、クライエントの生活や人生にどのような意味や機能、役割をもっているかを分析する機能分析を行った上で、そのメカニズムに基づいて支援方法を決定していくプロセスのことである。

1 × 面接が進むにしたがって、より適切な方向に随時 [修正] することが必要である。

2 × クライエントにわかりやすい形で定式化する。

3 × ケース・フォーミュレーションでは、全体的かつ安定的な部分のみならず、クライエントが抱える問題の意味や認知の歪み等を検討し、治療計画に役立てる。

4 ○ 心理師が一方的に作っていくものではない。

5 × 診断名を考慮し、[症状を維持] するメカニズムを分析する作業である。

問題 004 Check ☑☑☑ 第4回 問題132

ケース・フォーミュレーションについて、適切なものを2つ選べ。

1 クライエントの意見は反映されない。
2 個々のクライエントによって異なる。
3 精神力動的心理療法では用いられない。
4 クライエントの問題に関する仮説である。
5 支援のプロセスの中で修正せずに用いられる。

メモ ケース・フォーミュレーション

認知行動療法におけるケース・フォーミュレーションは、クライエントの主訴を確認して問題を同定し目標を設定するアセスメントを行う中で作られていく。関連する過去の出来事、思い込み、先入観、きっかけとなった出来事をまとめる問題の発現に関するマクロ的な視点によるケース・フォーミュレーション（過去）、症状や問題を引き起こした（きっかけとなった）直接的な出来事、その出来事に対する個人の捉え方、認知、感情、身体的反応、行動について理解することで問題の維持に関するミクロ的な視点によるケース・フォーミュレーション（現在）を行う。最終的には両方をまとめて、環境と個人の相互作用という視点から個別にアセスメントし、1枚のシートなどにまとめて書き出す。
なお、家族、体質や気質などの素因、自身が重んじている価値、強みや自分らしさなど個人の特性についてもケース・フォーミュレーションに含めて個別に心理アセスメントし、ストーリーとして理解するプロセスを重視している。

問題 005 Check ☑☑☑ 第2回 問題038

半構造化面接について、不適切なものを1つ選べ。

1 質問紙型の面接ともいわれる。
2 質問を追加することができる。
3 面接の前に質問項目を用意する。
4 構造化の程度による面接区分の一種である。
5 対象者の反応に応じ、質問の順番を変更する。

解説 004 ケース・フォーミュレーション

正答 2、4

ケース・フォーミュレーション（case formulation）は、日本語に訳すと「事例定式化」となる。面接でクライエントの話を聞いたり、行動観察を行ったりして、心理検査を行いながら問題の発生の仕組みと目標（ゴール）を見立てて図式化し、心理的支援の方針を定める作業である。第1回公認心理師試験でもケース・フォーミュレーションについて出題されている。過去問を復習する際に、重要な概念をまとめておくとよい。

1 ×　クライエントとセラピストがそれぞれの意見を出し合い、［共同作業］を通じて、ケース・フォーミュレーションを作成していく。

2 ○　個々のクライエントはもちろん、同一のクライエントであっても主訴や問題に合わせてケース・フォーミュレーションを行う。

3 ×　ケース・フォーミュレーションは、精神力動的心理療法、認知行動療法など、よって立つ理論に基づいて行われる。精神心理力動的ケース・フォーミュレーションでは、防衛機制や転移などの精神分析的理論によって仮説を立てていく。

4 ○　問題に関して、クライエントの家族、素因、関連する過去の出来事、思い込み、決定的な出来事、先入観、きっかけとなる出来事、行動、認知（考えやイメージ）、身体反応、感情、さらに自分らしさや強みなどを図式などを用いて整理して、問題のきっかけ、変化などをクライエントもセラピストも眺められるようにする。

5 ×　ケース・フォーミュレーションはあくまでその時点での「仮説」であるため、一度作成された後でも、クライエントとの共同作業の中で新たな事実が出てきたり状況が変わったりすれば、その都度修正されることもある。

解説 005 半構造化面接

正答 1

面接法には、構造化面接・非構造化面接・半構造化面接の3つがある。それぞれがどのような面接法であるかの知識を問う問題である。半構造化面接とは、大まかに質問項目を決めておくが、クライエントに合わせて質問を追加したり順番を変更したりしながら進める面接法である。

1 ×　質問紙型の面接となり得るのは、［構造化面接］である。

2 ○　質問の追加や除去、順番を入れ替えるなどが可能な面接法である。

3 ○　［半構造化面接］では、面接の前にあらかじめ大まかな質問項目を用意する。医療機関でのインテーク面接等で、家族構成や現在の状況など大枠で質問項目を用意しながら、クライエントに合わせて柔軟に変更しつつ進められる面接が代表例である。

4 ○　半構造化面接は、構造化面接と非構造化面接の中間の面接法で、構造化の程度によって構造化面接・非構造化面接・半構造化面接の3種がある。

5 ○　2の解説のように、質問内容や順番の変更が可能である。

メモ　3種類の面接法

面接法は、構造化の程度によって3つに分けられる。それぞれの内容を把握しておこう。

構造化面接	質問項目があらかじめ決められている面接方法
非構造化面接	質問項目を決めずにクライエントが自由に話す面接方法
半構造化面接	あらかじめ質問項目を用意しながら状況に合わせて質問を変えていく方法

問題 006

Check ☐☐☐ 第1回 追 問題016

初回面接でのクライエントとの関わりにおいて必要な態度として、最も適切なものを 1 つ選べ。

1 ラポール形成のために、早急な助言を控える。
2 クライエントの主観的現実よりも客観的事実を重視する。
3 クライエントの言葉に疑義を挟まず、そのままの言葉を返す。
4 主訴と状況を早く理解するために、できるだけ多くの情報を得る。
5 クライエントが主訴とその状況を話しやすいよう、定型の質問を準備しておく。

問題 007

Check ☐☐☐ 第4回 問題113

心理的アセスメントにおけるインフォームド・コンセントの説明として、不適切なものを 1 つ選べ。

1 被検査者が幼い場合には、保護者に情報提供をする。
2 検査をいつでも途中でやめることができることを伝える。
3 検査がどのように心理的支援に活用されるかについて説明する。
4 心理的支援に否定的な影響が想定される場合、検査の性質の一部を伏せて実施する。
5 被検査者に説明する際には、被検査者が理解できるような言葉にかみ砕いて情報を伝える。

問題 008

Check ☐☐☐ 第3回 問題038

インテーク面接におけるアセスメントについて、不適切なものを 1 つ選べ。

1 クライエントの生活における適応状態を確認する。
2 支援を受けることについての動機づけを確認する。
3 クライエントの問題に関連する情報を初回で漏れなく収集する。
4 客観的な情報収集に努めながら、クライエントの語りを共感的に聴く。
5 クライエントの問題の心理的要因だけではなく、生物的要因や社会的要因についても評価する。

解説 006 初回面接でのクライエントへの関わり 正答 1

初回面接における公認心理師の基本的な態度を問う問題である。

1 ○ 早急な助言は、クライエントとの信頼関係が未熟である段階では、傷つけてしまう可能性があるため、避けたほうがよい。

2 × クライエントの語る主観的現実をまずは受け止めたほうがよい。

3 × 公認心理師がどのように理解をしているかを示すことは重要であるため、わからないことは聞いてよい。ただのオウム返しはクライエントに不安や不信を与える可能性がある。

4 × クライエントのペースを尊重することが大切。公認心理師が聞きたいことよりも、クライエントが話したいことを優先し、話したくないことは初回は「話さなくていい」と保証することのほうが重要。

5 × 定型の質問を用意しておくことが、クライエントが話しやすいことと結びつくとは限らない。

メモ インテーク面接

カウンセリングの初回面接のことを［インテーク面接］という。インテーク面接では、今後の支援につなげるために基本的な情報収集などを行うが、クライエントとのラポールを築いていくことが最も重要である。そのため、情報収集よりもクライエントの気持ちに寄り添った対応が優先される。

解説 007 心理的アセスメントにおけるインフォームド・コンセント 正答 4

インフォームド・コンセントは、公認心理師の業務を行っていく上で基本となる考え方であるため、理解しておこう。

1 ○ 被検査者が幼く、内容を理解したり検査結果を十分に活かしたりすることが難しい場合には、［保護者］に情報提供を行うことが多い。

2 ○ 検査は基本的に強制的なものではなく［被検査者の同意］のもと実施されるものであるため、［途中でやめる権利］についても伝える必要がある。

3 ○ 検査は［被検査者の同意］のもと実施されるものであるため、検査結果がどのように心理的支援に活用されるかについて［説明］する必要がある。

4 × 検査の実施に際して、メリットだけでなくデメリットが生じる可能性も含めて［説明］し、納得して［同意］を得た上で検査を［実施］する必要があるため、誤りである。

5 ○ 被検査者が十分に納得した上で、検査に同意するためには、被検査者が理解できるようにかみ砕いて説明する必要がある。

解説 008 インテーク面接におけるアセスメント 正答 3

インテーク面接とは初回面接のことである。インテーク面接では、クライエントとのラポールの形成とアセスメントが主たる目的となる。

1 ○ インテーク面接におけるアセスメントでは、クライエントの［現在の適応度］を把握することは重要である。

2 ○ クライエントの支援を受ける動機づけの確認は、クライエントの［ニーズを把握］することにつながる。

3 × インテーク面接の第一の目的は、クライエントとの［ラポールの形成］にある。質問攻めにするような対応はラポール形成を阻害する。そのため、情報を漏れなく収集することは優先されない。

4 ○ 前述の通り、クライエントとのラポールの形成に努める必要がある。そのため、情報収集だけではなく、クライエントの語りに［寄り添う］姿勢が重要である。

5 ○ 生物・心理・社会の3つの側面から総合的に理解することを［生物心理社会モデル］という。

問題 009

Check ☑☑☑ 第2回　問題106

自殺の予防の観点から、自殺のリスクが最も低い因子を 1 つ選べ。

1　精神障害
2　自殺企図歴
3　中年期の女性
4　社会的支援の欠如
5　自殺手段への容易なアクセス

問題 010

Check ☑☑☑ 第3回　問題137

30 歳の男性 A、会社員。独身で一人暮らしである。A は、職場での不適応感を訴えて精神科を受診した。幼少期から心配性と言われてきたが、ここ半年ほどでその傾向が一層強まってきた。仕事で失敗したり、失業したりするのではないか、重大な病気にかかっているのではないかなど気になって仕方がない。自分でも心配しすぎだと分かってはいるが、いらいらし、仕事にも集中できず、疲労がつのる。寝つきも悪く、しばしば早朝に覚醒してしまうこともある。医師から A の状態をアセスメントするよう依頼された公認心理師が、A に実施するテストバッテリーに含めるものとして、最も適切なものを 1 つ選べ。

1　AQ-J
2　CAPS
3　GAD-7
4　LSAS-J
5　Y-BOCS

解説 009　自殺のリスクアセスメント　　正答 3

自殺や自殺予防に関する問題は多く出題されている。自殺の現状や対策、自殺の危険因子／保護因子なども しっかりと理解する必要がある。WHO による『自殺予防 カウンセラーのための手引き（日本語版初版）』や日本精神神経学会「精神保健に関する委員会」が刊行している『日常臨床における自殺予防の手引き』を参考にするとよい。

1 × 精神障害は最も重要な自殺の危険因子である。自殺既遂者の約 9 割が何らかの精神障害に該当する状態であったことが心理学的剖検の手法を用いた研究において報告されている。WHO の多国間共同調査による自殺者 15,269 例の調査※では、自殺既遂者の 98.0％に精神疾患があり、その内訳は、［気分障害］（30.2％）、物質関連障害（17.6％）、統合失調症（14.1％）、パーソナリティ障害（13.0％）、器質性精神障害（6.3％）、不安障害・身体表現性障害（4.8％）、適応障害（2.3％）という結果であったことが報告されている。

※ Bertolote, J. M. and Fleischmann, A. : Suicide and psychiatric diagnosis : a worldwide perspective. WPA, 1 (3) : 181-185, 2002

2 × 過去の自殺企図歴も強い危険因子である。また、［自傷行為］の経験が重篤な自殺企図につながることも多いため、自傷行為歴も自殺の危険因子として注意深く評価する必要がある。

3 ○ 中年期の女性の自殺は、全体からすると少ない。自殺のリスクが最も高いのは［中年期の男性］である。

4 × 直接的であれ間接的であれ、社会的支援の欠如は自殺のリスクを高める。自殺を考えている人の中には、経済的問題や生活上の問題、人間関係の問題など様々な問題を抱えている人が多い。そのため、その人を取り巻く支援体制の機能を確認することも重要である。

5 × 自殺の手段へのアクセスが簡単なほど自殺のリスクは［高まる］。また、自殺手段へのアクセスに周りが介入できない場合も同様である。

精神障害者における自殺既遂者の割合

気分障害	30.2%
物質関連障害	17.6%
統合失調症	14.1%
パーソナリティ障害	13.0%
器質性精神障害	6.3%
不安障害・身体表現性障害	4.8%
適応障害	2.3%

※ Bertolote, J. M. and Fleischmann, A. : Suicide and psychiatric diagnosis : a worldwide perspective. WPA, 1 (3) : 181-185, 2002

解説 010　30 歳男性・テストバッテリー（事例）　　正答 3

失業や病気に対する過剰な不安、イライラ（易怒性）、集中困難、易疲労性、睡眠障害などは、全般性不安障害で生じやすい症状である。それぞれの心理検査が、どのようなことを査定するための心理検査なのか確認しておこう。

1 × AQ-J とは、自閉症スペクトラム指数日本語版（Autism-Spectrum Quotient Japanese Version）のことであり、［ASD 傾向］を評価することを目的とした質問紙検査である。

2 × CAPS とは、DSM-5 に準拠した［PTSD］臨床診断面接尺度（Clinician Administered PTSD Scale）のことであり、PTSD に関する中核症状の頻度や強度を構造化面接法によって評価を行うことを目的としている。

3 ○ GAD-7 とは、Generalized Anxiety Disorder-7 のことであり、［全般性不安障害］を評価することを目的とした質問紙検査である。

4 × LSAS-J とは、リーボヴィッツ社交不安尺度（Liebowitz Social Anxiety Scale）の日本語版のことであり、［社交不安障害］（SAD：Social Anxiety Disorder）の程度を評価するための質問紙検査である。

5 × Y-BOCS とは、エール・ブラウン強迫観念・強迫行動尺度（Yale-Brown Obsessive Compulsive Scale）のことであり、［強迫症状の重症度］を評価することを目的とした検査である。

②関与しながらの観察

問題 011 Check ☐☐☐ 第1回 問題044

H.S. Sullivan による「関与しながらの観察」という概念について、最も適切なものを 1 つ選べ。

1 治療面接では、感情に流されず客観性及び中立性を維持することが重要である。
2 他者の行動を理解するには、面接に参加している自己を道具として利用する必要がある。
3 面接外のクライエントの行動に関する情報も、面接中に得られる情報と同等に重要である。
4 クライエントとのコミュニケーションを正しく理解するためには、現象のみに目を向けるべきである。

問題 012 Check ☐☐☐ 第1回追 問題014

「関与しながらの観察」について、最も適切なものを 1 つ選べ。

1 関与も観察もともに観察者だけが行うことである。
2 H.S. Sullivan が提唱した実験的観察法に関する概念である。
3 関与と観察は不可分のものであるため、観察者は中立的に参加しながら観察を行う。
4 観察者は現象に人為的な操作を加え、条件を統制したり関与したりしながら観察を行う。
5 観察者は自身が1つの道具としての性質を持っており、自らの存在の影響を排除できない。

問題 013 Check ☐☐☐ 第2回 問題017

治療者自身が相互作用に影響を与えることを含め、治療者とクライエントの間で起きていることに十分注意を払うことを何というか、最も適切なものを 1 つ選べ。

1 自己開示の活用
2 治療同盟の確立
3 応用行動分析の適用
4 関与しながらの観察
5 自動思考への気づき

加点のポイント 関与しながらの観察

精神科医のH.S. Sullivan が提唱した［関与しながらの観察］は、公認心理師試験第1回から第5回まで必ず出題されている。
Sullivan の「関与しながらの観察」とは、カウンセラーとクライエントの関わり全てがアセスメントであり、それは固定化されるものではなく、継続され、修正していくものであるとする概念である。
アセスメントを含めた治療はクライエントとカウンセラーとの［対人関係の場］で行わなければならないとした。
また、「治療者は自らの影響を排除することはできず、面接中に起きる全ての事象に巻き込まれることから逃れられない」と述べている。

解説 011 関与しながらの観察

正答 2

H.S. Sullivan は、新フロイト派の精神科医。精神医学を「対人関係の学」とした。その H.S. Sullivan の基本的理論および「関与しながらの観察」についての知識を問う問題である。

1 × H.S. Sullivan は、「感情に流されず客観性及び中立性を維持することが重要」と述べてはいない。むしろ、「治療者は自らの影響を排除することができない。面接中に起こる全ての事象に巻き込まれることから逃れられない」※と述べており、客観性を担保することはできない旨を明示している。

2 ○ H.S. Sullivan は、「精神医学の主要観察［用具］はその自己である」※と述べている。

（※参考文献：H.S. Sullivan 著、中井久夫訳『精神医学的面接』みすず書房 1986）

3 × 選択肢の文は「関与しながらの観察」の概念から外れている。H.S. Sullivan は、［対人関係］を重要視し、治療は［治療者］と［患者］との対人関係の場で行わなければならないとした。よって、「面接外のクライエントの行動」は重要視していない。

4 × 選択肢の文の「現象のみ」が間違い。明確に知覚できる物事の範囲にとどまらず、例えば治療者側が患者に抱く説明しがたい感覚などを重要な情報とする。治療者も患者との関わりの中で様々な出来事や感情をその都度検討しながら模索し続けるものであるとの主旨を『精神医学的面接』で述べている。

解説 012 関与しながらの観察

正答 5

H.S. Sullivan はシカゴ学派の社会学者との関連が深い。そのため「関与しながらの観察」の範囲に留まらず、シカゴ社会学の参与観察手法について理解する必要がある。

1 × 関与も観察もともに観察者だけが行うのではなく、被観察者と観察者の［相互作用］が生じる。

2 × H.S. Sullivan の「関与しながらの観察」は実験的観察法ではなく、治療者－患者関係について述べたものであり、なおかつ、関与しながらの観察については Sullivan 以前に、シカゴ派社会学者の［E.C. Lindemann］が1920 年代に［参与観察］ということを述べている。

3 × 関与と観察は［不可分］のものであるため、観察者は中立的に参加しながら観察を行うことはできず、そこには［相互作用］が生じる。

4 × 観察者はありのままを観察するために、［人為的操作］や［条件統制］を極力控えつつ関与する。

5 ○ 観察者は自身が 1 つの道具としての性質を持っており、自らの存在の影響を［排除］できない。観察者が存在することで［相互作用］が必ず生じるのである。

解説 013 関与しながらの観察

正答 4

問題文は、H.S. Sullivan の「関与しながらの観察」の概念である。その知識を問うている。

1 × H.S. Sullivan の「関与しながらの観察」の概念には自己開示は含まれない。カウンセリングにおけるカウンセラーの自己開示は、以前は好ましくないとされていたが、近年ではカウンセラーの自己開示が治療的に作用する場合も取り上げられている。カウンセラーは自らの自己開示がクライエントにどのように影響するかを慎重に判断して行う必要がある。

2 × ［作業同盟］ともいわれる。クライエントが抱える悩みに対し、クライエントとカウンセラーが枠組みを守りながら協力して取り組んでいくことを指す。そのため、問題文とは関係がないため誤りである。

3 × 応用行動分析とは、B.F. Skinner の［オペラント条件づけ］から発展した行動療法の 1 つであり、H.S. Sullivan の「関与しながらの観察」の概念ではない。

4 ○ H.S. Sullivan は精神医学を「対人関係の学」とし、治療者は自らの影響を排除することができず、クライエントとの［相互作用］に常に注意を向けるべきとした。

5 × 自動思考は［認知療法］の概念であり、カウンセラーとクライエントの相互作用を述べているものではない。

問題 014 Check ☑☑☑ 第4回 問題017

H.S. Sullivan の「関与しながらの観察」を深めていくために必要なことについて、最も適切なものを 1 つ選べ。

1 自分の中立的な立ち位置が揺れ動かないよう努めること
2 自分のその場での言動と関係付けてクライエントの反応を捉えること
3 自分の主観に現れてくるイメージをもとにしてクライエント理解を進めること
4 観察の精度を高める道具として、標準化された検査の導入を積極的に進めること
5 これまでのやりとりの流れから切り離して、今ここのクライエントの感情を理解すること

③心理検査の種類、成り立ち、特徴、意義及び限界

問題 015 Check ☑☑☑ 第1回 追 問題090

次の各種心理検査について、最も適切なものを 1 つ選べ。

1 バウムテストは発達レベルの評価を目的として用いられる。
2 WAIS は 5 歳から 15 歳を対象とする個別式知能検査である。
3 新版 K 式発達検査は養育者への問診により簡便に実施できる。
4 ベンダー・ゲシュタルト検査では器質的な脳障害を把握できる。
5 MMPI はパーソナリティの全体像を把握するために有効である。

問題 016 Check ☑☑☑ 第1回 問題109

MMPI［ミネソタ多面的人格目録〈Minnesota Multiphasic Personality Inventory〉］について、誤っているものを 1 つ選べ。

1 MAS は、MMPI の項目から作成された。
2 妥当性尺度とは、? 尺度、L 尺度、F 尺度及び K 尺度の 4 つを指す。
3 質問項目は 550 項目あり、実施時間は 1 時間以上を見込む必要がある。
4 質問項目は、患者群と非患者群との間の統計的有意差を基に作られている。
5 心気症、抑うつ、緊張などの各傾向を測定する 20 個の臨床尺度から構成される。

解説 014 関与しながらの観察 正答 2

H.S. Sullivan が提唱した「関与しながらの観察」は、公認心理師試験第 1 回から第 5 回まで必ず出題されている。「関与しながらの観察」の概要はおさえておきたい。

1 × H.S. Sullivan は、「治療者は自らの影響を排除することができない。面接中に起こる全ての事象に［巻き込まれることから逃れられない］」（H.S. Sullivan、中井久夫（著）『精神医学的面接』みすず書房）と述べており、中立性を担保することはできない旨を明示している。

2 ○ H.S. Sullivan の「関与しながらの観察」で最も重要な概念は、「治療は治療者と患者との［対人関係の場］で行わなければならない」とする「対人関係の相互作用」である。よって、自分の言動とクライエントの反応を関連づけて捉えることが重要なポイントである。

3 × 「関与しながらの観察」では「精神医学の主要観察［用具］はその自己である」とし、自分を道具として用い、クライエントを理解していく。自分に湧く感情やイメージも見つめるが、それはその都度修正されるもので、クライエントの理解の際に「もとに」するものではない。

4 × H.S. Sullivan は「治療は治療者と患者との対人関係の場で行わなければならない」とした。よって、「主要観察用具はその自己」であり、検査ではない。

5 × 「今ここのクライエントの感情を理解すること」の重要性を説いているのは［人間性心理学］であり、「関与しながらの観察」の概念ではない。

解説 015 各種心理検査の特徴 正答 4

各種心理検査の対象年齢やその検査の目標となる測定内容などを広範に把握しておくことが求められている。それぞれの検査がどのような目的で、何を、誰に実施可能であるのかをきちんと把握していることが必要である。

（注）本題は選択肢不明確として、正解した場合は採点対象となり、不正解の場合は採点対象から除外された。

1 ？ バウムテストは、描かれた木を自己像とみなして解釈する。もともとは［職業適性検査］を目的としていた。現在は広く［パーソナリティの把握］に用いられるため、発達レベルの評価を目的とする検査とはいいがたい。ただし、形態分析では発達状態を推定するため、明らかに間違いともいいがたく、選択肢として不明瞭。

2 × WAIS の対象年齢は［16 歳～90 歳 11 か月］であるため、「5 歳から 15 歳」は間違い。

3 ？ 新版 K 式発達検査は基本的に子どもへ直接実施する検査である。そのため「養育者への問診により簡便に実施できる」が間違いであろうと推測できる。しかし、本人への実施が難しい場合には養育者からの聴き取りも可能となっているため、明らかに間違いとはいいきれない。

4 ○ 正しい。現在は、脳画像診断による脳障害の把握が可能となったため、脳障害の発見のために用いられることは少なくなっている。

5 ？ MMPI の各尺度は、臨床群と健常群の回答に統計的に有意な差が認められたものをもとに作成されている。そのことから医療臨床での活用が想定される。しかし、パーソナリティの全体像を把握するために有効ではないとはいえない。よって選択肢として不明瞭。

解説 016 MMPI に関する知識 正答 5

MMPI は S.R. Hathaway と J.C. McKinley が考案した質問紙法パーソナリティ検査である。その詳細な知識を問う問題である。妥当性尺度によって、被検者の検査に対する態度が測定できることが特徴の 1 つである。もともとは精神疾患のスクリーニング検査として用いられていたが、パーソナリティ検査としても適応範囲が広がった。

1 ○ MAS の不安尺度は、［MMPI］から［不安］に関する質問項目を抽出して作成された。

2 ○ MMPI は、? 尺度（疑問尺度）、L 尺度（虚偽尺度）、F 尺度（頻度尺度）及び K 尺度（修正尺度）の 4 つの妥当性尺度からなる。

3 ○ MMPI の質問項目は［550］と多いため、質問紙検査の中では時間を要する。

4 ○ 質問項目は、患者群と非患者群との間に［統計的有意差］があり、妥当性信頼性が高い検査である。

5 × 臨床尺度は［10 個］（Hs,D,Hy,Pd,Mf,Pa,Pt,Sc,Ma,Si）である。これらは心気症、抑うつ、緊張などの各傾向を測定する。

問題 017 Check 第3回 問題090

MMPI の実施と解釈について、正しいものを 1 つ選べ。

1 各質問項目には、5件法で回答する。
2 追加尺度は、20尺度開発されている。
3 F尺度は、心理的防衛の高さを示している。
4 第5尺度（Mf）は、性別により解釈基準が異なる。
5 第0尺度（Si）と第7尺度（Pt）が90の場合は、精神的混乱状態と解釈できる。

問題 018 Check 第1回 追 問題015

NEO-PI-R について、正しいものを 1 つ選べ。

1 G.W. Allport が開発した。
2 人格の類型論が背景にある。
3 誠実性と調和性は後から加えられた。
4 敵意は外向性の下位次元に含まれる。
5 各人格次元にはそれぞれ2つの下位次元がある。

問題 019 Check 第1回 問題008

パーソナリティや自我状態に関する心理検査について、正しいものを 1 つ選べ。

1 MAS は、多面的にパーソナリティを測定する検査である。
2 IAT は、顕在的意識レベルの自尊心の個人差を測定する検査である。
3 NEO-PI-R は、パーソナリティの6つの次元を測定する検査である。
4 東大式エゴグラムは、被検者の自我状態を P、A 又は C の3タイプのいずれか1つに分類する検査である。
5 YG 性格検査は、パーソナリティの12の特性を測定する120項目への反応を通して被検者を典型的な型に分類する検査である。

解説 017 MMPI

正答 4

MMPI は、各尺度の名称（略記を含む）と第何尺度かの数字などと共に、その尺度の内容や解釈法などについて確認しておこう。

1 × MMPI では、項目ごとに「当てはまる」か「当てはまらない」のどちらかで回答するため［2 件法］である。ただし、できるだけ避けるようにとされてはいるが、「どちらとも言えない」と回答をすることも許容されている。

2 × MMPI の追加尺度は、不安、抑圧、顕在不安など［数百］に及ぶ追加尺度が開発されている。

3 × F 尺度（frequency scale）は、質問項目に対して逸脱する方向に答えるような傾向を検出することを目的としており、受験態度の歪みや精神病理の程度、社会的不適応の重篤度などを示す指標である。一方、検査に対する抑制的、防衛的な態度を示すといわれている尺度は［K 尺度］（correction scale）である。

4 ○ 第 5 尺度（Mf）は、男子性 - 女子性を評価するために、男性にも女性にも同じ 60 項目が使われるが、男性と女性では異なる項目が 5 項目あり、尺度の向きが逆になっている。そのため、第 5 尺度は性別で解釈基準が異なっている。

5 × 精神的混乱状態を示す尺度は［F 尺度］である。第 0 尺度（Si）とは「社会的内向」の程度を示す尺度である。第 7 尺度（Pt）とは、「精神衰弱」を示す尺度である。この 2 つが「90 点以上」と高い場合、「不安や緊張が高く、神経質で、適応能力が低く対人接触を回避しがち」と推測できる。第 0 尺度（Si）と第 7 尺度（Pt）の高得点では精神的混乱というより「不安障害」や「強迫傾向」の可能性を検討することが妥当である。

解説 018 NEO-PI-R

正答 3

NEO-PI-R の細かい知識を問う問題である。NEO-PI-R は、質問紙法性格検査であり、青年期から高齢者まで使用できる。

1 × NEO-PI-R の考案者は、［R.R. McCrae］と［P.T. Costa］である。

2 × NEO-PI-R は、［Big Five の 5 因子］に基づいている。Big Five の 5 因子は［特性論］に依拠している。

3 ○ NEO-PI-R は、当初は「神経症傾向」「外向性」「開放性」の 3 因子であった。その後、「誠実性」「調和性」が加えられ、5 次元となった。

4 × 敵意は、N（神経症傾向）の下位次元である。

5 × 2 つではなく、以下のそれぞれ［6］つの下位次元がある。
- N：神経症傾向…不安、敵意、抑うつ、自意識、衝動性、傷つきやすさ
- E：外向性…温かさ、群居性、断行性、活動性、刺激希求性、よい感情
- O：開放性…空想、審美性、感情、行為、アイデア、価値
- A：調和性…信頼、実直さ、利他性、応諾、慎み深さ、優しさ
- C：誠実性…コンピテンス、秩序、良心性、達成追求、自己鍛錬、慎重さ

解説 019 性格検査

正答 5

性格検査の基礎的な知識を理解する必要がある。

1 × MAS は、［顕在性不安］尺度（Manifest Anxiety Scale）といい、性格傾向としての不安である特性不安を測るために［MMPI の不安尺度 50 項目と妥当性尺度 15 項目］を抽出し作成した検査である。

2 × IAT は、［潜在的連合テスト］（Implicit Association Test）といい、［社会的対象に対する潜在的態度］を測定する検査である。

3 × NEO-PI-R（Revised NEO Personality Inventory）は、パーソナリティの［5 つの次元＝ 5 因子］を測定する検査である。

4 × 東大式エゴグラムは、［交流分析］理論に基づき、被検者の自我状態を CP（Critical Parent）、NP（Nurturing Parent）、A（Adult）、FC（Free Child）、AC（Adapted Child）の［5 タイプ］の強弱により性格傾向を知る検査である。

5 ○ YG 性格検査は、［矢田部・ギルフォード性格検査］ともいい、パーソナリティの［12 の特性を測定する 120 項目］への回答によって、被検者を 5 つの典型的な型に分類し、性格特性を測定する検査である。

問題 020

Check ☑☑☑ 第1回 追 問題 091

内田クレペリン精神作業検査の実施と解釈について、正しいものを 1 つ選べ。

1 練習効果は反映されない。
2 作業量の水準ではなく、偏りの有無に注目する。
3 結果は、定型、A 型、B 型、C 型、D 型及び E 型に分類される。
4 作業速度の変化を示す作業曲線などから、被検者のパーソナリティを判定する。
5 被検者は、ランダムに並んだ数字を、1 分ごとに行を変え、30 分間連続して加算する。

問題 021

Check ☑☑☑ 第3回 問題 016

精神分析理論の防衛機制に関する実験的研究の結果を基盤に発展した心理検査として、最も適切なものを 1 つ選べ。

1 SCT
2 TAT
3 MMPI
4 P-F スタディ
5 ロールシャッハ・テスト

加点のポイント 各検査の歴史的背景①

SCT	未完成の文章を刺激とした検査は、H. Ebbinghaus が 1897 年に知的統合力を調べるために用いたのが最初といわれている。SCT をパーソナリティと関連させた試みは 1928 年に A.F. Payne が職業指導上の一方法として用いたのが最初だが、パーソナリティ検査として最初に心理学領域に導入されたのは、1930 年の A.D. Tendler による情緒洞察検査となる。
MMPI	MMPI は当初［精神医学的診断］の客観化を目指して作成されていたが上手くいかなかった。その結果、研究者の関心は複数の臨床尺度の得点パターンと諸種の精神疾患群との関係性を確かめる方向へ移り、精神疾患の診断資料を求めるより被検査者の人格特徴を査定する方向へと研究が進められた。
ロールシャッハ・テスト	ロールシャッハ・テストは 1921 年に考案された。Rorschach は検査について［知覚］診断実験あるいは［形態］判断検査と呼び、何が見えたのかだけでなく、［どう見えたか］という知覚や統覚の仕方にも着目した。Rorschach の死後、多くの研究者によって様々な分析システムが開発されアセスメント技法の中ではかなり多くの研究論文がある。

問題 022

Check ☑☑☑ 第1回 問題 016

バウムテストについて、正しいものを 1 つ選べ。

1 K. Koch が精神疾患の診断を目的に開発した。
2 形状の年齢的変化では、二線幹のバウムは 6 歳までには減少する。
3 樹冠の輪郭の有無によって、心理的発達の成熟又は未成熟が把握できる。
4 M. Grünwald の空間象徴理論に基づいて解釈を行うことを基本とする。
5 対人関係や感情表出の特徴を示す指標として、枝の先端の処理に注目する。

解説 020 内田クレペリン精神作業検査

正答 4

内田クレペリン精神作業検査は、一桁の数の単純加算の作業を通して、作業の処理能力や性格や行動といったパーソナリティの特徴を把握する。

1 × 精神作業に影響している因子として「練習」「疲労」「慣れ」「興奮」「意志緊張」という5つの因子が考えられており、練習効果は反映される。

2 × [作業量] と [曲線] を中心に解釈を行うため、作業量の水準は解釈の対象である。

3 × 結果は「定型曲線」と「非定型曲線」に分けられる。

4 ○ 作業曲線から被検者の [作業能力] や性格、行動といった [パーソナリティ] を判定する。

5 × 「30分間連続して」が間違い。[1] 分ごとに行を変え、[15] 分間連続して加算、[5] 分の休憩を挟み、再度 [15] 分間作業を行う。

解説 021 防衛機制を基盤とした心理検査

正答 4

主な心理検査について、検査の考案者や考案された背景などについても確認しておくようにしよう。

1 × SCTは、[言語連想検査] から派生した、投影法検査のひとつである。ただし、特定の理論的背景の下で作成されたものではない。

2 × TATとは、[C.D. Morgan] と [H.A. Murray] によって考案された投影法検査のひとつであり、精神力動的な立場に立つ人格診断法である。ただし、精神分析理論の防衛機制に関する実験的研究の結果を基盤に発展したわけではない。

3 × MMPIは、[S.R. Hathaway] と [J.C. McKinley] によって、1930年代後半から研究が始められ、1943年に刊行された質問紙法検査である。当初は精神医学的診断の客観化を目指して作成されていた。そのため、精神分析理論の防衛機制に関する実験的研究の結果を基盤に発展したわけではない。

4 ○ P-Fスタディは、[S. Rosenzweig] によって考案された投影法検査のひとつである。Rosenzweigは、精神分析の概念である防衛機制についての実証的な実験研究を行い、それを発展させて現在のP-Fスタディを作成した。

5 × ロールシャッハ・テストは、[H. Rorschach] によって考案された投影法検査である。Rorschachの死後、多くの研究者によって様々な分析システムが開発されたが、その1つが精神分析理論に基づく精神分析的なアプローチであった。そのため、精神分析理論の防衛機制に関する実験的研究の結果を基盤に発展したわけではない。

解説 022 バウムテスト

正答 5

バウムテストはK. Kochによって考案された。現在は広く活用されており、アセスメントの目的にとどまらず、カウンセラーとクライエントのコミュニケーションの媒介物としても利用されている。

1 × 現在は子どもから高齢者、病院や学校など広範に用いられているが、当初は [職業適性検査] に用いられていた。

2 × 6歳までに減少するのは、木に見えない [一線幹（一本線の幹）] である。

3 × 心理的発達が表れるとされるのは、[樹木] の形である。樹冠は、[自己評価] や [精神活動]、[人間関係の態度] 等を示す。

4 × バウムテストの解釈において [空間象徴理論] は重要である。しかし、他に全体的評価や形式分析、動態分析、内容分析等が行われ、総合的に解釈する。空間象徴理論は解釈の一部である。また、バウムテストに統一された解釈法はない。よって「基本とする」が間違いである。

5 ○ 枝は [人間関係の相互作用]、[社会との精神的交流] の円滑さなどを示す。枝の先端は社会との相互交流、[欲求] や [感情] の円滑さあるいは抑圧を示すため、正しい。

問題 023　Check ☑☑☑　第1回　問題017

P-F スタディの実施と解釈について、正しいものを 1 つ選べ。

1　葛藤場面は、自我の退行場面と超自我が阻害される場面とで構成される。

2　攻撃性の方向が内外ともに向けられずに回避される反応を無責傾向と解釈する。

3　依存性と攻撃性の方向とパターンを分類及び記号化して、社会的関係の特徴を把握する検査である。

4　他者との葛藤状況における言語反応を、愛着関係の方向とパターンとに分類及び記号化して解釈する。

5　欲求不満を来す状況について、もしも自分であったらという想定における被検者の言語反応を分類及び記号化して解釈する。

問題 024　Check ☑☑☑　第1回　問題115

TAT の実施と解釈について、正しいものを 1 つ選べ。

1　臨床場面での投影法検査として、L. Bellak による解釈法と分析法が標準である。

2　決められた順序に従って全ての図版を呈示することによって正確な解釈が得られる。

3　G.W. Allport が標準化した欲求－圧力分析による解釈法を基本に、被検者の対人関係の主題を読み取る。

4　被検者には各図版を見てストーリーを構成することが求められるため、物語を通して主題を把握することが解釈において重視される。

加点のポイント　各検査の歴史的背景②

TAT	TAT は 1935 年に初めて報告され、空想研究のひとつの方法という題名が示された。そのため、空想（あるいは幻想）という S. Freud の精神分析学の理論を基礎とした人格診断法であるといえる。Murray は、一連の絵画を被検査者に示し、それについて自由な空想を交えた物語を作らせ、その結果を［力動的］な人格論の立場から分析し解釈する方法を考案した。
P-F スタディ	Rosenzweig は、S. Freud が臨床的に見いだしてきた精神分析の概念である防衛機制についての実証的な実験研究を行う中で、心理力動の実験的研究にとってフラストレーション現象が最もふさわしいものであると考えるようになった。その後、フラストレーションに対する反応や［欲求不満耐性］を査定するための検査を考案、発展させて現在の P-F スタディを作成した。

問題 025　Check ☑☑☑　第3回　問題089

知能検査の実施について、最も適切なものを 1 つ選べ。

1　検査者が十分に習熟していない検査を用いることを控えた。

2　被検査者に求められたため、検査用紙をコピーして渡した。

3　客観的情報を収集するために、被検査者とのラポール形成を避けた。

4　被検査者が検査に対する先入観や恐怖心を抱かないように、事前に検査について説明することを控えた。

5　実施時間が2時間を超え、被検査者が疲れている様子であったが、そのまま続けて全ての検査項目を実施した。

解説 023 P-F スタディ

正答 2

P-F スタディは 24 枚の欲求不満場面の絵から構成される投影法人格検査である。詳細は以下の解説になるが、被検者がその場面をどう受け取るかは自由である。

1 × 「自我の退行場面」が間違い。[自我阻害場面] と [超自我阻害場面] に大別される。

2 ○ 攻撃性が自分にも他者にも向かわない [無責] 傾向、自分に向かう [自責] 傾向、他者に向かう [他責] 傾向がある。

3 × [攻撃性] の型と方向を分析し、欲求不満耐性をはかる。よって、「依存性」を評価するものではない。

4 × 愛着関係の方向ではなく、[攻撃性] の方向のパターンを分類及び記号化して解釈する。

5 × 施行の際は「もしも自分であったら」ではなく、「右側の人はどう答えるか」と教示する。そう教示することで、クライエントの心理的抵抗感や自責感を抱かせず、不快な思いをさせずに素直な反応を引き出すことを目指している。

解説 024 TAT に関する知識

正答 4

TAT は主題統覚検査あるいは絵画統覚検査と訳される。H.A. Murray と C.D. Morgan が考案した。被検者に 1 枚ずつ図版を呈示し、物語を作ってもらう投影法人格検査である。TAT の実施法や解釈法は統一されていない。そのことを踏まえた上で基本的な知識を問う問題である。

1 × L. Bellak 法はあるものの、TAT に一定の実施法や分析法はない。

2 × 確立された実施法はない。検査者によって使用する枚数は異なる。一般的には、全てではなく、10 枚程度を選んで呈示する方法が用いられることが多い。

3 × G.W. Allport ではなく、[H.A. Murray] の欲求—圧力分析法である。また、対人関係のみではなく、被検者の [パーソナリティ特性] や [病態水準] 等をはかる。

4 ○ 被検者は呈示される図版を見て、[現在、過去、未来] の物語を作ることを求められる。そこに語られたストーリーを読み取ることが検査の目的である。

解説 025 知能検査の実施

正答 1

知能検査の IQ 値や指標得点の解釈についてだけでなく、検査中や検査前後の検査者としての態度や工夫、禁止事項などについても確認しておこう。

1 ○ 検査者が十分に習熟していない検査を実施すると、検査者の習熟度の低さから結果に影響を及ぼす危険性があるため、そのような検査を控える必要がある。

2 × 検査用紙のコピーを渡すことで、検査内容が流出して、適切な検査結果が得られなくなることなどが生じる可能性がある。そのため、コピーであっても検査用紙を被検査者に渡すのは控える必要がある。

3 × 緊張や不安が高い場合、本来のパフォーマンスを十分に発揮できない可能性があるため、被検査者との [ラポール形成] は必要である。

4 × 事前にどのような検査を実施するのか説明し、実施に対して同意を得ることは、[インフォームド・コンセント] の観点から重要である。

5 × 検査が長時間にわたると、疲労などの影響で注意力や集中力の低下が生じ、検査結果に影響を与える可能性が高い。そのため、休憩を取ったり、2 回に分けて実施したりするなどの対応を検討すべきである。

問題 026

Check ☑☑☑　第 2 回　問題 123

知能検査を含む集団式の能力テストについて、適切なものを 1 つ選べ。

1　個別で実施することはできない。
2　第二次世界大戦を機に兵士の選抜のために開発された。
3　学校での成績の予測妥当性は相関係数にして 0.60 を超える。
4　学習障害や発達の遅れのスクリーニングとして使うことができる。

問題 027

Check ☑☑☑　第 2 回　問題 087

知能検査における Flynn 効果について、正しいものを 1 つ選べ。

1　中高年ではみられない。
2　平均 IQ が徐々に低下する現象である。
3　欧米諸国では効果が認められていない。
4　ウェクスラー式知能検査のみで検出される。
5　流動性知能は結晶性知能より、この効果の影響を強く受ける。

問題 028

Check ☑☑☑　第 2 回　問題 004

普通教育に適する子どもとそうでない子どもを見分けるための検査法を最初に開発した人物は誰か、正しいものを 1 つ選べ。

1　A. Binet
2　D. Wechsler
3　E. Kraepelin
4　F. Galton
5　J. Piaget

解説 026 集団式の能力テスト

正答 4

集団式の知能検査は主に学校場面や少年鑑別所などで知的機能の水準を一度で大まかに把握することを目的として使用されており、新田中 B 式知能検査などがある。集団式の知能検査はあまり馴染みがない検査であるかもしれないが、一通りどのような検査でどのようなときに使われるかを学んでおく必要がある。

1 × 集団式の能力テストは、[個別実施] も可能である。

2 × [第一次世界大戦] を機に、軍隊への入隊者を選別するために集団式の知能検査が開発された。

3 × 集団式の能力テストの種類や教科ごとに相関係数は [異なる] ため、全てに共通する特徴ではない。

4 ○ 集団式知能検査は個別式に比べ、比較的容易に複数のデータを一度で得ることができるため、[学習障害] や [発達障害] の [スクリーニング] として使用することも可能である。

解説 027 知能検査における Flynn 効果

正答 5

フリン効果（Flynn effect）とは、人間の知能検査の結果である IQ（知能指数）が年々上昇していることが認められる現象のことである。

1 × [年齢] にかかわらず、フリン効果が認められている。

2 × 平均 IQ が徐々に [上昇] する現象である。

3 × 欧米諸国も含めた [世界中] でフリン効果が認められている。

4 × ウェクスラー式知能検査だけでなく、ビネー式知能検査などでもフリン効果が認められている。

5 ○ [動作性の能力（流動性知能）] は、[言語性の能力（結晶性知能）] に比べて、強くフリン効果が認められている。流動性知能とは、新しい環境に適応していくために、新しいことを学習し身につけていく知能のことであり、加齢の影響を受けやすいとされている。一方、結晶性知能とは、過去の学習や経験などによって獲得されていく知能のことであり、加齢の影響を受けにくいとされている。

解説 028 子どもの検査法

正答 1

知能に関する心理学史についても一通り学んでおく必要がある。

1 ○ [ビネー式知能検査] を開発した A. Binet が、知的障害の子どもを鑑別するために Th. Simon とともに 1905 年に作成した知能測定尺度が世界初の知能検査である。

2 × [ウェクスラー式知能検査] を開発した D. Wechsler が最初に作成した知能検査が、1939 年に作成したウェクスラー・ベルビュー知能検査である。この検査は、言語性尺度と動作性尺度という 2 つの尺度に加え、全検査 IQ を算出することが可能であり、時代に合わない下位検査の変更などはあるものの検査の基本的な構成は今日に至るまで保持されている。

3 × E. Kraepelin は内因性の精神疾患である [早発性痴呆]（現在の [統合失調症]）と躁うつ病（現在の双極性障害）を分類した人物である。[内田クレペリン検査] の原型となった作業心理の研究も行っていた。

4 × F. Galton は [個人差の研究] を行っており、視覚や聴覚、重さ、長さなどの感覚を弁別する能力を測定することで知能を測定しようとするメンタル・テストを考案したが、これらの結果は知能とあまり関連がなかった。

5 × J. Piaget は大別すると認知発達は 4 つの段階を経るという [認知発達段階説] や [発生的認識論] を唱えた人物である。

メモ 知能測定尺度

A. Binet と Th. Simon によって開発された「知能測定尺度（ビネー・シモン法）」は様々な種類の 30 問の問題があり、物を「凝視」できるかといった易しい問題から始まり「抽象語の定義」といった高度な内容へと難度が上がっていく構成であった。ビネー式の知能検査は何度も改定され、米国でスタンフォード・ビネー法、日本では鈴木ビネー法や田中ビネー法など、それぞれの国で再標準化されていった。

問題 029 Check ☑☑☑ 第1回追 問題122

KABC-Ⅱについて、正しいものを1つ選べ。

1 米国版 KABC-Ⅱは習得度を測る尺度を設けている。
2 適用年齢は2歳6か月から18歳11か月までである。
3 日本版 KABC-Ⅱは米国版の正確な翻訳版になっている。
4 流動性推理と結晶性能力からなる認知尺度と、習得尺度との2尺度から構成される。

加点のポイント KABC-Ⅱについて知っておこう

● KABC-Ⅱの日本版と米国版の大きな違い

	日本版 KABC-Ⅱ	米国版 KABC-Ⅱ
適応年齢	**2歳6か月**～18歳11か月	**3歳0か月**～18歳11か月
認知尺度の構成	「継次」「同時」「学習」「計画」の4尺度	
習得尺度の構成	「語彙」「読み」「書き」「算数」の4尺度	なし

問題 030 Check ☑☑☑ 第1回追 問題129

新版K式発達検査について、正しいものを2つ選べ。

1 発達年齢と発達指数を算出する。
2 継次処理尺度と同時処理尺度から成る。
3 運動、社会性及び言語の3領域で測定する。
4 生後100日頃から成人まで適用可能である。
5 成人用検査として開発され、徐々に適用範囲を拡大した。

問題 031 Check ☑☑☑ 第2回 問題130

田中ビネー知能検査Ⅴの実施と解釈について、正しいものを2つ選べ。

1 2歳から18歳11か月まで適用が可能である。
2 生活年齢〈CA〉より1歳低い年齢級の課題から検査を始める。
3 13歳以下では、精神年齢〈MA〉から知能指数〈IQ〉を算出する。
4 各年齢級の問題で1つでも合格できない問題があれば、下の年齢級に下がる。
5 14歳以上では「言語理解」、「作動記憶」、「知覚統合」及び「処理速度」の4分野について、偏差知能指数〈DIQ〉を算出する。

解説 029 KABC-Ⅱ

正答 2

一般的な検査では、日本版は米国版の忠実な翻訳になるが、日本版 KABC-Ⅱは日本の療育現場に適した形に変更されている。そのことを基盤に、KABC-Ⅱの米国版と日本版の概要をおさえておきたい。

1 × 米国版に［習得度］を測る尺度はない。

2 ○ 前版では、12 歳 11 か月までだったものがⅡで［18 歳 11 か月］まで引き上げられた。

3 × 前記の通り、米国版の正確な翻訳版にはなっておらず、日本に合った内容になっている。

4 × ［認知尺度］は「継次」「同時」「学習」「計画」の 4 尺度である。そのうち、「計画」尺度は流動性推理にあたる。［習得尺度］は「語彙」「読み」「書き」「算数」の 4 尺度である。そのうち、「語彙」尺度は結晶性能力にあたる。よって、「流動性推理と結晶性能力からなる認知尺度」の記載が間違いである。

解説 030 新版 K 式発達検査

正答 1、4

新版 K 式発達検査は、京都市児童院で開発された日本独自の発達検査である。診断の補助としても使用できるが、一人ひとりの発達の特徴やバランスを把握することで子どもに有効な支援ができるように活用することを目的としている。

1 ○ 本文の通り、［発達年齢（DA）］及び［発達指数（DQ）］を算出する。

2 × 継次処理尺度と同時処理尺度は［KABC-Ⅱ］の認知尺度の下位検査に設けられている。

3 × 「姿勢・運動（P-M）」「認知・適応（C-A）」「言語・社会（L-S）」の 3 領域である。

4 ○ 新版 K 式発達検査は生後 100 日頃（0 歳）から［成人］まで適用可能である。

5 × 子どもの発達支援のために開発された。

加点のポイント 発達検査と知能検査は必ず把握しておこう！

心理アセスメントの問題は、質問紙法や投影法検査、神経心理学的検査など全ての検査法から出題されている。ただし、例えば質問紙法はとても多くの検査法があるため、全て網羅しようとすることは時間がかかる。一方、発達検査と知能検査は、頻出の上に、臨床現場で多用されている検査は限られる。かつ、1 問 3 点の事例問題でも出題されていることから、確実におさえておこう。
おさえるべき検査は、新版 K 式発達検査 2001、KABC-Ⅱ、田中ビネー知能検査Ⅴ、ウェクスラー式知能検査の 4 つである。これら 4 つの検査の対象年齢、検査の特徴をしっかり把握できていると加点につながる可能性が高い。特に、対象年齢は正確に暗記しておこう！

解説 031 田中ビネー知能検査Ⅴ

正答 3、4

田中ビネー知能検査Ⅴは、ウェクスラー式知能検査に次いで現場で利用されることが多い知能検査である。そのため、検査の対象年齢や実施方法、検査によって導き出される結果などについて学習しておく必要がある。

1 × 田中ビネー知能検査Ⅴは、［2 歳 0 か月］〜［成人（14 歳以上）］を対象年齢としている。

2 × 生活年齢（CA）と［等しい］年齢級から開始することを基本原則としている。

3 ○ 13 歳以下では、「精神年齢÷生活年齢× 100」という公式によって知能指数（IQ）を求める。

4 ○ 各年齢級の問題で 1 つでも合格できない問題があったら、下の年齢級へと下がり、全問合格する年齢級まで行っていき、［基底年齢］を決定する。

5 × 14 歳以上では「結晶性」「流動性」「記憶」「論理推理」の 4 分野の偏差知能指数（DIQ）を算出する。問題文にある 4 項目はウェクスラー式知能検査の指標得点である。

問題 032 Check ☑☑☑ 第1回 問題 092

認知及び言語の発達の遅れが疑われる3歳の幼児に用いるアセスメントツールとして、最も適切なものを1つ選べ。

1 BDI
2 CMI
3 KABC-Ⅱ
4 MPI
5 WISC-Ⅳ

問題 033 Check ☑☑☑ 第4回 問題 095

手話をコミュニケーション手段とする被検査者にWAIS-Ⅳを実施する。回答場面におけるやりとりに際して、結果に影響が出ないように注意を必要とする下位検査として、最も適切なものを1つ選べ。

1 符号
2 類似
3 パズル
4 行列推理
5 バランス

解説 032 心理検査の知識

正答 3

最も重要なポイントは「認知及び言語の発達の遅れが疑われる」という目的を測定できる検査を選択肢から選ぶこと。次に、年齢（本ケースは３歳）が、検査の対象年齢となっているものを選ぶことである。

1 × BDIは、[ベック抑うつ尺度] のことであり、発達検査ではない。

2 × CMIは、[CMI健康調査票] のことであり、発達検査ではない。

3 ○ KABC-IIは [2歳6か月] から [18歳11か月] に適応可能な [発達検査] であり、適切である。

4 × MPIは、質問紙法の [性格検査] であり不適切。

5 × WISC-Ⅳは、[5歳～16歳11か月] を対象にした [知能検査] であるため、不適切。

加点のポイント 各検査と対応年齢を覚えておこう！

●発達検査および知能検査の適応年齢対応一覧

検査名	適応年齢	特徴
遠城寺式乳幼児分析的発達検査法	[0] 歳～4歳8か月	**「運動」「社会性」「理解・言語」**の3領域の発達の程度を測る
新版K式発達検査2001	[0] 歳～成人	障害の有無にかかわらず、**生後100日頃**から使用できる
S-M生活機能検査	満 [1] 歳～13歳	親などの**他者評定**により、子どもの社会生活能力の特徴を測る
田中ビネー知能検査Ⅴ	[2歳0か月]～成人	**年齢に応じた問題**になっているため、強みや苦手に関して年齢と比べたときの進みや遅れが捉えやすい
ITPA	[3歳0か月]～9歳11か月	**LD**児や言葉の遅れがある子どもに適応される
日本版KABC-Ⅱ	[2歳6か月]～18歳11か月	検査結果を子どもの支援に役立てることを目的としている
WPPSI - Ⅲ	[2歳6か月]～7歳3か月	Wechsler式知能検査の幼児用
WISC-Ⅳ	[5] 歳～16歳11か月	Wechsler式知能検査の児童用
WAIS-Ⅳ	[16] 歳～90歳11か月	Wechsler式知能検査の成人用

解説 033 手話を用いる者へのWAIS-Ⅳの実施

正答 2

標準的な検査の実施方法に加えて、身体障害などで特別な支援を必要とする被検査者に対する検査の実施方法や注意点などについても確認しておこう。

1 × 符号は、[処理速度指標（PSI）] に含まれる下位検査であり、コミュニケーション手段の違いによってこの下位検査の実施に著しい変化が生じることはないと思われる。

2 ○ 類似は、[言語理解指標（VCI）] に含まれる下位検査であり、この下位検査で要求される語彙およびいくつかの問題の手話への翻訳が、問題を著しく修正し、構成概念とはかなり無関係な変化を生じさせたり、手話の中には意図しない手がかりを与えたりするものであるため、回答場面のやりとりにおいては注意が必要である。

3 × パズルは、[知覚推理指標（PRI）] に含まれる下位検査であり、コミュニケーション手段の違いによって、この下位検査の実施または課題の要求に著しい変化が生じることはないと思われる。

4 × 行列推理は、[知覚推理指標（PRI）] に含まれる下位検査であり、コミュニケーション手段の違いによって、この下位検査の実施または課題の要求に著しい変化が生じることはないと思われる。

5 × バランスは、[知覚推理指標（PRI）] に含まれる下位検査であり、コミュニケーション手段の違いによって、この下位検査の実施または課題の要求に著しい変化が生じることはないと思われる。

問題 034 Check 第2回 問題023

日本語を母語としない成人の知能検査として、最も適切なものを 1 つ選べ。ただし、検査内容の説明程度は日本語で理解できるものとする。

1 PARS-TR
2 WISC- Ⅳ
3 ベンダー・ゲシュタルト検査
4 ウィスコンシンカード分類検査
5 コース立方体組み合わせテスト

問題 035 Check 第2回 問題088

乳児院に一時保護された 1 歳半の幼児の認知・言語機能を評価する心理検査として、最も適切なものを 1 つ選べ。

1 WPPSI- Ⅲ
2 日本語版 KABC- Ⅱ
3 田中ビネー知能検査Ⅴ
4 ベンダー・ゲシュタルト検査
5 遠城寺式乳幼児分析的発達検査

解説 034 日本語を母語としない成人への知能検査

正答 5

言語性の検査は母語や文化的な影響を強く受けるものであり、言語能力の影響を少なくするためには、動作性の知能検査（コース立方体組み合わせテストや日本版レーヴン色彩マトリックス検査、グッドイナフ人物画知能検査（DAM）など）を実施する必要がある。

1 × PARS-TR（[親面接式自閉スペクトラム症] 評定尺度 テキスト改訂版）は、自閉症スペクトラム症の特性の程度や関連する困難度を評価するために、幼児期から現在に至るまでを保護者から聞き取りを行う [半構造化面接法] である。

2 × WISC- Ⅳとは、Wechsler 式知能検査の児童用であり、適応年齢は [5 歳～16 歳 11 か月] である。成人用ではないため間違い。加えて、言語情報に基づく理解力や知識などの能力を測る「言語理解指標（VCI）」は、母語や文化的な影響を受けやすいといわれている。

3 × ベンダー・ゲシュタルト検査とは、幾何学図形を模写する検査であり、[視覚 - 運動機能] の成熟や [脳器質障害] の鑑別、パーソナリティの偏りなどを評価するために用いられる検査である。

4 × ウィスコンシンカード分類検査とは、検査者が定めているルールをカードの分類を行いながら類推していくことで、主に前頭葉機能や [実行機能の障害] を評価することを目的とした検査である。

5 ○ コース立方体組み合わせテストは、積木を用いて模様を構成することで知能を測定する [動作性検査] であり、言語的な要因がほとんど介入しない検査である。

加点のポイント Wechsler 式知能検査の 4 つの指標得点が示す知的側面の概要を把握

指標得点名称	各指標得点が示す内容
言語理解（VCI）	言語理解能力や言語情報に基づく思考力や推理力、一般的知識、長期記憶などに関する
知覚推理（PRI）	視覚的な長期記憶、非言語的な情報処理、抽象的な推理力などに関する
ワーキングメモリ（WMI）	聴覚的短期記憶、注意力や集中力、聴覚的作動記憶、計算力などに関する
処理速度（PSI）	視覚的短期記憶、視覚的な情報処理速度、事務作業能力、目と手の協応運動、同時処理能力などに関する

解説 035 1 歳半幼児への認知・言語機能の評価

正答 5

対象者の年齢と検査目的に合わせて実施する心理検査を選択する必要がある。この問題では、年齢が 1 歳半であること、認知・言語機能を評価したいということがポイントである。

1 × WPPSI- Ⅲとは、[2 歳 6 か月～7 歳 3 か月] を対象年齢としたウェクスラー式知能検査である。事例では、対象年齢が異なるため不適切である。

2 × 日本語版 KABC- Ⅱは、子どもの [認知能力] と学力の基礎となる [習得度] を測定することを目的とした知能検査である。[2 歳 6 か月～18 歳 11 か月] を対象年齢としている。事例では、対象年齢が異なるため不適切である。

3 × 田中ビネー知能検査Ⅴとは、[2 歳 0 か月～成人] を対象年齢としたビネー式の知能検査である。2 歳 0 か月～13 歳 11 か月では知能指数（IQ）及び精神年齢（MA）を、14 歳 0 か月以上では「結晶性」と「流動性」「記憶」「論理推理」の 4 領域の [偏差知能指数（DIQ）] と総合 DIQ を測定することが可能である（14 歳以上は原則精神年齢を算出しない）。事例では、対象年齢が異なるため不適切である。

4 × ベンダー・ゲシュタルト検査とは、幾何学図形を模写する検査であり、視覚 - 運動機能の成熟や脳器質障害の鑑別、パーソナリティの偏りなどを評価するために用いられる検査である。対象年齢は [5 歳] からである。事例では、年齢的に実施は不可能であり、評価内容も異なるため不適切である。

5 ○ 遠城寺式乳幼児分析的発達検査とは、[0 歳～4 歳 8 か月] を対象年齢とした乳幼児向けの発達検査である。「移動運動」「手の運動」「基本的習慣」「対人関係」「発語」「言語理解」の 6 領域を測定し、心身の発達状況を総合的に評価する検査である。事例では、対象年齢も評価内容もともに適切である。

問題 036

Check ☑☑☑ 第2回 問題069

17歳の男子A、高校2年生。Aは、無遅刻無欠席で、いつもきちんとした身なりをしており真面目と評されていた。ところが、先日、クラスメイトの女子Bの自宅を突然訪ね、「デートに誘っても、いつも『今日は用事があるから、今度またね』と言っているけれど、その今度はいつなんだ」と、Bに対して激昂して大声で怒鳴りつけた。この経緯を知ったAの両親がAの心理を理解したいとAを連れて心理相談室を訪ねてきた。
Aの心理特性について見立てるためのテストバッテリーに加えるものとして、最も適切なものを1つ選べ。

1 AQ-J
2 MPI
3 SDS
4 STAI
5 TEG

問題 037

Check ☑☑☑ 第2回 問題016

神経心理学的テストバッテリーについて、正しいものを1つ選べ。

1 各心理検査は、信頼性が高ければ妥当性は問われない。
2 Luria-Nebraska 神経心理学バッテリーは幼児用として開発された。
3 固定的なバッテリーの補完としてウェクスラー式知能検査が用いられる。
4 多くのテストを含む固定的なバッテリーが仮説を検証するために用いられる。
5 可変的なバッテリーでの時計描画テストは、潜在する気分障害を発見するために用いられる。

解説 036　17歳男子・心理検査（事例）

正答 1

主訴や現状の様子（問題とされる行動など）を考慮して、テストバッテリーに含める検査を選択する必要がある。この問題では、クラスメイトの女子からいわれたことを字義通りに捉えて、社交辞令が通じていない可能性があるため、ASDの傾向を評価する必要がある。

1 ○ AQ-Jとは、[自閉症スペクトラム指数] 日本語版（Autism-Spectrum Quotient Japanese Version）のことであり、[ASD] 傾向を評価することを目的とした質問紙検査である。保護者に回答してもらう児童用（6歳～15歳が対象年齢）と、本人が回答する成人用（16歳以上が対象年齢）がある。

2 × MPIとは、[モーズレイ性格検査]（Maudsley Personality Inventory）のことであり、社交性や衝動性などの高低を測定する「外向性－内向性」と情緒の安定性や神経質さなどを測定する「神経症的傾向」の2つの性格特性を把握するための質問紙検査である。外向性（E尺度）と神経症的傾向（N尺度）の2尺度あり、それぞれ24項目ある。さらに、20項目の虚偽発見尺度（L尺度）に加えて、いずれの尺度にも含まれない中性項目が12項目と、計80項目で構成されている。

3 × SDSとは、[うつ性自己評価尺度]（Self-rating Depression Scale）のことであり、[抑うつ] 傾向を評価することを目的とした質問紙検査である。

4 × STAIとは、[状態・特性不安検査]（State-Trait Anxiety Inventory）のことであり、特定の状況で一過性に感じられるような不安である「状態不安」と状況に左右されない比較的安定した不安である「特性不安」を測定することを目的とした質問紙検査である。

5 × TEGとは、[東大式エゴグラム]（Tokyo University Egogram）であり、交流分析理論に基づき、5つの自我状態（批判的な親・養育的な親・大人・自由な子ども・順応した子ども）の強弱により、[性格] を把握することを目的とした質問紙検査である。現在は改訂版の新版TEG IIが主に使用されている。

解説 037　神経心理学的テストバッテリー

正答 3

神経心理学的検査は職場によっては使用する機会がそれほど多くないこともあり、学習の機会自体が低いかもしれないが、病院や特定の施設などでは使用頻度はそれほど低くないため、一通り学習をしておく必要がある。

1 × 各心理検査では、[妥当性] が高い場合には [信頼性] も高くなるが、[信頼性] が高いからといって [妥当性] が高いわけではない。

2 × Luria-Nebraska神経心理学バッテリーは、[成人用]（15歳以上が対象年齢）として開発された検査である。8歳～12歳を対象年齢とした小児用が存在するが、それも成人用の年齢を引き下げて対象を拡張したものである。

3 ○ 山下光・山鳥重によると、固定的バッテリーの代表である [Halstead-Reitan神経心理学バッテリー] を実施する際には、同時にWAISを実施することが多いとされている。これは固定的バッテリーの結果と、WAISによって測定される全般的な知的水準や下位検査の得点、その得点パターンなどとを比較検討するために用いられると考えられる。

4 × E.W. Russellによると、[可変的なバッテリー] は主に仮説を検証するために用いられ、[固定的なバッテリー] は主にパターン分析を行うのに用いられるとされている。

5 × 時計描画テストは、[認知機能障害] の評価に用いられる検査であり、可変的なバッテリーの中に取り入れたとしても、視空間認知能力やプランニング、実行機能などを評価することを目的として用いられる。

メモ　神経心理学的テストバッテリー

[神経心理学的テスト] は、知能や注意、記憶、知覚、言語、遂行機能などの高次脳機能の障害を評価し、診断や治療計画の補助となる情報を得たり、治療手段の有効性を評価したりする目的で実施される検査のことである。そして、そのような神経心理学的テストの組み合わせのことを [テストバッテリー] という。

問題 038　Check ☑☑☑　第4回 問題016

脳損傷者に対する神経心理学的アセスメントで使用される検査の説明として、最も適切なものを1つ選べ。

1. HDS-R の成績が低下している場合、遂行機能障害が疑われる。
2. RBMT は、手続記憶の障害を検討するために用いられる。
3. SLTA には、非言語性の認知検査も含まれる。
4. WAIS-Ⅳの数唱の成績は、注意障害の程度を知る助けになる。
5. WCST は、失認症を評価する検査である。

問題 039　Check ☑☑☑　第3回 問題096

Clinical Dementia Rating〈CDR〉について、正しいものを1つ選べ。

1. 介護必要度に関する評価はしない。
2. 質問調査による他者評価尺度である。
3. 健常と認知症の境界は、0.5点である。
4. 判定には、家族からの情報は考慮されない。
5. 人の見当識障害は、中等度障害と判定される。

問題 040　Check ☑☑☑　第2回 問題139

74歳の女性。単身生活で、就労はしていない。最近物忘れがひどいと総合病院の内科を受診した。内科医から公認心理師に心理的アセスメントの依頼があった。精神疾患の既往歴はなく、神経学的異常もみられない。以前から高血圧症を指摘されていたが、現在はコントロールされている。頭部CT検査で異常はなく、改訂長谷川式簡易知能評価スケール〈HDS-R〉は21点であった。
この時点で公認心理師が行う心理検査として、最も適切なものを1つ選べ。

1. CAPS
2. CPT
3. MMPI
4. WMS-R
5. Y-BOCS

メモ　カットオフ値

日本語では病態識別値ともいわれる。検査で測定された値が、正常とみなされる範囲内なのか、その検査で識別しようしている疾患が存在する確率が高いとされる範囲に入るのかを分ける境界値のことである。ただし、カットオフ値を超えたら即診断されるといった絶対的なものではなく、アセスメントをする上ではあくまでも目安と考えておくことが重要である。

解説 038　脳損傷者に対する神経心理学的アセスメント検査　正答 4

各検査の略語と何を測定する検査かについておさえておこう。

1 ×　HDS-R とは、[改訂長谷川式簡易知能評価スケール] のことであり、認知症などの [認知機能の障害] についてアセスメントする検査である。

2 ×　RBMT とは、[リバーミード行動記憶検査] のことであり、[日常記憶の障害] をアセスメントするための検査である。

3 ×　SLTA とは、[標準失語症検査] のことであり、「聴く」「話す」「読む」「書く」「計算」という 5 つの大項目からなる言語性の検査である。

4 ○　WAIS- IVの「数唱」は、[ワーキングメモリー] を測る基本検査であり、[聴覚的な情報への注意力] も関係があるため、注意障害のアセスメントをする上で、参考にすることも可能である。

5 ×　WCST とは、[ウィスコンシンカードソーティングテスト] のことであり、[前頭葉機能の障害] についてアセスメントする検査である。

解説 039　Clinical Dementia Rating（CDR）　正答 3

CDR（臨床的認知症尺度）は、認知症の重症度を評価する検査である。認知機能や生活状況などに関する 6 項目について、5 段階で評価する。

1 ×　記憶、見当識、判断力と問題解決、社会適応、家族状況および趣味・関心、介護状況の [6 項目] について評価するため、介護必要度に関する評価も含まれる。

2 ×　CDR は、[観察式] の認知症評価法であり、質問調査による他者評価尺度ではない。

3 ○　CDR の重症度は、①健常（CDR：0）、②認知症の疑い（CDR：0.5）、③軽度認知症（CDR：1）、④中等度認知症（CDR：2）、⑤重度認知症（CDR：3）の [5 段階] である。

4 ×　CDR は、[家族からの聞き取りと本人への質問] によって判定する。

5 ×　人物の見当識障害は [重度]（3 点）である。また、判定は 6 項目により総合的に行われる。

解説 040　74 歳女性・高齢者への心理検査（事例）　正答 4

主訴や検査目的に合わせて心理検査を選択する必要がある。この問題では、主訴に関わるような身体疾患や精神疾患、神経学的異常などがみられないため、まずは記憶に関する検査を行い、記憶能力を評価することが必要である。また、カットオフ値が示されている検査では、カットオフの値もおさえておく。

1 ×　CAPS とは、[DSM-5] に準拠した [PTSD] 臨床診断面接尺度（Clinician Administered PTSD Scale）のことであり、PTSD に関する中核症状の頻度や強度を [構造化面接法] によって評価を行うことを目的としている。事例では、心的外傷を示す情報がないため不適切である。

2 ×　CPT とは、持続遂行課題（Continuous Performance Test）のことであり、[持続的注意集中] を評価する検査である。単調な課題に対して一定の時間、持続的に注意を向けて課題を行うことで、AD/HD の中核症状である不注意や衝動性を評価することを目的としている。事例では、持続性注意や衝動性の問題を示す情報がないため不適切である。

3 ×　MMPI とは、ミネソタ多面的人格目録性格検査（Minnesota Multiphasic Personality Inventory）のことであり、550 の質問項目によって構成された質問紙検査である。MMPI は、適応状態や性格特性などを把握するために用いることが多く、記憶能力を評価するものではない。この事例では、「物忘れがひどいこと」が主訴であるため、最も適切であるとはいえない。

4 ○　WMS-R とは、[ウェクスラー記憶検査]（Wechsler Memory Scale-Revised）のことであり、5 つの指標（言語性記憶、視覚性記憶、一般的記憶、注意／集中力、遅延再生）から総合的に記憶能力を評価することを目的とした検査である。事例では、改訂長谷川式簡易知能評価スケール（HDS-R）がカットオフ値（[20] 点以下）を超えてはいないがギリギリであるため、記憶検査によって記憶能力について評価することが必要であるため適切である。

5 ×　Y-BOCS とは、エール・ブラウン [強迫観念・強迫行動] 尺度（Yale-Brown Obsessive Compulsive Scale）のことであり、強迫症状の重症度を評価することを目的とした検査である。事例では、強迫観念や強迫行動の問題を示す情報がないため不適切である。

④心理検査の適応、実施及び結果の解釈

問題 041 Check ☐☐☐ 第4回 問題037

成人のクライエントに対して行う心理検査の目的として、不適切なものを1つ選べ。

1 クライエントによる自己理解や洞察を深める。
2 セラピストのセラピー継続への動機づけを高める。
3 クライエントに関わるスタッフの支援の手がかりとする。
4 セラピストがクライエントの理解を深め、支援の方針を決定する指標にする。
5 セラピストとクライエントの間で、コミュニケーションやセラピーを深める道具とする。

問題 042 Check ☐☐☐ 第1回追 問題011

知的な遅れがなく、社会性やコミュニケーションを中心とした発達障害が疑われる児童に対して用いる検査として、最も適切なものを1つ選べ。

1 ADHD-RS
2 ADOS-2
3 M-CHAT
4 Vineland-Ⅱ
5 WISC-Ⅳ

問題 043 Check ☐☐☐ 第1回追 問題073

22歳の女性A、大学4年生。アルバイトや就職活動で疲弊し、試験勉強がまったく手につかないとAは学生相談室を訪れ、公認心理師に訴えた。Aは涙を流しており、事実関係は整理されておらず、混乱した様子であった。公認心理師とはほとんど視線を合わせず、うつむいたままであった。ベック抑うつ性尺度では、中等度のうつという結果が出された。MMPIの結果は、ほとんどの臨床尺度のT得点が60を超えていた。妥当性尺度は、？尺度＝0、L尺度＝30、F尺度＝90、K尺度＝40であった。
これらの情報からの判断として、最も適切なものを1つ選べ。

1 Aは防衛が強く、問題の程度が低く現れている。
2 一貫性のある回答が多く、素直に回答している。
3 社会的望ましさの回答が多く、検査の結果が歪曲されている。
4 精神的苦痛を誇張しているため、全体の得点が高くなっている。

解説 041 成人クライエントへの心理検査

正答 2

成人のクライエントに対する心理検査の目的や意義を理解していることが重要である。

1 ○ 心理検査の目的の 1 つは［自己理解］や［洞察］を深めることである。

2 × 心理検査は、クライエントの支援や治療に活用する目的で実施する。セラピストがセラピー継続の動機づけ目的に行うものではない。

3 ○ 心理検査は、クライエントの特性を［早期に客観的に］把握できることが大きな目的である。その結果を支援の手がかりにすることは正しい。

4 ○ 選択肢 3 と同様に、心理検査によって得られたクライエントの特徴を支援方針の手がかりにすることは適切な使用法である。

5 ○ 心理検査は結果を出す目的だけではなく、検査を 1 つの［コミュニケーションの手段］や関係性を深める道具として使用する方法もある。

解説 042 児童の発達障害のアセスメント

正答 2

特定の発達障害の可能性が疑われる場合の適切な検査に関する問題である。「知的な遅れがなく、社会性やコミュニケーションを中心とした発達障害が疑われる児童」という問題文から、ASD の可能性が高く、児童の年齢に対応した検査が適切である。

1 × ［AD/HD］の検査であり、不適切。

2 ○ ADOS-2 は［ASD］の疑いがある［幼児から成人］の幅広い年齢を対象にした検査であり適切。

3 × M-CHAT は、［ASD］の疑いがある［乳幼児（概ね 2 歳前後）］を対象にしているため、児童には使用しない。

4 × Vineland- II は特定の発達障害を測定するものではなく、全年齢を対象に［適応行動］の発達水準をはかる検査である。

5 × WISC- IVは児童用の［知能検査］であり、特定の発達障害を確定するものではない。

解説 043 22 歳女性・MMPI（事例）

正答 4

MMPI の解釈ができるかを問う問題である。MMPI は S.R. Hathaway & J.C. McKinley が開発した 550 項目からなる質問紙検査である。4 つの妥当性尺度と 10 の臨床尺度があり、本事例では主に各妥当性尺度が示す概念の知識が問われている。

1 × K 尺度得点は 40 であり［高くはない］ため、「防衛が強く」とはいえない。また F 尺度が 90 と［高い］ことから、「問題の程度が低く」ではないことがわかる。

2 × 一貫性と素直さの判断は、妥当性尺度全ての得点が［低い］ことが必要である。よって、間違いである。

3 × L 尺度得点は 30 であり［高くない］。よって検査結果が歪曲されているとはいえない。

4 ○ 「ほとんどの臨床尺度の T 得点が 60 を超えていた」および F 尺度が 90 と高いことから、精神的苦痛を［誇張］している可能性が高く、全体の得点が高くなっているとの解釈は正しい。

加点のポイント MMPI の妥当性尺度が示す特徴を把握しておこう

4 つの妥当性尺度の概要は、？尺度は疑問尺度と呼ばれ、無回答や優柔不断さをはかる。L 尺度は虚偽尺度であり、回答を歪曲させる傾向、F 尺度は頻度尺度であり心理的混乱や問題の誇張の傾向をはかる。K 尺度は修正尺度であり、防衛的な態度等をはかる。T 得点の平均は 50 である。

問題 044

Check ☑☑☑ 第1回 問題 076

19歳の女性A。Aは高校卒業後に事務職のパート勤務を始めた。もともと言語表現は苦手で他者とのコミュニケーションに困難を抱えていた。就職当初から、仕事も遅くミスも多かったことから頻繁に上司に叱責され、常に緊張を強いられるようになった。疲れがたまり不眠が出現し、会社を休みがちになった。家事はこなせており、将来は一人暮らしをしたいと思っているという。WAIS-Ⅲを実施した結果、全検査IQ77、言語性IQ73、動作性IQ86。群指数は言語理解82、知覚統合70、作動記憶62、処理速度72であった。
この検査結果の解釈として、正しいものを1つ選べ。

1 視覚的な短期記憶が苦手である。
2 聴覚的な短期記憶が苦手である。
3 全検査IQは「平均の下」である。
4 下位検査項目の値がないため判断できない。

問題 045

Check ☑☑☑ 第1回 問題 137

26歳の男性A、会社員。Aは仕事上のストレスが原因で心理相談室に来室した。子どもの頃から忘れ物が多く、頑固だと叱られることが多かった。学業の問題は特になかった。友人はほとんどいなかったが、独りの方が楽だと思っていた。就職した当初はシステムエンジニアとして働いており、大きな問題はなかった。しかし、今年に入って営業部に異動してからミスが増え、上司から叱責されることが多くなった。Aは「皆がもう少しゆっくりやってくれたら」と職場への不満を口にするが、「減給されるので仕事を休む気はない」と言う。
Aに実施するテストバッテリーに含めるものとして、最も適切なものを1つ選べ。

1 BACS
2 MMSE
3 STAI
4 WAIS-Ⅲ
5 田中ビネー知能検査Ⅴ

問題 046

Check ☑☑☑ 第1回 追 問題 061

34歳の男性、会社員。1年前、バイク事故により頭部を打撲し意識障害がみられたが、3日後に回復した。後遺症として身体的障害はみられなかった。受傷から9か月後に復職したが、仕事の能率が悪く、再度休職になった。現在の検査所見は、以下のとおりである。
順唱6桁、逆唱5桁、リバーミード行動記憶検査標準プロフィール点9点、WAIS-Ⅲ：FIQ82、VIQ86、PIQ78、遂行機能障害症候群の行動評価〈BADS〉総プロフィール得点20点、SDSうつ性自己評価尺度総得点30点。
検査所見により示唆される主たる障害として、最も適切なものを1つ選べ。

1 記憶障害
2 知能障害
3 注意障害
4 抑うつ障害
5 遂行機能障害

解説 044 19 歳女性・WAIS の解釈（事例） 正答 2

IQ の数値、各群指数が示す知的側面の把握を問う問題である（WAIS- Ⅳになり、群指数は廃止、指標得点となった）。
問題文「全検査 IQ77、言語性 IQ73、動作性 IQ86。群指数は言語理解 82、知覚統合 70、作動記憶 62、処理速度 72」から、IQ77 は境界域、群指数間で低い数値は作動記憶 62 であることをまず把握する。

1 × 視覚的短期記憶は、［処理速度］の指標である。処理速度は 72 のため、個人内差としては苦手とはいえない。

2 ○ 作動記憶は［聴覚的短期記憶］などを示す指数であり、62 と低く、正しい。

3 × 全検査 IQ77 は、「境界域」である。平均は「90～109」、平均の下は「80～89」である。

4 × 下位検査の値がなくても、全検査 IQ および各群指数間（Ⅳでは各指標得点間）の［有意差］から判断できる。

解説 045 26 歳男性・特徴にあったテストバッテリーの組み方（事例） 正答 4

本事例の見立ておよび心理検査の知識を問う問題である。まず見立てとして「子どもの頃から忘れ物が多く」という記載から発達障害の AD/HD 傾向が見受けられる。加えて、「頑固」や「皆がもう少しゆっくりやってくれたら」「休む気はない」と話すところからマイペースな傾向、自分のやり方にこだわるという ASD 傾向が認められる。よって、成人の知的側面の偏りが把握できる検査を選択する。

1 × BACS は［統合失調症］の認知機能をはかる検査である。

2 × MMSE は［認知症］のスクリーニング検査である。

3 × STAI は［不安］をはかる検査である。

4 ○ WAIS- Ⅲは［成人用知能検査］であり、知的な個人内差がわかる検査である。発達障害の可能性が考えられたときにまず実施される。

5 × 田中ビネー知能検査Ⅴは［子ども用］に作られている。成人にも適応できるが、WAIS のほうが妥当。

解説 046 34 歳男性・検査結果の解釈（事例） 正答 1

神経心理学的検査について、各検査の解釈の知識を問う問題である。

1 ○ リバーミード行動記憶検査は、［記憶］を評価する検査であり、標準プロフィール点［9 点］以下は重度記憶障害となる。

2 × 知能障害を測ることができる WAIS- Ⅲの FIQ82 は［平均の下］の域であり、知能障害ではない。

3 × WAIS- Ⅲの順唱 6 桁、逆唱 5 桁という結果は、［平均よりやや上］の数値であり、注意力や集中力が欠如しているといえる値ではない。

4 × SDS うつ性自己評価尺度では、［40 点］未満は抑うつ程度は低いとされる。よって、SDS 総得点 30 点という値は低く、抑うつ障害は否定される。

5 × 遂行機能障害症候群の行動評価（BADS）の総プロフィール得点は、［24 点］満点中 20 点であり、遂行機能障害の可能性は否定される。

問題 047 Check ☑☑☑ 第1回 追 問題072

24歳の女性A、会社員。Aは最近、職場で不安や緊張を感じるようになった。子どもの頃から成績は平均より上だったが、おとなしく内気な性格で友人は少なかった。就職した当初は単独作業が多かったが、配置転換により年上の先輩との協働作業が増えた。先輩の前では会議資料の準備をするときに緊張が高まり発汗し、ハンカチが手放せなくなった。変な人に思われるのではないかと思うと手が震え、視線を避けようとすると奇異に思われるのではないかと不安が高まるようになった。Aは出勤が負担に感じられるようになり心理相談室を訪れた。
Aに実施するテストバッテリーに含める心理検査として、最も適切なものを1つ選べ。

1 CAARS
2 IES-R
3 KABC-Ⅱ
4 LSAS-J
5 Y-BOCS

⑤生育歴等の情報、行動観察、心理検査の結果等の統合と包括的な解釈

問題 048 Check ☑☑☑ 第1回 追 問題138

4歳の男児A、幼稚園児。2歳頃、単語が話せない、他児への興味を示さない及び視線が合いにくいという症状のため受診したがその後通院はしていない。数字が大好きで数字用のノートを持ち歩くなど、自分なりのこだわりがある。状況の変化には混乱して泣いたりすることが多いが、親が事前に丁寧に説明するなどの対応をとることで、Aも泣かずに我慢できる場面が増えてきた。
公認心理師がAの支援をするにあたって、担当の幼稚園教諭からのAの適応状況に関する情報収集とAの行動観察に加え、Aに実施する心理検査として、最も適切なものを1つ選べ。

1 HDS-R
2 WISC-Ⅳ
3 田中ビネー知能検査
4 DN-CAS 認知評価システム
5 ベンダー・ゲシュタルト検査

メモ　ベンダー・ゲシュタルト検査は多様な使用法がある

ベンダー・ゲシュタルト検査は、9枚の幾何学図形を模写する作業検査法である。通常、検査は特定された面を評価するが、ベンダー・ゲシュタルト検査は、[視覚運動機能]の程度や[器質的な脳障害]の有無の鑑別、[パーソナリティ]の特性など、多様な領域で活用できる。

解説 047 24 歳女性・テストバッテリーの選択（事例） 正答 4

A の見立ておよびそれに適した心理検査の知識を問う問題である。ポイントは、問題文で述べられている A の特徴を把握すること。問題文を要約すると対人関係や他者の視線に強い不安や緊張を感じ、発汗や手の震えという症状が起きている。よって、その面をアセスメントできる検査を選択する。

1 × CAARS は、[コナーズ成人 ADHD 評価スケール] のことであり、[AD/HD] の検査であるため不適切である。

2 × IES-R は、[改訂出来事インパクト尺度（PTSD 評価尺度）] のことであり、[PTSD] の評価の際に用いることが多いため不適切である。

3 × KABC- II は、子どもを対象とした [発達検査] であるし、対象年齢も 18 歳 11 か月までになるため、特徴の面でも年齢の面でも不適切である。

4 ○ LSAS-J は、[リーボヴィッツ社交不安障害尺度日本版] である。社交不安障害は、「人の目が過剰に気になる」「人前で何かをするときに手が震えたり発汗したりする」「周りの人に変に思われるのではないか過剰に心配する」等の特徴をもつ。A の症状と近いため、適切である。

5 × Y-BOCS は、[エール・ブラウン強迫観念・強迫行為尺度] であり、[強迫性障害] を査定する。問題文に強迫症状に該当する記載はないため不適切である。

解説 048 4 歳男児・幼稚園児のアセスメント（事例） 正答 3

男児 A の見立ておよび心理検査の総合的な知識が問われている。まず A の状態「単語が話せない」「他児への興味を示さない」「視線が合いにくい」「数字が大好き」「自分なりのこだわりがある」等の記載から、知的な偏りが疑われる。知的発達に関して査定できる検査を選ぶ。

1 × HDS-R は [認知症のスクリーニング検査] であり不適切。

2 × WISC- IVの適応年齢は [5] 歳からであるため、4 歳の A には使用できない。

3 ○ 田中ビネー知能検査は [2] 歳から適応可能で [精神年齢（MA）] と [生活年齢（CA）] の比から知能指数（IQ）を算出できるため、知的発達に関して査定する最も適切な検査であると考えられる。

4 × DN-CAS 認知評価システムは発達検査であるが、対象年齢は [5] 歳からである。

5 × ベンダー・ゲシュタルト検査は [作業検査法] であり、対象年齢は [5] 歳からである。

加点のポイント MMSE と HDS-R の違いは？

心理検査で混同して間違いやすく、出題されやすいものの 1 つに認知症スクリーニング検査がある。認知症スクリーニング検査の代表的なものに、MMSE（ミニメンタルステート検査）と、改訂長谷川式簡易知能評価スケール（HDS-R）がある。日頃、職務でこれらの検査を使用していれば問題ないが、高齢者に携わっていない場合は使用したことがない人たちも多いだろう。そこで、間違いやすい MMSE と HDS-R の違いをここで確認しておこう。

● MMSE と改訂長谷川式簡易知能評価スケール（HDS-R）の違い

	MMSE	HDS-R
問題数	[11] 項目	[9] 項目
満点	30 点	30 点
弁別点数	[23] 点以下：認知症の疑い	[20] 点以下：認知症の疑い
特徴	言語性課題に加えて、図形模写など動作性検査がある。	事前に家族や周囲の人からの聞き取りが必要。

14 心理状態の観察及び結果の分析

問題 049 Check

第3回 問題072

8歳の男児A、小学2年生。授業についていけないという保護者からの主訴で、児童精神科クリニックを受診した。家庭生活では問題なく、勉強も家で教えればできるとのことであった。田中ビネー知能検査ではIQ 69、Vineland-IIでは、各下位領域のv評価点は9～11であった。

Aの評価として、最も適切なものを1つ選べ。

1. 知的機能が低く、適応行動の評価点も低いため、知的能力障害の可能性が高い。
2. 知的機能は低いが、適応行動の評価点は平均的であるため、知的能力障害の可能性は低い。
3. 保護者によると、家庭生活では問題ないとのことであるが、授業についていけないため、学習障害の可能性が高い。
4. 保護者によると、勉強も家で教えればできるとのことであるが、授業についていけないため、学校の教授法に問題がある可能性が高い。

問題 050 Check

第2回 問題060

21歳の女性A、会社員。伝えたいことを言葉で表現することが苦手で、不安が高まるとますますコミュニケーションが困難となる。職場では、苦手な電話対応を担当業務から除き、作業の指示にあたってもメモを活用するなど、十分な配慮を受けており、職場の居心地は良く、仕事にもやりがいを感じている。他方、自宅から職場が遠く、また自立したいという希望もあるが、親元を離れて一人暮らしを始めることに不安を感じている。Aはその相談のため会社が契約する心理相談室に来室した。

心理相談室の公認心理師がAの支援をするにあたり、Aに実施するテストバッテリーに含める心理検査として、最も適切なものを1つ選べ。

1. CBCL
2. Conners 3
3. IES-R
4. Vineland- II
5. VRT

解説 049　8 歳男児・知的機能と適応的行動（事例）　正答 1

知的能力障害は、①その対象が属する文化の中で期待される標準的な知能の水準よりも低いこと（IQ が概ね 70 以下が一般的）に加え、②社会的な適応の水準が低いことが判断基準となる。Vineland-II 適応行動尺度は、②について判断する方法のひとつとして用いられることが多いので、判断基準などを確認しておこう。

1 ○ 田中ビネー知能検査が IQ69 と知的機能が低く、Vineland- II 適応行動尺度の各領域の v 評価点（平均［15］、標準偏差 3）も 9～11 と平均より低いため、知的能力障害の可能性が高い。

2 × 知的機能が低いことは当てはまるが、Vineland- II 適応行動尺度の評価点が平均的というところが当てはまらない。

3 × 学習障害（限局性学習症）とは、全般的な知的能力の遅れや、視覚や聴覚などの機能的な障害がないにもかかわらず、読み書き能力や計算能力など、特定の領域のみに学習の遅れが示されている状態のことをいう。この問題では、田中ビネー知能検査が IQ69 と低く、全般的な知的機能の低さが想定されるため、知的能力障害の可能性が考えられる。

4 × 田中ビネー知能検査が IQ69 と全般的な知的機能の低さが想定されるため、学校の教授法のみが問題であるとは考えにくい。

解説 050　21 歳女性・心理検査（事例）　正答 4

主訴や現在の状況に合わせて心理検査を選択する必要がある。この問題では、職場のサポート環境は十分にあるため、本人のコミュニケーション能力や社会的スキル、生活スキルなどがどれだけあるかを把握することが必要である。

1 × CBCL とは、保護者が記入を行う［子ども］の行動チェックリスト（Child Behavior Checklist）のことであり、幼児用（2 歳～3 歳が対象年齢）と学齢児用（4 歳～18 歳が対象年齢）の 2 つが標準的に使用されている。事例では、年齢的に不適切である。

2 × Conners 3 とは、［子ども］の［注意欠如多動性障害（AD/HD）］の評価スケールであり、中核症状である不注意や多動性、衝動性や併存する可能性が高い症状を評価する検査である。保護者回答用・教師回答用（6 歳～18 歳が対象年齢）と子ども回答用（8 歳～18 歳が対象年齢）がある。事例では、AD/HD を疑う記載がないため、不適切である。

3 × IES-R とは、改定出来事インパクト尺度（Impact of Event Scale-Revised）であり、［心的外傷性］のストレス症状を評価する質問紙検査である。事例では、心的外傷を示す情報はないため不適切である。

4 ○ Vineland- II とは、［適応行動］尺度（Vineland Adaptive Behavior Scales Second Edition）のことであり、4 つの適応行動領域（コミュニケーション領域・日常生活スキル領域・社会性領域・運動スキル領域）と、それらを総合した適応行動総合点によって適応行動の発達水準を評価する検査である。0 歳～92 歳までを対象年齢としている。事例では、適応度を評価する上で適切である。

5 × VRT とは、［職業レディネス・テスト］（Vocational Readiness Test）であり、職業興味（現実的・研究的・芸術的・社会的・企業的・習慣的）を測定する A 検査と日常生活行動における基礎的志向性（対情報・対人・対物）を測定する B 検査、職務遂行の自信度を測定する C 検査からなる。中・高校生用、大学生（高校生以上が対象年齢）用がある。事例では、職場で十分な配慮は受けられており、職場環境や仕事内容が問題とはなっていないため不適切である。

問題 051 Check 第2回 問題061

２歳２か月の男児Ａ。Ａの保護者は、Ａの言葉の遅れと、視線の合いにくさが気になり、市の相談室に来室した。現時点では、特に家庭での対応に困ることはないが、同年代の他の子どもと比べるとＡの発達が遅れているのではないかと心配している。また、どこに行っても母親から離れようとしないことも、気にかかるという。
Ａの保護者からの情報とＡの行動観察に加え、公認心理師である相談員がＡに実施するテストバッテリーに含める心理検査として、最も適切なものを１つ選べ。

1 WPPSI-Ⅲ
2 CAARS 日本語版
3 新版Ｋ式発達検査
4 日本語版 KABC-Ⅱ
5 S-M 社会生活能力検査

問題 052 Check 第2回 問題140

22歳の女性Ａ。Ａは職場での人間関係における不適応感を訴えて精神科を受診した。ときどき休みながらではあるが勤務は継続している。親と仲が悪いので２年前から単身生活をしているとのことである。公認心理師が主治医から心理的アセスメントとして、YG法、BDI-Ⅱ、WAIS-Ⅳの実施を依頼された。YG法ではＥ型を示し、BDI-Ⅱの得点では19点で希死念慮はない。WAIS-Ⅳの全検査IQは98であったが、言語理解指標と処理速度指標との間に大きな差があった。
公認心理師が引き続き行う対応として、最も適切なものを１つ選べ。

1 MMSEを実施する。
2 田中ビネー知能検査Ｖを追加する。
3 家族から情報を収集したいとＡに伝える。
4 重篤なうつ状態であると主治医に伝える。
5 生育歴についての情報をＡから聴き取る。

解説 051 2歳2か月男児・心理検査（事例）

正答 3

主訴や対象年齢などを考慮して、テストバッテリーに含める検査を選択する必要がある。この問題では、対象の年齢が２歳２か月であること、保護者の主訴として発達の遅れを心配していることがポイントである。

1 ✕ WPPSI- Ⅲとは、[2歳6か月〜7歳3か月] を対象年齢としたウェクスラー式知能検査である（Wechsler Preschool and Primary Scale of Intelligence ― Third Edition）。2歳6か月〜3歳11か月では「全検査IQ」と「言語理解指標（VCI）」「知覚推理指標（PRI）」「語い総合得点（GLC）」を、4歳0か月〜7歳3か月では「全検査IQ」と「言語理解指標（VCI）」「知覚推理指標（PRI）」「処理速度指標（PSI）」「語い総合得点（GLC）」を測定することが可能である。事例では、対象年齢が異なるため不適切である。

2 ✕ CAARS日本語版とは、[成人] にみられる [AD/HD] 関連症状を評価することを目的とした検査である（Conners' Adult ADHD Rating Scales）。[18] 歳以上を対象年齢としている。事例では、評価内容も対象年齢も不適切である。

3 ○ 新版K式発達検査とは、主に乳幼児や幼児の「姿勢・運動」「認知・適応」「言語・社会」の3領域の発達水準を測定することを目的とする発達検査である。[0歳児（生後100日後）〜成人] を対象年齢としている。事例では、評価内容も対象年齢も適切である。

4 ✕ 日本語版KABC- Ⅱとは、子どもの [認知能力] と学力の基礎となる [習得度] を測定することを目的とした知能検査である（Kaufman Assessment Battery for Children Second Edition）。[2歳6か月〜18歳11か月] を対象年齢としている。事例では、対象年齢が不適切である。

5 ✕ S-M社会生活能力検査とは、子どもの日常生活の様子から [社会生活能力] の発達を評価することを目的とした検査である。[乳幼児〜中学生] を対象とし、保護者や教師が回答を行う。事例では、評価内容が不適切である。

解説 052 22歳女性・アセスメント（事例）

正答 5

主訴や現状についての情報、実施した検査結果などの情報を総合的に捉えて対応を考えていく必要がある。この問題では親と仲が悪いこと、全般的なIQは平均的であるが「言語理解指標」と「処理速度指標」の間に大きな差が示されていること、YG法は対人関係で不適応を起こしやすいというE型であること、BDI- Ⅱはカットオフ値（14点以上）を超えているが勤務は継続していて希死念慮はみられないこと、などがポイントである。

1 ✕ MMSEとは、精神状態短時間検査（Mini-Mental State Examination）のことであり、11項目（時間に関する見当識、場所に関する見当識、即時再生、遅延再生、計算、物品呼称、文章復唱、口頭指示、書字指示、文章書字、図形模写）からなる [認知機能検査] である。[認知症] のスクリーニングに用いられることが多い。

2 ✕ 知能検査であるWAIS- Ⅳを既に実施しており、結果も [全検査IQ] は98と制限がみられないため、現在の情報では知能検査を再度行う必要性があるとは判断できない。

3 ✕ 親との仲が悪いために単身生活をしているという情報もあるため、まずはAから情報を聞いていくほうが適切である。

4 ✕ [抑うつ] の程度を把握する検査であるBDI- Ⅱのカットオフ値を超えているが、ときどき休みながらも勤務は継続し、[希死念慮] もみられてはいないため、現時点の情報だけで重篤なうつ状態とまでは判断できない。

5 ○ 主訴は職場での人間関係における不適応感であり、[YG性格検査] の結果でも性格傾向として一般的に情緒が不安定で、社会適応に関しては引っ込み思案で積極性に欠ける面があるといわれているE型（不安定不適応消極型）を示している。また、WAIS- Ⅳでは、「言語理解指標」と「処理速度指標」の間に大きな差が示されていることから知的な偏りが推測される。いずれにおいても、対人関係が不適応な状態になりやすいため、これまでの対人関係の持ち方など生育歴についての情報をまずは聴き取る必要がある。

問題 053 Check 第3回　問題 073

25 歳の男性 A、会社員。A は、上司 B と共に社内の相談室に来室した。入社 2 年目であるが、仕事をなかなか覚えられず、計画的に進めることも苦手で、B から繰り返し助言されているという。B によれば、同僚にタイミング悪く話しかけたり、他の人にとって当たり前の決まり事に気がつかなかったりすることもあり、職場の中でも煙たがられているという。会社以外での対人関係で困ることはない。この 1 か月は早朝覚醒に悩まされ、起床時の気分も優れなかったため、会社を何日か休んだ。BDI-II の得点は 42 点、AQ-J の得点は 35 点であり、Y-BOCS の症状評価リストは 1 項目が該当した。
A に関する見立てとして、最も適切なものを 1 つ選べ。

1　軽度抑うつ状態
2　強迫症／強迫性障害
3　社交不安症／社交不安障害
4　自閉スペクトラム症／自閉症スペクトラム障害〈ASD〉

問題 054 Check 第4回　問題 066

67 歳の男性 A、税理士。重度認知症の母親 B と二人で暮らしている。A は、B の介護をしながら税理士の仕事をしている。A は、1 年前から集中力や思考力が低下して、仕事が捗らなくなった。ミスも増えたため、仕事を辞めようかと悩んでいた。物忘れ、不眠、食欲低下についてもかなり心配していた。A は、現在の状態が B の初期症状と類似しているのではないかと心配し、医療機関を受診した。A は、手段的日常生活動作〈IADL〉に問題はなく、HDS-R は 29 点、老年期うつ検査 -15- 日本版〈GDS-15-J〉は 13 点であった。
診断として疑われる A の状態として、最も適切なものを 1 つ選べ。

1　うつ病
2　パニック症
3　前頭側頭型認知症
4　Lewy 小体型認知症
5　心的外傷後ストレス障害〈PTSD〉

解説 053 25歳男性・会社内相談室での見立て（事例）

正答 4

事例問題では、心理検査の結果からアセスメントすることが多くなるため、各心理検査の内容やカットオフ値などについても確認しておこう。

1 × 抑うつ症状の程度を評価するBDI-IIの得点が42点と［重症］と評価される得点であるため、「軽度抑うつ状態」ではない。

2 × ［10］項目からなる強迫観念と強迫行為を評価するY-BOCSの症状評価リストのうち、1項目のみ該当であるため、不適切である。

3 × 会社の同僚との対人関係に困難さはあるものの、会社以外での対人関係に困り感はないため、不適切である。

4 ○ 会社以外での対人関係に困り感は本人としては感じていないものの、自閉スペクトラム症／自閉症スペクトラム障害を評価するAQ-Jの得点が35点とカットオフ値を上回っているため、適切である。

加点のポイント 検査と評価

症状	検査	評価
抑うつ	BDI-II	極軽症：0〜13点、軽症：14〜19点、中等症：20〜28点、重症：29〜63点
強迫観念、強迫行為	Y-BOCS	軽症：8〜15点、中等症：16〜23点、重症：24〜31点、最重症：32〜40点
自閉スペクトラム症／自閉症スペクトラム障害	AQ-J	成人用（16歳〜）：カットオフ値33点 児童用（6〜15歳）：カットオフ値25点

解説 054 67歳男性・診断として疑われる状態（事例）

正答 1

心理検査のカットオフ値と共に、各診断に特徴的な症状もおさえておこう。

1 ○ GDS-15-Jの得点が13点とうつ状態が疑われるのに加え、うつ病の症状としてみられやすい、［集中力や思考力］の低下、仕事の効率の低下、［不眠］、［食欲低下］などもみられるため、うつ病の可能性が考えられる。

2 × パニック症では、主な症状として、特に理由なく、極めて強い不安、恐怖、苦痛が短時間生じ、動機やめまい、発汗、手足の震えなどといった［パニック発作］がみられるが、問題の記述からは十分にはみられないため誤りである。

3 × 前頭側頭型認知症では、主な症状として、［社会性の欠如］、脱抑制、反社会的行動、［常同行動］、［遂行機能障害］、感情の鈍麻、自発的言葉の減少などがみられるが、問題の記述から十分にはみられないため誤りである。

4 × Lewy小体型認知症では、主な症状として、［注意力］の低下や視覚認知の障害（幻視）、［記憶障害］などの認知機能障害、歩行などの［動作］の障害、レム睡眠障害などがみられるが、問題の記述から十分にはみられないため誤りである。

5 × 心的外傷後ストレス障害では、主な症状として、悪夢やフラッシュバックなどが繰り返される［侵入症状］、外傷的出来事の早期刺激を避けたり、感情反応が麻痺したりする［回避症状］、精神的緊張・イライラ・不眠などの［過覚醒症状］などがみられるが、問題文の記述からはみられないため誤りである。

加点のポイント 検査と評価

症状	検査	評価
認知症	HDS-R	20点以下：認知症の可能性が疑われる。認知症の診断が確定している場合には、20点以下：軽度、11〜19点：中等度、10点以下：高度の可能性
老年期うつ	GDS-15-J	5点以上：うつ傾向、10点以上：うつ状態

問題 055 Check 第4回 問題138

28 歳の男性 A、会社員。A は、最近、会社に出勤できなくなり、産業医から紹介されて公認心理師 B のもとを訪れた。A は、人前に出ることはもともと苦手であったが、1 年前に営業部署に異動してからは特に苦手意識が強くなり、部署内の会議への参加や、上司から評価されるような場面を避けがちになった。B が実施した心理検査の結果、BDI-Ⅱの得点は 32 点、MAS の A 得点は 32 点、L 得点は 5 点、LSAS-J の総得点は 97 点であった。
A のアセスメントとして、最も適切なものを 1 つ選べ。

1 顕在性不安が強い。
2 抑うつ状態は軽度である。
3 軽度の社交不安が疑われる。
4 重度の強迫症状がみられる。
5 好ましく見せようとする傾向が強い。

問題 056 Check 第4回 問題076

20 歳の女性 A、大学 3 年生。A は、母親 B と精神科を受診した。B によると、A は、1 か月前に親友が交通事故に遭うのを目撃してから、物音に敏感になり不眠がちで、ささいなことでいらいらしやすく、集中力がなくなったという。一方、初診時に A は、「事故のダメージはない。母が心配し過ぎだと思う」と声を荒げ、強い調子で B や医師の話をさえぎった。医師の依頼で、公認心理師 C が A の状態把握の目的で心理検査を施行した。検査用紙を渡すと、A はその場で即座に記入した。結果は、BDI-Ⅱは 10 点、IES-R は 9 点であった。
C が A の心理検査報告書に記載する内容として、最も適切なものを 1 つ選べ。

1 心理検査の得点や B の観察、A の様子からは、PTSD が推測される。
2 心理検査の得点からは A の PTSD の可能性は低いため、支援や治療が必要なのは過度に心配する B である。
3 心理検査の得点からは PTSD の可能性が高いが、A が否定しているため、結果の信ぴょう性に問題がある。
4 心理検査の得点からは PTSD の可能性は低いが、その他の情報と齟齬があるため、再アセスメントが必要である。

(注:「PTSD」とは、「心的外傷後ストレス障害」である。)

解説 055　28歳男性・心理検査の結果（事例）　正答 1

心理検査のカットオフ値だけでなく、相談者の状態や症状などを総合してアセスメントを行う必要がある。

1 ○ MASのA得点が32点であり、L得点も5点と低めのため、[顕在性不安]が高い可能性があると判断される。

2 × BDI- IIの得点は32点と[抑うつ状態]は重症である可能性が高いため誤りである。

3 × LSAS-Jの得点は97点と高いため、重度の[社交不安]が疑われるため誤りである。

4 × 少なくとも問題文から、重度の強迫症状を疑うに足る記述がみられないため誤りである。

5 × 少なくとも問題文からは、好ましく見せようとする傾向が強いと判断するに足る記述がみられないため誤りである。

加点のポイント　検査と評価

症状	検査	評価
顕在性不安	MAS	一般男性（20～60歳）のA得点：19～22点：かなり不安が高い、23点以上：高度の不安を有している可能性が高い。 一般女性（21～35歳）のA得点：22～25点：かなり不安が高い、26点以上：高度の不安を有している可能性が高い。 L得点（Lie score）：11点以上ある場合は妥当性に疑いがある。
社交不安障害	LSAS-J	30点以上：社交不安が疑われ、50～70点：中等度、70～90点：さらに症状が著しく、日常生活に支障が認められる、90点以上：重度で、活動能力が極めて低下した状態の可能性があると判断される。

解説 056　20歳女性・心理検査報告書への記載（事例）　正答 4

心理検査の結果だけでなく、相談者の状態像や症状なども含めて総合的にアセスメントを行う必要がある。心理検査の結果と相談者の状態像や症状などが異なる場合には、なぜそのような差異が生じたかを検討する必要がある。

1 × 心理検査の結果はカットオフ値よりも低いため、記述は誤りである。

2 × 心理検査の得点はカットオフ値よりも低いが、過敏や不眠・イライラ・集中力の低下などの症状もみられており、母親Bの心配は妥当であるため、誤りである。

3 × 心理検査の結果はカットオフ値よりも低いため誤りである。また、Aの状態としてPTSDの可能性が示唆される症状がみられているため、Aの否定のみを根拠に、結果の信ぴょう性に問題があるとは判断できない。

4 ○ 心理検査の結果はカットオフ値よりも低いが、Aの状態としてPTSDの可能性が示唆される症状がみられている。また、Aの否定する気持ちが心理検査の結果に影響している可能性も考えられるため、[再アセスメント]が必要である。

加点のポイント　検査と評価

症状	検査	評価
抑うつ	BDI- II	0～13点：極軽症、14～19点：軽症、20～28点：中等症、29～63点：重症の可能性
PTSD	IES-R	25点以上：PTSD発症のリスクが高い

⑥適切な記録、報告、振り返り等

問題 057 Check ☑☑☑ 第4回 問題129

心理検査結果を報告する際の対応として、不適切なものを1つ選べ。

1 クライエントが得意とする分野も記載する。
2 報告する相手によって、伝え方を工夫する。
3 クライエントが検査を受ける態度から推察できることを記載する。
4 検査の記録用紙をコピーしたものを、そのままクライエントに渡す。

問題 058 Check ☑☑☑ 第2回 問題125

病院において、公認心理師が医師から心理検査を含むアセスメントを依頼された場合、その結果を報告する際の留意点として、不適切なものを1つ選べ。

1 依頼された際の目的に応えられるように、情報を整理し報告する。
2 心理的側面のみでなく、生物学的側面や社会環境も統合して報告する。
3 クライエントの処遇や治療方針を決めるための参考になるよう配慮する。
4 心理検査の結果を他の情報と照合することはせず、心理検査からの客観的報告にとどめる。

問題 059 Check ☑☑☑ 第2回 問題045

SOAP形式の診療録の記載内容について、正しいものを1つ選べ。

1 Sに神経学的所見を記載する。
2 Oに患者が話したことを記載する。
3 Aに検査データを記載する。
4 Pに今後のマネージメントの計画を記載する。

解説 057 心理検査結果の報告

正答 4

心理検査結果の解釈では回答内容や得点だけでなく、検査への態度なども含めて総合的な解釈が必要である。また、検査結果の報告は、相手が誰なのか、どのような報告であれば被検査者にとってメリットがあるのかなどを考慮して行う。

1 ○ 心理検査結果の報告では、苦手な分野やネガティブな結果についての記載だけでなく、被検査者の中で［得意な分野やポジティブな側面］も含めて記載する。

2 ○ 心理検査結果の報告では、報告を読む相手が内容を理解し、検査結果を活かせるように、相手によって［伝える内容や表現］を工夫する必要がある。

3 ○ ［検査態度］が検査結果に影響を与えている可能性があるため、検査態度の記述やそこから推察できることを記載する必要がある。

4 × 検査の記録用紙をコピーしたものをそのままクライエントに渡すことは、検査内容が流出して［適切な検査結果が得られなくなる］ことなどが生じる可能性があるため、誤りである。

解説 058 アセスメントの報告

正答 4

病院においては、基本的に医師のオーダーによって心理検査が行われるため、オーダーした医師がどのような目的でオーダーしたのか（診断や処遇、治療方針を立てるためなど）を確かめ、目的に沿った形で報告することが重要である。そのためには、総合的なアセスメントを行うことが求められる。

1 ○ アセスメントの結果を報告する際には、［依頼目的］に沿った形で情報を整理し、報告する必要がある。

2 ○ ［社会的要因］や［環境要因］、［生物学的要因］などが精神疾患や現在の心理状態に影響を与えている可能性があるため、総合的にアセスメントを行う必要がある。

3 ○ アセスメントの結果は、現在のクライエントの状態の把握だけでなく、医師が［診断］やクライエントの［処遇］、今後の［治療方針］などを決めていくのに参考となるような報告を行う必要がある。

4 × 心理検査の結果を単独で判断するのではなく、［成育歴］や［服薬状況］、［身体的疾患］の有無などの情報と合わせて総合的にアセスメントを行う必要がある。

解説 059 SOAP による記述

正答 4

医療領域での面接の記録は、SOAP 形式で記録することがある。SOAP 形式の記述は、患者の思いや医療者の判断や治療内容などが端的に誰にでもわかりやすく記載できるため、多くの現場で採用されている。その記載の仕方に関する知識を問う問題である。

1 × S は［Subject］の頭文字であり、［主観的データ］をいう。具体的には、クライエントや家族が話した気持ちや自覚症状などを書く。「神経学的所見」は［O］に書くべきであり誤り。

2 × O は［Object］の頭文字であり、［客観的データ］をいう。具体的には、検査の結果や治療者から見たクライエントの表情や症状のことを書く。「患者が話したこと」は［S］に書くべきであり誤り。

3 × A は［Assessment］の頭文字であり、査定、評価をいう。S や O を踏まえて［総合的］に評価した医師の診断や、心理師の解釈や分析などを書く。検査データは［O］に書くべきであり誤り。

4 ○ P は［Plan］の頭文字で、［計画］、［治療内容］をいう。今後の治療の方針や内容などを書くため、正しい。

第15章　心理に関する支援（相談、助言、指導その他の援助）

①代表的な心理療法並びにカウンセリングの歴史、概念、意義及び適応

問題 001

Check ☑☑☑　　第4回　問題097

心理療法における効果検証に用いられる方法として、最も適切なものを1つ選べ。

1　主成分分析
2　クラスター分析
3　ランダム化比較試験
4　コレスポンデンス分析
5　修正版グラウンデッド・セオリー・アプローチ

問題 002

Check ☑☑☑　　第1回　問題117

社会構成主義を基盤とする心理的支援について、正しいものを1つ選べ。

1　当事者との会話を維持することではなく、変化を起こすことを目標にする。
2　人間の活動が文化や価値観に根差しているという考えに基づいて支援を行う。
3　論理科学的モードとナラティブモードとの2つの基本的な思考パターンに分ける。
4　言語が現実を作り出すという視点から新たな社会意識を形成するという考えに基づいて支援を行う。

解説 001 心理療法の効果検証 正答 3

心理療法の効果検証として有効な分析法に関する知識が問われている。

1 × 主成分分析とは、多変量解析の手法である。分析対象が持つ多くの変数データを、分析対象をより特徴づける［少数の変数に分ける］ことで、データを理解しやすくする分析法である。

2 × クラスター分析とは、多数のデータを［グループ分け］して比較することである。異なる性質のものが混在した集合体の中から類似した特性のものを集めて［集団（クラスター）］を作り、分析対象を分類する。グループごとの特徴の把握に優れている。

3 ○ ランダム化比較試験とは、治療法などのある操作を行うこと以外の条件が同じになるように、対象者を2つ以上のグループに［ランダムに分ける］ことで、治療法などの効果を検証するものである。心理療法の研究では治療群（治療を行う群）と対照群（治療をせず観察のみの群）の2つに分けて比較する。治療効果の検証方法としては有効性があると認められているため、最も適切である。

4 × コレスポンデンス分析とは、多変量解析の手法で、アンケート結果などのクロス集計表のデータを、二次元の［同一のマップ上に示す］などして見やすくする分析である。

5 × 修正版グラウンデッド・セオリー・アプローチとは、複数の対象者のデータをまとめて概念化する［質的研究法］である。グラウンデッド・セオリー・アプローチでは、インタビューなどで得られた記述データを、切片化し、概念化やカテゴリー化などを検討し、モデルを構築する。ただし、切片化されたデータからは文脈が失われることが多かった。修正版グラウンデッド・セオリー・アプローチでは、切片化などをせずに概念形成しカテゴリー化した上で結果図を示すという方法を用いることで、［文脈を損なわずに解釈する］ことを可能にした方法である。

解説 002 社会構成主義と心理的支援 正答 2

社会構成主義は、K.J. Gergen によって提唱された考え方であり、社会の現実は、人間の認知（認識、解釈）の枠組みの中で作り上げられていくものとされている。ナラティブセラピーやブリーフセラピーに大きな影響を与えた。

1 × 社会構成主義では［言葉］や対話を重視している。変化を起こすことは目的としていない。

2 ○ 社会構成主義を基盤とする心理的支援では、人間の活動が［文化］や［価値観］に根差しているという考えに基づいて支援を行う。オープンダイアローグやナラティブアプローチがその例である。

3 × 社会構成主義は、［ナラティブモード］の思考パターンである。

4 × 社会構成主義は、言葉や対話を重視した共同作業を通して［関係性］の現実を作る。しかし、あらゆる知識は人々の間にある空間で発展していくと考えられており、「社会意識を形成するという考え」には基づいていない。

問題 003　Check ☑☑☑　第２回　問題 141

19 歳の男性 A、大学 1 年生。A は将来に希望が持てないと学生相談室に来室した。「目指していた大学は全て不合格だったので、一浪で不本意ながらこの大学に入学した。この大学を卒業しても、名の知れた企業には入れないし、就職できてもずっと平社員で結婚もできない。自分の将来に絶望している」と述べた。
A に対する社会構成主義的立場からのアプローチとして、最も適切なものを 1 つ選べ。

1　不本意な入学と挫折の心理について心理教育を行う。
2　A の将来への絶望について無知の姿勢で教えてもらう。
3　A の劣等感がどのように作り出されたのかを探索させる。
4　学歴社会の弊害とエリート主義の社会的背景について説明する。
5　A の思考のパターンがどのように悲観的な感情を作り出すのかを指摘する。

問題 004　Check ☑☑☑　第２回　問題 048

心理面接における沈黙について、誤っているものを 1 つ選べ。

1　沈黙の受け取り方は文化によって多様である。
2　沈黙はクライエント自身の内的探索を阻害する。
3　沈黙はクライエントの不快さを増大させることがある。
4　沈黙によってクライエントに共感を伝えることもできる。

解説 003　19歳男性・社会構成主義的アプローチ（事例）　正答 2

社会構成主義の基本的な世界観は、「現実は言語を通じての社会的交流を通じて構成される」というものである。社会構成主義のセラピストは、A が自分自身の物語を語ることを支援し、セラピストと A の会話を通じて、硬直した支配的な物語とは異なった多様な物語を共同構成することを目指す。その出発点としてセラピストが採用すべき姿勢は、A の問題については A 自身こそが専門家であり、セラピストはそれについて何も知らないので教えてほしいとする「無知の姿勢」である。

1　×　心理教育を行うということは、セラピストは「正しい知識」を持つ専門家であり、クライエントは教えを受ける非専門家であることを前提とするので、社会構成主義的な態度とはいえない。

2　○　無知の姿勢は H. Anderson と H. Goolishian が提唱した社会構成主義的なセラピーにおけるセラピストの基本姿勢である。

3　×　社会構成主義はクライエントの問題を劣等感という個人に内在する心理的状態であるとは考えない。クライエント自身がその構成性を探索するのであればそれを支援するが、セラピストがクライエントに「探索させる」べきであるとは考えない。

4　×　社会構成主義は、学歴主義やエリート主義について社会的に構成された1つの物語であると理解し、それらを唯一の現実（あるいは間違った現実）であるとは考えない。したがって、それらについて語り合うことはあっても一方的に「説明する」ことはしない。

5　×　社会構成主義は、クライエントの思考のパターンやそれがどのように感情に影響するかというメカニズムについての説明も社会的構成の産物であると考える。それをクライエントに指摘すべきものとは考えない。

解説 004　面接における沈黙の意味　正答 2

面接における沈黙には様々な意味がある。カウンセラーは、クライエントの沈黙の意味を汲み、その場に適した柔軟な対応をとることが求められる。

1　○　文化によって会話のペースは異なる。沈黙を重んじるか、会話のテンポが優先されるかなど、沈黙の捉え方は［文化］によって異なる。

2　×　沈黙には、クライエントが自身の内面を考え、どう言葉にしようかと［模索］している場合がある。よって、内的探索を阻害するとは限らず、促進している場合があるため誤り。

3　○　沈黙は、クライエントがカウンセラーの［応答］を待っている、クライエントからは何も話すことが見当たらないといった場合がある。その場合、あまりに長い沈黙は不快感を与えることになり、カウンセラーから適切な［言葉かけ］をする必要がある。

4　○　言葉にできない状態そのものに寄り添う方法として、カウンセラーも沈黙することで［共感］を伝えることができる場合がある。

問題 005

Check ☑☑☑　第1回 追　問題 140

20 歳の男性 A、大学生。最近、気分が落ち込むことがあり、学生相談室を訪れた。以下に A と公認心理師 B との対話の一部を示す。
B：一番気持ちが動揺するのは、どんなときですか。
A：成績が悪かったときや女の子にふられたときですね。
B：例えば、成績が悪かったとき、頭に浮かぶのはどんな考えですか。
A：みんなが僕を軽蔑していると考えます。僕は負け組だって。
B：女の子にふられたとき、頭に浮かぶのはどんな考えですか。
A：大した奴じゃないということ。男としての価値がないんですよ。
B：今のいくつかの考えに、何か繋がりが見えますか。
A：僕の気分は他の人が僕をどう見ているかに左右されてるんじゃないでしょうか。
この対話で B が用いている技法として、正しいものを 1 つ選べ。

1 構造化面接
2 問題解決技法
3 誘導による発見
4 モデリングの実践
5 マインドフルネスの導入

問題 006

Check ☑☑☑　第1回 追　問題 053

精神力動療法について、適切なものを 2 つ選べ。

1 クライエントの主観的世界を理解し受容する。
2 不安や恐怖を喚起して、それを段階的に和らげていく。
3 無意識的な心的過程が存在することが基本前提となる。
4 催眠療法から発展して外傷体験を想起させる方法へと移行した。
5 不快感や恐怖などの感情を喚起する内的なイメージや思考を変容させる。

問題 007

Check ☑☑☑　第1回　問題 128

日本で開発された心理療法について、正しいものを 2 つ選べ。

1 森田療法における入院療法では、最初の約 1 週間は終日横になったままで過ごす。
2 森田療法では、不安を「あるがままに」受けとめた上で、不安が引き起こす症状の意味や内容を探求していく。
3 内観療法における集中内観では、指導者を含め他人と一切話をしてはならない。
4 内観療法では、「してもらったこと」、「して返したこと」、「迷惑をかけたこと」及び「して返したいこと」という 4 項目のテーマが設定されている。
5 動作法では、心理的な問題の内容や意味を心理療法の展開の主な要因としては扱わない。

解説 005　20 歳男性・対話の技法（事例）

正答 3

各種心理療法における技法についての知識が問われる問題である。代表的なものはおさえておきたい。特に認知行動療法では、様々な認知的技法と行動的技法を用いながら支援が行われているため確認しておく必要がある。

1 ×　構造化面接とは、［あらかじめ設定した仮説］に沿って、質問内容や順序、つまり［シナリオ］を決めた上で行う面接法である。診断分類や統計処理を行いやすいため調査的面接でしばしば使用される。A と B の対話は自由に行われているため構造化面接ではない。

2 ×　問題解決技法とは、［認知行動療法］における技法・介入方法である。①問題解決志向性、②問題の明確化と目標設定、③問題解決策の産出、④問題解決策の選択と決定、⑤問題解決策の実行と評価、の 5 つのステップを通して問題を解決していくことを特徴とする。A と B の対話から問題解決技法が用いられている様子はみてとれない。

3 ○　誘導による発見とは、認知行動療法で大切とされている［ソクラテス的質問法］のことを指す。この質問法は、クライエントが［自問］し、［自ら発見］（新しい見方や考え方に気づくこと）できるように問いかける質問を繰り返していく。A と B の対話からは、公認心理師 B は A が自分で気づけるように優しく導くような態度を取り、誘導による発見が用いられていることが読み取れる。

4 ×　モデリングとは、［観察学習］であり、自分が体験をしなくてもモデルとなる人の行動の［観察］によって成立する学習を指す。A と B の対話からモデリングの実践を行っている形跡はみられない。

5 ×　マインドフルネスとは、第 3 世代とされる認知行動療法のひとつである。「今ここ」の体験を大切にし、評価や修正をせずに、［ただ観察］していく心的活動のことをいう。A と B の対話からマインドフルネスが用いられている様子はみられない。

解説 006　精神力動療法

正答 3、4

精神力動療法は力動的精神療法や精神力動的心理療法と同様である。

1 ×　「クライエントの主観的世界を理解し受容する」というのは、［来談者中心療法］の特徴である。

2 ×　「不安や恐怖を喚起して、それを段階的に和らげていく」というのは行動療法における［系統的脱感作法］の説明である。

3 ○　精神力動療法は［精神分析］の考え方をもとに発展しているため、精神分析と同様に無意識の存在や症状に対する無意識的意味を理解する。そのため、無意識的な心的過程の存在は前提となると考えられる。

4 ○　フロイトはヒステリー患者も［外傷体験］を必ず想起できると考え、［催眠療法］とカタルシスを併用して治療を行っていた。

5 ×　「不快感や恐怖などの感情を喚起する内的なイメージや思考を変容させる」というのは［認知行動療法］に関する説明である。

解説 007　日本で開発された心理療法

正答 1、5

日本で開発された心理療法には、森田療法、内観療法、動作法などがある。

1 ○　森田療法における治療段階には、①［絶対臥褥期］、②［軽作業期］、③［重作業期］、④［社会復帰期］の 4 段階がある。第 1 期である絶対臥褥期は、原則として［1 週間］程度は、食事・洗面・トイレ以外は病室に［横になって］過ごす。

2 ×　森田療法では、不安を［あるがまま］に受け止めるが、不安が引き起こす症状の意味や内容を探求したり解釈したりしない。

3 ×　内観療法は吉本伊信によって考案された日本独自の心理療法である。1～2 時間おきに面接に来る［指導者］に思い出したことを報告する。

4 ×　内観療法では、内観［3 項目］（してもらったこと、して返したこと、迷惑をかけたこと）が設定されており、これに従って回想する。

5 ○　動作法では、心理的な問題の内容や意味を心理療法の展開の主な要因としては［扱わない］。心身一元現象に基づいて、言葉ではなく動作を治療の媒体とするのが特徴である。

問題 008 Check ☑☑☑ 第1回 問題004

森田療法について、正しいものを１つ選べ。

1 「精神交互作用」の過程を重視する。
2 創始時に多く適用された対象は、統合失調症であった。
3 あるがままに受け入れるアプローチは、「身調べ」に由来する。
4 原法の絶対臥褥（がじょく）期では、読書は行ってもよいとされる。
5 「ヒポコンドリー性基調」とは、注意が外界に向けられ他者に敏感である状態をいう。

問題 009 Check ☑☑☑ 第1回 問題080

認知療法で用いられる手法として、最も適切なものを１つ選べ。

1 ラポール
2 自由連想法
3 非指示的方法
4 系統的脱感作法
5 非合理的信念を変容させる方法

問題 010 Check ☑☑☑ 第1回追 問題092

認知行動療法に影響を与えた人物と理論又は技法との組合せとして、正しいものを１つ選べ。

1 A.T. Beck －条件づけ理論
2 D. Meichenbaum －学習性無力感理論
3 G.A. Kelly －論理情動行動療法
4 G.H. Bower －感情ネットワークモデル
5 H.J. Eysenck －自己教示訓練法

問題 011 Check ☑☑☑ 第1回 問題050

認知行動療法について、正しいものを２つ選べ。

1 機能分析では、非機能的な認知に気づき、それに代わる機能的な認知を見つける。
2 セルフ・モニタリングでは、個人が自らの行動、思考、感情などの側面を観察し、報告を行う。
3 トークン・エコノミー法では、レスポンデント条件づけの原理を用い、望ましい行動を示した場合に強化報酬を与える。
4 モデリングでは、クライエント自身が直接経験しなくても、他者（モデル）の行動を観察することで新しい行動の習得につながる。
5 行動実験では、言葉による行動調節機能を用い、クライエントが自分自身に適切な教示を与えることによって治療効果を引き出す。

解説 008 森田療法

正答 1

森田療法は森田正馬によって創始された日本で生まれた心理療法である。

1 ○ 「精神交互作用」とは、[注意] と [感覚] の悪循環（例えば、自己の心身の状態に注意が集中することで、かえって不快な状態になること）をいう。森田療法において、神経症の症状を引き起こす仕組みの1つと考えられており、重視されている。

2 × もともとは強迫性障害や恐怖症性不安障害、パニック障害、全般性不安障害、心気障害などの神経症性障害が治療の対象であった。統合失調症のように病識の低い患者には一般的には適応されていなかった。

3 × 「身調べ」に由来する心理療法は [内観療法] である。

4 × 絶対臥褥期には、食事、洗面、トイレ以外は一切の行為が禁じられ、終日 [個室] で過ごす。

5 × 「ヒポコンドリー性基調」とは、[自分の心身] に病的なものがあるのではないかと不安に思う心気症的性格傾向のことである。

解説 009 認知療法

正答 5

認知療法は歪んだ認知に働きかけることによって不適応状態や症状を改善させる心理療法である。

1 × ラポールとは、[信頼関係] のことであるため「手法」ではない。また、カウンセラーはクライエントとラポールを築くことが重要であるが、これは認知療法に限ったことではない。

2 × 自由連想法は、頭に思い浮かんだことを自由に話していく。これは [精神分析]、[精神分析的心理療法] の技法のひとつである。

3 × 非指示的方法は、[来談者中心療法] の手法である。

4 × 系統的脱感作法とは、[行動療法] の手法である。不安階層表を作成し、リラックスした状態で不安が1番低いものから順番に不安対象に曝露させる。

5 ○ 認知療法では、[非合理的信念] を合理的な信念に変容させることによって不適応状態や症状を改善させる。

解説 010 認知行動療法

正答 4

認知行動療法は様々な理論や技法をもとに発展してきた。

1 × A.T. Beck は、[認知療法] を創始した精神科医である。

2 × D. Meichenbaum は、自己教示訓練法を提唱し、[ストレス免疫訓練] を体系化した心理学者である。

3 × G.A. Kelly は、[パーソナル・コンストラクト理論]（認知と感情、行動を統合的に捉える枠組み）を提唱した心理学者である。

4 ○ G.H. Bower は、[感情ネットワークモデル] を提唱した。また、感情と認知の相互関係について研究し、[気分一致効果] や気分状態依存効果を明らかにした。

5 × H.J. Eysenck は、[人格心理学] に関する研究や [行動療法] の体系化に貢献した心理学者である。

解説 011 認知行動療法

正答 2、4

認知行動療法は認知と行動に働きかけることによって不適応状態や症状を改善させる心理療法である。特徴などについてしっかりと整理しておこう。

1 × 機能分析とは、問題（標的）行動の [維持] 要因と、行動が環境にもたらす効果を明らかにすることである。

2 ○ セルフ・モニタリングとは自分の [行動] や [考え]、[感情] を自分で観察したり、記録したりすることをいう。

3 × トークン・エコノミー法とは、望ましい行動を示した場合に [トークン] を与える方法であり、[オペラント条件づけ] の原理が用いられている。

4 ○ モデリングとは、他者の行動を [観察] することによって、本人が実際に経験しなくても新しい行動様式を [学習] することである。

5 × 行動実験とは、[非機能的な認知] に気づいてもらうため、不安や恐怖を感じている行動を実際に [体験] してもらい、その認知の妥当性を検証する作業である。

問題 012

Check ☑☑☑ 第 4 回 問題 054

マインドフルネスに基づく認知行動療法として、適切なものを 2 つ選べ。

1 内観療法
2 応用行動分析
3 弁証法的行動療法
4 アサーション・トレーニング
5 アクセプタンス&コミットメント・セラピー〈ACT〉

加点のポイント 内観療法

吉本伊信によって確立された、日本生まれの心理療法の 1 つである。浄土真宗の一派に伝わる「身調べ」という修行法にヒントを得て、宗教色を取り去って作られた。現在、学校、病院、少年院や刑務所など幅広い分野で用いられている。集中的に行う方法、日常生活の中で行う方法がある。

加点のポイント アサーション・トレーニング

1960 年代にアメリカの公民権運動を背景に誕生した自己表現方法で、社会的弱者が声を上げる方法として注目された。自分の思い通りに相手を動かそうとするのではなく、相手も自分も大切にしながら、お互いが納得できるようなコミュニケーション方法をとる。

加点のポイント アクセプタンス&コミットメント・セラピー

S.C. Hayes、K.D. Strosahl、K. Wilson によって体系化された機能的文脈主義に基づく心理療法であり、認知行動療法の第三の潮流として位置づけられている。行動分析学の実証研究をもとに作られた臨床行動分析の枠組みに含まれる。

問題 013

Check ☑☑☑ 第 4 回 問題 096

パーソナリティ障害に適用するため、認知行動療法を拡張し、そこにアタッチメント理論、ゲシュタルト療法、力動的アプローチなどを組み込んだ統合的な心理療法として、最も適切なものを 1 つ選べ。

1 スキーマ療法
2 対人関係療法
3 動機づけ面接
4 問題解決療法
5 アクセプタンス&コミットメント・セラピー〈ACT〉

解説 012 マインドフルネスに基づく認知行動療法

正答 3、5

マインドフルネスとは、この瞬間に、意図的に、そして、価値判断することなく注意を向けることである。

1 × 内観療法は、「してもらったこと」「して返したこと」「迷惑をかけたこと」の3つのテーマについて、具体的な過去の事実を見直していくことにより、価値観や人生観について心理的な変化が生じ、その結果、症状や問題が消失することを目指す。この中にはマインドフルネスについて具体的に言及されていない。

2 × 応用行動分析学とは、[B.F. Skinner] が体系化した個人と環境の相互作用についての学問体系である行動分析学の実験、応用、哲学の側面のうち、ヒューマンサービスの問題解決や困難に応用した応用領域のことである。

3 ○ 弁証法的行動療法（dialectical behavior therapy：DBT）は、M.M. Linehan によって開発された［境界性パーソナリティ障害］に対する認知行動療法であり、効果が実証されている。弁証法、マインドフルネス、行動分析学の要素が取り入れられており、個別面接、集団のスキル訓練、電話による対応、セラピスト同士によるコンサルテーションから成り立っている。

4 × アサーション・トレーニングは、自分の気持ち、意見、相手への希望を、できるだけ率直にその場に合った適切な方法で伝える［自己表現］を身につけるための訓練方法である。［自己主張訓練］ともいわれる。

5 ○ アクセプタンス&コミットメント・セラピー（acceptance and commitment therapy：ACT）とは、不快な私的事象を力ずくで制御するのではなく、その制御を手放すことを促す［アクセプタンス］に加え、マインドフルネスの技法を導入し、価値に沿った行動を選択できるように促す［コミットメント］の技法を用いる。実証的な効果が確認されている。ACT では、マインドフルネスを、①脱フュージョン、②アクセプタンス、③「今この瞬間」との柔軟な接触、④文脈としての自己の4つの概念によって定義している。

解説 013 統合的心理療法

正答 1

認知行動療法は発展し続けており、現在までさまざまな心理療法を生み出している。その認知行動療法をベースとしながら他の療法も取り入れて拡張したパーソナリティ障害に対する統合的な心理療法に関する新しい知識を問う問題である。

1 ○ スキーマ療法とは［スキーマ（中核信念）］にアプローチする療法である。パーソナリティ障害に対しては、「幼少期に形成されたネガティブなスキーマ」が原因であると捉え、それを健康な方向に変化させていく統合的認知行動療法である。

2 × 対人関係療法とは、身近な他者との［対人関係］のあり方を変えていくアプローチである。摂食障害やうつ病などに有効性が示されている。

3 × 動機づけ面接とは、生活習慣病やアルコール依存症などの課題を抱えたクライエントに［問題意識］を持ってもらうための面接である。

4 × 問題解決療法とは、具体的な問題の解決に重点を置いた［認知行動療法］の1つである。パーソナリティ障害に特化した療法ではないことと、他の理論や技法を統合したものではないため不適切。

5 × ACT とは、［マインドフルネス］の考えを基盤とした第3世代といわれる認知行動療法の1つである。

問題 014 Check ☑☑☑ 第1回 問題121

C.R. Rogers によるクライエント中心療法における共感的理解について、誤っているものを1つ選べ。

1 建設的な方向に人格が変容するために必要な条件の1つである。

2 セラピストが共感的理解をしていることがクライエントに伝わる必要がある。

3 セラピストの内的照合枠に沿って、クライエントが感じている世界を理解することである。

4 クライエントの内的世界を「あたかもその人であるかのように」という感覚を保ちながら理解することである。

問題 015 Check ☑☑☑ 第1回 問題114

フォーカシング指向心理療法の基本的な考え方や技法について、最も適切なものを1つ選べ。

1 過去から現在までの体験の積み重ねを共同作業の中で丁寧に検討する。

2 情動体験をより深く十分に感じることによって変化することを目指す。

3 問題や状況について、本人が既に分かっている気づきを更に深めるように質問を重ねていく。

4 クライエントが自身の身体に起こる、まだ言葉にならない意味の感覚に注意を向けるよう援助する。

問題 016 Check ☑☑☑ 第2回 問題018

E.T. Gendlin は、問題や状況についての、まだはっきりしない意味を含む、「からだ」で体験される感じに注目し、それを象徴化することが心理療法における変化の中核的プロセスだとした。この「からだ」で体験される感じを表す用語を1つ選べ。

1 コンテーナー

2 ドリームボディ

3 フェルトセンス

4 フォーカシング

5 センサリー・アウェアネス

解説 014 クライエント中心療法における共感的理解

正答 3

クライエント中心療法は C.R. Rogers によって創始された心理療法である。自己一致・無条件の肯定的関心・共感的理解がカウンセラーの基本的態度とされる。それぞれどのようなものか確認しておこう。

1 ○ C.R. Rogers は、クライエントに建設的な［パーソナリティ］の変化をもたらす条件を 6 つ挙げており、［共感的理解］も含まれる。

2 ○ 共感的理解はクライエントのパーソナリティが建設的な方向へ変化するための条件のひとつであるが、共感的理解をクライエントに伝達することが大切である。

3 × 共感的理解は、クライエントの内的照合枠に沿って、クライエントが感じている世界を理解することである。

4 ○ クライエントの内的世界を「あたかもその人であるかのように」という感覚を保ちながら理解することは大切である。

加点のポイント 集団療法

クライエント中心療法を創始した C.R. Rogers は、個人心理療法から集団療法に注目していき、エンカウンター・グループを発展させた。集団療法には他に、J.L. Moreno が創始した即興劇による集団療法［サイコドラマ］が有名である。

解説 015 フォーカシング指向心理療法

正答 4

フォーカシング指向心理療法は E.T. Gendlin によって開発された心理療法であり、身体の体験過程を重視している。

1 × フォーカシング指向心理療法では、過去から現在までのことについて、「今ここ」での体験に触れながら語る。思い出したり語ったりすることで「今どう感じているか」が重要である。

2 × ［フェルトセンス］（言葉にならない漠然とした身体感覚）を感じることが大切とされている。

3 × 本人が既にわかっている気づきをさらに深めるように質問を重ねていくことはしない。「何となく感じるもの」と向き合えるよう支援する。

4 ○ クライエントが自身の身体に起こる、まだ言葉にならない意味の感覚を［フェルトセンス］といい、フォーカシング指向心理療法では、カウンセラーはクライエントがフェルトセンスを感じられるよう援助する。

解説 016 フォーカシング

正答 3

E.T. Gendlin が考案したフォーカシングの知識を問う問題である。フォーカシングとは、漠然とした身体感覚に注意を向け、その感覚を概念化、言語化し、気づきを深めることで自己成長を促すとする療法である。

1 × コンテーナーとは、精神分析で使用される用語で、「心の容器」という意味を持つ。E.T. Gendlin のフォーカシングではないため誤り。

2 × ドリームボディとは、［A. Mindell］が提唱した概念である。身体と夢は［共時性］があると唱え、身体と夢が一体となった状態（身体＝夢）を「ドリームボディ」と名づけた。

3 ○ E.T. Gendlin は、フォーカシングにおいて、漠然とした身体感覚を［フェルトセンス］と名づけた。問題文の「からだで体験される感じ」はフェルトセンスであるため正しい。

4 × 問われているのは、「フォーカシングにおける身体への体験を何というか」であるため、フォーカシングという解答は誤りとなる。

5 × センサリー・アウェアネスとは、［C. Selver］によって開発された「感覚の気づき」という用語であるため、フォーカシングではない。

問題 017

Check ☑☑☑　第3回　問題026

構成的グループエンカウンターの特徴として、最も適切なものを 1 つ選べ。

1　グループを運営するリーダーを決めずに実施する。
2　参加者の内面的・情動的な気づきを目標としていない。
3　特定の課題設定などはなく、参加者は自由に振る舞える。
4　レディネスに応じて、学級や子どもの状態を考慮した体験を用意できる。
5　1回の実施時間を長くとらなくてはいけないため、時間的な制約のある状況には向かない。

問題 018

Check ☑☑☑　第2回　問題111

I.D. Yalom らの集団療法の治療要因について、誤っているものを 1 つ選べ。

1　他者を援助することを通して、自己評価を高める。
2　他のメンバーを観察することを通して、新たな行動を学習する。
3　集団との一体感を覚えることで、メンバー相互の援助能力を高める。
4　現在と過去の経験についての強い感情を抑制することで、コントロール力を高める。
5　他者も自分と同じような問題や悩みを持っていることを知り、自分だけが特異ではないことに気づく。

問題 019

Check ☑☑☑　第1回追　問題060

28 歳の女性 A。バスで通勤中、突然、激しい動悸と息苦しさに襲われ、強い不安を感じた。途中のバス停で降りてしばらく休んでいたら、落ち着いたので、その日は会社を欠勤し帰宅した。その後、繰り返し同じ発作に見舞われ、また発作が起こるのではと不安が強くなった。バスに乗るのが怖くなり、家族に車で送ってもらわないと出勤できなくなった。やがて外出することも困難となったため、医師の紹介で相談室を訪れた。
A に対する認知行動療法として、最も適切なものを 1 つ選べ。

1　イメージは用いず、現実的な状況を段階的に経験させる。
2　不安な気持ちに共感し、安全な行動をとるようにさせる。
3　一人での練習は危険を伴うため、ホームワークは用いない。
4　発作の前兆である身体症状を意図的に作り出し、経験させる。
5　より機能的な考え方に修正できるよう、リラクセーション法は用いない。

解説 017 構成的グループエンカウンター　正答 4

構成的グループエンカウンターとは、集団での活動を通して心と心を通わせることを目的とした方法である。

1 × 構成的グループエンカウンターでは、リーダーを決め、リーダーの指示した［課題］をグループで取り組む。

2 × 参加者の［内面的・情動的な気づき］こそを標的としている。

3 × ［特定の課題設定］をした上で、集団内の心の交流を図る。

4 ○ レディネスとは学習の前提となる知識や経験などの［準備性］を意味する。各グループのレディネスに適した課題を設定する。

5 × 課題や人数により比較的［短時間］で実施できる。

解説 018 I.D. Yalom の集団療法　正答 4

I.D. Yalom は、集団のコミュニケーションで生じる心の動きの何が治療的に働くかという集団療法の治療要因について数多くの研究結果を報告している。その知識を問う問題である。

1 ○ I.D. Yalom は、グループで自分が誰かの役に立つという経験をすることで自分の存在が価値あるものだと感じることができるとして、［愛他性］を治療要因に挙げている。

2 ○ 他のメンバーを観察することで、新たな行動パターンを得る、小さな社会体験を得るなどといった［観察効果］が治療要因になっているとしている。

3 ○ 集団内に一体感などを生み出す［集団凝集性］は、メンバーに強い影響を与えるとしている。

4 × 感情を抑制するのではなく、安心感を持てるグループでおさえていた感情を語ることで［カタルシス］を得られるとした。

5 ○ 自分と同じような悩みを持つメンバーの話を聴くことで、自分の悩みは特異なものではないという［普遍性］に気づき、「自分だけではない」という安心感や孤独感の緩和につながるとした。

解説 019 28 歳女性・パニック障害（事例）　正答 4

パニック障害に対する公認心理師としての認知行動療法的対応を問う問題である。

1 × イメージを用いた方法、例えば恐怖の場面をイメージして徐々に慣らすなどの［系統的脱感作法］が用いられることがある。

2 × 不安な気持ちに共感するのは［ロジャーズ流］のカウンセリング手法で、認知行動療法的な戦略とはいえない。「安全な行動をとるようにさせる」のも認知行動療法的な治療とはいえない。

3 × 認知行動療法では［ホームワーク］は重要な技法の一種として広く用いられている。

4 ○ 「発作の前兆である身体症状を意図的に作り出し、経験させる」ことは、［フラッディング］や［エクスポージャー］と呼ばれる方法であり、［パニック障害］の治療法としては一般的に推奨される。

5 × 認知行動療法でも［リラクセーション］は重要な技法として用いられる。

問題 020

Check ☑☑☑ 第 1 回 問題 151

20 歳の男性 A、大学生。A は大学のサークル内の友人関係におけるトラブルを経験した。その後、周囲の様々な物が不潔だと感じられるようになり、それらに触れた場合、馬鹿らしいと思っても何十分も手を洗わずにはいられなくなった。手を洗うことで一時的に不安は弱くなるが、手を洗うのをやめようとすると不安が強くなった。やがて、日常生活に支障を来すようになり、医師の紹介で相談室に訪れた。
A に対する行動療法として、最も適切なものを 1 つ選べ。

1 A の不安が一時的ではなく完全に消失するまで手洗い行動を続けさせる。
2 触った後で手を洗いたくなるような不潔な物を A に回避させることで、不安を弱くさせる。
3 手を洗った後で、本当に手がきれいになったかどうかを家族に確認してもらい、手洗い行動を減らしていく。
4 不潔だと感じる物に意図的に触れさせ、手洗い行動をしないように指示し、時間の経過とともに不安が弱まっていくことを確認させる。

問題 021

Check ☑☑☑ 第 4 回 問題 141

7 歳の男児 A、小学 1 年生。入院治療中。A は、気管支喘息と診断され通院治療を受けていた。喘息発作で救急外来を受診したとき、強引に押さえられて吸入処置を受けた。それを機に、吸入器を見ると大泣きするようになり、自宅での治療が一切できなくなった。そのため、発作により、救急外来を頻回に受診するようになり、最終的に入院となった。医師や看護師が吸入させようとしても大泣きして手がつけられず、治療スタッフが近づくだけで泣くようになったため、主治医から公認心理師に心理的支援の依頼があった。
A に対して行う行動療法的な支援の技法として、適切なものを 1 つ選べ。

1 嫌悪療法
2 自律訓練法
3 エクスポージャー
4 バイオフィードバック
5 アサーション・トレーニング

解説 020　20歳男性・行動療法（事例）

正答 4

事例の内容からは強迫性障害である可能性が考えられる。強迫性障害に対する行動療法について理解しておくことが望ましい。

1 ×　不安が完全に消失するまで手を洗い続けたとしても、根本的な解決にはなっておらず、何かのきっかけで再び不安が生じる可能性もある。

2 ×　強迫性障害に対する行動療法において不安を感じるもの（この場合は不潔な物）を回避させるという手法はない。[行動療法・認知行動療法] では、不安や強迫観念を [追体験] しながら、自らの意思で不安や恐怖を克服していく。

3 ×　強迫性障害の場合、症状に家族を巻き込むことは、お互いの苦痛や負担を増幅させるのでできるだけしないほうがよい。

4 ○　問題文は [曝露反応妨害法] の説明である。[曝露反応妨害法] は強迫性障害に対する心理療法として有効であることが明らかにされている。

解説 021　7歳男児・恐怖症に対する精神療法（事例）

正答 3

認知行動療法で用いられる介入技法には様々なものがあるが、疾患・障害ごとに効果や有効性は異なる。研究によって支持された心理学的な介入法やその内容について、ガイドラインなどを確認してまとめておくとよい。

1 ×　行動療法における [古典的条件づけ] に基づく技法の1つ。標的とする不適切な行動が生じた直後に嫌悪刺激を随伴させることにより、問題行動が生じなくなることを目的とする。

2 ×　自律訓練法は身体感覚を中心とした [自己催眠訓練法] の一種で、[リラクセーション] などに用いられる。習得して効果を実感するのには時間がかかるため、緊急性を要する本事例の恐怖症状の場合は治療法として適切ではない。

3 ○　エクスポージャー（曝露法）では、不安や恐怖を引き起こす刺激や場面について、イメージや実際の行動により [接近・接触する] ことで、少しずつその場面と不安・恐怖との結びつきを弱めていくことができる。本事例のように非常に強い恐怖症状を呈していて、身体疾患の治療を妨げていたり生命の危険があったりするなど緊急性が高い場合、最終的に恐怖の対象と向き合う必要があるので、エクスポージャー（曝露法）が選択肢に入る。

4 ×　バイオフィードバックとは、通常自身でコントロールすることが難しい [自律神経系] の働きを、脳波などの [生理指標を外在化] し、訓練によって意図的にコントロールできるようにする手法のことをいう。リラクセーション訓練や各種疾患の治療に用いられるが、この事例では第1選択として不適切である。

5 ×　アサーション・トレーニングは、自分の気持ちを率直に適切な方法で伝えるための訓練法であるが、ここでは恐怖症の症状をなくして気管支喘息の治療を受けられるようにすることが第一であるため、適さない。

加点のポイント　嫌悪条件づけ法（嫌悪療法）

例えばアルコール依存症の場合、アルコールの摂取により、吐いたり、気分が悪くなったりするシアナマイドという薬物を服用し、アルコールを見ただけで吐き気がして飲みたくなくなるようにする。この他にも、喫煙、過食、性的逸脱などでも嫌悪条件づけ法が用いられることがある。

加点のポイント　自律訓練法

ドイツのJ.H. Schltzは、自己暗示による催眠の健康面への有効性に着想を得て実験と研究を重ね、身体感覚を中心とした自己催眠訓練法の一種である自律訓練法を作りあげた。標準練習は7つの段階からなり、受動的注意集中の態度を保ちつつ、公式と呼ばれる言葉を繰り返す。

②訪問による支援や地域支援の意義

問題 022 Check ☐☐☐ 第4回 問題114

アウトリーチ（多職種による訪問支援）の説明として、不適切なものを1つ選べ。

1 多職種・多機関でのチーム対応が求められる。
2 虐待事例における危機介入で用いられる手法の1つである。
3 支援者が自ら支援対象者のもとに出向く形態の支援である。
4 対象者のストレングスの強化より病理への介入が重視される。
5 対象者の多くは、自ら支援を求めない又は求められない人である。

問題 023 Check ☐☐☐ 第1回 問題040

アウトリーチ（訪問支援）で行う家族へのケアにおいて、特に初期に活用できる概念として、最も適切なものを1つ選べ。

1 ジョイニング
2 レジリエンス
3 リフレーミング
4 マインドフルネス

問題 024 Check ☐☐☐ 第2回 問題051

緩和ケアにおける家族との関わりについて、正しいものを2つ選べ。

1 グリーフケアは家族には行わない。
2 リビングウィルの表明には家族の承諾が必要である。
3 患者の死後、遺族へは励ましの言葉がけが最も有効である。
4 アドバンス・ケア・プランニングに家族も参加することが望ましい。
5 レスパイトは家族の看護疲れを緩和するために患者が入院することである。

解説 022　アウトリーチ（訪問支援）

正答 4

アウトリーチ（訪問支援）とは、クライエントが住む家や地域に支援者が出向いて支援を行うことをいう。

1 ○ アウトリーチの支援には、[高齢者や引きこもりに対する支援] や [災害時の支援] などが代表としてあげられる。そのため、公認心理師が1人で行うのではなく、多職種・多機関での [チーム対応] が求められる。

2 ○ 虐待は家庭内で行われることが多い。そのため、家庭へ支援者が出向いて介入する必要がある。

3 ○ 支援者が特定の場所で待っているのではなく、支援対象者のもとへ支援者が出向いていくことを [アウトリーチ] という。

4 × 「病理への介入」は医療機関など [専門機関] で行われる必要がある。

5 ○ アウトリーチが必要なケースは、自ら支援を求めないあるいは求められない場合が多い。

解説 023　アウトリーチ（訪問支援）

正答 1

アウトリーチ（訪問支援）とは要心理支援者が生活する地域や自宅に出向き、直接支援を行うことをいう。アウトリーチでは要心理支援者や関係者との信頼関係の構築、また、サービス利用の動機づけを行うことが重要である。

1 ○ ジョイニングは、家族療法の技法のひとつであり、治療対象の家族との [信頼関係] を前提とした家族に溶け込むための [関与観察的] な技法といえる。アウトリーチでは要心理支援者や関係者との信頼関係の構築が重要であるため、ジョイニングの概念は活用できる。

2 × レジリエンスは、[回復力]、[復元力] あるいは [弾力性] などと訳される概念である。困難な状況から立ち直るためにはレジリエンスの高さが鍵となるが、アウトリーチで初期に活用できるとはいえない。

3 × リフレーミングは、家族療法の技法のひとつであり、問題の [状況] や [文脈] を肯定的に変化させることをいう。アウトリーチでの家族支援にも役立つ技法であるが、初期に活用できるとはいえない。

4 × マインドフルネスは、[今ここでの体験] に注意を向けることであり、第3世代認知行動療法ともいわれる。主観的な自己の体験に意識を向けるため、アウトリーチでの家族ケア（特に初期対応）には適さない。

解説 024　緩和ケア

正答 4、5

緩和ケアにおける家族への関わりの知識を問う問題である。緩和ケアとは、がん等の重い身体疾患を抱えるクライエントとその家族に対し、身体的問題・精神症状・社会経済的問題・心理的問題・スピリチュアル（実存的）な問題を包括的にアセスメントし、生活の質（QOL）を改善するアプローチである。

1 × グリーフケアとは、大切な他者の死に代表される [喪失] に対する悲嘆への心理的支援のことであり、[家族] にも行われる。

2 × リビングウィルとは、生前の意思表明であり、自分の人生が終末期に入った場合にどのように生きたいか、あるいはどのように死を迎えるかということに対して本人が意向を明示することをいう。家族と話し合うことが望まれるが、[本人の意思] が最優先で、家族の承諾は必要ない。

3 × 「死んだ人の分まで頑張って」というような励ましの言葉は、遺族をかえって傷つけてしまうことがある。「最も有効」とは到底いえないため誤り。

4 ○ アドバンス・ケア・プランニング（ACP）とは、クライエントと [家族]、医療関係者などが皆で終末期を含めた今後の生活や治療について話し合うことをいう。

5 ○ レスパイトとは、「中断」「小休止」を意味する。介護をする家族が疲弊している場合、介護を一時的に休むことができるサービスを [レスパイト・ケア] という。患者にデイサービスやショートステイを利用してもらう方法が代表例であり、入院も該当する。

問題 025　Check ☑☑☑　第1回　問題 020

対象喪失に伴う悲嘆反応に対する心理的支援について、正しいものを１つ選べ。

1　悲嘆を悪化させないためには、喪失した対象を断念することを勧める。
2　理不尽な喪失体験に遭遇したときは、現実検討ではなく気分の転換を優先する。
3　喪失した対象に対する悲嘆過程を共に体験し、その意味を共に探ることが目標である。
4　悲嘆が病的な反応へと陥らないように、健康な自我の働きを支えることが目標である。
5　悲嘆反応の中で出てくる喪失した対象への罪悪感は、病的悪化の要因になりやすいため、心理的支援の中で扱うことは避ける。

問題 026　Check ☑☑☑　第4回　問題 117

複雑性悲嘆に対する J.W. Worden の悲嘆セラピーの原則や手続として、誤っているものを１つ選べ。

1　故人の記憶を蘇らせる。
2　悲しむのをやめたらどうなるかを一緒に考える。
3　喪失を決定的な事実と認識することがないように援助する。
4　故人に対するアンビバレントな感情を探索することを援助する。
5　大切な人がいない状況での新たな生活を設計することを援助する。

③要支援者の特性や状況に応じた支援方法の選択、調整

問題 027　Check ☑☑☑　第4回　問題 060

32 歳の女性 A、２歳の子どもの母親。A は、市の子育て支援センターで、公認心理師 B に育児不安について相談した。３年前に結婚により仕事を辞め、２年半前から夫の転勤で C 市に住んでいる。夫は優しいが、仕事が忙しいため、A は一人で家事や育児を行うことが多い。知り合いや友人も少なく、育児について気軽に相談できる相手がおらず、孤独感に陥るという。B は A に対し、地域の育児サロンなどに参加し、育児や自分の気持ちについて話すなど、子育て中の母親との交流を提案した。
B の A への提案のねらいとして、最も適切なものを１つ選べ。

1　感情制御
2　グリーフケア
3　情緒的サポート
4　セルフ・モニタリング
5　ソーシャル・スキルズ・トレーニング〈SST〉

解説 025 対象喪失

正答 3、4

対象喪失に伴う「悲嘆反応」に対する心理支援を「グリーフケア」という。大切な他者の死に代表される悲嘆反応は、ほとんどが6か月以内に回復する。6か月以上続き、日常生活に支障をきたす場合を「複雑性悲嘆」という。

（注）3、4 が正解のため、どちらも採点上の正解とされた。

1 × 悲嘆に対する心理支援であるグリーフケアでは、基本的にその人の悲嘆過程を大切にし、[感情の表出] を共感的に受け止め、本人なりの [意味づけ] を支えていく。悲嘆に関わる罪悪感や喪失体験から意図的に意識をそらそうとする支援ではないことから、「喪失した対象を断念することを勧める」が誤り。

2 × 「理不尽な喪失体験」とは、事件や事故、災害での喪失が推測される。直後には [PFA] が有効とされており、その後は心理療法などの専門的なケアを要する場合が少なくない。よって「現実検討より気分転換を優先する」ことが有効である根拠は示されていない。

3 ○ 正しい。グリーフケアにおけるカウンセラーの職務は「悲嘆を共に体験し、その意味を共に探ること」である。また、そうした不安定な状態から再生に向かう道のりのことを [グリーフワーク]（喪の仕事）という。

4 ○ 悲嘆の過程を共に大事にしながら、現実検討能力などの健康な自我を同時に支えていくことは重要である。

5 × 「罪悪感」は悲嘆反応として生じる自然な感情である。心理的支援の中できちんと表出できるようサポートする。

解説 026 悲嘆セラピーの原則や手続き

正答 3

J.W. Worden は、喪失への適応には、①喪失の事実の受容、②悲嘆の苦痛を乗り越える、③故人のいない環境への適応、④故人を情緒的に再配置し生活を続けるという 4 つの課題を提起し、積極的に取り組むことが必要としている。

1 ○ 時間が経てば自然に癒えるという受け身的なプロセスではなく、つらくともクライエントが能動的に 4 つの課題に取り組むことが大切で、悲しむこと自体が悲嘆の回復に意味があるとされる。そのため、故人の記憶をよみがえらせることも重要である。

2 ○ J.W. Worden は、クライエントが死別の悲嘆を乗り越える課題に取り組めるようにカウンセラーが援助することを原則としているので、悲しむのをやめたらどうなるかを「一緒に」考えることは重要である。

3 × 課題①であり、[喪失の事実を受容する] ことが重要な課題であると考える。

4 ○ アンビバレントな感情を抱くことは自然なことであり、選択肢 2 と同様にその探索を [援助] することはセラピーの原則として重要である。

5 ○ 課題③や④に該当。大切な人がいない状況での新たな生活を設計できるように援助していくことがセラピーの原則として重要。

解説 027 32 歳女性・公認心理師の提案の意図（事例）

正答 3

女性 A の現状は、ソーシャルサポートがなく孤独感が募っている。B の「地域の育児サロンなどの参加」の提案は、A が家以外の居場所を見つけソーシャルサポートを得ることで、孤独感の緩和などのストレスケアにつながると考えたためと推測できる。

1 × 「自分の気持ちを話す」「子育て中の母親との交流」を促しているため、感情制御ではない。

2 × グリーフケアとは [喪失に対する悲嘆のケア] であって、A のケースには該当しない。

3 ○ ソーシャルサポートのうち、励ましたり共感し合ったりする情緒面に対するサポートを [情緒的サポート] という。

4 × セルフ・モニタリングとは自分の感情や思考、行動などを [自分で観察すること] を指す。

5 × SST は、[認知行動療法] に基づいた人とのやり取りの仕方をトレーニングするものであり、本事例で提案されていることとは異なる。

問題 028　Check ☑☑☑　第1回　問題116

エビデンスベイスト・アプローチについて、正しいものを１つ選べ。

1　事例研究はエビデンスとして採用しない。
2　介入効果のエビデンスは査定法の開発には用いない。
3　対照試験は一事例実験よりも結果にバイアスがかかる。
4　メタ分析では同じ研究課題について複数の研究結果を統合して解析する。

問題 029　Check ☑☑☑　第3回　問題044

ナラティブ・アプローチに基づく質問として、最も適切なものを１つ選べ。

1　その出来事が起こったとき、どのような考えが頭をよぎりましたか。
2　今話されていたことですが、それを今ここで感じることはできますか。
3　その罪悪感は、どのようにお母さんとの関係を邪魔しているのですか。
4　寝ている間に問題が全て解決したとしたら、どのように目覚めると思いますか。

問題 030　Check ☑☑☑　第1回 追　問題151

30歳の男性A。Aは公認心理師Bによるカウンセリングを半年ほど受けていた。生活面での問題の改善がみられ、A自身も変化に実感を覚えていた。そのためBが、そろそろカウンセリングを終わりにしても良いのではないかと提案したところ、Aはすぐに合意した。「カウンセリングを通して自信がついたのでこのままやっていけると思います」とAは力強く語った。
終結のプロセスとして、不適切なものを１つ選べ。

1　これまでのプロセスに関するBの見解をAに伝える。
2　Aに自信があるので、今回を最終面接として終結する。
3　終結によって様々な感情が起こってもおかしくないと伝える。
4　今後、カウンセリングを受けないことへのAの不安について話し合う。

解説 028 エビデンスベイスト・アプローチ　正答 4

エビデンスとは科学的根拠のことであるが、集団としての多数の人に基づくデータのみがエビデンスではないことに留意すべきである。

1 × [事例研究] も少数のデータであり、収集するデータの内容を詳細に捉えることによって、質的な側面における重要なエビデンスとなる。

2 × 心理療法の効果を検証する [介入効果] の研究では心理検査を用いることが多いため、介入効果のエビデンスは [査定法] の開発と密接な関わりがある。

3 × [対照試験] とは、治療や操作を行わない [対照群] を設け、[実験群] と比較することで治療や操作の効果を検証するもので、一人の事例について治療前と治療後の変化を捉える [一事例実験] よりも客観性が高いのでバイアスは少ない。

4 ○ 共通のテーマについて多くの先行研究を集めて心理療法等の効果を量的指標によって示す方法を [メタ分析] というため、正しい記述である。

解説 029 ナラティブ・アプローチ　正答 3

ナラティブ・アプローチとは、クライエントの語る「物語」を通して自分に生じた出来事を受け入れ、意味づけが変化していくアプローチである。

1 × 出来事に対する考えを検討するのは、[認知療法] と [論理療法] である。

2 × 「今ここ」で感じることを試みる心理療法は、[マインドフルネス] である。

3 ○ 罪悪感の作用を問うことで客観視できるようになると考えられ、ナラティブ・セラピーの「問題の外在化」技法に該当する。

4 × 非現実的な質問をクライエントに投げかける技法は、[ミラクル・クエスチョン (奇跡の質問)] に該当し、[ソリューション・フォーカスト・アプローチ (SFA)] である。

解説 030 30歳男性・カウンセリングの終結 (事例)　正答 2

カウンセリングの終結に関する問題である。終結までのプロセスや留意点などを考える必要がある。

1 ○ 終結に際し、これまでのことを振り返ってもらうことは大切である。公認心理師がこれまでのカウンセリング過程に関する見解を伝え、A自身が振り返る作業を行うことを促す。

2 × 終結をどうするかという問題は公認心理師とクライエントが話し合って決める必要があり、一方的に行われるべきではない。また、突然「今回を最後とする」というのも適切でない。

3 ○ 終結によってクライエントに様々な感情が湧き起こることは一般的な反応である。

4 ○ 終結は公認心理師と離れクライエントが自分の力で頑張っていくということである。いざ終結を意識すると不安や戸惑いなどが生じることも少なくない。

問題 031 Check □□□ 第1回 問題138

36歳の男性A、会社員。Aは転職を考え、社外の公認心理師Bのカウンセリングを受けた。6か月間BはAの不安を受け止め、二人で慎重に検討した後、転職することができた。初めはやる気を持って取り組めたが、上司が替わり職場の雰囲気が一変した。その後のカウンセリングでAは転職を後悔していると話し、AがBの判断を責めるようになった。次第に、Bは言葉では共感するような受け答えはするが、表情が固くなり視線を避けることが増えていった。その後、面接は行き詰まりに達して、Aのキャンセルが続いた。
AがBの判断を責めるようになってからのBの行動の説明として、最も適切なものを1つ選べ。

1 不当にBを責めて、自分の責任を外在化するAに対して、距離を置いている。
2 不満をこぼすが状況に対処していないAに対して明確な姿勢をもって臨んでいる。
3 それまでのようにAに支持と共感をしないことによって、意図せず反撃してしまっている。
4 誤った判断をし、Aを傷つけてしまったという不安が強くなり、介入することができなくなっている。
5 職場に対する不満の問題が再燃し、繰り返されていることを気づかせるために中立性を保とうとしている。

④良好な人間関係構築のためのコミュニケーション

問題 032 Check □□□ 第1回 追 問題121

クライエントとカウンセラーの作業同盟に問題があると疑われたときのカウンセラーの対処として、最も適切なものを1つ選べ。

1 クライエントが表現しにくい不満を言葉にすることを手伝う。
2 できるだけ早く抵抗の解釈を行い、問題が恒久化しないようにする。
3 カウンセラーが対人的なスタンスを変えて、クライエントに合わせる。
4 問題がクライエントの対人関係のパターンにあることをまず指摘する。

問題 033 Check □□□ 第3回 問題127

作業同盟（治療同盟）に関する実証研究について、正しいものを1つ選べ。

1 作業同盟が強固であるほど、介入効果は良好である。
2 作業同盟の概念には、課題に関する合意は含まれない。
3 作業同盟の効果は、対人プロセス想起法によって測定される。
4 作業同盟が確立していることは、心理療法の介入効果の必要十分条件である。

解説 031　36歳男性・心理療法の失敗・中断（事例）　正答 3

労働者からの相談に対応する公認心理師の事例である。クライエントAが公認心理師Bを責めている状況については転移・逆転移や負の相補性の観点から考える。

1　×　「判断を責めるようになった」など、不当にBを責めるAに対して、Bの「表情が固くなる」「視線を避ける」という反応は、Aの言動に対してBが反応をしているようにも考えられるため、適切に距離が取れているとはいえない。

2　×　「明確な姿勢」は本文からは読み取れない。

3　○　Aの態度が変わり、Bの態度や表情も変化がみられている。それはB自身も無意識にAを拒絶する（避ける）ような反応であり、責められていることに無意識に反撃していると読み取ることは可能である。

4　×　「Aを傷つけた不安」というような様子は本文からは読み取れない。

5　×　BがAに対して「中立性」を保てている様子はうかがえない。

メモ　精神分析における転移と逆転移、負の相補性

[転移] は、クライエントの中にある過去の対象関係や対人関係が、カウンセリング内のカウンセラーとの関係において再現される現象のことを指す。
[逆転移] は、カウンセラーの中の自覚されていない対象関係や対人関係が、クライエントの転移に触発されて活性化される現象のことを指す。
[負の相補性] は、クライエントの対人関係のパターンに、カウンセラーが怒りなどで対応することで、クライエントとカウンセラーが互いに怒りや敵意を増幅させてしまう状況を指す。

解説 032　クライエントとカウンセラーの作業同盟　正答 1

作業同盟はカウンセラーとクライエント間の協働関係を指す用語であり、3つの要素（①カウンセリングの目標に関する合意、②カウンセリングにおける課題についての合意、③両者の間に形成される情緒的絆）からなるとされている。

1　○　カウンセラーは、クライエントが抱えている悩みや不満、秘密などを話すことができるように働きかけ、良好な作業同盟を築くことが求められる。したがって、作業同盟に問題があると疑われた場合、クライエントが [悩み] や [不満、秘密] などを話すことができるように促すことが大切である。

2　×　作業同盟を築くにあたり、カウンセラーとクライエント間の [情緒的絆] が重要である。抵抗の解釈を行うと、関係性にますます溝ができてしまう可能性がある。

3　×　カウンセラーが対人的なスタンスを変えても何の解決にもならない。クライエントの声に耳を傾け、[作業同盟] を結ぶことが大切である。

4　×　作業同盟はカウンセラーとクライエント間の [協働関係] を指す。そのため、作業同盟に問題があるとしたら、クライエントだけの問題ではない。また、対人関係のパターンに問題があるかどうかもわからない。

解説 033　作業同盟（治療同盟）　正答 1

作業同盟とは治療同盟ともいわれ、カウンセラーとクライエントがカウンセリングの内容や方向性に対して一致・協力して取り組むことをいう。その作業同盟に関する深い知識を要する問題である。

1　○　作業同盟が強固であれば介入効果も期待できる。

2　×　「どういった課題に取り組むか」について合意することは作業同盟の主軸といえる。

3　×　対人プロセス想起法とは、面接の録音あるいは録画を視聴することで、そのときに行われていた交流内容を振り返り、[対人プロセス] に対する気づきを高めることを目的とした [カウンセラーの訓練法] である。よって、作業同盟の効果を測定するものではない。

4　×　必要十分条件ということは、「作業同盟の確立＝心理療法の介入効果」となるが、必ずしもイコールとなるわけではない。

⑤心理療法及びカウンセリングの適用の限界

問題 034　Check ☑☑☑　第3回　問題 116

動機づけ面接の基本的スキルとして、不適切なものを 1 つ選べ。

1　クライエントが今までに話したことを整理し、まとめて聞き返す。
2　クライエントの答え方に幅広い自由度を持たせるような質問をする。
3　クライエントの思いを理解しつつ、公認心理師自身の心の動きにも敏感になる。
4　クライエントの気づきをより促すことができるように、言葉を選んで聞き返す。
5　クライエントの話の中からポジティブな部分を強調し、クライエントの価値を認める。

問題 035　Check ☑☑☑　第3回　問題 061

30 歳の男性 A、自営業。A は独身で一人暮らし。仕事のストレスから暴飲暴食をすることが多く、最近体重が増えた。このままではいけないと薄々感じていた A は、中断していたジム通いを半年以内に再開するべきかどうかを迷っていた。その折、A は健康診断で肥満の指摘を受けた。
J.O. Prochaska らの多理論統合モデル〈Transtheoretical Model〉では、A はどのステージにあるか。最も適切なものを 1 つ選べ。

1　維持期
2　実行期
3　準備期
4　関心期（熟考期）
5　前関心期（前熟考期）

問題 036　Check ☑☑☑　第4回　問題 018

心理療法における「負の相補性」の説明として、最も適切なものを 1 つ選べ。

1　セラピストとクライエントが、お互いに過去の誰かに関する感情を相手に向けること
2　セラピストの働きかけに対して、クライエントがその方針に無意識的に逆らおうとすること
3　セラピストが言葉で肯定的なことを言いながら態度が否定的なとき、クライエントが混乱を示すこと
4　セラピストが問題の言語化を試み続ける中で、クライエントが行動によって問題を表現しようとすること
5　クライエントが敵意を含んだ攻撃的な発言をしてくるのに対して、セラピストが同じ敵意を含んだ発言で応じること

解説 034 動機づけ面接 正答 3

動機づけ面接とは、クライエントが自ら変わりたいと思い、その方向に行動を変えていくことを援助するアプローチである。カウンセラーの具体的な対話の仕方には、開かれた質問・是認・聞き返し・要約がある。

1 ○ クライエントが今までに話したことを整理し、まとめたことをクライエントに聞き返すことは、[要約と整理]にあたり、クライエントの自己理解を助ける。

2 ○ クライエント本人の意欲を起こさせることが重要なため、よく考えさせることのできる自由度の高い [開かれた質問（オープンクエスチョン）] が適切である。

3 × 動機づけ面接はなによりもクライエント本人の価値観や気持ちが第一優先である。よって、まずクライエントの心の動きに敏感になるべきである。

4 ○ 動機づけ面接は、クライエントが自分の心の内の葛藤を解消し、本来なりたい方向への気持ちを明白にしていく。そのため、クライエントの気づきを促す質問が求められる。

5 ○ 動機づけ面接は、「強制された」という気持ちで取り組ませようとするのではない。大切なことは、「変わることができる」という [自己効力感] を持ってもらい、クライエント自らが [前向きな気持ち] で「解決できる」と思えるよう支援することである。

解説 035 30 歳男性・J.O. Prochaska らの多理論統合モデル（事例） 正答 4

J.O. Prochaska らは心理療法におけるクライエントの行動を変化させていく過程について、5 段階からなる行動変容ステージモデルを提唱した。

1 × [維持期] とは、第 5 ステージで行動変化から [6 か月以降] の行動を維持する。

2 × [実行期] とは、第 4 ステージで行動が変化して [6 か月以内] である。A は「ジム通いを再開すべきか迷っていた」ため、実行に至っていない。

3 × [準備期] とは、第 3 ステージで変化したい意志が明白かつ [行動をすぐ起こせる状態] である。A は「薄々感じていた」「迷っていた」という状態であるため、準備期に至っているとはいえない。

4 ○ [関心期（熟考期）] とは、第 2 ステージで、問題に気づき解決したいと思っているが踏み切れない状態をいう。そのため A に該当する。

5 × [前関心期（前熟考期）] とは、自分の問題に気づいていない、問題を解決する意志がない状態を指す。そのため A には該当しない。

解説 036 心理療法における負の相補性 正答 5

心理療法における負の相補性とは、セラピストとクライエントが怒りや敵意といった負の感情を互いに増幅させてしまうことをいう。カウンセリングの中断の原因となることが指摘されている。

1 × 「過去の誰かに関する感情を相手に向けること」は [転移・逆転移] の説明である。

2 × 問題文は精神分析における [抵抗] の説明。「負の相補性」は、セラピストとクライエント双方が作用し合うことである。よって、クライエント側のみの反応を説明するものではない。

3 × 問題文は [ダブル・バインド] の説明である。

4 × 問題文は [アクティング・アウト（行動化）] の説明である。

5 ○ 負の相補性とは、敵意や攻撃的な気持ちをセラピストとクライエントがお互いに示すことをいう。クライエントが敵意や怒りを含んだ発言をした場合にはセラピストは支持的に接し続けることが重要になる。

⑥要支援者等のプライバシーへの配慮

問題 037 Check ☑☑☑ 第1回 追 問題042

要支援者等の個人情報とプライバシーの保護について、最も適切なものを 1 つ選べ。

1 心理的支援にあたって収集する情報は、すべて要配慮個人情報に該当する。
2 未成年者の支援事例について学会発表を行う場合、保護者の代諾を得るだけでよい。
3 効果的な援助のためにプライバシー開示が必要な場合でも、要支援者に開示を強制してはならない。
4 どのような場合でも、要支援者本人の同意を得ることなく第三者に個人情報を提供してはならない。

問題 038 Check ☑☑☑ 第3回 問題017

公認心理師が心理相談での記録や報告を行う際に留意することとして、最も適切なものを 1 つ選べ。

1 病院からの紹介状への返事は、クライエントには見せない。
2 守秘義務があるため、面接内容は自身の上司には報告しない。
3 録音は、クライエントを刺激しないために気づかれないように行う。
4 心理検査の報告は、検査を依頼した職種にかかわらず専門用語を使って書く。
5 インテーク面接の記録には、観察事項に基づいた面接時の印象も併せて記録する。

解説 037 要（心理）支援者等の個人情報・プライバシー保護

正答 3

公認心理師法第 41 条に加えて、個人情報保護に関する法律をおさえておく。

1 × 要配慮個人情報とは「本人の人種、信条、社会的身分、病歴、犯罪の経歴、犯罪により害を被った事実その他本人に対する不当な差別、偏見その他の不利益が生じないようにその取り扱いに特に配慮を要するものとして［政令］で定める記述等が含まれる個人情報」のことである（個人情報保護法第 2 条 3 項）。心理的支援にあたって収集する情報に要配慮個人情報が含まれる可能性もあるが、すべて該当するわけではない。

2 × 文部科学省と厚生労働省による「人を対象とする医学系研究に関する倫理指針」によると、16 歳以上で十分な判断能力を有する場合は、代諾者だけではなく本人から［インフォームド・コンセント］を得る必要があると明記されている。

3 ○ プライバシーの開示に限らず、要（心理）支援者に何かを［強制］することは不適切な行為である。

4 × 公認心理師法第 41 条において「公認心理師は、［正当な理由がなく］、その業務に関して知り得た人の秘密を漏らしてはならない。公認心理師でなくなった後においても、同様とする」と定められている。すなわち、正当な理由がある場合、例えば［秘密保持義務の例外状況］では第三者に個人情報を提供することがある。

加点のポイント　秘密保持義務の例外についてきちんと把握しておこう

●秘密保持義務の例外状況

1	［自傷他害］の恐れがある場合
2	［虐待］が疑われる場合
3	ケース・カンファレンスなど、そのクライエントのケア等に直接関わっている専門家同士で話し合う場合
4	法による定めがある場合や医療保険による支払いが行われる場合
5	クライエントが自分自身の精神状態や心理的な問題に関連する訴えを裁判等によって提起した場合も含む、クライエントによる［明示的な意思表示］がある場合

解説 038 心理相談記録と報告

正答 5

心理相談における記録と報告の留意点に関する問題である。

1 × 病院からの紹介状への返事について、クライエントが開示を求めた場合は、きちんとした説明と共に見せる。

2 × 面接内容の上司への報告は［チーム内守秘義務］として適切であり、守秘義務違反には該当しない。

3 × 録音する場合は、クライエントにきちんと［説明］し、［同意］を得る必要がある。

4 × 心理検査の報告は、クライエントや他職種にもわかりやすい［平易な言葉］で書くことが適切。

5 ○ インテーク面接は［アセスメントの側面］も併せ持っている。そのため、発言のみならず表情や態度、服装などを記しておくことは有益である。

第16章　健康・医療に関する心理学

①ストレスと心身の疾病との関係

問題 001　Check　第2回　問題053

生活習慣病やその対応について、正しいものを2つ選べ。

1　心理的支援は、準備期以降の行動変容ステージで行われる。
2　腹囲に反映される内臓脂肪型肥満が大きな危険因子になる。
3　問題のある生活習慣のリスクを強調することにより、必要な行動変容が進む。
4　メタボリック症候群の段階で行動変容を進めることが、予後の改善のために重要である。
5　ライフスタイルの問題によって引き起こされる疾患であるため、薬物療法の効果は期待できない。

問題 002　Check　第2回　問題101

妊娠・出産とうつ病の関連について、適切なものを1つ選べ。

1　産後うつ病は産後1週間以内に発症しやすい。
2　産後うつ病は比較的軽症であり、自殺の原因となることは少ない。
3　抗うつ薬を服用している女性が妊娠した場合、直ちに服薬を中止する。
4　エジンバラ産後うつ病質問票〈EPDS〉の得点が低いほどうつ病の可能性が高い。
5　妊娠中のうつ病のスクリーニングにもエジンバラ産後うつ病質問票〈EPDS〉が用いられる。

メモ　産後うつ病とマタニティブルーズ

マタニティブルーズは出産後10日以内の産褥初期にみられるものであり、ほとんどの場合は一過性である。一方、産後うつ病は出産後2週間前後から数か月間以内にみられることが多く、そのままにしておくと重症化してしまう危険性がある。産後うつ病は母子関係に加え、子どもの情緒やその発達に影響を及ぼすため、早期に兆候をみつけ、適切な治療や支援を受けることが大切である。特に、自責感が強い場合や自殺念慮がある場合、家事・育児などに支障が生じている場合などは精神科医の受診が必要である。

問題 003　Check　第4回　問題019

産後うつ病の説明として、最も適切なものを1つ選べ。

1　双極性障害との関連は少ない。
2　有病率は約10%から15%である。
3　マタニティー・ブルーズと同義である。
4　M-CHATがスクリーニングに用いられる。
5　比較的軽症がほとんどで、重篤化することはない。

解説 001 生活習慣病とその対応 正答 2、4

生活習慣病は個人の生活習慣が深く関わっている。予防や治療のため、生活習慣（食生活、運動、休養、喫煙、飲酒など）の改善に関する心理的支援など、健康心理学的視点も公認心理師に求められている。

1 × ［行動変容ステージ］は人が行動を変える際のステップをモデル化したものであり、無関心期→関心期→準備期→実行期→維持期に分けられるが、心理的支援は準備期以前から、どの段階においても相手の心理的状態に応じて行われるものである。

2 ○ 腹囲の増減は内臓脂肪の増大に反映され、生活習慣病の［危険因子］とされている。

3 × 問題のある生活習慣のリスクを強調すると反発、反感を強めてしまい、行動変容が進まないことが多い。生活習慣を変えていくことが自分の利益になることを認識させたり、行動変容の妨げになっているものを取り除こうとしたりすることが、行動変容を進めることになる。

4 ○ メタボリック症候群になってしまったとしても、行動変容により［予後］を改善することができる。

5 × ライフスタイルの改善は重要であるが、それだけで内臓脂肪の減少や危険因子のコントロールが十分にできない場合には［薬物療法］も行われる。

解説 002 産後うつ病 正答 5

産後うつ病の知識を問う問題である。産後うつ病は、マタニティブルーズ（出産後 1 週間頃までに起きる一過性で軽症の抑うつ状態をいう）とは異なる。

1 × 産後うつ病は、［産後 2 週間前後］から数か月間に発症することが多い。

2 × 産後うつ病が重度である場合には、［精神疾患］を発症することもあり、自殺の危険性もゼロではない。

3 × 急に抗うつ薬を中断すると、症状が増悪してしまう危険性が高いため、妊娠へのリスクが低い薬に変えたり、少しずつ減らしたりなど［医師］と相談して服薬の工夫をすることが適切である。

4 × エジンバラ産後うつ病質問票は、名前の通り、産後のうつ状態を評価する［質問紙法］である。得点が［高い］ほど、うつ病の可能性が高くなる。

5 ○ エジンバラ産後うつ病質問票は、［妊娠前期］から適用できるため正しい。

加点のポイント エジンバラ産後うつ病質問票

エジンバラ産後うつ病質問票は、10 項目 4 件法の質問からなり、30 点満点で 9 点以上をうつ状態として評定する。うつ病の基本症状である抑うつや睡眠障害、過度な自責感などが簡便に答えられるようになっている。母親という責任感から、周りへの SOS を出しにくい産後の不調に関して、支援を提供できるきっかけをつくることができる検査である。

解説 003 産後うつ病 正答 2

産後うつ病は分娩後 2 週間を超えて持続し、時に数か月続く日常生活に支障をきたす抑うつ症状のことである。

1 × ［双極性障害］があると、産後うつ病を経験する確率は 17%との報告がある（Am J Psychiatry 2016; 173:117-127）。産後うつ病になった女性の 23%が双極性障害だったとの報告もある（JAMA Psychiatry, 2013, Wisner）。うつ病もリスクである。

2 ○ 産後うつ病の有病率は約［10～15］%とされている。

3 × ［マタニティーブルーズ］は妊娠中や出産後の女性に起きる漠然とした悲哀感や涙もろくなる、不安、睡眠障害などの症状のことで、産後うつ病と異なり、1～2 週間で消退するとされている。

4 × ［M-CHAT］（Modified Checklist for Autism in Toddlers）は 2 歳前後の幼児に対して、自閉症スペクトラムのスクリーニング目的で使用される、親が記入する質問紙検査のことである。

5 × 産後うつ病では、重篤になると自殺や子殺しなどに至ることも知られている。

問題 004 Check 第1回 問題 024

パーキンソン症状が最も多くみられる疾患を 1 つ選べ。

1 進行麻痺
2 意味性認知症
3 前頭側頭型認知症
4 Lewy 小体型認知症
5 Alzheimer 型認知症

問題 005 Check 第1回 追 問題 100

ストレス反応について、正しいものを 1 つ選べ。

1 甲状腺ホルモンは代謝を促進する。
2 コルチゾールは肝臓における糖分解を促進する。
3 コルチコトロピン放出ホルモン〈CRH〉は下垂体後葉を刺激する。
4 ストレスに長期間暴露され、疲弊状態になると免疫系が活性化される。
5 ストレス反応の第 1 段階は短時間で終わる視床下部からのホルモン分泌である。

メモ 代表的なストレス理論の概要

H. Selye は、「ストレス」という単語を現在の意味で初めて用いたことでも有名である。H. Selye の汎適応症候群（GAS：General Adaptation Syndrome）は、①［**警告反応期**］、②［**抵抗期**］、③［**疲弊期**］の 3 段階に分けられる。
また、心理社会的ストレス理論では、T. Holmes と R. Rahe の［**社会的再適応評価尺度**］が有名である。これは、配偶者との死別や結婚といった重大な出来事のストレスレベルを評価するものである。一方、［**R.S. Lazarus**］らは、大きな 1 つの事件よりも、「日常の苛立ちごと（daily hassles）」のストレスを重要視した。

問題 006 Check 第2回 問題 119

ストレス反応について、<u>誤っているもの</u>を 1 つ選べ。

1 身体的ストレス反応は、中枢神経系に引き続き内分泌系に現れる。
2 身体的ストレス反応には、交感神経系と副交感神経系の両方が関わる。
3 心身症とは、発症や経過に身体的ストレス反応が関わる身体疾患である。
4 ストレッサーの種類によって、心身に生じるストレス反応の内容も決まる。
5 心理的ストレス反応には、抑うつ、不安、怒りなどのネガティブな感情が含まれる。

解説 004 パーキンソン症状

正答 4

パーキンソン症状は振戦、固縮、小刻み歩行、動作緩慢、仮面様顔貌などの症状で主に黒質のニューロンの変性疾患であるパーキンソン病で起こるとされているが、それ以外でも脳血管障害や抗精神病薬の副作用によるパーキンソン症候群でも生ずることに注意。

1 × 進行麻痺は、梅毒スピロヘータの中枢神経感染によるものであり、［認知症］や［人格変化］などを主体とする症状を呈する。

2 × 意味性認知症は、前頭側頭葉変性症の一種に分類される認知症で、［言葉の意味］を記憶できない症状を呈する。

3 × 前頭側頭型認知症は、前頭側頭葉変性症の一種に数えられる認知症であり、前頭葉と側頭葉の萎縮を中心とする認知症である。［人格変化］、［抑制の欠如］、［常同行動］を主体とする症状を呈する。

4 ○ Lewy 小体型認知症では、はっきりとした［幻視］が出現し、［パーキンソン症状］を合併して、1 日のうちで症状が変動する。随伴症状として、①［レム睡眠行動障害］、②［抗精神病薬に過敏］、③ PET で基底核でのドパミントランスポータの減少がある。さらに転倒と失神、自律神経障害、意識障害、うつ、妄想、幻覚などを認める。

5 × Alzheimer 型認知症では、［記銘力低下］、［健忘］、［遅延再生］の障害など記憶障害を主体とする症状を呈する。

解説 005 ストレス反応

正答 1

ストレス反応に関する問題には、H. Selye のストレス理論を把握しておきたい。H. Selye によると、ストレッサーの内容にかかわらず、生体はストレスを受けると、胃や十二指腸潰瘍、胸腺の萎縮等の身体反応が起こる。これらのストレス症候群を汎適応症候群と呼ぶ。

1 ○ 甲状腺ホルモンは甲状腺から分泌され、細胞の代謝を［促す］。

2 × コルチゾールは［副腎皮質］から分泌されるホルモンで、肝臓の［糖新生］を促す。よって、「糖分解」が誤りである。

3 × コルチコトロピン放出ホルモンは、［下垂体前葉］を刺激して副腎皮質刺激ホルモンの分泌を促す。よって、「下垂体後葉」が間違いである。

4 × ストレスに長期間曝露され疲弊すると、免疫系は機能が［低下］する。

5 × H. Selye のストレス理論によると、ストレス刺激によって、副腎皮質の肥大やリンパ節の萎縮などの様々な［生理学的変化］が起きるとされる。よって、「短時間で終わる視床下部からのホルモン分泌」のみではない。

解説 006 ストレス反応

正答 4

ストレッサーに対する心身の反応を問う問題である。

1 ○ 身体的ストレス反応は、中枢神経の［視床下部］にいき、視床下部から内分泌系である［副腎皮質ホルモン］に指令がいく。

2 ○ 身体的ストレスに応答する視床下部は［自律神経］の中枢である。自律神経は［交感神経］と［副交感神経］からなり、両者のバランスによって作用する。

3 ○ 心身症とは、その発症や経過に［心理社会的因子］が関与し、身体的ストレス反応が関わり、身体症状として器質的または機能的障害がみられる状態を指す。

4 × ストレッサーの種類によって、どのようなストレス反応が生じるかは個人差が大きく［特定できない］。

5 ○ 心身症は、身体症状に加えて、［心理的ストレス反応］が伴う。心理的ストレス反応の精神症状として、抑うつなどのネガティブな感情が含まれる。

問題 007

Check ☑☑☑ 第1回 問題095

ストレスコーピングについて、正しいものを1つ選べ。

1 状況が変わっても、以前成功したコーピングを実行した方がよい。

2 ストレッサーに対して多くの種類のコーピングを用いない方がよい。

3 コーピングを続けているうちに疲労が蓄積することを、コーピングのコストという。

4 コーピングの結果は、二次的評価というプロセスによって、それ以降の状況の評価に影響を与える。

5 一時的に生じたネガティブな感情を改善するコーピングは、慢性的なストレス反応の改善には効果がない。

問題 008

Check ☑☑☑ 第1回 追 問題112

コーピングについて、誤っているものを1つ選べ。

1 ストレスフルな事態に対して行う認知的行動的努力である。

2 ストレスフルな事態そのものに焦点を当てたコーピングを問題焦点型コーピングという。

3 ストレスフルな事態を過度に脅威的だと評価すると、選択できるコーピングの幅が狭くなる。

4 事態に応じて柔軟に適切なコーピングを選択できることはストレスマネジメントの重要な側面である。

5 解決が困難な事態では、問題焦点型コーピングが情動焦点型コーピングよりもストレス反応の低減効果が大きい。

問題 009

Check ☑☑☑ 第1回 問題129

心身症について、正しいものを2つ選べ。

1 社会的に不適応を来すことが多い。

2 リラクセーション法の有効性が高い。

3 発症や経過に心理社会的要因が関与する身体疾患のことである。

4 発症の契機が明らかになると、改善の方法も明らかになることが多い。

5 病気の症状と心理社会的要因との間には象徴的な関連が認められることが多い。

解説 007 ストレスコーピング

正答 3

R.S. Lazarus の心理学的ストレスモデルの知識を問う問題である。心理学的ストレスモデルでは、ストレス反応をストレッサーに対する一次評価と二次評価および対処可能性として捉える。コーピングはストレスへの対処にあたる。

1 × 状況が変われば以前の対処法が適切になるとは限らない。むしろ、変わった状況に対して評価し、それに適した［別の対処］をすることが望ましい。

2 × 状況や刺激に応じた［多様なコーピング］を用いることができるほうがよい。

3 ○ ［S. Cohen］は、何度もコーピングを行うことによって疲労が蓄積されることを［コーピングのコスト］と呼んだ。

4 × 二次的評価はコーピングを行う［前］の段階であるため、間違い。

5 × 一時的に生じたネガティブな感情を改善するコーピングは、［情動焦点型］コーピングといい、ストレスの［慢性化］を防ぐためむしろ適切であるため、間違い。

メモ ストレス反応とコーピング

R.S. Lazarus の心理学的ストレスモデルでは、ストレッサーに対して「脅威」か「挑戦」かどうかの一次評価が行われ、［対処可能］かどうかの二次評価の後に［コーピング］がとられる。認知的評価とコーピングを重視したモデルである。
コーピングは、［問題焦点型］と［情動焦点型］の 2 つに大別される。問題焦点型は問題に対する直接的解決法を指し、情動焦点型はストレスに対する情動反応への対処を指す。

解説 008 コーピング

正答 5

コーピングの知識を問う問題である。R.S. Lazarus は、コーピングをストレッサーに対する認知および行動上の努力とした。コーピングは自動的に行われるものではなく努力を要するものであるとしたところに特徴がある。

1 ○ 問題文の通り、コーピングはストレッサーに対する［認知］や［行動的対処］のことである。

2 ○ ストレスフルな事態、問題の解決に焦点づけるコーピングを［問題焦点型］コーピングという。

3 ○ ストレスフルな事態を［脅威］と評価した場合、対処できる自信が低下し、従来保持しているコーピングが通用しないことが想定されるため、選択の幅は狭くなる。

4 ○ ストレッサーは様々で、その状況も様々である。そのため、画一的な対処法ではなく、状況に即した柔軟なコーピングが取れることは［ストレスマネジメント］において重要である。

5 × 問題焦点型コーピングは、問題の解決を試みるコーピングである。「解決が困難」であるならば、問題焦点型コーピングでは疲労が蓄積される等のストレスの増幅の危険性があり間違いである。この場合は感情に焦点を当てた［情動焦点型］コーピングの方が有効であろう。

解説 009 心身症

正答 2、3

心身症とは、身体疾患の中で、その発症や経過に心理社会的因子が密接に関与し、器質的ないし機能的障害が認められる病態をいう。

1 × 心身症の場合は、社会的不適応というよりは身体疾患に現れ、［過剰適応］している場合が多い。

2 ○ 精神的ストレスによる身体症状が認められるため、心身両方にアプローチできる［リラクセーション］は有効である。

3 ○ 単純な身体疾患ではなく、［環境因］、［本人の性格傾向］、［ストレスへの対処法］が影響した病態である。

4 × 心身症には本人の性格傾向やストレスへの［対処法］が関わっている場合がある。その場合、契機が明らかになったとしても、症状が持続することがある。よって、本人の対処法を変えていく必要がある場合には改善の方法を模索する。

5 × 心身症の場合には、どの身体部分に症状が出るかは［個人差］があり、象徴的な関連は認められない。

問題 010　Check ☑☑☑　第3回　問題018

心身症に関連した概念について、正しいものを 1 つ選べ。

1　慢性疼痛患者には、抗うつ剤は無効である。
2　進学や結婚は、気管支喘息の増悪に関与しない。
3　タイプ A 型行動パターンは、消化性潰瘍のリスク要因である。
4　本態性高血圧症が心理的ストレスで悪化している場合は、心身症と考える。
5　アレキシサイミア〈失感情症〉とは、以前楽しめていた活動に対して楽しめない状態を意味する。

問題 011　Check ☑☑☑　第4回　問題115

心身症に含まれないものを 1 つ選べ。

1　緊張型頭痛
2　過換気症候群
3　過敏性腸症候群
4　起立性調節障害
5　心気障害（病気不安症）

メモ　心身症概念の変遷と現状

心身症とは、元々は精神疾患にも身体疾患にも分類できない病態を示す概念であり、心身医学がそれを専門的に扱う医学とされていた。しかし、日本心身医学会は 1991（平成 3）年に公表した定義の中で心身症を身体疾患に限定し、さらに「精神障害にともなう身体症状」を除外した。一方、精神医学では DSM- Ⅳの「身体表現性障害」、DSM-5 の「身体症状症」が元来の心身症にほぼ該当すると思われるが、後者は「身体の病気がないのに身体症状を呈する精神疾患」であり、心身症と同一の概念とは言いがたい。

問題 012　Check ☑☑☑　第1回 追　問題017

バーンアウトについて、正しいものを 1 つ選べ。

1　バーンアウトの中核的な特徴は不安である。
2　バーンアウトが最も多い職種は生産技術職である。
3　バーンアウトを初めて提唱したのは C. Maslach である。
4　バーンアウトした人は他者に対して無関心になりやすい。
5　バーンアウトにおける情緒的消耗感とは自分への不信や疑惑が生じる状態を指す。

解説 010 心身症

正答 4

慢性疼痛や気管支喘息、消化性潰瘍、本態性高血圧症、アレキシサイミアなどは心身症の枠組みで考え得る疾患である。

1 × 慢性疼痛は、心理社会的因子を含む様々な要因によって起こる。慢性疼痛には抗うつ剤の有効性が証明されており、[三環系抗うつ薬] や [SNRI] が第一選択薬に位置づけられている。

2 × ライフサイクルは、心の健康と密接に関係し、ライフサイクルの中で様々な課題に直面しストレスを経験することで心身が不調になることがある。

3 × タイプ A 型行動パターンは、[虚血性心疾患] のリスク要因である。

4 ○ 心理的な要因で身体に症状が現れる疾患は全て [心身症] である。したがって、心理的ストレスで状態が悪化しているのであれば、心身症と考えられる。

5 × アレキシサイミアは、自分の感情の認識や感情の言語化、そして空想や内省に困難さを持つパーソナリティ特性のことをいう。以前楽しめていた活動に対して楽しめない状態は [うつ] や [アパシー] と考えられる。

解説 011 心身症

正答 5

DSM-5 に心身症という概念がないことからもわかるように、現在の心身症の定義には若干の混乱が認められる。日本心身医学会は、身体疾患の中で発症や経過に心理社会的因子が密接に関与するものを心身症と定義している。

1 ○ 緊張型頭痛は慢性頭痛の一種であり、心理社会的要因が病状に大きな影響を与える。

2 ○ 過換気症候群は、不安などをきっかけに発症し、呼吸促拍による血中二酸化炭素の不足に伴い多様な心身症状をきたす疾患である。なお、[パニック障害] と高頻度に合併するが、同一視してはならない。

3 ○ 過敏性腸症候群は、腹痛を伴う下痢・便秘などの便通異常を主症状とする機能性胃腸症の一種である。その機序として心身相関が有力視されている。

4 ○ 起立性調節障害は、小児から思春期にかけてよくみられ、多様な自律神経症状を呈する病態である。教育現場においてしばしば認められ、不登校の原因となることがある。

5 × 心気障害（病気不安症）は、DSM-5 では「[身体症状症] および関連疾患」に分類される精神疾患であり、これを心身症とみなすことには問題がある。

解説 012 バーンアウト

正答 4

バーンアウトの知識を問う問題である。

1 × 中核的症状は [情緒的消耗感]、[脱人格化]、[達成感や自己効力感の減退] であり、不安ではない。

2 × バーンアウトが最も多い職種は高い心的エネルギーを要求される [対人援助職] である。

3 × バーンアウトの提唱者は [H.J. Freudenberger] である。

4 ○ 中核的症状とされる「脱人格化」では、他者や支援対象者に [無関心] になったり、非情なふるまいをしたり、マニュアル的な対応に終始したりといった特徴がみられる。

5 × 情緒的消耗感とは、[疲れ果て、もうできない] といった感覚であり、自分への不信や疑惑ではない。

メモ バーンアウトの中核的症状

情緒的消耗感	疲れ果てた感情や、もうできないといった気分
脱人格化	支援対象者や他者に対して無関心になり、非情にみえる感情や行動を取ることが増す
達成感や自己効力感の減退	充実感や自己効力感を得ることができなくなる状態

問題 013 Check 第1回 追 問題 130

タイプＡ型行動パターンについて、正しいものを２つ選べ。

1 M. Friedman が提唱した性格傾向である。
2 時間的切迫感、感情抑制、他者評価懸念及び社会的同調性の特徴を持つ。
3 1950 年代の最初の報告以来、心筋梗塞の発症に関わることが一貫して示されてきた。
4 行動パターンを変容させる介入研究により、心筋梗塞の再発を抑える効果が示されている。
5 複数の特徴のうち、時間的切迫感が心筋梗塞発症の最も強いリスク要因であることが示されている。

メモ　欧米人と日本人のタイプＡ型行動パターンは異なる!?

タイプＡ型行動パターンについて、欧米と日本では異なると指摘されている。欧米のパターンは従来のタイプＡ型行動パターンである競争的で敵意や怒りを抱きやすく、せっかちな行動様式である。一方、日本的なタイプＡ型行動パターンは、欧米より敵意性は低く、仕事中心主義が目立ち、組織等への帰属意識が強いといった特徴を持つ。

問題 014 Check 第2回 問題 047

アレキシサイミア傾向の高い心身症患者の特徴について、正しいものを１つ選べ。

1 身体症状より気分の変化を訴える。
2 ストレスを自覚しにくいことが多い。
3 身体症状を言葉で表現することが難しい。
4 空想や象徴的な内容の夢を語ることが多い。

問題 015 Check 第2回 問題 131

二次予防の取組として、適切なものを２つ選べ。

1 がん検診
2 健康教育
3 作業療法
4 予防接種
5 人間ドック

解説 013 タイプA型行動パターン

正答 1、4

タイプA型行動パターンの知識を問う問題である。タイプA型行動パターンとは、心身症との関連が指摘されている性格傾向であり、競争的でせっかち、成果主義的性格特性をいう。

1 ○ [M. Friedman] と [R.H. Rosenman] が提唱した。

2 × 「感情抑制、他者評価懸念及び社会的同調性」という特性は含まれていない。

3 × 1959年にM. FriedmanとR.H. Rosenmanは、虚血性心疾患等の [冠状動脈疾患] を発症しやすい特徴についてタイプA型という行動様式を発表した。その後、8年以上の縦断研究により、タイプA型行動パターンの人はそうでない人に比べて2倍以上の [心筋梗塞] などの虚血性心疾患を発症すると示した。しかし、その後の研究結果では冠状動脈疾患の発症に関連がないと出て、概念が見直された。それにより、タイプA型の行動様式の中でも [怒りや敵意] が危険因子であることが判明した。よって、「1950年代の最初の報告以来（中略）一貫して」が間違いである。

4 ○ リラクセーション法や認知行動療法等によって心筋梗塞の発症が [約1/2] に抑えられることが研究結果として示されている。

5 × 選択肢3の解説にある通り、時間的切迫感よりも、[怒りや敵意] が最も強いリスクと指摘されている。

解説 014 アレキシサイミア

正答 2

アレキシサイミアとは、P. Sifneosが提唱した概念であり、自分の感情の認識や感情の言語化、そして空想や内省に困難さを持つパーソナリティ特性のことをいう。心身症との関連が深い。

1 × アレキシサイミア傾向の人は、自分の [感情] を認識することが苦手で、ストレスが [身体症状] として現れやすい。そのため、気分の変化よりも [身体症状] を強く訴えることが特徴である。

2 ○ アレキシサイミア傾向の人は、ストレスを受けていてもストレスに気づくのに時間がかかったり、気づかなかったりすることが多い。そのため、ストレスを溜め込みやすく [心身症] の形で現れやすい。

3 × アレキシサイミア傾向の人は、自分の [感情] や [気分] の変化を言葉にすることが苦手である。身体に現れた [身体症状] を訴えることが多いため、「身体症状を言葉で表現することが難しい」は誤りである。

4 × アレキシサイミア傾向の人は、自分の認識や感情の [言語化] が苦手であるため、「自己の内面よりも刺激に結びついた [外的] な事実へ関心が向かう認知スタイル」であると考えられている。そのため空想力や想像力が乏しい。したがって、空想や象徴的な内容の夢を語ることは少ない。

解説 015 予防的アプローチ

正答 1、5

G. Caplanによる予防的アプローチの知識が問われている。一次予防は病にかからないようにする対処や指導を指す。二次予防は、早期発見、早期介入を指す。三次予防は、治療過程やリハビリ、再発の防止などを指す。

1 ○ がん検診は、[二次予防] に該当する。

2 × 健康教育は、[一次予防] である。

3 × 作業療法は、[三次予防] である。

4 × 予防接種は、[一次予防] である。

5 ○ 人間ドックは、[二次予防] に該当する。

メモ G. Caplanによる予防的アプローチ

G. Caplanは、予防を3次元に分類した。

一次予防	ポピュレーション・アプローチ	健康な人々を対象に、疾病の発症を未然に防ぐ
二次予防	ハイリスク・アプローチ	ハイリスクの人々を早期発見、早期介入を行う
三次予防	治療・リハビリ・再発防止	既に発症している人々を対象にし、再発・悪化・疾病の長期化を防ぐ

問題 016　Check ☑☑☑　第1回　問題141

21歳の男性A、大学生。Aは学生相談室に来室した。以前から緊張すると下痢をすることがあった。就職活動の時期になり、大学で面接の練習をしたときに強い腹痛と下痢を生じた。その後、同じ症状が起こるのではないかと心配になり、外出前に頻回にトイレに行くようになった。さらに、人混みでは腹痛が生じるのではないかと心配になり、電車やバスに乗ることも避けるようになった。消化器内科を受診したが、器質的な異常は認められなかった。
このときの学生相談室の公認心理師がAに対して最初に行う助言として、最も適切なものを1つ選べ。

1 腹痛が気になる状況や、その際の心身の変化などを記録する。
2 心身の安定を実現するために、筋弛緩法を毎日実施するようにする。
3 苦手な状況を避けているとますます苦手になるため、積極的に行動するようにする。
4 腹痛を気にすればするほど緊張が高まってしまうため、なるべく気にしないようにする。
5 下痢をしやすい間は安静にしたほうがよいため、しばらくは外出を控えるなど無理をしないようにする。

問題 017　Check ☑☑☑　第4回　問題140

65歳の女性A、夫Bと二人暮らし。Aは、半年前から動作が緩慢となり呂律が回らないなどの様子がみられるようになった。症状は徐々に悪化し、睡眠中に大声を上げ、暴れるなどの行動がみられる。「家の中に知らない子どもがいる」と訴えることもある。Bに付き添われ、Aは総合病院を受診し、認知症の診断を受けた。
Aに今後起こり得る症状として、最も適切なものを1つ選べ。

1 反響言語
2 歩行障害
3 けいれん発作
4 食行動の異常
5 反社会的な行動

問題 018　Check ☑☑☑　第4回　問題151

20歳の男性A、大学2年生。Aは、最近授業を欠席することが多くなり、学生課から促され、学生相談室の公認心理師Bのもとを訪れた。Aは大学2年生になってから、携帯端末を使用して、夜遅くまで動画を視聴したり、友人とやりとりをしたりすることが多くなった。それにより、しばしば午前の授業を欠席するようになっている。どうしても出席しなければならない授業があるときは、早く起きるために寝酒を使うこともある。Aの表情は明るく、大学生活や友人のことを楽しそうに話す。
BのAへの助言として、不適切なものを1つ選べ。

1 昼休みなどに軽い運動をしてみましょう。
2 寝酒は睡眠の質を下げるのでやめましょう。
3 毎朝、決まった時間に起きるようにしましょう。
4 寝る前は携帯端末の光などの刺激を避けましょう。
5 休みの日は十分な昼寝をして睡眠不足を補いましょう。

解説 016　21 歳男性・心身症のクライエントの初回面談の対応（事例）　正答 1

IBS（過敏性腸症候群）（該当文：「緊張すると下痢をする」）という心身症が疑われるクライエントに対する公認心理師の初回面談の対応、アセスメントの知識を問うている。IBS 症状の記載に加え、問題文中に、予期不安（該当文：「同じ症状が起こるのではないかと心配になり」「人混みでは腹痛が生じるのではないかと心配になり」）および回避行動（該当文：「電車やバスに乗ることも避けるようになった」）が認められる。よって、不安障害（代表的な症状が予期不安と回避行動である）の知識、それに適した心理療法として認知行動療法等の知識が必要である。

1　○　[心身の変化] の記録をつけることは、初期に必要なことである。問題が整理され不要な不安を軽減することにつながる。また、認知行動療法を実施する際にも有用な情報となる。

2　×　[筋弛緩法] が有効かどうか、初回で判断することは早計である。

3　×　問題文は [行動療法] 的アプローチである。行動療法を行うことを同意した後であればよいが、問題文はアセスメントの段階である。また、不安が喚起される場面にさらす行動療法は負担が大きい。よって、初回面談での提案は早計である。

4　×　それまで悩んで来室したであろう相談者に対し、「気にしない」という助言を初回に公認心理師がすることは [悩みを否定] したように受け止められる危険性があり、すべきではない。

5　×　[回避行動] を強化してしまう危険性がある。

解説 017　65 歳女性・今後起こりうる症状（事例）　正答 2

動作緩慢、呂律が回らないなどはパーキンソン症状、睡眠中に大声を上げ暴れるのはレム睡眠行動障害、「家の中に知らない子どもがいる」との訴えは幻視と解釈することができる。よってこのケースは Lewy 小体型認知症と考えられる。

1　×　[反響言語] は統合失調症や自閉スペクトラム症でも認められるが、認知症では [行動異常型前頭側頭型認知症] で認められる。

2　○　歩行障害もパーキンソン症状の一つであり、[Lewy 小体型認知症] で認められる。

3　×　けいれん発作は [てんかん] の他に、認知障害としては [Wernicke 脳症] などで認められる。

4　×　[食行動の異常] は摂食障害に限らず、行動異常型前頭側頭型認知症でも認められる。

5　×　[反社会的な行動] は素行症、反社会性人格障害などでも認められるが、認知症では行動異常型前頭側頭型認知症で認められる。

解説 018　20 歳男性・欠席しがちな大学生（事例）　正答 5

欠席傾向がある大学生の事例である。携帯端末の使用による夜更かしなどが慢性的な睡眠不足や睡眠の乱れを招いていると考えられるため、睡眠習慣についての助言なども行う。厚生労働省の「健康づくりのための睡眠指針 2014」が参考になる。

1　○　適度な運動を行うと、[入眠] が促進される。

2　○　寝酒は睡眠の質を悪くする。少量でも慣れが生じて量が増えていきやすい。一時的には [入眠] を促進するが、[中途覚醒] が増えて睡眠が浅くなり、[熟睡感] を得られなくなる。

3　○　毎朝起床直後に光による体内時計のリセットが行われる。起床時間がまちまちであると、体内時計の乱れの原因になる。

4　○　携帯端末の光などの刺激は覚醒を助長する。就寝直前の携帯端末の利用は夜更かしの原因になるので注意が必要である。

5　×　休日の寝だめは体内時計のリズムを乱すため良くない。寝だめをしても睡眠不足による能率低下を補うことはできない。

②医療現場における心理社会的課題と必要な支援

問題 019 Check ☑☑☑ 第１回 追 問題 026

がん患者とその支援について、正しいものを１つ選べ。

1 合併する精神医学的問題は不安障害が最も多い。
2 がんに起因する疼痛は心理的支援の対象ではない。
3 がん患者の自殺率は一般人口の自殺率と同等である。
4 がんに起因する抑うつに対しては薬物療法が支援の中心になる。
5 包括的アセスメントの対象には、がんそのものに起因する症状と、社会経済的、心理的及び実存的問題とがある。

問題 020 Check ☑☑☑ 第１回 追 問題 038

チーム医療の考え方として、最も適切なものを１つ選べ。

1 チーム医療は医療機関内で提供されるものをいう。
2 患者や家族は医療チームの構成メンバーの一員とみなされない。
3 チーム医療のリーダーシップは状況によって構成メンバーの中で移譲される。
4 構成する専門職個々のテクニカルスキルが高ければ、チーム医療は効果的に遂行される。

問題 021 Check ☑☑☑ 第１回 問題 060

33 歳の女性 A。A は、３年前にうつ病と診断されて自殺未遂歴がある。１か月前からうつ状態となり、入水しようとしているところを両親が発見し、嫌がる A を精神科外来に連れてきた。両親は入院治療を希望しており、A も同意したため任意入院となった。入院当日に病棟で公認心理師が面接を開始したところ、「すぐに退院したい」と A から言われた。
このときの A への対応として、最も適切なものを１つ選べ。

1 主治医との面接が必要であることを伝える。
2 退院には家族の許可が必要であることを伝える。
3 意に反する入院は有益ではないため面接を中断する。
4 A が希望すれば直ちに退院が可能であることを伝える。
5 外来に通院することを条件に、退院が可能であると伝える。

解説 019 がん患者とその支援

正答 5

がん患者とその支援に関する問題である。

1 × 合併する精神医学的問題は［抑うつ］が最も多い。

2 × がんに起因する疼痛も心理的支援の対象となり得る。疼痛のような身体症状でも抗うつ剤が効果のあることが知られており、［心理社会的因子の寄与］は大きいと考えられる。

3 × がん患者の自殺率は一般人口の自殺率より［高い］。

4 × がんに起因する抑うつに対しては薬物療法だけでなく［心理社会的支援］も重要である。

5 ○ 包括的アセスメントの対象には、がんそのものに起因する症状の他に、［社会経済的問題］、［心理的問題］、［実存（スピリチュアル）的問題］がある。

解説 020 チーム医療

正答 3

チーム医療に関する問題である。

1 × チーム医療は医療機関内だけでなく地域の［保健・福祉・行政担当者］も巻き込んでなされるものである。

2 × ［患者や家族］も医療チームの構成員とみなすべきである。

3 ○ チーム医療のリーダーシップは必ずしも医師がトップではないということが重要である。状況に応じて、公認心理師や精神科ソーシャルワーカーなど、［最も適切と思われる構成員］がリーダーシップを取れるのがチーム医療の基本である。

4 × 構成する専門職個々のテクニカルスキルがいくら高くても、チームとして力を発揮できるとは限らない。

解説 021 33 歳女性・任意入院への対応（事例）

正答 1

精神科入院形態の知識と公認心理師の職域を問う事例である。精神科入院形態は「任意入院」「措置入院」「緊急措置入院」「医療保護入院」「応急入院」がある。加えて、公認心理師法において公認心理師は要心理支援者に主治医がいた場合はその指示に従うよう明記されている。

1 ○ 医師に退院の希望を伝え、医師の判断を仰ぐ。

2 × 本事例は任意入院であるため、家族の許可は必要ない。

3 × 意に反する入院であっても有益な場合もあるので、退院希望があっても面接を中断する必要はない。

4 × 主治医の判断で、任意入院から医療保護入院等に切り替えることもできる。いずれにしても退院か否かについては医師の判断を要するため、公認心理師が「退院が可能」と伝えるのは間違いである。

5 × 選択肢 4 の解説と同様に、医師の指示を仰ぐ必要があり、公認心理師は医師につなぐことが職務である。

問題 022 Check 第3回 問題079

精神科領域における公認心理師の活動について、適切なものを1つ選べ。

1 統合失調症患者に対するソーシャルスキルトレーニング〈SST〉は、個別指導が最も効果的とされる。

2 神経性やせ症／神経性無食欲症の患者が身体の話題を嫌う場合、身体症状に触れずに心理療法を行う。

3 精神疾患への心理教育は、家族を治療支援者とするためのものであり、当事者には実施しない場合が多い。

4 境界性パーソナリティ障害の治療では、患者への支援だけではなく、必要に応じてスタッフへの支援も行う。

5 妊産婦に精神医学的問題がある場合、産科医が病状を把握していれば、助産師と情報を共有する必要はない。

問題 023 Check 第3回 問題002

統合失調症の症状が増悪したクライエントへの公認心理師の介入について、適切なものを1つ選べ。

1 症状増悪時は、心理的支援を行わない。

2 幻聴に関して、幻覚であることを自覚させる。

3 緊張病性昏迷では、身体管理が必要となる可能性があることを家族に伝える。

4 作為体験によるリストカットは、ためらい傷程度であれば特に緊急性はない。

5 服薬を拒否するクライエントに対して、薬は無理に服薬しなくてよいと伝える。

問題 024 Check 第2回 問題152

58歳の男性A。Aは仕事の繁忙期に寝つきが悪くなり、近所の内科で2か月前から睡眠薬を処方され服用していた。最近入床から1時間以上たっても眠れない日が増え、中途覚醒も認められるようになった。日中の疲労感が強くなってきたため、心療内科を受診した。不眠以外の精神疾患や身体疾患は認められず、主治医から公認心理師に心理的支援の指示があった。
Aへの対応として、適切なものを2つ選べ。

1 認知行動療法を勧める。

2 筋弛緩法を実践するように勧める。

3 これまでよりも早めに就床するように勧める。

4 中途覚醒した際に寝床に留まるよう勧める。

5 夜中に起きた際には時計で時刻を確認するように勧める。

解説 022 精神科領域での活動

正答 4

公認心理師が精神科領域で活動する際に留意すべき事項の知識を問う問題である。

1 × SST（ソーシャル・スキルズ・トレーニング）は、個別指導に比べてグループ指導のほうが効果的である。

2 × 神経性やせ症は一般に、身体症状があっても隠しがちで病識があまりないことが多く、[治療動機が低い] ことが多い。しかし、病気がもたらす心身両面への影響についての心理教育は、治療動機の確立に極めて重要となる。そのため、本人の気持ちに配慮しながらも根気強く身体症状を含めた病気の心理療法を行う必要がある。

3 × 精神疾患への心理教育は、家族にも当事者にも実施する。

4 ○ 境界性パーソナリティ障害は、強い不安感と衝動的な行動が特徴であり、「理想化とこき下ろし」や「行動化」などといった他者を巻き込もうとする症状がある。そのため、支援者であっても強い揺さぶりにストレスを抱えてしまうことがまれではない。そうしたスタッフへのサポートも公認心理師の役目である。

5 × クライエントの支援に関わるスタッフ間では、情報を共有することが適切なサポートにつながるので、産科医とも助産師とも情報を共有する。

解説 023 統合失調症への介入

正答 3

統合失調症に対する心理的介入は慎重に行わなければならない。その基本的知識を問う問題である。

1 × 統合失調症の憎悪期における心理支援は、[侵襲的なアプローチ] は禁忌など慎重を要する。しかし、増悪期においても [傍で寄り添う]、[家族へ説明する] など提供すべき心理支援は行う。

2 × 症状の憎悪時に、クライエントの訴えを否定するような関わりは避ける。病気に対する理解を深める [心理教育] は、状態が落ち着いた後に行う。

3 ○ 緊張病性昏迷は [身体疾患を合併しやすい] ため、クライエントの安全の確保のために身体管理が必要になる。その旨、家族に説明し、了承を得る必要がある。

4 × 作為体験とは [誰かによって操られている] という体験であり、ためらい傷であっても緊急性がある。

5 × 統合失調症に [服薬] は必須である。そのため、医師の指導のもと服薬に対する丁寧な [心理教育] が必要になる。

解説 024 58 歳男性・不眠（事例）

正答 1、2

心因性の不眠への具体的な対処法の知識を問う問題である。不眠に対する有効な心理療法として、刺激制御療法や睡眠制限法、リラクセーション法などが挙げられる。また、厚生労働省が出している「健康づくりのための睡眠指針 12 箇条」を知っておくと助けになる。

1 ○ 刺激制御療法及び睡眠制限法といった [認知行動療法] は不眠に対する効果のエビデンスがある。

2 ○ 心身が緊張し続けているために眠れないという症状になっている可能性は高い。よって、心身ともにリラックスでき、質のよい睡眠につながる [筋弛緩法] は有効である可能性が高い。

3 × 眠気が起きていないのに就床時間を早めることは有効ではない。加えて、就寝時間をむやみに長くすることは睡眠を浅くし中途覚醒が増加してしまう可能性が高くなる。

4 × 中途覚醒した場合にずっとそこにとどまることは、かえって眠れないことへのこだわりを強めさせるため不適切。中途覚醒した場合には、別の部屋に行くなどして気分を切り替え、眠くなってから寝室に戻ることが適切。

5 × 中途覚醒時に時計を見るという行為は「まだこれしか眠れていない」「こんな時間に起きてしまった」とストレスを増やす要因になることが多いため、時計は見ないあるいは時計は隠すように勧める。

加点のポイント 不眠への指導

[刺激制御療法] では、「眠ることと性行為以外に寝床を使わないこと」「眠くなってから床に入ること」「寝つけない場合には寝床から出て別の部屋に行くこと」等と指導する。また、[睡眠制限法] では、睡眠日誌をつけることで自分に合った睡眠時間を見つけ、実際の睡眠と寝床にいる時間を近づける。基本的には睡眠時間を 7 時間前後に統制する。

問題 025

Check ☐☐☐ 第３回 問題 094

遺伝カウンセリングにおいて、経験的再発危険率が最も重要な疾患として、正しいものを１つ選べ。

1 統合失調症
2 ダウン症候群
3 Huntington 病
4 家族性 Alzheimer 病
5 筋緊張性ジストロフィー症

問題 026

Check ☐☐☐ 第３回 問題 051

入院患者が公認心理師の面接を受けるために、病棟の面接室に車椅子で入室した。車椅子から面接室の椅子に移乗する際に看護師と公認心理師が介助したが、車椅子から転落した。健康被害は起こらなかった。
それを診断した主治医の他に、インシデントレポートの作成者として、適切なものを２つ選べ。

1 看護師
2 病院長
3 公認心理師
4 病棟看護師長
5 医療安全管理責任者

問題 027

Check ☐☐☐ 第４回 問題 039

T.L. Beauchamp と J.F. Childress が提唱した医療倫理の４原則に該当しないものを１つ選べ。

1 正義
2 説明
3 善行
4 無危害
5 自律尊重

解説 025 遺伝カウンセリング

正答 1

遺伝性疾患は、単一遺伝子病（メンデル遺伝性疾患）、多因子遺伝病（非メンデル遺伝性疾患）、染色体異常症に大別される。このうち、遺伝子ないし染色体異常がわかっていない多因子遺伝病については、経験的再発危険率が重要になる。

1 ○ 統合失調症は、遺伝要因と環境要因の相互作用により発症する多因子遺伝病と考えられる。したがって、遺伝カウンセリングにおいては経験的再発危険率が用いられる。

2 × ダウン症候群は、[染色体異常症] であるため、危険率は算術的に推定できる。

3 × Huntington 病は、常染色体優性遺伝病（単一遺伝子病の遺伝様式のひとつ）である。単一遺伝子病の遺伝形式はメンデルの法則に従うため、危険率は理論的危険率によって推定できる。

4 × 家族性 Alzheimer 病も常染色体優性遺伝病であるため、危険率は理論値が算出できる。

5 × 筋緊張性ジストロフィー症も Huntington 病や家族性 Alzheimer 病と同様に常染色体優性遺伝病であるため、危険率は算術的に推定できる。

解説 026 インシデントレポート

正答 1、3

医療安全管理に関する問題である。インシデントが発生した場合、病院全体でインシデントが起きた背景や課題、問題点を共有して医療の安全を確保するためにインシデントの報告書を作成し提出する必要がある。時系列に沿って事実を正確に書く必要があるため、インシデントの現場にいた者が書く必要がある。

1 ○ この事例において、看護師はインシデントが起きた現場にいたのでインシデントレポートを作成する者として適切である。

2 × 病院長はインシデントが起きた現場にいないので不適切である。

3 ○ 公認心理師は看護師と同様、インシデントが起きた現場にいたのでインシデントレポートの作成者として適切である。

4 × 病棟看護師長はインシデントが起きた現場にいないため、インシデントレポートを書くことは難しい。

5 × 医療安全管理責任者もインシデントが起きた現場にいないため、インシデントレポートを作成する者としては適切でない。

メモ 医療事故防止

医療事故防止に関する用語は、様々なマニュアルで定義されている。例えば、「インシデント」「アクシデント」「オカレンス」など、あわせておさえておきたい。

解説 027 医療倫理の 4 原則

正答 2

1979 年に T.L. Beauchamp と J.F. Childress が提唱した医療倫理の 4 原則は①自律尊重（Respect of autonomy）、②無危害（Non-maleficence）、③善行（Beneficence）、④正義（Justice）となっている。

1 ○ [正義] とは、医療資源や人的資源、利益や負担を公正に分配せよというものである。

2 × 上記の通り、説明は医療倫理の 4 原則には含まれない。

3 ○ [善行] とは、患者医療者双方の合意のもとに最善の策を実践することをいう。

4 ○ [無危害] とは、患者の害になる行為を行わない、あるいは最小限にすることである。

5 ○ [自律尊重] とは、自律的な患者の意思決定を尊重することをいう。

問題 028　Check □□□　第4回　問題133

感染症の標準予防策について、適切なものを2つ選べ。

1　全ての患者との接触において適用される。
2　個人防護具を脱ぐときは、手袋を最後に外す。
3　手袋を外した後の手洗いや手指の消毒は、省略してもよい。
4　電子カルテ端末を用いて情報を入力するときは、手袋を外す。
5　個人防護具は、ナースステーション内の清潔な場所で着脱する。

③保健活動における心理的支援

問題 029　Check □□□　第2回　問題095

自殺予防に対する公認心理師の対応や判断として、最も適切なものを1つ選べ。

1　自殺をしようと計画する人は、死ぬことを決意している。
2　自殺の危機が緩和されるまで、心理の深層を扱うような心理療法を継続する。
3　公認心理師がクライエントと自殺について話をすると、自殺行動を引き起こすことになる。
4　自殺が1つの選択肢であるという考えを一旦受容し、自殺が正しい判断ではないことを確認する。
5　クライエントが自殺について語るときは、注意を引きたいだけであるため、実際に自分自身を傷つけることはない。

問題 030　Check □□□　第1回　問題034

自殺対策におけるゲートキーパーの役割について、不適切なものを1つ選べ。

1　専門家に紹介した後も地域で見守る。
2　悩んでいる人に寄り添い、関わりを通して孤立や孤独を防ぐようにする。
3　専門的な解釈を加えながら診断を行い、必要に応じて医療機関を受診させる。
4　悩んでいる人のプライバシーに配慮しつつ、支援者同士はできるだけ協力する。
5　悩んでいる人から「死にたい」という発言がなくても、自殺のリスクについて評価する。

解説 028 感染症の標準予防策

正答 1、4

標準予防策についての問題である。新型コロナウイルス感染症の感染予防策においても、医療従事者が標準予防策を遵守することが徹底されている。

1 ○ 標準予防策は、感染症の有無に関係なく［全ての患者］のケアに際して適用される予防策である。

2 × 個人防護具を脱ぐ際は、最も汚染していると考えられる［手袋］を最初に外す。手袋を外す際に手指が汚染した場合は、手指衛生を追加して次の防護具を外す。

3 × ［手指衛生］は、最も基本的な対策の１つであり、どのような場合でも遵守しなければならない。手袋を外した後は手を洗う前に目や顔を触らないように注意する。

4 ○ 電子カルテ端末に限らず、ドアノブや電話機などの［共有物］に触れる際は必ず手袋を外す。

5 × 個人防護具を着ける際は［入室前］に着用する。脱ぐ際は病室から［退室する前］に外す。汚染された防護具によって周囲の環境を汚染しないようにしなければならないため、ナースステーション内で着脱することはしない。

解説 029 自殺予防

正答 4

自殺の予防に関する啓発や相談体制の充実などは公認心理師に期待されている役割のひとつである。出題頻度も高いため、基礎的な知識に加え公認心理師としての関わり方などをおさえておこう。WHO による自殺予防の手引き「自殺予防 カウンセラーのための手引き（日本語版初版）」が参考になる。この問題も手引きの内容から出題されている。

1 × 自殺をしようと計画している人は、「死」と「生」の間で心が激しく動揺している。「死にたい」という強い思いがある一方で「生きたい」という気持ちもある。

2 × 危機が緩和されるまで、深層に入り込むような形の心理療法は避けるべきである。この他にも、上述の手引きには自殺の危機に際して、カウンセラーがすべき重要なことがまとめられている。

3 × クライエントに死ぬことや自分を傷つけることを考えているのかどうか尋ねるだけで自殺行動が引き起こされることはない。［穏やか］に、そして［支持的］に話を聞く。話題を避けるのではなく、死に至る可能性を考慮しているかどうか、などについても質問を行い、［自殺のリスク］を評価する。

4 ○ 自殺が１つの選択肢であるという考えを一旦［受容］した上で、自殺が正しい判断ではないことを確認することは公認心理師としてなすべきことである。批判的にならず、まずは「死にたい」というクライエントの気持ちを受け止めることが大切である。

5 × 注意を引くために死をほのめかすクライエントもいるだろう。しかし、クライエントが自殺や死について話した場合は、深刻に受け止め、あらゆる［予防措置］をとることが求められる。

解説 030 自殺対策におけるゲートキーパー

正答 3

自殺予防は急務であり、代表的な施策は、ゲートキーパーといのちの電話が挙げられる。ゲートキーパーとは、自殺予防の役割を担っており、専門性の有無にかかわらず、自殺の危険を示すサインに気づき、声をかけ、話を聞いて、必要な支援につなげることができる人のことを指す。

1 ○ 要心理支援者の［孤立・孤独］を防ぐことが重要な役割であるため、長期的に見守る。

2 ○ 寄り添い、見守り、［孤立・孤独］を防ぐことこそがゲートキーパーの役割である。

3 × ゲートキーパーは専門家でなくてもできる。専門的な診断や解釈を行うのではなく、寄り添い、話を聞き、孤立・孤独を防ぐことが役目である。

4 ○ 支援者同士も孤立して動くのではなく、［連携］して情報の共有や協力をし合う。

5 ○ 「死にたい」という発言だけが自殺のリスクではない。

問題 031 Check 第3回 問題003

自殺予防や自殺のリスク評価について、正しいものを 1 つ選べ。

1 文化的・宗教的な信条は、自殺のリスクに関連しない。
2 自殺念慮に具体的な計画があると、自殺のリスクが高い。
3 家族や身近な人に自殺者がいても、自殺のリスクが高いとは言えない。
4 自殺予防のための情報提供などの普及啓発は、自殺の二次予防として重要である。
5 自殺手段や自殺が生じた場所について繰り返し詳しく報道することは、自殺予防になる。

問題 032 Check 第3回 問題004

ある医療機関で入院患者が自殺し、3 日後に同じ病棟の患者が続けて自殺した。この病棟における自殺のポストベンションについて、最も適切なものを 1 つ選べ。

1 第一発見者のケアを優先する。
2 患者の担当以外の病棟スタッフは対象にならない。
3 自殺の原因を特定し、病棟の問題を解決することが目的である。
4 入院患者と医療スタッフが当該自殺に関する率直な感情を表現する機会を設ける。
5 守秘義務のため、亡くなった患者と親しかった他の患者には自殺について伝えない。

メモ 自殺予防の 3 段階

自殺予防は、プリベンション（事前対応）、インターベンション（危機介入）、ポストベンション（事後対応）の3段階に分類される。
プリベンションは、自殺の原因となりそうなものを取り除いたり、必要な知識の普及・啓発を行ったりして自殺を未然に防ぐことである。インターベンションは、自殺が起こりそうな危機的状況に介入し、自殺を防ぐことである。ポストベンションは、自殺が生じてしまった場合に、遺された人に働きかけ、自殺の心理的影響を最小限に抑えるための対策である。厚生労働省の「職場における自殺の予防と対応」より。

問題 033 Check 第1回 問題134

かかりつけの内科医に通院して薬物療法を受けているうつ病の患者を精神科医へ紹介すべき症状として、適切なものを 2 つ選べ。

1 不眠
2 自殺念慮
3 体重減少
4 改善しない抑うつ症状
5 心理的原因による抑うつ症状

解説 031 自殺予防と自殺のリスク

正答 2

自殺リスクを正しく評価し、自殺予防の働きかけをすることは、どの分野で働く公認心理師にとっても重要である。厚生労働省による「自殺に傾いた人を支えるために－相談担当者のための指針－」に目を通しておこう。

1 × その国や地域の文化、宗教的な信条が自殺をどのように捉えているかによって、自殺のリスクは大きく変わってくる。

2 ○ 自殺の計画が具体的であるほど自殺のリスクが高くなる。そのため、自殺の危険性を察知したときには、具体的な計画があるのかを問うことが重要である。

3 × 家族や身近な人が自殺をしている場合、自殺を解決方法のひとつとして選択しやすくなる。

4 × 自殺予防のための情報提供などの普及啓発は自殺の［一次予防］にあたる。

5 × 自殺に関する情報にさらされることは自殺の［危険因子］となる。

解説 032 自殺のポストベンション

正答 4

自殺のポストベンションとは、自殺が起きてしまった後の対応策である。厚生労働省の「職場における自殺の予防と対応」を参照のこと。

1 × 第一発見者は自殺の影響を特に強く受ける可能性のある人であるが、病棟におけるポストベンションという観点では、第一発見者だけでなく、病棟全体を俯瞰して対処すべきである。

2 × 担当の病棟スタッフだけでなく、他の医療スタッフもポストベンションの対象となる。

3 × 自殺の原因を検討することは重要であるが、ポストベンションは病棟の問題を解決することが目的ではなく、今後の自殺再発予防が目的である。

4 ○ ポストベンションの目的のひとつは、自殺に関係した人が自分の感情を率直に表現できる機会を与えることである。

5 × この病棟では群発自殺が起き始めている状況にあり、亡くなった患者と親しかった患者にも淡々と中立の立場で事実を伝え、必要に応じて個別に対応すべきである。

解説 033 精神科医に紹介すべきうつ状態

正答 2、4

精神科医に紹介が必要になるうつ病の重症度のアセスメント知識が問われている。

1 × ［不眠］は、ストレス反応として頻発するため、早期であれば内科での対応で改善することも多い。

2 ○ ［自殺念慮］は、うつ病の重篤な症状の１つであり、専門医への紹介が必要となる。

3 × ［体重減少］は、初期症状として多く、早期に内科での処方で改善が見込める。

4 ○ 内科で薬物治療を行ったにもかかわらず、抑うつ状態が改善しなければ、うつ病が［重篤］であると判断できるため、精神科医による専門的な治療が必要である。

5 × 心理的要因による抑うつだけでは、うつ病の重症度はわからない。また心理師による［カウンセリング］等によって改善の可能性がある。よって、精神科医に紹介が必要とは言い切れない。

加点のポイント うつ病と不安障害は見立てができるようにしておこう！

公認心理師の主たる業務であるアセスメントと心理療法に関する実践的知識が必要である。診断は医師の職務であるが、公認心理師は症状の見立てができるようにしたい。
うつ病の代表的な症状は、抑うつ気分や［興味と喜び］の喪失、［思考力や集中力］の低下、［体重減少］または増加、［不眠］あるいは過眠、［希死念慮］などがある。
不安障害の中では、［社交不安症］、［パニック障害］、［広場恐怖］、［全般性不安障害］はおさえておきたい。いずれも［予期不安］と［回避行動］が認められることが多い。
治療法としては、支持的カウンセリングに加えて、認知行動療法が主流となっている。思考の歪みを修正する認知療法やエクスポージャー、系統的脱感作法などが有効とされる。

問題 034 Check 第1回 問題064

55歳の男性A、自営業。Aは糖尿病の治療を受けていたが、その状態は増悪していた。生活習慣の改善を見直すことを目的に、主治医から公認心理師に紹介された。Aは小売店を経営しており、取引先の仲間と集まってお酒を飲むのが長年の日課となっていた。糖尿病が増悪してから、主治医には暴飲暴食をやめるように言われていたが、「付き合いは仕事の一部、これだけが生きる楽しみ」と冗談交じりに話した。Aは「やめようと思えばいつでもやめられる」と言っている。しかし、翌週に面接した際、生活習慣の改善はみられなかった。
まず行うべき対応として、最も適切なものを1つ選べ。

1 家族や仲間の協力を得る。
2 飲酒に関する心理教育を行う。
3 断酒を目的としたグループを紹介する。
4 Aが自分の問題を認識するための面接を行う。
5 Aと一緒に生活を改善するための計画を立てる。

問題 035 Check 第1回追 問題054

心の健康問題により休業した労働者が職場復帰を行う際に、職場の公認心理師が主治医と連携する場合の留意点として、正しいものを2つ選べ。

1 主治医と連携する際は、事前に当該労働者から同意を得ておく。
2 主治医の復職診断書は労働者の業務遂行能力の回復を保証するものと解釈する。
3 主治医に情報提供を依頼する場合の費用負担については、事前に主治医と取り決めておく。
4 主治医から意見を求める際には、事例性よりも疾病性に基づく情報の提供を求めるようにする。
5 当該労働者の業務内容については、プライバシー保護の観点から主治医に提供すべきではない。

問題 036 Check 第1回追 問題141

84歳の女性A、夫と二人暮らしである。Aは2年前に大腿骨を骨折し手術を受けたが、リハビリを拒否したまま退院した。現在は歩行が困難で、食事は不規則であり、入浴もあまりしていない。Aは易怒的であり夫に暴言を浴びせる。遠方に住む長女から地域包括支援センターに相談があったため、センター職員が数回訪問し、認知症を疑った。
このときの認知症初期集中支援チームによる支援として、最も適切なものを1つ選べ。

1 整形外科の医師がチームに加わる。
2 初回訪問はチーム員の介護福祉士2名で行う。
3 出来るだけ早くAを精神科病院に入院させる。
4 初回訪問から介護保険サービスの利用を開始する。
5 初回訪問で、専門の医療機関への受診に向けた動機づけをAと夫に行う。

解説 034　55歳男性・生活習慣病のクライエントに対する支援（事例）　正答 4

生活習慣病に関する心理支援や、問題意識が低いクライエントへの公認心理師の対応を問う問題である。代表的な生活習慣病に、2型糖尿病やメタボリック・シンドロームなどがある。

1 ×「仲間と集まってお酒を飲むのが長年の日課」とあるため、効果は期待できない。

2 × 糖尿病であり暴飲暴食をやめるように既に言われている。

3 × 自助グループに参加できるほどのモチベーションはないと見受けられる。

4 ○ まず問題意識を本人が持つことが必要であるため、そのための動機づけを行うことが最も適切である。

5 × そもそも生活習慣の改善のために面接となったが、問題の経過を踏まえると、本事例の段階では意味がないであろう。

解説 035　公認心理師の主治医との連携　正答 1、3

厚生労働省より出されている「心の健康問題により休業した労働者の職場復帰支援の手引き」を参考にするとよい。

1 ○ 手引きの中で「主治医との連携にあたっては、事前に当該労働者への［説明］と［同意］を得ておく必要がある」と明記されている。

2 × 主治医による復職診断書の内容は、病状の回復程度によって職場復帰の［可能性］を判断していることが多く、それは直ちにその職場で求められる業務遂行能力まで回復しているか否かの判断とは限らない。

3 ○ 手引きの中で「主治医に［情報提供］を依頼する場合や、直接主治医との［連絡］や［面会］を行う場合、その費用負担についても、事前に［主治医］との間で取り決めておく必要がある」と明記されている。

4 × 職場復帰の可否については、個々のケースごとに総合的な判断が必要である。そのため、主治医から意見を求める際には、［事例性］に基づく情報の提供を求めるようにすることが望ましいと考えられる。

5 × 本人の同意を得た上で、職場復帰時に本人に求められる業務の内容その他について［情報の提供］を行い、復職診断書を提出する際の参考にしてもらうことがある。そのため、「提供すべきではない」は誤りである。

解説 036　84歳女性・認知症（事例）　正答 5

認知症初期集中支援チームの要件に関わる問題である。

1 × 認知症初期集中支援チームに関わる医師は［認知症専門医］または［認知症サポート医］である。

2 × 初回の観察・評価の訪問は、原則として［医療系職員と介護系職員］それぞれ1名以上計2名以上となっている。

3 × ケアに大切なことはできるだけ在宅で本人が生活を継続できるように適切に支援することであって、いたずらに入院を推し進めるべきではない。

4 × 介護保険サービスの適応について検討するのはよいが、利用するかどうかはケース・バイ・ケースで決める。

5 ○ 初回訪問では専門の医療機関にかからせる状態かどうかアセスメントするべきであるし、その必要があれば本人、家族に受診に向けた動機づけを行う。

問題 037　Check ☑☑☑　第1回　問題019

ひきこもりの支援について、正しいものを 1 つ選べ。

1　ハローワークでは、生活面での助言や障害福祉サービスの利用支援を行う。
2　ひきこもり地域支援センターは、市町村が行う相談支援業務を援助する機関である。
3　地域若者サポートステーションは、早期に医療機関へのつながりを確保する機関である。
4　地域障害者職業センターでは、障害者手帳の所有者でなくても専門的な職業評価と職業指導が受けられる。
5　ひきこもりサポーターは、長期にわたるひきこもりの当事者及び家族を支援することを主な目的としている。

問題 038　Check ☑☑☑　第2回　問題124

ギャンブル等依存症について、正しいものを 1 つ選べ。

1　本人の意思が弱いために生じる。
2　パーソナリティ障害との併存はまれである。
3　自助グループに参加することの効果は乏しい。
4　虐待、自殺、犯罪などの問題と密接に関連している。

④災害時等の心理的支援

問題 039　Check ☑☑☑　第1回　問題001

サイコロジカル・ファーストエイドを活用できる場面として、最も適切なものを 1 つ選べ。

1　インテーク面接
2　予定手術前の面接
3　心理検査の実施場面
4　事故現場での被害者の救援
5　スクールカウンセリングの定期面接

解説 037 ひきこもりの支援

正答 4

ひきこもりは社会問題となっており、公認心理師のみが行うのではなく、各機関と連携することが適切な支援を行う上で重要である。そのためには、ひきこもりに対する国および行政機関の施策、どの機関でどのようなサービスを行っているかを知っておくことが必須であり、その知識を問われている。

1 × ハローワークの主な業務は［就労］に関する相談、［職業紹介］、［公共職業訓練］の受付や［雇用保険］の手続きである。生活面での助言や障害福祉サービスの利用支援は、［障害者就業・生活支援センター］等が行うため間違いである。

2 × ひきこもり地域支援センターは、［都道府県］、［指定都市］に設置されている。そのため、「市町村」が誤りである。

3 × 地域若者サポートステーション（通称：サポステ）は、働くことに悩む［15～49］歳の若者を対象に、［キャリア相談］やコミュニケーション訓練、［就労支援］を行う機関である。そのため、「医療機関へのつながりを確保」が間違い。

4 ○ 地域障害者職業センターは、全国の都道府県に設置されている障害者に対する職業リハビリテーションや、障害者雇用に関する相談や援助を事業主に行う機関である。障害者手帳所有者でなくてもサービスを受けることは可能であるため正しい。

5 × ひきこもりサポーターは、ひきこもりを［早期］に発見し、継続的に支援していくことを目的としている。よって、「長期にわたる」との限定的文言が間違いである。

解説 038 ギャンブル等依存症

正答 4

ギャンブル等依存症は、ギャンブル障害として DSM-5 では非物質関連障害群に分類されている。この概念は ICD-10 の病的賭博にほぼ相当する。臨床的に意味のある機能障害または苦痛を引き起こすに至る持続的かつ反復性の問題賭博行動と定義されている。社会的地位、家庭生活、社会的義務の遂行を脅かす賭博を繰り返す人であり、疫学研究では、一般人口の約 1～3%に認められるとされる。

1 × 依存症一般にいえることであるが、依存症は疾患であって、本人の意思の弱さに原因を帰することは適切ではないし、治療上効果的でもない。

2 × 反社会性パーソナリティ障害、境界性パーソナリティ障害をはじめとする［合併精神障害］が多く認められる。

3 × ［自助グループ］（ギャンブラーズ・アノニマス）への参加が回復に有効であるといわれている。

4 ○ 依存症そのものの診断基準のひとつに社会的な機能障害があることが含まれており、虐待、自殺、犯罪などの深刻な社会的問題への関連があることは確実である。

解説 039 サイコロジカル・ファーストエイド

正答 4

サイコロジカル・ファーストエイド（PFA：Psychological First Aid）は心理的応急処置であり、WHO が作成した。災害や紛争、事故直後の心理支援に関し、支援者の基本的姿勢をマニュアル化したものである。

1 × インテーク面接とは、［初回面接］のことであり、PFA の説明ではない。

2 × PFA は［災害］や［事故直後］の支援のマニュアルであるため、該当しない。

3 × 選択肢 2 の解説と同様に心理検査も PFA を用いる場面ではない。

4 ○ PFA は災害や事故直後の支援に関するものであり、専門家でなくてもできる。

5 × 学校で緊急な事件や事故が起こった場合には PFA が用いられることもある。しかし、定期面接は該当しない。

問題 040　Check ☐☐☐　第1回　問題124

巨大な自然災害の直後におけるサイコロジカル・ファーストエイドについて、適切なものを2つ選べ。

1　被災者の周囲の環境を整備し、心身の安全を確保する。
2　被災者は全て心的外傷を受けていると考えて対応する。
3　被災体験を詳しく聞き出し、被災者の感情表出を促す。
4　食糧、水、情報など生きていく上での基本的ニーズを満たす手助けをする。
5　被災者のニーズに直接応じるのではなく、彼らが回復する方法を自ら見つけられるように支援する。

加点のポイント　頻出されたサイコロジカル・ファーストエイドとは？

サイコロジカル・ファーストエイド（PFA：Psychological First Aid）は［**心理的応急処置**］とされ、災害や事故直後の支援者の基本的姿勢をマニュアル化したものである。詳しくは、PFA フィールドガイトを一読しておくとよい。PFA のポイントは、「専門家しかできないものではない」「専門家が行うカウンセリングではない」「心理的デブリーフィングではない」という点である。心理師が普段行っている心理療法や心理検査とは主旨が異なる。

PFA の活動原則は［見る・聞く・つなぐ］であり、専門的な対処ではなく、被災者の安全の確保と食糧等の基本的ニーズを満たす活動をし、被災者の状態によっては専門機関につなぐことが求められる。

問題 041　Check ☐☐☐　第1回　問題093

災害時の支援について、正しいものを1つ選べ。

1　被災直後の不眠は病的反応であり、薬物治療を行う。
2　被災者に対する心理的デブリーフィングは有効な支援である。
3　危機的な状況で子どもは成人よりリスクが高く、特別な支援を必要とする。
4　被災者の悲観的な発言には、「助かって良かったじゃないですか」と励ます。
5　被災者から知り得た情報は、守秘義務に基づき、いかなる場合も他者に話してはならない。

問題 042　Check ☐☐☐　第1回　問題096

災害発生後の「被災者のこころのケア」について、正しいものを1つ選べ。

1　ボランティアが被災者を集め、被災体験を語ってもらう。
2　避難所などにおける対象者のスクリーニングは、精神科医が実施する。
3　支援者のストレス反応に対しては、役割分担と業務ローテーションの明確化や業務の価値づけが有効である。
4　避難所などにおけるコミュニティ形成について経験のある NPO への研修を迅速に行い、協力体制を整備する。
5　悲嘆が強くひきこもりなどの問題を抱えている被災者を「見守り必要」レベルとして、地域コミュニティのつながりで孤立感を解消する。

解説 040 サイコロジカル・ファーストエイド

正答 1、4

サイコロジカル・ファーストエイド（PFA）の知識を問う問題である。

1 ○ 本文の通り、[環境の整備] を行い、[安全の確保] が最優先となる。

2 × 被災者の全てが心的外傷を受けているとは限らない。

3 × PFA は [カウンセリングとは異なる] とされる。被災者が話したいことに耳を傾けることは重要であるが、意図的に詳しく聞き出すことはしない。

4 ○ 食糧、水、情報など生きていく上での [基本的ニーズ] をまず満たすことで、被災者の安全を確保する。

5 × 災害直後には、被災者のニーズを把握し、[緊急を要する] ことにはすぐに対応する。また、「回復する方法を自ら見つけられるように支援する」というのは、被災直後ではなく、[事態が落ち着いた時期] からのことである。

解説 041 災害時の支援

正答 3

災害時には様々なストレス反応が生じ、一般的には「茫然自失期→ハネムーン期→幻滅期→再建期」といった経過をたどる。

1 × 被災直後の不眠は病的反応ではなく、災害を経験した直後に起こり得る [正常] な反応である。

2 × [心理的デブリーフィング] とは、災害の直後に行われる被災者支援のことである。もともと、災害時の救援活動から戻ってきた消防士や警察官の PTSD を予防するために行われていた集団療法的技法である。その後、被災者にも応用されるようになったが無理に話を聞き出すことでさらに [苦痛] を与える可能性がある。PTSD の予防効果も実証されておらず、現在では心理的デブリーフィングは国際的に否定されている。

3 ○ 子どもは大人に比べて [言語表現] やストレスへの [自己対処能力] が未熟なため、危機的な状況では成人よりもリスクが高い。

4 × 災害に遭いながらも難を逃れた被災者は、自分が助かったことに対して罪悪感（サバイバーズ・ギルト）が生じることがある。そのため、悲観的な発言に対して「助かって良かったじゃないですか」という発言は絶対にしてはいけない。

5 × 被災者の個人情報や被災者から知り得た情報を他人に漏らすことはよくない。しかし、[命に関わる] ような場合は例外であり、報告や通報が優先されることもある。

解説 042 被災者のこころのケア

正答 3

災害発生後の被災者のこころのケアに関する知識を問う問題である。WHO が作成した支援姿勢のマニュアルであるサイコロジカル・ファーストエイド（PFA）の知識および内閣府の「被災者のこころのケア都道府県対応ガイドライン」の内容を把握していることが必要である。

1 × 問題文は [デブリーフィング] にあたる。デブリーフィングは近年の研究で有効でないとされている。PFA でも否定されている。

2 × 内閣府の「被災者のこころのケア都道府県対応ガイドライン」では、避難所などにおける対象者のスクリーニングは、精神科医に限定されず、市町村のこころのケア担当者や市町村の保健センターの保健師が中心となって行うと示されている。

3 ○ 災害直後の支援にあたる支援者も心理的ストレスがかかる。そのため、[役割分担] や [業務の明確化]、[価値づけ] が、支援者の精神的負担の軽減につながる。

4 × 問題文の内容は、[災害前] に行っておくべきである。

5 × 「悲嘆が強くひきこもりなどの問題を抱えている被災者」は、[見守り必要] レベルに該当するが、このレベルへの対応としては、保健師、精神保健福祉士、こころのケアに関する短期の訓練を受けた医師・看護師が被災者に対する傾聴やアドバイス等のこころのケアを実施する。地域コミュニティのつながりで被災者の孤立感を解消するのは [一般の被災者] レベルの人への対応である。

問題 043 Check 第1回 追 問題085

B. Latanè と J.M. Darley の理論による緊急時の援助行動までの以下の 1 から 5 の意思決定過程の順序について、正しいものを 1 つ選べ。

1 何か深刻な事態が生じているという認識
2 自分に助ける責任があるという認識
3 事態が危機的状況であるという認識
4 どうやって助ければよいかを自分は知っているという認識
5 援助しようという決断

1 1→2→3→4→5
2 1→2→4→3→5
3 1→3→2→4→5
4 1→3→4→2→5
5 1→4→2→3→5

問題 044 Check 第1回 追 問題095

災害発生後早期の支援について、最も適切なものを 1 つ選べ。

1 身体に触れて安心感を与える。
2 GHQ-28 を用いて被災者の健康状態を調査する。
3 災害以前から治療を受けている疾患がないかを被災者に確認する。
4 被災者のグループ面接で避難生活の不満を互いに話し、カタルシスが得られるようにする。
5 強い精神的ショックを受けた被災者が混乱して興奮している状態を、正常な反応として静かに見守る。

解説 043 緊急時の援助行動

正答 3

B. Latanè と J.M. Darley の理論による緊急時の援助行動の知識を問う問題である。B. Latanè らは、緊急時の援助行動の意思決定の「5 段階モデル」を提唱している。5 段階とは、以下の①～⑤である。問題文の文章が、どの段階にあたるのかを判断して解答することが求められる。

①緊急時への［注意］	「1 何か深刻な事態が生じているという認識」
②緊急事態という［判断］	「3 事態が危機的状況であるという認識」
③［個人的責任の受容］の決定	「2 自分に助ける責任があるという認識」
④特定の［介入様式の決定］	「4 どうやって助ければよいかを自分は知っているという認識」
⑤介入の［実行］	「5 援助しようという決断」となる。

解説 044 災害発生後の支援

正答 3

災害発生後の支援方法の知識を問う問題である。PFA の知識を基盤とすれば災害および事故発生早期の対応に関する問題は正答できる。

1 × 安易に身体接触することは適切ではない。公認心理師は基本的に身体接触をしない。

2 × GHQ-28 は質問紙による精神健康調査だが、災害直後に質問紙調査を行うことはむしろ負担になるため［控える］べきである。

3 ○ 災害以前から疾患があった場合、災害によって悪化する可能性や、適切な投薬を維持しなければならないことなど［早急な対応］が必要になる。

4 × 問題文はデブリーフィングに相当するが、PFA フィールド・ガイドにおいても PFA は「デブリーフィングではない」とある。被災者のグループ面接は、場合によっては悪化することも指摘されており、適切ではない。

5 × 強い精神的ショックを受けている場合、［専門的な治療］につなげる必要があり、静かに見守っていてはいけない。

問題 045　Check ☑☑☑　第1回追　問題063

小学校で原因不明の爆発事故が起こり、多数の負傷者がいると通報があった。所轄警察署に勤務する公認心理師は事故発生後、他の署員とともに直ちに事故現場において被害者支援を行った。
事故の連絡を受けて駆け付けた保護者への公認心理師の優先される対応として、適切なものを1つ選べ。

1　報道機関の取材に応じる。
2　保護者が希望しない限り、情報提供を控える。
3　学校教職員から保護者に説明する場を設定する。
4　免許証などにより保護者を確認し、部外者の侵入を防ぐ。
5　関係者と協力して児童の状況について情報を集め、保護者に提供する。

メモ　PFAの活動原則

PFAは、WHOが作成した災害直後の心理支援に関し、支援者の基本的姿勢をマニュアル化したもの。「見る」「聞く」「つなぐ」が活動原則となっている。

見る	・安全確認 ・明らかに急を要する基本的ニーズがある人の確認 ・深刻なストレス反応を示す人の確認
聞く	・支援が必要と思われる人々に寄り添う ・必要なものや気がかりなことについて尋ねる ・人々の声に耳を傾け、気持ちを落ち着かせる手助けをする
つなぐ	・生きていく上で基本的なニーズが満たされ、サービスが受けられるように手助けをする ・自分で問題に対処できるように手助けをする ・情報を提供する ・人々を大切な人や社会的支援と結びつける

問題 046　Check ☑☑☑　第3回　問題095

災害時の保健医療支援体制について、最も適切なものを1つ選べ。

1　災害派遣精神医療チーム〈DPAT〉は、都道府県医師会によって組織される。
2　災害拠点病院は、高度の医療を提供できる400床以上の病院の中から厚生労働省が指定する。
3　災害派遣医療チーム〈DMAT〉は、各都道府県で実施する養成研修の修了者によって構成される。
4　災害医療コーディネーターは、所定の研修を修了した者に対して厚生労働省が付与する資格である。
5　広域災害救急医療情報システム〈EMIS〉は、インターネット上で災害時の医療情報の共有を図るシステムである。

解説 045 小学校での事故対応（事例） 正答 5

小学校で起きた事故（災害）に対し、所轄警察署に勤務する公認心理師として保護者への適切な対応が何かを問うている。心理学的応急処置（サイコロジカル・ファーストエイド：PFA）に関する問題である。

1 × 学校で事件や事故が起こった場合には、学校側の担当者が対応するので、報道機関の取材に応じることは公認心理師の業務ではない。そもそも、問題文には「保護者への公認心理師の優先される対応」とあるため、選択肢 1 は明らかに不適切である。

2 × PFA の活動中の活動原則は、「見る」・「聞く」・「つなぐ」である。「つなぐ」には情報を提供することも含まれるため、「保護者が希望しない限り」というのは不適切である。

3 × 学校教職員から保護者に説明する場を設定するか否かは学校側（学校内緊急支援チーム）が決めることである。この事例の場合、公認心理師は所轄警察署に勤務しているため、このようなことを決める立場にない。

4 × 部外者の侵入を防ぐことは公認心理師の業務ではない。警察が行うべきことである。

5 ○ PFA の活動中の基本的な活動原則は、「見る」・「聞く」・「つなぐ」であり、情報提供することも「つなぐ」に含まれる。危機的な出来事が起きた後では、正確な情報を得ることが難しいため、関係者と協力して適切な情報を保護者に伝えることは大切なことである。

解説 046 災害時の保健医療支援体制 正答 5

災害時における保健医療支援体制に関する問題である。DMAT、DPAT、JMAT 等の医療チームやチームとの連絡調整等を行う災害医療コーディネーター、災害時における保健医療情報の収集と活用について理解しておくことが大切である。

1 × ［災害派遣精神医療チーム（DPAT）］は、［都道府県および政令指定都市］によって組織される、専門的な研修・訓練を受けた災害派遣精神医療チームである。DPAT の各班は、精神科医師、看護師、業務調整員を含めた数名によって構成され、現地のニーズに合わせ、その他の職種も加わることがある。

2 × ［災害拠点病院］は、災害発生時に災害医療を行う医療機関を支援する病院のことをいう。高度の医療を提供できる 400 床以上の病院は［特定機能病院］の説明であり、災害拠点病院はこの中から指定されるわけではない。

3 × ［災害派遣医療チーム（DMAT）］は、災害急性期に活動できる機動性を持った、専門的な研修・訓練を受けた災害派遣医療チームである。DMAT は、厚生労働省等が実施する「日本 DMAT 隊員養成研修」を修了するか、またはそれと同等の学識・技能を有する者として厚生労働省から認められ、［厚生労働省］に登録された者によって構成される。

4 × ［災害医療コーディネーター］とは、災害時に、都道府県等が保健医療活動の総合調整等を適切かつ円滑に行えるよう、保健医療調整本部等において、［被災地の保健医療ニーズの把握］、［保健医療活動チームの派遣調整等］にかかる助言や支援を行うことを目的として、都道府県により任命された者である。所定の研修は課されておらず、厚生労働省が付与する資格でもない。

5 ○ ［広域災害救急医療情報システム（EMIS）］とは、インターネット上で災害時の医療情報の共有を図るシステムである。災害拠点病院をはじめとした医療機関や消防、保健所、市町村等の間の情報ネットワーク化や災害医療に関わる情報を収集・提供し被災地域での迅速かつ適切な医療・救護活動を支援することを目的としている。

問題 047

Check ☐☐☐　第4回　問題064

28歳の女性A。Aが生活する地域に大規模な地震が発生し、直後に被災地外から派遣された公認心理師Bが避難所で支援活動を行っている。地震発生から約3週間後に、AからBに、「地震の後から眠れない」と相談があった。Aの家は無事だったが、隣家は土砂に巻き込まれ、住人は行方不明になっている。Aはその様子を目撃していた。Aによれば、最近崩れる隣家の様子が繰り返し夢に出てきて眠れず、隣家の方向を向くことができずにいる。同居の家族から見ても焦燥感が強くなり、別人のようだという。
BのAへの対応として、最も優先されるものを1つ選べ。

1　ジョギングなどの運動を勧める。
2　生き残った者の使命について話し合う。
3　リラックスするために腹式呼吸法を指導する。
4　行方不明になった住人が必ず発見されると保証する。
5　現地の保健医療スタッフに情報を伝えることへの同意を得る。

問題 048

Check ☐☐☐　第4回　問題116

災害支援者を対象とするストレス対策として、不適切なものを1つ選べ。

1　生活ペースを維持する。
2　業務のローテーションを組む。
3　住民の心理的反応に関する研修を行う。
4　ストレスのチェックリストによる心身不調の確認を行う。
5　話したくない体験や気持ちについても積極的に話すように促す。

解説 047　28 歳女性・被災者への優先的対応（事例）　正答 5

災害メンタルヘルスと基本的対応に関する問題である。地震発生から約 3 週間後という状況から「急性期」と捉えることができ、「最も優先すべき対応」を考えることが重要となる。厚生労働省の「自治体の災害時精神保健医療福祉活動マニュアル」や心理的応急処置（サイコロジカル・ファーストエイド：PFA）に関する手引きなどを参考にするとよい。

1 × PFA では、現時点で必要なことや困っていることを把握し、現実的な問題の解決を助けることが重要である。この状況とタイミングでジョギングなどの運動を勧めるのは適切ではない。

2 × PFA では、被災者に［安全］と［安心感］を提供することが重要である。支援活動の中で話を聞いていくことはあるが、体験したことを話すように無理強いしないようにする。［不必要なトラウマ的出来事］や、［トラウマ］を思い出す刺激から被災者を保護することが重要であり、生き残った者の使命について話し合う（何があったかを思い出させて語らせる）ことは不適切である。

3 × 対処法として本人がリラックスできることをするよう促すことはあるが、急性期に行うべきものではない。

4 × PFA では、被災者が安心感や見通しを持てるよう必要な情報を提供することは大切である。しかし、安心させようとして［確証］が持てない情報を伝えてはいけない。

5 ○ 情報提供や他機関への紹介にあたっては、本人の［同意取得］が原則となる。

解説 048　災害支援者へのストレス対策　正答 5

災害支援者へのストレス対策（セルフケアなど）についての問題である。厚生労働省の「自治体の災害時精神保健医療福祉活動マニュアル」や「災害救援者・支援者メンタルヘルス・マニュアル」などに重要な点がまとめられている。

1 ○ 支援者のストレス対策とセルフケアとして［生活ペースの維持］（十分な睡眠、食事、水分など）は重要である。

2 ○ 災害支援にあたっては、［業務のローテーション］を組み、休息時間は必ず休むことが大切である。

3 ○ 被災地の精神保健福祉活動として、住民に直接対応する支援者を対象に平時もしくは災害後にメンタルヘルスに関する研修を実施することが有効といわれている。

4 ○ 災害支援者は、活動義務を背景とした疲労が生じやすくなっており、ストレスも生じやすいことが知られている。そのため、心身の疲労状態を把握するために［チェックリスト］などの活用が推奨される。

5 × 「自治体の災害時精神保健医療福祉活動マニュアル」の中で“支援者のストレス対策とセルフケア”として「職員同士でお互いを気遣うこと」「話したくない場合は、無理して話す必要はない」と記載されている。被災者への関わりと同様に、体験したことを話すように無理強いしないことが重要である。

第17章　福祉に関する心理学

①福祉現場において生じる問題とその背景

問題 001　Check □□□　第1回　問題012

児童虐待について、正しいものを 1 つ選べ。

1　主な虐待者は実父が多く、次に実父以外の父親が多い。
2　身体的虐待、心理的虐待及び性的虐待の 3 種類に大別される。
3　児童虐待防止法における児童とは、0 歳から 12 歳までの者である。
4　児童の目の前で父親が母親に暴力をふるうことは、児童虐待にあたる。
5　児童虐待防止法が制定されて以降、児童虐待の相談対応件数は減少傾向にある。

(注)「児童虐待防止法」とは、「児童虐待の防止等に関する法律」である

問題 002　Check □□□　第1回 追　問題109

子ども虐待対応の手引き（平成 25 年 8 月改正版、厚生労働省）で示す児童虐待のリスク要因に該当しないものを 1 つ選べ。

1　子どもが障害児である。
2　子どもが幼児期である。
3　養育環境が単身家庭である。
4　保護者に被虐待経験の既往がある。
5　養育環境が子ども連れの再婚家庭である。

解説 001 児童虐待

正答 4

児童虐待の定義などを確認し、児童虐待防止法のほか、厚生労働省の「福祉行政報告例」や「児童相談所での児童虐待相談対応件数」などで最新の報告件数などを確認しておくことも重要。

1 ×　出題時の「平成 29 年度福祉行政報告例」によると、実母が最も多く、次いで実父。なお、最新版「令和 2 年度福祉行政報告例」でも同様である。

2 ×　児童虐待防止法第 2 条において、[身体的虐待]、[性的虐待]、[ネグレクト]、[心理的虐待] の 4 つが挙げられている。出題時の「平成 29 年度児童相談所での児童虐待相談対応件数」によると、虐待の内容別の件数は、[心理的虐待] が最も多く、身体的虐待、ネグレクト、性的虐待と続く。なお、最新版「令和 2 年度児童相談所での児童虐待相談対応件数」でも同様の順である。

3 ×　児童虐待防止法第 2 条において、児童とは、[18 歳に満たない者 (0 歳から 17 歳)] とされている。

4 ○　2004 (平成 16) 年に児童虐待防止法が改正され、第 2 条第 4 号において、子どもの面前での配偶者に対する暴力 (面前 DV) も [心理的] 虐待であるとされた。

5 ×　出題時の「平成 29 年度児童相談所での児童虐待相談対応件数」によると、全国の児童相談所における児童虐待相談対応件数は、13 万 3,778 件 (速報値：前年度比 1 万 1,203 件増) と過去最多であり、統計開始から 27 年連続で [増加] している。なお、最新版「令和 2 年度児童相談所での児童虐待相談対応件数」では児童虐待相談対応件数は、20 万 5,044 件であり、前年度から 5.8% (11,264 件) 増加している。

解説 002 子どもへの虐待

正答 2

厚生労働省「子ども虐待対応の手引き」の第 2 章に、保護者側、子ども側、養育環境それぞれのリスク要因が記載されている。

1 ○　手引きに「子ども側のリスク要因には、[乳児]、未熟児、[障害児] など、養育者にとって何らかの育てにくさを持っている子ども等がある」と記載がある。

2 ×　上記の通り、幼児期ではなく [乳児期] である。

3 ○　手引きに「養育環境のリスク要因としては、家庭の経済的困窮と社会的な孤立が大きく影響している。また、未婚を含む [ひとり親家庭]、内縁者や同居人がいて安定した人間関係が保てていない家庭、離婚や再婚が繰り返されて [人間関係が不安定な家庭]、親族などの身近なサポートを得られない家庭、転居を繰り返す家庭、生計者の失業や転職が繰り返される家庭、夫婦の不和、配偶者からの暴力 (DV) 等がリスク要因となる」と記載がある。

4 ○　手引きに「[保護者自身が虐待を受けて育ち、現在に至るまで適切なサポートを受けていない場合にもリスク要因となることがある」と記載がある。

5 ○　手引きに [子ども連れの再婚家庭] はリスク要因として挙げられている。

問題 003 Check ☑☑☑ 第2回　問題 020

我が国における児童虐待による死亡事例の近年の傾向として、正しいものを 1 つ選べ。

1 死因となった虐待種別はネグレクトが最も多い。

2 虐待の加害者は実父が最も多い。

3 心中による虐待死事例における加害の背景は、「経済的困窮」が最も多い。

4 心中以外の虐待死事例での被害者は 0 歳児が最も多い。

5 心中以外の虐待死事例での加害者は 20 歳未満が最も多い。

問題 004 Check ☑☑☑ 第4回　問題 053

要保護児童対策地域協議会について、正しいものを 2 つ選べ。

1 対象は、被虐待児童に限られる。

2 構成する関係機関は、市町村と児童相談所に限られる。

3 関係機関相互の連携や、責任体制の明確化が図られている。

4 要保護児童対策地域協議会における情報の共有には、保護者本人の承諾が必要である。

5 被虐待児童に対する情報を共有することにより、児童相談所によって迅速に支援を開始できる。

解説 003 児童虐待における死亡事例

正答 4

児童虐待における死亡事例についての近年の傾向を問う問題である。厚生労働省から毎年夏頃に出される報告「子ども虐待による死亡事例等の検証結果等について」がある。受験時の最新版の報告に目を通しておこう。

(注) 本題は選択肢不明確として、正解した場合は採点対象となり、不正解の場合は採点対象から除外された。

1 × 出題時の第 14 次報告 (平成 30 年 8 月) においては、死因となった虐待種別は [身体的虐待] が最も多く、次いで [ネグレクト] となっている。この傾向は第 1 次報告から変わらなかったが、第 18 次報告 (令和 4 年 9 月) では逆転して「ネグレクト」が最も多くなっている。

2 × 虐待の加害者は [実母] が最も多かった。第 1 次報告から第 18 次報告までみると、加害者が [実母] である例が全体の半数を占める。

3 × 心中による虐待死事例における加害者の背景については、第 12 次報告 (平成 28 年 8 月) ～第 14 次報告、第 16 次報告 (令和 2 年 9 月) ～第 18 次報告では「保護者自身の精神疾患・精神不安」が最も多いとされている。ただし、第 15 次報告 (令和元年 8 月) では「経済的困窮」が最も多い報告であった。

4 ○ 出題時の第 14 次報告において、心中以外の虐待死事例での被害者は [0 歳児] が 6 割以上を占めており、さらに 0 か月はそのうちの半数であった。以降、第 15 次報告から第 18 次報告まで 0 歳児の割合は最も多い。

5 × 出題時の第 14 次報告においては、心中以外の虐待死事例での加害者は、実母は [35～39 歳] が最も多く、実父は [40 歳以上] が最も多かった。しかし、第 18 次報告においては、実母は [30～34 歳] が最も多い。

解説 004 要保護児童対策地域協議会

正答 3、5

要保護児童対策地域協議会の特徴に関する問題である。要保護児童対策地域協議会は、要保護児童等に関する情報の交換や支援を行うために協議を行う場であり、2004 (平成 16) 年の児童福祉法改正法において法的に位置づけられた。

1 × 要保護児童対策地域協議会における保護や支援の対象は、① [要保護児童] 、② [要支援児童] 、③ [特定妊婦] である。要保護児童とは、「保護者のない児童又は保護者に監護させることが不適当であると認められる児童」のことであり、被虐待児童に限らず、非行児童なども含む。

2 × 要保護児童対策地域協議会の構成員は、児童福祉法第 25 条の 2 第 1 項に規定する「関係機関、関係団体及び児童の福祉に関連する職務に従事する者その他の関係者」である。児童福祉関係では [児童相談所] や福祉事務所、保育所、社会福祉協議会、社会福祉士などが、保健医療関係では [保健所] や医療機関、医師、看護師、保健師などが、教育関係では [教育委員会] や幼稚園、学校などが、司法関係では [警察署] や法務局、弁護士などが挙げられ、幅広い分野のさまざまな機関とそこで従事するものが関わる。市町村と児童相談所に限定されていない。

3 ○ 児童福祉法第 25 条によって、関係機関の連携や責任体制の明確化が図られている。例えば、児童福祉法第 25 条の 2 では、要保護児童対策地域協議会を設置した市町村長は、運営の中核となる [調整機関] や [構成員] などを公示することが義務付けられており、それにより要保護児童対策地域協議会の責任体制が明確になる。また、児童福祉法第 25 条の 5 では、守秘義務による情報共有が示されており、守秘義務が職務上課されていない民間の団体等であっても、要対協を活用することで、積極的な情報交換や連携を図ることが可能になるとされている。

4 × 要保護児童対策地域協議会における情報の共有は、要保護児童の適切な保護を図ることを目的としているため、保護者本人の承諾は必要ない。

5 ○ 被虐待児童に対する情報を共有することにより、児童相談所によって迅速に支援を開始できる。

問題 005 Check 第2回 問題059

２歳の女児Ａ。母親が専業主婦であり、保育所には通所していない。母子関係は良好で安定しており、特にこれまで母親と父親のいずれからも身体的虐待などの不適切な養育を受けたことはない。しかし、最近、母親に対する父親の暴力が頻繁に生じるようになり、また、３歳の兄Ｂがささいなことで父親から激しい身体的虐待を受けるようになった。
今後、Ａに生じてくることが想定される心理的反応や親子関係について、最も適切なものを１つ選べ。

1 Ｂと助け合う行動が増える。
2 母子関係はその後も良好であり続ける。
3 父親に対して次第に怒りなどの敵対的な感情を表出するようになる。
4 頻繁に泣いたりぐずったりするなどの情緒面での動揺が激しくなる。
5 問題行動が生じる可能性はあるが、Ｂに比べれば、対応の必要性は低い。

問題 006 Check 第1回 追 問題154

６歳の男児Ａ。４歳のときに母親は継父と再婚し、その後、継父は母親とＡに暴力を振るうようになった。５歳のときに、Ａは継父からの暴力により腕と足首を骨折した。母親がＡを病院に連れて行き、病院からの虐待通告後、継父は逮捕された。Ａと母親は転居し、Ａは保育所に通い始めた。Ａは意欲が乏しく内気に見えるが、時折、別人のようになって他児に暴力を振るう。昼寝の時間は全く眠れず、家でも夜は何度も目を覚ます。乳幼児健康診査では何の問題も指摘されていなかった。
Ａに考えられる心理的問題として、適切なものを２つ選べ。

1 心的外傷後ストレス障害
2 養育者との愛着形成の阻害
3 支配的で暴力的なモデルの取り入れ
4 保育所に入所したことによる心理的ストレス
5 注意欠如多動症／注意欠如多動性障害（AD/HD）

問題 007 Check 第2回 問題143

13歳の男子Ａ、中学１年生。Ａは両親と２つ上の兄Ｂと暮らしている。両親は、ＡとＢが幼い頃から、多くの学習塾に通わせるなどして中学受験を目指させた。Ｂは志望校に合格したが、Ａは不合格であった。両親は「お前は出来そこないだ。これからは死ぬ気で勉強しろ」とＡを繰り返しなじった。次第に両親は「お前はＢとは違って負け犬だ。負け犬の顔など見たくない」と言い、Ａに別室で一人で食事をさせたり、小遣いを与えなかったりし始めた。
両親の行為は虐待種別の何に当たるか、最も適切なものを１つ選べ。

1 教育的虐待
2 経済的虐待
3 身体的虐待
4 心理的虐待
5 ネグレクト

解説 005　2歳女児・心理的虐待の影響（事例）　正答 4

児童虐待では、直接的な暴力や暴言を受けた場合のみならず、家族に対する暴力を見ていた場合にも心理的虐待となる。心理的虐待を含む児童虐待は子どもに深刻な影響をもたらす。その認識を問う問題である。

1 ×　女児Aはまだ2歳であり、3歳の兄Bと助け合えるほど自立した存在ではない。

2 ×　現在の母子関係が良好であるからといって、今後も良好とは限らない。女児Aが大きくなるにつれて「暴力的な父親と母親はなぜ一緒にいるのだ」「母は兄や私を守ってくれない」というような母への反発を抱き、母子関係が悪化する可能性も十分考えられる。

3 ×　幼い頃に植えつけられた恐怖心は根強く維持されてしまうことが一般的である。父親に対しては年齢的に考えてもしばらくは恐怖心に支配され、敵意や怒りよりも先に、夜泣きやおもらしの頻発などの他の反応が認められるだろう。

4 ○　2歳という年齢から自分が受けた心の傷に対して適切に整理し言語化することは不可能である。そのため、頻繁に泣くなどの［情緒面］での動揺が激しくなるという内容は正しい。

5 ×　虐待がもたらす子どもへの影響は、虐待の種類によって決まるわけではない。よって、心理的虐待を受けているAが兄のBよりも対応の必要性が低いとはいえないため間違いである。

解説 006　6歳男児・虐待の心理的問題（事例）　正答 1、3

継父からの身体的虐待を受けていた子どもに生じる問題について問う問題である。

1 ○　トラウマ的体験の後に［過覚醒］や［中途覚醒］があり心的外傷後ストレス障害（PTSD）を発症している可能性が考えられる。

2 ×　継父とは本人が4歳からの関係で、愛着障害は通常［5］歳以前から症状が明らかになるものとされているので、愛着形成と継父とは関係がないと想定される。母親との関係は良好であり愛着形成の問題があるとは考えにくい。

3 ○　「別人のようになって他児に暴力を振るう」というのは継父からの暴力を［モデル］として取り入れている可能性がある症状である。

4 ×　乳幼児健康診査では発達上の問題も指摘されておらず、保育所に入所するという程度のストレスで起こる問題とは考えにくい。

5 ×　発達上の問題が指摘されておらず、AD/HDである可能性は低い。

解説 007　13歳男子・虐待（事例）　正答 4

事例において示されていることから虐待の種別を特定できるようにしよう。児童虐待防止法では身体的虐待、性的虐待、ネグレクト（養育の放棄・怠慢）、心理的虐待の4つが定義されていることを理解しておこう。

1 ×　教育的虐待は児童虐待防止法第2条児童虐待の定義に含まれていない。

2 ×　経済的虐待は児童虐待防止法第2条児童虐待の定義に含まれていない。「高齢者虐待」「障害者虐待」には経済的虐待が含まれるので注意。

3 ×　身体的虐待に相当する「身体に外傷が生じ、又は生じる恐れのある暴行」を加えられているという記述はない。

4 ○　心理的虐待は著しい暴言や著しく拒絶的な対応を行うことであり、本事例では行われている。

5 ×　ネグレクトは心身の正常な発達を妨げるような著しい減食または長時間の放置であるが、そこまで行われている記述ではない。

問題 008 Check ☑☑☑ 第2回 問題150

25歳の女性A。Aは夫から暴力を受け、電話連絡や金銭使用を制限されて、配偶者暴力相談支援センターに逃げ込むが、すぐに夫のもとに戻り同居するということを何回も繰り返していた。今回も夫の暴力で腕を骨折し、同センターに保護された。Aは日中ぼんやりとし、名前を呼ばれても気づかないことがある。外出すると、自分の居場所が分からなくなる。夫から殴られる夢を見て眠れない、いらいらして周囲に当たり散らすなどの様子がみられる。その一方で、「夫は今頃反省している。これまで何度も暴力の後に優しくしてくれた」と言い、「夫のもとに戻る」と言い出すこともある。

Aの状況から考えられることとして、不適切なものを1つ選べ。

1 夫との共依存関係がある。

2 夫婦は常に高い緊張関係にある。

3 心的外傷後ストレス障害〈PTSD〉が疑われる。

4 Aは、夫の暴力を愛情表現の1つと認知している。

5 ドゥルース・モデルと言われる「パワーとコントロール」の構造が見受けられる。

問題 009 Check ☑☑☑ 第1回 追 問題064

3歳の女児A。Aはネグレクトで児童相談所に保護された。Aは非嫡出子として出生した。母親はAの情緒的要求に応じることが乏しく、Aを家に放置することが多かったため、一時保護に至った。保護をして1か月が過ぎた。Aは職員とはコミュニケーションはとれるものの、怪我をするなど困ったときには助けを求めることがない。就寝時に絵本を読みきかせたところ、Aは興味を示し、楽しい場面に笑顔を見せた。

Aに考えられる障害として、最も適切なものを1つ選べ。

1 広汎性発達障害

2 反応性愛着障害

3 重度精神遅滞［知的障害］

4 分離不安症／分離不安障害

5 注意欠如多動症／注意欠如多動性障害〈AD/HD〉

解説 008　25 歳女性・夫からの暴力（事例）　正答 2

配偶者からの暴力を受けている際の心理状態に関する問題である。DV は単に暴力だけではなく、関係性の問題でもある。日常的に虐待を受けた場合にどのような心理状態を呈するかについて知識を整理する。

1 ○ ［共依存］とは、依存問題を抱える相手に必要とされることに存在価値を見いだし、ともに依存を維持している人間関係の状態である。虐待を受けつつも、虐待する夫の弁護をし、夫のもとに戻ることで依存状態を維持させていることから、共依存関係にあるといえる。

2 × DV には［緊張期］、［爆発期］、［ハネムーン期］の周期があり、繰り返されるといわれる。本問でも、夫から優しくされている時期などもあるため、常に緊張状態なわけではないと考えられる。

3 ○ DV による慢性身体疾患、うつ病や PTSD、アルコールや薬物の乱用などが起こることは少なくない。さらなるアセスメントが必要ではあるが、ぼんやりするなど［現実感消失］の様子が見受けられるため、可能性は考えられる。

4 ○ 「夫は反省している」「暴力の後に優しくしてくれた」「夫のもとに戻る」などの発言があり、愛情表現と思っているときもある可能性は考えられる。

5 ○ DV を理解する枠組みとしてドゥルース・モデルと呼ばれる［パワーとコントロールの車輪］がある。車輪はあるパターン化した行動の一部を示していて、車輪の一番外側には身体的暴力と性的暴力があり、内側には、脅す・孤立させる・過小評価などを含めた［8 つの心理的暴力］がある。外からは見えにくい暴力によって、被害者は力を奪われ無力になり、服従を強いられ、結果としてパートナーが自立する能力を奪う可能性がある。

解説 009　3 歳女児・ネグレクト（事例）　正答 2

児童虐待が子どもたちに与える影響について理解しておくことが肝要。また、広汎性発達障害や重度精神遅滞（知的障害）、注意欠如多動症 / 注意欠如多動性障害（AD/HD）などの症状についても整理しておこう。

1 × 本問においては広汎性発達障害と疑わしき症状はみられないが、可能性がゼロではないので引き続き多面的なアセスメントを行うことが望ましい。

2 ○ 「母親は A の情緒的要求に応じることが乏しく」「怪我をするなど困ったときには助けを求めることがない」などから反応性愛着障害の特徴に合致するため適切と考える。

3 × 重度精神遅滞（知的障害）とするような特徴はみられていない。

4 × 本問から母などと離れることに恐れているような記載はみられていない。

5 × 注意欠如多動症／注意欠如多動性障害（AD/HD）と考えられる特徴は現時点ではみられていない。

問題 010　Check ☐☐☐　第1回 追　問題131

少子高齢化が進むわが国の現状について、正しいものを2つ選べ。

1 高齢化率は約15%である。

2 全世帯のうち児童のいる世帯は約4分の1である。

3 高齢者のいる世帯のうち半数以上が夫婦のみ又は単独世帯である。

4 要介護者の中で、介護が必要になった原因では、脳血管疾患が最も多い。

5 要介護者と同居している主な介護者の約3分の1が悩みやストレスを感じている。

問題 011　Check ☐☐☐　第4回　問題055

我が国における子どもの貧困問題について、適切なものを2つ選べ。

1 学力達成や教育機会に対する影響は小さい。

2 貧困と児童虐待の発生には、関連がみられる。

3 子どもの貧困と関連する問題は、顕在化しやすい。

4 貧困状態にある母子世帯の8割以上が、生活保護を受給している。

5 生活保護を受給する家庭で育った子どもは、出身世帯から独立した後も生活保護を受給する割合が高い。

解説 010 少子高齢化

正答 2、3

内閣府「令和元年版高齢社会白書」によると、2018（平成 30）年 10 月 1 日現在、日本の総人口 1 億 2,644 万人のうち 65 歳以上人口は 3,558 万人である。また、65 歳以上人口を男女別にみると、男性対女性の比は約 3 対 4 となっている。なお、最新の「令和 3 年版」によると、2020（令和2）年 10 月 1 日現在、総人口 1 億 2,571 万人のうち 65 歳以上人口は 3,619 万人である。

1 ×　高齢化率は、「令和元年版高齢社会白書」によると［28.1］%である。なお、「令和 3 年版」では、高齢化率は 28.8% となっている。

2 ○　厚生労働省「平成 30 年国民生活基礎調査」によると、［18 歳未満の児童］がいる世帯は 1,126 万 7,000 世帯と全世帯の［22.1］%を占める。なお、「令和元年」調査では、1,122 万 1,000 世帯（全世帯の 21.7%）と減少している。

3 ○　「令和元年版高齢社会白書」によると、2017（平成 29）年現在、65 歳以上の者のいる世帯は約 2,400 万世帯（全世帯の 47.2%）となっている。［夫婦のみの世帯］が最も多くて約 3 割を占め、［単独世帯］と合わせると半数以上である。なお、「令和 3 年版」によると、2019（令和元）年現在、65 歳以上の者のいる世帯は 2,558 万 4,000 世帯（全世帯の 49.4%）となっている。

4 ×　「平成 28 年国民生活基礎調査」によると、2016（平成 28）年現在、介護が必要になった主な原因は［認知症］が 24.8%と最も多く、次いで、［脳血管疾患（脳卒中）］の 18.4%である。なお、最新の「2019（令和元）年」調査でも順位は同じ（認知症が 24.3%、脳血管疾患（脳卒中）が 19.2%）。

5 ×　「平成 28 年国民生活基礎調査」によると、同居している主な介護者で悩みやストレスがあると答えたのは、［68.9］%であり、［約 3 分の 2］以上に相当する。

解説 011 子どもの貧困問題

正答 2、5

2019（令和元）年の国民生活基礎調査によると、2018（平成 30）年の貧困線（等価可処分所得の中央値の半分）は 127 万円となっており、「相対的貧困率」（貧困線に満たない世帯員の割合）は 15.4% となっている。また、「子どもの貧困率」（17 歳以下）は 13.5% となっている。

1 ×　内閣府の「子供の貧困に関する指標の見直しに当たっての方向性について」を参照すると、就学状況や大学等の進学率に差があるなど、影響が小さいとはいえない。

2 ○　厚生労働省の「子ども虐待対応の手引き」によると、虐待のリスク要因として、［養育環境のリスク要因］が挙げられており、生計者の失業や転職の繰り返し等で経済不安のある家庭もリスク要因とされている。

3 ×　例えば、子どもの持ち物にはそれほど差がなくなっているなど、［子どもの貧困は目に見えにくくなっている現状］もあるとされる。

4 ×　独立行政法人労働政策研究・研修機構の「第 5 回（2018）子育て世帯全国調査」によると、「可処分所得が厚生労働省公表の貧困線を下回っている世帯の割合は、母子世帯では 51.4% である。また、厚生労働省「平成 28 年度全国ひとり親世帯等調査結果報告」によると、母子世帯において生活保護を受給しているのは 11.2% であり、以上より 8 割は満たしていない。

5 ○　生活保護世帯における貧困の連鎖は大きな課題であり、厚生労働省「生活困窮者等の自立を促進するための生活困窮者自立支援法等の一部を改正する法律案（平成 30 年 2 月 9 日提出）」においても、生活保護世帯の子どもの貧困の連鎖を断ち切るため、大学等への進学を支援することが検討されている。

問題 012 Check ☑☑☑ 第3回 問題140

75歳の男性A。Aの物忘れを心配した妻の勧めで、Aは医療機関を受診し、公認心理師Bがインテーク面接を担当した。Bから「今日は何日ですか」と聞かれると、「この年になったら日にちなんか気にしないからね」とAは答えた。さらに、Bから「物忘れはしますか」と聞かれると、「多少しますが、別に困っていません。メモをしますから大丈夫です」とAは答えた。
Aに認められる症状として、最も適切なものを1つ選べ。

1 抑うつ状態
2 取り繕い反応
3 半側空間無視
4 振り返り徴候
5 ものとられ妄想

②福祉現場における心理社会的課題と必要な支援方法

問題 013 Check ☑☑☑ 第2回 問題022

DSM-5の心的外傷後ストレス障害〈PTSD〉について、正しいものを1つ選べ。

1 児童虐待との関連は認められない。
2 症状が1か月以上続いている必要がある。
3 診断の必須項目として抑うつ症状がある。
4 眼球運動における脱感作と再処理法〈EMDR〉の治療効果はない。
5 心的外傷の原因となる出来事は文化的背景によって異なることはない。

解説 012　75 歳男性・症状と関連するものの選択（事例）　正答 2

事例の症状と関連するものを選択する問題である。

1 ✕ A の言動から抑うつ状態にあることは読み取れない。

2 ○ [取り繕い反応] とは、Alzheimer 型認知症の患者においてよくみられるコミュニケーションパターンである。生活に影響が出ているにもかかわらず、自分をよく見せようとしたり、周囲に合わせようとしたりする反応のことをいう。A の「この年になったら日にちなんか気にしない」「(物忘れについて聞かれ) 多少しますが、別に困っていません」という反応は、取り繕い反応と推察される。

3 ✕ [半側空間無視] は、右半球損傷に伴う左半側空間無視が主である。左半側空間無視では、左の空間という特定の方向へのみ注意を向けることができないが、A の様子からこの症状は考えられない。

4 ✕ [振り返り徴候] も Alzheimer 型認知症の患者においてみられる反応である。診察時などに後ろにいる家族の方を振り向いて確認を求める行動のことをいう。

5 ✕ [ものとられ妄想] も認知症、特に Alzheimer 型認知症に特徴的な症状である。A と B のやりとりにおいて、この症状はみられない。

メモ　高齢者の暮らしの動向

「令和 4 年版高齢社会白書」には、高齢者の暮らしの動向についても報告がされている。例えば、高齢者の就業率を年齢階級別で見ると、2021（令和 3）年は 2011（平成 23）年と比較して、60～64 歳で 14.4 ポイント、65～69 歳で 14.1 ポイント、70～74 歳で 9.8 ポイント伸びている。また、日常生活に制限のない期間（健康寿命）は、2019（令和元）年では男性が 72.68 年、女性が 75.38 年と、2010（平成 22）年と比べて延びている。さらに、インターネットを活用する 60 代以上の者が増加しているとの報告もある。これらのことから、高齢者の暮らしのあり方もこの 10 年で変化したことがわかる。なお、同白書では、75 歳以上の運転免許保有者 10 万人あたりの死亡事故件数は減少傾向にあることが報告されている（2021（令和 3）年は微増）。

解説 013　心的外傷後ストレス障害　正答 2

心的外傷後ストレス障害（PTSD）は、DSM-5 では心的外傷およびストレス因関連障害群のひとつとされている。PTSD の診断基準はしっかりと理解しておきたい。

1 ✕ 児童虐待は心的外傷的出来事の典型的な例の 1 つである。直接虐待を受けた経験だけではなく、虐待を見聞きすること、虐待のケアをすることなども心的外傷を引き起こす可能性がある。

2 ○ 症状が [1 か月] 以上続くことが心的外傷後ストレス障害の診断の条件である。1 か月未満の場合は [急性ストレス障害] に分類される。

3 ✕ 抑うつ症状は著しい気分の陰性の変化に分類されるが、診断に必須の症状ではない。

4 ✕ [眼球運動による脱感作と再処理法（EMDR）] は、PTSD に対しての治療効果があることが研究によって支持されている。

5 ✕ ある出来事が心的外傷を来すような強いストレスとして個人によって意味づけられるかどうかは、[文化的背景] に影響を受ける。PTSD の診断と治療には文化的背景に対する十分な配慮が必要である。

メモ　DSM-5 における PTSD の診断基準（抜粋）

①実際に危うく死ぬ、重傷を負う、性的暴力を受ける出来事への曝露
②心的外傷的出来事に関連した [侵入症状]
③心的外傷的出来事に関連する刺激の [持続的回避]
④心的外傷的出来事に関連する [認知と気分の陰性の変化]
⑤心的外傷的出来事に関連した覚醒度と反応性の著しい変化
⑥障害の持続が [1 か月以上]

問題 014 Check 第2回 問題054

二次的外傷性ストレス［Secondary Traumatic Stress〈STS〉］による反応について、正しいものを2つ選べ。

1 幼児期のトラウマ体験を原因とする。
2 フラッシュバックを呈することがある。
3 被害者の支援活動をしている人に生じる。
4 回復には年単位の時間を要することが多い。
5 不安発作の反復を恐れ、社会的活動が制限される。

問題 015 Check 第2回 問題144

9歳の男児A、小学2年生。Aは実母と継父の三人暮らしであったが、ネグレクトと継父からの身体的虐待のため、児童相談所に一時保護された。入所当初は、いつもきょろきょろと周囲をうかがっていて落ち着かず、夜は悪夢でうなされることが多かった。入所1週間後の就寝時、男性指導員がAを居室に連れて行こうとして手を取ったところ、急に大声で叫び、周辺にあるものを放り投げ、頭を壁に打ち付け始めた。男性指導員はAに落ち着くよう促したが、なかなか行動が鎮まらなかった。しばらくして行動は止んだが、無表情となって、立ちすくんだままであった。声をかけるとようやく頷いた。
Aの行動の解釈として、最も適切なものを1つ選べ。

1 男性指導員への試し行動
2 フラッシュバックによる混乱
3 慣れない生活の場での情緒の混乱
4 抑圧されていた攻撃的感情の表出
5 反抗挑戦性障害にみられる権威者に対する反発

問題 016 Check 第1回追 問題019

マルトリートメント（不適切な養育）について、最も適切なものを1つ選べ。

1 貧困との関連は乏しい。
2 初めに養育者に反省を促す。
3 子どもの脳の器質的問題は発生しない。
4 養育者自身の自尊感情とは関係がない。
5 多角的な視点でアセスメントする必要がある。

解説 014 二次的外傷性ストレス（STS） 正答 2、3

二次的外傷性ストレス（STS）とは、外傷性ストレス（トラウマ）によって傷害を受けた人への支援活動を行う人が、クライエントのトラウマ経験を詳細に聴取したり、PTSD の症状のケアをしたりすることによって、自身も二次的な外傷性ストレスを負うとする概念である。

1 × STS は幼児期のトラウマの直接の体験によって生じるのではなく、トラウマを［ケア］することによって起こる二次的なトラウマ反応と理解されている。

2 ○ STS は、［PTSD］に準じる症状を来すものであり、フラッシュバックはその代表的な症状のひとつである。

3 ○ STS の概念は、トラウマ被害者の［支援活動］をしている人に二次的外傷性ストレスが生じることと考えられるので、この選択肢は当然正しい。

4 × STS の診断基準等は確立していない面があり、予後についての信頼できるエビデンスがあるのかどうかは不明だが、一般に PTSD の経過は 6 か月を過ぎると半数以上が軽快するといわれているので、回復に年単位を要するものが多いとは考えられない。

5 × 不安発作の反復を恐れて社会活動が制限されるのは、［パニック障害］と［広場恐怖］の特徴であり、PTSD における持続する刺激の回避とは概念的には区別される。

加点のポイント 二次的外傷性ストレス（STS）の定義は合意が得られていない？

STS の定義には必ずしも一定の合意が得られているわけではなく、二次受傷、共感疲労、燃え尽きなどの概念と重なるものとしてより広い文脈で論じられることもある。一般には、トラウマ被害者のケアをする人が、二次的に PTSD に準ずる症状を呈すること、として理解される。

解説 015 9 歳男児・行動の解釈（事例） 正答 2

問題行動と思われるものの背景を理解しておこう。

1 × ［試し行動］とは、大人が困る行動をしてどの程度信頼できる相手かを試す行動であり、不適切である。

2 ○ 男性指導員が援助のために身体接触をしたことが継父の身体的虐待を想起させる契機になっているので、この選択肢が最も適切。

3 × 年齢から考えて、情緒の混乱であれば、年齢よりも幼い行動をする退行を示すと考えられる。

4 × 本事例では抑圧されていた攻撃的感情の表出というより PTSD による悪夢、フラッシュバックがみられるので 2 の選択肢が適切と思われる。

5 × DSM-5 の反抗挑戦性障害の「週 1 回以上、少なくとも 6 か月以上にわたって起こる」という診断基準に合致しない。

解説 016 マルトリートメント 正答 5

マルトリートメントは、子どもに対する不適切な関わりを包括的に示す概念であり、例えば、児童虐待に相当する身体的虐待、性的虐待、心理的虐待、ネグレクトなどを包括的に指す。

1 × 児童虐待の背景には［貧困］などの経済的事情や、夫婦関係などの家族関係の問題、養育者自身の孤立、適切なサポートの欠如などのリスク要因が挙げられる。

2 × マルトリートメントでは、不適切な養育を行った養育者を責めるのではなく、養育者自身の辛さを理解し、これまでの努力を受け止めながら支援関係につなげる努力を行う。

3 × 器質的問題とは、身体の臓器などに解剖学的に損傷等が認められていることを示す。虐待は、子どもの［脳の萎縮］や［脳神経の発達］の阻害要因として影響を及ぼすともされ、うつ病や意欲低下、青年期以降にも心理的な影響を及ぼすことがある。

4 × 養育者自身が被虐待体験を経ている場合や、低い自己評価を有している場合も少なくはないため、自尊感情との関係がないと言い切ることはできない。

5 ○ 子どもの安全確保や緊急性、家族の構造的理解や不適切な養育などについてリスクアセスメントし、今後起こり得る可能性なども想定していく。

問題 017

Check ☐☐☐　第2回　問題021

マルトリートメントについて、正しいものを 1 つ選べ。

1 マルトリートメントは認知発達に影響しない。
2 貧困はマルトリートメントのリスク要因にならない。
3 マルトリートメントを受けた子どもは共感性が高い。
4 マルトリートメントを受けた子どもは警戒心が乏しい。
5 マルトリートメントを受けることは、将来身体的健康を損なうリスクとなる。

問題 018

Check ☐☐☐　第1回　問題002

児童虐待について、緊急一時保護を最も検討すべき事例を 1 つ選べ。

1 重大な結果の可能性があり、繰り返す可能性がある。
2 子どもは保護を求めていないが、すでに重大な結果がある。
3 重大な結果は出ていないが、子どもに明確な影響が出ている。
4 子どもは保護を求めていないが、保護者が虐待を行うリスクがある。
5 子どもが保護を求めているが、子どもが訴える状況が差し迫ってはいない。

解説 017 マルトリートメント　正答 5

問題016同様、マルトリートメントに関する問題である。厚生労働省の「子ども虐待対応の手引き」などを参照するとよい。

1 × 被虐待体験により、子どもの脳や情緒の発達には、不可逆的な影響があるものとされ、認知発達にも影響があると考えられる。

2 × 児童虐待の背景には［貧困］などの経済的事情や、夫婦関係などの［家族関係］の問題、養育者自身の［孤立］、適切な［サポートの欠如］などのリスク要因が挙げられる。

3 × 安定した愛着関係を経験できないことによる［対人関係障害］（緊張、乱暴、ひきこもり等）が起こる中で、共感性の低下が考えられる。

4 × 暴力を受ける体験から［トラウマ］を持ち、そこから派生する様々な［精神症状］（不安、情緒不安定）や、安定した愛着関係を経験できないことによる［対人関係障害］などを起こすため、警戒心は強くなることが多いと考えられる。

5 ○ 厚生労働省の「子ども虐待対応の手引き」第１章に「いずれにおいても子どもの心身に深刻な影響をもたらすものである」との記載がある通り、身体的な健康を損なうリスクを伴うものと考えられる。

解説 018 児童虐待と緊急一時保護　正答 2

厚生労働省の「子ども虐待対応の手引き」第５章によると、一時保護の目的は子どもの生命の安全確保であり、単に生命の危険にとどまらず、現在の環境に置くことが子どものウェルビーイング（子どもの権利の尊重・自己実現）にとって明らかに看過できないとされるときは、まず一時保護を行うべきとされる。「一時保護決定に向けてのアセスメントシート」に沿って対応を検討するのが望ましい。

1 × 「重大な結果の可能性」「繰り返す可能性」の記載があり緊急性は高いが、「発生前の一時保護を検討」に該当する。

2 ○ すでに「重大な結果」が出ているため、緊急一時保護が最も検討されるべきである。

3 × 「重大な結果は出ていない」が「子どもに明確な影響」があるので「場合によっては一時保護を検討」に該当する。

4 × 「保護者が虐待を行うリスク」があるので「場合によっては一時保護を検討」に該当する。

5 × 子どもが保護が求めている点は重要であるが、「訴える状況が差し迫ってはいない」ために緊急性は正答に比して下がる。

メモ 一時保護に向けてのフローチャート

厚生労働省の「子ども虐待対応の手引き」の「第５章 一時保護」には、一時保護の目的や対応の流れ、アセスメントシートによる保護の要否判断などが記載されている。

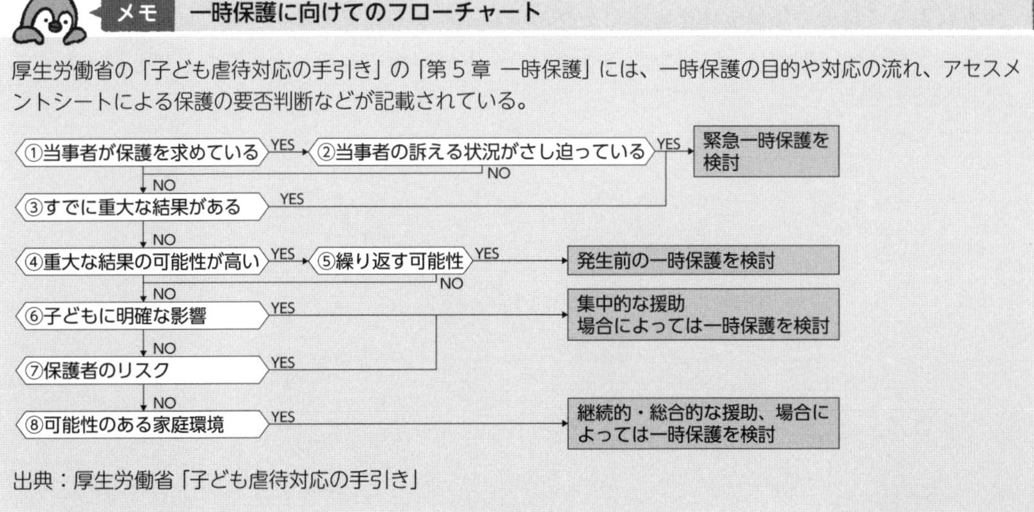

出典：厚生労働省「子ども虐待対応の手引き」

17 福祉に関する心理学

問題 019 Check ☑☑☑ 第3回 問題023

児童の社会的養護における家族再統合について、最も適切なものを 1 つ選べ。

1 家庭復帰が困難な子どもは対象ではない。
2 児童福祉施設は、家族再統合には積極的に関与しない。
3 家庭裁判所は、申立てがあった場合、直接保護者に適切な治療や支援を受けることを命令できる。
4 子どもが、家族の歴史や事情を知った上で、肯定的な自己イメージを持つことができるよう支援する。
5 施設や里親などにおける子どもの生活が不安定になるため、分離中の実親との交流は、原則として控える。

問題 020 Check ☑☑☑ 第4回 問題134

社会的養護における永続性（パーマネンシー）について、正しいものを 2 つ選べ。

1 里親委託によって最も有効に保障される。
2 選択最適化補償理論に含まれる概念である。
3 対象がたとえ見えなくなっても、存在し続けるという認識である。
4 国際連合の「児童の代替的養護に関する指針」における目標である。
5 子どもの出自を知る権利を保障できる記録の永年保存が求められる。

問題 021 Check ☑☑☑ 第1回 問題021

中途障害者の障害受容について、正しいものを 1 つ選べ。

1 他責を示すことはない。
2 一旦前進し始めると、後退することはない。
3 他者や一般的な価値と比較して自分を評価することが必要である。
4 障害によって自分の価値全体を劣等だと認知することが必要である。
5 ショック期の次の期では、障害を認めつつも、一方で回復を期待した言動がしばしばみられる。

解説 019　社会的養護における家族再統合

正答 4

家族再統合は、親と子がその時点で肯定的な関係でいられる最適な距離を保ち、親子関係を再構築することを目的としている。厚生労働省親子関係再構築支援ワーキンググループの「社会的養護関係施設における親子関係再構築支援ガイドライン」（平成 26 年 3 月）を参照のこと。

1 × 家庭復帰が困難であっても、今の時点で適切な親子関係の距離を探ることは可能であり、家族再統合支援の対象である。

2 × 児童福祉施設においては「親子関係の再構築等が図られるように家庭環境調整を行う」ことが定められている（児童福祉施設の設備及び運営に関する基準第 23 条 3 項、第 29 条、第 45 条 4 項、第 75 条 2 項）。

3 × 家庭裁判所は、子どもの里親委託または児童福祉施設等への入所の承認、親権停止・喪失審判を行うが、直接保護者に治療や支援を命令することはできない。

4 ○ 子どもが家族の歴史や事情を知り、自分の生い立ちを整理することで、肯定的な自己イメージを持ち、前向きに歩み出せるように支援する。

5 × 分離中であっても、肯定的な親子関係を構築するために一定の距離を取った交流を続けることが重要である。

解説 020　社会的養護における永続性

正答 4、5

社会的養護における永続性（パーマネンシー）とは、子どもの成長のために継続的で安定した養育者との関係を築き、養育環境を整えることである。

1 × 特別養子縁組が最も有力・有効な選択肢であり、それにより子どもは同じ家庭で成長することが可能になる。

2 × 選択最適化補償理論は、高齢者が生活環境の変化に伴って目標設定をし直すことで、社会的養護とは関係がない。

3 × 選択肢の説明は対象の永続性についての記述であり、認知発達の概念である。

4 ○ 国際連合の「児童の代替的養護に関する指針」にも、「永続性が主要な目標となる」と記されている（https://www.mhlw.go.jp/stf/shingi/2r98520000018h6g-att/2r98520000018hly.pdf）。

5 ○ 日本が批准する「子どもの権利条約」に出自を知る権利が保障されており、厚生労働省の「新しい社会的養育ビジョン」にも、記録の保存について「少なくとも代替養育（一時保護を含む）が行われた子どもに関しては、永年保存を行うべきである」と記されている。

解説 021　中途障害者の障害受容

正答 5

危機に直面した人の心理的過程や援助者の対応を示唆する理論を危機モデルという。G. Caplan や S.L. Fink、N. Cohn、E. Kübler-Ross、F.C Shontz などの各理論の段階をおさえておくことが重要。障害や危機の受容の期間や進退などには個人差もある。また、適応段階にいる人が必ずしも否認の気持ちがゼロなわけでもないことは援助者も忘れてはいけない。

1 × ショックや衝撃など危機の初期段階において、現実を受容することができず、怒りとして［自責］や［他責］がみられることがある。

2 × 障害受容の過程は、段階的に進むのではなく、［一進一退］したり［受容］と［否認］を繰り返したりしながら進んでいくことも少なくない。

3 × S.L Fink は「適応」の段階においては、新しい自己像や価値観を築くことの重要性を挙げており、他者の評価や一般的な価値ではなく、［新しい価値観］において自己を評価することが望ましいと考えられる。

4 × 障害を「劣等」と認知するのではなく、障害を［承認］し、現実的な［適応］を考えていくことが望ましいと考えられる。

5 ○ N. Cohn は「ショック」の時期の次には［回復への期待］の時期があるとし、S.L Fink は「衝撃」「防御的退行」の後に「承認」「適応」の時期があるとしている。

メモ　N. Cohn の 5 段階と S.L Fink の 4 段階をそれぞれ理解しよう

N. Corn の 5 段階：①［ショック］、②［回復への期待］、③［悲嘆］、④［防衛］、⑤［適応］
S.L Fink の 4 段階：①［衝撃］、②［防御的退行］、③［承認］、④［適応］

問題 022 Check ☑☑☑ 第 3 回 問題 015

ケース・アドボカシーの説明として、正しいものを 1 つ選べ。

1 患者が、医療側の説明を理解し、同意し、選択すること

2 医療側が、患者に対して行おうとしている治療について十分な説明を行うこと

3 障害のある子どもと障害のない子どもを分けずに、特別な教育的ニーズをもつ子どもを支援すること

4 ある個人や家族がサービスの利用に際して不利益を被らないように、法的に保障された権利を代弁・擁護すること

5 障害者が社会の中で差別を受けることなく、権利の平等性を基盤にして、一般社会の中に正当に受け入れられていくこと

問題 023 Check ☑☑☑ 第 4 回 問題 040

児童の権利に関する条約〈子どもの権利条約〉に<u>含まれないもの</u>を 1 つ選べ。

1 生命に対する固有の権利

2 残余財産の分配を受ける権利

3 出生の時から氏名を有する権利

4 自由に自己の意見を表明する権利

5 できる限りその父母を知りかつその父母によって養育される権利

問題 024 Check ☑☑☑ 第 1 回 追 問題 079

児童虐待が疑われる事例の支援にあたって、公認心理師が関わる機関と介入の内容との組合せについて、正しいものを 1 つ選べ。

1 裁判所 – 一時保護

2 医療機関 – 医療費の助成

3 市町村役場 – 里親への措置

4 児童相談所 – 心理的支援

5 女性相談センター – 生活保護

解説 022 ケース・アドボカシー　正答 4

アドボカシーとは、権利擁護活動のことで、主に福祉における障害者の権利擁護の際に使用されることが多い。ケース・アドボカシーとは、クライエントの権利を守る活動のことをいう。

1 × 患者が医療側の説明を理解、同意、選択することは、［インフォームド・コンセント］の説明である。

2 × 医療側が患者に対して行おうとしている治療について十分な説明を行うことは、［インフォームド・コンセント］の一部分の説明である。

3 × 障害のある子どもと障害のない子どもを分けずに、特別な教育的ニーズを持つ子どもを支援することは、［インクルーシブ教育］の説明である。

4 ○ ある個人や家族がサービスの利用に際して不利益を被らないよう代弁や擁護を行うことは、クライエントの権利を守る［アドボカシー］（活動）の主要なものである。

5 × 障害者が差別を受けることなく、社会の中に正当に受け入れられていくことは、［ノーマライゼーション］の説明である。障害者権利条約や障害者差別解消法においてもノーマライゼーションの理念が基盤となっている。

メモ　ノーマライゼーションとバリアフリーの違い

［ノーマライゼーション］とは、［デンマーク］で始まった福祉における社会理念である。障害者に対して隔離や保護といった特別視をするのではなく、障害のない人と同じように社会で暮らしていけるようにしようという理念である。
［バリアフリー］とは、「障壁の除去」という意味で、障害者に限らず高齢者や子どもなどの社会的弱者が日々の生活の中で支障となっている様々な［バリア（障壁）をなくす］という意味である。そのため、バリアフリーはノーマライゼーションを実現する 1 つの方法になる。

解説 023 児童の権利に関する条約（子どもの権利条約）　正答 2

児童の権利に関する条約（子どもの権利条約）は、子どもの基本的人権を国際的に保障するために定められた条約である。18 歳未満の児童（子ども）を、権利を持つ主体と位置づけ、おとなと同様ひとりの人間としての人権を認めるとともに、成長の過程で特別な保護や配慮が必要な子どもならではの権利を定めている。

1 ○ 第 6 条に定められている。

2 × 定められていない。

3 ○ 第 7 条に定められている。

4 ○ 第 12 条に定められている。

5 ○ 第 7 条に定められている。

解説 024 公認心理師の緊急介入　正答 4

公認心理師が児童虐待での支援にあたり関係する機関の役割を理解しておくことが望ましい。

1 × 一時保護は児童虐待において裁判所ではなく、［児童相談所］が行うことである。児童虐待において家庭裁判所は親権停止の審判（民法第 834 条の 2）を行う。

2 × 医療費の助成（医療費助成制度）については医療機関ではなく、主に［地方公共団体］および［健康保険組合］が行うものである。

3 × 里親への措置については市町村役場ではなく、［児童相談所］が行う事業である。

4 ○ ［児童相談所］は被虐待児童に対して心理的支援を行っている（児童福祉法第 11 条 1 項 2 号・第 12 条）。

5 × 生活保護は女性相談センターではなく、［福祉事務所］が行うものである。

問題 025　Check ☑☑☑　第1回 追　問題093

ひきこもり当事者への訪問支援（アウトリーチ型支援）について、最も適切なものを 1 つ選べ。

1　当事者に会えない場合は、長時間の家族との面談は避ける。

2　近隣への配慮のため、原則として訪問スタッフは1人とする。

3　相談意欲が極めて低い当事者には、対等な関係づくりから始める。

4　訪問に際しては、家族の了解があれば当事者の了解は不要である。

5　家族に重大な健康問題や家族機能不全のある場合は、当事者への訪問は避ける。

問題 026　Check ☑☑☑　第2回　問題042

児童相談所の業務内容として、誤っているものを 1 つ選べ。

1　親権者の同意を得て特別養子縁組を成立させる。

2　必要に応じて家庭から子どもを離して一時保護をする。

3　親権者の同意を得て児童福祉施設に子どもを入所させる。

4　子どもに関する専門性を要する相談を受理し、援助を行う。

5　市区町村における児童家庭相談への対応について必要な援助を行う。

解説 025　ひきこもり当事者への訪問支援

正答 1

ひきこもりに関するデータ（年代や生活状況など）については、内閣府の「生活状況に関する調査」を参照するとよい。

1 ○ 「ユースアドバイザー養成プログラム」第 5 章第 11 節の (6) の本人に会えなかった場合の対応について、「保護者と延々と話し込む援助者もいるが、多くの場合、良い結果につながらない」とある。可能な限り、電話や別の場所での面談に切り替えるように心がけ、その場で話す必要があるのであれば、会話は「本人に聞かれていることを前提」に最大限配慮した内容にすることが重要。

2 × 近所の人に知られたくないという当事者は少なくなく、事前に家族とよく相談をすることは重要だが、訪問者が 1 人であるという原則は特にない。

3 × 「ユースアドバイザー養成プログラム」第 5 章第 11 節には、自発的に相談に訪れる「イーブン（対等）」の関係に比べ、相談意欲が極めて低い訪問現場の関係性は、援助者の「ワン・ダウンポジション（一段下がった立場）」で始まるとある。

4 × 「ひきこもりの評価・支援に関するガイドライン」には「一般に家族や当事者の了解を得たうえで訪問することが推奨されています」との記載があり、緊急性にもよるが、原則は、当事者による訪問支援の了解を得ようとすることが重要。

5 × 「ひきこもりの評価・支援に関するガイドライン」によると、「思春期のひきこもり事例に対する訪問支援が必要となる」タイミングとして、家族に重大な健康問題や家族機能不全のある場合が挙げられているため、緊急性を十分に検討するべきではあるが、訪問自体を避ける必要はない。

メモ　中高年のひきこもり

内閣府「平成 30 年度生活状況に関する調査」によると、40～64 歳のひきこもりは全国で約 61 万人いるとされ、中高年のひきこもりが問題である。性別は「男性」76.6%、「女性」23.4%であり、男性が 4 分の 3 を占めている。ひきこもりになったきっかけは退職が最多で、人間関係、病気、職場に馴染めなかった、が続く。

解説 026　児童相談所

正答 1

児童相談所は、児童福祉法（第 12 条）に基づき各都道府県に設置された児童福祉の専門機関である。この問題を解くにあたっては、「児童相談所運営指針」「市町村児童家庭相談援助指針」が参考になる。

1 × 特別養子縁組とは、子どもの福祉の増進を図るために、子ども（出題時は原則 6 歳未満、現在は原則 15 歳未満）とその実親側との法律上の親子関係を解消し、実親子関係に準じる安定した養親子関係を［家庭裁判所］が成立させる制度である。

2 ○ ［児童相談所長］または［都道府県知事］等が必要と認める場合には、子どもを一時保護所に一時保護することができる。また、警察署や福祉事務所、児童福祉施設、里親その他児童福祉に深い理解と経験を有する適当な者に一時保護を委託することも可能である。

3 ○ 児童福祉施設への入所には［親権者］や［未成年後見人］からできる限り承諾が得られるように努める必要がある。しかし、承諾を得ない限り入所措置の決定ができないという意味ではない。なお、児童福祉施設には、乳児院、母子生活支援施設、保育所、児童厚生施設、児童養護施設、障害児入所施設、児童自立支援施設などが定められている（児童福祉法第 7 条）。

4 ○ 大きくは［養護］相談、［障害］相談、［非行］相談、［育成］相談、その他の相談を受け、援助を行う。

5 ○ 児童相談所は、市区町村が行う児童家庭相談を援助する。2004（平成 16）年の児童福祉法改正法により、2005（平成 17）年 4 月から児童家庭相談に応じることが［市区町村］の業務として明確に規定された。

メモ　特別養子縁組の対象年齢を原則 15 歳未満に引き上げ

2019 年 6 月 7 日に「民法等の一部を改正する法律」が成立し、2020 年 4 月 1 日から施行されている。特別養子縁組制度について、①特別養子縁組の養子候補者の対象年齢を原則 6 歳未満から原則 15 歳未満に引き上げ、②特別養子縁組の成立の手続きを 2 段階にわけて養親となる者の負担を軽減、などの内容となっている。

問題 027

Check ☑☑☑ 第4回 問題021

2018年（平成30年）時点において、児童養護施設における入所児童の特徴や傾向として、正しいものを1つ選べ。

1 入所児童は、年々増加している。

2 家族との交流がある入所児童は、半数を超える。

3 被虐待体験を有する入所児童は、半数に満たない。

4 幼児期に入所し、18歳まで在所する児童が年々増加している。

5 入所児童の大学・短期大学などへの進学率は、おおむね60%以上である。

問題 028

Check ☑☑☑ 第2回 問題067

5歳の男児A。落ち着きがないことから、両親が児童相談所に来所した。Aは乳幼児期から母親と視線を合わせ、後追いもあり、始歩1歳0か月、始語1歳3か月で、乳幼児健康診査で問題を指摘されたことがなかった。ただし、よく迷子になり、気が散りやすく、かんしゃくを起こすことが多く、何かあると母親はAをすぐに叱りつけてしまう。幼稚園でも、勝手に部屋から出ていったり、きちんと並んで待てなかったりするなど集団行動ができない。
この事例に対して児童相談所の公認心理師がまず行うべき対応として、最も適切なものを1つ選べ。

1 一時保護をする。

2 薬の服用を勧める。

3 しつけの方法を指導する。

4 療育手帳の申請を勧める。

5 発達検査を含むアセスメントを行う。

問題 029

Check ☑☑☑ 第3回 問題065

9歳の男児A、小学3年生。Aは、学校でけんかした級友の自宅に放火し、全焼させた。負傷者はいなかった。Aはこれまでにも夜間徘徊で補導されたことがあった。学校では、座って授業を受けることができず、学業成績も振るわなかった。他児とのトラブルも多く、養護教諭には、不眠や食欲不振、気分の落ち込みを訴えることもあった。Aの家庭は、幼少期に両親が離婚しており、父親Bと二人暮らしである。家事はAが担っており、食事は自分で準備して一人で食べることが多かった。時折、Bからしつけと称して身体的暴力を受けていた。
家庭裁判所の決定により、Aが入所する可能性が高い施設として、最も適切なものを1つ選べ。

1 自立援助ホーム

2 児童自立支援施設

3 児童心理治療施設

4 児童発達支援センター

5 第三種少年院（医療少年院）

解説 027　児童養護施設における児童の特徴や傾向

正答 2

厚生労働省子ども家庭局より、2020（令和 2）年 1 月に「児童養護施設入所児童等調査の概要」が出されているので参照しておくとよい。資料については最新版を確認し、経年の変化や当該年の特徴をおさえておく。本問では上記資料において 2018（平成 30）年 2 月 1 日時点の統計の結果で解説を行う。

1 × 児童養護施設の入所児童数は 2 万 7,026 人であり、前回調査の 2 万 9,979 人より［減少］している。

2 ○ 家族との交流関係について「交流なし」の割合は 19.9% であり、「交流あり」は「電話・メール・手紙」9.0%、「面会」28.8%、「一時帰宅」33.8% で半数を超えている。

3 × 「虐待経験あり」の割合をみると、児童養護施設では 65.6%（前回 59.5%）であり、半数を超える。

4 × 児童の委託時または入所時の年齢は、児童養護施設では 2 歳が最も多く、平均委託（在所）期間は、児童養護施設では 5.2 年（前回 4.9 年）であることから、18 歳まで在所する児童が年々増加しているとは言いがたい。

5 × 厚生労働省「社会的養護の現況に関する調査」（2020（令和 2）年 5 月 1 日）によると、児童養護施設の子どもたちの進学率は大学等 17.8%、専修学校等が 15.3% であり（合計 33.1%）、60% には達していない。

解説 028　5 歳男児・児童相談所の対応（事例）

正答 5

発達に課題を有すると思われる男児への対応について問われている。本問では「まず行うべき対応」が問われているため、対応の流れについての理解を深めていくことが求められる。

1 × 虐待など一時保護を有するほどの危機的な状況はみられない。

2 × 薬の服用については医師の指示のもとに行われるべきであり、公認心理師が行うものではない。また、現時点で薬の服用が適切かどうかの根拠が不十分。

3 × 子への関わりについての助言や指導は重要であるが、まずは男児 A の課題などの詳細について十分なアセスメントを行うことが先決である。

4 × ［療育手帳］は、都道府県や政令指定都市・中核市などの自治体が、知的障害児・知的障害者に交付する手帳である。療育手帳の取得の必要性の判断のためにも詳細なアセスメントが先決である。

5 ○ 発達検査を含めて、男児 A が抱えている課題をより詳細にアセスメントすることが最優先である。

解説 029　9 歳男児・入所施設（事例）

正答 2

児童福祉施設のそれぞれの特徴を理解することが重要である。

1 × ［自立援助ホーム］は、義務教育終了後［15］歳から 20 歳までの家庭がない児童や、家庭にいることができない児童が入所して、自立を目指す施設である。

2 ○ ［児童自立支援施設］は、不良行為をなす、またはなすおそれのある児童や、家庭環境など環境上の理由から生活指導を必要とする児童を対象とする施設である。そうした児童を入所、または保護者の下から通わせたりして、個々の児童の状況に応じた必要な指導を行い、その自立を支援することを目的としている。基本的には、18 歳未満の児童を預かる施設だが、比較的年齢の低い少年に対して送致処分がされることが多い。

3 × ［児童心理治療施設］は、心理的問題を抱えた児童に総合的な心理治療や支援を行う施設で、対象年齢は小中学生から 20 歳未満であるが、家庭裁判所からの決定ではなく、［児童相談所長］が適当と認めた場合である。

4 × ［児童発達支援センター］は、日常生活における基本的動作の指導、自活に必要な知識や技能の付与または集団生活への適応のための訓練を行う施設であるが、「入所」ではなく「通所」である。

5 × ［第三種少年院（医療少年院）］は、心身に著しい障害があるおおむね［12］歳以上［26］歳未満の者を収容する少年院である。

問題 030 Check 第4回 問題145

14 歳の男子 A、中学２年生。A は、生後間もない頃から乳児院で育ち、３歳で児童養護施設に入所した。保護者は所在不明で A との交流はない。A はおとなしい性格で、これまで施設や学校でも特に問題はみられなかったが、中学２年生の冬休み明けからふさぎ込むことが増えた。ある日、児童指導員 B に対して、「どうせ仕事なんだろう」、「なぜこんなところにいなくてはいけないんだ」と言いながら暴れた。また、「生きている意味がない」とメモを書き残して外出し、A が育った乳児院の近くで発見された。A の態度の変わりように困った B は、施設内の公認心理師 C に A への対応を相談した。
C の B への助言・提案として、最も適切なものを１つ選べ。

1 A の自立支援計画の策定を始めるよう助言する。
2 児童相談所に里親委託の検討を依頼するよう提案する。
3 A が自分を理解してもらえないと感じるような、B の対応を改善するよう助言する。
4 A には注意欠如多動症／注意欠如多動性障害〈AD/HD〉の疑いがあるため、医療機関の受診を提案する。
5 信頼できる大人との日常生活の中で、A が自分の人生を自然に振り返ることができるような機会が大切になると助言する。

問題 031 Check 第1回 問題075

24 歳の男性 A。A は大学在学中に自閉スペクトラム症／自閉症スペクトラム障害〈ASD〉の診断を受けた。一般就労を希望し、何社もの就職試験を受けたが採用されなかった。そこで、発達障害者支援センターに来所し、障害者として就労できる会社を紹介され勤務したが、業務上の失敗が多いため再度来所した。
この時点での A への支援として、不適切なものを１つ選べ。

1 ジョブコーチをつける。
2 障害者職業センターを紹介する。
3 介護給付の１つである行動援護を行う。
4 勤務している会社に A の特性を説明する。
5 訓練等給付の１つである就労移行支援を行う。

解説 030　14 歳男子・児童養護施設職員への助言（事例）　正答 5

他の専門職へのコンサルテーションについて出題されている。心理専門職の知識と立場を考慮してどのような助言・提案ができるか実際の事例に即して考える必要がある。

1 ×　3 歳から児童養護施設に入所しているため、すでに自立支援計画は策定されていると考えられる。

2 ×　乳幼児期ならば里親という選択肢もあるだろうが、14 歳の A を里親に委託することは、A に「施設スタッフから見捨てられた」と感じさせる可能性が高く、適切ではない。

3 ×　B の対応が問題であるかどうかは問題文からはっきりしないため、B の対応改善を求めるべきではない。

4 ×　AD/HD であれば、幼少期からその特徴があるはずであるが、A は途中で態度が変わったという記述があるため、問題文からは AD/HD の疑いがあると判断できない。

5 ○　思春期を迎え、自分自身のことについて考え悩んでいると思われるため、まずは安心できる環境の中で信頼できる大人とじっくりとこれまでのことを振り返りつつ自分自身と向き合い、今後の展望を持つことが大切である。

解説 031　24 歳男性・発達障害者支援センター（事例）　正答 3

自閉症スペクトラム障害の診断を受けた 24 歳男性への就労支援について問われている。厚生労働省の Web ページの中にある「発達障害者の就労支援」などを参考に具体的な支援方法を理解する。

1 ○　［職場適応援助者（ジョブコーチ）］支援は、職場にジョブコーチが出向いて、障害特性を踏まえた直接的で専門的な支援を行い、障害者の職場適応、定着を図ることを目的とする。

2 ○　［障害者職業センター］は、相談窓口やジョブコーチ、雇用支援など障害者の就労に関する援助・支援を行っている。

3 ×　［行動援護］は、知的障害や精神障害により一人で行動することが著しく困難であり、常時介護を要する障害者が受けることのできる支援であるため、本問では不適切。

4 ○　障害者の職場適応のために、勤務している会社に特性を説明することなどは［ジョブコーチ］の役割でもある。

5 ○　［就労移行支援］は、就労を希望する障害者に対して必要なスキルの習得などの支援を行うものであり、これから就労を希望する場合だけでなく、就労している人への定着支援も行う。

問題 032 Check ☑☑☑ 第4回 問題154

0歳の男児A。18歳の母親Bは、医療機関に受診のないまま緊急の分娩によりAを出産した。分娩自体は正常で、Aの健康状態に問題はなかったが、母子の状態が安定するまで医療機関に入院となった。医療機関から連絡を受けた児童相談所がBとの面談を実施したところ、Bは精神的に安定しているものの、Aを養育する意思がなかった。また、経済的な問題もみられ、Aの父親も不明であった。Aを養育することが可能な親族も見当たらない。
この時点で考えられる主な措置先を2つ選べ。

1 乳児院
2 里親委託
3 一時保護所
4 児童自立支援施設
5 母子生活支援施設

一時保護とは児童相談所長や都道府県知事等が必要と認める場合に、子どもを一時保護所に一時的に保護するか、あるいは警察署、福祉事務所、[児童福祉施設]、[里親]、児童福祉に深い理解と経験を有する適当な者（機関、法人、私人）に一時保護を委託する（[委託一時保護]という）ことである。（厚生労働省「児童相談所運営指針の改正について」第5章 一時保護 第1節 一時保護の目的と性格）

児童福祉法による児童福祉施設には次のようなものがある。
①助産施設、②乳児院、③母子生活支援施設、④保育所、⑤幼保連携型認定こども園、⑥児童厚生施設、⑦児童養護施設、⑧障害児入所施設、⑨児童発達支援センター、⑩児童心理治療施設、⑪児童自立支援施設、⑫児童家庭支援センター

問題 033 Check ☑☑☑ 第1回 問題152

21歳の女性A、生後1か月半の乳児の母親。乳児家庭全戸訪問事業として訪問スタッフがAの家庭を訪れた。Aは表情が乏しく、精神的な活力の乏しさが推測された。「初めての育児で全てのことに自信がない。このまま育てられるか不安だ。夫は残業で帰りが遅く、周囲に相談する人もいない。子どもが夜中に何回も起きるので寝不足でつらい」と涙ぐみながら語った。公認心理師は1週間後にAを訪問する予定のスタッフから対応を相談された。
このときの助言として、最も適切なものを1つ選べ。

1 Aにすぐに精神科への受診を勧めるよう助言する。
2 Aにすぐに保育園の入園手続を勧めるよう助言する。
3 Aの代わりに訪問スタッフが夫や両親にサポートを依頼するよう助言する。
4 Aに「育児は大変なことばかりなので前向きになりましょう」と声をかけるよう助言する。

解説 032　0 歳男児・主な措置先（事例）　正答 1、2

健康だが子を養育する意思のない母親 B とその子 A に対し、児童相談所がどのように措置するのかを問う問題である。措置とはこの場合、子どもたちの命や育ちを最優先させるために、子ども自身や保護者の意向ではなく、自治体の判断によって入所を決めることを指す。本事例は新生児 A に対する B による明らかな養育放棄―虐待であり、A の一時保護が必要な状態と考えられる。

1 ○ ［乳児院］は児童福祉法第 37 条により「乳児（保健上、安定した生活環境の確保その他の理由により特に必要のある場合には、幼児を含む。）を入院させて、これを養育し、あわせて退院した者について相談その他の援助を行うことを目的とする施設」とある。

2 ○ ［里親］とは「保護者のいない児童、あるいは、保護者に監護させることが不適当であると認められる児童（要保護児童）を養育することを希望する者で、都道府県知事が適当と認める者」とされている。養子縁組を目的とせずに要保護児童を預かって養育する里親を［養育里親］といい、基本的には実親のもとで暮らすことができるようになるまでだが、成人になるまで委託を続けるケースもある。

3 × ［一時保護所］とは児童相談所に付設し、保護が必要な子どもを一時的に保護するための施設であるが、乳児や基本的生活習慣が自立していないため一時保護所において一時保護を行うことが適当でないと判断される幼児の場合は、委託一時保護が選択される（厚生労働省「児童相談所運営指針の改正について　第 5 章　一時保護　第 5 節　委託一時保護」）。

4 × ［児童自立支援施設］は児童福祉法第 44 条で「不良行為をなし、又はなすおそれのある児童及び家庭環境その他の環境上の理由により生活指導等を要する児童を入所させ、又は保護者の下から通わせて、個々の児童の状況に応じて必要な指導を行い、その自立を支援し、あわせて退所した者について相談その他の援助を行うことを目的とする」とある。

5 × ［母子生活支援施設］は児童福祉法第 38 条により「配偶者のない女子…（中略）…及びその者の監護すべき児童を入所させて、これらの者を保護するとともに、…（中略）…その生活を支援し、あわせて退所した者について相談その他の援助を行うことを目的とする施設」とある。よって母子ともに施設に入所することが前提になる。

解説 033　21 歳女性・子育て支援（事例）　正答 3

原則生後 4 か月を迎えるまでの全ての乳児のいる家庭を訪問し、不安や悩みを聞き、支援が必要な家庭に適切なサービスを提供し、地域の中で子どもが健やかに育成できる環境整備を図ることを目的とした支援事業が乳児家庭全戸訪問事業である。

1 × 産後うつなどの可能性は否定できないため、精神科の受診は妥当と考えられるが、現状としては継続的な受診が困難であることが懸念され、また、育児負担による影響も大きいことがうかがえるので、精神科受診の優先度は高く保ちながらも、育児負担を軽減できるようなサポート環境を整えることを検討したい。

2 × 保育園の検討は選択肢の 1 つだが、待機児童の問題があり、また、A の独断で決定することも難しいと考えられる。保育園は選択肢の 1 つとしつつ、A と日常的に関わるであろう家族の意向やサポートの可否も確認したい。

3 ○ A がこれほど追い詰められている状況を夫や親族がどの程度承知しているかは不明だが、子育ては今後も続くものであるため、家族の問題として捉え、家族の協力が得られないかについて、まずは検討したい。

4 × 不安な中でも何とか子育てをしている A を追い詰める可能性があるため適切とはいえない。

問題 034 Check ☑☑☑ 第4回 問題035

医療におけるアドバンス・ケア・プランニング〈ACP〉について、誤っているものを1つ選べ。

1 話し合いの内容を文章にまとめ、診療録に記載しておく。

2 話し合いの構成員の中に、親しい友人が含まれることがある。

3 患者の意思は変化する可能性があるため、話し合いは繰り返し行われる。

4 患者の意思が確認できない場合は、担当医療従事者が本人にとって最善の方針を決定する。

5 患者と多職種の医療・介護従事者、家族等の信頼できる者と今後の医療・ケアについて十分な話し合いを行うプロセスである。

問題 035 Check ☑☑☑ 第2回 問題153

85歳の男性A。Aは一人暮らしで、介護保険は申請しておらず、認知症の診断もされていない。しかし、身辺自立はしているものの、室内の清掃が行き届かず、物を溜め込みがちであるので、地域ケア会議で、ホームヘルパーによる清潔管理を行っていく方針を取り決め、実施していた。ヘルパーを受け入れているようにみえたが、2か月が経過した頃、Aからホームヘルパーの利用を終わりにしたいと突然申出があった。
地域包括支援センターの対応として、適切なものを2つ選べ。

1 基本チェックリストの再確認

2 グループホームへの入居の提案

3 小規模多機能型居宅サービスの利用

4 地域ケア会議での支援方法の再検討

5 定期巡回・随時対応型訪問サービスの利用

解説034　アドバンス・ケア・プランニング

正答 4

アドバンス・ケア・プランニング（ACP）の基本的な考え方を問う問題である。厚生労働省の「人生の最終段階における医療・ケアの決定プロセスに関するガイドライン」を理解しておくと答えることができる。「人生の最終段階における医療・ケアの決定プロセスに関するガイドライン 解説編」にはガイドラインの作成や改訂の経緯が書かれているので、目を通しておくとよい。

1 ○ ACPでは、話し合った内容をその都度［診療録］に記載しておく必要がある。

2 ○ ACPは、2018（平成30）年の改訂の際、今後、単身世帯が増えることを踏まえ、家族等の信頼できる者の対象が「家族」から「家族等（親しい友人等）」に拡大された。

3 ○ ガイドラインに「1. 人生の最終段階における医療・ケアの在り方」として、「本人の意思は変化しうるものであることを踏まえ、本人が自らの意思をその都度示し、伝えられるような支援が医療・ケアチームにより行われ、本人との話し合いが［繰り返し］行われることが重要である」と記載されている。

4 × ガイドラインに「2. 人生の最終段階における医療・ケアの方針の決定手続」として、本人の意思が確認できない場合の手順が示されている。①家族等が本人の意思を推定できる場合には［推定意思］を尊重し、②推定できない場合は本人に代わる者として家族等と十分に話し合い、③家族等がいない場合および家族等が判断を医療・ケアチームに委ねる場合には、本人にとっての最善の方針をとることを基本とする。まずは、本人の意思を推定することが重要である。

5 ○ 医療・ケアを受ける本人が多職種の医療・介護従事者、家族等の信頼できる者と十分な話し合いを行うプロセスであり、［本人による意思決定］を基本とした上で、人生の最終段階における医療・ケアを進めることが最も重要な原則である。

解説035　85歳男性・地域包括支援センターの対応（事例）

正答 1、4

地域包括支援センターは、介護・医療・保健・福祉などの側面から高齢者を支え、高齢者が自分の住み慣れている地域の中で生活できるようにサポートする機関である。

1 ○ ［基本チェックリスト］は、厚生労働省が作成した25の質問項目で、65歳以上の高齢者が心身の機能で衰えているところがないかをチェックするためのものである。Aの生活機能の程度を把握するために基本チェックリストを再確認することは適切である。

2 × ［グループホーム］は認知症高齢者のための共同生活施設である。認知症の診断もなく、身辺自立できているのであれば、グループホームへの入居の提案ではなく、まずは自宅に住むことを第一目標として考えるべきである。

3 × ［小規模多機能型居宅サービス］は、利用者に施設への通い、短期間の宿泊、自宅への訪問のサービスを組み合わせて提供することで、在宅での生活が継続できるように支援する介護サービスである。これは介護認定の「要介護」「要支援」の認定を受けている人が対象であり、介護保険を申請していない現在のAでは利用することはできない。

4 ○ ［地域ケア会議］は、地域包括支援センターで多職種が話し合い、利用者のケアプランを検討したり見直したりする場である。ここで、Aの生活機能や現状把握を行い、支援方法を再検討するという対応は適切である。

5 × ［定期巡回・随時対応型訪問サービス］は、中重度の要介護状態で医療ニーズの高い人に対応するための、日中・夜間を通して訪問介護、訪問看護を提供し、定期的に巡回し随時対応を行うサービスである。現在のAはその対象とはならない。

メモ　高齢者に関するキーワード

高齢期は、仕事の定年退職や、家族や知人との離別・死別など社会的環境の変化などの喪失を複合的に経験する時期である。こうした喪失を被りやすいながらも、高齢者の幸福感が、他の発達期に比べて低くはない現象を「エイジング・パラドクス」という。
また、人生の最終段階の医療ケアについて、本人が家族等や医療ケアチームと事前に繰り返し話し合うプロセスのことを「アドバンス・ケア・プランニング（ACP）」や「人生会議」という。一般的なACPや病気や病状に応じたACP、死が近づいた時のACPなど、状況に応じて、医師、看護師、ソーシャルワーカー、介護支援専門員など医療・ケアチームで行う。基本的な考え方としては「本人の意思の尊重」がある。

③虐待、認知症に関する必要な支援

問題 036 Check ☑☑☑ 第1回 問題051

改訂長谷川式簡易知能評価スケール〈HDS-R〉について、正しいものを2つ選べ。

1 20点以下は認知症を疑う。
2 認知症の重症度評価を主な目的とする。
3 図形模写などの動作性検査を含むテストである。
4 野菜の名前を問う問題は知識量を問うものである。
5 言葉の遅延再生問題で自発的な解答がなければヒントを与える。

問題 037 Check ☑☑☑ 第3回 問題097

MMSEについて、正しいものを1つ選べ。

1 非言語性課題が3問ある。
2 人の見当識課題は含まれない。
3 シリアル7課題（100から7を順に引く）は4回まで行う。
4 直後再生課題に続く4課題の後に、遅延再生課題が実施される。
5 直後再生課題では、全ての名称を言えるまで4回繰り返して尋ねる。

問題 038 Check ☑☑☑ 第4回 問題041

医師から依頼を受け、MMSEを実施・解釈し報告する際の公認心理師の行動として、不適切なものを1つ選べ。

1 被検査者の実際の回答内容を解釈に含める。
2 検査時の被検査者の緊張や意欲についても解釈に含める。
3 カットオフ値を上回った場合は、認知症ではないと所見を書く。
4 総得点だけでなく、被検査者が失点した項目についても報告する。
5 被検査者が難聴で口頭による実施ができない場合は、筆談による実施を試みる。

解説 036　改訂長谷川式簡易知能評価スケール〈HDS-R〉

正答 1、5

改訂長谷川式簡易知能評価スケール（HDS-R）は認知症のスクリーニング検査として用いられる。同様にスクリーニング検査として用いられる MMSE（Mini-Mental State Examination）との違いなどを理解しておくことが重要。

1　○　[20 点以下] で認知症を疑う。

2　×　原則として、認知症高齢者の [スクリーニング] を目的とした検査である。

3　×　図形模写などの動作性検査を含むのは [MMSE] などである。

4　×　野菜の名前を問う問題は、[言語の流暢性] を問うものである。

5　○　言葉の遅延再生において [自発的な解答] には 2 点を付し、自発的解答が得られない場合は [ヒント] を与え、[ヒント] を踏まえて正答がされた場合は 1 点を付す。

加点のポイント　改訂長谷川式簡易知能評価スケール（HDS-R）を理解する

HDS-R の検査は 10 分～15 分程度で実施される。① [年齢]、② [日時の見当識]、③ [場所の見当識]、④ [言葉の記銘]、⑤ [計算]、⑥ [数字の逆唱]、⑦ [言葉の遅延再生]、⑧ [物品記銘]、⑨ [言語の流暢性] の 9 項目がある。30 点満点で [20 点] 以下は認知症の疑いが高まるとされる。

解説 037　MMSE

正答 2

MMSE（ミニメンタルステート検査）は、11 の質問項目からなる認知症の鑑別検査である。その詳細な知識が必要となる問題である。

1　×　認知症臨床研究・治験ネットワークによると、MMSE は、[時間の見当識]、[場所の見当識]、[3 単語の即時再生] と [遅延再生]、[計算]、[物品呼称]、[文章復唱] の 7 項目の言語性課題と、[3 段階の口頭命令]、[書字命令]、[文章書字]、[図形模写] の 4 項目の動作性課題としている。動作性課題を非言語性課題と考えると、4 問である。

2　○　MMSE で測定する見当識は「時」と「場所」であるため、人は含まれていない。

3　×　シリアル 7 課題（100 から 7 を順に引く）は、4 回までではなく、[5] 回まで行う。

4　×　直後再生課題の直後に「シリアル 7 課題」が実施され、その後に遅延再生課題が実施される。

5　×　直後再生課題では全ての名称を言えるまで、4 回ではなく、[6] 回繰り返す。

解説 038　MMSE

正答 3

検査の解釈は検査への態度、検査内容以外の言動なども含めて検査結果について総合的に解釈する必要がある。また、カットオフ値はあくまで可能性が高いという目安であり、診断を決定するものではないことに注意しよう。

1　○　被検査者が何をどう述べたか、どのように間違えたかなども解釈の際に重要な情報となるため、[実際の回答内容] を含めて解釈を行う。

2　○　[緊張や意欲の高低] が検査結果に影響を及ぼすことがあるため、解釈に含める。

3　×　[カットオフ値] はあくまでもスクリーニングのための数値であり、カットオフ値を上回った場合でも、認知症の可能性を完全に否定できるものではない。また、最終的な診断（判断）は [医師] が行うものである。

4　○　認知機能のどの部分に低下がみられるかを検討するためにも、失点した項目についても報告する。

5　○　難聴などで口頭による実施ができない場合には、[筆談] などによって実施を試みる場合がある。

加点のポイント　検査と評価

症状	検査	評価
認知症	MMSE	27 点以下：軽度認知障害の可能性、23 点以下：認知症の可能性

問題 039 Check 第1回 追 問題 094

認知症の症状を呈する病態で、治療が可能で病前の正常な状態に回復する可能性があるものとして、適切なものを 1 つ選べ。

1 Pick 病
2 進行麻痺
3 低酸素脳症
4 正常圧水頭症
5 Creutzfeldt-Jakob 病

問題 040 Check 第1回 追 問題 025

認知症について、正しいものを 1 つ選べ。

1 Lewy 小体型認知症は幻聴を特徴とする。
2 Alzheimer 型認知症は感情失禁を特徴とする。
3 血管性認知症は抑うつやせん妄が生じやすい。
4 前頭側頭型認知症では初期から記憶障害が著明である。
5 Creutzfeldt-Jakob 病は他の認知症に比べて進行が緩徐である。

問題 041 Check 第4回 問題 098

病初期の Alzheimer 型認知症の所見として、最も適切なものを 1 つ選べ。

1 徘徊
2 錐体外路症状
3 着脱衣の困難
4 遠隔記憶の障害
5 同じ話の繰り返し

解説 039　認知症の症状

正答 4

治療が可能で病前の正常な状態に回復する可能性がある認知症は、正常圧水頭症である。脳室からのシャント手術を施行すれば回復する。他の認知症には回復する医学的方法は現状ではない。抗認知症薬は進行を遅らせるが治せない。

1 ×　Pick 病は、進行性で非可逆性である。

2 ×　進行麻痺は、治療可能であるが認知症症状は病前の状態まで回復しない。

3 ×　低酸素脳症は、認知症症状は病前の状態まで回復する可能性は極めて少ない。

4 ○　正常圧水頭症は、脳室内の過剰な脳脊髄液貯留をシャント手術することで改善する。

5 ×　Creutzfeldt-Jakob 病は、急速に進行し非可逆性である。

解説 040　認知症の症状

正答 3

認知症の種類によって特有の症状があるがその知識を問う問題。

1 ×　Lewy 小体型認知症は、[鮮明な幻視] を特徴とする。幻聴はほとんど起こらない。

2 ×　Alzheimer 型認知症は、[失見当識、遅延再生] の障害を特徴とする。感情失禁は [血管性認知症] の初期に多い。

3 ○　血管性認知症は、脳の血管障害（脳卒中や脳梗塞）が原因で起こる認知症である。[抑うつ] や [せん妄] が生じやすい。

4 ×　前頭側頭型認知症では、初期には記憶障害は目立たず [人格変化]、[常同行動] が主体である。

5 ×　Creutzfeldt-Jakob 病は他の認知症に比べて進行は [急激] であり、[数か月で急速] に進む。

解説 041　病初期の Alzheimer 型認知症の所見

正答 5

Alzheimer 型認知症は緩徐に進行する慢性の神経変性疾患であり、その臨床経過は初期、中期、後期に分けて考えることができる。それは重症度とほぼ比例する。典型的には病初期は健忘が中心で、語健忘やアパシーが認められる。

1 ×　徘徊がみられるようになるのは中期以降である。

2 ×　錐体外路症状（パーキンソン症状）を認めるのは [Lewy 小体型認知症] の特徴である。

3 ×　着脱衣の困難など [実行機能の障害] は中期以降に認められる。

4 ×　遠隔記憶は比較的よく保たれることが多い。

5 ○　まず [遅延再生] などの [近時記憶] が障害されるのが特徴のため、同じ話の繰り返しが多くなる。

問題 042

Check ☐☐☐ 第 1 回 追 問題 037

認知症のケアに用いる技法として、不適切なものを 1 つ選べ。

1 回想法
2 動作法
3 バリデーション
4 デブリーフィング
5 リアリティ・オリエンテーション

問題 043

Check ☐☐☐ 第 2 回 問題 036

Alzheimer 型認知症の患者に対して公認心理師が実施するものとして、不適切なものを 1 つ選べ。

1 ADAS
2 回想法
3 COGNISTAT
4 ケアプラン原案の作成
5 認知症ケアパスへの参加

問題 044

Check ☐☐☐ 第 3 回 問題 022

Alzheimer 型認知症について、最も適切なものを 1 つ選べ。

1 うつ症状が起こる。
2 見当識は保持される。
3 近時記憶障害は目立たない。
4 具体的な幻視が繰り返し出現する。
5 注意や明晰さの著明な変化を伴う認知の変動がみられる。

解説 042 認知症のケア

正答 4

認知症に効果があるとされる技法を理解し、どのような効果があるのかを確認しておくことが重要である。

1 ○ [回想法] は、[R. Butler] によって提唱された。支援者が受容的に過去の思い出を共感しながら聴くことで、自己を再認識したりコミュニケーションを深めたり、不安を軽減したりするような効果が認められる。写真などを用いることもあるが、原則は道具を使わずに実施が可能である。

2 ○ [動作法] は、[成瀬悟策] によって、1960 年代に脳性麻痺児の訓練法として始まり、近年では、脳卒中後遺症や精神病の症状改善、障害者や高齢者への心理療法として効果があると注目される。身体と心のつながりを意識することで、心身の活性化・健康維持に効果があるとされる。

3 ○ [バリデーション] は、[N. Feil] によって提唱された。高齢者に対し [尊厳] を持ち、高齢者の感情表出に [受容的] に関わることで、ストレスや不安の軽減や認知症の周辺症状の緩和、生きる希望を取り戻すなどの効果があるとされる。

4 × [デブリーフィング] は、災害や精神的なショックを経験した人々に対して実施する [急性期]（体験後 2〜3 日から数週間）の支援方法のことである。したがって、認知症のケアとしては不適切である。

5 ○ [リアリティ・オリエンテーション] は、[見当識障害]（今日が何月何日で、季節はいつであるのか、ここはどこであるか、など時間や今いる場所等がわからない）を解消するための訓練であり、不安の軽減などに効果があるとされる。

解説 043 Alzheimer 型認知症患者への関わり

正答 4

公認心理師は医療の現場で認知症の患者やその家族と関わることも多い。心理職としてどのような役割が求められているかおさえておきたい。Alzheimer 型認知症に限らず、認知症のアセスメントは心理職に求められている業務である。

1 ○ ADAS（Alzheimer's Disease Assessment Scale）は、Alzheimer 型認知症で早期から障害されやすい [記憶] や [視空間認知機能] などを中心にした検査で、Alzheimer 型認知症患者の症状の推移を評価するためにも使用される。

2 ○ 回想法とは、米国の精神科医 R. Butler 氏によって提唱された心理療法である。会話しながら人生を振り返り、昔の経験や思い出を語り合う。

3 ○ COGNISTAT は、3 領域の [一般因子]（覚醒水準・見当識・注意）と 5 領域の [認知機能]（言語・構成能力・記憶・計算・推理）を評価できる神経心理学的検査である。

4 × ケアプランとは、介護保険サービスをどのように利用するかを決めた [介護計画書] のことである。最適なサービスを受けるためには、[ケアマネジャー（介護支援専門員）] に作成してもらうことが望ましい。

5 ○ 認知症ケアパスとは、認知症の人と家族および地域・医療・介護の人々が目標を共有し、それを達成するための [連携の仕組み] のことをいう。公認心理師も認知症ケアパスに参加し、認知症になった人が地域の中で本来の生活を営むことができるよう心理学の視点から関わっていく。

解説 044 Alzheimer 型認知症

正答 1

認知症はうつ病やせん妄と鑑別を要する点に注意が必要である。どのような点が鑑別となるかは診断基準をチェックしておきたい。

1 ○ うつ状態は呈するが、うつ病とは区別されるべきである。Alzheimer 型認知症は軽度のときに [抑うつ] または [アパシー] がみられる。

2 × Alzheimer 型認知症では [見当識] は障害される。

3 × Alzheimer 型認知症では [近時] 記憶障害は目立つ。[遠隔] 記憶障害が目立たない。

4 × 具体的な幻視が繰り返し出現するのは、[Lewy 小体型認知症] である。

5 × 注意や明晰さの著明な変化を伴う認知の変動がみられるのは、[Lewy 小体型認知症] や [せん妄] である。

問題 045 Check 第3回 問題021

T. Kitwood の提唱した認知症に関するパーソンセンタード・ケアの考え方について、最も適切なものを 1 つ選べ。

1 問題行動を示したときは、効率的に管理しなければならない。
2 ケアで重要なことは、介護者自身の不安や弱さなどは考慮せず、理性的に行うことである。
3 認知症の治療薬が開発されるまで、専門家として認知症の人にできることはほとんどない。
4 認知症は、第一の視点として、中枢神経系の病気としてよりも障害としてみるべきである。
5 ケアは、安全な環境を提供し、基本的ニーズを満たし、身体的ケアを与えることが中心となる。

問題 046 Check 第2回 問題089

認知症の高齢者への回想法について、正しいものを 1 つ選べ。

1 行動の変容を目標とする。
2 個人面接では実施しない。
3 昔の物品を手掛かりにする。
4 一定の間隔をあけて繰り返す。
5 認知に焦点を当てたアプローチである。

問題 047 Check 第4回 問題065

70 歳の女性 A。長男、長男の妻及び孫と暮らしている。A は、1 年ほど前に軽度の Alzheimer 型認知症と診断された。A は、診断後も自宅近所のスポーツジムに一人で出かけていた。1 か月ほど前、自宅をリフォームし、収納場所が新たに変わった。それを機に、探し物が増え、スポーツジムで使う物が見つけられなくなったため、出かけるのをやめるようになった。A は、物の置き場所をどう工夫したらよいか分からず、困っているという。
A に対して行うべき非薬物的介入として、最も適切なものを 1 つ選べ。

1 ライフヒストリーの回想に焦点を当てた介入
2 日常生活機能を補う方法の確立に焦点を当てた介入
3 有酸素運動や筋力強化など、複数の運動を組み合わせた介入
4 物事の受け取り方や考えの歪みを修正し、ストレス軽減を図る介入
5 音楽を聴く、歌うなどの方法によって構成されたプログラムによる介入

解説 045 認知症のケア

正答 4

T. Kitwood は、医学モデルに基づく従来の認知症についての捉えかたを見直し、認知症を抱える人の「その人らしさ（personhood）」を尊重するケアであるパーソンセンタード・ケアの実践を提唱した。

1 × 問題行動を示したときに効率的に管理するのは、従来の医学モデルに基づく認知症ケアである。

2 × 問題文の内容は従来の医学モデルに基づいたケアであり、パーソンセンタード・ケアにおいては介護者自身の不安や弱さも考慮することが重要である。

3 × 専門家として認知症の人の悩みや不安に耳を傾け、一人の人として尊重することは、認知症に回復をもたらし、重度化されている状態から本来の力を引き出すことを可能にする。

4 ○ 認知症状態を示す病気については、第一には障害としてみるべきである。

5 × 問題文の内容は従来の医学モデルに基づいたケアである。パーソンセンタード・ケアにおいては、心理的ニーズを理解する上で「共にあること」「くつろぎ」「自分らしさ」「結びつき」「たずさわること」の5つが重要である。

解説 046 高齢者への回想法

正答 3

回想法は、R. Butler によって、高齢者が昔を思い出し、回想することが認知症の予防などに効果があるとして用いられた心理療法の技法である。

1 × 結果として行動の変容が起こることもあるが、過去を回想することが目標である。

2 × 個人回想法でもグループ回想法でも実施が可能である。

3 ○ 原則としては道具を必ずしも必要としないが、物品を使うこともある。回想の際には、個人のテーマ、材料や道具、生活史などテーマを決めて行うことが一般的である。

4 × 同じ内容を繰り返すのではなく、1クールでの実施回数やその回でのテーマなどを決めて行う。可能な限り［同じ曜日や時刻］で行うことが望ましい。

5 × 参加者のそのときの聴力や視力などは丁寧に把握しておくことが重要であるが、認知に焦点を当てているわけではなく、［過去の回想］に焦点を当てる。

解説 047 70歳女性・認知症に対する非薬物的介入（事例）

正答 2

軽度の Alzheimer 型認知症の診断は受けているものの、診断後も近所のスポーツジムに一人で出かけるなどしていた。認知症の進行も念頭には置くが、まずは現在困っている物の置き場所への困難に対して、自宅のリフォームによる環境の変化の影響を優先的に考慮した介入を検討することが望ましい。

1 × ［回想法］は、精神的な安定や認知症の進行の予防等において、介入として有効だが、本問において最も適しているとは言いがたい。

2 ○ 環境の変化による物の置き場所に関する困りごとに対して、どのような工夫ができるかなど日常生活機能を補う方法を検討することが、本問においてまず取り組むこととして適している。

3 × 元々スポーツジムに出かけているなど運動に対して前向きな様子は見られるが、探し物が増えたことから出かけることをやめてしまっているので、探し物への困りごとが解消されれば、自らジムに出かける可能性も考えられる。そのため、選択肢の対応は本問において優先度は下がると考えられる。

4 × 物事の受け取り方や認知の歪みを修正することも重要だが、本問において優先的に介入する必要性は見られない。

5 × 音楽を聴くことや歌うなどの方法も重要だが、本問においてその介入を優先的に行う必要性は見られない。

問題 048　Check ☐☐☐　第2回　問題147

75歳の女性A。Aは相談したいことがあると精神保健福祉センターに来所し、公認心理師が対応した。Aは、45歳の長男Bと二人暮らしで、Bは覚醒剤の自己使用により保護観察付執行猶予中だという。「最近、Bが私の年金を勝手に持ち出して使ってしまうようになった。そのため生活費にも事欠いている。財布からお金が何度もなくなっているし、Bの帰りが遅くなった。Bは覚醒剤を使用しているのではないか。Bに恨まれるのが怖くて保護司に言えないでいる。Bを何とかしてくれないか」との相談であった。
公認心理師の対応として、最も適切なものを1つ選べ。

1　高齢者虐待のおそれがあるとして、市町村に通報する。
2　Aの話が本当かどうかを確認するため、しばらく継続して来所するよう提案する。
3　Bの行為について、高齢者虐待防止法違反として、警察に通報し立件してもらう。
4　Bが覚醒剤を使用している可能性が高いので、対応してもらうよう保護観察所に情報を提供する。
5　Bの行為は高齢者虐待に該当しないため、覚醒剤乱用の疑いがあるとして、Aから担当保護司に相談するよう助言する。

（注：「高齢者虐待防止法」とは、「高齢者虐待の防止、高齢者の養護者に対する支援等に関する法律」である。）

問題 049　Check ☐☐☐　第1回 追　問題036

特定妊婦のリスク要因として、不適切なものを1つ選べ。

1　若年妊娠
2　多胎妊娠
3　経済的困窮
4　望まない妊娠
5　母子健康手帳未交付

問題 050　Check ☐☐☐　第1回 追　問題069

9歳の男児A、小学校3年生。実父母から身体的虐待を受けて小学校1年のときに児童養護施設に入所した。入所当初は不眠、落ち着きのなさ、粗暴行為が見られたが、現在はほぼ改善し、日々の生活は問題なく過ごせるようになっている。実父母は施設の公認心理師との面接などを通して、暴力に頼ったしつけの問題や、虐待にいたるメカニズムを理解できるようになった。毎週の面会に訪れ、Aとの関係も好転している様子がうかがわれた。小学校3年になって、Aと実父母が家庭復帰を希望するようになった。
家庭復帰に関して施設が行う支援について、不適切なものを1つ選べ。

1　家庭復帰後の懸念される事態について児童相談所と話し合う。
2　実父母と子どもと一緒に、帰省や外泊の日程やルールなどを検討する。
3　週末帰省中に、再び実父母からの虐待が認められた場合には、家庭復帰については再検討する。
4　実父母が在住する市の要保護児童対策地域協議会でのケース検討会議の開催を、児童相談所を通して市に依頼する。
5　家庭復帰後は、施設措置が解除となり、市の要保護児童対策地域協議会の監督下に入るため、施設からの支援は終了する。

解説 048　75歳女性・相談（事例）　正答 1

高齢者虐待に関する事例問題である。高齢者虐待は、家庭の養護者や養介護施設の従事者等による高齢者に対する虐待である。虐待の主な種類として、身体的虐待、心理的虐待、性的虐待、経済的虐待、介護や世話の放棄・放任などがあり、経済的虐待については虐待を行う相手として親族等も含まれる。

1 ○ 高齢者の年金や預金を本人の［合意なし］に使い込んだり勝手に管理したりすることは経済的虐待に該当する行為である。発見者は市町村に通報するよう努めなければならない。

2 × しばらく継続して来所するように提案するのではなく、高齢者虐待が疑われる場合は根拠や証拠がそろっていなくても通報する。「何かあってから」ではなく「何か起こる前」を捉えることが重要である。Aは生活費にも困っている状態のため、しばらく継続して来所するように提案することは不適切である。

3 × 高齢者虐待の通報先は警察ではなく［市町村］である。

4 × Aが来所した一番の理由はBがAの年金などを使い込んでいるといった経済的虐待に関することである。Bが覚醒剤を使用しているかどうかは判断できない。まずは高齢者虐待への対応を優先するべきである。

5 × Bの行為は高齢者虐待（経済的虐待）に該当する。

解説 049　特定妊婦のリスク要因　正答 2

特定妊婦は、児童福祉法第6条の3第5項で「出産後の養育について出産前において支援を行うことが特に必要と認められる妊婦」と定義されている。またリスク要因とは、主に子どもの虐待が起こる原因と考えられる。

1 ○ 若年妊娠は、妊娠・出産の受容が難しく、養育困難となるリスク要因である。

2 × 多胎妊娠（双子、三つ子などの妊娠）は、特定妊婦には該当するが、これだけで虐待などにつながるリスク要因とは言い切れない。

3 ○ 経済的困窮は、養育困難となるリスク要因である。

4 ○ 望まない妊娠は、妊娠・出産の受容が難しく、養育困難となるリスク要因である。

5 ○ 母子健康手帳未交付は、両親が社会資源へアクセスが困難、もしくは無関心、必要性を知らないなど社会的孤立が影響して養育困難となるリスク要因である。

解説 050　9歳男児・身体的虐待・児童養護施設（事例）　正答 5

児童福祉施設入所措置等の解除については、児童虐待防止法第13条や「家庭復帰の適否を判断するためのチェックリスト」「児童虐待を行った保護者に対する援助ガイドライン」「社会的養護関係施設における親子関係再構築支援ガイドライン」などを参照するとよい。

1 ○ 児童養護施設は、復帰後に再び虐待が起きないように、［児童相談所］と話し合い支援を行う。入所中の面会や外泊等の様子を確認し、復帰後に懸念される事態を十分に検討した上で、見極めを行うことが重要。

2 ○ 外泊中の日課や起こりうる問題について、対処法の注意事項をそれぞれに伝える必要があることなどが「社会的養護関係施設における親子関係再構築支援ガイドライン」に記載されている。

3 ○ 外泊は死亡事件などの発生が報告されており、［児童相談所］と［児童福祉施設］が同席し、慎重かつ客観的に判断する必要がある。

4 ○ ［児童相談所］は、［市町村］と役割を分担してケースマネジメントを担う。経過が良好であれば、児童福祉司指導措置等を解除し、市町村に引き継ぎが可能。

5 × 復帰後も一定期間（最低［6か月］程度）は、当該家庭の状況を把握し、変化に対応するために継続した援助を続けることが必要である。

問題 051 Check 第2回 問題072

14歳の女子A、中学2年生。Aは母子家庭で育ったが、小学6年生のときに実母が再婚し、現在は継父を含めた三人家族である。ある日、Aの顔色が悪いため、友人がAを保健室に連れて行った。養護教諭がAから話を聞いたところ、Aは「あの人（継父）が夜中に部屋に入ってきて身体を触り、抱きついてくるから、家に帰りたくない」と語った。同時に「他の先生や親には絶対に言わないでほしい」と訴えた。養護教諭は重大な問題であるとAを諭し、教頭と校長に伝え、学校から児童相談所に通告をした。すぐに児童福祉司が学校でAと面談し、虐待の可能性が強いと判断し、Aを一時保護した。
現時点での児童相談所の対応として、適切でないものを1つ選べ。

1 Aの了解を得て、産婦人科医の診察を受けてもらう。
2 児童福祉司が、継父の性的虐待を処罰するために告訴することを勧める。
3 児童心理司による面接や一時保護所での行動観察を通して、被害の影響について調査、評価を行う。
4 司法面接で用いられる面接技法のトレーニングを受けた職員が被害状況を確認するための面接を行う。
5 児童福祉司が両親に対して、一時保護の理由、これからの見通し、保護者に不服審査請求の権利があることなどについて説明する。

問題 052 Check 第4回 問題118

緊急一時保護が必要であると児童相談所が判断する基準に該当しないものを1つ選べ。

1 保護者に被虐待歴がある。
2 子どもへの性的虐待の疑いが強い。
3 子どもに重度の栄養失調が認められる。
4 保護者が子どもを殺してしまいそうだと訴えている。
5 保護者が暴力を振るうため帰りたくないと子どもが訴えている。

問題 053 Check 第1回 問題143

5歳の男児。父母からの身体的虐待とネグレクトを理由に、1週間前に児童養護施設に入所した。入所直後から誰彼構わず近寄り、関わりを求めるが、関わりを継続できない。警戒的で落ち着かず、他児からのささいなからかいに怒ると鎮めることが難しく、他児とのトラブルを繰り返している。着替え、歯磨き、洗面などの習慣が身についていない。眠りが浅く、夜驚がみられる。
このときの施設の公認心理師が最初に行う支援として、最も適切なものを1つ選べ。

1 眠りが浅いため、医師に薬の処方を依頼する。
2 心的外傷を抱えているため、治療として曝露療法を開始する。
3 気持ちを自由に表現できるよう、プレイルームでプレイセラピーを開始する。
4 趣味や嗜好を取り入れて、安心して暮らせる生活環境を施設の養育者と一緒に整える。
5 年齢相応の基本的な生活習慣が身につくよう、施設の養育者と一緒にソーシャルスキルトレーニング〈SST〉を開始する。

解説 051　14 歳女子・児童相談所の対応（事例）　正答 2

一時保護をした後の児童相談所の対応を問う問題である。司法面接の手法も理解しておこう。

1 ○ 継父からの性的虐待が疑われるため、妊娠や外傷、病気なども考えられる。本人の了解を得て、産婦人科医の受診を勧める。

2 × 継父に対する告訴をすることを勧めるのは児童福祉司の業務の範疇を超えた行為である。

3 ○ 児童心理司の仕事は本人に対する面接や行動観察を通して、虐待被害の影響を調査し、評価することである。

4 ○ 子どもの負担を軽減し、精神的な二次被害を防ぐためにも、被害状況を確認するためには、［司法面接］の手法に熟知した人が面接することが重要である。

5 ○ 児童福祉司は本人だけでなく、［保護者への対応］も仕事としており、A の両親に対して必要な情報提供をする必要がある。

解説 052　緊急一時保護の判断　正答 1

緊急一時保護の目的は、子どもの生命の安全を確保することである。

1 × 保護者に被虐待歴があるとしても、それが即児童虐待につながるわけではないので、この場合は緊急一時保護の基準には該当しない。

2 ○ 子どもへの性的虐待の疑いは、子どもの安全にかかわることであるので緊急一時保護の対象となる。

3 ○ 子どもに重度の栄養失調が認められた場合は、ネグレクトが疑われ緊急一時保護の対象となる。

4 ○ 保護者が子どもを殺してしまいそうだと訴えている場合、子どもの生命の危険性があるため、緊急一時保護の対象となる。

5 ○ 保護者が暴力をふるうため帰りたくないと子どもが訴えている場合、そのまま帰せば子どもの生命の危険性があるため、緊急一時保護の対象となる。

解説 053　5 歳男児・児童養護施設（事例）　正答 4

児童養護施設に入所している子どもたちは、家庭から分離されて大きな喪失を経験していたり、入所に至るまでに強い不安感や孤独感、愛着障害やトラウマを抱えていたり、対人コミュニケーションが苦手であるなどが考えられる。

1 × 眠りの浅さは、警戒心や緊張による影響も強いと考えられる。まずは安心できるような関わりを持つようにする。その上で精神疾患の徴候が継続するようであれば、受診も検討することが望ましい。

2 × 心的外傷の可能性は否定できないが、治療の前段階として安心できる環境を整えることをまずは優先することが望ましい。

3 × プレイセラピーは今後有効な手法の 1 つであると考えられるが、まずは警戒心をほぐし、安心できる環境を整えていくことが望ましい。

4 ○ 男児にみられる症状は緊張感や不安によるものも大きいと考えられるため、男児の趣味や嗜好を取り入れ、安心できる生活環境を整えることは望ましい。

5 × 基本的な生活習慣や他者とのコミュニケーションのための SST は有効と考えられるが、まずは安心できる生活環境を整えることが望ましい。

加点のポイント　問題で何を問われているかをよく考えよう

問題 053（第 1 回問題 143）は入所から 1 週間の事例における「最初に行う支援」が問われているため、生活の安定を優先としている。今後、入所後の様子をみて医療機関の受診の必要性を判断すること、プレイセラピーや SST などの心理的手法を必要に応じて行っていくことが望ましい。

問題 054

Check ☑☑☑ 第1回 問題074

75歳の女性A、独身の息子と二人暮らしである。Aは２年くらい前からスーパーで連日同じ食材を重ねて買うようになり、スーパーからの帰り道で道に迷うなどの行動が見られ始めた。午前中から散歩に出たまま夕方まで帰らないこともあった。最近、息子の怒鳴り声が聞こえるようになり、時々Aの顔にあざが見られるようになったため、近所の人が心配して、市の相談センターに相談した。
市の対応として、不適切なものを１つ選べ。

1 虐待担当部署への通報
2 息子への指導及び助言
3 Aの居室の施錠の提案
4 徘徊時に備えた事前登録制度の利用
5 民生委員への情報提供と支援の依頼

問題 055

Check ☑☑☑ 第1回 問題144

9歳の男児A、小学３年生。Aは学校で落ち着きがなく、授業に集中できずに離席も多いため、担任教師に勧められて、母親が家の近くにある市の相談センターに連れて来た。母子家庭できょうだいはない。３回目の面談には、Aが一人で来所した。Aの顔が赤く腫れ上がっており、公認心理師Bが尋ねると、「昨日家でおじさんに殴られた。怖いから家に帰りたくない」と怯えた表情で訴えた。Bが「おじさんって？」と尋ねると、「一緒に住んでいる人」と答えた。よく見ると顔の別の場所や手足に古いあざのようなものが多数あった。
Bのとるべき行動として、最も適切なものを１つ選べ。

1 相談センターの責任者に伝え、センターから市の虐待対応部署に通告する。
2 家に帰すことは危険と考え、AをBの家に連れて帰り、母親に連絡を取る。
3 事実の確認が必要と考え、司法面接の技術を用いて、自ら詳細な聞き取りを行う。
4 怖い気持ちを十分に受け止めた上で、家に帰るように諭して帰宅させ、次回にその後の様子を聞く。
5 母親に連絡してAが怯えていることを伝え、母親に「おじさん」の暴力を止めてもらうよう依頼する。

問題 056

Check ☑☑☑ 第1回 問題154

70歳の男性A。Aは、もともと穏やかな性格であったが、２年くらい前から非常に短気になり、気に入らないことがあると怒鳴り散らすようになった。天気が悪くても日課の散歩は毎日欠かさず、いつも同じコースを歩くようになった。また、散歩中に信号を無視することも多くなり、危険であるため制止すると興奮するようになった。
Aに認められている症状として、正しいものを２つ選べ。

1 強迫行為
2 常同行動
3 離人症状
4 見当識障害
5 抑制の欠如

解説 054　75 歳女性・同居の独身息子との関係（事例）　正答 3

75 歳女性への支援と息子への支援両方を行う、家族への包括的支援が重要である。

1　○　高齢者虐待防止法では、養護者または養介護施設従事者等による高齢者虐待を受けたと思われる高齢者を発見した人に、速やかに市町村に通報するよう［努力義務］が課されている（第 7 条 2 項、第 21 条 3 項）。

2　○　通報があった場合に、市町村はその事実確認を行い、必要に応じて養護者の支援を行い、［養護者］に対する［相談、指導、助言］その他必要な措置を講じる（高齢者虐待防止法第 14 条）。息子へのペナルティとしてではなく、［家族への支援］としての視点も重要。

3　×　居室への施錠は一時的な安全対策になり得るように見えるが、A の自由を損なう［身体拘束］、つまりは施錠自体が［虐待］になる。また、施錠をすることでかえって息子の暴力が悪化する可能性もあるなど、適切とはいえない。

4　○　家族が事前に［市町村］に高齢者の氏名や住所などを申請することで、市町村などで高齢者の情報が共有される制度が［事前登録制度］である。散歩に出たまま帰らないなどの様子がうかがえるため、登録により早めの対応が期待できる。

5　○　［民生委員］は厚生労働大臣から委嘱され、各地域において、常に住民の立場に立って相談・必要な援助を行い、社会福祉の増進に努める役割を担っている（民生委員法第 1 条）。近隣の民生委員に情報を共有し、支援を依頼することは適切である。

解説 055　9 歳男児・市の相談センター（事例）　正答 1

児童虐待の防止等に関する法律（児童虐待防止法）第 6 条に基づいて対応を検討する。

1　○　相談センターが組織として対応することが望ましく、相談センターとして住まいの［市町村の虐待対応部署］に通告をすることが求められる。

2　×　家に帰すことは虐待を受ける危険性があるが、B が個人で対応をすることは不適切。

3　×　児童虐待防止法第 6 条に基づき、まずは通告が先決であり、市町村や福祉事務所の判断を仰ぐことが望ましい。

4　×　A が怖がっている気持ちを受け止めることは重要だが、さらなる虐待の可能性が考えられるため、このまま帰宅させることは望ましくない。

5　×　母親が虐待をしている、または母親も虐待をされている可能性も考えられるため、母親への連絡よりもまずは［市町村や福祉事務所］などに通告をする。

解説 056　70 歳男性・認知症による性格変化（事例）　正答 2、5

診断は前頭側頭型認知症が最も可能性が高いと思われる事例である。前頭側頭型認知症では性格変化や抑制の欠如、常同行為を特徴とする。

1　×　［強迫行為］は何度も繰り返して行わずにはいられない行動で、それをしないと気が済まない行為。本事例では記載されていない。

2　○　「天気が悪くても日課の散歩は毎日欠かさず、いつも同じコースを歩く」というのは［常同行動］の一種と考えられる。

3　×　［離人症状］は現実感喪失を主たる症状とする。本事例では記載がない。

4　×　［見当識］は人・場所・時間に対する認知のこと。本事例では見当識障害の記載はない。

5　○　「2 年くらい前から非常に短気になり、気に入らないことがあると怒鳴り散らすようになった」というのは［抑制の欠如］といえる。

問題 057　Check ☑☑☑　第1回 追　問題 076

72 歳の男性 A。76 歳の妻 B と二人暮らしである。B は 2 年前に Alzheimer 型認知症の診断を受け、現在は要介護 3 の状態である。A はもともと家事が得意であり、介護保険サービスを利用することなく在宅で介護していた。A には、B に苦労をかけたことが認知症の原因だという思いがあり、限界が来るまで自分で介護したいと強く望んでいる。最近 B が汚れた下着を隠すようになり、それを指摘しても B は認めようとしない。A は時々かっとなって手が出てしまいそうになるが、何とか自分を抑えてきた。
B の主治医から依頼を受けた公認心理師の行うべき支援として、適切なものを 2 つ選べ。

1　介護負担軽減のために B の施設入所を勧める。
2　A と定期的に面接を行い、心理的負担を軽減する。
3　虐待の可能性があるため、B と分離する手続を進める。
4　B の主治医と相談し、A の精神的安定のため投薬を依頼する。
5　A の許可を得て、地域包括の介護支援専門員とともに負担軽減のためのケアプランを検討する。

問題 058　Check ☑☑☑　第1回 追　問題 062

84 歳の女性。5 年前に Alzheimer 型認知症と診断された。現在、ミニメンタルステート検査〈MMSE〉が 5 点で、介護老人保健施設に入所中である。夜中に自室からスタッフルームにやってきて、「息子が待っているので自宅に帰りたい」と言い、廊下を歩きはじめた。
このとき、一般的に勧められる職員の対応として、最も適切なものを 1 つ選べ。

1　息子に連絡し、外泊をさせるように依頼する。
2　頓用の睡眠薬を服用させ、徘徊による体力の消耗を避ける。
3　施錠できる安全な部屋に誘導し、保護の目的で扉を施錠する。
4　息子は自宅に不在であることを説明し、自室に戻るよう説得する。
5　しばらく一緒に廊下を歩き、「夜遅いのでここに泊まりましょう」と提案する。

解説 057　72歳男性・認知症・老老介護（事例）

正答 2、5

厚生労働省「国民生活基礎調査」によると、65歳以上の高齢者のみの世帯は年々増加し、いわゆる老老介護の世帯も年々増えている。老老介護による共倒れや虐待を防ぐため、地域包括支援センターと連携し、必要な介護保険サービスを検討することが重要。

1　×　「限界が来るまで自分で介護したい」というAと妻Bの健康状態や、必要なサポートなどのアセスメントを行い、施設入所の必要性を検討することが先決。

2　○　「手が出てしまいそうになる」など、やや余裕をなくし始めている様子が見受けられるため、Aの心理的負担軽減を目的とした定期的な面接は望ましい。

3　×　虐待に相当する記述はみられないため、現時点での分離は適切ではないが、このままAが余裕をなくし、虐待等を行わないよう心的負担の軽減の検討は重要。

4　×　現時点では「何とか自分を抑えてきた」など自分の感情をコントロールできている様子がみられるため投薬については適切とはいえない。同様に心身ともに負担の軽減を図りながら様子を見守っていくことが望ましい。

5　○　問題文には「介護保険サービスを利用することなく在宅で介護」とあるが、Aの負担を踏まえ、まずは在宅で介護保険サービス利用のためのケアプランの検討を行うことが望ましいと考えられる。

解説 058　84歳女性・認知症（事例）

正答 5

介護老人保健施設は、要介護高齢者（要介護度1から5）にリハビリ等を提供し、在宅復帰を目指す施設である。MMSEの得点も考慮し、対応を検討する。

1　×　MMSEの得点の内訳は不明だが、見当識が低い可能性は十分に考えられるため、夜中に即座に連絡をするのは適切ではない。

2　×　頓用の睡眠薬が処方されているかは本問では不明だが、原則としては医師の指示に従うべきである。万が一、職員の判断のみで指示のない服用をするのであれば不適切である。また、毎晩眠れずに徘徊しているような状況かは不明だが、リハビリを提供する介護老人保健施設に入所している高齢者が「徘徊による体力の消耗を避ける」ことを理由とするのは、やや考えにくい。

3　×　施錠できる部屋に誘導し、部屋を実際に施錠するほどの保護が必要な状況は本文からはうかがえない。

4　×　息子が不在であるかどうかは不明だが、自室に戻るよう「説得」をするためのその場しのぎの説明は、女性の尊厳の観点からも適切とはいえない。

5　○　認知症の人の世界に寄り添い、尊重する気持ちを持って関わる様子が「しばらく一緒に廊下を歩く」ことに表れており、「夜遅いのでここに泊まりましょう」という提案も現実に即した提案であるため、選択肢の中では最も適切であると考えられる。

メモ　ミニメンタルステート検査（MMSE）

MMSEは、①［時間の見当識］、②［場所の見当識］、③［単語の即時再生］、④［遅延再生］、⑤［計算］、⑥［物品呼称］、⑦［文章復唱］、⑧［3段階の口頭命令］、⑨［書字命令］、⑩［文章書字］、⑪［図形模写］の11の評価項目から構成される。30点満点で［10点未満］では高度な知能低下、［20点未満］では中程度の知能低下、［23点以下］で認知症が疑われ、27点以下は［軽度認知障害（MCI）］の疑いがあると判断される。

問題 059　Check　第1回　問題140

50歳の女性A、会社員。Aは不眠を主訴に病院に来院した。81歳の母親Bと二人暮らしである。Bは3年前にAlzheimer型認知症と診断され、要介護2で週3回デイサービスに通所していた。1か月前から、Bは家を空けると泥棒が入り預金通帳を盗まれると言って自宅から出なくなった。さらに、不眠で夜間に徘徊し、自らオムツを外して室内を汚すようになった。Aは介護と見守りのためにほとんど眠れないという。
このときの病院の公認心理師がA及びBに助言する内容として、最も適切なものを1つ選べ。

1　Aがカウンセリングを受ける。
2　AがBと関わる時間を減らす。
3　Aが地域活動支援センターに相談する。
4　Aが介護支援専門員と共にBのケアプランを再検討する。
5　Bが医療機関を受診し抗精神病薬による治療を受ける。

問題 060　Check　第3回　問題139

87歳の女性A。Aは、軽度のAlzheimer型認知症であり、日常生活において全面的に介助が必要である。特別養護老人ホームのショートステイ利用中に、介護士Bから虐待を受けているとの通報が、同僚から上司に寄せられた。施設の担当者がAに確認したところ、Bに太ももを平手で叩かれながら乱暴にオムツを替えられ、荒々しい言葉をかけられたとのことであった。Aは、夫と死別後、息子夫婦と同居したが、家族とは別の小屋のような建物で一人離れて生活させられていた。食事は、家族が気が向いたときに残り物を食べさせられ、食べ残すと強く叱られたことも、今回の調査で判明した。
AがBと家族の双方から受けている共通の虐待として、最も適切なものを1つ選べ。

1　性的虐待
2　経済的虐待
3　身体的虐待
4　心理的虐待
5　ネグレクト

解説 059　50歳女性・要介護2の母との同居（事例）　正答 4

Aの不眠の背景にはBの介護や認知症の問題がある。ADL（日常生活動作）やIADL（手段的日常動作）の様子、認知症の症状の理解とその対応に関する知識を身につけよう。また、同居する家族に必要な支援を検討することも重要。

1 × 介護と見守りのために眠れていないなど、Aの健康状況は気がかりだが、まずはBの介護負担に対してどんな支援が必要か検討することの優先度が高い。

2 × 親族等の援助の可否について検討の余地はあるが、現在AとBは二人暮らしであり、Aが関わる時間を減らすことのみで問題が解決されるとは考えにくい。

3 × 地域活動支援センターは、障害によって働くことが困難な障害者の［日中の活動］をサポートする福祉施設であり、本事例には不適切。介護に関する相談は、主には［地域包括支援センター］に行う。

4 ○ 認知症の症状の進行の有無や要介護度の見直しなども含め、現在の症状や困っていることに関して担当の［介護支援専門員（ケアマネジャー）］に相談をし、［ケアプラン］として現実的な対応策を検討することがまずは望ましい。

5 × 認知症サポート医など認知症専門医師の診察を受けることは望ましいが、現時点で抗精神病薬による治療が最適かどうかの判断はつかない。

解説 060　87歳女性・高齢者虐待（事例）　正答 4

高齢者虐待には、「身体的虐待、ネグレクト、心理的虐待、性的虐待、経済的虐待」の5つの虐待がある（高齢者虐待防止法第2条4項）。

1 × 記述からは性的虐待があったとは判断できない。

2 × 記述からは経済的虐待があったとは判断できない。

3 × Bからは叩かれながら乱暴にオムツを替えられたとあるが、家族から身体的虐待があったとは判断できない。

4 ○ Bから荒々しい言葉をかけられており、家族からも食べ残すと強く叱られていたため、これは双方から心理的虐待を受けていたといえる。

5 × 家族からは気が向いたときだけ残り物を食べさせられるといった扱いを受けていたが、Bからネグレクトを受けていたとは判断できない。

メモ　5つの高齢者虐待（高齢者虐待防止法第2条4項）

［身体的虐待］：高齢者の身体に［外傷］が生じ、又は生じるおそれのある暴行を加えること
［ネグレクト］：高齢者を衰弱させるような著しい［減食］又は長時間の［放置］、養護者以外の同居人による虐待の放置等養護を著しく怠ること
［心理的虐待］：高齢者に対する著しい［暴言］又は著しく［拒絶的な対応］その他の高齢者に著しい心理的外傷を与える言動を行うこと
［性 的 虐 待］：高齢者にわいせつな行為をすること又は高齢者をしてわいせつな行為をさせること
［経済的虐待］：養護者又は高齢者の親族が当該高齢者の［財産を不当に処分］することその他当該高齢者から不当に財産上の［利益］を得ること

第18章　教育に関する心理学

①教育現場において生じる問題とその背景

問題 001　Check ☑☑☑　第1回　問題022

自分の特定の行動を成功裏に遂行できるという感覚や信念を表す用語として、最も適切なものを1つ選べ。

1　自己効力
2　自己調整
3　自尊感情
4　コンピテンス
5　ポジティブ感情

問題 002　Check ☑☑☑　第1回追　問題083

自己効力感〈self-efficacy〉について、最も適切なものを1つ選べ。

1　効力感は能力の評価や目標の内容に影響しない。
2　高い効力感をもたらす効果的な方法は制御体験である。
3　結果期待と効力期待はそれぞれ独立に行動に影響を及ぼす。
4　モデリングによる代理体験で効力感をもたらすことは困難である。
5　効力感が低い人ほど失敗したときに努力の不十分さに帰属することが多い。

問題 003　Check ☑☑☑　第4回　問題128

A. Banduraの理論において、自己効力感〈self-efficacy〉を高める方法として、最も適切なものを1つ選べ。

1　モデリング
2　タイムアウト
3　ホームワーク
4　トークン・エコノミー

解説 001　A. Banduraの自己効力　正答 1

自己効力（self-efficacy）の理解について問う問題である。自己効力（自己効力感）はA. Banduraが提唱したもので、その概念を正確に理解すること。

1 ○ ［自己効力］とは自分自身に対して成功裏に遂行できるという感覚や信念という効果を及ぼすことのできる力である。

2 × ［自己調整］とは学習において能動的に動機づけを行うことである。

3 × ［自尊感情］とは［self-esteem］のことで、自分自身を価値ある存在だと思えることである。

4 × ［コンピテンス］とは環境への適応力のことであり、有能感のことである。

5 × ［ポジティブ感情］とは喜び、感謝、誇りなど主観的に気持ちの良い感情のことをいう。

解説 002　A. Banduraの自己効力感　正答 2

A. Banduraの自己効力感について整理し、理解する必要がある。

1 × 効力感は能力の評価や目標の内容に影響を及ぼす。これは、自己効力感が「自分がその行動をこの程度うまく行うことができる」という［評価］を反映するからである。

2 ○ 高い効力感をもたらす効果的な1つの方法は［制御体験（自己制御体験）］であり、これこそ、A. Banduraのいう「自分がその行動をこの程度うまく行うことができる」ということである。

3 × 結果期待と効力期待は［相互に関連］して人の行動に影響を及ぼす。

4 × モデリングによる代理体験では［効力感］をもたらす。これは社会的学習の中の代理体験の学習を通じ、「自分がその行動をこの程度うまく行うことができる」ということを学ぶからである。

5 × 効力感が低い人は失敗したときに自身の能力の低さなどに［帰属］させる傾向がある。

解説 003　A. Banduraの自己効力感　正答 1

A. Banduraの自己効力感を高めるものは4つあるので、しっかりと覚えておこう。

1 ○ ［モデリング（代理体験）］は自己効力感を高めるものである。

2 × ［タイムアウト］は［行動療法における手法］で、一時的に問題行動となる原因から引き離すことである。

3 × ［ホームワーク］は［認知行動療法における手法］で、面接の場で治療者とクライアントの間で話したことを実生活（ホームワーク）で検証し、認知の修正を図ることである。

4 × ［トークン・エコノミー］とは［行動療法における手法］で、トークン（代用硬貨）を望ましい行動を行ったときに与え、その行動の生起頻度を上げることである。

加点のポイント　自己効力感を高める4つのもの

A. Banduraの自己効力感（self-efficacy）を高める4つのものを覚えておこう。
①モデリング（代理体験）
②達成体験（熟達の経験）
③社会的な説得（褒められること）
④生理的な解釈を変える（生理的要因）

問題 004　Check ☐☐☐　第1回　問題023

学習性無力感はどのような体験が繰り返されることで生じるか。正しいものを 1 つ選べ。

1　他者から非難される体験
2　特定の課題を遂行する体験
3　特定の行動を回避する体験
4　努力が成果に結びつかない体験
5　特定の場面での不安や緊張の体験

問題 005　Check ☐☐☐　第2回　問題075

23 歳の男性 A、大学 4 年生。A が学生相談室に来室した。昨年度末で卒業の予定であったが、必修科目の単位が取得できず留年した。その必修科目については 1 年次から何度も履修を繰り返し、単位取得に向けて最大限の努力を続けてきたが、結果は全て不合格であった。今年度からは、留年した学生のための特別な学習指導を新たに受けられるようになった。それにもかかわらず、努力をしても無駄だと感じて意欲を喪失し、欠席が続いている。
現在の A についての説明として、最も適切なものを 1 つ選べ。

1　自尊感情が過度に低い。
2　テスト不安が過度に高い。
3　学習性無力感に陥っている。
4　ソーシャルスキルが不十分である。

問題 006　Check ☐☐☐　第1回追　問題066

中学校の担任教師が担当する 5 名の生徒について、日常の様子と知能検査の結果を参照して次のように考えている。A は怠学傾向がみられそもそも勉強に関心が向いていない。B は知能指数が高いにもかかわらず学力が向上しない。C の学力が向上しない理由は知能指数の低さにありそうだ。D は知能指数が低いことに加え、注意散漫で授業に集中できない。E は知能指数が低いにもかかわらず学力が高い。
5 名の生徒のうち、アンダーアチーバーが疑われる生徒として、最も適切なものを 1 つ選べ。

1　A
2　B
3　C
4　D
5　E

解説 004 学習性無力感

正答 4

M.E.P. Seligman と S.F. Maier は、犬への実験で、どうやっても電気ショックを回避できなかった経験をした群は、後に回避できる状況になっても逃げようとしなくなることを見いだした。これを学習性無力感という。

1 × 他者から非難される体験は心理的なストレスが高まる状況であるが、適切な［反論］を行うことで学習性無力感に陥るリスクを避けることができる。

2 × 特定の課題を遂行する体験は、むしろ課題達成が行われるほど［自己効力感］や有能感が高まるといえる。

3 × 何らかの不快な経験の記憶がきっかけとなって特定の行動を回避することはあるが、喫煙者のいる場所を避けるなどむしろ［適応的］な行動の場合もある。

4 ○ いくら努力しても成果につながらない体験を繰り返すと、「どうせ次に頑張ってもダメだ」と考えることを［学習］してしまう。

5 × 本選択肢は［対人不安］の状況である。人前でのスピーチなどで緊張して話せなかった体験がきっかけとなって、事前に過剰に不安や緊張を感じるようになる。

解説 005 23 歳男性・学習性無力感（事例）

正答 3

本事例は大学生における学業面での不適応に関する問題である。A はおそらく必修単位を履修する上で、意欲低下がみられる。

1 × 精神面での不安定さはうかがえるが、自尊感情が過度に低いかどうかは読み取れない。

2 × 必修科目の単位が取得できなかった理由がテスト不安によるものとの記述はない。

3 ○ 努力をしても必修科目の単位を取得できなかった経験が、新たな学習指導が効果的な手段だとしても前向きに取り組めない学習性無力感の状態を表している。なお、学習性無力感は自分がコントロールできない状況下におかれると、嫌悪刺激から逃れる行動をとらず、あきらめてしまう現象である。

4 × 本人のソーシャルスキルに関しては本事例から読み取ることができない。

解説 006 中学生・アンダーアチーバー（事例）

正答 2

標準学力検査と偏差知能指数を比較して、後者の数値に比べて示す学力が低いものをアンダーアチーバー（underachiever）ということを理解する必要がある。

1 × A は怠学（勉強を怠ける＝勉強へ関心がいかない）の記述はあるが知能検査の結果について記述がないためにアンダーアチーバーと判断ができない。

2 ○ B は知能指数が高いにもかかわらず学力が向上しないという記述からアンダーアチーバーと判断ができる。

3 × C は知能指数が高くないということからアンダーアチーバーとは判断ができない。

4 × D は AD/HD を疑わせる記述と、知能指数が高くないという記述はあるが、これだけではアンダーアチーバーとは判断ができない。

5 × E は知能指数は高くはないが、学力が高いという記述から、アンダーアチーバーとは判断ができない。

問題 007 Check 第3回 問題066

13 歳の男子 A、中学 1 年生。A の学校でのテストの成績は中程度よりもやや上に位置している。試験に対しては出題される範囲をあらかじめ学習し、試験に臨む姿もよくみられる。しかし、その試験を乗り切ることだけを考え、試験が終わると全てを忘れてしまう質の低い学習をしているように見受けられる。勉強に対しても、ただ苦痛で面白くないと述べる場面が目につき、学習した内容が知識として定着していない様子も観察される。
現在の A の状況の説明として、最も適切なものを 1 つ選べ。

1 リテラシーが不足している。
2 メタ記憶が十分に発達していない。
3 深化学習や発展学習が不足している。
4 機械的暗記や反復練習が不足している。
5 具体的操作期から形式的操作期へ移行できていない。

問題 008 Check 第1回 問題118

今後の学習成果を高めるために効果的な学習者の解釈として、最も適切なものを 1 つ選べ。

1 試験の点数が悪かったのは苦手な科目であるからだ。
2 試験の点数が悪かったのは問題が難しかったからだ。
3 試験の点数が悪かったのは努力が足りなかったからだ。
4 試験の点数が悪かったのは学習方法に問題があったからだ。

メモ B. Weiner の統制の所在、安定性、統制可能性の 3 次元による原因分類表（1979 年）

内的		外的		統制可能性
安定	不安定	安定	不安定	
能力	気分	課題の困難度	運	統制不可能
持続的な努力	一時的な努力	他者からの偏見	他者からの援助	統制可能

問題 009 Check 第1回 追 問題150

14 歳の男子 A、中学 2 年生。A は日頃学業への取組が不十分であり、定期試験の答案が返却される度に、点数が低いのは自分に能力がないからだと考えていた。しかし、今回の定期試験では努力した結果、A は高得点をとることができた。A はたまたま問題が簡単だったからだと考えている。
原因帰属理論に基づいて、A の担任教師が A の学業への取組を促すための対応として、最も適切なものを 1 つ選べ。

1 次回のテストも簡単かもしれないから大丈夫だと伝える。
2 今回は運が良かっただけなので慢心しないように注意をする。
3 A には高得点をとる能力があるのだということを繰り返し強調する。
4 問題が簡単だったからではなく努力したから高得点だったと強調する。

解説 007　13 歳男子・効果的な学習指導方法（事例）　正答 3

この問題は事例をしっかり読み、他の選択肢の学習方法や発達心理学の用語を覚えていれば、消去法で回答することができる。

1 ×　リテラシーの原義は読み書き能力（識字）であるが、そこから派生して、特定分野における情報を適切に理解・解釈した上で活用できる能力の程度を意味する。この事例は、リテラシー不足にはあたらない。

2 ×　［メタ記憶］は、メタ認知機能の一部であり、自分は短期記憶でどのくらいの量が記憶可能か、覚えているか否かという自分の記憶状態、効率的な記憶方法を考案するなど、記憶のモニタリングと制御を含んだ自分の記憶についての知識や行動を指す。よってこの事例には適していない。

3 ○　本事例では、表面的な理解だけではなく、学習指導において、さらに踏み込んだ深化学習と発展学習が足りないと考えられる。

4 ×　この事例の場合、試験を乗り切るため、機械的な暗記や反復練習は十分行えている可能性が考えられる。

5 ×　具体的操作期から形式的操作期に入ると複数の要因を検討して抽象的かつ科学的な思考が可能となる。この事例では抽象的・科学的な思考が論点になっているわけではない。

解説 008　事象への解釈と原因帰属　正答 4

B. Weiner の統制の所在（内的・外的）、安定性、統制可能性の 3 次元による原因分類を理解しておきたい。

1 ×　「試験の点数が悪かったのは苦手な科目であるから」は［内的－安定－統制不可能］なので、学習効果を高める効果的な学習者の解釈となり得ない。

2 ×　「試験の点数が悪かったのは問題が難しかったから」というのは課題の困難度か、運（たまたま難しい問題が当たった）か判別できず［外的－不安定－統制不可能］とも［外的－安定－統制不可能］とも取れるため、学習効果を高める効果的な学習者の解釈となり難い。

3 ×　「試験の点数が悪かったのは努力が足りなかったから」だけでは一時的な努力なのか、持続的な努力なのかが判別できず、［内的－不安定－統制可能］とも［内的－安定－統制可能］とも取れるため、学習効果を高める効果的な学習者の解釈となり難い。

4 ○　「試験の点数が悪かったのは学習方法に問題があったから」は、［内的－不安定－統制可能］となり、学習効果を高める効果的な学習者の解釈となる。

解説 009　14 歳男子・原因帰属理論（事例）　正答 4

原因帰属理論は B. Weiner の理論であり、行動の成功と失敗の原因を、統制の所在、安定性、統制可能性の 3 次元の帰属で考える。

1 ×　［原因帰属理論］によると、定期試験問題の難易度に帰属することは［外的－安定－統制不可能］となり、問題作成者が決める要因のせいにすることは生徒への対応として不適切。

2 ×　運のせいにすることは、［外的－不安定－統制不可能］となり、運のような偶然の要因に試験の結果をゆだねても、生徒本人の学習意欲を高めないので不適切である。

3 ×　失敗経験を能力に帰属すると［内的－安定－統制不可能］となり、能力は簡単に変わらない。よって、この対応では生徒が学習への姿勢を改善することにつながらず不適切。

4 ○　A は普段の取組み、つまり努力の姿勢は不十分であったが、今回の定期試験では一時的ではあるが努力したところ、よい結果を残した。成功を一時的な努力に帰属することは［内的－不安定－統制可能］となる。このような対応は普段は努力をしなかった A にとって、一時的にせよ努力の重要性を認識させることとなるため適切である。

加点のポイント　認知療法における基本的な理念

原因帰属理論は、認知療法における基本的な理念を表す考え方である。人は失敗すると、運が悪いと考えたり、不幸な状態は一生続くと考えたりしやすい。これら陥りやすい帰属の状態を抜けだすよう支援することが、認知療法における目的となる。

問題 010

Check ☐☐☐ 第1回 追 問題021

不登校について、正しいものを 1 つ選べ。

1 支援の目的は登校させることである。

2 支援策の策定は担任教師の責任において行う。

3 教育上の重大な問題行動であるという認識を持つことが必要である。

4 病気や経済的理由を除き、年度間に連続して 30 日以上欠席したものをいう。

5 学業不振が要因の1つであることから、学習指導方法を工夫改善し、個に応じた指導の充実を図る。

問題 011

Check ☐☐☐ 第3回 問題134

社会状況の変遷によって、子どもの不登校もその発生や捉え方も変遷してきた。この不登校の現象について、適切なものを 2 つ選べ。

1 1960 年代に、ニューカマー家庭の不就学が問題となった。

2 1980 年代の詰め込み教育の時代に、学校恐怖症が発見された。

3 1990 年前後のバブル経済の時代に、登校拒否という言葉が生まれた。

4 2000 年代の児童虐待防止法改正以降、居所不明児が注目された。

5 現在、不登校の子どもを対象とする特別の教育課程を編成することができる。

（注：「児童虐待防止法」とは、「児童虐待の防止等に関する法律」である。）

解説 010 不登校

正答 5

小中学校における不登校は 2020（令和 2）年に年間 19.6 万人に達している。学年が進むにつれて増加しており、これまでは中学 3 年生が最も多かったところ、この年は中学 2 年生が最多となっている。

1 × 文部科学省「不登校児童生徒への支援の在り方について（通知）」（令和元年 10 月 25 日）（以下、2〜5 も本通知参照）によると、「『学校に登校する』という結果のみを目標にするのではなく」とある。最初から登校を目的として生徒と関わると、心理的なプレッシャーとなりむしろ登校することができなくなるリスクがある。

2 × 担任教師のみが責任を負うのではなく、スクールカウンセラーが中心となって支援策を策定し、[チーム学校] として行っていくことが望ましい。

3 × 学校に登校できないという表面的な行動だけをみるのではなく、本人が抱える心理的な悩みを明らかにするための契機として捉えるほうがよい。

4 × 不登校は「連続して 30 日」ではなく、[年間を通じて 30 日以上] 欠席した場合に該当する。

5 ○ 不登校の要因は学業不振のほか、最も多いのが [友人関係] であるが、家庭の [貧困問題]、児童虐待における [育児放棄（ネグレクト）] も少なくない。

支援の姿勢

不登校は、「学校に行かせなければ」という焦りから子どもと関わらないことや、子どもが自発的に再び学校に行こうという思いを持つように支援する姿勢が重要。

解説 011 子どもの不登校

正答 4、5

不登校の取り扱いについては、時代による違いが見受けられる。基本的には、現在の不登校の状況や関わり方などをおさえておくことが重要であるので「児童生徒の問題行動・不登校等生徒指導上の諸課題に関する調査」を一読しておこう。

1 × [ニューカマー] とは、日本へ渡り長期滞在する外国人のことを指す。ニューカマー家庭の不就学が 1970 年代から問題として上がって以来、現代も課題である。

2 × [学校恐怖症] は、1980 年代以前から見受けられる。1960 年代から使われている言葉である。

3 × [登校拒否] という言葉は、1990 年代より以前から用いられている。1960 年代から使われていたが、1992（平成 4）年からは [不登校] という言葉が使われるようになった。

4 ○ 居所不明児は、居住実態が把握できていない児童のことを指しており、注目されている。

5 ○ 2005（平成 17）年 7 月から文部科学大臣の指定により、不登校児童生徒等の実態に配慮した特別の教育課程を編成する必要があると認められる場合に、特定の学校において教育課程の基準によらずに特別の教育課程を編成することが可能となった。

メモ 不登校児童生徒への支援

「不登校児童生徒への支援の在り方について（通知）」（令和元年 10 月 25 日）では、不登校児童生徒への支援は「学校に登校する」という結果のみを目標にするのではなく、児童生徒が自らの進路を主体的に捉えて、社会的に自立することを目指す必要があることや、児童生徒によっては、不登校の時期が休養や自分を見つめ直す等の積極的な意味を持つことがある一方で、学業の遅れや進路選択上の不利益や社会的自立へのリスクが存在することに留意することが挙げられている。

児童生徒の才能や能力に応じて、それぞれの可能性を伸ばせるよう、本人の希望を尊重した上で、教育支援センターや不登校特例校、ＩＣＴを活用した学習支援、フリースクール、中学校夜間学級（夜間中学）での受け入れなど、様々な関係機関等を活用し社会的自立への支援を行うことが求められる。フリースクールなどの民間施設やＮＰＯ等と積極的に連携し、相互に協力・補完することの意義も大きい。

不登校児童生徒が、主体的に社会的自立や学校復帰に向かうよう、児童生徒自身を見守りつつ、不登校のきっかけや継続理由に応じて、その環境づくりのために適切な支援や働きかけを行う必要がある。

問題 012　Check

第 1 回　問題 070

42 歳の女性 A。A は中学 3 年生の息子 B の不登校について相談するために、スクールカウンセラーを訪ねた。中学 1 年生のときの欠席は年 1 日程度で部活動もしていたが、中学 2 年生の 5 月の連休過ぎから休みがちとなり、1 か月以上欠席が続いている。B は休みがちになってから家での会話も少なく、部屋にこもりがちで表情は乏しいが、食事や睡眠はとれている様子である。学校に行けない理由を A が B に聞くと、うるさがり言い争いになる。担任教師が B に電話を掛けてきても出ようとせず、A は「どう対応していいか全く分かりません」と話した。
スクールカウンセラーの対応として、まず行うべきものを 1 つ選べ。

1 教育支援センターの利用を強く勧める。
2 「お宅に伺って B 君と話してみましょう」と提案する。
3 A の苦労をねぎらった上で、B の現在の様子を詳しく聴く。
4 A のこれまでの子育てに問題があるのではないかと指摘し、A に改善策を考えさせる。
5 「思春期にはよくあることですから、そのうちに学校に行くようになりますよ」と励ます。

問題 013　Check

第 4 回　問題 077

7 歳の男児 A、小学 1 年生。A は、スクールカウンセラー B の相談室の開放時間に、よく訪れていた。最近、A が学校に連絡なく 2 日間欠席したため、担任教師と一緒に B が A 宅を家庭訪問した。A は、アパートの階段下に座っていたが、最初、B らの質問に何も答えなかった。やがて、「お父さんがお母さんを叩いている。家ではけんかばかりだし、僕も叩かれることがある」と話した。「他の人にけんかのことを話すとお父さんとお母さんに叱られる」とも訴えた。
B や学校がとるべき初期対応として、適切なものを 2 つ選べ。

1 A の両親と面談をして、信頼関係の構築を図る。
2 A に両親のけんかの原因や頻度などを詳しく質問する。
3 児童虐待の確証を得られるよう、近隣住民から情報収集をする。
4 A から聞いた発言やその際の表情・態度をそのまま記録しておく。
5 校内で協議の上、市町村の虐待対応担当課又は児童相談所に通告する。

問題 014　Check

第 1 回 追　問題 125

内発的動機づけと外発的動機づけの分類として、誤っているものを 1 つ選べ。

1 興味に基づいて行動が生起する場合は内発的動機づけに分類できる。
2 好成績をとる目的で行動が生起する場合は内発的動機づけに分類できる。
3 罰を回避する目的で行動が生起する場合は外発的動機づけに分類できる。
4 他者からの賞賛を得る目的で行動が生起する場合は外発的動機づけに分類できる。

解説 012 42歳女性・息子の不登校の相談（事例）

正答 3

中学生の不登校に関する母からの相談であるが、スクールカウンセラーが本問の時点ではB本人には会えていない。不登校の相談において子どもに会えないことはしばしば起こるため、まずは母を通じた支援を考えることが必要である。

1 × 教育支援センターは、適応指導教室として、不登校の児童や生徒の生活や学習の援助を行い、学校生活復帰の支援を行う。今後の利用はあり得るが、現時点では息子Bの情報も少なく、支援の対象は母Aであるため、「まず」行うこととしては適当とはいえない。

2 × 家庭訪問が効果的に働くこともあるが、Bが侵入的と捉える可能性も高いと考えられる。まずは、Aとスクールカウンセラーとのラポールを形成していくことが望ましい。

3 ○ Aにも「どう対応していいか全く分かりません」など、一定の不安がみられる。まずはAをねぎらいつつ、ラポールを形成し、現在の状況についてのアセスメントを行うことが望ましい。

4 × これまでの子育てに問題があったかどうかの根拠は乏しく、また家族の責任を「指摘」するような方法では関係性を途絶えさせてしまう可能性も高いため不適切である。

5 × 根拠のない励ましは専門家としては無責任であり、不適切な発言と考えられる。

解説 013 7歳男児・初期対応（事例）

正答 4、5

父親が母親と子どもに暴力をふるう虐待が疑われるケースの初期対応についての問題である。文部科学省「学校・教育委員会等向け虐待対応の手引き」も参照のこと（https://www.mext.go.jp/a_menu/shotou/seitoshidou/1416474.htm）。

1 × 両親との信頼関係よりも［子どもの安全］が最優先となる。

2 × Aへの詳細な聴き取りは、児童相談所職員や市町村の虐待対応課の職員などが行うほうが望ましい。

3 × 児童相談所への通告を行う際に確証は不要である。近隣住民からの情報収集は学校のすべきことではない。

4 ○ 本人の発言内容、その時の表情や態度など、具体的に記録しておくことが重要である。その際、事実と推測を混同せずに記載する。

5 ○ ［児童虐待防止法］では、「虐待を受けたと思われる児童を発見した者は、速やかに、市町村や児童相談所等に通告しなければならない」とされており、虐待の事実の確証がなくても疑われる場合には［通告義務］が生じる。

解説 014 動機づけ

正答 2

はっきりした外的報酬がなくても生じる「内発的動機づけ」について理解すること。

1 ○ 興味に基づいて行動が生起するものは［内発的動機づけ］である。

2 × 好成績をとる目的（他者評価が絡む）で行動が生起するのは［外発的動機づけ］である。

3 ○ 罰を回避する目的（他者評価が絡む）で行動が生起するのは［外発的動機づけ］である。

4 ○ 他者からの賞賛を得る目的（他者評価が絡む）で行動が生起するのは［外発的動機づけ］である。

メモ 2つの動機づけ

内発的動機づけ	「面白いから勉強する」など自分自身の内的な要因（好奇心や関心）や条件によって誘発されるもの
外発的動機づけ	「褒められるから勉強する」など、本人以外の外的な要因（報酬や賞賛など）や条件によって誘発されるもの。学習によって高めることが可能とされる

問題 015 Check 第1回 問題145

中学生A~Eが学習している。Aは社会科に興味があり自ら進んで学習するが、テストのために勉強することが嫌いである。Bはテストで良い点を取るために勉強するが、学習内容には関心がない。Cは何事に対しても優れた成果を出すために努力し、学習に取り組む時間が長い。Dは親や教師に叱られることを避けるために勉強することが多く、学習が楽しいと思ったことはない。Eには勉強しないと不安になる傾向があり、学習時間が長い。
内発的動機づけによる学習をしている者として、正しいものを1つ選べ。

1 A
2 B
3 C
4 D
5 E

問題 016 Check 第1回追 問題145

9歳の男児A、小学3年生。Aは、担任教師Bに注意されるにもかかわらず、他の児童の持ち物をとることを繰り返している。すでに自分が持っている物でも繰り返しとる。とった物を別の児童にあげることもある。BはAがクラスに適応するように対応をしているが、繰り返し他の児童のものをとることを放置しておけず、Aを呼び出して注意する。注意するとAはニコニコしながら、理解した様子で、あれこれ的を射た応答をしてくる。Aが理解した様子のため、もう繰り返さないだろうとBは期待するが、すぐに同じことが繰り返される。
Aの行動の説明として、最も適切なものを1つ選べ。

1 収集癖を有している。
2 注目欲求を満たそうとしている。
3 自分のものをとられたという妄想による行動である。
4 知的に低く、教師の言うことが十分に理解できない。
5 問題児扱いされて転校させられることをねらっている。

問題 017 Check 第1回 問題036

問題行動を起こした児童生徒への学校における指導として、不適切なものを1つ選べ。

1 問題行動の迅速な事実確認を行う。
2 問題行動の原因や背景を分析して指導計画を立てる。
3 保護者に問題行動について十分に説明し、理解を求める。
4 児童生徒のプライバシーを守るために、担任教師が一人で行う。
5 児童生徒自身がどうすればよいかを考え、実行し、継続できるように指導をする。

解説 015 内発的動機づけ（事例） 正答 1

内発的動機づけの機序について理解しておきたい。

1 ○ A は社会科に興味があり自ら進んで学習するが、テストのために勉強することが嫌いということで前半部も後半部も［内発的動機づけ］を説明している。

2 × B はテストで良い点を取るために勉強するが、学習内容には関心がないのは「テストの点数（結果）を求める」という［外発的動機づけ］である。

3 × C は何事に対しても優れた成果を出すために努力し、学習に取り組む時間が長いという選択肢の記述では内発的動機づけの部分がみられない。

4 × D は親や教師に叱られることを避けるために勉強することが多く、学習が楽しいと思ったことはないということは「罰を回避する」という［外発的動機づけ］であり、後半部の記述でも内発的動機づけとはいえない。

5 × E には勉強しないと不安になる傾向があり、学習時間が長いという記述は「不安を避ける」という［外発的動機づけ］であり、内発的動機づけとはいえない。

解説 016 9 歳男児・問題行動（事例） 正答 2

「他の児童の持ち物をとることを繰り返している」行動の背景の要因を考える視点が肝要であり、成育歴や性格傾向、発達の様子や家族や友人との関係性など、多面的な視点から可能性を検討する。

1 × 「別の児童にあげることもある」とあるので、収集癖ではないだろう。

2 ○ 自分への関心を集めたいという気持ち（注目欲求）から問題行動が生じる場合はしばしばある。本問では児童の背景については記載がないが、問題行動を行うことで担任教師の注目を得ることができているため、その可能性は十分に考えられる。

3 × 「自分のものをとられたという妄想」に関する記述は読み取れない。

4 × 知的な問題や発達の問題の可能性は考えられるが、「的を射た応答をしてくる」「理解した様子」との記述からは、知的に低いとは現時点では考えにくい。

5 × 学校に行きたくない気持ちを言えずに問題行動をしているという考え方は一理あるが、本問の記述からはそのような様子は現時点ではうかがえない。

解説 017 問題行動を起こした児童生徒への指導 正答 4

問題行動が生じた際は、感情的な対応ではなく、事実に基づいた情報を収集し、保護者や学校内の関係者とチームを組んで連携した上で対応することが必要となる。

1 ○ 問題行動が起きた場合はまず何があったのか［事実確認］を行うことが第一である。

2 ○ 問題行動の表面的な部分だけでなく、その原因や背景について情報を集めて慎重に［指導計画］を立てることが必要となる。

3 ○ 児童生徒に問題行動が生じたときは、保護者にも事実を伝え、家庭と学校が［連携］して対応できるようにする。

4 × 問題行動が生じた際は、速やかに学校内の関係者で情報を共有し、［チーム学校］として対処することが必要である。ゆえにこの選択肢が不適切なものである。

5 ○ 問題行動が生じた際は、児童生徒の成長の機会と捉え、［自己決定］や立ち直りを支援する姿勢も重要となる。

加点のポイント チーム連携が基本

公認心理師が教育・学校領域でスクールカウンセラー等の役割として職務を遂行する際は、担任や養護教諭、管理職、保護者、他の専門職との連携を密にし、学校内でチームを組むことが強く求められる。守秘義務についても学校内のチームでは個人情報を共有するチーム内守秘義務を基本とする。もちろんクライエントである児童生徒へのインフォームド・コンセントは前提となる。

問題 018　Check ☑☑☑　第2回　問題024

2017年に文部科学省が実施した「児童生徒の問題行動・不登校等生徒指導上の諸課題に関する調査」における暴力行為に当てはまるものとして、適切なものを1つ選べ。

1　中学生が親を殴った。
2　学区内の公園で、中学生が故意に遊具を壊した。
3　高校生が後輩の中学生に対し、金品を持ってくるように命令した。
4　小学生がバットの素振りをしていたところ、通りかかった教師に当たった。
5　中学校内で、同じクラスの生徒同士が殴り合いになったが、双方に怪我はなかった。

問題 019　Check ☑☑☑　第2回　問題025

1960年代のR. Rosenthalの実験で、ある検査の結果、学業成績が大きく向上すると予測される児童の氏名が教師に伝えられた。実際には、児童の氏名は無作為に選ばれていた。8か月後、選ばれた児童の学業成績が実際に向上していた。
このような現象を説明する用語として、正しいものを1つ選べ。

1　ハロー効果
2　プラセボ効果
3　ホーソン効果
4　ピグマリオン効果
5　アンダーマイニング効果

問題 020　Check ☑☑☑　第2回　問題026

いじめの重大事態への対応について、最も適切なものを1つ選べ。

1　被害児童生徒・保護者が詳細な調査を望まない場合であっても、調査を行う。
2　重大事態の調査を行った場合は、調査を実施したことや調査結果を社会に公表する。
3　「疑い」が生じた段階ではなく、事実関係が確定した段階で重大事態としての対応を開始する。
4　児童等の生命、心身又は財産に重大な被害が生じた疑いがあると認めるときに限り、重大事態として対応する。
5　保護者から、いじめという表現ではなく人間関係で心身に変調を来したという訴えがあった場合は、安易に重大事態として対応しない。

メモ　いじめの重大事態の定義（いじめ防止対策推進法第28条1項）

生命心身財産重大事態：いじめにより当該学校に在籍する児童等の生命、心身又は財産に重大な被害が生じた疑いがあると認めるとき
不登校重大事態：いじめにより当該学校に在籍する児童等が相当の期間学校を欠席することを余儀なくされている疑いがあると認めるとき

解説 018　児童生徒の暴力行為　正答 5

文部科学省「児童生徒の問題行動・不登校等生徒指導上の諸課題に関する調査」での暴力行為について理解をしておこう。

1 × 家族・同居人に対する暴力は調査対象外としている。

2 × 暴力行為にあてはまるものに、学校の施設・設備等の「器物損壊」があるが、公園の用具は該当しない。

3 × 暴力行為とは、殴る、蹴るなどといった「故意に有形力（目に見える物理的な力）を加える行為」であり、金品を持ってくるようにという命令は暴力行為には該当しない。

4 × バットの素振りが当たったのは、故意ではないため、暴力行為に該当しない。

5 ○ 怪我の有無は無関係に暴力行為があれば、文部科学省の定義の「暴力行為」となる。

解説 019　R. Rosenthal の実験　正答 4

R. Rosenthal は、期待と成果に関する効果として知られる「ピグマリオン効果」を提唱した教育心理学者である。「教師期待効果」ともいわれる。教師は学業成績が向上すると予測された（選ばれた）生徒たちに期待を示し、生徒たちは期待されていることを意識して期待に応えようとしたため、実際に成績が向上したと考えられている。

1 × ハロー効果（光背効果）とは、ある対象を評価する際に、目立ちやすい特徴があると、それに引きずられて他の特徴が歪められてしまう現象のことをいう。

2 × プラセボとは、薬としての成分を有していない薬に似せたもので、日本語では［偽薬］と訳される。プラセボ効果は、このプラセボ（偽薬）の服用によって得られる効果である。

3 × ホーソン効果とは、周囲から［注目］されることで［期待］に応えたいという心理が働き、結果的によいパフォーマンスが発揮されることをいう。周囲の期待によって作業効率が上がったホーソン実験によって明らかにされた。

4 ○ ピグマリオン効果とは、他者から期待されることによって［成績］や［パフォーマンス］が向上する現象のことである。

5 × アンダーマイニング効果とは、［内発的］に動機づけられていた行為に対して［外発的］な報酬を与えると、その課題に対する［内発的動機づけ］が低下することをいう。

解説 020　いじめの重大事態への対応　正答 1

いじめの重大事態は「生命心身財産重大事態」及び「不登校重大事態」の２つが挙げられる（いじめ防止対策推進法第 28 条 1 項）。対応等については「いじめの重大事態の調査に関するガイドライン」（以下、ガイドライン）などを参照するとよい。

1 ○ ガイドライン第 1「学校の設置者及び学校の基本的姿勢」に被害児童生徒・保護者が詳細な調査や事案の公表を望まない場合であっても、学校の設置者及び学校が、可能な限り自らの対応を振り返り、検証することは必要となるとある。

2 × 調査結果を公表するか否かは、事案の内容の重大性、被害児童生徒・保護者の意向、公表した場合の児童生徒への影響等を総合的に勘案して、適切に判断をすることとする。特段の支障がなければ公表することが望ましい（ガイドライン第 7「調査結果の説明・公表」）。

3 × ガイドラインの第 2「重大事態を把握する端緒」に、事実関係が確定した段階ではなく、［疑い］が生じた時点で調査を開始しなければならないとある。

4 × ［生命心身財産重大事態］だけではなく、［不登校重大事態］も含まれる。

5 × ガイドライン第 2「重大事態を把握する端緒」に、人間関係が原因で心身の異常や変化を訴える申立て等の「いじめ」という言葉を使わない場合で、その時点で学校が「いじめの結果ではない」と考えたとしても、重大事態が発生したものとして［報告・調査］にあたることとある。

問題 021　Check ☐☐☐　第1回　問題147

11歳の女児A、小学5年生。Aは複数のクラスメイトから悪口やからかいなどを頻繁に受けていた。ある日、スクールカウンセラーBは、Aから「今のクラスにいるのがつらい」と相談を受けたが、「誰にも言わないでほしい」と強く頼まれた。
Bの対応として、最も適切なものを1つ選べ。

1　職員会議で全教職員に詳細に報告する。
2　Aとの関係を重視して、Bのみで対応を継続する。
3　Aの同意が得られるまで、管理職（校長など）への報告を控える。
4　学級内で起きていることであり、担任教師に伝え対応を一任する。
5　Aの心情も含めて、校内のいじめ対策のための委員会に報告する。

問題 022　Check ☐☐☐　第2回　問題149

14歳の女子A、中学2年生。Aは、クラスメイトのBが複数の生徒から無視されたり、教科書を隠されるなどの嫌がらせを受けたりしていることをスクールカウンセラーに相談した。Aはこのような状況を何とかしてほしいが、自分が相談したことは内緒にしてほしいと強く希望している。
現時点でのスクールカウンセラーの対応として、<u>不適切なもの</u>を1つ選べ。

1　Bから詳しい事情を聞く。
2　Aが相談に来た勇気を認める。
3　Aの承諾を得て、担任教師に連絡する。
4　Aからいじめの事実について詳しく聞く。
5　客観的に状況を把握するために、クラスの様子を見に行く。

問題 023　Check ☐☐☐　第2回　問題068

9歳の男児A、小学3年生。同じクラスのBとCとはいつも一緒に下校していたが、1週間前からBとCは下校中にAをおいて走って帰ったり、3人分のランドセルをAに持たせたりしていた。そのため、Aがこのようなことを嫌がり、「学校に行きたくない」と言っていると、Aの保護者から校内の公認心理師に相談があった。
Aの保護者に許可を得た上で、公認心理師が担任教師に行う助言として、最も適切なものを1つ選べ。

1　Aを他の児童と帰らせるように助言する。
2　BとCの謝罪をもって解決とするように助言する。
3　Aにいじめられた理由を考えさせるように助言する。
4　当事者の家庭での解決を求めるように助言する。
5　事実を確認し、学校のいじめの対策組織に報告するように助言する。

解説 021　11 歳女児・いじめ問題での守秘義務（事例）　正答 5

スクールカウンセラーが学校でのいじめ問題の対応において行ってよいことを理解する。

1　×　スクールカウンセラーB が職員会議で全教職員に詳細に報告をすることは、当該児童の［プライバシー］を侵害することであり、不適切である。

2　×　A との関係を重視して、スクールカウンセラーB のみでの対応の継続は、いじめ防止対策推進法第 23 条 3 項の「いじめがあったことが確認された場合には、いじめをやめさせ、及びその再発を防止するため、当該学校の［複数の教職員］によって、［心理、福祉等］に関する専門的な知識を有する者の協力を得つつ、いじめを受けた児童等又はその保護者に対する支援及びいじめを行った児童等に対する指導又はその保護者に対する助言を継続的に行うものとする」という規定から逸脱しており不適切である。

3　×　A の同意が得られるまでと、管理職（校長など）への報告を徒に控えることは［チーム学校］の観点から不適切である。

4　×　学級内で起きていることであるが、担任教師に伝え対応を一任してしまうのは、いじめ防止対策推進法第 23 条 3 項の観点から不適切である。

5　○　A の心情も含めて、校内のいじめ対策のための［委員会に報告する］ことが正解だが、この場合、スクールカウンセラーとして A の心情といじめ防止対策推進法第 23 条 3 項での規定との兼ね合い、事態をどのように学校へ適切に伝えていけるかが学校で働く公認心理師にとって苦労するところであろう。

解説 022　14 歳女子・クラスメイトへのいじめ（事例）　正答 1

中学校でのいじめに対しては、チーム学校で対策をするという原則に基づいてスクールカウンセラーがとるべき対応を理解しておこう。

1　×　B から詳しい事情を聞くことよりも A からの情報に基づいて、担任等と「今、起きていること」の情報共有をすべきである。

2　○　いじめを打ち明けに行くことは決心と勇気が必要なのでその部分を十分にねぎらうことが必要である。

3　○　学校内の連携もしくはチーム学校という観点からスクールカウンセラーだけが抱えず、担任へ連絡およびアドバイスを行うことが必要である。

4　○　A からいじめの事実について詳しく聞くことは、慎重に行うべきことではあるが、何が起きているかを把握することが今後の方針を立てる上でも欠かせない。

5　○　客観的に状況を把握するために、クラスの様子を見に行くことも慎重を要することではあるが、児童間の力関係や学級の様子などを見て、理解をする必要がある。

解説 023　9 歳男児・いじめの疑いがある児童の担任への助言（事例）　正答 5

公認心理師がスクールカウンセラーとしていじめの疑いがある訴えを聞いたときの担任教師に対するコンサルテーションを問う問題である。

1　×　問題文は A と母親の訴えから逃げており、何の解決にもなっていないため不適切。

2　×　事実関係の詳細の確認や A、B、C の 3 名の児童の気持ちなどを把握できていない段階で、「謝罪をもって解決」とするのは短絡的であり不適切。

3　×　いじめられた被害者に、その理由を考えさせることは自責感や孤独感を不要に強めてしまう危険があり、特に初期対応の際は慎むべきである。

4　×　学校で起きていることであり、「家庭での解決」ということは学校としての責務を怠っている。

5　○　［いじめ防止対策推進法］において、学校におけるいじめ防止対策組織が明記されている。事実を確認し、いじめ対策組織として教員やスクール・ソーシャルワーカー、養護教諭などが［チーム］となって解決するよう動くことが適切である。

問題 024 Check ☑☑☑ 第4回 問題146

30歳の女性A、小学4年生の担任教師。Aは、2学期開始から10日後、同じ小学校のスクールカウンセラーである公認心理師Bに次のように相談した。Aが担任をしている学級では、1学期の終わり頃から児童Cが悪口を言われており、休むこともあったという。2学期になっても、Cへの悪口が続いており、登校しづらくなっている。
いじめ対応の基本を踏まえて、Bが最初に確認することとして、最も適切なものを1つ選べ。

1 学級経営の方針
2 Cの合計欠席日数
3 小学校周辺の地域の状況
4 Aの児童全般への関わり方
5 学級における児童全体の様子

問題 025 Check ☑☑☑ 第2回 問題094

適性処遇交互作用の説明として、正しいものを1つ選べ。

1 学習者の適性は遺伝と環境の相互作用によって形成される。
2 学習成果は教授法などの学習条件よりも学習者の適性によって規定される。
3 教授法などの学習条件と学習者の適性の組合せによって学習成果が異なる。
4 困難な学習課題であるほど、学習成果は教授法などの学習条件よりも学習者の適性によって規定される。
5 容易な学習課題であるほど、学習成果は教授法などの学習条件よりも学習者の適性によって規定される。

問題 026 Check ☑☑☑ 第4回 問題042

適性処遇交互作用について、誤っているものを1つ選べ。

1 指導方法や学習環境のことを処遇という。
2 統計学的には交互作用効果によって検証される。
3 学びの成立に影響を与える個人差要因を適性という。
4 学習者の特徴によって教授法の効果が異なることを指す。
5 他者の援助と学習者の問題解決との中間領域にみられる。

解説 024　30歳女性・児童生徒のいじめ問題への対応（事例）　正答 2

いじめ被害による子どもの自殺やそれに伴う事故や不祥事などを機に、教育行政の改革などが行われている。いじめの事後的な対応は、学校心理学における3次的援助サービスにあたる。2013（平成25）年に「いじめ防止対策推進法」が施行され、学校教育現場でいじめへの意識が高まった。同法におけるいじめの定義を確認しておこう。

1 ×　いじめの問題への対応は学校における最重要課題の1つであり、学校が一丸となって組織的に対応することが必要である。関係機関や地域の力も積極的に取り込むことが重要なため、学級運営の方針を確認するよりも、学校いじめ防止基本方針やそれに基づく対応を確認することなどが必要である。

2 ○　いじめ防止対策推進法では、いじめにより①児童等の生命、心身又は財産に重大な被害が生じた疑いがある事案、②相当の期間学校を欠席することを余儀なくされている疑いがある事案（年間30日を目安）を［重大事態］と定め、疑いがある場合を含めて、地方公共団体の長へ報告した上で、調査を行うことを義務づけている。重大事態の該当性判断を的確に行うためにも、合計欠席日数確認の優先度は高い。なお、欠席日数は児童の心理的苦痛の程度を考える際の指標の1つであり、目安にかかわらず、学校側は迅速に実質的な調査などの対応を開始する必要がある。

3 ×　いじめの問題には、地域社会や家庭との適切な連携をとることが重要である。例えば、学校周辺の地域の援助資源を確認することは、中長期的にはいじめ被害者への心理的支援やいじめ加害者の行動変容のプログラム作成の際に必要な視点である。ただし、ここでは最初に確認することを問われているため誤り。

4 ×　Aの児童全体への関わり方について確認しないわけではないが、Bが最初に確認することとしては他の選択肢の対応を優先する。

5 ×　いじめは、いじめを受けている児童、いじめている児童だけの問題でなく、その他の友人関係などを含む学級全体からの情報収集を通じた事実関係の把握を正確かつ迅速に行う必要がある。ただし、この選択肢の判断もいじめのアセスメントにおいて重要ではあるが、まずは重大事案であるか否かの判断が優先される。

解説 025　適性処遇交互作用　正答 3

L.J. Cronbachは、学習者の人格特性、IQ、認知スタイル、年齢などの適性によって、教材、学習指導法、教室環境などの処遇を変えると学習法の効果が変わることを適性処遇交互作用と呼んだ。

1 ×　適性処遇交互作用は、遺伝と環境の交互作用を意味するものではない。

2 ×　適性処遇交互作用は、適性と処遇（学習条件）を学習法の効果に及ぼす条件としては同等に扱っている。

3 ○　例えば、適性（外向か内向）と処遇（直接学習かビデオ学習）であれば、外向的学習者は直接学習、内向的学習者はビデオ学習で学習成果が上がりやすい。

4 ×　適性処遇交互作用では、学習課題の困難さを考慮しない。

5 ×　適性処遇交互作用では、学習課題の容易さを考慮しない。

解説 026　適性処遇交互作用　正答 5

L.J. Cronbachが提唱した適性処遇交互作用（Aptitude Treatment Interaction：ATI）の基礎的な概念について理解しておこう。

1 ○　L.J. Cronbachは、［指導方法］と［学習環境］の両方を［Treatment＝処遇］であると想定している。

2 ○　適性と処遇という因子の組み合わせは、［交互作用効果］という因子の組み合わせの［統計的プロセス］により効果検証することができる。

3 ○　適性とは、例えば新しい語学を学ぶ際に言語性知能の高さが利点になるなどの［個人差要因］のことである。

4 ○　適性処遇交互作用とは、設問のように［学習者の特徴］により、［教授法（授業形式）］の効果が異なることを示すものである。

5 ×　設問はL.S. Vygotskyの発達の最近接領域の説明に関連する内容であり、適性処遇交互作用とは関係ない。

問題 027　Check ☑☑☑　第4回　問題 023

ユニバーサルデザインの考え方に基づいて、授業を実施する場合に重要な視点として、最も適切なものを１つ選べ。

1　同化
2　熟達化
3　焦点化
4　体制化
5　符号化

問題 028　Check ☑☑☑　第2回　問題 145

中学１年生の数学教科担任Ａは、方程式の単元で困難度の異なる計算問題 30 問が印刷されたプリントを授業中に用いることを考えた。その際、最初から少しずつ難しくなるように問題を配置し、生徒が積極的に解答を書き込めるような工夫をした。また、模範解答も用意した。さらに、授業中には自分のペースで取り組めるような時間を設定することにした。
このプリントを用いたＡの授業をプログラム学習の原理に沿ったものにするために必要なこととして、最も適切なものを１つ選べ。

1　グループで答え合わせをする時間を設ける。
2　解答するための１問当たりの制限時間を生徒に設定させる。
3　１問ずつ解答した直後に、答え合わせをするように指示する。
4　計算問題が苦手な生徒に対しては、教師が一緒に答え合わせを行う。
5　全ての問題に正しく解答した生徒から休み時間にしてよいと告げる。

問題 029　Check ☑☑☑　第4回　問題 022

感覚運動学習について、最も適切なものを１つ選べ。

1　運動技能学習の効果は、短期的である。
2　感覚運動段階は、児童期の特徴である。
3　感覚運動学習は、感覚系と運動系による連合学習である。
4　一定の休憩を入れて運動技能を学習する方法は、分習法である。
5　感覚運動学習においては、課題にかかわらず全習法が効果的である。

問題 030　Check ☑☑☑　第3回　問題 099

我が国のキャリア教育において、文部科学省が示した小学校段階のキャリア発達の特徴について、最も適切なものを１つ選べ。

1　低学年では、計画づくりの必要性に気づき、作業の手順が分かる。
2　低学年では、仕事における役割の関連性や変化に気づくようになる。
3　中学年では、将来の夢や希望を持ち、実現を目指して努力しようとする。
4　高学年では、自分のことは自分で行うようになる。
5　高学年では、自分の長所や短所に気づき、自分らしさを発揮するようになる。

解説 027　ユニバーサルデザイン　正答 3

ユニバーサルデザインについては、国立特別支援教育総合研究所「ユニバーサルデザイン７原則」を参照のこと（http://www.nise.go.jp/research/kogaku/hiro/uni_design/uni_design.html）。

1 ×　同化では、不可欠な情報とそれ以外の周囲の情報が区別されにくくなってしまうので原則 4 に反すると考えられる。

2 ×　熟達化は、「利用者の経験や、知識、言語力、集中の程度などに依存しないようデザインする」という原則 3 に反すると考えられる。

3 ○　焦点化により、「不可欠な情報と、それ以外の周囲の情報とは十分コントラストをつける」ことができ、原則 4b と合致する。

4 ×　体制化は、複数の要素を関連づけてまとまりにすることであり、「様々な方法を用いて基本要素を区別して伝達する」という原則 4d に反すると考えられる。

5 ×　符号化とは、情報を符号に置き換えることで、それを理解するための共通知識を必要とするため、原則 1 に反すると考えられる。

解説 028　中学 1 年生の担任・プログラム学習（事例）　正答 3

プログラム学習は、B.F. Skinner によって提唱された教育方法の一形態であり、実践の場で具体的方法までを総合的にシステムとして把握する特徴がある。

1 ×　プログラム学習では個々の学習者のペースで進めるので、グループによるやりとりは重視されていない。

2 ×　プログラム学習では解答への制限時間を設定することはない。

3 ○　［即時確認の原理］によって、結果を知ることが学習効果を高めると考える。［フィードバック］あるいは［KR（knowledge of result）情報］のことである。

4 ×　プログラム学習では、自己ペースの原理で個人差に合わせてプログラムが作成されることはあるが、学習者の主体的な取り組みを重視するため、教師が一緒に答え合わせを行うことはない。

5 ×　プログラム学習でこのような働きかけを生徒に行うことはしない。

解説 029　感覚運動学習　正答 3

感覚運動学習（知覚＝運動学習）とはどのようなものかを正確に理解しておこう。

1 ×　感覚運動学習（知覚＝運動学習）により学習した効果は、［手続記憶］になり半永久的となる。

2 ×　J. Piaget の発達段階論での［感覚運動段階］は［0〜2 歳］の幼児期のものである。

3 ○　［感覚運動学習］は知覚と運動協応により［成立］する。知覚＝感覚系、運動協応＝運動系の連合学習である。

4 ×　分習法はいくつかのパートに分けて学ぶ方法のことであり、休憩を入れることではない。

5 ×　学習（感覚運動学習に限らず）は課題によっては全習法より分習法が効果的、またはその逆もある。

解説 030　小学校におけるキャリア教育　正答 5

2006（平成 18）年に文部科学省より出された「小学校・中学校・高等学校 キャリア教育推進の手引」を参照し、学年に応じたキャリア教育を行うことが重要である。

1 ×　計画づくりの必要性に気づき、作業の手順がわかるのは、［中学年］である。

2 ×　仕事における役割の関連性や変化に気づくのは、［高学年］である。

3 ×　将来の夢や希望を持ち、実現を目指して努力をするのは、［高学年］である。

4 ×　自分のことは自分で行うようになるのは、［低学年］である。

5 ○　自分の長所や短所に気づき、自分らしさを発揮するようになるのは、［高学年］である。

②教育現場における心理社会的課題と必要な支援

問題 031 Check ☑☑☑ 第１回 追 問題 065

中学２年の担任教師Ａ。Ａは、中学校でスクールカウンセリングを担当している公認心理師に次のように相談した。クラスの女子生徒Ｂが「誰にも言わないでください」と前置きし、「小学校６年生になったころから、母親が夜仕事に出ていくと継父が夜中に布団に入ってくる。夜になるとまた来るのではないかと恐ろしくて眠れない」と話した。Ａは性的虐待の可能性が高いと思うが、Ｂに詳しく聞いていないため確証が得られていない。今後、担任教師としてどのように対応すべきか助言してほしいという。
Ａに対する公認心理師の助言として、最も適切なものを１つ選べ。

1 母親に電話して事実を確認する。
2 Ａが中心となって、この問題に取り組む。
3 虐待の可能性があることを、児童相談所に通告する。
4 安心して話していいとＢに伝えて、話してくるまで待つ。
5 秘密は必ず守るとＢに伝え、これまでの経緯と現状を詳しく尋ねる。

問題 032 Check ☑☑☑ 第２回 問題 039

学校生活での悩みを持つ思春期のクライエントとの面接に関して、保護者への情報提供に関係する対応として、<u>不適切なもの</u>を１つ選べ。

1 事前に、秘密や記録の扱いについて関係者と合意しておく。
2 保護者から情報提供の依頼があったことをクライエントに知らせ、話し合う。
3 クライエントの意向にかかわらず、秘密保持義務を遵守するために、保護者からの依頼を断る。
4 相談面接において、特に思春期という時期に秘密が守られることの重要性について、保護者に説明する。
5 保護者に情報提供することで、保護者からの支援を受けられる可能性があるとクライエントに説明する。

解説 031 中学２年担任教師・虐待が疑われる場合の対応（事例） 正答 3

児童虐待が疑わしい状況における通告の義務に関する問題である。

1 × 「誰にも言わないでください」「継父が布団に入ってくる」「また来るのではないか」などの発言から性的虐待の可能性は極めて高いと考えられるため、事実確認よりも［児童相談所等］への通告が優先される。

2 × 福祉事務所等に通報するとともに、担任教師だけではなく、管理職をはじめとし［チーム学校］として対応をするべきである。

3 ○ 児童虐待防止法第６条の通り、通告が適切である。

4 × すでに性的虐待が起きている可能性が高い状況であるので、「待つ」という状況ではない。

5 × 通告すべき状況で「秘密は必ず守る」ことはかなわない可能性が高いので、生徒が裏切られたと感じるような状況にすべきではない。また、これまでの経緯や現状を話すことの負担は重く、話すこと自体が二次被害になる可能性も高いため、通告の上で福祉事務所等と対応を慎重に協議すべきである。

メモ　児童虐待の防止等に関する法律（児童虐待防止法）第６条

「児童虐待を受けたと思われる児童を発見した者は、速やかに、これを市町村、都道府県の設置する福祉事務所若しくは児童相談所又は児童委員を介して市町村、都道府県の設置する福祉事務所若しくは児童相談所に通告しなければならない。」

解説 032 学校における保護者への情報提供 正答 3

カウンセラーは面接内容や個人情報を守秘する倫理的責任を有しているが、学校においては、カウンセラーが持つ情報を校内組織全体で共有することでよりよい支援を可能にするための集団守秘という考え方が用いられることがある。しかし、むやみに情報共有をすることで安心してクライエントが相談できないのでは本末転倒なため、情報の取り扱いについては十分な検討が求められる。

1 ○ 生徒や保護者等の相談に関する守秘義務や記録の取り扱いについては、関係者間で共通の認識を持つことが必要である。

2 ○ 保護者への情報提供に抵抗を示す可能性は十分に考えられるが、情報共有について、クライエントがどう考えているかを話し合うことも重要である。

3 × 守秘はクライエントのプライバシーを守るために重要だが、［命］に関わることや、他者またはクライエント自身を［傷つける恐れ］のあること、などを含む明確で差し迫った［危険］が存在するときなどはその限りではない。

4 ○ 保護者に情報が筒抜けになってしまうことを恐れる思春期のクライエントは少なくないため、保護者にもその点を十分に説明することは重要である。

5 ○ 保護者に知られることに抵抗がある場合や、保護者との関係性が不良な場合もあるが、支援を受けられる可能性もあるため、一方的な説得にならないよう留意しつつ、クライエントと話し合うことは重要である。

問題 033 Check 第2回 問題044

スクールカウンセラーに求められる役割として、最も適切なものを1つ選べ。

1 チーム学校の統括
2 児童生徒への学習指導
3 教職員へのスーパービジョン
4 心理的問題などへの予防的対応

メモ スクールカウンセラーの役割

文部科学省では、スクールカウンセラーの役割について次のように掲げている。
①児童生徒に対する相談・助言
②保護者や教職員に対する相談（カウンセリング、コンサルテーション）
③校内会議等への参加
④教職員や児童生徒への研修や講話
⑤相談者への心理的な見立てや対応
⑥ストレスチェックやストレスマネジメント等の予防的対応
⑦事件・事故等の緊急対応における被害児童生徒の心のケア
（文部科学省「児童生徒の教育相談の充実について─生き生きとした子どもを育てる相談体制づくり─」）

問題 034 Check 第1回 追 問題045

スクールカウンセラー等活用事業について、正しいものを1つ選べ。

1 配置方式としては、現在は全国で通常配置（単独校方式）で統一されている。
2 公立高等学校への配置については、各自治体で事業の実施に係る配置校総数の50％程度を目安とする。
3 被災した児童生徒等の心のケア等を行うため、学校等にスクールカウンセラー等を緊急配置する事業も含まれる。
4 平成7年度にスクールカウンセラー活用調査研究（委託事業）が創設され、現在まで国費100％の事業として継続している。

問題 035 Check 第2回 問題073

8歳の男児A、小学2年生。入学当初から落ち着きがなく、授業中に立ち歩く、ちょっとしたことで怒り出すなどの行動があった。2年生になるとこのようなことが多くなり、教室から飛び出し、それを止めようとした担任教師に向かって物を投げるなどの行動が出てきた。
Aの行動を理解するためのスクールカウンセラーの初期対応として、不適切なものを1つ選べ。

1 Aの作文や絵を見る。
2 Aの知能検査を実施する。
3 1年次の担任教師からAのことを聞く。
4 担任教師や友人のAへの関わりを観察する。
5 Aの家庭での様子を聞くために、保護者との面接を担任教師に提案する。

解説 033 スクールカウンセラーの役割

正答 4

チーム学校において、スクールカウンセラーに何が求められているかを理解し、教員をはじめとした関係者とどのように連携を行うかを整理しておく。

1 × チーム学校は、[校長] の監督の下で専門スタッフ等の位置づけや役割分担を検討するよう求められている。

2 × 児童生徒への学習指導は基本的に [教諭] が中心となる。スクールカウンセラーは児童生徒の発達上の課題に対する理解の仕方や、対応の仕方などのコンサルテーションとしての関わりが重要である。

3 × スーパービジョンには専門的スキルを向上させる目的があるが、教職員とスクールカウンセラーは異なる職種であり、スーパービジョンを行うというよりは、[児童生徒] に関する相談に応じ、助言、指導、その他の援助やコンサルテーションを提供することが求められる。

4 ○ スクールカウンセラーは [心理的問題] について、1 次予防、2 次予防、3 次予防それぞれの観点からの対応が求められる。

解説 034 スクールカウンセラー等活用事業

正答 3

文部科学省のスクールカウンセラーの配置方式に関する方針は、やや変化している部分があるので留意しておく必要がある。

1 × スクールカウンセラーの配置方式は、①単独校方式、②拠点校方式（小中連携：1 つの中学校に配置され、その中学校区内の小学校も担当）、③拠点校方式（小小連携：1 つの小学校に配置され、同一中学校区内の他の小学校も担当）、④巡回方式の 4 種類がある。

2 × 文部科学省「スクールカウンセラー等活用事業実施要領」（平成 30 年 4 月 1 日一部改正）によると「公立高等学校へのスクールカウンセラー等の配置については、事業の実施に係る配置校の総数の [10%以内] を目安とする」とある。

3 ○ 文部科学省の上記実施要領によると「被災した児童生徒等の心のケア、教職員・保護者等への助言・援助等を行うため、学校等（公立幼稚園を含む。）にスクールカウンセラー等を緊急配置する」とある。

4 × 1995（平成 7）年度に創設されたスクールカウンセラー活用調査研究（委託事業）は、2000（平成 12）年度まで国の全額委託事業だった。2001（平成 13）年度からは「スクールカウンセラー活用事業補助」として、実施主体を都道府県・指定都市に移し、国は補助金を出すことで事業が推進された。2019 年度のスクールカウンセラー等活用事業については、現在は都道府県・指定都市に対する補助金は [補助率 3 分の 1] となっている（文部科学省「スクールカウンセラー等配置箇所数、予算額の推移」）。

解説 035 8 歳男児・スクールカウンセラーの初期対応（事例）

正答 2

スクールカウンセラーは、学校の中に存在できるという特徴がある。児童を理解、アセスメントする際には個別面談のみならず、学校生活での児童の行動を観察することや周囲の人間から児童の様子を聞くなどが有益な情報となる。

1 ○ 行動観察と同様に、児童が書いた作文や絵を見ることは児童の理解につながるため正しい。

2 × 初期対応で知能検査の実施は不適切である。まず [行動観察] や親や教師に様子をうかがい、その上で知能検査が必要であれば親や担任の許可を得る必要がある。

3 ○ 前年度の児童の様子を知ることは、今の児童の様子と比べることができ、より理解が深まり有益な情報である。

4 ○ A の問題行動のきっかけとなる要因は何か、問題行動をしない場合はどんなときかといった [アセスメント] には、周囲の人の本児への関わりを観察することは有効である。

5 ○ 学校での様子に加えて家庭での様子を聞くことで、より深く適切に本児をアセスメントでき、適切な支援につながりやすくなる。

問題 036

Check ☐☐☐ 第3回 問題025

学校心理学における心理教育的援助サービスの考え方について、最も適切なものを１つ選べ。

1 心理面の援助を中心に行う。
2 スクールカウンセラーが単独で援助する。
3 スクールカウンセラーに援助を求める子どもを対象とする。
4 非行をする子どもなど、援助ニーズの高い子どもを対象とする。
5 スクールカウンセリング活動は、学校教育の一環として位置づけられる。

問題 037

Check ☐☐☐ 第1回 問題052

教育現場における開発的カウンセリングで用いられる技法として、適切なものを２つ選べ。

1 ピアサポート
2 ソシオメトリー
3 チームティーチング
4 アサーショントレーニング
5 ソーシャルスキルトレーニング〈SST〉

問題 038

Check ☐☐☐ 第1回 問題122

学校における心理教育的アセスメントについて、誤っているものを１つ選べ。

1 一定のバッテリーからなる心理検査の実施が必須である。
2 学校生活における子どもの観察が重要な要素の１つである。
3 心理教育的援助サービスの方針や計画を立てるためのプロセスである。
4 複数の教師、保護者、スクールカウンセラーなどによるチームで行われることが望ましい。

解説 036　学校心理学における心理教育的援助サービス　正答 5

石隈利紀の提唱した３段階の援助サービスの対象や扱う問題の理解、学校教育におけるスクールカウンセリング活動のおかれている位置の理解を問う問題である。

1 × 心理教育的援助サービスは 3 段階のサービスがあり、どの段階でも心理面の援助のみが中心ということではない。

2 × 心理教育的援助サービスの考え方では多職種の連携で行うことが原則である。

3 × 心理教育的援助サービスの考え方、特に一次的援助サービスでは、全ての児童生徒が対象とされている。

4 × 心理教育的援助サービスの考え方では問題の生じていないと思われる子どもも対象としており、援助ニーズの高い子ども対象と限定的ではない。

5 ○ 文部科学省の規定では生徒指導の下位カテゴリーである教育相談の中のスクールカウンセラー等活用事業により実施されているのがスクールカウンセラー活動であるので、学校教育の一環という位置づけである。

解説 037　教育現場における開発的カウンセリング　正答 4、5

開発的カウンセリングとは全ての子どもを対象として行う予防的な取組みで、学校不適応を予測して課題に取り組む上で必要なスキルを学ぶなど知識を提供する取組みである。

1 × 「ピア」は仲間という意味で、[ピアサポート] は生徒同士が互いにサポートし合う関係性を構築することであり、学級づくりの工夫の１つである。

2 × ソシオメトリーとは [J.L. Moreno] によって開発された人間関係のネットワークの測定法であり、[ソシオメトリックテスト] によって図示する。

3 × [チームティーチング] は、担任だけでなく複数の教員が生徒と関わって指導を行っていく方法をいう。

4 ○ [アサーショントレーニング] は、[自己主張] の方法を学ぶ手法であり、相手の主張も踏まえつつ自分の主張を行うことをトレーニングすることで個々の人間関係が改善することをねらいとする。

5 ○ [ソーシャル・スキルズ・トレーニング（SST）] は、社会生活で必要となる社会的スキルや [感情コントロール] を習得するための訓練であり、練習、ロールプレイ、フィードバック等が行われる。

メモ　ソシオメトリックテスト

ソシオメトリーによって人間関係のネットワークが測定されるソシオメトリックテストは、子どもに友人の好き嫌いを意識させることになるという問題点が指摘され、現在はほとんど行われなくなった。

解説 038　学校現場でのアセスメント　正答 1

学校現場での心理教育的アセスメントは、心理検査や心理療法といった専門に特化した支援よりも、学校現場に即し、学校現場を生かした対応が適切になる。また、教職員や保護者と連携し、様々な視点から複数の職員で子どもの支援に臨む。スクールカウンセラーは、積極的に学校現場に入っていき、保護者や児童生徒と学校との調整役も担っている。

1 × 学校現場では、心理検査の実施よりも、学校生活における [行動観察] や、教師や親からの情報等のほうが重要である。

2 ○ 子どもが学校生活でどのような様子であるか、何に困っているかを把握するには、学校生活における [行動観察] がとても大切である。

3 ○ 学校におけるアセスメントは、学校生活で子どもが出会う学習面や心理社会面、健康面などの課題の解決を援助する心理教育的援助サービスのために行われる。

4 ○ スクールカウンセラーのみ、担任教諭のみといったように１人で抱えていては適切な支援は行えない。複数で、様々な立場、視点から [チーム] として支援することが望ましい。

問題 039 Check

第4回 問題144

12歳の女児A、小学6年生。Aに既往歴はなく、対人関係、学業成績、生活態度などに問題はみられなかった。しかし、ある日授業中に救急車のサイレンが聞こえてきたときに、突然頭を抱え震えだした。その後、Aはかかりつけの病院を受診したが、身体的異常はみられなかった。Aはそれ以降、登校しぶりが目立っている。保護者によると、1年前に、家族旅行先で交通死亡事故を目撃したとのことであった。AやAの家族は事故に巻き込まれてはいない。スクールカウンセラーであるBは、教師の校内研修会でAへの対応に役立つような話をすることになった。
Bが提示する内容として、最も適切なものを1つ選べ。

1 発達障害への対応

2 曖昧な喪失へのケア

3 心理的リアクタンスの理解

4 トラウマ・インフォームド・ケア

5 反応性アタッチメント障害の理解

メモ 反応性アタッチメント障害

反応性アタッチメント障害の特徴は以下のとおり。
- 社会的ネグレクトなど深刻な虐待など愛着を育む機会の制限により苦痛状態や困難場面にあっても、養育者に対して世話や保護を求める行動を示さない
- 楽しい・嬉しいなど陽性感情を表すことが少なく、怒り、悲しみ、恐怖など陰性感情を表すなど、極端に制限されたアタッチメント行動を示す

この障害は5歳以前に明らかであり、少なくとも9か月の発達年齢であるという条件がある。自閉スペクトラム症と似ている症状もあるので、慎重な鑑別・診断が必要である。

問題 040 Check

第4回 問題068

45歳の男性A、小学校に勤務しているスクールカウンセラー。Aが勤務する小学校では、「ともに学び、ともに育つ」という教育目標のもとで、「支え合う学級集団づくり」に取り組んでいた。Aは、5年生の担任教師からクラスの児童同士の人間関係の改善や児童相互の理解を豊かにするための授業を実施してほしいと依頼を受けた。そこで、Aは児童がより主体的・対話的で深い学びができるように、アクティブラーニングを取り入れた授業を行うことにした。
Aが行うアクティブラーニングの視点を用いた指導法として、最も適切なものを1つ選べ。

1 児童の個性に合うように、複数の方法で教える。

2 学習内容が定着するように、内容を数回に分けて行う。

3 全員が同じ内容を理解できるように、一斉に授業を行う。

4 全員が正しく理解できるように、原理を積極的に解説する。

5 具体的に理解できるように、例話の登場人物のセリフを考えさせる。

解説 039　12歳女児・トラウマ・インフォームド・ケア（事例）　正答 4

子どもが示す不適応行動を理解する上で、器質的要因や様々な出来事による心理的な影響を考慮に入れる必要がある。そのためにはまず、子どもの発達の十分な理解が欠かせない。言語による表現や起こったことの理解が不十分であることも加わり、子どもは、事故や災害による心理的な影響を受けやすく、心的トラウマへの心理的支援には適切な対応が必要である。

1 × 問題文には発達障害の特徴はみられない。

2 × あいまいな喪失とは、失ったかどうかはっきりしない喪失のことで、アメリカのB. Paulineにより提唱された。①身体的に存在していないが心理的に存在していると認知されることで経験される喪失（例：自然災害における行方不明者など）、②身体的に存在しているが心理的に不在と認知されることで経験される喪失（例：認知症者など）の2種類があるが、本事例はいずれにもあてはまらない。

3 × 心理的リアクタンスとは、自分の行動の自由を脅かされる、または自由を奪われたと感じたとき、自由を回復しようと動機づけられる状態のことである。心理的リアクタンスが生じやすいのは、他者からある特定の行動をとるように強制されたときや行動の選択肢が制限されたときである。

4 ○ トラウマ・インフォームド・ケア（TIC）とは、支援する多くの人たちがトラウマに関する知識や対応を身につけ、普段かかわりのある人や支援対象者に「トラウマがあるかもしれない」という観点を持って対応する支援の枠組みである。本事例では、この考えに基づいて、トラウマ・インフォームド・ケアをスクールカウンセラーが教師に対して研修会で扱うことが適当である。

5 × DSM-5の反応性アタッチメント障害の診断基準には「その障害は5歳以前に明らかである」という条件があり、この事例のように思春期になってからの行動変化により診断されるものでもない。また、事例の特徴は、診断基準に当てはまらない。

メモ　トラウマ・インフォームド・ケア（TIC）で求められること

2000年代以降、TICは北米を中心に広がりをみせ、近年日本においても、医療、福祉、司法、教育の領域に適用されるようになった考え方である。TICの考え方を学校教育領域に適用し、トラウマに配慮した学校であるトラウマ・インフォームドな学校を作ることで、子どもや教職員が安全で安心な環境を育成していくことが求められている。

メモ　あいまいな喪失

あいまいな喪失は、通常の確実な喪失とは異なり、喪失そのものが不確実であるため、正常な悲嘆反応のプロセスや「喪の作業」が停滞しやすい。支援では、問題そのものを解決させるのではなく、その人自身が本来持つ問題に耐える力「レジリエンス（復元力・回復力）」を高め、あいまいな喪失に向き合うことを支えることが重要である。レジリエンスを高める方法としては、自分自身を労わる言葉を自分自身に語りかける、ため息をつく、現在の混とんとした状況に「あいまいな喪失」と名前をつける、などがある。

解説 040　小学5年生・アクティブラーニング（事例）　正答 5

文部科学省の「教育課程企画特別部会　論点整理」の中でアクティブラーニングは「課題の発見・解決に向けた主体的・協働的な学び」とされている。新しい学習指導要領にも登場しているため、おさえておきたい。

1 × 個人に合わせて教えることは個別性を重視しており、協働的な学びにはつながりにくい。

2 × 内容を分けて行うかどうかは、主体的・協働的な学びとは関係がない。

3 × 一斉授業は対話的ではなく、主体的な学びとはいえない。

4 × 原理を積極的に解説する授業は対話的ではなく、アクティブラーニングの視点を用いた授業とはいえない。

5 ○ 例話の登場人物のセリフを考えさせる手法は児童自身が主体的にかかわることができ、深い学びへとつなげることができる。

問題 041 Check ☑☑☑ 第4回 問題139

27歳の男性A、中学校教師。Aは、スクールカウンセラーBに、担任をしているクラスの生徒Cのことで相談を持ちかけた。Aによると、Cは、授業中にAに対してあからさまに反抗的な態度をとるという。それにより、授業を中断しなければならない場面が何度もあった。他の生徒の不満も高まってきており、学級運営に支障を来し始めている。Aによると、Cの行動の原因については全く見当がつかず、疲弊感ばかりが増している状態であるとのこと。
BのAへのコンサルテーションにおける対応として、最も適切なものを1つ選べ。

1 具体的な行動は提案しない。

2 具体的かつ詳細な質問を行う。

3 心理学用語を用いて説明する。

4 なるべく早く解決策を提案する。

5 Aの気持ちを長期間繰り返し傾聴する。

問題 042 Check ☑☑☑ 第1回 問題123

学校における教職員へのコンサルテーションに含まれるものとして、誤っているものを1つ選べ。

1 児童生徒への個別及び集団対応に関する助言や援助

2 児童生徒への心理教育的活動の実施に関する助言や援助

3 ケース会議などの教育相談に関する会議における助言や援助

4 困難な問題に直面している教職員に代わる保護者などとの面談の実施

問題 043 Check ☑☑☑ 第4回 問題147

40歳の男性A、小学4年生の担任教師。Aは、スクールカウンセラーである公認心理師Bに学級の状況について相談した。Aの学級では、児童同士が罵り合ったり、授業中の児童の間違いを笑ったりすることがたびたび起きている。学級の児童の多くが、自分の感情を直接、他の児童にぶつけてしまうため、トラブルに発展している。Aは、児童の保護者数名からこの件について対応するよう要望されており、A自身も悩んでいるという。
BのAへの提案として、最も適切なものを1つ選べ。

1 WISC-Ⅳ

2 道徳教育

3 スタートカリキュラム

4 メゾシステムレベルの介入

5 ソーシャル・スキルズ・トレーニング〈SST〉

解説 041 27歳男性・中学校教師へのコンサルテーション（事例）　正答 2

コンサルテーションは、「あるケースについて、その見方、取り扱い方、かかわり方、などを検討し、適格なコメント、アドバイスなどを行うこと」である（文部科学省「スクールカウンセラーの業務」）。

1 × コンサルテーションは、指示的な意味合いが強い。A に対してなんらかの見方、意見、コメントなどを提示することが求められる。

2 ○ 具体的なコメントやアドバイスをするためにも、A に具体的かつ詳細な質問をする必要がある。

3 × 心理学的知見に基づいたアドバイスやコメントは必要であるが、相手にわかりやすい言葉遣いを心がけることが大切である。

4 × まずは状況の詳細を把握し、A の心理的サポートを行った上で解決策の提案を行うべきである。

5 × A に対する傾聴は重要ではあるが、それだけではコンサルテーションの体をなさない。

加点のポイント　スクールカウンセラーの業務

公認心理師の国家試験では、スクールカウンセラーとしての対応を問われる事例問題が毎年出題されている。文部科学省の「スクールカウンセラーの業務」を読んでおくとよい（https://www.mext.go.jp/b_menu/shingi/chousa/shotou/066/shiryo/attach/1369901.htm）。ここには、カウンセリング、コンサルテーション、カンファレンス、研修・講話、査定・診断・調査、予防的対応、危機対応・危機管理についてまとめられている。

解説 042 教職員へのコンサルテーション　正答 4

コンサルテーションとは異なった専門職の間での助言や援助であり、代わりにその専門職の業務を行うことではない、また、学校においては、コンサルタントが公認心理師でコンサルティが教職員であることを理解しておきたい。

1 ○ 児童生徒への［個別および集団対応］に「教職員」が従事する場合の助言や援助を公認心理師が行うことはコンサルテーションにおける 1 つのあり方である。

2 ○ 児童生徒への［心理教育的活動］の実施に「教職員」が従事する場合に、例えば心理教育的な内容について助言や援助を公認心理師が行うことはコンサルテーションにおける 1 つのあり方である。

3 ○ ケース会議などの［教育相談］に関する会議の場において公認心理師が助言や援助を行うことはコンサルテーションにおける 1 つのあり方である。

4 × 困難な問題に直面している教職員に代わって保護者などとの面談を公認心理師が実施することはコンサルテーションではなく、代わりにコンサルティの業務を行うこととなってしまう。

解説 043 40歳男性・小学校教師への提案（事例）　正答 5

児童同士のトラブルが発生している担任教師へ、スクールカウンセラーとして何が提案できるかについて問われている問題である。

1 × この時点では WISC- Ⅳを行うべき児童がいる状況であるとは読み取れず、必然性がない。

2 × 道徳教育は必要なものであるが、実際に発生しているトラブルに対する即効性が乏しい。

3 × スタートカリキュラムは、小学校 1 年生に対して、学校生活にスムーズに適応していけるように考えられたカリキュラムのことである。

4 × メゾシステムは、子どもに直接接していないが影響を与える環境であり、本事例において必要であるとすれば直接接しているマイクロシステムレベルの介入である。

5 ○ ソーシャル・スキルズ・トレーニングは、社会生活、特に対人関係におけるスキルを学ぶための方法で、学級児童に適切なコミュニケーションスキルを身につけさせるために行うことはよい提案である。

問題 044 Check ☑☑☑ 第4回 問題152

10歳の女児A、小学4年生。Aは、自己主張の強い姉と弟に挟まれて育ち、家では話すが学校では話さない。医療機関では言語機能に異常はないと診断を受けている。Aは、幼なじみのクラスメイトに対しては仕草や筆談で意思を伝えることができる。しかし、学級には、「嫌なら嫌と言えばいいのに」などと責めたり、話さないことをからかったりする児童もいる。Aへの対応について、担任教師Bがスクールカウンセラー Cにコンサルテーションを依頼した。
CのBへの助言として、不適切なものを1つ選べ。

1 Aの発言を促す指導は、焦らなくてよいと伝える。
2 できるだけAを叱責したり非難したりしないように伝える。
3 Aが話せるのはどのような状況かを理解するように伝える。
4 Aの保護者と連絡を密にし、協力して対応していくように伝える。
5 交流機会を増やすため、Aを幼なじみとは別の班にするように伝える。

問題 045 Check ☑☑☑ 第4回 問題056

特別支援教育の推進について（平成19年4月、文部科学省）が示す特別支援教育コーディネーターの役割として、適切なものを2つ選べ。

1 保護者に対する学校の窓口となる。
2 特別支援教育の対象となる児童生徒を決定する。
3 特別支援教育の対象となる児童生徒に対して、直接指導を行う。
4 特別支援教育の対象となる児童生徒について、学校と関係機関との連絡や調整を担う。
5 外部の専門機関が作成した「個別の教育支援計画」に従い、校内の支援体制を整備する。

問題 046 Check ☑☑☑ 第4回 問題119

学習障害について、誤っているものを1つ選べ。

1 特別支援教育の対象とされている。
2 特定の領域の学業成績が低くなりやすい。
3 計画の立案が困難であることにより特徴付けられる。
4 必要に応じて、頭部画像検査などの中枢神経系の検査が用いられる。
5 聞く、話す、読む、書く、計算する又は推論する能力のうち特定のものの習得と使用に著しい困難を示す。

解説 044　10歳女児・担任教師へのコンサルテーション（事例）　正答 5

場面緘黙が疑われる10歳女児に対する対応のコンサルテーションである。

1　○　Aに無理に話をさせようとせず、焦らなくていいことを本人に伝えるのは大切である。

2　○　叱責や非難は、Aに恐怖心を与えてしまい、ますます発言できなくなる可能性がある。

3　○　Aが話せる状況を把握することで、学校でも話す手がかりが見えてくることもある。

4　○　Aへの対応には保護者の協力が重要であり、教師と保護者が一緒になってAをサポートできることが大切である。

5　×　Aにとっては交流機会を増やすよりも、少しでも安心できる場を作ることが大切である。

解説 045　特別支援教育コーディネーターの役割　正答 1、4

特別支援教育コーディネーターの具体的な役割について、小・中学校では、①学校内の関係者や関係機関との連絡・調整、および②保護者に対する学校の窓口として機能することが期待される。一方、盲・聾・養護学校では、これらに地域支援の機能として、③小・中学校等への支援が加わることを踏まえ④地域内の特別支援教育の核として関係機関とのより密接な連絡調整が期待される。本問は、文部科学省「特別支援教育の推進について」を参照とする。

1　○　保護者に対する窓口としての役割が期待される。

2　×　校内への特別支援教育に関する委員会の設置や、障害のある幼児児童生徒（発達障害を含む）の実態把握や支援方策の検討は、校長のリーダーシップのもと行われるので誤り。

3　×　学校内の関係者や福祉・医療等の関係機関との連絡調整および保護者に対する学校の窓口として、校内における特別支援教育に関するコーディネーター的な役割を担うが、［直接指導］は行わない。

4　○　記載の通り、学校と関係機関との連絡や調整を行う役割が期待される。

5　×　リーダーシップを発揮して特別支援教育を視野に入れた学校経営を行い、全校的な支援体制を確立していくことは、校長に求められる。

解説 046　学習障害　正答 3

学習障害（LD：Learning Disabilities）は、基本的には、全般的な知的発達に遅れはないが、聞く、話す、読む、書く、計算する、推論する能力のうち、特定のものの習得と使用に著しい困難を示す様々な状態を指すものである。

1　○　特別支援教育の対象である。

2　○　上記の通り「特定の領域において」困難を示すことが多い。

3　×　読み書き能力や計算力などの算数機能に関する特異的な発達障害である。

4　○　学習障害が疑われるときには、中枢神経系の器質的な疾患の有無を明らかにするために、医学的な評価も重要となるため、これまでの精神運動発達の様子や病気の罹患歴などを確認し、必要な場合は頭部画像検査などを行う。

5　○　記載の通り、聞く、話す、読む、書く、計算するまたは推論する能力のうち、特定のものの習得と使用に著しい困難を示す様々な状態を指す。

問題 047 Check 第3回 問題119

学級経営について、不適切なものを１つ選べ。

1 学級集団のアセスメントツールには、Q-U などがある。
2 学級経営には、教師のリーダーシップスタイルの影響が大きい。
3 学級づくりの１つの方法として、構成的グループエンカウンターがある。
4 学校の管理下における暴力行為の発生率は、小学校より中学校の方が高い。
5 問題行動を示す特定の児童生徒が教室内にいる場合、その児童生徒の対応に集中的に取り組む。

問題 048 Check 第4回 問題067

小学３年生のある学級では、１学期の始めから学級での様々な活動に対し積極的で自主的に取り組む様子がみられた。そこで、児童のやる気をさらに高めるために、児童が行った活動に点数をつけて競わせることが試みられた。その結果、２学期になると、次第に点数のつかない活動では、児童の自主的な取組がみられなくなり、３学期になるとさらにその傾向が顕著になった。
この現象を説明するものとして、最も適切なものを１つ選べ。

1 学級風土
2 遂行目標
3 期待価値理論
4 ピグマリオン効果
5 アンダーマイニング効果

問題 049 Check 第1回 追 問題143

９歳の男児Ａ、小学３年生。Ａは、入学時から学校で落ち着きがない様子が見られた。担任教師がサポートしながら学校生活を送っていたが、学年が進むとささいなことで感情が高ぶったり教室の中で暴れたりするようになった。Ａの学業成績はクラスの中で平均的であった。スクールカウンセラーとＡの母親が継続面談を行い、Ａには個別の指導が必要であると判断した。
Ａが利用する機関として、最も適切なものを１つ選べ。

1 児童相談所
2 教育支援センター
3 児童自立支援施設
4 児童家庭支援センター
5 通級指導教室（通級による指導）

解説 047 学級経営

正答 5

学級経営は、学級担任と児童との相互教育作用を通して、学習や学校生活の基盤となる望ましい学級を築きあげていく実践活動であり、学級経営には、児童理解、学習指導、児童指導、教育相談、教室環境等整備など様々な側面がある。学級経営を充実させるためには、それを複合的に展開することが重要である。

1 ○ 「Q-U」は、子どもたちの学校生活における満足度と意欲、さらに学級集団の状態を調べることができる質問紙である。

2 ○ 学級に応じたリーダーシップのスタイルは重要であり、学級担任のリーダーシップのスタイルが学級に与える影響は大きいと考えられる。

3 ○ [構成的グループエンカウンター] は、集団学習体験を通して、自己発見による行動の変容と人間的な自己成長をねらい、本音と本音の交流や感情交流ができる親密な人間関係づくりを援助するための手法であり、学習活動で取り扱う課題には、自己理解、他者理解、自己主張、自己受容、信頼体験、感受性の促進の６つのねらいが組み込まれている。

4 ○ 文部科学省「令和２年度　児童生徒の問題行動・不登校等生徒指導上の諸課題に関する調査」によると学校の管理下における暴力行為発生率は、小学校よりも中学校のほうが [高い]。ただし、小学校では、2015（平成27）年度から 2019（令和元）年度までは増加傾向にあるが、2020（令和 2）年度では減少した。また、中学校や高等学校でも 2020（令和 2）年度では前年度より減少している。

5 × 問題行動を示す児童生徒への対応だけではなく、周囲の人を含む教室内にいる児童生徒や、環境調整や授業内容への工夫など総合的なアプローチが必要。

解説 048 アンダーマイニング効果（事例）

正答 5

教室における現象を教育心理学的に解説しようとする問題である。

1 × [学級風土] とは、学級の児童生徒たちが感じ取る教室を支配する雰囲気のことである。

2 × [遂行目標] とは、他者から自分の能力を肯定的に高く評価してほしい、または否定的な低い評価は避けたいとする目標のことである。

3 × [期待価値理論] とは、目標達成の可能性である「期待」と目標達成の「価値」によって動機づけが決まるという理論である。

4 × [ピグマリオン効果] は、他者から期待されると成績が向上する現象のことである。

5 ○ [アンダーマイニング効果] は、内発的に行っていた行動に対し、報酬などの外発的要因を与えると、内発的動機づけが低下することである。本事例では、もともと児童たちは積極的で自主的に様々な活動を行っていたのに、点数をつけるという外発的要因が与えられたため、内発的動機づけが低下し、点数によって評価してもらえない活動については取り組まなくなるという現象が起きてしまった。

解説 049 ９歳男児・他機関との連携（事例）

正答 5

落ち着きがない児童に対するスクールカウンセラーとしての一般的な対応を問う問題である。

1 × 本ケースでは児童虐待などは想定されないので、児童相談所の利用は不適切である。

2 × 「A の学業成績はクラスの中で平均的であった」とあるので教育支援センターにつなぐのは不適切である。

3 × A は自立支援の必要性がある状態ではないので児童自立支援施設は不適切である。

4 × A は家庭の問題より学校の問題に焦点をあてて支援するべき状態なので児童家庭支援センターは不適切である。

5 ○ A は AD/HD である可能性が示唆されるので、医療機関に通いながらの [通級指導教室] が最も望ましい対応である。

問題 050　Check ☑☑☑　第2回　問題027

形成的評価について、最も適切なものを 1 つ選べ。

1　一定の教育活動が終了した際に、その効果を把握し判断するために行う評価
2　個人の学力に関する特定の側面をそれ以外の側面と比較して把握し判断するために行う評価
3　過去と現在の成績を比較して、どの程度学力が形成されたかについて把握し判断するために行う評価
4　指導前に、学習の前提となるレディネスが形成されているかを把握し、指導計画に活用するために行う評価
5　指導の過程で学習の進捗状況や成果を把握し判断して、その情報をその後の指導計画に活用するために行う評価

問題 051　Check ☑☑☑　第3回　問題100

教育場面におけるパフォーマンス評価のための評価指標を示すものとして、正しいものを 1 つ選べ。

1　ルーブリック
2　ポートフォリオ
3　テスト・リテラシー
4　ドキュメンテーション
5　カリキュラム・マネジメント

問題 052　Check ☑☑☑　第4回　問題099

教育評価について、最も適切なものを 1 つ選べ。

1　教育評価は、全国統一の基準に基づく。
2　カリキュラム評価は、ルーブリックに基づく。
3　カリキュラム評価の対象には、部活動が含まれる。
4　教育評価の対象には、潜在的カリキュラムが含まれる。
5　カリキュラム評価の対象には、学習者の学習・成長のプロセスが含まれる。

解説 050 形成的評価

正答 5

形成的評価とは、教育活動途上における所期の目標達成状況や計画・活動の修正の必要性を把握するための評価である。

1 × 一定の教育活動が［途上］である際に、その効果を把握し判断するために行う評価である。終了後に行うのは、［総括的評価］である。

2 × 個人の学力の側面ではなく、教育活動の［目標］や［内容］、［方法］の適否などを把握するためのものである。

3 × 過去と現在の成績を比較して、どの程度学力が形成されたかを把握する評価は［総括的評価］である。

4 × 教育活動が［始まる前の時点］における学力等を図るのは［診断的評価］である。

5 ○ 指導の過程で学習の進捗状況や成果を把握し判断して、その情報をその後の指導計画に活用するために行う評価を形成的評価という。

解説 051 教育場面の評価指標

正答 1

教育場面における評価方法をそれぞれ理解していこう。

1 ○ ［ルーブリック］は、子どもの学習到達状況を評価するために用いられる評価基準である。

2 × ［ポートフォリオ］は、テストの点数や偏差値など評価しきれない能力を正確に評価する方法であり、学習活動において児童・生徒が作成した作文、レポート、作品、テスト、活動の様子がわかる写真などをファイルに入れて保存する方法である。

3 × ［テスト・リテラシー］は、テストを受けるために必要なリテラシーである。

4 × ［ドキュメンテーション］は、児童・生徒の毎日の活動を写真や文書で記録していく方法である。

5 × ［カリキュラム・マネジメント］は教育の目標に応じた教育課程を管理運営していくことを指す。

解説 052 教育評価

正答 4

教育評価は、教師の指導や児童生徒の学習の成果を評価し、今後の指導に活かすために行うものである。

1 × 教育評価には全国統一の基準のような絶対評価以外にも、相対評価、適性処遇交互作用を用いた評価がある。

2 × ルーブリックは児童生徒・学生の学習到達状況を評価するための評価基準であり、カリキュラムそのものを評価するカリキュラム評価には用いない。

3 × 部活動は教育課程外の活動であり、カリキュラム評価の対象ではない。

4 ○ 潜在的カリキュラムとは、教育する側の意図する、しないにかかわらず、学校生活の中で児童生徒自らが学びとっていく全ての事柄とされており、顕在的なカリキュラムとともに、児童生徒たちの教育にどのような影響を与えているかを評価する必要がある。

5 × カリキュラム評価は、計画、実施されたカリキュラムの内容や目標、評価規準などを見直すものであって、学習者の学習や成長のプロセスはこれには含まれない。選択肢5は、「カリキュラム評価」が「教育評価」または「学習評価」であれば、正答であったと考えられる。

問題 053 Check 第2回 問題146

14歳の男子A、中学2年生。Aは中学1年生のときに比べ、学習に対して積極的に取り組み、成績が全体的に上がった。1学期の成績評定は国語と社会が高く、数学と体育は他の教科と比べて低かった。Aは中学1年生のときは幅広い交友関係があったが、現在は特定の友人と親しくしている。何事に対しても真面目に取り組み、クラスメイトからも信頼されているが、自信がなく不安な様子もみられる。
Aについてのこれらの情報は、どのような評価に基づくか、最も適切なものを1つ選べ。

1 診断的評価と相対評価
2 縦断的個人内評価と相対評価
3 診断的評価と横断的個人内評価
4 診断的評価と縦断的個人内評価
5 縦断的個人内評価と横断的個人内評価

問題 054 Check 第1回 問題098

学校における一次的、二次的及び三次的援助サービスについて、正しいものを1つ選べ。

1 一次的援助サービスは問題の早期発見を目的としている。
2 一次的援助サービスには発達障害の子どもへの支援を含む。
3 二次的援助サービスは問題が大きくなったときに行う。
4 三次的援助サービスは特別支援教育のことである。
5 一次的、二次的及び三次的援助サービスはそれぞれが独立して行われる。

問題 055 Check 第4回 問題043

学校にピアサポート・プログラムを導入する目的として、不適切なものを1つ選べ。

1 思いやりのある関係を確立する機会を提供する。
2 公共性と無償性という基本を学ぶ機会を提供する。
3 学校のカウンセリング・サービスの幅を広げる機会を提供する。
4 リーダーシップ、自尊感情及び対人スキルを向上させる機会を提供する。
5 傾聴や問題解決スキルなど他者を援助するスキルを習得する機会を提供する。

解説 053　14 歳男子・評価（事例）

正答 5

教育評価に関する事例問題である。評価方法の種類についておさえておこう。

1　×　[診断的評価] とは、指導を行う前に実施し、生徒の [学力] や [レディネス] がどの程度あるのかを確認するための評価である。相対評価は、[他者]（この場合はクラスの他の生徒）と比較して行われる評価である。問題文からはどちらも該当しない。

2　×　縦断的個人内評価とは、生徒の能力などについて [自分自身] を基準とし、それがどのように変化していくか [時系列] に評価する方法である。中学 1 年生のときと 2 年生のときの比較は縦断的個人内評価にあたる。しかし、前述の通り相対評価は該当しない。

3　×　横断的個人内評価とは、本人の様々な [基準] を使い、個人の他の能力と比較する方法である。問題文では、複数の教科の比較や対人関係、精神面の比較が行われていることから横断的個人内評価が該当する。しかし、診断的評価は該当しない。

4　×　縦断的個人内評価は該当するが診断的評価はあてはまらない。

5　○　A の過去の成績や様々な面などを基準にして評価されていることから、縦断的個人内評価と横断的個人内評価の組み合わせが適切である。

解説 054　学校における援助サービス

正答 2

教育現場における心理教育的援助サービスに関する問題であるため、それぞれの内容について違いを理解することが求められる。

1　×　早期発見は [二次的援助サービス] である。一次的援助サービスは [予防] である。

2　○　一次的援助サービスの対象者は [全ての子ども] である。二次的援助サービスは登校渋りや意欲の低下がみられるなど困難を抱え始めている子どもへの早期発見・早期対処のサービスである。

3　×　「大きくなった」の解釈はやや抽象的であるが、いじめ、不登校、非行など問題が実際に起きているような状況においては、[三次的援助サービス] が必要である。

4　×　生徒の個々のニーズに応じた援助を行うことが [三次的援助] であるため、特別支援教育も含むと考えられる。しかし、問題文では「三次的援助サービスは特別支援教育のこと」と断定しており、特別支援教育だけが三次的援助ではないことから誤り。

5　×　個々のニーズが変わっていく中で、必要とするサービスも変化することが考えられるため、援助コーディネーション委員会等で事例を検討し、援助ニーズに応じて各機関が [連携] しながらサービスを提供する。

解説 055　学校におけるピアサポート・プログラム

正答 2

学校におけるピアサポート・プログラムは教職員の指導・援助のもと、児童生徒・学生が相互に仲間を思いやり支え合う実践活動である。

1　○　ピアサポートは、お互いに支え合う活動であり、思いやりのある関係をはぐくむものである。

2　×　ピアサポートは公共的というよりも私的な（個人対個人の）関係性の中で成り立つものであり、また、見返りのない無償性ということは強調されない。

3　○　ピアサポート・プログラムを取り入れることで、児童生徒、学生に対してスクールカウンセラーが面接をするという方法以外でのカウンセリング・サービスを提供することができる。

4　○　ピアサポート・プログラムは同輩だからこそできる援助であり、それを通してリーダーシップ、自尊心、対人スキルを向上させることができる。

5　○　ピアサポートを行う上で、傾聴や問題解決スキルを身につけることは重要であり、ピアサポーター自身のスキルアップの機会となる。

問題 056

Check ☐☐☐ 第1回 問題146

９歳の男児Ａ、小学３年生。Ａの学級はクラス替えがあり担任教師も替わった。５月になるとＡが授業中に立ち歩くようになり、それを注意する児童と小競り合いが頻発するようになった。クラス全体に私語がみられ、教室内で勝手な行動をして授業に集中できていない児童も多くなってきた。やがて、担任教師の指導に従わず授業が成立しないなど、集団教育という学校の機能が成立しない状態になってきた。担任教師によるこれまでの方法では問題解決ができない状態に至っていると管理職は判断している。
このときの学校の取組として、最も適切なものを１つ選べ。

1　担任教師を交代させる。
2　児童の力を信頼し、時間をかけて改善を待つ。
3　チームティーチングなどの協力的指導体制を導入する。
4　校長のリードにより、学校独自の方策で解決に取り組む。
5　Ａの保護者に対し、家庭で厳しくしつけるよう依頼する。

問題 057

Check ☐☐☐ 第1回 問題069

40歳の男性Ａ、小学校教師。Ａは「授業がうまくできないし、クラスの生徒たちとコミュニケーションが取れない。保護者からもクレームを受けている。そのため、最近は食欲もなくよく眠れていない。疲れが取れず、やる気が出ない」とスクールカウンセラーに相談した。
スクールカウンセラーの対応として、まず行うべきものを１つ選べ。

1　医療機関への受診を勧める。
2　管理職と相談し、Ａの業務の調整をする。
3　Ａの個人的な問題に対して定期的に面談する。
4　Ａから授業の状況や身体症状について詳しく聴く。
5　Ａの代わりに、保護者からのクレームに対応する。

問題 058

Check ☐☐☐ 第2回 問題096

学校における生徒指導に関する説明で、正しいものを１つ選べ。

1　教育相談の一環として行われる。
2　小学校に生徒指導主事を置かなければならない。
3　問題や課題のある特定の子どもに対して行われる。
4　学習指導要領には、生徒指導が位置づけられている。
5　非行や暴力、反抗などの反社会的行動を修正することである。

解説 056　9 歳男児・立ち歩きに対しての学校の取組み（事例）　正答 3

学校が指導をするときに行う協力的もしくは集団的指導体制を理解しておきたい。

1 × 担任教師を交代させるという取組みは、担任教師に全責任を負わせる形なので好ましくない。

2 × 児童の力を信頼し、時間をかけて改善を待つやり方では、すでに「担任教師の指導に従わず授業が成立しない」という状況下では、さらに混乱してしまうと思われる。

3 ○ チームティーチングなどの協力的指導体制を導入することが、学校で担任に加重な負担が生じている場合に行う適切な方法のひとつである。

4 × 校長のリードにより、学校独自の方策で解決に取り組むやり方は、多職種連携で学校を運営していくチームとしての学校の考え方に反するトップダウンによる取組みである。

5 × 学校と家庭の連携によって問題解決をする必要があるため、A の保護者に対し家庭で厳しくしつけるよう依頼することは、保護者と学校の関係が悪化してしまうために適切ではない。

解説 057　40 歳男性・教師からの相談（事例）　正答 4

教師のメンタルヘルスは、スクールカウンセラーが対処する重要な問題である。本ケースではうつ症状の可能性もあるため、慎重に聞き取りを行う必要がある。

1 × 現状の主訴では医療機関で治療が必要な症状はみられない。

2 × 業務改善が必要になるような情報は得られておらず、管理職に相談するのは時期尚早な段階である。

3 × 教師の個人的な問題について定期的に面談するのは、スクールカウンセラーの職務ではない。

4 ○ 授業が具体的にどのようにうまくいっていないか、そのストレスで A が気になる身体的症状がみられないか情報を得る必要がある。

5 × 教師としての A の役割を代行する段階ではなく、むしろそうした対応は A の自己肯定感をさらに低下させる可能性がある。

加点のポイント　主治医の指示

公認心理師は、クライエントに主治医がいる場合、その指示を受けなければならない。このケースでクライエントが医師の診察を受けた場合、公認心理師は主治医の指示を受けつつ、クライエントの支援を行うことが必要となる。

解説 058　生徒指導　正答 4

生徒指導は、一人ひとりの児童生徒の人格を尊重し、個性の伸長を図りながら、社会的資質や行動力を高めるように指導、援助するものであり、時代の変化にも対応しながら、学校段階に応じた生徒指導を進めていくことが求められる。

1 × [生徒指導提要] の第 5 章によると、問題行動に対する指導や、学校・学級の集団全体の安全を守るために管理や指導を行う部分は [生徒指導]、指導を受けたことを自分の課題として受け止め、問題がどこにあり今後どのように行動すべきかを主体的に考えさせ、行動につなげるようにするには [教育相談] が重要な役割を示しており、[生徒指導] の一環として教育相談を位置づけている。

2 × [生徒指導主事] は、校長の監督を受け、生徒指導に関する事項をつかさどり、連絡調整および指導、助言にあたる職である。[義務教育学校]、[中学校]、[高等学校]、[中等教育学校]、[特別支援学校の中学部・高等部] に原則としておくものとされており、[小学校] には配置の規定はない。

3 × 生徒指導は、[全て] の児童生徒のそれぞれの人格の、よりよき発達を目指すとともに、学校生活が全ての児童生徒にとって有意義で興味深く、充実したものになることを目指して行われるものである。

4 ○ [学習指導要領] には、生徒指導に関する規定がおかれており、生徒指導の課題などが示されている。

5 × 反社会的行動を抑制することに重きがおかれていた時期もあるが、問題行動をおさえるだけではなく、その背景にある要因を解消し、その要因に対処できる子どもをはぐくむことが現代においては求められている。

問題 059

Check ☑☑☑ 第2回 問題034

学校における自殺予防教育について、最も適切なものを1つ選べ。

1 プログラムは地域で共通のものを使用する。
2 学級づくりのできるだけ早い段階に実施する。
3 目標は早期の問題認識及び援助希求的態度の育成である。
4 いのちは大切なものであるという正しい価値観を提供する。
5 自殺のリスクを抱える児童生徒のプログラム参加は避ける。

問題 060

Check ☑☑☑ 第1回 追 問題044

アセスメントを目的とした学校での子どもの行動観察について、最も適切なものを1つ選べ。

1 観察者が単独で場所や時間を限定して行う。
2 焦点をあてる具体的な行動を明確にして行う。
3 記録方法としては、量的な記録よりも質的な記録が適している。
4 行動を観察することで、子どもの内面を理解することができる。

問題 061

Check ☑☑☑ 第2回 問題105

小学5年生のある学級の校外学習において、児童が1名死亡し、複数の児童が怪我を負うという交通事故が起こった。事故後4日が経過した時点で、学級会で公認心理師が話をすることになった。
公認心理師の行動として、最も適切なものを1つ選べ。

1 全員から今の心境や思いを話してもらい傾聴する。
2 全員が強いトラウマを受けていることを前提として話をする。
3 悲しみや怒りが一定期間続くことは自然なことであると伝える。
4 全員がこの悲しい出来事に対処できる力を持っていると伝える。
5 軽傷で済んだ児童に、生きていて本当に良かったと言葉をかける。

メモ 平成29・30・31年改訂学習指導要領

「学習指導要領」は、全国どこの学校でも一定の水準が保てるよう、文部科学省が定めている教育課程の基準で、およそ10年に1度改訂されている。2020年に新しく始まった学習指導要領では、子どもたちの「生きる力」を育むという目標を持っている。新しい時代を生きる子どもたちに必要な三つの柱として①学んだことを人生や社会に生かそうとする学びに向かう力、人間性など、②未知の状況にも対応できる思考力、判断力、表現力など、③実際の社会や生活で生きて働く知識及び技能が挙げられている。
また、主体的・対話的で深い学び（アクティブ・ラーニング）の視点から「何を学ぶか」だけでなく「どのように学ぶか」も重視して授業を改善していく。
新たに取り組む点や重視する点として、プログラミング教育や外国語教育、伝統や文化に関する教育、主権者教育、消費者教育、特別支援教育、理数教育、言語能力の育成、道徳教育などが挙げられる。

解説 059 学校における自殺予防 正答 3

2014（平成 26）年 7 月に文部科学省より、「子供に伝えたい自殺予防（学校における自殺予防教育導入の手引）」が発行されている。この問題の内容は手引に全て記載されている。

1 × 自殺予防教育の実施に際しては、学校、学年、学級の［子どもの実態］に合わせ、自殺予防教育につながる様々な取り組みを行うことが求められる。地域で共通のものを使用することはない。

2 × 自殺予防教育を行う場合、学級の構成員である児童生徒が、［安心感］を抱き相互にサポートし合う雰囲気が育っている必要がある。そのため、そのような雰囲気が育っていない学級づくりの早い段階で行うことは適切でない。

3 ○ 学校における自殺予防教育の目標は、「早期の問題認識（心の健康）」と「援助希求的態度の育成」である。援助希求的態度とは、悩みなどを 1 人では解決できないと感じたときに、誰かに相談をしたり助けを求めようとしたりする態度のことをいう。これらは、一生にわたる心の健康につながる基本的な態度でもある。

4 × 特定の価値観や道徳観を一方的に押し付けるような教育になってはいけない。自殺の実態を、データなどを用いて［中立的］な立場で示し、データそのものが事態の深刻さを語るように伝えていくことが望ましい。

5 × 自殺予防教育を実施する前に自殺の危険の高い児童生徒を見極め、そうした児童生徒のプログラム参加を避けるのではなく、注意深く配慮しながら授業を進めることが重要である。例えば、授業の最初に「授業中つらくなったり、気分が悪くなったりしたら、すぐに申し出るように」などと伝えるとよい。

解説 060 学校における子どもの行動観察 正答 2

スクールカウンセラーが児童生徒の行動をアセスメントする際は、その行動が発達上の課題によるものか、心理的影響によるものかといった点も留意する。

1 × アセスメントを目的としてスクールカウンセラーが学校で行動観察を行う場合は、特定の場所や時間というよりはむしろ、対象の児童生徒が様々な場面や時間でどのような行動をするか記録していくことが望ましい。

2 ○ 児童生徒の問題行動を観察する際は、その行動が生じている場面、タイミング、どのような関わりがあるか、行動生起の頻度等、焦点をあてる行動を［具体的］にして行う。

3 × 質的記録と量的記録のいずれかを重視することはないため不適切。

4 × 行動観察のみで内面が理解できるとまではいえない。

解説 061 小学 5 年生学級・公認心理師による緊急対応 正答 3

学校現場における死亡事故という事態に対して、緊急支援を求められた場合の心理職の対応についての問いである。「サイコロジカル・ファーストエイド（PFA）実施の手引き」参照のこと。

1 × ［個人面接］では必要に応じて心境を語ってもらい傾聴することは重要であるが、学級会という場においては不適切である。

2 × 今回の事故と故人との関わりや、発達段階などによっても受けているトラウマには［個人差］があるので、思い込みで決めつけたり、全員がトラウマを受けていると考えたりしてはならない。

3 ○ このような事故に遭遇したときに、悲しみや怒りが出てくることは正常で、時間とともに回復していくことを伝えて［安心させる］ことが重要である。

4 × 対処できる力があると伝えてしまうことで、児童が必要な助けを求められない状況をつくってしまう危険性があり、不適切である。

5 × 軽傷で済んだ児童はかえって死んでしまった子に対して罪悪感や自責の念などを抱くことも多く、生きていて本当によかったと伝えることは安易にしてはならない。

問題 062　Check　第4回　問題074

35 歳の女性 A、公立中学校のスクールカウンセラー。近隣の中学校で、いじめが原因と疑われる生徒の自殺が起きた。A は、教育委員会から緊急支援のために当該中学校に派遣された。A は、緊急支援の内容を事前に校長と相談した上で、介入を行うこととなった。中学校の現在の様子は、生徒の保健室の利用が増えてきており、生徒や保護者の間では、自殺についての様々な臆測や噂も流れ始めている。
A が行う緊急支援として、不適切なものを 1 つ選べ。

1 動揺している生徒に対して、個別に面接を行う。
2 動揺している保護者に対して、個別に面接を行う。
3 教師に対して、自身の心身のケアについての心理教育を行う。
4 自殺をした生徒に対するいじめの有無について、周囲の生徒から聞き取りを行う。
5 教師に対して、予想される生徒のストレス反応とその対処についての心理教育を行う。

問題 063　Check　第4回　問題127

学生相談で語られることの多い、学生生活サイクル上の課題の説明として、最も適切なものを 1 つ選べ。

1 入学期は、対人関係をめぐる問題が相談として語られ、学生生活の展開が課題となる。
2 中間期は、無力感やスランプなどが相談として語られ、自分らしさの探求が課題となる。
3 卒業期は、研究生活への違和感や能力への疑問が相談として語られ、専門職としての自己形成が課題となる。
4 大学院学生期は、修了を前に未解決な問題に取り組むことが相談として語られ、青年期後期の節目が課題となる。

問題 064　Check　第4回　問題150

20 歳の男性 A、大学 1 年生。A は、大学入学時に大学の雰囲気になじめずひきこもりとなった。大学の学生相談室への来室を拒否したため、A の両親が地域の精神保健福祉センターに A のひきこもりについて相談し、両親が公認心理師 B と定期的な面接を行うことになった。面接開始後、1 年が経過したが、A はひきこもりのままであった。A は、暴力や自傷行為はないが、不安や抑うつ、退行現象がみられている。留年や学業継続の問題については、両親が大学の事務窓口などに相談している。最近になり、両親が精神的な辛さを訴える場面が多くなってきている。
B の A や A の両親への支援として、不適切なものを 1 つ選べ。

1 自宅訪問を行う場合、緊急時以外は、家族を介して本人の了解を得る。
2 ひきこもりの原因である子育ての問題を指摘し、親子関係の改善を図る。
3 家族自身による解決力を引き出せるよう、家族のエンパワメントを目指す。
4 家族の話から、精神障害が背景にないかを評価する視点を忘れないようにする。
5 精神保健福祉センターや大学等、多機関間でのケース・マネジメント会議を行う。

解説 062　生徒の自殺に対する緊急支援（事例）　正答 4

スクールカウンセラーの緊急支援に関する問題である。学校の取り組みに関しては文部科学省「子どもの自殺が起きたときの緊急対応の手引き」も参照のこと（https://www.mext.go.jp/content/20210701-mext_jidou01-000016513_010.pdf）。

1 ○ 配慮を要する生徒や動揺している生徒に対する個別面接はスクールカウンセラーが行うべき重要な緊急支援である。

2 ○ 生徒と同様、保護者もスクールカウンセラーの支援対象であり、個別面接を行うことは適切である。

3 ○ 教職員のサポートもスクールカウンセラーとしての重要な役割である。

4 × いじめの有無の聞き取りはスクールカウンセラーの役割ではない。

5 ○ 教師に対する心理教育はスクールカウンセラーが行うべき緊急支援である。

解説 063　学生生活サイクル上の課題　正答 2

学生生活には発達段階があるとされ、学生生活サイクルは、入学期、中間期、卒業期、そして大学院期の４つの段階から成り立つとされる。それぞれの時期に特有の心理的課題に応じた悩みが見受けられる。

1 × 学生生活の展開の課題は、中間期の課題とされる。

2 ○ 中間期は入学期終了後（入学１年経過後）から卒業期前までの期間であり、学生生活に慣れて安定する時期である。学生は各自の学生生活を展開していくため、記載のような課題に直面することもある。

3 × 研究者や専門職などの職業人としての自己を形成する時期は、大学院期とされる。

4 × 卒業を前に自身の未解決な問題に取り組むことが語られるのは、卒業期とされる。

解説 064　20 歳男性・ひきこもりの子を持つ両親への支援（事例）　正答 2

ひきこもり傾向のある大学生および、その保護者への不適切な支援を選択する問題である。「ひきこもりの評価・支援に関するガイドライン」にも目を通しておくとよい。

1 ○ 本人への予告なしの訪問によって、ひきこもりがひどくなったり、家庭内暴力が悪化したりすることがある。了解なしの訪問はあくまで［緊急性］が高い場合にとどめるべきであり、原則的には本人の了解を得ることが必須である。

2 × 子どもがひきこもりになった場合、親は自分の養育法を悔やみ、自責的になることが多い。親の子育ての問題を指摘したり、責任探しをしたりすることはしない。

3 ○ 現状の把握や、冷静かつ中立的に考えることができるよう支援、すなわち［エンパワメント］を目指す。

4 ○ ひきこもりには、広汎性発達障害、強迫性障害を含む不安障害、身体表現性障害、適応障害、パーソナリティ障害などの多様な［精神障害］が関与している場合が多い。したがって、精神障害が背景にある可能性も考えながら支援を行うことが大切である。

5 ○ 公認心理師はスーパービジョンを受けるとともに、多機関での［ケース・マネジメント会議］（事例検討会）をできるだけ開くことが望ましい。

第19章 司法・犯罪に関する心理学

①犯罪、非行、犯罪被害及び家事事件に関する基本的事項

問題 001　Check ☑☑☑　第1回 追　問題 020

非行について、正しいものを1つ選べ。

1 校内暴力は中学校と高等学校で増加傾向にある。
2 非行少年とは触法少年、虞犯少年及び不良行為少年の3つをいう。
3 少年鑑別所は非行に関する親や学校からの相談や非行防止への援助の業務を担う。
4 児童相談所は家庭裁判所から送致を受けた少年を児童自立支援施設に措置することはできない。
5 非行少年は家庭裁判所での審判を受け、保護観察又は少年院送致のいずれかの保護処分を受ける。

問題 002　Check ☑☑☑　第3回　問題 101

2016年（平成28年）から2018年（平成30年）までの少年による刑法犯犯罪について、正しいものを1つ選べ。

1 検挙人員は減少している。
2 共犯者がいるものは60%以上である。
3 検挙されたもののうち、学生・生徒は30%以下である。
4 14歳から15歳の検挙人員は、16歳から17歳の検挙人員よりも多い。
5 殺人・強盗・放火・強制性交等（強姦）の凶悪事件は10%程度である。

問題 003　Check ☑☑☑　第2回　問題 055

虞犯について、正しいものを2つ選べ。

1 虞犯少年とは14歳以上の者をいう。
2 虞犯少年は少年院送致の処分を受けることがある。
3 虞犯という概念は少年に限らず、成人にも適用される。
4 虞犯少年とは、将来罪を犯すおそれのある少年のことをいう。
5 虞犯少年は児童相談所における措置は受けるが、家庭裁判所には送致されない。

解説 001 非行

正答 3

非行少年の種別、司法手続きの流れはしっかりおさえておきたい。

1 × 文部科学省の調査によると「暴力行為発生件数の推移」では、小学校、中学校、高等学校では［減少］傾向にある（文部科学省「令和2年度児童生徒の問題行動・不登校等生徒指導上の諸課題に関する調査結果について」（令和3年10月13日））。

2 × 非行少年は、［触法少年］、［虞犯少年］、［犯罪少年］の3つであるので誤り。

3 ○ ［少年鑑別所］は児童福祉機関や学校教育機関等と連携をとりながら地域における非行・犯罪防止活動を行ったり、青少年が抱える悩みについて、本人や家族からの相談に応じたりしている。

4 × 家庭裁判所が少年を児童福祉機関の指導にゆだねるのが適当と判断した場合は、［都道府県知事］または［児童相談所長］に少年事件が送致されるので、そこから少年を児童自立支援施設に措置することが可能である。

5 × 非行少年は家庭裁判所での審判を受けると、［保護観察］、［少年院送致］、［児童自立支援施設等送致］の3つの保護処分がある。

解説 002 少年犯罪

正答 1

少年事件のデータは法務省HPの犯罪白書に毎年示されている。試験が行われる年の過去数年の傾向について事前にまとめておくとよいだろう（以下、法務省平成29年度版～令和元年度版「犯罪白書」を参照）。

1 ○ 2016（平成28）年から2018（平成30）年にかけて、少年事件の［刑法犯］の検挙人員は年々減少している。また「令和3年版犯罪白書」によると、平成24年以降、毎年戦後最少を記録し続けているとある。

2 × 少年の刑法犯犯罪における［共犯率］は、2016（平成28）年で23.0%、2017（平成29）年で22.5%、2018（平成30）年で21.8%といずれも3割に満たない。なお、「令和3年版犯罪白書」によると、2020（令和2）年も同傾向であり、25.4%である。

3 × 学生・生徒の割合は、2016（平成28）年で71.3%、2017（平成29）年で69.9%、2018（平成30）年で67.8%といずれも7割前後である。なお、2020（令和2）年は65.5%である（「令和3年版犯罪白書」より）。

4 × 2015（平成27）年までは14～15歳（年少少年）のほうが16～17歳（中間少年）よりも検挙人員が多かったが、2016（平成28）年から2018（平成30）年にかけて逆転し、16～17歳（中間少年）の検挙人員のほうが多くなっている。なお、2020（令和2）年においても、中間少年のほうが多い（「令和3年版犯罪白書」より）。

5 × 3年間の少年事件の刑法犯における［凶悪事件］が占める割合は、1.6～1.8%である。なお、2020（令和2）年は2.7%である（「令和3年版犯罪白書」より）。

解説 003 虞犯少年

正答 2、4

虞犯少年とは、法定の事由があって、その性格または環境に照らして、将来罪を犯し、または触法行為をする虞（おそれ）のある少年をいう。

1 × 虞犯少年は、出題当時は20歳未満の少年のことだったが、2022（令和4）年4月1日より施行された少年法等の一部を改正する法律では、［18～19歳］を特定少年とし、虞犯少年の適用は［17歳］までとなった。

2 ○ 虞犯少年は、家庭裁判所が保護処分を決定した場合に［少年院］に送致されることがある。

3 × 虞犯という概念は［少年］に適用される概念であり、［成人］には適用されない。

4 ○ 虞犯少年とは、将来罪を犯す［おそれ］のある少年のことをいう。罪を犯すおそれには、例えば保護者や家に寄りつかない、犯罪性のある人や不道徳な人と交際し、いかがわしい場所に出入りする、自他の徳性を害する行動の性癖などが該当する。

5 × 虞犯少年は児童相談所における措置は受ける。しかし、虞犯少年も含む非行少年は全て家庭裁判所に送致される［全件送致主義］がとられているので、虞犯少年が家庭裁判所に送致されないというのは誤り。

問題 004 Check 第1回 追 問題106

非行少年の処遇について、正しいものを１つ選べ。

1 少年院を仮退院した少年は保護観察に付されない。
2 家庭裁判所の処分として児童自立支援施設に入所することはない。
3 保護観察では心理学の専門的知識を有する保護司が担当しなければならない。
4 児童相談所は親権者又は未成年後見人の意に反して児童自立支援施設への入所措置はできない。
5 矯正教育のために、少年鑑別所に収容されている時から各種心理的な治療プログラムを導入している。

メモ　全件送致主義

非行少年の司法手続きは、基本的にいずれかの段階で全ての少年が家庭裁判所に送られる全件送致主義をとる。触法少年と14歳未満の虞犯少年は家庭裁判所より先に児童相談所に送られ、14歳以上18歳未満の虞犯少年は直接、家庭裁判所に送られる。また、犯罪少年は検察庁を経るか直接、家庭裁判所に送られる。なお、14歳未満は刑事責任を問わない。犯罪少年のうち刑事処分相当と認められる場合は検察官への逆送となる。加えて、故意に被害者を死亡させた事件で16歳以上の少年は原則検察官に送致される。2022（令和4）年4月1日より施行された少年法等の一部を改正する法律では、18～19歳を特定少年とされたが、特定少年も引き続き家庭裁判所に送られ、全件送致主義は維持される。

問題 005 Check 第1回 問題099

少年事件の処理手続として、正しいものを１つ選べ。

1 14歳未満の触法少年であっても重大事件である場合は検察官送致となることがある。
2 14歳以上で16歳未満の犯罪少年は検察官送致とならない。
3 16歳以上で故意に人を死亡させた事件の場合は、原則的に検察官送致となる。
4 18歳未満の犯罪少年であっても重大事件を犯せば死刑になることがある。
5 事案が軽微で少年法の適用が望ましい事件の場合は、20歳を超えても家庭裁判所で不処分を決定することができる。

問題 006 Check 第3回 問題055

少年鑑別所が法務少年支援センターという名称を用いて行う地域援助について、正しいものを<u>２つ</u>選べ。

1 公認心理師が、相談を担当する。
2 必要に応じて心理検査や知能検査を実施する。
3 相談対象は、未成年、その保護者及び関係者に限られる。
4 学校や関係機関の主催する研修会や講演会に職員を講師として派遣する。
5 個別の相談は、保護観察所内に設置されている相談室で行うことを原則とする。

解説 004 非行少年の処遇

正答 4

非行少年の更生教育は地域における環境調整が重要であることに留意する。

1 × 少年院を仮退院した非行少年は［保護観察］に付されることもある。

2 × 家庭裁判所が行う非行少年の保護処分には、［保護観察］、［少年院送致］、［児童自立支援施設等送致］の3つがある。また、家庭裁判所が少年に対して行う処分には、保護処分のほかに、検察官送致、都道府県知事または児童相談所長送致、不処分などがある。

3 × ［保護司］は、心理学の専門知識というよりは、民間人としての柔軟性と地域の実情に通じている人が担当している。保護司になるには資格は不要だが、推薦が必要であり、法務大臣が委嘱する無給の国家公務員である。

4 ○ 児童相談所の入所措置に関しては、児童福祉法第27条4項に「その［親権］を行う者又は［未成年後見人］の意に反して、これを採ることはできない」とある。

5 × ［矯正教育］は、少年鑑別所ではなく［少年院］において行われる。

解説 005 少年事件の処理手続

正答 3

少年事件の処理手続では全ての少年が家庭裁判所に送られる全件送致主義の原則が特徴的である。

1 × 14歳未満は刑事責任を問わないため検察官送致となることはない。

2 × 犯罪少年のうち、刑事処分相当と認められる場合は検察官への［逆送］（少年法で、家庭裁判所に送致された少年事件を再び検察官に戻すこと）となる。

3 ○ 16歳以上で［故意］の犯罪行為により被害者を死亡させた事件は検察官送致に該当する。

4 × ［18歳以上20歳未満］であれば、少年であっても、死刑が科される可能性があるのに対し、罪を犯したときに［18歳未満］であれば、死刑を科すことはできず、［無期懲役］にしなければならない（少年法第51条1項）。

5 × 事案が軽微な事件であっても、20歳を超えている場合には家庭裁判所は処分を決定することはできず、事件は［検察庁］に送致される（少年法第19条2項）。

解説 006 法務少年支援センター

正答 2、4

少年鑑別所は各都道府県所在地など全国52か所に設置されており、法務技官（心理）と法務教官が業務を担っている。

1 × ［少年鑑別所］の相談業務を公認心理師のみが行うという規定はない。

2 ○ 関係機関、団体、本人、本人の家族からの依頼を受けて、［性格検査］や［知能検査］、［職業適性検査］等を実施し、本人や保護者に結果をわかりやすく説明する。

3 × ［法務少年支援センター］では、少年、保護者、その他の関係者の相談に加え、未成年に限らず［成人自身の相談］も受け付けている。

4 ○ 地方公共団体、学校、福祉、更生保護等の関係機関・団体が主催する研修会、講演会などに職員が講師として派遣されている。

5 × 法務少年支援センターでは来所による対面での個別相談だけでなく、［電話やメール］による相談も受け付けている。

問題 007 Check ☑☑☑ 第1回 問題 106

我が国の少年院制度について、正しいものを 1 つ選べ。

1 少年院に受刑者を収容することはできない。
2 14 歳未満の者でも少年院に送致されることがある。
3 1 つの少年院に 2 年を超えて在院することはできない。
4 少年院は 20 歳を超える前に少年を出院させなければならない。
5 少年院法で定められた少年院の種類のうち、第 2 種は女子少年を収容する施設である。

メモ 少年院の種別

種別	対象年齢	保護処分の執行	著しい障害	犯罪傾向
第 1 種	12 歳以上、23 歳未満	受ける	ない	言及なし
第 2 種	16 歳以上、23 歳未満	受ける	ない	高
第 3 種	12 歳以上、26 歳未満	受ける	ある	言及なし
第 4 種	少年院で刑の執行を受ける者			
第 5 種	2 年の保護観察所の保護処分を受け、遵守事項が遵守されずその程度が重いと家庭裁判所に審判された者			

＊ 2021 年（令和 3 年）改正少年院法にもとづく

問題 008 Check ☑☑☑ 第3回 問題 123

保護観察所の業務として、不適切なものを 1 つ選べ。

1 精神保健観察を実施する。
2 仮釈放者に対する保護観察を実施する。
3 遵守事項違反による仮釈放の取消しを行う。
4 保護観察に付された者に対する恩赦の上申を行う。
5 少年院に入院中の少年に対する生活環境の調整を実施する。

問題 009 Check ☑☑☑ 第4回 問題 024

保護観察所において生活環境の調整が開始される時期として、正しいものを 1 つ選べ。

1 家庭裁判所の審判が開始される時点
2 医療及び観察等の審判が開始される時点
3 矯正施設から身上調査書を受理した時点
4 矯正施設において、仮釈放（仮退院）の審査を始めた時点
5 矯正施設から仮釈放（仮退院）を許すべき旨の申出が行われた時点

解説 007 少年院制度

正答 2

少年院は第 1 種から第 4 種までがあり、心身に著しい障害があるか、犯罪傾向が進んでいるかという視点から区別されている。

1 × 少年院には受刑者を収容することはできる（少年院法第 4 条に「第四種　少年院において刑の執行を受ける者」は少年院に収容できるとある）。

2 ○ 第 1 種少年院は、「心身に著しい［障害がない］おおむね［12 歳以上 23 歳未満］」、第 3 種少年院は、「心身に著しい［障害がある］おおむね［12 歳以上 26 歳未満］」が対象となる（少年院法第 4 条）。

3 × 少年院の収容期間は原則 2 年までとされているが、1 つの少年院において収容する期間としては特に規定はない（少年院法第 138 条）。

4 × 少年院長は、原則少年が 20 歳に達したときは、出院させねばならないが、心身に著しい障害があるなどの理由があれば［26 歳］まで収容できる（少年院法第 139 条）。

5 × ［第 2 種少年院］は女子少年を収容する施設ではなく、保護処分の執行を受け、心身に著しい障害がない犯罪的傾向が進んだおおむね 16 歳以上 23 歳未満の少年が収容される施設である（少年院法第 4 条）。

解説 008 保護観察所

正答 3

保護観察所は、地方更生保護委員会等と連携しながら、対象者が社会復帰を行うための準備段階で支援を行うことが主な役割となる。

1 ○ ［精神保健観察］は、保護観察所において［心神喪失］等の状態で［重大な他害行為］を行った人に対して行われる（心神喪失者等医療観察法第 19 条 1 項 3）。実施するのは社会復帰調整官である。

2 ○ 保護観察の対象者は、少年で［保護観察処分少年］と［少年院仮退院者］、成人で［仮釈放者］と［保護観察付執行猶予者］の 4 種類である。

3 × 遵守事項違反による［仮釈放の取消し］は、［保護観察所の長］が申し出ることにより、［地方委員会］が決定する（更生保護法第 53 条 2 項）。

4 ○ ［個別恩赦］の手続きは、保護観察所の長が［中央更生保護審査会］に上申することになっている。特に「保護観察に付されたことのある者については、最後にその保護観察をつかさどった保護観察所の長」（恩赦法施行規則第 3 条 1 項）が、職権で中央更生保護審査会に復権の上申をすることができるとある。

5 ○ 保護観察所の長の判断で、保護処分の執行のため少年院に収容されている者が社会復帰を円滑にする必要があると認めるときは、釈放後の住居、就職先その他の［生活環境の調整］を行う（更生保護法第 82 条 1 項）。

解説 009 保護観察所における生活環境の調整開始時期

正答 3

保護観察所がどの時点で生活環境調整を開始するかをおさえておこう。

1 × 家庭裁判所の審判開始時点は、裁判官が判断し決定を下す（審判を下す）時期ではなく、この時点では生活環境調整に必要な［身上調査書］が保護観察所へ送られていないので誤りである。

2 × 医療及び観察等（心神喪失者等医療観察法）の審判の開始は、この法に基づく処遇の要否と内容の決定についてなので誤りである。

3 ○ 矯正施設と保護観察所の連携の強化という考えにより、［保護観察所が矯正施設から身上調査書を受理した時点］からその身上調査書を活用して［生活環境の調整］が開始される。

4 × 矯正施設からの仮釈放（仮退院）の審査開始時ではなく、仮釈放（仮退院）の決定後に保護観察所へ身上調査書が送られるので誤りである。

5 × 矯正施設が仮釈放（仮退院）を許すべき旨の申し出は地方更生保護委員会に対して行い、地方更生保護委員会の審議により決定されるので、［生活環境の調整開始時期より以前］であることから誤りである。

問題 010　Check ☑☑☑　第4回　問題057

司法場面における認知面接で、面接者が被面接者に対して求めることとして、適切なものを2つ選べ。

1　文脈の心的再現

2　視点を変えての想起

3　毎回同じ順序での想起

4　確信が持てる内容を選んで話すこと

5　話す内容に矛盾があればその都度説明すること

問題 011　Check ☑☑☑　第1回　問題053

裁判員裁判について、正しいものを2つ選べ。

1　原則として、裁判官3人と国民から選ばれた裁判員6人の計9人で行われる。

2　被告人が犯罪事実を認めている事件に限り審理し、量刑のみを判決で決める。

3　裁判員は判決前には評議の状況を外部に漏らしてはいけないが、判決以降は禁止されていない。

4　職業裁判官と裁判員が評議をつくしても全員の意見が一致しない場合、多数決の方式を採用して評決する。

5　地方裁判所の裁判員裁判の決定に不服があって高等裁判所で審理をされる場合も裁判員裁判をしなければならない。

メモ　裁判員裁判

2004（平成16）年「裁判員の参加する刑事裁判に関する法律」が成立し、裁判員裁判が2009（平成21）年より開始された。職業裁判官3名＋裁判員6名の人数構成であり、殺人や強盗致死傷などの刑事事件で実施される。裁判員に選ばれたら、刑事事件の法廷に立ち会い、判決まで関わる。

問題 012　Check ☑☑☑　第4回　問題148

35歳の男性A、会社員。Aは、不眠を主訴として勤務する会社の相談室を訪れ、相談室の公認心理師Bが対応した。Aによると、最近、Aはある殺人事件の裁判員となった。裁判は8日間のうちに4回実施される。裁判開始前からAは守秘義務の遵守が負担となっていたが、1回目、2回目の裁判の後はほとんど眠れなかったという。BはAの気持ちを受け止め、不眠に対する助言をしたが、Aは、「裁判は残り2回あるが、どうすればよいか」と、Bにさらに助言を求めた。
BのAへの助言として、適切なものを1つ選べ。

1　裁判所に連絡するよう伝える。

2　理由や詳細を述べることなく辞任ができることを伝える。

3　具合の悪い日は、補充裁判員に代理を務めてもらうよう伝える。

4　評議を含め裁判内容については、親しい友人か家族に話を聞いてもらうよう伝える。

5　評議を含め裁判内容についてのカウンセリングは、裁判終了後に可能になると伝える。

解説 010 司法場面の認知面接

正答 1、2

認知面接は、捜査場面において捜査員と目撃者の間のラポールを形成し、相互作用とコミュニケーションを促進することを重視した技法である。

1 ○ 認知面接では、目撃者に事件当時の状況をイメージし、視覚、聴覚、触覚等の感覚に注意を向けて思い出すよう教示する。これは文脈の心的再現を求めることであり正しい。

2 ○ 認知面接では、想起の視点を変えることによって追加情報を得ることを目的として、目撃者に「犯人や他の目撃者の立場」に立って思い出すよう教示するため、視点を変えての想起は正しい。

3 × 認知面接では、時系列的に思い出したり、逆の順番で思い出したりすることによって、思い出すことができなかった事柄を思い出すことが可能になると考えられている。したがって、異なる時系列の順序で報告することを求めるため、毎回同じ順序での想起は誤りとなる。

4 × 認知面接では、目撃者に、事件に無関係なことや一部分しか記憶していない事柄でも全て報告するよう求めるため、確信が持てる内容を選んで話すよう求めることは誤り。

5 × 認知面接では、目撃者からできるだけ多くの捜査情報を得ることが目的であり、記憶の想起に集中することを重視するため、話す内容に矛盾があってもその都度説明は求めないため誤り。

解説 011 裁判員裁判

正答 1、4

裁判員裁判は、従来の裁判が専門的な正確さを重視するあまり、審理や判決が国民にとって理解しにくいものであったことから、国民による司法への理解を促すために導入された制度である。裁判員法とは「裁判員の参加する刑事裁判に関する法律」のこと。

1 ○ 裁判員は裁判員候補者名簿をもとに事件ごとに［くじ］で選ばれる。

2 × 裁判員裁判の対象事件は、「死刑又は無期の懲役若しくは禁錮に当たる罪に係る事件」（裁判員法第 2 条）などで、被告人が犯罪事実を認めていない事件も含まれる。また、量刑のみでなく［事実の認定］や［法令の適用］にも権限をもつ（裁判員法第 6 条）。

3 × 「評議の秘密その他の職務上知り得た秘密を漏らしてはならない」（裁判員法第 9 条）とあり、裁判員は判決以降も評議の状況を外部に漏らすことは禁じられていると解釈できる。

4 ○ ただし、意見の重みは同等だが、裁判員だけの意見では被告人に不利な判断をすることはできず、職業裁判官 1 名以上が多数意見に賛成していることが必要。

5 × 裁判員裁判は、［地方裁判所］で行われる刑事事件が対象であり、刑事裁判の控訴審・上告審や民事事件、少年審判等は裁判員裁判の対象にならない。

解説 012 35 歳男性・裁判員裁判のストレス対応（事例）

正答 1

裁判員裁判制度は「裁判員の参加する刑事裁判に関する法律」にもとづいている（以下、同法）。裁判員の秘密漏洩には過料が課せられているため、裁判員の役割を果たすには一定のストレスは避けられない現状にある。

1 ○ 本事例については、必ずしも辞退事由に該当するか判断できないが、まずは裁判所に連絡し、必要に応じて医師の診断を受けた上で辞退事由に該当するか、裁判所による判断を求める必要がある。

2 × 裁判員が辞退できるのは同法第 16 条に示される辞退事由（例：70 歳以上であること等）に該当する場合であり、理由や詳細を述べずに辞退することはできない。

3 × 「重い疾病又は傷害により裁判所に出頭することが困難であること」（同法第 16 条 7 項イ）という辞退事由は設定されているが、本事例は医師により該当する診断が下されていないため、この助言では不適切である。

4 × 裁判員は「評議の秘密その他の職務上知り得た秘密を漏らしてはならない」（同法第 9 条 2 項）とあり、友人や家族に話すことは裁判員の義務違反となる。

5 × 秘密の漏洩について、「裁判員又は補充裁判員の職にあった者が次の各号のいずれかに該当するときも、前項と同様とする」（同法第 108 条 2 項）とあり、裁判員でなくなった後も評議の秘密を漏洩することはできないためカウンセリングも可能でない。

問題 013 Check ☑☑☑ 第1回 問題056

保護観察制度について、正しいものを2つ選べ。

1 保護観察の特別遵守事項は変更されることがある。

2 刑事施設からの仮釈放の許可は保護観察所長の決定による。

3 保護観察処分に付された少年は少年院送致になることはない。

4 保護観察中に転居する場合、同一都道府県内であれば保護観察所長に届け出る必要はない。

5 少年院仮退院者の保護観察を継続する必要がなくなった場合、地方更生保護委員会が退院を検討する。

問題 014 Check ☑☑☑ 第4回 問題100

情状鑑定に関する説明として、最も適切なものを1つ選べ。

1 簡易鑑定として実施される。

2 行動制御能力の有無や程度を評価する。

3 理非善悪の弁識能力の有無や程度を評価する。

4 量刑判断を行う上で考慮すべき事項について評価する。

5 裁判所から依頼されることはなく、被告人の弁護人からの依頼による私的鑑定として実施される。

解説 013 保護観察制度

正答 1、5

保護観察制度を担うのは保護観察官と保護司であり、それぞれの役割の違いについても理解しておく必要がある。

1 ○ 特別遵守事項は保護観察対象者ごとに改善更生に必要と認められる範囲内で定められるもので、設定後の変更が可能であり（更生保護法第 52 条）、必要がなくなった場合は取り消される（更生保護法第 53 条）。

2 × 仮釈放の許可を行うのは［地方更生保護委員会］である（更生保護法第 39 条）。

3 × ［保護観察］を受けた少年が遵守事項を守らない、更生改善を図ることができない場合には［少年院］送致となる（更生保護法第 71・72 条）。

4 × 転居や 7 日以上の旅行をする場合には、事前に［保護観察所長］の許可を受ける必要がある（更生保護法第 50 条 1 項 5）。

5 ○ ［地方更生保護委員会］は、少年院仮退院者の保護観察を継続する必要がなくなったと認めるときは、決定をもって、退院を許さなければならない（更生保護法第 74 条）。この委員会は、高等裁判所の管轄区域ごとに全国 8 か所に設置され、加害者の仮釈放等を許す旨の決定及び仮釈放を取り消す旨の決定等をする権限を有する合議機関である。

メモ　保護観察制度

保護観察制度とは、犯罪をした人または非行のある少年が、社会の中で更生するように、保護観察官および保護司による指導と支援を行うものをいう。1 年に保護観察を受けるのは 85,000 人である（法務省 HP、保護観察の平成 25 年取扱事件数）。保護観察官の役割は上に示したが、保護司は、①対象者との日常的な面接による助言・指導、②対象者の家族からの相談に対する助言、③地域の活動や就労先等に関する情報提供や同行等を行う。

解説 014 情状鑑定

正答 4

司法精神鑑定の中の「情状鑑定」とはどの時点でだれに対して提出されるものかを覚えておこう。

1 × ［簡易鑑定］とは検察官が起訴を可能かどうか定めるため、検察官の依頼により行われる起訴前簡易鑑定の 1 つであり、もう 1 つは留置を伴う起訴前鑑定であり不適切である。

2 × ［行動制御能力］の有無や程度については簡易鑑定においても、留置を伴う起訴前鑑定においても、また裁判鑑定においても［刑事責任能力判定］の重要なポイントであり、情状鑑定の説明としては不適切である。

3 × ［理非善悪］の弁識能力の有無や程度の評価については、簡易鑑定、留置を伴う起訴前鑑定、裁判鑑定においても［刑事責任能力判定］の重要なポイントであり、情状鑑定の説明としては不適切である。

4 ○ ［情状鑑定］とは裁判所が量刑（処遇方法）を定める際に、被告人の心理的背景など必要となる情報の収集を目的として実施するものであり適切である。

5 × 弁護士からの依頼（嘱託）による［私的鑑定］は刑事事件において存在するが、検察官も裁判官もその鑑定を認めることはなく、裁判所により［中立的な鑑定人］が新たに選任されることになり、情状鑑定とは関係なく不適切である。

問題 015

Check

第3回 問題049

2018年（平成30年）の高齢者による犯罪について、誤っているものを1つ選べ。

1 刑務所入所時点で65歳以上である女性の罪名の80%以上が窃盗である。

2 刑法犯による検挙人員中に占める65歳以上の者の比率は、約10%である。

3 刑法犯による検挙人員中に占める65歳以上の者の比率を男女別で比較した場合、男性よりも女性の方が大きい。

4 窃盗による検挙人員の人口に占める比率を、20歳以上65歳未満と65歳以上とで比較した場合、後者の方が大きい。

問題 016

Check

第1回 追 問題068

30歳の男性A、仮釈放中。Aは無職で、引受人の母親と暮らしている。Aには、遵守事項によって、保護観察所での専門的処遇プログラムへの参加が義務付けられている。第3回目のプログラム開始の2時間前に、Aは保護観察所に電話をかけ「保護観察所に行くための電車賃がなく、本日はプログラムに参加できない。プログラムの不参加によって仮釈放が取り消されたとしてもかまわない」と担当保護観察官Bに話した。Bが、交通費の支出を母親に依頼できないかAに尋ねたところ、Aは「母親は家にいるが頼めない。これ以上迷惑をかけられない」と繰り返した。

このときのBの対応として、最も適切なものを1つ選べ。

1 担当保護司に連絡をとり、Aに交通費を貸与するように依頼する。

2 次回の専門的処遇プログラムに必ず参加する旨の誓約書を送らせる。

3 交通費を確保して次回からの専門的処遇プログラムに参加するように指導する。

4 電話を母親に代わってもらい、交通費を貸与あるいは支出するように依頼する。

5 交通費は更生緊急保護によって支給されるので、本日の専門的処遇プログラムに参加するように指導する。

解説 015 高齢者の犯罪　正答 2

犯罪白書は法務省のHPで毎年公表されており、各種の図表だけでなく元となるデータも掲載されているので、必要に応じて参照しておきたい（以下、法務省「令和元年版犯罪白書」を参照）。

1 ○ ［刑務所］入所時点で65歳以上の女性の罪名の89.2%が［窃盗］となっている。同様のデータで、男性の場合は窃盗が51.5%となる。なお、「令和3年版犯罪白書」でも同様の傾向であり、2020（令和2）年の罪名が窃盗の65歳以上の女性は89.0%で、男性は53.8%である。

2 × ［刑法犯］による検挙人員中に占める65歳以上の者の比率は、21.7%である。なお、2020（令和2）年は22.8%である（「令和3年版犯罪白書」より）。

3 ○ 刑法犯の検挙人員全体は20万6,094人である。そのうち男性は16万2,974人、うち65歳以上の男性は3万154人（18.5%）、女性は4万3,120人で、うち65歳以上の女性は1万4,613人（33.9%）となり、65歳以上の者の比率は男性より女性のほうが大きい。この傾向は、2020（令和2）年においても変わらない（「令和3年版犯罪白書」より）。

4 ○ 窃盗による各年齢層10万人当たりの検挙人員は、2018（平成30）年で20〜64歳が82.2%、65〜69歳は86.4%、70歳以上は90.7%となり、65歳以上のほうが大きい。この傾向は、2020（令和2）年においても変わらない（「令和3年版犯罪白書」より）。

加点のポイント　成人の刑事事件の司法手続き

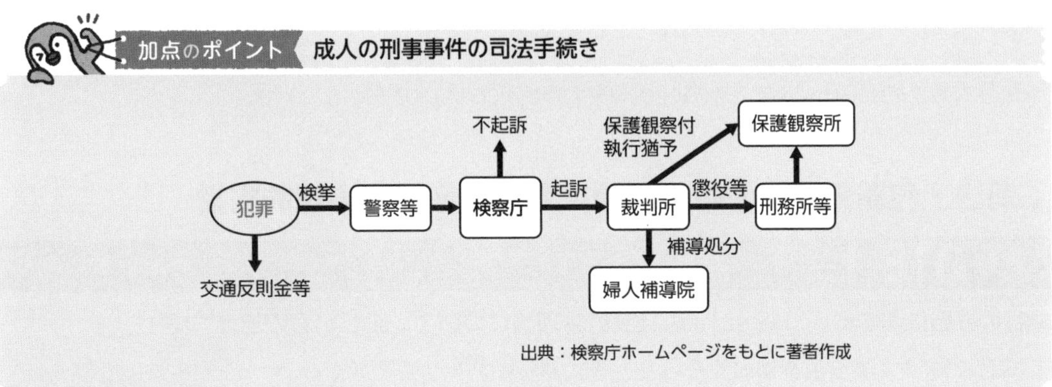

出典：検察庁ホームページをもとに著者作成

解説 016 30歳男性・保護観察所（事例）　正答 4

保護観察官は、①保護観察実施計画の策定、②対象者の遵守事項違反、再犯その他危機場面での措置、③担当保護司に対する助言や方針の協議、④専門的処遇プログラムの実施等、を行う。

1 × まずは引受人の母親に交通費支出の対応を依頼し、それがうまくいかなかった場合に行うべき対応となる。

2 × まずは今回のプログラム参加を促すことが望ましい。

3 × 2と同様である。

4 ○ Aは現在無職であり、引受人である母親がAの生活の面倒をみて、更生のための監護を行うことが求められるため、まずは母親に交通費の支出を依頼することが必要である。

5 × ［更生緊急保護］とはさらに罪を犯す危険性がある場合で、本事例は該当しないため不適切である。

メモ　更生緊急保護

保護観察に付されている人や刑事上の手続等による身体の拘束を解かれた人で援助や保護が必要な場合は、「応急の救護等」（保護観察中の人で、改善更生が妨げられる恐れがある場合）と、「更生緊急保護」の2つの措置がある。このうち更生緊急保護は、①刑事上の手続又は保護処分による身体の拘束を解かれた人、②親族からの援助や、公共の衛生福祉に関する機関等の保護を受けられない、または、それらのみでは改善更生できないと認められた人、③更生緊急保護を受けたい旨を申し出た人の3つ全てにあてはまる場合に行われる。期間は原則6か月である。措置の内容は、応急の救護等、更生緊急保護ともに食事の給与や宿泊場所の提供、医療や療養の援助など生活する上で必要なものとなる（参考：法務省HP）。

問題 017　Check ☑☑☑　第1回追　問題146

5歳の男児A。Aの父母は性格の不一致から協議離婚をした。協議の結果、親権者となる母親がAを養育することと、月1回のAと父親との面会交流とが取り決められた。ところが、2回目の面会交流以降、Aは父親との面会交流に消極的になってきた。困った母親は市の相談室に来室し、公認心理師である相談員と面談した。
この場合の助言として、不適切なものを1つ選べ。

1 父親との面会交流の前に具体的に行き先をAに話しておく。
2 母親との分離不安の可能性も考え、当分は母親も面会交流に立ち会う。
3 Aが面会交流に消極的になる理由を父母で話し合い、Aの真意を探る。
4 父親がプレゼントを用意することによってAの面会交流への意欲を高める。
5 父親からのAに対する虐待がなければ面会交流を継続する方向で検討する。

メモ　面会交流

面会交流は、離婚後に子どもを養育・監護していない親によって行われる子どもとの面会および交流のことをいう。父母による話し合いで面会交流の方法が決まらない場合は、家庭裁判所に調停手続を申し立て、あくまでも子どもに負担をかけないことを最優先に、父母等の注意点について助言等が与えられる。

②司法・犯罪分野における問題に対して必要な心理的支援

問題 018　Check ☑☑☑　第2回　問題098

非行の要因に関するT. Hirschiの社会的絆理論について、正しいものを1つ選べ。

1 個人に対する社会的絆が弱くなったときに非行が発生すると考える。
2 親による子どもの直接的統制は、社会的絆の重要な源泉の1つである。
3 社会的絆理論の基本的な問いは、「なぜ人は逸脱行動をするのか」である。
4 友人への愛着が強い少年が、より非行を起こしやすいと考えられている。
5 社会的絆の1つであるコミットメントとは、既存の社会的枠組みに沿った価値や目標達成に関わる度合いを意味する。

問題 019　Check ☑☑☑　第3回　問題141

16歳の男子A、高校1年生。Aは、友達と一緒に原動機付自転車の無免許運転をしていたところを逮捕され、これを契機に、教師に勧められ、スクールカウンセラーBのもとを訪れた。Aには非行前歴はなく、無免許運転についてしきりに「友達に誘われたからやった」「みんなやっている」「誰にも迷惑をかけていない」などと言い訳をした。Bは、Aの非行性は進んでいるものではなく、善悪の区別もついているが、口実を見つけることで非行への抵抗を弱くしていると理解した。
BがAの非行を理解するのに適合する非行理論として、最も適切なものを1つ選べ。

1 A. K. Cohenの非行下位文化理論
2 D. Matzaの漂流理論
3 E. H. Sutherlandの分化的接触理論
4 T. Hirschiの社会的絆理論
5 T. Sellinの文化葛藤理論

解説 017 5歳男児・市の相談室・親の離婚（事例） 正答 4

男児が面会交流に消極的な理由について丁寧に耳を傾けることがまずは肝要。本問では男児と父の関係性は不明であり、消極的な理由は記載がないのでわかりかねるが、様々な不安を感じている可能性は念頭に置いておく。

1 ○ 父との面会交流に不安を感じているならば、事前に行き先など見通しが立つような情報を話しておくことは不安の軽減につながると考えられる。

2 ○ 愛着のある人から離れることに対し不安を感じることが分離不安である。面会交流自体に消極的なのではなく、母と離れることへの不安がある可能性は考えられるため、母の立ち合いを検討することは現実的対応と考えられる。

3 ○ Aが離婚の原因は自分だと責めることや、さらなる離別の不安、父との関係不和などの可能性があり、それらを話してはいけないと考える子もいる。まずは、安心して話してもよいと思えるように働きかけることが肝要である。

4 × 男児がどのような気持ちから消極的になっているかを考えているような記載がないので、一方的な働きかけであり、適切とはいえない。

5 ○ 本問では虐待の有無については記載がない。虐待があった場合には面会を控えることも検討すべきだが、現時点では即座に中止するよりも、面会の機会は継続しつつ、男児が消極的になった理由を考えることが望ましい。

解説 018 非行防止における社会的絆理論 正答 5

T. Hirschiの社会的絆理論は、社会的絆を通じた日常生活での結びつきが向社会的行動につながると考える。人と社会の関係が存在する絆として、愛着、コミットメント（投資）、没入、規範観念の4つを設定している。

1 × 社会に対する［個人］の社会的絆が弱くなったときに非行が発生すると考える。

2 × 親や家族の意見（助言や叱責）への個人の愛着が社会的絆の要因の1つである。直接的統制とは、親や家族による直接的なしつけのことをいう。

3 × 社会的絆理論は、「なぜ多くの人は［犯罪や非行］を行わないのか」を基本的問いとする理論である。「なぜ人は逸脱行動（犯罪や非行）をするのか」という問いはその逆であり、ここでは誤りとなる。

4 × 友人への愛着が［弱い］少年が、より非行を起こしやすいと考えられる。

5 ○ 逸脱が露見すれば、自分が投資したものを失うリスクが増大するため、慣習的な目標の追求にコミットするほうが非行を起こしにくくなると考える。例えば、非行をしない生徒は、「学校に通うべきだ」というルールに従うほうが、自分に利益がある（リスクが少ない）から通うのだと考える。

解説 019 16歳男子・非行理論（事例） 正答 2

人を犯罪行動に駆り立てるメカニズムを説明する理論には、遺伝要因と環境要因を重視する立場がそれぞれあり、実際には両者が複合的に絡み合って犯罪（非行）行動が生じていると考えられる。

1 × ［非行下位文化理論］では、犯罪的な下位文化において即座に満足が得られることや、即時的な快楽、敵意、攻撃性などに価値を置くため非行が生じると説明される。Aに非行前歴はないことから、犯罪的な下位文化が強く影響しているとはいえない。

2 ○ ［漂流理論］とは、非行少年が常に非合法的文化に没入しているのではなく、非合法的文化と合法的文化の間を漂流していると説明する。本ケースではAは善悪の判断もついているとみられ、自分の意思で合法的文化が尊重できるようになると考えられる。

3 × ［分化的接触理論］では、人は法を破ることに対する望ましくない意味づけが望ましい意味づけを凌駕するとき、非行に走ると説明される。このケースではAは犯罪指向的な交友を非常に重視しているとはいえない。

4 × ［社会的絆理論］では、周囲との愛着の欠如、投資したものの喪失、没入経験のなさ、ルールに従うべきという意識の低さが非行の原因であると説明するが、Aにそのような様子はみられない。

5 × ［文化葛藤理論］では、人が行為の拠り所とする規範や文化が、同じ行為を犯罪として規制する別の規範や文化と接触・衝突し、葛藤することが犯罪の原因と説明する。

問題 020　Check □□□　第 1 回 追　問題 114

少年鑑別所で用いる、少年の再非行の可能性と教育上の必要性を把握する法務省式ケースアセスメントツールにおいて、意欲、態度、今後の教育等によって改善し得る要素として、誤っているものを 1 つ選べ。

1　本件態様
2　逸脱親和性
3　自己統制力
4　社会適応力
5　保護者との関係性

問題 021　Check □□□　第 1 回 追　問題 022

D. A. Andrews と J. Bonta が主張する RNR モデル <Risk-Need-Responsivity model> の内容について、正しいものを 1 つ選べ。

1　予後評定の際には犯罪歴や処分歴は考慮しない。
2　予後評定の精度は伝統的な非構造的臨床判断より低い。
3　犯罪を支える態度が変容すれば、再犯リスクは低減する。
4　ニーズ原則は対象者の能力や学習スタイルに適した処遇課題を与えることである。
5　再犯リスクを低減させることに限定せず、良い人生を送ることを目標に掲げている。

問題 022　Check □□□　第 4 回　問題 069

16 歳の男子 A、高校 1 年生。万引きにより逮捕され、少年鑑別所に収容された後、家庭裁判所の審判により保護観察処分となった。A は、審判終了後すぐに母親 B と共に保護観察所に来た。A の居住する地域を担当している保護観察官 C が、初回の面接を行うことになった。審判直後であり、家庭裁判所からは、氏名、年齢、非行名、遵守事項に関する意見など、最小限の情報が届いている。
C の初回面接における対応方針として、最も適切なものを 1 つ選べ。

1　特別遵守事項を設定する。
2　担当する保護司が同席できるよう手配する。
3　保護処分の決定に対する抗告について説明する。
4　関係構築を優先し、家族関係や成育歴についての質問は控える。
5　家庭裁判所において既に確認されているため、事件内容についての質問は控える。

解説 020　法務省式ケースアセスメントツール　正答 1

法務省式ケースアセスメントツール（MJCA：Ministry of Justice Case Assessment tool）は、静的領域（生育環境、学校適応、問題行動歴、非行・保護歴、本件態様）、動的領域（保護者との関係性、社会適応力、自己統制力、逸脱親和性）の２領域52項目で構成されている。設問の意欲、態度、今後の教育等によって改善し得る要素とは、「動的領域」のことを指している。

1　×　本件態様は［静的領域］に含まれる。

2　○　逸脱親和性は［動的領域］に含まれる。「法律を軽視している」「犯罪性のある者に親和的である」などが該当する。

3　○　自己統制力は［動的領域］に含まれる。「欲求不満耐性が低い」「感情統制が悪い」などが該当する。

4　○　社会適応力は［動的領域］に含まれる。「学校又は職場内で必要とされる決まりを軽視している」などが該当する。

5　○　保護者との関係性は、［動的領域］に含まれる。「保護者は少年に対して高圧的である」「保護者に反発している」などが該当する。

解説 021　RNR モデル　正答 3

RNR モデルに関する問題であるがやや難問である。犯罪の危険因子を表す「セントラルエイト」の８項目はおさえておくほうがよい。

1　×　犯罪歴や処分歴は予後評定で重要な判断材料となるので誤り。

2　×　RNR モデルの第 11 原則は構造化されたアセスメントであり、構造化されていない臨床判断よりも予後評定の妥当性は高い。

3　○　RNR モデルでは、セントラルエイトのうち過去の犯罪歴を除く 7 つの治療のターゲットを「動的リスク要因」と呼んでおり、具体的には①犯罪指向的態度、②犯罪指向的交友、③反社会的パーソナリティ・パターン、④家族・夫婦、⑤学校・仕事、⑥物質乱用、⑦レジャー・レクリエーションがある。RNR モデルでは、犯罪指向的態度の変容を再犯リスクの低下における重要な要因と考えるため正しい。

4　×　ニーズ原則とは治療によって変えることのできる原因で、犯罪の原因となっているものに絞って治療すべきであるという考え方をいう。したがってこれはニーズ原則ではなくレスポンシビティ原則の説明である。

5　×　RNR モデルは良い人生を送ることを目標に掲げているのではなく、犯罪者の将来の犯罪に結びつくリスク要因を特定し、それに処遇を行うことで再犯リスクを低減させることを目標にする。

解説 022　16 歳男子・保護観察官の初回面接（事例）　正答 1

保護観察官は裁判所や検察庁から対象者に関する事前情報を受け、初回面接時に特別遵守事項を設定した後で、保護司の指名を行う。

1　○　保護観察官は初回面接時に特別遵守事項、生活行動方針、処遇段階を設定するため正しい。

2　×　保護司の指名は初回面接後に行われ、初回面接で保護観察官と保護司が同席することはないため誤り。

3　×　［少年法］第 32 条には「保護処分の決定に対しては、…（中略）…少年、その法定代理人又は付添人から、二週間以内に、抗告をすることができる」とあり、抗告の説明や対応を行うのは付添人（一般的に弁護士）である。

4　×　関係構築は重要であるが、保護観察対象者の家族関係や成育歴の詳細についても必要に応じて把握することが望ましい。

5　×　保護観察は「その者にふさわしい方法により行う」という個別処遇の原則にもとづき、犯罪や非行の態様や属性等を把握することで効果的な処遇が可能となる。必要に応じて事件内容の詳細についても把握する必要がある。

問題 023 Check ☑☑☑ 第2回 問題113

更生保護の業務及び制度として、誤っているものを1つ選べ。

1 収容期間を満了して矯正施設を出所した人に対する緊急の保護制度

2 心神喪失等の状態で重大な他害行為を行った人に対する医療観察制度

3 社会内処遇を円滑にするための地域社会の理解や協力を求める犯罪予防活動

4 施設内処遇を受けている人を収容期間満了前に社会内処遇を受けさせる仮釈放制度

5 緊急通報への迅速な対応ができるように地域的に定められた範囲を巡回監視する活動

問題 024 Check ☑☑☑ 第3回 問題067

21歳の男性A。Aは実母Bと二人暮らしであった。ひきこもりがちの無職生活を送っていたが、インターネットで知り合った人物から覚醒剤を購入し、使用したことが発覚して有罪判決となった。初犯であり、BがAを支える旨を陳述したことから保護観察付執行猶予となった。保護観察官がAに対して行う処遇の在り方として、最も適切なものを1つ選べ。

1 自助の責任を踏まえつつ、Aへの補導援護を行う。

2 Bに面接を行うことにより、Aの行状の把握に努める。

3 Aが一般遵守事項や特別遵守事項を遵守するよう、Bに指導監督を依頼する。

4 改善更生の在り方に問題があっても、Aに対する特別遵守事項を変更することはできない。

5 就労・覚醒剤に関する特別遵守事項が遵守されない場合、Aへの補導援護を行うことはできない。

解説 023 更生保護の業務

正答 5

更生保護は、「犯罪をした者及び非行のある少年に対し、社会内において適切な処遇を行うことにより、再び犯罪をすることを防ぎ、又はその非行をなくし、これらの者が善良な社会の一員として自立し、改善更生することを助けるとともに、恩赦の適正な運用を図るほか、犯罪予防の活動の促進等を行い、もって、社会を保護し、個人及び公共の福祉を増進することを目的」としている（更生保護法第 1 条）。

1 ○ ［更生緊急保護］では、出所後、親族からの援助や公共機関等から保護を受けることができない場合に、緊急的に、必要な援助か保護の措置を実施する。

2 ○ ［医療観察制度］では、心神喪失を理由として指定通院医療機関に通院中、更生保護として保護観察所が精神保健観察を行うことがある。

3 ○ ［犯罪予防活動］は、保護司をはじめとする更生保護ボランティアが中心となり、地方自治体や地域の関係機関と連携して行われている。

4 ○ 矯正施設に収容されている人を収容期間満了前に仮に釈放して更生の機会を与え、円滑な社会復帰を図ることを目的とした制度や措置として、刑事施設等からの［仮釈放制度］、少年院からの仮退院等がある。

5 × 更生保護の業務や制度には緊急通報への対応のため巡回監視をする活動は含まれていない。

解説 024 21 歳男性・保護観察官の処遇の在り方（事例）

正答 1

保護観察官は保護司と連携しつつ、本人と直接関わりを持ちながら、本人に法的に規定された遵守事項を遵守させつつ、社会復帰のための支援を行っている。

1 ○ ［補導援護］の方法としては、住居や宿泊場所、医療、就労、教養訓練、生活環境の改善・調整などがある（更生保護法第 58 条 1 項 1～7）。

2 × ［保護観察官］は、「面接その他の適当な方法により保護観察対象者と接触を保ち、その行状を把握すること」が必要である（更生保護法第 57 条 1 項）。すなわち、行状の把握を行うために面接を行うのは、実母 B ではなく、A に対してである。

3 × ［一般遵守事項］や［特別遵守事項］について指導監督するのは保護観察官や［保護司］の役割であるため誤りとなる。

4 × 保護観察所の長は［保護観察付執行猶予者］について「特別遵守事項を定め、又は変更することができる」とあるため誤りとなる（更生保護法第 52 条 6 項）。

5 × 保護観察付執行猶予者に対する補導援護は、特別遵守事項の遵守の可否にかかわらず行われる。一般遵守事項と特別遵守事項が遵守されない場合、保護観察所の長は当該保護観察付執行猶予者に対し［警告］を発することができる。

加点のポイント 保護観察

保護観察は、保護観察対象者の改善更生を図ることを目的として、指導監督と補導援護を行うことにより実施する。

指導監督	補導援護
・行状の把握 ・指示・措置 ・専門的処遇	・住居・宿泊場所 ・医療・療養 ・職業補導・就職援助 ・教養訓練の援助 ・生活環境の改善・調整 ・生活指導

問題 025 Check 第2回 問題028

DSM-5 の反社会性パーソナリティ障害の診断基準として、正しいものを 1 つ選べ。

1 10 歳以前に発症した素行症の証拠がある。
2 他人の権利を無視し侵害する広範な様式で、14 歳以降に起こっている。
3 反社会的行為が起こるのは、統合失調症や双極性障害の経過中ではない。
4 他人の権利を無視し侵害する広範な様式には、「自殺のそぶり、脅し」が含まれる。
5 他人の権利を無視し侵害する広範な様式には、「衝動性、または将来の計画を立てられないこと」が含まれる。

問題 026 Check 第1回追 問題098

幼児又は児童への司法面接について、最も適切なものを 1 つ選べ。

1 児童が発言した言葉を面接者が分かりやすい表現でかみ砕いてフィードバックする。
2 児童が答えやすいように、基本的に問いかけは閉じられた（クローズド）質問とする。
3 本題に入る前に、練習として本題と関係のない話題についてのエピソードを話させる。
4 事実をしっかり引き出すために同じ面接者が繰り返し面接を重ね十分な時間をかけて行う。
5 様々な立場の専門職が面接の手法を変えて別々に事情を聴取し、それを持ち合った後で協議検討する。

解説 025　反社会性パーソナリティ障害

正答 5

DSM-5 では反社会性パーソナリティ障害の診断基準を定めている。DSM-5 の主だった障害の診断基準はしっかり確認したい。

（注）本題は選択肢不明確として、正解した場合は採点対象となり、不正解の場合は採点対象から除外された。

1　×　［素行症／素行障害］の発症の証拠が必要なのは、10 歳以前ではなく［15］歳以前である。

2　×　他人の権利を無視し侵害する広範な様式が起こるのは、14 歳以降ではなく［15］歳以降である。

3　×　反社会的行為が起こるのは、統合失調症や双極性障害の［経過中のみ］ではないことが診断の条件となる。もし統合失調症や双極性障害の経過中に起こっていても、その経過中でないときにも反社会的行為が起こっていれば診断条件を満たす。

4　×　「自殺のそぶり、脅し」は、本障害の診断基準には含まれていない。一般には［境界性パーソナリティ障害］の特徴である。

5　○　「衝動性、または将来の計画を立てられないこと」は、診断基準に含まれている。

メモ　DSM-5 の反社会性パーソナリティ障害の診断基準（抜粋）

他人の権利を無視し侵害する広範な様式で、①社会的規範に適合しない行動、②虚偽性、③衝動性、④攻撃性、⑤無謀さ、⑥無責任、⑦良心の呵責の欠如のうち 3 つまたはそれ以上を示すものをいう。さらに診断の条件として、当人が 18 歳以上であること、15 歳以前に発症した素行症／素行障害の証拠があること、反社会的行為が起こるのは、統合失調症や双極性障害の経過中のみではないことが必要である。

解説 026　司法面接

正答 3

司法面接は、子どもに与える負担をなるべく少なくし、虐待を受けた子どもなどから聞き取りを行う方法で、事実確認が目的で心理的ケアを行うことはない。

1　×　児童が発言した言葉を面接者がわかりやすい表現でかみ砕くようなフィードバックは行わない。

2　×　［開かれた質問］（「何かお話しして」、5W1H など）をうまく用いて話を聴く。

3　○　「今日ここに来るまでにあったことを話してください」など［エピソード記憶］の練習を行う。

4　×　面接は 60 分程度で原則［1］回とし、ビデオ録画することで、子どもが何度も面接を受けなくて済むようにする。

5　×　4 と同様、面接は原則［1］回のみである。

加点のポイント　子どもへの司法面接

司法面接では、子どもからの聞き取りが、面接者の誘導によるものにならないよう細心の注意を払う。また、子どもの関わった事件が虚偽の話ではなく、実際にあった出来事であるかどうか確認できる情報を得る。事実確認が目的なので、心理的ケアを行うことはなく、対象となる子どもとの信頼関係の構築を重視する。

第20章　産業・組織に関する心理学

①職場における問題に対して必要な心理的支援

問題 001　Check ☑☑☑　第1回　問題037

仕事と生活の調和（ワーク・ライフ・バランス）憲章について、誤っているものを1つ選べ。

1　働く人々の健康が保持され、家族・友人との時間、社会参加のための時間を持てる社会を目指す。

2　能力や成果に応じて報酬が配分されることによって、就労による経済的自立が可能な社会を目指す。

3　仕事と生活の調和推進のための行動指針では数値目標を設定し、政策への反映を図ることとしている。

4　性や年齢にかかわらず、誰もが自らの意欲と能力を持って、多様な働き方・生き方が選択できる社会を目指す。

5　国民一人ひとりが仕事上の責任を果たすとともに、家庭や地域生活などにおいても、多様な生き方が選択・実現できる社会を目指す。

問題 002　Check ☑☑☑　第1回追　問題116

ワーク・ファミリー・コンフリクトとして、不適切なものを1つ選べ。

1　仕事が忙しすぎたり、家事・育児の負担が大きい。

2　徹夜で家族の看病をして、職場で居眠りをしてしまう。

3　仕事で疲れ切ってしまい、家族に食事を作る気力が出ない。

4　仕事で大事な会議がある日に、子どもが熱を出したため会議に出席できない。

5　教師が、教師として自分の子どもにも接してしまい、親として接することが難しい。

解説 001 ワーク・ライフ・バランス

正答 2

内閣府の「仕事と生活の調和（ワーク・ライフ・バランス）憲章」では、国民がやりがいや充実感を感じながら働き、仕事上の責任を果たすとともに、家庭などにおいても人生の各段階に応じて多様な生き方が選択・実現できる社会をワーク・ライフ・バランスのとれた社会と定義し、①就労による経済的自立が可能な社会、②健康で豊かな生活のための時間が確保できる社会、③多様な働き方・生き方が選択できる社会、の実現を目指している。

1 ○ 憲章には「働く人々の健康が保持され、[家族・友人] などとの充実した時間、[自己啓発や地域活動] への参加のための時間などを持てる豊かな生活ができる」とある。

2 × 憲章には「経済的自立を必要とする者とりわけ [若者] が生き生きと働くことができ、かつ、経済的に自立可能な働き方ができ、[結婚や子育て] に関する希望の実現などに向けて、暮らしの経済的基盤が確保できる」とあり、経済的自立とは、能力や成果に応じた報酬を配分するような成果主義ではない。年齢、子育て、介護、障害など個々の状況を踏まえた上で、多様な生き方が選択・実現できる社会の実現が望ましいとされる。

3 ○ 「仕事と生活の調和推進のための行動指針」は憲章のための行動指針であり、この中に「[数値目標] の設定や『仕事と生活の調和』実現度指標の活用により、仕事と生活の調和した社会の実現に向けた全体としての [進捗状況] を把握・評価し、[政策] への反映を図る」とある。就業率、フリーターの数、有給取得率、男性の育児休業取得率、第 1 子出産前後の女性の継続就業率など、社会全体の目標数値が定められている。

4 ○ 憲章には「[性や年齢] などにかかわらず、誰もが自らの意欲と能力を持って様々な働き方や生き方に挑戦できる機会が提供されており、[子育てや親の介護] が必要な時期など個人の置かれた状況に応じて多様で柔軟な働き方が選択でき、しかも公正な処遇が確保されている」とある。

5 ○ 憲章には「仕事と生活の調和が実現した社会とは、『国民一人ひとりがやりがいや充実感を感じながら働き、[仕事上の責任] を果たすとともに、家庭や地域生活などにおいても、[子育て期、中高年期] といった人生の各段階に応じて多様な生き方が選択・実現できる社会』である」とある。

加点のポイント　ワーク・ライフ・バランスの実現に向けて

当面の目標数値は 2020 年を基準としていた。「仕事と生活の調和推進のための行動指針」を確認し、具体的な取り組みを理解することが望ましい。また、ワーク・ライフ・バランス社会の実現は、[ダイバーシティ] とも深く関連している。

解説 002 ワーク・ファミリー・コンフリクト

正答 1

ワーク・ファミリー・コンフリクトは、仕事と家庭の役割が同時に生じていて、その役割間における相互に両立しがたいプレッシャーの葛藤のことを指す。ワーク・ライフ・バランスのネガティブな面を指している状態ともいえる。

1 × 「仕事が忙しすぎたり、家事・育児の負担が大きい」というのは、単に大変さが並列されているだけで、葛藤が見られない。

2 ○ 家族の看病により、職場での業務に支障が出ており、両立しがたい葛藤が見られる。

3 ○ 仕事で疲れて、食事を作る気力が出ないという両立しがたい葛藤が見られる。

4 ○ 子どもが熱を出したため会議に出席できないという両立しがたい葛藤が見られる。

5 ○ 教師としての役割と、親としての役割の間で両立しがたい葛藤が見られる。

問題 003

Check ☐☐☐　第4回　問題058

治療と仕事の両立支援について、適切なものを2つ選べ。

1 仕事の繁忙などが理由となる場合には、就業上の措置や配慮は不要である。

2 労働者の個別の特性よりも、疾病の特性に応じた配慮を行う体制を整える。

3 事業場における基本方針や具体的な対応方法などは、全ての労働者に周知する。

4 労働者本人からの支援を求める申出がなされたことを端緒に取り組むことを基本とする。

5 労働者が通常勤務に復帰した後に同じ疾病が再発した場合には、両立支援の対象から除外する。

問題 004

Check ☐☐☐　第4回　問題130

仕事と生活の調和推進のための行動指針で設けられた、「多様な働き方・生き方が選択できる社会」に必要とされる条件や取組として、不適切なものを1つ選べ。

1 パートタイム労働者を正規雇用へ移行する制度づくりをすること

2 就業形態にかかわらず、公正な処遇や能力開発の機会が確保されること

3 育児、介護、地域活動、職業能力の形成を支える社会基盤が整備されていること

4 子育て中の親が人生の各段階に応じて柔軟に働ける制度があり、実際に利用できること

解説003 治療と仕事との両立支援

正答 3、4

がん、脳卒中などの疾病を抱える方々に対して、事業場が適切な就業上の措置や治療に対する配慮を行い、治療と仕事が両立できるようにするため、事業場における取組などをまとめたガイドラインとして厚生労働省から「事業場における治療と仕事の両立支援のためのガイドライン」が出されている。

1 × 就労によって、疾病の増悪、再発や労働災害が生じないよう、就業場所 の変更、作業の転換、労働時間の短縮、深夜業の回数の減少等の［適切な就業上の措置］や［治療に対する配慮］を行うことが求められる。

2 × 症状や治療方法などは人によって大きく異なるため、取るべき対応やその時期等は［個別事例の特性に応じた配慮］が必要である。

3 ○ 事業者として、治療と仕事の両立支援に取り組むにあたっての基本方針や具体的な対応方法等の事業場内ルールを作成し、［全ての労働者］に周知することで、両立支援の必要性や意義を共有し、治療と仕事の両立を実現しやすい職場風土を醸成することが重要。

4 ○ 治療と仕事の両立支援は、私傷病である疾病に関わるものであることから、［労働者本人］から支援を求める申出がなされたことを端緒に取り組むことが基本となる。

5 × 事業者は、治療と仕事の両立支援を行うにあたって、あらかじめ疾病が再発することも念頭に置き、再発した際には状況に合わせて改めて検討することが重要である。

解説004 多様な働き方・生き方が選択できる社会

正答 1

内閣府の「仕事と生活の調和（ワーク・ライフ・バランス）憲章」や「仕事と生活の調和推進のための行動指針」などを参考にしながら、現代の社会にどのような課題があり、どのような取り組みが行われているかを整理していく。

1 × 正規雇用へ移行する取り組みも重要だが、正規雇用ではなくても働きやすい環境を整えていくことが望ましい。

2 ○ 仕事と生活の調和に向けた取り組みを通じて、ディーセント・ワーク（働きがいのある人間らしい仕事）の実現に取り組み、職業能力開発や人材育成、公正な処遇の確保など雇用の質の向上につなげることが求められている。

3 ○ ワーク・ライフ・バランス実現に向けた社会基盤づくりが重要であり、その戦略として、①［理解の浸透・推進力強化のための枠組みづくり］、②［企業・組織の取組を社会全体で後押し］、③［個人の多様な選択を可能にする支援やサービスの展開］、④［ワーク・ライフ・バランスに関連するイノベーションの推進］が重要とされる。

4 ○ 個人が仕事上の責任を果たしつつ、結婚や育児をはじめとする家族形成のほか、介護やキャリア形成、地域活動への参加等、個人や多様なライフスタイルの家族が［ライフステージに応じた希望を実現できる］ようにすることが重要とされる。

問題 005

Check ☐☐☐ 第1回 問題077

30歳の女性A、事務職。Aはまじめで仕事熱心であったが、半年前から業務が過重になり、社内の相談室の公認心理師Bに相談した。その後、うつ病の診断を受け、3か月前に休業した。休業してからも時折、Bには近況を伝える連絡があった。本日、AからBに「主治医から復職可能との診断書をもらった。早く職場に戻りたい。手続を進めてほしい」と連絡があった。
このときの対応として、適切なものを2つ選べ。

1 AとBで復職に向けた準備を進める。
2 Bが主治医宛に情報提供依頼書を作成する。
3 Aは職場復帰の段階となったため相談を打ち切る。
4 Aが自分で人事課に連絡を取り、復職に向けた手続を進めるように伝える。
5 Aの同意を得て、Bが産業医にこれまでの経緯を話し、必要な対応を協議する。

問題 006

Check ☐☐☐ 第1回 問題130

心の健康問題により休業した労働者の職場復帰支援の各段階で事業者が行うことについて、適切なものを2つ選べ。

1 休業の開始時には、傷病手当金など経済的保障について説明する。
2 職場復帰の可否については、産業医の判断があれば、主治医の判断は不要である。
3 職場復帰の可否を判断するために、職場復帰支援プランを本人に提示し、本人の意思を確認する。
4 最終的な職場復帰は事業者が決定する。
5 職場復帰後は、あらかじめ決めた職場復帰支援プランに沿うようフォローアップする。

解説 005　30 歳女性・社内相談室（事例）　正答 4、5

休職から職場復帰までの流れや、各段階での関わりなどを厚生労働省「心の健康問題により休業した労働者の職場復帰支援の手引き」にて確認しておくことが肝要である。本手引きにおいて、社内の相談室に勤務する公認心理師は「事業場内産業保健スタッフ」に該当する場合が多いと考えられる。

1 × 復職は［産業医］や、［人事担当者、管理職］と、情報共有など連携をしながら行っていくことが一般的。当該者と公認心理師の 2 者で進める可能性は極めて低い。

2 × 主治医への情報提供依頼書の作成者は明確に規定されていないが、労働安全衛生法の観点から労働者の健康管理に責任を有する［産業医］が作成する場合や、［人事担当者］などが各関係者から情報を共有しながら作成する場合が考えられ、公認心理師が単独で作成することは多くはないと考えられる。

3 × 手引きによると「職場復帰［後］は、管理監督者による観察と支援の他、事業場内産業保健スタッフ等による定期的又は就業上の配慮の更新時期等に合わせた［フォローアップ］を実施する必要がある」とある。再休職率は低いものではない。特に「まじめで仕事熱心」な場合、「職場に迷惑をかけた」「挽回しなくては」など無理をして体調を崩す人も少なくはないため、利用規約の可能な範囲で復帰後もフォローアップが実施できると望ましい。

4 ○ 「復職可能の診断書」をもらい即座に職場復帰ができるわけではなく、復職判定会議などを含め必要な手続きを経てから職場復帰がされることが多いため、その手続きを行うために当該者からまずは［人事担当者］に連絡をすることが必要。

5 ○ 復職にあたり、再休職にならないように、これまでの経緯を踏まえて業務内容や残業制限などを産業医や人事、直属の上司などと［情報共有］し、対応を協議することが望ましい。情報共有にあたって［本人］の同意を得ることも重要である。

解説 006　休業した労働者の職場復帰支援　正答 1、4

「心の健康問題により休業した労働者の職場復帰支援の手引き」などを参考に、職場復帰支援の 5 つのステップに沿って、休復職の流れや手続きについて理解をすることが重要である。労働者自身は休職をする時点で余裕がない場合もあるため、休職や復職に関する流れや手続き、保障などについて不安を感じていたり、説明を受けても十分理解していない場合もあることを念頭においておく。

1 ○ 第 1 ステップ（病気休業開始及び休業中のケア）に関する問題。休職することによる［経済的不安］を抱える人も少なくないので、安心して療養できるように、就業規則等に沿ってあらかじめ説明をしておくことが望ましい。

2 × 第 2 ステップ（主治医による職場復帰可能の判断）に関する問題。まずは、［主治医］による復帰可能の診断書の提出が先決である。その上で産業医との面談を行うのが一般的である。

3 × 第 3 ステップ（職場復帰の可否の判断及び職場復帰支援プランの作成）に関する問題。本人の意思を確認することは重要であるが、職場復帰支援プランの作成［前］に確認する。

4 ○ 第 4 ステップ（最終的な職場復帰の決定）に関する問題。復職の最終的な決定は［事業者］が行う。

5 × 第 5 ステップ（職場復帰後のフォローアップ）に関する問題。原則は作成した職場復帰支援プランに沿うが、沿うことが目的ではないので、プランの妥当性などを産業医や主治医、人事担当者や上司らと検討し、必要があれば［プランの変更］が行われる場合もある。

問題 007　Check ☑☑☑　第2回　問題154

35歳の男性A、会社員。うつ病の診断で休職中である。抑うつ感は改善したが、まだ夜間よく眠れず、朝起きづらく、昼間に眠気がある。通院している病院に勤務する公認心理師がAと面接を行っていたところ、Aは「主治医には伝えていないが、同僚に取り残される不安があり、早々に復職をしたい。職場に行けば、昼間は起きていられると思う」と話した。
このときの公認心理師の対応として、適切なものを2つ選べ。

1　試し出勤制度を利用するよう助言する。
2　まだ復職ができるほど十分に回復していないことを説明する。
3　Aに早々に復職したいという焦る気持ちがあることを受け止める。
4　同僚に取り残される不安については、これを否定して安心させる。
5　主治医に職場復帰可能とする診断書を作成してもらうよう助言する。

問題 008　Check ☑☑☑　第4回　問題020

職場復帰支援について、最も適切なものを1つ選べ。

1　産業医と主治医は、同一人物が望ましい。
2　模擬出勤や通勤訓練は、正式な職場復帰決定前に開始する。
3　傷病手当金については、職場復帰の見通しが立つまで説明しない。
4　職場復帰は、以前とは異なる部署に配置転換させることが原則である。
5　産業保健スタッフと主治医の連携においては、当該労働者の同意は不要である。

解説 007　35歳男性・休職・復職（事例）　正答 2、3

職場の休職から復職までの関わりについては、厚生労働省「心の健康問題により休業した労働者の職場復帰支援の手引き」などを参照し、当該者に対して、上司や人事、産業保健スタッフ、主治医、心理職（社内外）などがどのように連携をしながら関わっていくかを整理しておくことが重要。

1 × 「心の健康問題により休業した労働者の職場復帰支援の手引き」によると、[試し出勤] は「職場復帰前に職場復帰の判断等を目的として、本来の職場などに試験的に一定期間継続して出勤する」とある。主治医から復職可能の判断がされていない現時点で試し出勤を行うのは不適切である。

2 ○ 抑うつ感は改善しているが、睡眠に課題があり、生活リズムも整っていない状況では、復職できるほどの回復状況には至っていないと考えられる。

3 ○ 復職段階にはないが、周囲への迷惑や自身のキャリアのこと、金銭問題など様々な理由で復職に焦る気持ちを抱く人は少なくないため、そのような気持ちを受容的に受け止めることは休職中の労働者への対応としては重要である。

4 × 取り残される不安を否定するのではなく、不安を受け止めていく。

5 × 選択肢 2 で説明した通り、抑うつ感は改善しているが、睡眠に課題があり、生活リズムも整っていない状況では、復職できるほどの回復状況には至っていないと考えられるため、職場復帰可能の診断書を作成してもらうよう助言することは不適切である。

解説 008　職場復帰支援　正答 2

職場の復帰支援については、厚生労働省の「心の健康問題により休業した労働者の職場復帰支援の手引き」などを参考にするとよい。

1 × 主治医と産業医は役割が異なる。[主治医] は、日常生活における病状の回復程度によって職場復帰の可能性を判断していることが多く、必ずしも職場で求められる業務遂行能力まで回復しているとの判断とは限らない。主治医の判断と [職場で必要とされる業務遂行能力] の内容等について、産業医等が精査した上でとるべき対応を判断し、意見を述べることが重要。

2 ○ 正式な職場復帰決定の前に、社内制度として試し出勤制度等を設けると、より早い段階で職場復帰の試みを開始することが可能となる。

3 × 傷病手当金については、上記手引きにおいて「病気休業開始及び休業中のケア」として説明されることが望ましいとされている。

4 × 上記の手引きによると「職場復帰は元の慣れた職場へ復帰させることが原則」とされる。ただし、配置転換や異動をした方がよい場合もあるので留意が必要。

5 × 当該労働者に関する情報を共有する場合は、原則 [当該労働者の同意] が必要である。

問題 009 Check ☑☑☑ 第2回 問題104

労働者の心の健康の保持増進のための指針について、正しいものを 1 つ選べ。

1 事業者は、職場のメンタルヘルスケアを実施しなければならない。

2 事業者は、事業場以外で労働者の私的な生活に配慮しなければならない。

3 個人情報保護の観点から、人事労務管理とは異なる部署でのケアが望ましい。

4 労働者の心の健康問題についてケアを行う場合は、客観的な測定方法に基づかなければならない。

5 事業者は、メンタルヘルスケアを実施するにあたり、事業場の現状とその問題点を明確にし、基本的な計画を策定する必要がある。

問題 010 Check ☑☑☑ 第3回 問題027

事業場における労働者のメンタルヘルスケアについて、正しいものを 1 つ選べ。

1 労働者は、自己保健義務を負っている。

2 労働者の主治医が中心となって推進する。

3 人事労務管理スタッフは、関与してはならない。

4 産業医の中心的な役割は、事業場内で診療を行うことである。

5 対象範囲を、業務に起因するストレスに限定することが大切である。

問題 011 Check ☑☑☑ 第3回 問題040

職場の心理専門職として管理監督者研修を行うこととなった。研修内容に盛り込む内容として、<u>不適切なもの</u>を 1 つ選べ。

1 セルフケアの方法

2 労働者からの相談対応

3 代表的な精神疾患の診断法

4 職場環境などの評価及び改善の方法

5 健康情報を含む労働者の個人情報の保護

解説 009 労働者の心の健康保持増進　正答 5

厚生労働省は、事業場におけるメンタルヘルス対策をさらに適切に有効に実施するため、2006（平成 18）年に「労働者の心の健康の保持増進のための指針」を策定し、その周知を行ってきた。メンタルヘルスケアは、セルフケア、ラインによるケア、事業場内産業保健スタッフ等によるケア及び事業場外資源によるケアの 4 つのケアが継続的かつ計画的に行われることが重要であるとされる。

1 × 職場のメンタルヘルスケアを実施するよう努めなければならないとされる（努力義務）。しかし、心の健康対策に取り組んでいる事業所の令和 2 年の割合は 61.4%にとどまっている（厚生労働省「令和 3 年版過労死等防止対策白書」）。

2 × 指針において、心の健康問題は、職場のストレス要因のみならず家庭・個人生活等の職場外のストレス要因の影響を受けている場合も多いということを［留意］することが重要とされる。義務とはされていない。

3 × 労働者の心の健康は、体の健康に比較し、職場配置、人事異動、職場の組織等の人事労務管理と密接に関係する要因によって、より大きな影響を受ける。メンタルヘルスケアは、人事労務管理と連携しなければ、適切に進まない場合も多く、こうした情報は機微な個人情報であることも考えると、人事労務管理と連携をしながら行うことが望ましい。

4 × 指針によると、「心の健康については、客観的な測定方法が［十分確立しておらず］、その評価は容易ではなく、さらに、心の健康問題の発生過程には個人差が大きく、そのプロセスの把握が難しい」とされる。

5 ○ 労働安全衛生法の第 69 条に「事業者は、労働者に対する健康教育及び健康相談その他労働者の健康の保持増進を図るため必要な措置を継続的かつ［計画的］に講ずるように努めなければならない」とある。衛生委員会等において十分調査審議を行い、［心の健康づくり計画］を策定する必要がある。

解説 010 労働者のメンタルヘルス　正答 1

労働者のメンタルヘルスケアについては、「労働安全衛生法」や「労働者の心の健康の保持増進のための指針（メンタルヘルス指針）」などによって定められている。

1 ○ 労働安全衛生法第 26 条に「労働者は、事業者が第 20 条から第 25 条まで及び前条 1 項の規定に基づき講ずる措置に応じて、必要な事項を守らなければならない」と定められており、これが［自己保健義務］である。

2 × 労働者のメンタルヘルスについては、［事業場内産業保健スタッフ］が中心になることが多く、主治医は［事業場外産業保健スタッフ］である。

3 × 人事労務管理スタッフは、事業場内産業保健スタッフとして関与する。

4 × 産業医の職務は労働安全衛生法に定められており、事業場内での診療は、中心的な役割ではない。

5 × 業務に起因するストレスだけではなく、自身の持病や障害、家庭環境や対人関係などの可能性も含め、幅広くストレスの可能性を検討することが大切である。

解説 011 管理監督者の役割　正答 3

管理監督者とは、労働基準法第 41 条 2 号の「監督若しくは管理の地位にある者」であり、管理職のことを指す。管理監督者は安全配慮義務を求められており、職場のメンタルヘルス対策において重要な役割を果たす。管理監督者が心得ておくべき内容を整理しておこう。

1 ○ 呼吸法や筋弛緩法など、自分自身のケアを行う［セルフケア］の方法は管理監督者自身にとっても重要である。

2 ○ 労働者からの相談対応を効果的に進めるための方法を知っておくことは重要である。

3 × 職場の管理監督者は精神疾患を診断する立場にはないので、問題文の内容は不適切である。

4 ○ 職場環境を評価し、必要に応じた改善を図ることは管理監督者にとって重要である。

5 ○ 健康情報を含む労働者の個人情報が適切に管理されることは重要である。

問題 012

Check ☐☐☐　第 2 回　問題 033

ストレスチェック制度について、正しいものを 1 つ選べ。

1　事業者は、ストレスチェックの実施者を兼ねることができる。
2　事業者は、面接指導の結果を記録しておかなければならない。
3　事業者は、労働者の同意がなくても、その検査の結果を把握することができる。
4　医師による面接指導を実施するにあたり、情報通信機器を用いて行うことは認められていない。
5　事業者は、一定程度以上の心理的な負担が認められる全ての労働者に対し医師による面接指導を行わなければならない。

問題 013

Check ☐☐☐　第 4 回　問題 101

ストレスチェック制度について、最も適切なものを 1 つ選べ。

1　産業医は、ストレスチェックの実施責任を負う。
2　派遣労働者のストレスチェックの実施義務は、派遣元事業者にある。
3　ストレスチェックの実施に当たり、事前に労働者全員から同意をとる。
4　ストレスチェックは、2 年ごとに 1 回実施することが定められている。
5　ストレスチェックの対象は、ストレスチュックを希望した労働者である。

解説 012 ストレスチェック制度

正答 2

ストレスチェックの実施にあたっては労働安全衛生法において、細かい取り決めがたくさんされている。厚生労働省の「労働安全衛生法に基づくストレスチェック制度実施マニュアル」などを確認しておくことが望ましい。

1 × 労働者の［解雇］、［昇進または異動］に関して直接の権限を持つ監督的地位にある人は、ストレスチェック実施者・実施事務従事者になることが［できない］（労働安全衛生規則第 52 条の 10）。

2 ○ 事業者は、当該ストレスチェックによる面接指導の結果の記録を作成し、これを 5 年間保存しなければならない（労働安全衛生規則第 52 条の 18 1 項）。

3 × 事業者は労働者の［同意］なく、ストレスチェックの結果を把握することは［できない］。

4 × 医師による面接指導では、情報通信機器を用いることは認められている。要件として、面接指導を行う医師と労働者とが相互に表情、顔色、声、しぐさ等を確認できる、映像と音声の送受信が常時安定しかつ円滑、情報セキュリティが確保される、などが挙げられる。

5 × ［高ストレス］者該当者への医師による面接指導の実施は、職場における当該労働者の心理的な負担の［原因］に関する項目だけではなく、職場における他の労働者による当該労働者への［支援］に関する項目や判断のための［補助面談］を経て定めることができる。事業者は、ストレスチェック結果の通知を受けた労働者のうち、高ストレス者として選定され、面接指導を受ける必要があると実施者が認めた労働者から申出があった場合は、事業者は、当該労働者に対して、医師による面接指導を実施する。

解説 013 ストレスチェック制度

正答 2

ストレスチェックの詳細については「労働安全衛生法に基づくストレスチェック制度実施マニュアル」を参照。概要を掴むために、まずは「ストレスチェック制度導入マニュアル」などから確認をしておくと理解しやすい。

1 × ストレスチェック制度の実施責任主体は［事業者］である。

2 ○ 派遣労働者に対するストレスチェック及び面接指導については、［派遣元事業者］が実施することとされている。派遣先事業者は、派遣元事業者が実施するストレスチェックおよび面接指導を受けることができるよう、派遣労働者に対し必要な配慮をすることが適当。

3 × ストレスチェックの実施において労働者全員からの同意を得る必要はないが、ストレスチェックの結果を［事業者に提供する］などの際には、労働者の同意が必要である。

4 × 事業者は［1 年以内ごとに 1 回］ストレスチェックを実施するように定められている。

5 × ストレスチェックの対象者は「常時使用する労働者」とされ、一般定期健康診断の対象者と同様である。

加点のポイント 一般定期健康診断の対象となる「常時使用する労働者」の定義

基本的には、次の 2 つの要件を満たす者のことをいう。

- 期間の定めのない労働契約により使用される者（期間の定めのある労働契約により使用される者であって、当該契約の契約期間が 1 年以上である者並びに契約更新により 1 年以上使用されることが予定されている者および 1 年以上引き続き使用されている者を含む）であること。
- その者の 1 週間の労働時間数が当該事業場において同種の業務に従事する通常の労働者の 1 週間の所定労働時間数の 4 分の 3 以上であること。

問題 014 Check ☑☑☑ 第2回 問題148

30歳の女性A、会社員。ストレスチェックの結果、高ストレス者に該当するかどうかを補足的な面接で決定することになり、公認心理師がAの面接を行った。Aのストレスプロフィールは以下のとおりであった。「心理的な仕事の負担」は低い。「技能の活用度」、「仕事の適性度」及び「働きがい」が低い。「職場の対人関係のストレス」が高い。「上司からのサポート」と「同僚からのサポート」が低い。ストレス反応では、活気に乏しく疲労感と抑うつ感が高い。「仕事や生活の満足度」と「家族や友人からのサポート」が低い。
ストレスプロフィールを踏まえ、面接で把握すべき事項として、最も優先度の低いものを1つ選べ。

1 労働時間を尋ねる。
2 休日の過ごし方を尋ねる。
3 キャリアの問題を抱えていないか尋ねる。
4 上司や同僚との人間関係について尋ねる。
5 疲労感と抑うつ感は、いつ頃から自覚し始め、どの程度持続しているのかを尋ねる。

問題 015 Check ☑☑☑ 第1回 追 問題147

55歳の男性A。従業員20名の企業の社長（事業者）である。職場で精神疾患による休職者が多発し、対応に苦慮している。ストレスチェック制度を活用することで、これ以上の休職者が出ないようにしたいと、相談室の公認心理師Bに相談に来た。Bは必要な研修を修了し、産業医とともに、ストレスチェックの共同実施者となっている。
Aの相談に対するBの対応について、<u>不適切なもの</u>を1つ選べ。

1 Aに職場の集団分析結果を提供し、必要な対応を協議する。
2 Aに未受検者のリストを提供し、未受検者に受検の勧奨を行うよう助言する。
3 面接指導の実施日時について、Aと従業員とが情報を共有できるよう助言する。
4 Aに面接指導を受けていない者のリストを提供し、面接指導を受けるように勧奨するよう勧める。
5 面接指導を実施した医師から、Aが就業上の措置の必要性及び措置の内容について意見聴取するよう助言する。

解説 014　30歳女性・ストレスチェック（事例）　正答 1

厚生労働省「労働安全衛生法に基づくストレスチェック制度実施マニュアル」を参照しておきたい。また、本問では「ストレスプロフィールを踏まえ」という記述があることも念頭に置く。

1 ○ 『産業保健スタッフのためのセルフケア支援マニュアル』（島津明人・種市康太郎編、誠信書房刊行）によると、労働時間は事前の確認をしておくことが望ましいとされる。

2 × 『産業保健スタッフのためのセルフケア支援マニュアル』によると、家族・友人のサポートも低いことから、休日の過ごし方についても聴き取りをすることが望ましい。

3 × 「技能の活用度」「仕事の適性度」及び「働きがい」が低いことから、Aのキャリアの問題について尋ねることは優先度が高い。

4 × 「職場の対人関係のストレス」が高く、「上司からのサポート」と「同僚からのサポート」が低いことから、人間関係についての聴き取りは重要である。

5 × 活気に乏しく疲労感と抑うつ感が高いことから、どの程度、どのくらいの期間症状が続いているのかを確認することは重要であると考えられる。

メモ　高ストレス者の選定

心身のストレス反応の評価点数が高い者や心身のストレス反応の評価点数の合計が一定以上の者であって、かつ、仕事のストレス要因、及び、周囲のサポートの評価点数の合計が著しく高い者が挙げられている。また、補足的面接として、医師、保健師、看護師、精神保健福祉士、産業カウンセラー、臨床心理士等の心理職が労働者に面談を行い、その結果を参考として選定する方法も挙げられている。

解説 015　55歳男性・事業者・ストレスチェック制度（事例）　正答 4

2018（平成30）年に労働安全衛生規則が改正され、一定の研修を受けた公認心理師もストレスチェックの実施者になることが可能となった。ストレスチェック制度に関して、実施の流れや情報共有の範囲などについては厚生労働省の「労働安全衛生法に基づくストレスチェック制度実施マニュアル」などを参照し理解をしておく。

1 ○ ストレスチェックは［実施者］が結果を集計・分析し、その結果を踏まえて、職場環境の改善を行うことが望ましいとされる（努力義務）。

2 ○ 労働者が［50］人以上いる事業所では［毎年1回］、全ての労働者に対して実施することが［義務づけ］られている。20名は義務には該当せず、また労働者自身にも受検義務はないが、メンタルヘルス不調を予防する（1次予防）ために、事業者は実施者より労働者の受検状況を確認し、未受検者に［受検勧奨］をすることは可能。

3 ○ 事業者は、医師による面接指導を受けたい旨の申出を行った際に不利益な取り扱いをすることが禁じられているため、実施日時を共有し面接指導を受けられるように［業務調整］などを行うことが望ましい。

4 × ストレスチェックの結果は、実施者から直接受検者に通知されるものであり、個人の結果は［受検者本人の同意］がない中で事業者に伝えてはならない。面接指導を受けていない者に対する面接指導の勧奨は［実施者］が行うことが望ましい。

5 ○ 事業者は、面接指導を実施した医師から、就業上の措置の必要性の有無とその内容について意見を聴き、労働時間の短縮など必要な措置を実施することが望ましい。

加点のポイント　ストレスチェックは個人が特定されないように要注意

集団規模が［10名未満］の場合、個人が特定される恐れがあるので、全員の同意がない限り、結果の提供はできない。

問題 016 Check 第2回 問題151

50歳の男性A、外回りの医薬品営業職。最近急に同僚が大量退職したことにより、担当する顧客が増え、前月の時間外労働は100時間を超えた。深夜早朝の勤務も多く、睡眠不足で業務にも支障が出始めている。このまま仕事を続けていく自信が持てず、休日もよく眠れなくなってきた。人事部から配布された疲労蓄積度自己診断チェックリストに回答したところ、疲労の蓄積が認められるという判定を受けた。Aは会社の健康管理室を訪れ、公認心理師Bに詳しい事情を話した。
このときのBの対応として、最も優先されるものを1つ選べ。

1 HAM-Dを実施する。
2 産業医との面接を強く勧める。
3 継続的にBに相談に来ることを勧める。
4 仕事を休んでゆっくりするよう助言する。

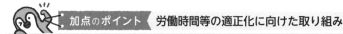

労働時間等の適正化に向けた取り組み

時間外労働が月45時間を超えて長くなるほど、脳・心臓疾患との関連が強まるとの医学的知見から、時間外・休日労働の協定（36協定）の締結には、限度時間に適合することが求められる。実際の時間外労働は月45時間、年360時間であり、臨時的な特別な事情で労使が合意する場合でも、1か月100時間未満（年間6か月以内、2〜6か月の平均時間外労働時間は80時間以内）、1年で720時間以内である。
労働時間については「面接指導を実施するため、厚生労働省令で定める方法」（例：タイムカードによる記録、パソコン等電子機器の使用時間等の記録などの客観的方法）により把握しておく必要がある。また、年次有給休暇取得の促進として、事業者は有給休暇を年5日間、時季を指定して確実に取得をさせる義務がある。

問題 017 Check 第4回 問題033

労働基準法が定める時間外労働の上限規制として、正しいものを1つ選べ。

1 原則として、月60時間とする。
2 原則として、年360時間とする。
3 臨時的な特別な事情がある場合には、年960時間とする。
4 臨時的な特別な事情がある場合には、月150時間（休日労働含む）とする。
5 臨時的な特別な事情がある場合には、複数月平均120時間（休日労働含む）とする。

問題 018 Check 第1回 問題100

ワーク・モチベーション研究において人間関係論の基礎となったものとして、正しいものを1つ選べ。

1 A. H. Maslowの欲求階層説
2 D. McGregorのX-Y理論
3 E. Mayoのホーソン研究
4 F. W. Taylorの科学的管理法
5 J. S. Adamsの衡平理論

解説 016 50 歳男性・時間外労働（事例） 正答 2

「過重労働による健康障害防止のための総合対策」において、長時間にわたる過重な労働は疲労の蓄積をもたらす最も重要な要因と考えられ、労働者に疲労の蓄積を生じさせないようにするため、労働者の健康管理に係る措置を適切に実施することが重要であるとされる。事業者は、労働安全衛生法等に基づき、労働者の時間外・休日労働時間に応じた面接指導等を実施する。

1 × ［HAM-D］は、不安神経症並びにうつ病の様々な症状を評価するために開発された検査であるが、本問からは明らかなうつ症状は見受けられないため、優先度は下がる。

2 ○ 労働安全衛生法において、時間外・休日労働時間が 1 月あたり［80 時間］を超え、かつ申出を行った労働者については、医師による面接指導を確実に実施すると定められているため、まずは産業医との面接を勧めることは適切である。

3 × 継続的な面談を実施することも重要であるが、時間外労働時間が 100 時間を超えており、睡眠にも問題が生じ、業務にも支障が出ている現状を考えると、まずは早急に産業医との面接の実施に向けて話し合うことが重要。

4 × 同僚が大量に退職している状況の中で、A がゆっくり休むことは難しいと考えられる。また、A 個人の問題としてではなく、職場の労働安全衛生の観点から産業医との面接を実施し、部署への働きかけの必要性などの検討も重要であるため、2 の選択肢のほうが適当であると考えられる。

解説 017 労働基準法における残業時間規定 正答 2

2019（平成 31）年 4 月から「働き方改革を推進するための関係法律の整備に関する法律（働き方改革関連法）」において、長時間労働の是正、多様で柔軟な働き方の実現等を目的に労働時間の見直しが行われている。

1 × 法律による上限は原則［月 45 時間］である。

2 ○ 法律による上限は原則［年 360 時間］である。

3 × 臨時的な特別な事情がある場合であっても、［年 720 時間以内］である。

4 × 臨時的な特別な事情がある場合であっても、時間外労働と休日労働の合計は［月 100 時間未満］である。

5 × 臨時的な特別な事情がある場合であっても、［複数月の平均は 1 月あたり 80 時間以内］である。

解説 018 ワーク・モチベーション 正答 3

ワーク・モチベーションは、労働者が目標に向けて行動を方向づけ、活性化し、そして維持する心理的プロセスと定義される。

1 × ［A.H. Maslow］の［欲求階層説］は、人間の欲求は生理的欲求、安全欲求、所属と愛の欲求、承認欲求、自己実現欲求の順に 5 段階であると考えるものである。

2 × ［X-Y 理論］は、A.H. Maslow の欲求階層説に基づいたものであり、［D. McGregor］は「人間は本来怠け者であり、責任を回避したがる傾向にあり、強制や命令されなければ仕事をしない」とする［X 理論］と「人間は本来やる気を持っており、自ら進んで責任を取ろうとする」とする［Y 理論］を提唱した。

3 ○ ［E. Mayo］による［ホーソン研究］は、照明の明るさや賃金、労働時間などの作業環境と生産性の関連を検討した実験において、作業環境よりも組織における非公式な人間関係や労働者の感情などが勤労意欲や生産性に関連があることが明らかとなった研究である。

4 × ［F.W. Taylor］の［科学的管理法］は、ホーソン研究のきっかけとなった物理的な作業環境が生産性に関連があるとした労働管理法であり、ホーソン研究以前は労働管理の主流だった。

5 × ［J.S. Adams］の［衡平理論］は、自分が行った仕事への対価としての報酬と他人が行った仕事への対価としての報酬を比較して、衡平であると感じるように動機づけがされるという考え方である。

問題 019

Check ☑☑☑ 第 2 回　問題 099

E.H. Schein が提唱した概念で、職務の遂行にあたって、何が得意なのか、何によって動機づけられるのか、及び仕事を進める上で何に価値を置いているのかについての自分自身の認識のパターンのことを何というか、正しいものを 1 つ選べ。

1　キャリア・ラダー
2　キャリア・アンカー
3　キャリア・プラトー
4　キャリア・アダプタビリティ
5　ライフ・キャリア・レインボー

問題 020

Check ☑☑☑ 第 3 回　問題 151

50 歳の女性 A、看護師。A は看護師長として、職場では部署をまとめ、後進を育てることが期待されている。これまで理想の看護を追求してきたが、最近は心身ともに疲弊し、仕事が流れ作業のように思えてならない。一方、同居する義母の介護が始まり、介護と仕事の両立にも悩んでいる。義母やその長男である夫から、介護は嫁の務めと決めつけられていることが A の悩みを深め、仕事の疲れも影響するためか、家庭ではつい不機嫌になり、家族に強く当たることが増えている。
A の事例を説明する概念として、不適切なものを 1 つ選べ。

1　スピルオーバー
2　エキスパート・システム
3　ジェンダー・ステレオタイプ
4　ワーク・ファミリー・コンフリクト

問題 021

Check ☑☑☑ 第 4 回　問題 071

39 歳の男性 A、会社員。A は、中途採用で入社して 10 年目になるが、これまで会社内での人付き合いは良好で、安定した仕事ぶりから上司の信頼も厚い。最近になり、A は、キャリアに希望が持てないと企業内相談室に来室した。「今この会社を辞めたら損失が大きいので、この先も勤めようと思う」と述べる一方で、「この会社を離れるとどうなるか不安である」、「今この会社を辞めたら生活上の多くのことが混乱するだろう」と述べた。
A の発言内容から考えられる A の組織コミットメントとして、最も適切なものを 1 つ選べ。

1　規範的コミットメント
2　行動的コミットメント
3　情緒的コミットメント
4　存続的コミットメント
5　態度的コミットメント

解説 019 E.H. Schein のキャリア理論　正答 2

E.H. Schein は組織内のキャリア発達を E.H. Erikson の生涯発達理論を参照して、それぞれの発達段階に特有の発達課題と危機を設定している。キャリアに関する理論は様々あるので、特徴の違いを理解することが肝要である。

1 × ラダーははしごを意味しており、[キャリア・ラダー] は、組織で働く従業員がはしごを順々に登るように、その専門性を磨き、キャリアアップできるようにしたシステムである。

2 ○ [キャリア・アンカー] とは、キャリアを選択する際に、個人が最も大切にする価値観や欲求のことを示す。アンカーは錨を意味している。

3 × プラトーは高原を意味しており、[キャリア・プラトー] は、ある程度のキャリアを進めた労働者が、それ以上の役職にステップアップすることの期待ができなくなり、モチベーションが下がる状態を指す。中堅社員以降において起こりやすいといわれる。

4 × [キャリア・アダプタビリティ] は [M. Savickas] によって提唱された。アダプタビリティは適合を意味し、キャリア・アダプタビリティには、関心度、コントロール、興味、自信の 4 次元があり、変化に直面したときに、その変化を受け入れて、適応できる能力が重要であるとされる。

5 × [ライフ・キャリア・レインボー] は、[D.E. Super] によって提唱された。キャリア＝職業と考えずに、人生を虹に例え、年齢や人生の場面によって様々な役割や経験を重ねて、自身のキャリアが形成されるという考え方である。

解説 020 50 歳女性・ライフキャリア（事例）　正答 2

加齢、仕事への想い、親の介護、介護と仕事の両立、ジェンダー規範など公私にわたって様々な課題を抱えているようにうかがえる。本問題では、複合的な課題を抱えた事例の捉え方について問われている。

1 ○ [スピルオーバー] とは、個人の経験したストレス反応が、個人内の生活のある領域から別の領域（例えば、仕事から家庭）へと、領域を超えて伝播されることをいう。

2 × [エキスパート・システム] とは、専門知識のない素人あるいは初心者でも専門家と同じレベルの問題解決が可能となるよう、その領域の専門知識をもとに動作するコンピュータシステムのことを指す。本問とは関係が見受けられない。

3 ○ [ジェンダー・ステレオタイプ] とは、女性と男性のパーソナリティ特性や能力、社会的役割、身体的特性、性的行動についての社会的信念のことを指す。「義母の介護は嫁の務め」という通念が本事例で見受けられる。

4 ○ [ワーク・ファミリー・コンフリクト] とは、仕事役割と家庭役割が相互にぶつかり合うことから発生する役割間葛藤のことを指す。

解説 021 39 歳男性・組織コミットメント（事例）　正答 4

組織コミットメントは所属する組織に対するコミットメント（関与や思い入れなど）を表す言葉であり、本問題のようにいくつかの種類がある。

1 × 組織に関与することが自身にとって [道徳的に望ましい] から留まるというコミットメントである。

2 × 組織のために働いているという自分自身の行動を見て、それに整合していくというコミットメントである。

3 × [組織に対する好意的な感情] があるから留まるというコミットメントである。

4 ○ 現時点で組織を離れることは [自分にとって損失] となるから留まるというコミットメントであり、「今この会社を辞めたら損失が大きいので、この先も勤めようと思う」に該当すると考えられる。

5 × [組織の目標や価値] についてのコミットメントである。

問題 022

Check ☑☑☑　第 1 回　問題 062

35 歳の女性、会社員。ストレスがたまり気分が沈むため、産業医から企業内の心理相談室に紹介された。元来責任感の強いタイプで、融通が利かないと言われることもあった。2 年前に離婚した。発達障害と診断された小学校 1 年生の娘が一人おり、最近は娘が問題を起こして先生に何度も呼び出されるという。仕事はこなせているが、離婚したことや、子どもの問題を考えると気分が沈む。余暇の楽しみはなく、休日はぐったりして寝ていることが多い。食欲はあまりなく食事を楽しめない。原家族は遠方に住んでおり、育児や経済面への援助はない。
現時点で最も適切な対応を 1 つ選べ。

1　病気休暇を取得することを勧める。

2　非構造化面接や簡単な心理検査を行う。

3　速やかに認知行動療法による介入を行う。

4　原家族や娘の小学校に連絡して情報を得る。

5　生命が危険な状態にあるため危機介入を行う。

問題 023

Check ☑☑☑　第 1 回　問題 072

35 歳の男性 A、営業職。1 か月ほど前に、直属の上司 B からそろそろ課長に昇進させると言われ、A は喜んだ。昇進の準備として部署の中期目標を作成するように指示されたが、いざ書こうとすると何も書けず、不安になり他の仕事も手につかなくなった。A の様子を見かねた B の勧めで、社内の相談室に来室した。「中期目標はどう書けばいいか分からない。こんな状態で課長になる自信がない」と訴える。A の許可を得て B に話を聞くと、A の営業成績は優秀で、部下の面倒見もよく、B としても会社としても、課長に昇進することを期待しているとのことだった。
相談室の公認心理師の対応として、最も適切なものを 1 つ選べ。

1　A に中期目標をどのように書くべきか助言する。

2　現在 A は抑うつ状態であるため、まず精神科への受診を勧める。

3　昇進はチャンスと捉えられるため、目前の中期目標の作成に全力を尽くすよう励ます。

4　目前の課題に固着するのではなく、キャリア全体から現在の課題を眺めることを支援する。

5　現在の A には中期目標の作成は過重な負荷であるため、担当を外してもらうよう助言する。

問題 024

Check ☑☑☑　第 1 回　問題 142

32 歳の女性 A、会社員。A は 2 か月前に部署を異動した。1 か月ほど前から不安で苛立ち、仕事が手につかないと訴えて社内の健康管理室に来室した。最近疲れやすく体重が減少したという。面接時は落ち着かず手指が細かく震えている。
健康管理室で A の状態を評価するために、最初に考慮すべきものとして、最も適切なものを 1 つ選べ。

1　対人関係

2　仕事の能率

3　不安の対象

4　身体疾患の有無

5　抑うつ気分の有無

解説 022　35歳女性・企業内相談室（事例）　正答 2

情報を多角的に判断し、「現時点」で適切と考えられる対応を検討する。

1 ×　「気分が沈む」「余暇の楽しみがない」「食欲はない」「食事が楽しめない」などから、精神疾患の徴候などを考え、精神科の受診を検討することはできるが、現時点で即座に「病気休暇」の取得とするのは時期尚早とも考えられる。

2 ○　どの程度の心理検査を行うかは検討の余地はあるが、まずは疾病性や事例性も含めたアセスメントを行うことが望ましい。その際には、質問の項目や順序などはあらかじめ定めない［非構造化面接］によって、当該女性が話しやすいところから話せるように努めることが望ましいと考えられる。

3 ×　認知行動療法は支援の選択肢の1つとしては考えられるが、まずはアセスメントの上で目標設定などを行っていくことが望ましいと考えられる。

4 ×　支援に必要な情報収集は重要であるが、その必要性も含めて「現時点」ではまずは女性本人の情報収集や目標設定などが先決と考えられる。

5 ×　現時点で自殺念慮やDVなど、虐待や命の危険を伴うような危機介入を要する緊急性につながる情報は上がっていないため、不適切と考えられる。

解説 023　35歳男性・社内相談室（事例）　正答 4

本問は昇進を含めたキャリアに関する問題であるが、職場での事例において、当該者の同意を得つつ、情報共有など連携を行うことも重要である。

1 ×　目下の悩みなので無下にはしないが、中期目標に固執している状態から、広い視野で自身のキャリアを考えられるように支援することが望ましい。

2 ×　「不安になり他の仕事も手につかなくなった」とあるが、現時点ではすぐに受診を勧めるほどの症状ではないと考えられる。

3 ×　A自身もチャンスと認識している可能性はあるが、同時にプレッシャーもあるとしたら「励ます」ことは重圧にもなりかねないため、適切とはいえない。

4 ○　昇進を含めて、自身の仕事のやりがいや今後の展望などキャリア全体を長期的な視点で改めて考えることで、中期目標が整理される可能性も考えられる。

5 ×　担当を外すことも選択肢の1つだが、A本来の力が生かされていない可能性もある。まずはAのキャリアプランを検討し、必要があれば担当を外すこともあり得る。

解説 024　32歳女性・社内健康管理室（事例）　正答 4

産業現場における事例問題であるが、産業現場に特化したものではなく、相談に来た人に対してどのようにアセスメントを行うかを問う問題でもある。

1 ×　職場の労働相談においては対人関係に関するものが多く、ストレッサーとなっている可能性はあるが、正答に比して優先度は下がる。

2 ×　1と同様に職場での相談であるため、仕事の能率についても情報を集めることは重要であるが、優先度は正答に比して下がる。

3 ×　不安対象は職場に限らない可能性があるが、正答に比して優先度は下がる。

4 ○　「手指が細かく震えている」という記載から、心因性の可能性もゼロではないが、まずは身体疾患の可能性を検討することが優先される。身体疾患であれば治療が先決であり、身体疾患が除外されてからその他の可能性を検討したい。

5 ×　「仕事が手につかない」「疲れやすい」「体重が減少」などあるため、抑うつの可能性も否定はできないが、まずは身体疾患の可能性の検討が優先される。

問題 025　Check ☑☑☑　第1回　問題149

45歳の男性A、工場勤務。Aは酒好きで、毎日焼酎を4〜5合飲んでいた。この数年、健康診断で肝機能の異常が認められ、飲酒量を減らすよう指導を受けていた。半年前から欠勤が目立ち始め、酒の臭いをさせて出勤し、仕事のミスも目立ち始めた。産業医は「完全に飲酒をやめることが必要。できなければ専門病院での入院治療も必要」とAに指導した。Aは今後一切飲酒しないと約束した。1か月後、上司から産業保健スタッフの一員である公認心理師に連絡が入り「Aが1週間ほど無断で休んでいる。電話をすると、つい酒を飲んでしまったということだった」と言う。
関係者（上司、人事労務担当者、産業保健スタッフ、家族など）の対応として、不適切なものを1つ選べ。

1 関係者が集まり、全員でAに問題を認識させる。
2 治療を受ける意向がある場合は合意事項を確認し、Aと約束する。
3 「絶対自分でやめる」と主張する場合は、Aの意思を尊重して様子を見る。
4 治療しなければ降格や失職の可能性も考えなければならないことをAに伝える。
5 専門治療の必要性と入院を含む治療方針について、関係者間で事前に協議しておく。

問題 026　Check ☑☑☑　第1回追　問題071

23歳の女性A、新入社員。Aにとって仕事は面白く熱心に取り組んでいた。ある日、残業後に職場の先輩の男性社員から夕食に誘われ、一緒に夕食を取った。先輩の話は会社のことや仕事のことなど知らないことばかりでとても役立ったため、「また誘ってください」と伝えた。しかし、その後先輩から頻繁に食事に誘われるようになり、Aが都合が悪いと言うと不満げな顔をされたり、いつなら都合が良いかと聞かれたりするため、しつこいと感じるようになった。最近、誘われるのが嫌で会社を休むようになった。Aはそのことで社内の相談室に来室した。
Aに対する相談室の公認心理師の言葉として、不適切なものを1つ選べ。

1 体調で気になることはありませんか。
2 あなたが相談にいらしたことはとても意味のあることだと思います。
3 はっきり断らないから、相手を勘違いさせてしまったのではないですか。
4 また誘ってくださいと言ったのは、職場の先輩に対する言葉として理解できます。
5 せっかく仕事も面白いと感じているのに、このようなことが起きてショックですよね。

問題 027　Check ☑☑☑　第3回　問題057

雇用の分野における男女の均等な機会及び待遇の確保等に関する法律〈男女雇用機会均等法〉に規定されているセクシュアル・ハラスメントについて、正しいものを2つ選べ。

1 業務上明らかに不要なことや遂行不可能なことを強制すること
2 異性に対して行われるものであって、同性に対するものは含まないこと
3 職場において行われる性的な言動により、労働者の就業環境が害されること
4 業務上の合理性がなく、能力や経験とかけ離れた程度の低い仕事を命じることや仕事を与えないこと
5 職場での性的な言動に対して、労働者が拒否的な態度をとったことにより、当該労働者がその労働条件につき不利益を受けること

解説 025　45 歳男性・アルコール依存症（事例）

正答 3

アルコール依存症に対しての適切な対応を問う問題である。

1 ○ A はアルコール依存という認識がないので、関係者が集まりこれを認識させるよう働きかける必要がある。

2 ○ 治療者は A と治療の目標、限界設定、入院の適応などを含めた治療契約を結んで治療を始めることが望まれる。

3 × 「絶対自分でやめる」と言ってもやめられない可能性が高い依存症の治療では、本人の約束を鵜呑みにすることは適切ではない。

4 ○ 治療者は A が治療を受けないで被る不利益や損失を正確に伝える必要がある。

5 ○ アルコール依存症では通常の精神科医療機関よりも専門のプログラムのそろっている医療機関への通院や入院が検討されるべきであり、この必要性について事前に関係者で協議しておくことが望ましい。

解説 026　23 歳女性・社内相談室・ハラスメント（事例）

正答 3

「職場におけるハラスメント対策マニュアル」において、窓口担当者が言ってはいけない言葉や態度の例として、「相談者にも問題があるような発言」「不用意な慰め」「きちんと対応する意思を示さない発言」「相談者の意向を退け、担当者の個人的見解を押し付けるような発言」「行為者を一般化するような発言」が挙げられている。

1 ○ 会社を休むなど仕事に支障が出ているため、記述されている以外にも体調不良がある可能性は考えられる。

2 ○ 第三者に話すこと自体の抵抗や、相手からの報復、仕事への影響などを考え、相談に至るまでにも悩んでいる可能性はあるため、相談に来たことを受け入れるような声かけは相談者の安堵につながると考えられる。

3 × 被害を受けている相談者に問題があるような発言は不適切である。

4 ○ 相談者の言葉の意図については慎重に解釈すべきである。「知らないことばかりでとても役立ったため」との発言から、相談者に寄り添った発言と考えられる。

5 ○ 「仕事は面白く熱心に取り組んでいた」などの発言から、相談者がショックを受けているように見受けられるため、相談者に寄り添っていると考えられる。

加点のポイント　パワハラ防止の義務化

パワハラ防止に関する法律が 2020 年 6 月に施行された。相談窓口の設置義務など組織が取り組む内容をおさえておこう。

解説 027　男女雇用機会均等法

正答 3、5

男女雇用機会均等法では、事業者に対し、男女労働者へのセクシュアル・ハラスメント防止のための雇用管理上の措置を義務づけている。

1 × セクシュアル・ハラスメントは、[性的な言動] に起因する問題であり、該当しない。「業務上明らかに不要なことや遂行不可能なことを強制すること」は、パワー・ハラスメントである。

2 × 男女雇用機会均等法第 11 条には「労働者」とあり、性的な言動の対象には性別を問わない。

3 ○ 男女雇用機会均等法第 11 条 1 項に、事業主は、職場での性的な言動により「当該労働者の就業環境が害されることのないよう」必要な措置を講じなければならない、と定められている。

4 × 性的な言動は含まれていないため該当しない。「業務上の合理性がなく、能力や経験とかけ離れた程度の低い仕事を命じることや仕事を与えないこと」は、パワー・ハラスメントである。

5 ○ 男女雇用機会均等法第 11 条 1 項に、事業主は、職場での性的な言動により「当該労働者がその労働条件につき不利益を受け」ることがないよう必要な措置を講じなければならないと定められている。

問題 028

Check ☑☑☑　第1回 追　問題023

平成26年度以降の過労死等の労災補償状況のうち、脳・心臓疾患に関する事案で支給決定件数の最も多かった業種（大分類）として、正しいものを1つ選べ。

1 建設業

2 製造業

3 運輸業、郵便業

4 卸売業、小売業

5 宿泊業、飲食サービス業

加点のポイント　厚生労働省「過労死等の労災補償状況」を確認しよう

「脳・心臓疾患に関する事案の労災補償状況」や「精神疾患に関する事案の労災補償状況」「裁量労働制対象者の労災補償状況」について請求件数や支給決定件数、業種別による請求・支給決定件数などがまとめられているので、年度ごとの傾向について確認をしておこう。特に、件数が最も多いものは出題されやすいと考えられるため、請求件数、支給決定件数ともに確認しておこう。

問題 029

Check ☑☑☑　第2回　問題040

育児休業、介護休業等育児又は家族介護を行う労働者の福祉に関する法律について、誤っているものを1つ選べ。

1 配偶者が専業主婦（主夫）の場合は育児休業を取得できない。

2 3歳に満たない子を養育する従業員について、労働者が希望すれば短時間勤務制度を利用できる。

3 従業員からの申出により、子が1歳に達するまでの間、申し出た期間、育児休業を取得できる。

4 夫婦で取得するなど、一定の要件を満たした場合、子が1歳2か月になるまで育児休業を取得できる。

5 3歳に満たない子を養育する従業員から申出があった場合、原則として所定外労働をさせることはできない。

問題 030

Check ☑☑☑　第2回　問題074

35歳の男性A、営業職。時間外・休日労働が社内規定の月60時間を超え、疲労感があるとのことで、上司は公認心理師にAとの面接を依頼した。直近3か月の時間外・休日労働の平均は64時間であった。健康診断では、肥満のために減量が必要であることが指摘されていた。疲労蓄積度自己診断チェックリストでは、中等度の疲労の蓄積が認められた。この1か月、全身倦怠感が強く、布団から出るのもおっくうになった。朝起きたときに十分に休めた感じがなく、営業先に向かう運転中にたまに眠気を感じることがあるという。
公認心理師の対応として、不適切なものを1つ選べ。

1 生活習慣の把握を行う。

2 うつ病などの可能性の評価を行う。

3 Aに運転業務をやめるように指示する。

4 Aの医学的評価を求めるように事業主に助言する。

5 仕事の負担度、仕事のコントロール度及び職場の支援度を把握する。

解説 028 過労死等の労災補償

正答 3

厚生労働省の資料「過労死等の労災補償状況」を確認しておきたい。ここでは脳・心臓疾患に関する事案で支給決定件数の最も多かった業種（大分類）が問われている。なお、本問の解説は「平成30年度過労死等の労災補償状況」に準拠する。

1 × 「建設業」は14件で5番目に多い。なお、令和3年度においては、17件で4番目に多い。

2 × 「製造業」は28件で3番目に多い。なお、令和3年度においては、23件で2番目に多い。

3 ○ 「運輸業、郵便業」が94件と最も多い。平成26年度から平成30年度まで請求件数、支給決定件数ともに最も多い。令和3年度においても59件と最も多い。

4 × 「卸売業、小売業」は24件で4番目に多い。なお、令和3年度においては、22件で3番目に多い。

5 × 「宿泊業、飲食サービス業」は32件で2番目に多い。なお、令和3年度においては、7件で5番目に多い。

解説 029 育児・介護休業法

正答 1

育児休業、介護休業等育児又は家族介護を行う労働者の福祉に関する法律（育児・介護休業法）は、直近では2021（令和3）年、2019（令和元）年、2017（平成29）年や2016（平成28）年に改正がされている。本問では2009（平成21）年の改正ポイントが中心に出題されているので、厚生労働省の各年度の「改正の概要」などを参考に改正のポイントを整理しておくことが重要。

1 × 2009（平成21）年の改正により、専業主婦（夫）家庭の夫（妻）を含め、[全て]の労働者が育児休業を取得できるようになった。

2 ○ 2009（平成21）年の改正において、3歳までの子を養育する労働者が希望すれば利用できる[短時間勤務制度]（1日原則6時間）を設けることが事業主の義務と定められた。

3 ○ 子が[1歳]に達するまで、また保育所に入れない等の場合に子が[1歳6か月]に達するまで延長が可能である。さらに、2017（平成29）年の改正により、1歳6か月に達した時点で、保育所に入れない等の場合に再度申出することにより、育児休業期間を最長[2歳]まで延長できることとなった。

4 ○ 2009（平成21）年の改正により、母（父）だけでなく、父（母）も育児休業を取得する場合、休業可能期間が1歳2か月に達するまで（2か月分は父（母）のプラス分）に延長されることとなった。

5 ○ 2009（平成21）年の改正において、3歳までの子を養育する労働者から請求があった場合に、事業者は所定労働時間を超えて労働させてはならないと定められた（第16条の8）。

解説 030 35歳男性・アセスメント（事例）

正答 3

職場や生活の環境や生活習慣、心身の健康状態、服薬の有無、精神疾患の可能性などを含めて、総合的にアセスメントを行っていく必要がある。

1 ○ [総合的なアセスメント]を行うために、睡眠時間や食事の回数や量など、日常の生活習慣を公認心理師が把握することも必要である。

2 ○ 疲労感や倦怠感、眠気は、うつ病などの[精神疾患]の結果生じている可能性があるため、公認心理師がそれらの評価を行うことも必要である。

3 × 運転業務をやめさせるよう指示を行うのは[事業主]であり、公認心理師が指示することは不適切である。

4 ○ 運転中の眠気は事故により生命の危険が生じてしまう可能性もあるため、身体面の評価も含めて、[医学的評価]を求めるように公認心理師が事業主に助言するのは適切である。

5 ○ 今後の[支援計画]を考えていく上で、現状の職場環境や本人の業務遂行能力などを公認心理師がアセスメントすることは適切である。

問題 031　Check ☑☑☑　第2回　問題114

採用面接において面接者が陥りやすい心理として、誤っているものを1つ選べ。

1　対比効果
2　寛大化傾向
3　ハロー効果
4　ステレオタイプ
5　ブーメラン効果

問題 032　Check ☑☑☑　第2回　問題046

「就労継続支援B型」について、正しいものを1つ選べ。

1　50歳未満であれば対象となる。
2　一般就労のために必要な訓練が行われる。
3　障害基礎年金を受給している者は対象とならない。
4　障害者のうち、雇用契約に基づく就労が可能な者が対象となる。

問題 033　Check ☑☑☑　第1回 追　問題035

日本で戸籍上の性別が変更できる要件として、不適切なものを1つ選べ。

1　生殖機能を欠くこと
2　年齢が18歳以上であること
3　未成年の子どもがいないこと
4　他の性別の性器の部分に似た外観を備えていること
5　2人以上の医師により性同一性障害と診断されていること

解説 031 採用面接における効果

正答 5

面接者が陥りやすい心理的な錯誤である評価エラーについての問題である。人事評価の際にも同様のエラーが起こりうる。代表的な評価エラーについて確認しておこう。

1 ○ [対比効果] とは、被面接者への評価を行う際、他の候補者との対比によって特徴が強調されて見える（影響を受ける）ことをいう。また、絶対評価ではなく [相対評価] になりやすい。

2 ○ 寛大化傾向とは、全体的に評価が [甘く] なったり [高く] なったりすることをいう。

3 ○ ハロー効果とは、[目立ちやすい] 特徴があると、それに引きずられて他の特徴への評価が歪んでしまうことをいう。

4 ○ ステレオタイプとは、多くの人に侵入している先入観や [固定概念] のことを指す。

5 × ブーメラン効果とは、説得しようとする方向とは逆の方向に相手が態度を強めてしまうことを指す。[説得の逆効果] ともいわれる。

解説 032 就労継続支援 B 型

正答 2

就労継続支援は「障害者の日常生活及び社会生活を総合的に支援するための法律（障害者総合支援法）」に基づいて行われる。就労移行支援、就労継続支援 A 型、就労継続支援 B 型の違いを整理しておくことが重要。

1 × 就労に関する課題を有する場合に、就労継続支援 B 型に年齢制限は原則ない。しかし、就労の課題を有さない場合などに、50 歳に達していることや、障害基礎年金 1 級受給者などの要件が挙げられる。

2 ○ [就労] の機会の提供、[生産活動] の機会の提供、知識や能力向上のための訓練や支援などが目的とされる。

3 × [障害基礎年金 1 級] 受給者は対象となっている。

4 × 通常の事業所に雇用が [困難] であり、雇用契約に基づく就労が [困難] な者が対象である。

解説 033 性同一性障害特例法

正答 なし

性同一性障害者の性別の取扱いの特例に関する法律（性同一性障害特例法）に関する問題である。性同一性障害は DSM-5 では性別違和（Gender Dysphoria）、ICD-11 では性別不合（Gender Incongruence）と名称などが変更されている。

1 ○ [生殖] 機能を欠くことは、戸籍上の性別が変更できる要件である。

2 ○ 出題時は、戸籍上の性別が変更できる年齢は 20 歳以上が要件となっていたが、成人年齢の引き下げによって [18 歳] 以上が要件となった。

3 ○ [未成年の子ども] がいないことは、戸籍上の性別が変更できる要件である。

4 ○ 他の [性別の性器] の部分に似た外観を備えていることは、戸籍上の性別が変更できる要件である。

5 ○ [2 人以上の医師] により性同一性障害と診断されていることは、戸籍上の性別が変更できる要件である。

（注）本題は、出題時は選択肢 2 が正答であったが、法改正によって正答なしとなった。

加点のポイント 性別の取扱いの変更の審判基準（性同一性障害特例法第 3 条）

1 [18] 歳以上であること。
2 現に [婚姻] をしていないこと。
3 現に [未成年の子] がいないこと。
4 [生殖腺] がないこと又は生殖腺の機能を [永続的に欠く] 状態にあること。
5 その身体について他の性別に係る身体の性器に係る部分に [近似する外観] を備えていること。

②組織における人の行動

問題 034 Check 第1回 問題111

リーダーシップについて、誤っているものを1つ選べ。

1 PM理論のM機能とは、部下への配慮やメンバー間の人間関係に関心が高いリーダーのスタイルである。

2 リーダーシップはリーダーの中に存在するのではなく、リーダーとフォロワーの間で形成される過程である。

3 オーセンティックリーダーシップとは、自分の信条や価値を知り、その信条や価値のままに行動するリーダーのスタイルである。

4 サーバントリーダーシップとは、リーダーが自らの私欲を捨て、フォロワーが成長することに注力するリーダーのスタイルである。

5 変革型リーダーシップとは、部下に成果を出すように求め、生産性向上や組織目標達成に向けて強力に推進するリーダーのスタイルである。

問題 035 Check 第1回追 問題123

J. T. Reasonが提唱している安全文化の構成要素として、正しいものを1つ選べ。

1 組織の命令形態を堅持する。

2 エラーやミスは影響度の高いものを報告する。

3 過去に起こったエラーやミスから学ぶことを重視する。

4 安全に関する規則違反や不安全行動については処罰しない。

問題 036 Check 第4回 問題153

40歳の男性A、会社員。Aは、まじめで責任感が強く、人望も厚い。最近、大きなプロジェクトを任された。それにより、Aは仕事を持ち帰ることが増え、仕事が気になり眠れない日もあった。納期直前のある日、他部署から大幅な作業の遅れが報告された。その翌日、Aは連絡なく出勤せず、行方不明になったため、捜索願が出された。3日後、職場から数十km離れたAの実家近くの駅から身分照会があり発見された。Aはこの数日の記憶がなく、「気がついたら駅にいた。会社に迷惑をかけたので死にたい」と言っているという。
会社の健康管理部門のAへの対応として、誤っているものを1つ選べ。

1 安全の確保を優先する。

2 できるだけ早期に健忘の解消を図る。

3 専門医に器質的疾患の鑑別を依頼する。

4 内的な葛藤を伴っていることに留意する。

解説 034 リーダーシップ

正答 5

リーダーシップのあり方は組織の成否や方向性を左右するものである。各理論の特徴を理解しておくことが重要である。

1 ○ 三隅二不二が提唱した PM 理論は、リーダーの行動パターンに［課題達成機能］（P 機能）と［集団維持機能］（M 機能）の 2 つの機能があるとし、これらの機能の大小を大文字・小文字で示したものである。PM 型は P 機能も M 機能も高く最も効果的である。

2 ○ リーダーシップは、［リーダー］と［フォロワー］との関係性の中で形成される。

3 ○ オーセンティックには「真の」という意味があり、オーセンティックリーダーシップとは、［高い倫理観］や［道徳観］を持ち、その実現のために［努力］をしていくというスタイルである。

4 ○ サーバントとは、ワンマンではなく部下に奉仕し、支援する役割を担うものであり、サーバントリーダーシップとは、［フォロワーの成長］を重視するスタイルである。

5 × 変革型リーダーシップは、組織を既存のあり方にとらわれずに［変革的］に発展させていくスタイルのことを指す。

解説 035 安全文化

正答 3

組織の構成員が安全の重要性を認識し、事故等の防止を含めた様々な対策を積極的に実行する姿勢や仕組みなどのあり方を安全文化といい、J.T. Reason は、①報告する文化、②正義の文化、③学習する文化、④柔軟な文化、が重要であると指摘した。

1 × ④［柔軟な文化］において、予期しない事態においては組織の命令形態によらずに［臨機応変］に対応することが重要である。

2 × ①［報告する文化］において、エラーやミスは、影響度の高いものだけではなく、影響がささいなものも含めて広く報告することが重要である。

3 ○ ③［学習する文化］に相当する。過去のエラーやミスなどから学び、同様のことが起こらないように安全文化を変化させていくことが肝要。

4 × ②［正義の文化］において、安全文化に反するような規則違反や不安全行動については適切に［処罰］を行うことも必要である。

解説 036 40 歳男性・会社の健康管理部門の対応（事例）

正答 2

仕事の負荷が高まっていることから、解離性健忘や解離性遁走のような症状が見受けられる従業員への「会社の健康管理部門の対応」について問われている。

1 ○ 行方不明で捜索願が出されていた状況であるため、［命や安全の確保］が優先される。

2 × 健忘の解消は重要であるが、健忘の原因についてもう少し詳細な整理も必要と考えられる。

3 ○ 選択肢 2 に関連して、健忘について器質的疾患との鑑別も重要である。

4 ○ 「まじめで責任感が強く、人望も厚い」との記載から、大きなプロジェクトを任される中で、内的な葛藤を抱えていた可能性も考えられる。現在の仕事の状況を A がどのように受け止めていたかについては丁寧な関わりが重要である。

問題 037　Check ☑☑☑　第4回　問題070

製造業A社は、これまで正社員の大半が男性であった。ここ数年の労働力不足を背景に、様々な人材を登用する機会を模索している。女性の管理職の増加を目指したキャリアコンサルティングの実施、外国人社員に伴って来日した配偶者の採用に加え、社内に障害者支援委員会を設置して精神障害者の就労支援を行うなど、個々の違いを認め、尊重し、それらを組織の競争優位性に活かそうとする取組を行った。その取組をきっかけとして、女性社員、高齢者や国籍の異なる社員なども少しずつ増えて、今では属性の異なった人と協働する機会が増えている。
このA社の取組を全体的に表すものとして、最も適切なものを1つ選べ。

1　コンプライアンス

2　キャリアマネジメント

3　ポジティブアクション

4　アファーマティブアクション

5　ダイバーシティマネジメント

問題 038　Check ☑☑☑　第2回　問題029

ある人物の起こした1件の大きな事故の背後には、同一人物による軽度、重度の同様の事故が29件発生しており、さらにその背後には、事故にはならなかったが危ない状況が300件あることを示した事故発生モデルは何か、正しいものを1つ選べ。

1　インシデント

2　危険予知モデル

3　スイスチーズモデル

4　スノーボールモデル

5　ハインリッヒの法則

解説 037 会社の組織改革（事例）

正答 5

女性の管理職の割合の低さをはじめ、日本においてはダイバーシティ（多様性）を意識した組織づくりには課題が少なくない。外国人労働者、高齢労働者、障害のある労働者、リモートワークの労働者や短時間労働者などが同一の職場で働きやすい環境を作ることや、育児や介護、難病の治療などと仕事の両立の実現を目指すことなど、多様な人が働きやすい環境を作るためのダイバーシティマネジメントが重要である。

1 × [コンプライアンス] とは、法令を遵守することや、社会的規範を守ることを意味する。

2 × [キャリアマネジメント] とは、自身のキャリアをどのように構築していくかについて、計画・実行していくことをいう。

3 × 内閣府の男女共同参画局によると、[ポジティブアクション] とは、社会的・構造的な差別によって不利益を被っている者に対して、一定の範囲で特別の機会を提供することなどにより、[実質的な機会均等を実現すること] を目的として講じる暫定的な措置のことをいう。

4 × [アファーマティブアクション] は、積極的格差是正措置とも訳され、ポジティブアクションと同義で用いられることもある。いずれも格差の是正であり、本問のような「個々の違いを認め、尊重し」という取り組みとしては、ダイバーシティの概念が近い。

5 ○ 組織が個々の従業員の違いを認め、尊重し、多様性を受け入れ、活用しながら組織力を高めていくことがダイバーシティマネジメントであるため、本問題の取り組みはこれにあたる。

解説 038 事故発生モデル

正答 5

事故の発生の背景にどのような要因があるかの分析には様々な考え方があり、選択肢の他に 4ME-5E マトリックスモデルや、SHEL モデルなどがあるので、どのようなモデルかを理解しておく。

1 × [インシデント] は、重大な事件に至る危険のあった事件のことを指す。

2 × [危険予知モデル] は、KY と表記され、安全管理や事故防止対策のために導入されているものである。作業開始前に行い、当日の作業に対する危険を予知し、安全確保のポイントや対策を周知し、安全の徹底を図る。[危険予知訓練]（KYT）は、事故や災害を未然に防ぐことを目的に、その作業に潜む危険を予想し、指摘し合う訓練のことを指す。

3 × [スイスチーズモデル] は、事故は単独のエラーによって起こるのではなく、複数の即発的エラーや潜在的エラーが重なることで組織的に発生するという考え方であり、複数の対策を行うことで発生リスクを低減できるとする。

4 × [スノーボールモデル] は、軽微なミスや勘違いが思わぬ方向に波及し、雪玉のように段々と危険が大きく膨れ上がってしまうという考え方である。

5 ○ 問題文の通り、1 つの重大事故の背景には 29 の軽微な事故があり、さらにその背景には 300 のインシデントが存在するというのが、[ハインリッヒ] の法則である。

問題 039　Check ☑☑☑　第3回　問題148

A社は、新規に参入した建設業である。最近、高所作業中に作業器具を落下させる事例が立て続けに発生し、地上で作業する従業員が負傷する事故が相次いだ。そのため、事故防止のための委員会を立ち上げることになり、公認心理師が委員として選ばれた。委員会では、行政が推奨する落下物による事故防止マニュアルが用いられている。
事故防止の仕組みや制度の提案として、不適切なものを1つ選べ。

1　マニュアルの見直し
2　規則違反や不安全行動を放置しない風土づくり
3　過失を起こした者の責任を明らかにする仕組みづくり
4　過去のエラーやニアミスを集積し、分析する部門の設置
5　従業員にエラーやニアミスを率直に報告させるための研修

問題 040　Check ☑☑☑　第1回 追　問題056

動機づけ理論について、適切なものを2つ選べ。

1　自己実現欲求は欠乏動機である。
2　動機づけ要因は、満たされていれば満足につながる。
3　有能さや自己決定の感覚が強められると、動機づけは高まる。
4　金銭などの外的報酬は、その水準が変わらなければ、動機づけを維持する効果は時間とともに弱まる。
5　内発的動機づけが働いている行動に、賞罰などの外的報酬を加えることで、動機づけは更に高められる。

解説 039 建設業A社・事故防止の仕組みや制度（事例）

正答 3

組織の構成員が安全の重要性を認識し、事故等の防止を含めた様々な対策を積極的に実行する姿勢や仕組みのあり方を安全文化という。事故の発生の分析を行い再発予防に努めることは重要である。

1 ○ 新規に参入したA社の実態に、行政が推奨する事故防止マニュアルが適していない可能性が考えられるため、実態に適したマニュアルとなるよう見直しを行う必要性は高いと考えられる。

2 ○ 規則違反や不安全行動が放置されていることが事故の原因として挙げられているのであれば、まずは優先的に対処することが望ましい。

3 × 組織として事故が発生した原因を分析し、事業者は事故防止のための措置を講じなければならないが、過失を起こした者に責任を負わせるような仕組みを作るべきではない。

4 ○ 過去のエラーやニアミスが、今回の事故の発生と関連している可能性が考えられるため、分析を行うことは重要である。

5 ○ J.T. Reason は、安全文化において、報告する文化、正義の文化、学習する文化、柔軟な文化が重要であると指摘しているため、報告を行うようになることは重要。

解説 040 動機づけ理論

正答 3、4

欲求や動機づけに関する理論について理解をしていく。

1 × A.H. Maslow の欲求階層説において、自己実現欲求は、欠乏動機ではなく、［成長動機］である。

2 × F. Herzberg によると、仕事の満足度は、特定の要因が満たされると満足度が上がり、不足すると下がるわけではなく、仕事への満足を引き起こす要因（動機づけ要因）と不満足を引き起こす要因（衛生要因）の2つからなるとされる。

3 ○ 内発的動機づけを高める要因として、［有能感、自己決定感、知的好奇心］などが挙げられる。

4 ○ 外的報酬（外発的動機づけ）の水準が変わらない状況が続けば、動機づけの効果は時間の経過とともに［弱まって］いく。

5 × 内発的動機づけによって行われていた行動は、賞罰や報酬などの外発的動機づけを行うことによって、動機づけが［低減］する現象を［アンダーマイニング効果］という。「外的報酬を加えることでさらに高められる」は不適切。

●A.H. Maslow の欲求階層説の各段階

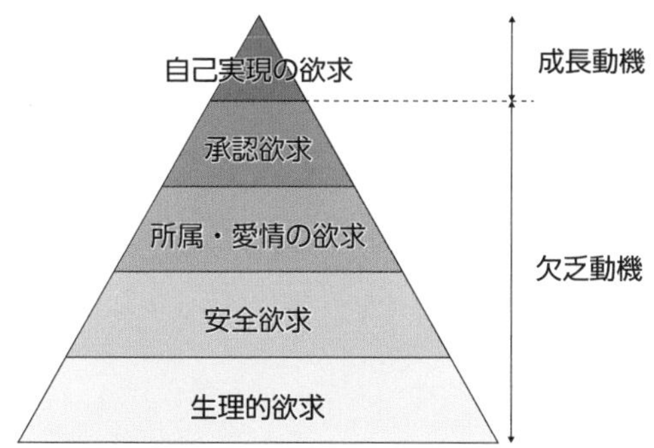

メモ　動機づけ

内発的動機づけは、内面に湧き起こった興味・関心や意欲が行動要因になっているという考え方。
外発的動機づけは、評価や賞罰、外部からの強制など、人為的な刺激が行動要因になっているという考え方。

問題 041 Check ☑☑☑ 第3回 問題028

F. Herzberg の 2 要因理論に関する説明として、正しいものを 1 つ選べ。

1 達成動機は、接近傾向と回避傾向から構成される。

2 職場の出来事で満足を与える要因を達成欲求という。

3 分配の公正と手続の公正は、仕事への動機づけを高める。

4 職場での満足を感じる要因は、仕事への動機づけを高める。

5 職場の出来事で不満足につながる要因をバーンアウトという。

問題 042 Check ☑☑☑ 第4回 問題102

動機づけ理論の説明として、最も適切なものを 1 つ選べ。

1 D.C. McClelland の目標達成理論では、課題への不安や恐怖を示す回避動機によって動機づけが低下すると考える。

2 E.A Locke の目標設定理論では、難易度の低い目標を設定した方が動機づけが高まり、業績の向上につながると考える。

3 E.L. Deci の認知的評価理論では、金銭などの外的報酬により、内発的動機づけが高まると考える。

4 F. Herzberg の 2 要因理論では、会社の衛生要因を改善しても動機づけは高まらないと考える。

5 V.H. Vroom の期待理論では、管理監督者の期待が高いほど、労働者の動機づけが高まると考える。

解説 041 F. Herzberg の 2 要因理論

正答 4

本文では、動機づけに関する理論が問われている。F. Herzberg の 2 要因理論は、満足に関わる要因である「動機づけ要因」と不満足に関わる要因である「衛生要因」はそれぞれ独立しているという仮説である。

1 × ［達成動機］は、H. Murray によって社会的動機のひとつとして説明されるものである。D.C. McClelland は、自身がそれを成し遂げたいという欲求から努力しようとする欲求を［達成動機］と呼んだ。また、欲求を叶えようと近づくことを接近、欲求から遠ざかろうとすることを回避と呼び、複数間の欲求の間で生じる葛藤について、K. Lewin は、接近－接近型、回避－回避型、接近－回避型の 3 つがあると唱えている。

2 × McClelland は、職場における従業員には、達成欲求、権力欲求、親和欲求の 3 つの主要な欲求が存在するという［欲求理論］を提唱した。

3 × ［組織公正理論］において、分配的公正と手続き的公正は、組織の従業員の態度や行動に対して影響を及ぼすといわれている。

4 ○ 問題文の内容は 2 要因理論の説明であり、職場での満足に関する要因は動機づけを高める。

5 × 職場の出来事で不満足につながる要因は、［衛生要因］である。バーンアウトは［燃え尽き症候群］と呼ばれ、心身の極度の疲労により意欲を失うことを指す。

解説 042 動機づけ理論

正答 4

動機づけとは、ある行動を引き起こし、その行動を維持させ、その結果として一定の方向に導く心理的過程のことをいう。

1 × D.C. McClelland は、［欲求理論］において従業員の行動の動機は「達成動機」「親和動機」「権力動機」「回避動機」の 4 つに分類しており、回避動機によって動機づけは高まると考えている。

2 × E.A. Locke の［目標設定理論］では、明確で具体性を持った目標の場合は、曖昧な目標の場合よりも、動機づけが高まるとされる。

3 × E.L. Deci の［認知的評価理論］では、元々内発的に動機づけられていた行動であったとしても、外発的な報酬が与えられることで内発的動機づけは低下するとされる。

4 ○ F. Herzberg の［2 要因理論］では、人事労務管理に必要な要素として「動機づけ要因」と「衛生要因」の 2 種類に分けて考えるべきだとされているが、衛生要因は「整備されていないと不満を感じるもの」ではあるが「整備されているとしても、動機づけは高まらないもの」とされる。

5 × V.H. Vroom の［期待理論］では、目標達成後の報酬が得られる確信があれば、動機づけは高まるとされるものである。

第21章　人体の構造と機能及び疾病

①心身機能、身体構造及びさまざまな疾病と障害

問題 001　Check ☑☑☑　第2回　問題083

視床下部—下垂体系の解剖と生理について、正しいものを1つ選べ。

1　視床下部のニューロンの一部は下垂体前葉に軸索を送る。
2　視床下部は下垂体後葉ホルモンの分泌を制御するホルモンを産生する。
3　視床下部で産生されたホルモンは下垂体門脈によって下垂体に運搬される。
4　視床下部から分泌されるソマトスタチンは下垂体からの成長ホルモンの分泌を促進する。
5　血液中の副腎皮質刺激ホルモンの濃度が上昇すると、視床下部に対する負のフィードバックが低下する。

メモ　間脳—下垂体を中心とした全身の内分泌系調節システム

下垂体は間脳の視床下部から前下部に伸び出した小指の先ほどの器官で、[前葉]（腺性下垂体）と[後葉]（神経性下垂体）に分かれる。前葉と後葉はともに複数のホルモンを分泌するが、機能的に異なったシステムであることを理解しておきたい。下垂体前葉は6種類のホルモン（成長ホルモン[GH]、乳腺刺激ホルモン[プロラクチンPRL]、副腎皮質刺激ホルモン[ACTH]、甲状腺刺激ホルモン[TSH]、性腺刺激ホルモン[FSH、LH]）を分泌している。これらのホルモンの分泌は、間脳/視床下部から分泌され下垂体門脈を通って下垂体に至るそれぞれの放出ホルモン（例としてGHに対してのGHRH）および抑制ホルモン（GHに対してのソマトスタチン）の調節を受けている。下垂体前葉から分泌されたホルモンは全身への血流を通じてそれぞれの標的臓器において作用を発揮する。下垂体後葉ホルモンには[オキシトシン]（子宮収縮ホルモン）と[バソプレシン]（ADH：抗利尿ホルモン）があり、これらは視床下部の[神経細胞]で産生され軸索を通って下垂体後葉まで届き、そこから血流に乗って標的臓器にたどり着く。下垂体から分泌されるホルモンおよび標的臓器から分泌されるホルモンは、それぞれが[ネガティブ・フィードバック]機構を通じて上位のホルモンの分泌を制御する。

問題 002　Check ☑☑☑　第3回　問題013

摂食行動を制御する分子について、正しいものを1つ選べ。

1　グレリンは、食欲を抑制する。
2　レプチンは、食欲を促進する。
3　オレキシンは、食欲を抑制する。
4　肥満症では、血液中のグレリン濃度が上昇する。
5　肥満症では、血液中のレプチン濃度が上昇する。

問題 003　Check ☑☑☑　第4回　問題025

ホルモンの作用の説明として、正しいものを1つ選べ。

1　メラトニンは睡眠を促す。
2　インスリンは血糖値を上げる。
3　副腎皮質ホルモンは血圧を下げる。
4　プロラクチンは乳汁分泌を抑制する。
5　抗利尿ホルモンは血中のナトリウム濃度を上げる。

解説 001 視床下部－下垂体系の解剖と生理

正答 3

視床下部―下垂体を中心とした内分泌システムは、全身のホメオスタシスを調節する重要な身体システムである。ストレス反応にも関連が深く、身体の構造と機能領域における、公認心理師が理解しておきたい重要な知識のひとつである。

1 × 視床下部のニューロンの一部は［下垂体後葉］に軸索を送り、その末端から下垂体後葉ホルモンが分泌される。

2 × 視床下部は［下垂体前葉］ホルモンの分泌を制御するホルモンを産生する。

3 ○ 視床下部で産生されるホルモンは下垂体門脈を通って［下垂体前葉］に至り、下垂体前葉ホルモンの分泌を制御する。

4 × 視床下部から分泌される［GHRH（成長ホルモン放出ホルモン）］は下垂体からの成長ホルモン（GH）の分泌を促進する。ソマトスタチンは成長ホルモンの分泌を抑制する。

5 × 血液中の副腎皮質刺激ホルモンの濃度が上昇すると、視床下部に対する負のフィードバックが［増強］する。

解説 002 摂食調節物質

正答 5

摂食調節物質は摂食亢進作用を持つ物質と摂食抑制作用を持つ物質に大別される。代表的な摂食関連ペプチドや摂食行動を制御する脳内神経システムについてはおさえておきたい。

1 × グレリンは、［摂食亢進作用］を持つペプチドホルモンである。空腹時に分泌が増え、食欲を促進させる。

2 × レプチンは、［摂食抑制作用］を持つペプチドホルモンである。視床下部に作用し、満腹感を感じさせることで食欲を抑制させる。

3 × オレキシンは、［摂食亢進作用］を持つペプチドホルモンであり、グレリンと同様に食欲を促進する。睡眠・覚醒の制御にも深く関係する。したがって、「食欲を抑制する」は誤りである。

4 × 肥満症では、血液中の［グレリン］濃度は低値を示し、BMI と負の相関を示すといわれている。したがって、「上昇する」は誤りである。

5 ○ 肥満症では、血液中の［レプチン］濃度が上昇する。肥満が続くことで［レプチン抵抗性］（レプチン作用の低下）が引き起こされる。そのため、レプチンが増加しても肥満が改善されにくい。

メモ 摂食調節に関与するペプチドホルモンや神経ペプチド

問題 002（第 3 回問題 13）の選択肢として挙げられているグレリンやレプチン、オレキシン以外にも摂食調節に関与するペプチドホルモンは多く存在する。摂食亢進作用を持つものとしては、グレリンやオレキシン以外にニューロペプチド Y（NPY）、メラニン凝集ホルモン（MCH）、ガラニンなどがある。一方、摂食抑制作用を持つものとしては、レプチン以外にはニューロペプチド W（NPW）やプロオピオメラノコルチン（POMC）、ウロコルチン、［コレシストキニン］、［グルカゴン］などがある。

解説 003 内分泌

正答 1

全身の内分泌組織から分泌されるホルモンは、全身のホメオスタシスを調節する重要な役割を果たしている。各ホルモンの作用と調節機構（視床下部・下垂体・内分泌腺・標的臓器）を理解しておこう。

1 ○ ［メラトニン］は松果体から分泌されるホルモンであり、睡眠を促す作用がある。近年、［メラトニン受容体作動薬］がベンゾジアゼピン系に代わる副作用の少ない睡眠導入剤として用いられている。

2 × ［インスリン］は膵臓のランゲルハンス島から分泌され、血糖値を下げる唯一のホルモンであり、糖尿病の治療には必須の薬剤である。

3 × 副腎皮質ホルモン（糖質コルチコイド）は抗炎症作用・抗ストレス作用など複数の作用を持つが、血圧を上昇させる作用もある。

4 × ［プロラクチン］は下垂体前葉から分泌されるホルモンであり、乳腺から乳汁を分泌させる。

5 × ［抗利尿ホルモン（ADH）］は下垂体後葉から分泌され、腎臓からの自由水の排泄を抑制し、その結果として血中ナトリウム濃度を低下させる。

問題 004 Check ☑☑☑ 第 4 回 問題 044

免疫担当細胞に含まれないものを 1 つ選べ。

1 単球
2 好中球
3 赤血球
4 B 細胞
5 T 細胞

問題 005 Check ☑☑☑ 第 4 回 問題 103

メニエール病の説明として、最も適切なものを 1 つ選べ。

1 めまいは一過性で反復しない。
2 めまいは難聴や耳鳴りを伴う。
3 めまいの持続時間は数秒である。
4 めまいを起こす疾患の中で最も頻度が高い。
5 過換気をきっかけにめまいが始まることが多い。

②心理的支援が必要な主な疾病

問題 006 Check ☑☑☑ 第 4 回 問題 026

くも膜下出血の説明として、最も適切なものを 1 つ選べ。

1 脳梗塞に比べて頻度が高い。
2 症状は 24 時間以内に消失する。
3 緩徐に進行する頭痛で発症する。
4 高次脳機能障害の原因ではない。
5 脳動脈瘤の破裂によって起こる。

解説 004 免疫担当細胞

正答 3

感染症防御や臓器移植などにも関係する免疫システムの中核を担う細胞群について、基本的な知識を問う設問である。

1 ○ 単球は、血液中から組織に出ると、免疫担当細胞の一種である大食細胞（マクロファージ）に変化する。

2 ○ 好中球は、体内に侵入した異物（主として細菌）を急性炎症によって破壊する免疫担当細胞である。

3 × 赤血球は、肺において身体内に取り込まれた酸素をヘモグロビンの働きにより必要な臓器に運搬する役割を果たす細胞であり、免疫には関与しない。

4 ○ B 細胞は骨髄に由来し、マクロファージやT細胞などから情報を受けとって特異的な抗体を産生する免疫担当細胞であり、[液性免疫] システムの中核を担う。

5 ○ T 細胞は胸腺に由来し、[細胞性免疫] の中核を担う働きをする細胞群である。ヘルパーT 細胞、サプレッサーT 細胞、キラーT 細胞などの複数の種類がある。

解説 005 メニエール病

正答 2

回転性めまいの代表的な疾患の一種であるメニエール病の病態についての設問である。めまいの原因となる疾患は多様であり、それぞれの特徴を整理して覚えておく必要がある。

1 × メニエール病は回転性めまいが反復する典型的な疾患である。

2 ○ メニエール病は内耳のリンパ浮腫が原因とされており、難聴や耳鳴りなどの聴力障害を伴うことが多い。

3 × メニエール病のめまい発作は数分から数時間程度持続する。

4 × めまいの原因となる疾患は多数あり、メニエール病よりも [良性発作性頭位めまい症] の頻度が高いという統計が複数ある。

5 × メニエール病のめまいを誘発する有力な原因は複数存在し、過換気がきっかけになることが多いとはいえない。

解説 006 くも膜下出血

正答 5

くも膜下出血は、急性で重篤な頭痛をきたす代表的な疾患であり、脳外科的緊急対応が必要なので臨床上重要である。慢性頭痛との違いを意識して覚えておこう。

1 × くも膜下出血は脳血管障害の一種であり、近年、脳血管障害に占める脳内出血の頻度は脳梗塞に比べて低下している。

2 × くも膜下出血は激烈な頭痛で急性発症するが、頭蓋内圧の亢進を続発するので、症状が自然に消失することはないと考えるべきである。

3 × くも膜下出血の頭痛は緩やかではなく、急激に発症する。

4 × [高次脳機能障害] は、脳の器質的疾患に続発する認知機能・社会的機能の多様な障害なので、くも膜下出血にも当然合併しうる。

5 ○ くも膜下出血の原因としては、[脳動脈瘤] の破裂と [脳動静脈奇形] からの出血が主なものである。

問題 007　Check ☑☑☑　第1回　問題133

2型糖尿病について、正しいものを2つ選べ。

1　ストレスは身体に直接作用して血糖値を上げる。
2　うつ病を合併すると、血糖値は下がることが多い。
3　肥満や運動不足によってインスリンの効果が低くなる。
4　飲酒は発症のリスクを上げるが、喫煙は発症のリスクに影響しない。
5　薬物療法が中心になるため、服薬管理が心理的支援の主な対象になる。

問題 008　Check ☑☑☑　第3回　問題029

糖尿病について、正しいものを1つ選べ。

1　糖尿病は、1型から2型に移行することが多い。
2　糖尿病の運動療法には、無酸素運動が有効である。
3　2型糖尿病患者に、血糖自己測定〈SMBG〉は不必要である。
4　非定型抗精神病薬の中には、糖尿病患者に使用禁忌の薬がある。
5　健診でHbA1c値が6.8%であった場合は、糖尿病の可能性は低い。

解説 007 2型糖尿病　正答 1、3

2型糖尿病は中高年に発症する。肥満でインスリンが身体で効きにくい状態になり、血糖値が上がる。食事療法、運動療法、経口糖尿病薬を使用する。

1 ○ 副腎から分泌された［コルチゾール］は肝臓の糖新生を促して血糖値を［上げる］。

2 × うつ病ではストレスによりコルチゾールの分泌が亢進しているので、血糖値は［上がる］傾向がある。

3 ○ 2型糖尿病は［肥満］や［運動不足］によってインスリンの効果が［低く］なり、血糖値が［上がる］病態である。

4 × 飲酒は、アルコール自体にカロリーがあり糖分も含まれるので、血糖値を上げる。喫煙は肝臓の代謝に関与し、また交感神経を興奮させたりインスリンの働きを妨げたりして、発症のリスクを上げる。

5 × 2型糖尿病では服薬管理だけでなく、［食事療法］や［運動療法］が重要な治療法としてあり、これらは心理社会的治療の一環として行われるべきである。

加点のポイント　糖尿病の分類

1型糖尿病：自己免疫で膵臓のランゲルハンス島のβ細胞の働きが障害されることにより、インスリンが分泌されなくなる。［若年］発症で痩せ型、遺伝因子と環境因子による［自己免疫］とされる。治療に［インスリン］注射が必要。

2型糖尿病：肥満でインスリンが身体で効きにくい状態になり、血糖値が上がる。遺伝素因も強く関係するとされる。食事療法、運動療法、［経口糖尿病］薬を使用する。［中高年］に発症。

解説 008 糖尿病の特徴　正答 4

糖尿病には膵臓のβ細胞の破壊からくるインスリンの絶対的不足による1型と、肥満・運動不足によってインスリンの細胞への働きが悪くなって発症する2型がある。1型は若年発症で痩せ型であり、2型は中高年発症で肥満体型である。

1 × 糖尿病では、1型はβ細胞が破壊されるため2型に移行することはないが、2型糖尿病であった人が経過中、β細胞に対する自己免疫で1型に移行したとの報告はある。
（参考文献：呉美枝他：2型糖尿病の経過中, 1型糖尿病に移行したと考えられる1症例. 糖尿誌 52 (10), 2009, pp.859-864）

2 × 糖尿病では、［有］酸素運動の方が［無］酸素運動より有効であるとされる。

3 × 2型糖尿病患者にも血糖値の日内変動の激しいものがあり、血糖自己測定は有効である。血糖自己測定とは、簡易血糖測定器で自ら血糖値を測定する方法で、1型糖尿病でインスリン注射を打っている患者には血糖値の日内変動等をモニターするため必要となることが多い。

4 ○ ［非定型抗精神病薬］のうちクエチアピンとオランザピンは［耐糖能異常］や［体重増加］を起こしやすいことが知られており、我が国では［糖尿病患者には禁忌］である。

5 × ［HbA1c］（NGSP）は過去1〜2か月の血糖値の平均を反映する測定値で、その正常値は5.6％未満であり、［6.5％］以上では糖尿病を強く疑うとされている。

加点のポイント　糖尿病の3大合併症

糖尿病の病態は慢性的な高血糖による微小血管障害である。それによって次のような臓器が障害される。
①腎症
②網膜症
③神経障害
神経障害は精神疾患である神経症と勘違いしないように注意しよう！

問題 009 Check 第2回 問題115

糖尿病について、<u>誤っているもの</u>を 1 つ選べ。

1 うつ病発症のリスクを高める。
2 認知症発症のリスクを高める。
3 勃起不全発症のリスクを高める。
4 肥満は 1 型糖尿病の発症リスクを高める。
5 加齢は 2 型糖尿病の発症リスクを高める。

問題 010 Check 第4回 問題028

1 型糖尿病の高校生の治療における留意点として、最も適切なものを 1 つ選べ。

1 運動は禁止である。
2 食事療法により治癒できる。
3 2 型糖尿病に将来移行するリスクが高い。
4 治療を受けていることを担任教師に伝える必要はない。
5 やせる目的でインスリン量を減らすことは、危険である。

問題 011 Check 第3回 問題030

甲状腺機能低下症にみられる症状について、正しいものを 1 つ選べ。

1 下痢
2 頻脈
3 眼球突出
4 傾眠傾向
5 発汗過多

解説 009 糖尿病のリスク 正答 4

糖尿病は、血液中の糖（グルコース）濃度（血糖値）が高くなる代謝性疾患である。糖尿病は主として血管性の合併症を生ずることによって生命や QOL に大きな影響を与える。

1 ○ 糖尿病は他の慢性疾患同様にうつと不安症状を伴うことが多い。糖尿病による生活の制限そのものが精神的苦痛となり、［うつ］の頻度を高めることにも注意が必要である。

2 ○ 糖尿病は主として血管合併症を起こすことによって、［血管性認知症］の発症頻度を高める。［Alzheimer 型認知症］の発症頻度も高いといわれている。

3 ○ 糖尿病患者には勃起不全をはじめとする［性機能］不全の頻度が高いが、この理由には循環不全をはじめ複数の生物・心理・社会的な要因が関与しているものと思われる。

4 × ［1 型］糖尿病は、おそらく自己免疫機序による膵 β 細胞の破壊が原因であり、その発症に肥満は関係がない。1 型糖尿病の患者は「発症したのは不摂生による」という社会的なスティグマによって苦しめられていることが多い。

5 ○ ［2 型］糖尿病は、40 代以降に発症することが多く、加齢とともにその頻度が増加していく。

加点のポイント 糖尿病の特徴

糖尿病は大きく 1 型と 2 型に分類され、両者は原因、病態、治療方針等が明らかに異なっているため、明確に区別して理解する必要がある。糖尿病は他の慢性疾患同様に［うつと不安］を伴うことが多い。摂食障害も比較的頻度が高い。糖尿病があることに伴う陰性感情の連鎖が、動機意欲・積極的セルフケアの低下、高血糖、合併症リスクの増加、QOL の低下を招く。

解説 010 糖尿病 正答 5

1 型糖尿病はインスリン依存型糖尿病とも呼ばれ、2 型糖尿病とは基本的に異なる病態であることをしっかり理解しよう。

1 × 糖尿病コントロールの基本として、食事療法と運動療法は欠かせないものである。

2 × 糖尿病が食事療法のみで治癒することはなく、一生病気とつきあっていく必要がある。

3 × 1 型糖尿病は膵臓のインスリン分泌細胞の障害によって起こり、2 型糖尿病はインスリンの利用障害などによって起こる。両者は全く異なる病態であり、たがいに移行することは基本的にはないが、2 型から 1 型に移行したというまれな症例報告はある（解説 008 の選択肢 1 の解説を参照のこと）。

4 × 1 型糖尿病は［糖尿病性昏睡］や低血糖発作などの急性で重篤な状況を生じやすく、日常生活においても、このような状況の早期発見と対応（［自己血糖測定］や［インスリン自己注射］など）が必要となることについて周囲の理解は欠かせない。

5 ○ どのような目的であっても、1 型糖尿病患者がインスリンを急速に減らすことは極めて危険である。

解説 011 甲状腺機能低下症 正答 4

甲状腺機能低下症は甲状腺ホルモンの分泌が低下することにより浮腫、体重増加、うつ状態、傾眠傾向などを呈する。中高年女性に多く発症する。原因は多くは慢性甲状腺炎（橋本病）である。

1 × 下痢は、甲状腺機能亢進症によく起こる症状である。

2 × 頻脈は、甲状腺機能亢進症によく起こる症状である。

3 × ［眼球突出］は、甲状腺機能亢進症によく起こる症状である。

4 ○ 傾眠傾向は、代謝低下によって認められる症状である。

5 × 発汗過多は、甲状腺機能亢進症によく起こる症状である。

問題 012

Check ☑☑☑ 第4回　問題 027

アルコール健康障害について、正しいものを 1 つ選べ。

1　コルサコフ症候群は、飲酒後に急性発症する。

2　アルコール幻覚症は、意識混濁を主症状とする。

3　アルコール性認知症は、脳に器質的変化はない。

4　離脱せん妄は、飲酒の中断後数日以内に起こる。

5　アルコール中毒において、フラッシュバックがみられる。

問題 013

Check ☑☑☑ 第1回　問題 065

50 歳の男性。5 年前に筋萎縮性側索硬化症〈ALS〉と診断された。誤嚥性肺炎の既往がある。1 年前に嚥下困難となり胃瘻（いろう）造設術を受け、現在は配偶者の介護により在宅で療養している。四肢の筋萎縮と球麻痺があり、寝たきりで発声は不可能な状態である。在宅医療チームの一員として心理的支援を依頼された。
この患者の支援にあたって、念頭におくべき症状として、最も適切なものを 1 つ選べ。

1　褥瘡

2　認知症

3　感覚障害

4　呼吸筋障害

5　眼球運動障害

問題 014

Check ☑☑☑ 第3回　問題 019

過敏性腸症候群〈IBS〉について、正しいものを 1 つ選べ。

1　感染性腸炎は、発症と関連しない。

2　内臓痛覚閾値の低下が認められる。

3　我が国の有病率は、約 2%である。

4　プロバイオティクスは、有効ではない。

5　下痢型 IBS は女性に多く、便秘型 IBS は男性に多い。

解説 012 アルコール健康障害

正答 4

アルコール健康障害は急性中毒、いわゆるアルコール依存、離脱症状などからなる代表的な物質使用障害である。出題頻度も高く重要なのでよく理解しておこう。

1 × コルサコフ症候群は一種の作話症であり、出現するのは脳障害が長期化した後である。

2 × アルコール性の幻覚の内容としては、小動物などの幻視が多い。通常意識混濁を伴うことも多いが、確実とはいえない。

3 × アルコール性脳障害が長期化すると、脳容積の縮小や脳室の拡大が認められることがある。

4 ○ アルコールの［離脱症状］は通常、飲酒中断後数日以内に起こる。

5 × フラッシュバックは［PTSD］の中核症状であるが、アルコール健康障害の典型症状ではない。

解説 013 50歳男性・筋萎縮性側索硬化症（ALS）の心理支援（事例）

正答 4

筋萎縮性側索硬化症（ALS）の支援にあたって、念頭におくべき症状として4大陰性徴候がある。陰性徴候とは基本的には起きないとされている症状のことで、①感覚障害、②眼球運動障害、③膀胱直腸障害、④褥瘡である。

1 × 筋萎縮性側索硬化症では寝たきりにもかかわらず、褥瘡は末期に至るまで起こりにくいとされている。

2 × 筋萎縮性側索硬化症は脊髄前角に存在する運動ニューロンの選択的障害のため、認知障害は基本的には起こらない。

3 × 筋萎縮性側索硬化症では脊髄後角の感覚ニューロンは残っているため、末期に至るまで感覚は残っており、いわゆる［閉じ込め症候群］の状態に至る。

4 ○ 筋萎縮性側索硬化症では通常呼吸筋が麻痺して死に至るため、［呼吸筋麻痺］には留意が常に必要である。

5 × 筋萎縮性側索硬化症では末期に至るまで眼球運動はある程度残されることが多く、［わずかな眼球の動き］を通して外界とコミュニケートできる。

解説 014 過敏性腸症候群（IBS）

正答 2

過敏性腸症候群（IBS）とは、腹痛と便通異常が慢性に持続するが、検査では器質的原因を認めない機能性消化管障害のことである。

1 × 過敏性腸症候群の発症には感染性腸炎が深く関係しており、急性腸炎後に生じる［感染性腸炎後 IBS］というものも知られている。

2 ○ 過敏性腸症候群では消化管刺激に対する内臓知覚が［過敏］になっているため、ちょっとした刺激が腹痛や便意、膨満感となって現れる。

3 × 我が国の有病率は、約6～14%と考えられている（日本消化器病学会（2014）. 機能性消化管疾患ガイドライン 2014- 過敏性腸症候群（IBS）, 南江堂 , 4.）。

4 × ［プロバイオティクス］は、乳酸菌やビフィズス菌など体内環境に良いと考えられる微生物ないしそれを含む食品のことで、［腸内細菌叢］を正常化させる方向に向けると考えられるので有効である。

5 × ［下痢型］IBS は男性に多く、［便秘型］IBS は女性に多い。

問題 015 Check ☑☑☑ 第1回 問題054

緩和ケアについて、正しいものを2つ選べ。

1 終末期医療への人的資源の重点配備が進められている。

2 精神症状、社会経済的問題、心理的問題及びスピリチュアルな問題の4つを対象にしている。

3 我が国の緩和ケアは、がん対策基本法とがん対策推進基本計画とによって推進されている。

4 がん診療連携拠点病院における緩和ケアチームは、入院患者のみならず外来患者も対象とする。

5 診療報酬が加算される緩和ケアチームは、精神症状の緩和を担当する常勤医師、専任常勤看護師及び専任薬剤師から構成される。

問題 016 Check ☑☑☑ 第1回 問題066

55歳の男性。肺癌の終末期で緩和ケアを受けている。家族によれば、最近苛立ちやすく、性格が変わったという。夜間はあまり眠らず、昼間に眠っていることが多い。
この患者の状態を評価する項目として、最も優先すべきものを1つ選べ。

1 幻覚

2 不安

3 意欲低下

4 見当識障害

5 抑うつ気分

解説 015　緩和ケア

正答 3、4

緩和ケアとは、生命に危険のある疾患からくる問題に直面している患者とその家族に対し、早期より痛み、身体的・心理社会的問題、スピリチュアルな問題に関してきちんと評価し、予防、対処して、生活の質（QOL）を改善することをいう。

1 ×　終末期医療への人的資源の重点配備は叫ばれているがまだ進んでいない。

2 ×　WHO の定義（2002 年）によると、①［痛み］、②［身体的問題］、③［心理社会的問題］、④［スピリチュアルな問題］の 4 つである。

3 ○　2006（平成 18）年に［がん対策基本法］が成立した。また 2018（平成 30）年の［第 3 期がん対策推進基本計画］では早期からの緩和ケアが求められている。

4 ○　がん診療連携拠点病院制度における拠点病院では、緩和ケアチームの看護師による［外来看護業務］の支援、強化が求められている。

5 ×　診療報酬の緩和ケア診療加算を算定するチームは、①［身体］症状の緩和を担当する［専任（他の業務と兼任可能）の常勤医師］、②［精神］症状の緩和を担当する［専任の常勤医師］、③緩和ケアの経験を有する［専任の常勤看護師］、④緩和ケアの経験を有する［専任の薬剤師］となっている。なお①から④までいずれか 1 人は［専従（もっぱらその業務に携わること）］であることが条件。ただし、患者数が 1 日 15 人以内の場合はいずれも専任でよいとされる。

メモ　スピリチュアルな問題

スピリチュアルな問題は、［スピリチュアルペイン］ともいう。人生の意味や目的が喪失すると苦悩し、孤独感を覚える。自己の存在と意義の消滅からくる痛みの感覚である。

解説 016　55 歳男性・肺癌の終末期での緩和ケア（事例）

正答 4

このケースでは肺癌末期によるせん妄の可能性が高いが、肺癌の脳転移による器質性精神障害や、前頭側頭型認知症による性格変化との鑑別が問題になる。

1 ×　幻覚は［器質性精神障害］と［せん妄］で起こるのでこの 2 つを鑑別できない。

2 ×　不安は［多くの精神疾患］に起こるので診断的意義は低い。

3 ×　意欲低下は［うつ病］で起こるのが典型であり、この場合の診断的意義はない。

4 ○　見当識障害が日内変動するのなら［せん妄］の可能性が高く、持続的なら［認知症］や［脳器質性精神障害］の可能性が高い。診断的意義も高くこのケースでは最も優先されるべき症状である。

5 ×　抑うつ気分も［多くの精神疾患］で起こり、診断的意義は低い。

第22章　精神疾患とその治療

①代表的な精神疾患の成因、症状、診断法、治療法、経過、本人や家族への支援

問題 001　Check ☑☑☑　第3回　問題088

精神疾患の診断・統計マニュアル改訂第５版〈DSM-5〉について、正しいものを１つ選べ。

1　機能の全体的評価を含む多軸診断を採用している。
2　次元モデルに基づく横断的症状尺度が導入されている。
3　強迫症／強迫性障害は、不安症群／不安障害群に分類される。
4　生活機能を心身機能・身体構造、活動及び参加の３要素で捉えている。
5　分離不安症／分離不安障害は、「通常、幼児期、小児期または青年期に初めて診断される障害」に分類される。

問題 002　Check ☑☑☑　第1回 追　問題018

認知症の症状を中核症状と Behavioral and Psychological Symptoms of Dementia〈BPSD〉とに分けた場合、中核症状に分類される内容として、正しいものを１つ選べ。

1　失禁
2　失行
3　徘徊
4　妄想
5　抑うつ

問題 003　Check ☑☑☑　第1回 追　問題142

68歳の女性A、夫と二人暮らしである。Aは２年前にLewy小体型認知症と診断され、月１回専門医療機関に通院している。特に介護保険サービスは受けておらず、日常生活にも大きな問題はない。物忘れは目立たないが、男の人が台所に立っているという幻視がある。夫に対して「あなたは夫と似ているけどにせ者だ」と言うことがある。
Aに認められている症状として、最も適切なものを１つ選べ。

1　記銘障害
2　常同行動
3　転導性の亢進
4　カプグラ症候群
5　被影響性の亢進

解説 001 DSM-5

正答 2

精神疾患の診断・統計マニュアル改訂第 5 版（DSM-5）について、その構成および以前の版との違いを問う問題である。

1 × 多軸診断は［DSM-IV-TR］まで採用されていたが、DSM-5 では廃止され、［多元的（dimension）］診断へと改訂された。

2 ○ ［多軸診断］から［次元モデル］（多元的診断）による横断的症状尺度が導入されている。

3 × DSM- IVでは、不安症群／不安障害群の下位カテゴリーに強迫症／強迫性障害が分類されていたが、DSM-5 では異なる分類となっている。

4 × 生活機能を心身機能・身体構造、活動、参加の 3 要素で捉えているのは、DSM-5 ではなく、［ICF（国際生活機能分類）］である。

5 × 問題文にある「通常、幼児期、小児期または青年期に初めて診断される障害」という表現は DSM- IVのものであり、DSM-5 では使用されていない。また、分離不安症／分離不安障害は、DSM-5 では不安症群／不安障害群へと分類されている。

解説 002 認知症の中核症状と周辺症状

正答 2

認知症には認知機能の低下そのものによって起こる中核症状と、一次的要因が先にあり、それに身体的要因や心理社会的要因、環境要因などが作用して二次的に起こる行動・心理症状（BPSD）がある。後者を別名周辺症状という。

1 × 失禁は、［周辺症状］である。

2 ○ 失行は、［中核症状］である。

3 × 徘徊は、［周辺症状］である。

4 × 妄想は、［周辺症状］である。

5 × 抑うつは、［周辺症状］である。

加点のポイント 認知症の中核症状と行動・心理症状（BPSD）

中核症状として、失語、失認、［失行］、記憶障害、見当識の障害、思考力や判断力の障害、［実行機能の障害］がある。行動症状としては、徘徊、失禁、攻撃性、不穏、焦燥、不適切な行動、多動、［性的逸脱］などがあり、心理症状として妄想、幻覚、抑うつ、［不眠］、不安、誤認、［無気力］、情緒不安定などが挙げられている。

解説 003 68 歳女性・認知症心理社会的治療技法（事例）

正答 4

この問題は Lewy 小体型認知症とは直接関係なく、症候群の名称を問う問題である。

1 × 記銘障害は、認知症、特に［Alzheimer 型認知症］に特徴的な症状である。

2 × 常同行動は、［前頭側頭型認知症］に特徴的な症状とされる。

3 × 転導性の亢進は、［躁状態］でよく認められる。

4 ○ 自分に身近な人が、そっくりの替え玉であると確信するタイプの妄想を［カプグラ症候群］ないしは［ソジーの錯覚］という。統合失調症、認知症（特に Lewy 小体型認知症）、脳器質性疾患などで起こる。逆に見知らぬ人を自分のよく知っている身近な人だと確信するタイプの妄想は［フレゴリーの錯覚］という。

5 × 被影響性の亢進は、［統合失調症］や［前頭側頭型認知症］などで認められる。

問題 004 Check 第1回 問題131

認知症について、正しいものを２つ選べ。

1 Lewy 小体型認知症は幻視を伴うことが特徴である。
2 前頭側頭型認知症は運動障害を伴うことが特徴である。
3 血管性認知症では歩行障害と尿失禁が早期から出現する。
4 若年性認知症で最も多いのは Alzheimer 型認知症である。
5 Alzheimer 型認知症の早期には近時記憶の障害がみられない。

問題 005 Check 第4回 問題029

せん妄について、適切なものを１つ選べ。

1 小児では発症しない。
2 注意の障害を呈する。
3 早朝に症状が悪化することが多い。
4 予防には、補聴器の使用を控えた方がよい。
5 予防には、室内の照度を一定にし、昼夜の差をできるだけ小さくすることが有効である。

問題 006 Check 第1回 問題033

せん妄の発症のリスク因子でないものを１つ選べ。

1 女性
2 疼痛
3 感染症
4 睡眠障害
5 低酸素症

解説 004 認知症

正答 1、3

代表的な種類の認知症について、その特徴を問う問題である。

(注) 選択肢が不明瞭との理由で不適切となった問題である。

1 ○ Lewy 小体型認知症では幻視を伴うことは［中核的特徴］のひとつに入っているのでこれは正しい。

2 × 前頭側頭型認知症は 2011 年の新しい分類では、脱抑制や常同行動などを特徴とする［行動障害型前頭側頭型認知症 (bv FTD)］と、言語障害を特徴とする進行性非流暢性失語 (PNFA) および意味性認知症 (SD) に大別される。bv FTD には運動ニューロン症状などの運動障害を伴う疾患とそうでない疾患が含まれており、誤りと考えられる。

3 ○ カリフォルニアの Alzheimer 病診断治療センター (ADDTC) による［虚血性血管性認知症の診断基準］では、血管性認知症と関連する臨床症候として「［歩行障害］、［尿失禁］の比較的早期からの出現」が記載されている。従って NINDS-AIREN の診断基準では局所神経症候との表現になっており、DSM-5 でも明言されていないが、正しいと考えるべきである。

4 × 若年性認知症において、厚生労働省が 2009 年に発表した「若年性認知症の実態等に関する調査結果の概要及び厚生労働省の若年性認知症対策について」では、原因となる疾患として血管性認知症が［40%］で最も多く、次いで Alzheimer 病で 25%としているので誤りである。

5 × Alzheimer 型認知症ではわりと早期から HDS-R の［遅延再生］が障害されることが特徴とされるが、これは近似記憶の障害の好例といえるので誤りである。

解説 005 せん妄

正答 2

せん妄は一過性の見当識障害、認知機能低下や錯乱、幻視などの精神病様症状を伴う意識水準の低下で、症状の日内変動を特徴とする。重篤な疾患や手術、入院、薬物投与などの身体要因や環境の急激な変化を原因として起こる病態である。

1 × ［高齢者］の男性に多く発症するが小児にもある。

2 ○ 意識水準の低下により注意力の障害を呈する。

3 × ［夜間や夕刻］に悪化することが多い。

4 × 補聴器などの環境改善はせん妄の予防に有効なケアとされる。

5 × ［概日リズム］が障害されているので、昼夜の区別のつけやすい環境にすることが有効である。

解説 006 せん妄の発症リスク因子

正答 1

せん妄は認知症に似ているが下記の原因に伴って急激に発症する意識障害の一種であり、症状が日内変動し、基本的に回復可能な状態である。せん妄の原因は、アルコール、薬物、または薬物中毒。感染症、特に肺炎と尿路感染症。そして脱水状態および代謝異常、感覚遮断、環境の急激な変化、心理社会的ストレスなどである。

1 × 女性であることは、せん妄のリスク因子ではない。

2 ○ ［疼痛］などのストレスは、せん妄のリスク因子となり得る。

3 ○ 感染症、特に［肺炎］と［尿路感染症］は、せん妄のリスク因子である。

4 ○ ［睡眠障害］もストレスであり、せん妄のリスク因子となる。

5 ○ 肺炎などで起こる［低酸素症］はせん妄のリスク因子である。

問題 007 Check 第4回 問題149

73歳の男性A、大学の非常勤講師。指導していた学生に新型コロナウイルスの感染者が出たため、PCR検査を受けたところ、陽性と判定され、感染症病棟に入院した。入院時は、38℃台の発熱以外の症状は認められなかった。入院翌日に不眠を訴え、睡眠薬が処方された。入院3日目の夜になり突然、ぶつぶつ言いながら廊下をうろうろ歩き回る、病棟からいきなり飛び出そうとする、などの異常行動が出現した。翌日、明らかな身体所見がないことを確認した主治医から依頼を受けた公認心理師Bが病室を訪問し、Aに昨夜のことを尋ねると、「覚えていません」と活気のない表情で返事をした。
BのAへのアセスメントとして、最も適切なものを1つ選べ。

1 うつ病
2 せん妄
3 認知症
4 脳出血
5 統合失調症

問題 008 Check 第1回 問題094

依存と依存症について、正しいものを1つ選べ。

1 抗うつ薬は精神依存を引き起こす。
2 覚せい剤で身体依存が起こることは少ない。
3 抗不安薬は半減期が長いほど依存を生じやすい。
4 薬物摂取に伴う異常体験をフラッシュバックという。
5 病的賭博（ギャンブル障害）は気持ちが高ぶるときに賭博をすることが多い。

問題 009 Check 第4回 問題126

アルコール依存症について、最も適切なものを1つ選べ。

1 不安症とアルコール依存症の合併は少ない。
2 アルコール依存症の生涯自殺率は、約1%である。
3 アルコール早期離脱症候群では、意識障害は起こらない。
4 脳機能障害の予防に、ビタミンB1の投与が有効である。

解説 007 73歳男性・アセスメント（事例）　正答 2

本ケースでは急性の意識変容状態と徘徊、異常行動の後に健忘をきたしている。入院という急激な環境変化と睡眠薬投与によりせん妄を呈した状態と考えられる。

1 × 抑うつ気分、興味と喜びの喪失が認められないのでうつ病ではない。

2 ○ せん妄では［症状の易変性］を特徴とする。

3 × 発症が急激なので認知症とは考えにくい。

4 × 意識障害が可逆性で、明らかな身体所見もないので脳出血ではない。

5 × 73歳まで非常勤講師をしていた経歴や、高齢での急激な発症から考えて統合失調症ではない。

解説 008 依存と依存症　正答 2

主な薬物の依存と耐性様式に関する問題である。

1 × 抗うつ薬は中止するとめまい、脳への衝撃感（電撃感）などの［中断症候群］を引き起こすことがあるが、精神依存はないとされている。

2 ○ 覚せい剤はもっぱら［精神依存］が問題とされ、身体依存は基本的にはないと考えられている。

3 × 抗不安薬は半減期が［短い］と、血中濃度の早い減衰のため依存症状が生じやすく、依存を生じさせないために半減期の［長い］薬剤を使用する。

4 × 薬物の摂取中止後、少量の薬物再使用や飲酒、喫煙、睡眠不足、ストレスなどで［精神病症状］が簡単に再燃することをフラッシュバックという。

5 × 病的賭博（ギャンブル障害）では行為前に緊張（苦痛の気分で無気力、罪悪感、不安・抑うつ）、行為後に［満足感・開放感］がある。

加点のポイント 依存症候群

・その物質を摂取しないでいると、その物質を摂取したいという強い願望（渇望）が生じることを、［精神依存］という。
・その物質を摂取しないでいると、身体的症状（振戦、興奮、抑うつ、不安など）が生じる状態のことを［身体依存］という。その症状を離脱症候群（アルコールでは振戦せん妄）という。
・物質を繰り返し使っていると効果が減弱し、用量を増やさないと効果が得られなくなる現象を［耐性］という。

解説 009 アルコール依存症　正答 4

アルコール依存症の症状に関する問題である。アルコール依存症の症状やアルコール依存症への対応、危険因子、薬物療法などについて理解しておくことが大切である。

1 × アルコール依存症に限らず依存症の人にはうつ病が多いといわれている。また、うつ病や不安障害といった精神疾患もアルコール依存症の発症リスクを高めることが知られており、合併することは多い。

2 × アルコール依存症の人の生涯自殺率は7～15%という調査結果が報告されている。生涯自殺率が「約1%」ということはない。
（参考文献：尾崎紀夫他編『標準精神医学第8版』p.433 医学書院 2021）

3 × アルコール早期離脱症候群において、意識障害がみられることもある。

4 ○ 脳機能障害、特に［Wernicke脳症］の予防には、ビタミンB1の投与が有効である。

問題 010 Check ☑☑☑ 第3回 問題132

アルコール依存症の離脱症状について、正しいものを2つ選べ。

1 過眠
2 幻視
3 徐脈
4 多幸
5 けいれん

問題 011 Check ☑☑☑ 第3回 問題093

物質関連障害について、正しいものを1つ選べ。

1 物質への渇望や強い欲求を身体依存という。
2 物質の使用を完全に中止した状態を離脱という。
3 身体的に危険な状況にあっても物質の使用を反復することを中毒という。
4 同じ効果を得るために、より多くの物質の摂取が必要になることを耐性という。
5 物質の反復使用により出現した精神症状が、再使用によって初回よりも少量で出現するようになることを乱用という。

問題 012 Check ☑☑☑ 第2回 問題133

物質使用障害について、正しいものを2つ選べ。

1 コカインは身体依存性が強い。
2 ヘロインは身体依存性が強い。
3 大麻はドパミン受容体を介して多幸作用を生じる。
4 モルヒネはオピオイド受容体を介して興奮作用を生じる。
5 3,4-メチレンジオキシメタンフェタミン〈MDMA〉はセロトニン遊離増加作用を介して幻覚を生じる。

解説 010 アルコール依存症の離脱症状

正答 2、5

アルコール依存症の離脱症状は、飲酒中断後 24～36 時間をピークに発症する小離脱と、72～96 時間をピークとする大離脱（振戦せん妄）があるとされてきた。しかし DSM-5 ではこのような区別はされていない。

1 × 離脱症状では過眠でなく、[不眠] となる。

2 ○ 幻視としては、[小動物幻視] や [リープマン現象]（目をつぶった患者の両眼を圧迫しながら暗示を加えると幻視が生じる）が有名である。

3 × [自律神経症状] として、[頻脈]、発汗過多になる。

4 × [多幸感] は、アルコール依存症の離脱症状ではなく [酩酊状態] によって起こる。

5 ○ けいれんは、手指の [振戦] や [強直間代発作] が特徴である。

加点のポイント アルコール離脱

DSM-5 では大量かつ長期間にわたっていたアルコール使用の中止（または減量）後数時間から数日以内に、発汗・頻脈などの自律神経過活動、手指振戦、不眠、嘔気嘔吐、幻視幻触、精神運動興奮、不安、全般性強直間代発作などの症状が出るものをアルコール離脱とし、それにせん妄が加わったものを [アルコール離脱せん妄] としている。

解説 011 物質関連障害

正答 4

物質関連障害には物質中毒（過剰摂取による症候群）、物質離脱、物質乱用、物質依存症（精神依存または身体依存の診断を満たす）、物質使用障害（乱用と依存症を含めた概念）などがある。

1 × 物質への [渇望] や強い欲求を呈する状態を、[精神依存] という。物質を摂取しないでいると振戦、興奮、抑うつ、不安など身体症状を呈する状態を [身体依存] という。

2 × 物質の使用を完全に中止した場合、一連の症状が生じることを、[離脱] という。

3 × 身体的に危険な状況にあっても物質の使用を反復することを、[乱用] という。

4 ○ [耐性] は物質を繰り返し使っていると効果が減弱し、容量を増やさないと効果が得られなくなる現象である。

5 × 物質の使用中止後に、少量の再使用やストレス、睡眠不足などにより精神症状が再燃することを [逆耐性現象]、あるいは [フラッシュバック] という。

解説 012 物質使用障害

正答 2、5

ICD-10 では、精神作用物質使用に伴う精神および行動の障害（F10-F19）の分類において、物質使用は「有害な使用」と「依存症候群」に分けられている。DSM-5 では 10 種類の精神作用物質（アルコール、カフェイン、大麻、幻覚薬、吸入剤、オピオイド、鎮痛薬、睡眠薬および抗不安薬、精神刺激薬<コカインを含む>、たばこ）が分類されている。

1 × コカインは精神刺激薬のひとつであり、覚醒剤に類似している。中脳辺縁系の [ドパミン受容体] に作用して強い報酬効果をもたらす。精神依存性は強烈であるが、身体依存性や耐性はほとんどない。

2 ○ ヘロインはアヘンから製造される物質であり、[オピオイド受容体] を介して主な作用を発揮する。強い鎮痛作用と陶酔感が主な症状である。精神的依存を形成しやすく、反復使用で容易に耐性を生じ、強い [身体依存性] が形成され、[離脱症状] も激しい。

3 × 大麻は中枢神経の [カンナビノイド受容体] を介して多幸感や脱抑制を発現すると考えられている。大麻使用者で依存症となるのは 9%程度とされているが、思春期に開始したものではその頻度が高くなる。

4 × モルヒネは他のアヘン製剤やオピオイドと同様に、[オピオイド受容体] を介して作用を発揮するが、その作用は興奮ではなく、鎮痛、鎮静、陶酔感である。いわゆるダウナー系薬物であり、覚醒剤のような興奮を伴うアッパー系薬物とは区別される。

5 ○ MDMA は [合成麻薬] の一種であり、[幻覚薬] に分類される。作用機序としてはドパミンとセロトニンの遊離増加作用を通じて幻覚を生じさせると考えられている。耐性が生じやすく離脱後の抑うつや不安が生じる。

問題 013

Check

第１回 追　問題 133

統合失調症の特徴的な症状として、適切なものを２つ選べ。

1 複数の人物が自分の悪口を言っている声が聴こえる。
2 過剰に悲観的で、自分は貧しく、破産すると信じている。
3 自分の考えが他人に伝わり、周囲に筒抜けになっていると思う。
4 気分が高揚し、自信に満ちて、自分が世界の中心であると確信する。
5 思考の流れが速くなり、考えが次から次に浮かんできて、話題が一定せず、会話がまとまらない。

問題 014

Check

第１回　問題 103

統合失調症の特徴的な症状として、最も適切なものを１つ選べ。

1 幻視
2 観念奔逸
3 情動麻痺
4 被影響妄想
5 誇大的な認知

問題 015

Check

第４回　問題 104

統合失調症の特徴的な症状として、最も適切なものを１つ選べ。

1 抑えがたい睡眠欲求が１日に何度も起こる。
2 自分の考えが周囲に伝わって知られていると感じる。
3 毎回同じ道順を辿るなど、習慣への頑ななこだわりがある。
4 暴力の被害に遭った場面が自分の意思に反して思い出される。
5 不合理であると理解しているにもかかわらず、打ち消すことができない思考が反復的に浮かぶ。

解説 013 統合失調症の特徴的症状

正答 1、3

統合失調症の特徴的な症状を問う問題である。K. Schneider の一級症状と E. Bleuler の 4A が有名。

1 ○ 誰もいないのに自分の悪口を言っている声が聴こえるのは、[対話と話しかけの幻聴] であり [K. Schneider] の一級症状に含まれる。第三者が自分に語りかけてくる声が聴こえ命令され、患者がそれに応えると周囲には独語として認められる。

2 × 現実ではないのに、過剰に自分は貧しく、破産すると信じているのは、うつ病の [貧困妄想] である。

3 ○ 自分の考えを話していないのに他人に伝わると感じるのは、[考想伝播] であり、[K. Schneider] の一級症状に含まれる。

4 × 自分は特別だと思い、何でもできると思うのは、[自尊心の肥大] であり [躁状態] のときにみられるものである。

5 × 考えが次から次に浮かんできて、会話が移り変わりまとまらないのは、[観念奔逸] であり [躁状態] のときにみられるものである。

解説 014 統合失調症の特徴的症状

正答 4

統合失調症に特徴的な症状に関する問題である。

1 × 幻視は、一般的に [脳腫瘍] や [認知症] など脳器質性精神障害ないしは薬物摂取によって起こる。統合失調症ではまれ。統合失調症に特徴的な幻覚は [幻聴] である。

2 × 観念奔逸とは、[躁病エピソード] でみられる、ひどく考えのつながりが飛び、わかりにくくなる状態のこと。まだ辛うじて論理のつながりは追える。統合失調症では [連合弛緩] といい、考えがまとまらず、論理のつながりが緩み、理解しがたい内容になる。

3 × 情動麻痺とは、強い情動刺激を受けた後に感情の [閾値] が高くなる状態。統合失調症では [感情鈍麻] といって感情の発露が鈍くなる。

4 ○ 被影響妄想は、[させられ体験] ともいい、他者にコントロールされていると信じる妄想のことであり、統合失調症の特徴である。

5 × [誇大的な認知] は、一般には [躁病エピソード] で観察され (私は何でもできる、など)、統合失調症でも観察されることがあるが (自分は天皇の子孫だ、など)、統合失調症に特徴的とはいえない。

解説 015 統合失調症の特徴的症状

正答 2

統合失調症の特徴的な症状として従来 K. Schneider の一級症状が提唱されてきた。ICD-10 まではおおむね受け入れられてきたが、DSM-5 ではその意義は縮小されている。しかしどんな症状があるのか把握しておく必要はある。

1 × 抑えがたい睡眠欲求が 1 日に何度も起こるのは [睡眠発作] であり、ナルコレプシーの症状である。

2 ○ 自分の考えが周囲に伝わって知られていると感じるのは [考想 (思考) 伝播] であり、K. Schneider の一級症状に含まれる。

3 × 毎回同じ道順を辿るなど、習慣への頑ななこだわりがあるのは [常同行動] であり、前頭側頭型認知症の特徴である。

4 × 暴力の被害にあった場面が自分の意思に反して思い出されるのは [侵入症状] ないしは [フラッシュバック] であり、PTSD の症状である。

5 × 不合理であると理解しているにもかかわらず、打ち消すことができない思考が反復的に浮かぶのは [強迫観念] であり、強迫性障害の症状である。

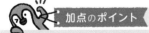

加点のポイント K. Schneider の一級症状

K. Schneider の一級症状には次の 8 つがある。
①考想化声、②話しかけと応答の形の幻聴、③自分の行為を批評する声の幻聴、④身体的被影響体験、⑤思考奪取、その他の思考への干渉、⑥考想伝播、⑦妄想知覚、⑧感情、欲動、意思の領域におけるさせられ体験や被影響体験のすべて

問題 016

Check ☐☐☐　第 2 回　問題 030

緊張病に特徴的な症状として、正しいものを 1 つ選べ。

1 昏迷
2 途絶
3 観念奔逸
4 情動麻痺
5 カタプレキシー

問題 017

Check ☐☐☐　第 1 回　問題 073

26 歳の男性。職場の同僚たちの会話が自分へ当てつけられていると訴えて家族とともに来院した。2 か月前から自分の考えが筒抜けになっていると思うようになった。「いつも見張られているので外出できない」と、周囲を警戒しながら話した。身体疾患、過度の飲酒及び違法薬物の摂取はない。
この患者に対する治療として、最も適切なものを 1 つ選べ。

1 抗不安薬
2 気分安定薬
3 抗精神病薬
4 対人関係療法
5 認知行動療法

問題 018

Check ☐☐☐　第 3 回　問題 105

双極性障害について、適切なものを 1 つ選べ。

1 遺伝的要因は、発症に関与しない。
2 うつ病相は、躁病相よりも長く続く。
3 自殺のリスクは、単極性うつ病よりも低い。
4 うつ病相に移行したら、気分安定薬を中止する。
5 気分の変動に伴ってみられる妄想は、嫉妬妄想が多い。

解説 016 緊張病の特徴

正答 1

DSM-5 では緊張病（カタトニア）は、統合失調症スペクトラム障害および他の精神病性障害群の中に分類されているが、発達障害や感情障害など他の精神疾患でも認められることに留意すべきである。

1 ○ [昏迷] とは、すなわち、[意識清明] でも精神運動性の活動がない、周囲と活動的なつながりがないことである。これは診断基準としての症状に含まれる。

2 × [途絶] とは行動や思考が急に停止し、しばらくしたらまた開始し、これらを繰り返すといった状態である。意識障害はない。統合失調症に多くみられるとされる。

3 × [観念奔逸] とは、考えが淀みなく浮かび、次々と展開する状態。[躁状態] にみられる。

4 × [情動麻痺] とは、強い情動的な衝撃を体験した際に、驚愕、恐怖などの一切の情動反応が停止した状態。大災害や犯罪被害などへの反応として一時的に現れることもある。

5 × [カタプレキシー] とは、[情動脱力発作] とも呼ばれ、強い感情（笑ったときや冗談を言ったとき）によって引き起こされる一過性の筋緊張消失の発作。[ナルコレプシー] の主な症状の 1 つ。緊張病の症候のひとつである [カタレプシー]（受動的にとらされた姿勢を重力に抗したまま保持すること）とは全く異なる。

メモ　DSM-5 における緊張病の診断基準（抜粋）

以下の症候のうち [3 つ以上] が認められるものとされている。
①昏迷、②カタレプシー、③蝋屈症、④無言症、⑤拒絶症、⑥姿勢保持、⑦わざとらしさ、⑧常同症、⑨外的刺激の影響によらない興奮、⑩しかめ面、⑪反響動作、⑫反響言語

解説 017 26 歳男性・統合失調症の投薬療法（事例）

正答 3

20 代で身体疾患、アルコール・薬物摂取歴がなく、関係妄想や思考伝播、被害妄想などの症状が認められるので、診断としては統合失調症の可能性が最も高い。統合失調症に対する治療を問う問題である。

1 × 抗不安薬は統合失調症の治療に [補助的] に使用されるが、幻覚・妄想を抑制する効果はない。

2 × 統合失調症の治療では、気分安定薬は抗精神病薬単独で効果がないまたは不十分なときに、抗精神病薬と併用することが検討される（増強療法）。

3 ○ [抗精神病薬] は脳内のドパミン神経の働きをブロックする方向に働き、幻覚や妄想を抑える効果が期待できるため、統合失調症の治療では [第 1 選択] である。

4 × 対人関係療法や認知行動療法などの心理社会的治療はうつ病では効果が実証されており、スタンダードに実施されるようになってきているが、これらの治療は、統合失調症に対しては薬物療法に対する [補助的] 使用にとどまる。

5 × 4 と同じ理由で適切とはいえない。

解説 018 双極性障害

正答 2

双極性障害と単極性うつ病とを理解し、それらの診断と治療についておさえておく必要がある。特に双極 I 型障害と双極 II 型障害の違いはよく理解しておこう。

1 × 双極性障害の発症において、[遺伝的要因] はうつ病よりも関与が深い。双極性障害のある成人の親族は、発病の危険性が 10 倍上昇する。

2 ○ 双極性障害では、うつ病相の期間のほうが、躁病相の期間よりも [長い] ため、うつ病の誤診につながる。

3 × [自殺のリスク] は、双極性障害のほうがうつ病よりも高く、一般人口の 15 倍とされている（うつ病は 5 倍から 10 倍程度）。

4 × うつ病相に移行しても [気分安定薬] は [継続] して服用する必要がある。[躁転] を促すとして抗うつ薬の投与は推奨されていない。

5 × [嫉妬妄想] は、アルコール精神病や統合失調症によく認められる。双極性障害の気分の変動に伴ってみられる妄想は、気分に一致するものと、気分に一致しない精神病性のものがある。

問題 019

Check ☐☐☐ 第3回 問題092

うつ病を疑わせる発言として、最も適切なものを1つ選べ。

1 眠る必要はないと思います。
2 いつも誰かに見られている気がします。
3 何をするのもおっくうで面倒くさいです。
4 人前で何かするときにとても不安になります。
5 鍵がかかっているかを何度も確認したくなります。

問題 020

Check ☐☐☐ 第4回 問題121

うつ病で減退、減少しないものを1つ選べ。

1 気力
2 喜び
3 罪責感
4 思考力
5 集中力

問題 021

Check ☐☐☐ 第2回 問題057

うつ病に見られることが多い症状として、適切なものを2つ選べ。

1 心気妄想
2 迫害妄想
3 貧困妄想
4 妄想気分
5 世界没落体験

問題 022

Check ☐☐☐ 第1回 問題102

軽症うつ病エピソードに対する初期の短期間の心理療法として、最も適切なものを1つ選べ。

1 家族療法
2 自律訓練法
3 認知行動療法
4 来談者中心療法
5 力動的心理療法

解説 019 うつ病の症状

正答 3

うつ病の問題は必ず出題される。症状を DSM-5 でしっかりとおさえておきたい。

1 × 睡眠欲求の減少は、[躁状態] の症状である。

2 × いつも誰かに見られている感じは統合失調症の [注察妄想] の症状である。

3 ○ おっくうで面倒くさいのは、うつ病の [意欲低下]、[精神運動静止] の症状である。

4 × 人前で何かをするときに不安になるのは、社交不安症の症状である。

5 × 鍵がかかっているか何度も確認したくなるのは、強迫性障害の症状である。

解説 020 うつ病

正答 3

DSM-5 の抑うつエピソードの診断では、①抑うつ気分と②興味と喜びの喪失の 2 つが基本症状で、他の症状として 7 つが挙げられている。どのような症状があるか確認しておこう。

1 × 気力は減退する。

2 × 興味と [喜び] の喪失がある。

3 ○ [罪責感] は減少せず増加する。

4 × 思考力は減退する。

5 × 集中力は減退する。

解説 021 妄想の鑑別診断

正答 1、3

妄想とは思考内容の異常であり、思考内容が誤っていても訂正可能であれば、病的ではない。妄想とは誤った考えや意味づけに異常な確信をもち、訂正できないものであるとされる。内容的に、被害的内容、誇大的内容、微小的内容に分類され、うつ病に伴う妄想は微小的な内容のものが多いとされる。

1 ○ [心気妄想] は自分が重病にかかっていると確信する妄想である。[うつ病やうつ状態] に多いとされている。

2 × [迫害妄想] は自分が迫害されていると確信する被害的内容の妄想であり、[統合失調症] に多い。

3 ○ [貧困妄想] は自分の財産がなくなったなどと確信する妄想で、[うつ病やうつ状態] に多いとされている。

4 × [妄想気分] とは、周囲の全てが新たな意味を帯び、不気味で、何かが起ころうとしているという不安緊迫感であり、[統合失調症] にみられる。

5 × [世界没落体験] は、妄想気分から発展して「世界が破滅する」と感じるような体験であり、[統合失調症] の急性期や再発時にみられる。

解説 022 軽症うつ病エピソードの心理療法

正答 3

軽症うつ病エピソードは ICD-10 の診断基準による診断名である。

1 × 家族療法とは、個人や家族が抱える様々な問題を [家族] という文脈の中で捉え、[家族システム] としての機能回復を目指す心理療法である。

2 × 自律訓練法とは、[自己暗示] によって心身を整えるリラクセーション法である。うつ病性障害の場合は原則禁忌との考えもある。軽症の場合、必ずしも禁忌とはいえないが、自律訓練法を適用する場合には、うつ状態の背景の検討が必要である。

3 ○ 認知行動療法は、[うつ病] と不安症に対する有効性が科学的手法によって確認されている。日本うつ病学会治療ガイドラインによると、体系化された心理療法のうち、保険適用でかつ有効性が認められているものは [認知療法・認知行動療法] であると示されている。

4 × 来談者中心療法は、心理的不適応は、[現実自己] と [理想自己] のギャップによって生じると仮定して行われる心理療法である。短期間で効果が出るとは言い難い。

5 × 力動的心理療法とは、[精神分析] をもとに発展した心理療法である。来談者中心療法と同様に短期間の心理療法とはいえない。

問題 023 Check 第1回 問題 026

パニック障害に最も伴いやすい症状として、正しいものを 1 つ選べ。

1 常同症
2 解離症状
3 疾病恐怖
4 社交恐怖
5 広場恐怖

問題 024 Check 第4回 問題 135

パニック発作の症状として、適切なものを 2 つ選べ。

1 幻覚
2 半盲
3 現実感消失
4 前向性健忘
5 心拍数の増加

加点のポイント パニック発作の 13 の身体・精神症状（DSM-5 による）

①動悸、心悸亢進、または心拍数の増加
②発汗
③身震いまたは震え
④息切れ感または息苦しさ
⑤窒息感
⑥胸痛または胸部の不快感
⑦嘔気または腹部の不快感
⑧めまい感、ふらつく感じ、頭が軽くなる感じ、または気が遠くなる感じ
⑨寒気または熱感
⑩異常感覚（感覚麻痺またはうずき感）
⑪現実感消失（現実ではない感じ）または離人感（自分自身から離脱している）
⑫抑制力を失うまたは“どうかなってしまう”ことに対する恐怖
⑬死ぬことに対する恐怖

問題 025 Check 第3回 問題 052

DSM-5 の全般不安症／全般性不安障害の症状について、正しいものを 2 つ選べ。

1 易怒性
2 抑うつ
3 強迫念慮
4 社交不安
5 睡眠障害

解説 023 パニック障害の主な症状

正答 5

不安障害は対象のない恐れ（浮動性不安）を主体とする障害で、不安障害のひとつであるパニック障害は突然前ぶれなく動悸、発汗、震え、息苦しさ、めまい、吐き気などの症状で表されるパニック発作が生じるもの。広場恐怖を伴うものと伴わないものに分類される。

1 × ［常同症］は、統合失調症や認知症、発達障害などで生じる［反復した決まり切った動作や言動］のこと。

2 × 解離症状は、心的葛藤が精神的症状として出ることであり、主な症状としては、［解離性健忘（記憶障害）］、［解離性同一性障害（多重人格ともいう。自己同一性の障害）］、［離人症（現実感喪失）］などがある。

3 × 疾病恐怖は、［心気症］ともいい、過度に病気であると心配することである。

4 × 社交恐怖は、以前は［社会不安障害］と呼ばれていた。社交関係を持つことに対する強い不安を主体とする。同僚と食事に行けない、会議でプレゼンテーションできないなどがある。

5 ○ 広場恐怖は、乗り物、人混み、閉所など［逃げられない空間が怖くて避ける］症状を主体とする。［パニック障害］に伴うことがある。

解説 024 パニック発作

正答 3、5

DSM-5 ではパニック発作の症状として 13 の身体・精神症状が挙げられている。どのような症状があるか確認しておこう。

1 × 幻覚は統合失調症や器質性精神障害などで起こる。

2 × ［半盲］は脳梗塞や脳出血などで起こる。

3 ○ ［現実感消失］は一般的には解離性障害の症状と思うかもしれないが、パニック発作の症状の中にも入っている。

4 × 前向性健忘は頭部外傷やベンゾジアゼピン系睡眠薬の過量投与などで起こる。

5 ○ 心拍数の増加はパニック発作の症状に入っている。

解説 025 全般不安症 / 全般性不安障害の症状

正答 1、5

全般性不安障害は仕事や学業など一般的なことに対する過度の不安が 6 か月以上持続する不安障害群のサブカテゴリーである。DSM-5 の診断基準には目を通しておきたい。

1 ○ 下記の通り［易怒性］は症状のひとつである。

2 × 全般性不安障害の症状は抑うつ性障害に関連する症状として出現することもあり、鑑別が必要である。

3 × 強迫念慮があれば強迫性障害を疑う。

4 × 社交不安があれば社交不安症を疑う。

5 ○ 下記の通り［睡眠障害］は症状のひとつである。

加点のポイント DSM-5 における全般不安症／全般性不安障害

診断基準 C として、以下の 6 つの症状のうち 3 つまたはそれ以上を伴うと定義されている。
①落ち着きのなさ、緊張感、または神経の高ぶり、②［疲労しやすいこと］、③［集中困難］、または心が空白になること、④易怒性、⑤［筋肉の緊張］、⑥睡眠障害（入眠または睡眠維持の困難、または落ち着かず熟眠感のない睡眠）

問題 026

Check ☐☐☐ 第1回 追 問題077

36歳の男性A、会社員。3年ほど前から、外出する際に戸締りやガスの元栓を閉めたかが気になって何回も確認するようになった。そのため、最近は外出するのに非常に時間がかかる。また、車を運転しているときに人をひいたのではないかと気になって、頻繁に道路を確かめる。Aは、これらの行為が不合理なものと認識しており、行為をやめたいと思っているが、やめられない。そのほかには思考や行動に明らかな異常はなく、就労を継続している。
Aに対する治療法として、適切なものを2つ選べ。

1 行動療法
2 自律訓練法
3 非定型抗精神病薬
4 ベンゾジアゼピン系抗不安薬
5 選択的セロトニン再取り込み阻害薬〈SSRI〉

問題 027

Check ☐☐☐ 第1回 問題110

反応性アタッチメント障害について、誤っているものを1つ選べ。

1 認知と言語の発達は正常である。
2 乳幼児期のマルトリートメントと関係が深い。
3 自閉スペクトラム症／自閉症スペクトラム障害〈ASD〉と症状が一部類似する。
4 常に自分で自分を守る態勢をとらざるを得ないため、ささいなことで興奮しやすい。
5 養育者が微笑みかける、撫でるなど、それまで欠けていた情動体験を補うような関わりが心理療法として有効である。

問題 028

Check ☐☐☐ 第4回 問題014

DSM-5の心的外傷およびストレス因関連障害群に分類される障害として、正しいものを1つ選べ。

1 適応障害
2 ためこみ症
3 病気不安症
4 強迫症／強迫性障害
5 分離不安症／分離不安障害

解説 026 36歳男性・強迫性障害・就労支援（事例） 正答 1、5

強迫性障害の治療を問う問題である。強迫性障害には強迫観念と強迫行為があり、前者は反復的に強く迫ってくる考えで頭がいっぱいになることや、打ち消そうとしてもできない考えである。後者は何度も繰り返して行わずにはいられない行動で、それをしないと気が済まない行為である。

1 ○ 行動療法、特に［曝露反応妨害法］（強迫観念の対象をわざと浴びて時間を徐々に延ばしていく治療法）は［強迫性障害］の心理療法として推奨される。

2 × 自律訓練法は、強迫性障害の治療法に特化した心理療法としての位置づけではなく、むしろ［リラクセーション］や［心身症の治療法］として用いられる。

3 × 非定型抗精神病薬は強迫性障害の治療に用いられることもあるが、あくまで［補助的］な役割である。

4 × ベンゾジアゼピン系抗不安薬は強迫性障害の治療にかつて広範に用いられていたが、現在は［補助的］使用にとどめるべきである。

5 ○ SSRIは現在［強迫性障害］の治療にはスタンダードに使用されている薬剤である。一般的にはうつ病の治療より高用量を必要とすることが多い。

解説 027 反応性アタッチメント障害 正答 1

反応性アタッチメント障害の基礎についてDSM-5に基づき理解しておきたい。

1 × 反応性アタッチメント障害において［認知面］での遅れ、［言語］の遅れが併存するが、発達障害に分類されていない。

2 ○ 乳幼児期の［マルトリートメント］とはISPCAN（国際子ども虐待防止学会）が提示する積極的に害を与える行為とネグレクトの総称（Child Maltreatment）であり、マルトリートメントにより反応性アタッチメント障害が生ずる。

3 ○ 反応性アタッチメント障害の一部が［自閉スペクトラム症／自閉症スペクトラム障害（ASD）］と類似した症状を示す。

4 ○ 反応性アタッチメント障害はPTSD関連障害群であり、［過覚醒、過度の警戒心］、［過度の驚愕反応］が生じやすい。

5 ○ 反応性アタッチメント障害では欠如していた［情動体験］を補う関わりが心理療法として有効である。

解説 028 DSM-5の障害分類（心的外傷およびストレス因関連障害群） 正答 1

DSM-5においては、ICD-10で神経症性障害、ストレス関連障害および身体表現性障害としてまとまっていたカテゴリーF4を、それぞれバラバラに分類している点に留意する必要がある。

1 ○ 適応障害は7. 心的外傷およびストレス因関連障害群に分類されている。

2 × ［ためこみ症］は6. 強迫症および関連症群／強迫性障害および関連障害群に分類されている。

3 × ［病気不安症］は9. 身体症状症および関連症群に分類されている。

4 × 強迫症／強迫性障害はもちろん6. 強迫症および関連症群／強迫性障害および関連障害群に分類されている。

5 × 分離不安症／分離不安障害は5. 不安症群／不安障害群に分類されている。

問題 029

Check

第1回 追 問題 117

心的外傷後ストレス障害〈PTSD〉について、誤っているものを1つ選べ。

1 うつ病やアルコールの問題を合併することがある。
2 自分自身や他者への非難につながる、出来事の原因や結果についての持続的で歪んだ認識を持つことがある。
3 私が悪い、誰も信用できない、いつまた被害に遭うか分からないといった、否定的な信念や予想が含まれる。
4 一定期間が経過しても自然軽快しない場合には、トラウマに焦点を当てた認知行動療法やEMDRなどの実施を検討する。
5 日常的に行われる家庭内暴力〈DV〉や虐待などによって生じるものは含めず、災害、犯罪、交通事故などの単回の出来事によって生じるものをいう。

問題 030

Check

第3回 問題 054

トラウマや心的外傷後ストレス障害〈PTSD〉に関連するものとして、適切なものを2つ選べ。

1 PTSDの生涯有病率は、男性の方が高い。
2 PTSD関連症状に、薬物療法は無効である。
3 心的外傷的出来事による身体的影響は少ない。
4 治療開始の基本は、クライエントの生活の安全が保障されていることである。
5 複雑性PTSDは、複数の、又は長期間にわたる心的外傷的出来事への暴露に関連する、より広範囲の症状を示す。

問題 031

Check

第1回 問題 153

28歳の女性A、会社員。Aは、3か月前に夜遅く一人で歩いていたところ、強制性交等罪（強姦）の被害に遭った。その後、気がつくと事件のことを考えており、いらいらしてささいなことで怒るようになった。仕事にも集中できずミスが目立つようになり、上司から心配されるまでになった。「自分はどうして事件に巻き込まれたのか。こんな私だから事件に遭ったのだろう。後ろから足音が聞こえてくると怖くなる。上司も私を襲ってくるかもしれない」と思うようになった。
Aに認められていない症状として、正しいものを1つ選べ。

1 侵入症状
2 回避症状
3 覚醒度と反応性の変化
4 認知と気分の陰性変化

解説 029 心的外傷後ストレス障害（PTSD）

正答 5

心的外傷後ストレス障害（PTSD）に関する問題である。PTSDは、危うく死ぬ、実際にまたは危うく重傷を負う、性的暴力を受けるなど、心の傷になる体験（トラウマ）の後に起こることを理解したい。

1 ○ うつ病やアルコール依存は双極性障害や不安とともに［合併］することがある。80%以上はこれらの［併存障害］を持つとされる。

2 ○ 出来事の原因や結果についての持続的で歪んだ認識は、DSM-5では認知と気分の［陰性の変化］の一種として診断基準に挙げられている。

3 ○ 否定的な信念や予想は、DSM-5での［認知と気分］の［陰性の変化］の一種として診断基準に挙げられている。

4 ○ トラウマに焦点を当てた認知行動療法や［EMDR］は、PTSDによく使用される［心理社会的治療技法］である。

5 × 日常的に行われる［家庭内暴力］などもPTSDの原因には含める。

解説 030 PTSDの特徴

正答 4、5

PTSDに関する問題は毎年出題されている。DSM-5の診断基準をしっかりおさえておきたい。

1 × PTSDの生涯有病率は、［女性］の方が高い。

2 × PTSD［関連症状］としての不安、抑うつ、不眠などには、SSRIや抗不安薬などの薬物療法が有効とされている。

3 × 心的外傷的出来事による覚醒度と反応性の著しい変化の結果として、①人や物に対する言語的または肉体的な攻撃性で表される、イライラまたは激しい怒り、②無謀なまたは自己破壊的な行動、③過度の警戒心、④過剰な驚愕反応、⑤集中困難、⑥睡眠障害がある。

4 ○ PTSDの患者は、災害など危うく死ぬような状況から退避してきていることが想定されるので、生活の安全が確保されていることは治療開始の基本となる。

5 ○ ［複雑性PTSD］とは、家庭内暴力、性的虐待、拷問のような長期にわたる［慢性反復性の外傷的出来事］に起因するPTSDのことであり、感情コントロールの障害、ストレス下での解離症状、情動の麻痺、無力感、恥辱感、挫折感、自己破壊的行動など、より広範な症状を呈する。

メモ 複雑性PTSDとICD-11

複雑性PTSDはDSM-5には含まれていないが、［ICD-11］で採用が決まった新しい分類である。これからはDSM-5だけでなくICD-11が本格的に日本語訳も含めて利用されるようになる可能性が高いので、出題頻度が増えると思われる。ICD-11は2022年には発効され、各国で順次移行する予定になっている。

解説 031 28歳女性・PTSDの主な症状（事例）

正答 2

強姦という外傷性ストレスに対して心的外傷後ストレス障害（PTSD）を引き起こした事例に関する問題である。

1 × 「気がつくと事件のことを考えている」というのは考えたくなくとも強制的に湧き起こってくる思考であり、［侵入症状］である。

2 ○ 外傷的体験を［回避］するような行動はこの問題文には記載がない。

3 × 「いらいらしてささいなことで怒るようになった。仕事にも集中できずミスが目立つ」とあるので［覚醒度と反応性の変化］とみなせる。

4 × 「自分はどうして事件に巻き込まれたのか。こんな私だから事件に遭ったのだろう」という記述から抑うつ状態にあり、自己評価が低くなっていることを示すため［認知と気分の陰性変化］といえる。

問題 032 Check 第3回 問題126

DSM-5 の急性ストレス障害〈Acute Stress Disorder〉について、正しいものを 1 つ選べ。

1 主な症状の1つに、周囲または自分自身の現実が変容した感覚がある。
2 心的外傷的出来事は、直接体験に限られ、他者に生じた出来事の目撃は除外される。
3 6歳以下の場合、死や暴力、性被害などの心的外傷体験がなくても発症することがある。
4 心的外傷的出来事の体験後、2週間以上症状が持続した場合は心的外傷後ストレス障害〈PTSD〉に診断を切り替える。

問題 033 Check 第1回 問題035

ICD-10 の解離性（転換性）障害について、誤っているものを 1 つ選べ。

1 自殺の危険性がある。
2 身体症状を伴う場合がある。
3 幼少時の被虐待体験が関連している。
4 自らの健忘には気づいていないことが多い。
5 可能な限り早期に外傷的な記憶に踏み込んで治療すべきである。

問題 034 Check 第2回 問題092

解離性障害について、正しいものを 1 つ選べ。

1 自殺企図との関連は乏しい。
2 心的外傷との関連は乏しい。
3 半数以上に交代性人格を伴う。
4 てんかんとの鑑別が必要である。
5 治療の方針は失われた記憶を早期に回復させることである。

解説 032 急性ストレス障害

正答 1

急性ストレス障害（ASD）は心的外傷後ストレス障害（PTSD）の症状が 3 日後から 1 か月未満であるときに診断されるが、細かい違いもあるのでおさえておきたい。

1 ○ ［解離症状］として、周囲または自分自身の現実が変容した感覚が挙げられている。

2 × 心的外傷的出来事は、他人に起こった出来事を直に目撃する、近親者または親しい友人に起こった出来事を耳にするなども診断基準に入っている。

3 × DSM-5 では［6 歳以下の規定］があるのは心的外傷後ストレス障害のほうであり、急性ストレス障害にはこの基準は設けられていない。

4 × 心的外傷後ストレス障害の診断基準では、障害の持続期間は［1 か月以上］とされる。

メモ 6 歳以下での心的外傷後ストレス障害

DSM-5 においては 6 歳以下の PTSD については別に診断基準が設けられている。それによると、［再演する遊び］としての心的外傷的体験の再現や、恐ろしい夢の内容が必ずしも外傷体験と関連していることを［確認できない］などの相違点が挙げられている。

解説 033 解離性（転換性）障害

正答 5

心的葛藤が精神的症状として出るものを「解離性障害」、身体症状として変換されるものを「転換性障害」という。

1 ○ 解離性障害では、［自己同一性（アイデンティティ）］の揺らぎがあるため自殺に陥る確率は［高い］。

2 ○ 転換性障害では、［失声失語、視覚障害、意識消失発作］などを伴う。

3 ○ 解離性障害では、被虐待体験から自分の意識を逃れさせたいという［無意識的願望］から健忘や意識消失発作、自己同一性の障害を生じると考えられている。

4 ○ 解離性同一性障害（解離性同一症）になると、他の人格として行動するので健忘に［気づいていない］ことになる。

5 × 早期の外傷的な記憶に踏み込むことは、当初考えられていたほど治療的ではないことが、阪神淡路大震災や東日本大震災の時の心理社会的支援の実践でほぼ明らかになった。

解説 034 解離性障害

正答 4

解離性障害は、DSM-5 では、解離症群 / 解離性障害群として、解離性同一症と解離性健忘、離人感・現実感消失症を下位分類として含む。ICD-10 では F44 解離性（転換性）障害に分類され、複数の下位分類を含んでいる。この問題では、DSM-5 の診断基準を前提とした出題かどうかがはっきりしないが、概ね解離性同一症と解離性健忘を合わせて解離性障害という用語を用い、一般的な特徴を問うているものと思われる。

1 × 解離性同一症、解離性健忘は［自殺企図］との関連が深く、特に解離状態における自殺関連行動には注意が必要である。

2 × 解離性同一症、解離性健忘ともに、小児期の虐待など強い［心的外傷］を経験していることが多い。

3 × 交代性人格を伴ういわゆる［多重人格］の事例は、解離性障害全体の中ではさほど多くないと考えるのが妥当である。治療者によって作り出された医原性の病態であるという意見もある。

4 ○ 臨床的に、一過性の意識消失や、不連続を伴うことが多いため、［てんかん］との鑑別は重要である。ときに脳波異常を伴うこともあるとされる。

5 × 意識や記憶の不連続は、過去の強いトラウマへの適応行動である可能性があり、早急に記憶の回復を目指すことはときに危険を伴う。安心できる環境と良好な治療関係を確保しつつ、［ゆっくり］と治療を進めることが安全である。

問題 035 Check 第2回 問題077

12歳の女児A。祖父Bと散歩中に自動車にはねられた。Bは全身を打撲し、救命救急センターの集中治療室で治療を受けているが、意識障害が持続している。Aは下肢骨折により整形外科病棟に入院した。入院後、Aは夜間あまり眠れず、夜驚がある。日中は、ぼんやりとした状態がみられたり、急に苛立ち、理由もなくかんしゃくを起こしたりする。両親が自宅から持ってきたAの好きなぬいぐるみを叩いたり、壁に打ち付けたりする。
Aの行動の説明として、適切なものを2つ選べ。

1 素行障害
2 解離性障害
3 反応性アタッチメント障害
4 トラウマティック・ボンディング
5 ポストトラウマティック・プレイ

問題 036 Check 第2回 問題056

女性の更年期障害について、正しいものを2つ選べ。

1 エストロゲンの分泌が増加する。
2 ゴナドトロピンの分泌が増加する。
3 顔面紅潮や発汗は不眠の原因となる。
4 ホルモン療法は抑うつに効果がない。
5 欧米人に比べて日本人では肩こりや腰痛の頻度が低い。

問題 037 Check 第3回 問題120

慢性疲労症候群について、不適切なものを1つ選べ。

1 男性より女性に多い。
2 筋肉痛がよくみられる。
3 睡眠障害がよくみられる。
4 6か月以上持続する著しい倦怠感が特徴である。
5 体を動かすことによって軽減する倦怠感が特徴である。

解説 035 12歳女児・問題行動（事例）

正答 2、5

身体の外傷によって生じる心理・社会的要因（トラウマ反応）を正しく理解しておこう。

1 × ［素行障害］とは社会的な規範に対する反復的な問題行動であり、この場合はあてはまらない。

2 ○ ［解離性障害］はこの場合、「夜驚や日中のぼんやりした状態、急な苛立ち」が相当する。

3 × ［反応性アタッチメント障害］は出生後早い時期での虐待やネグレクトにより生じるものであり、この場合はあてはまらない。

4 × ［トラウマティック・ボンディング］とは虐待者に対して被虐待者がしがみつき的な結びつきを求めることで、この場合はあてはまらない。

5 ○ ［ポストトラウマティック・プレイ］とは死や災害を表現することであり、この場合は「Aの好きなぬいぐるみを叩いたり、壁に打ち付けたりする」ことがこれに相当する。

解説 036 更年期障害

正答 2、3

女性の更年期障害は、閉経の概ね前後5年ずつを指す。更年期障害には、めまいやほてり、倦怠感など多様な症状が認められている。

1 × エストロゲンの分泌は［減少］する。

2 ○ エストロゲンの分泌の減少により、ゴナドトロピンの分泌が［増加］する。

3 ○ 顔面紅潮（ほてり）や発汗は更年期障害の代表的な症状である。ほてりや発汗といった血管運動神経症状が就寝時に起きることが［不眠］の原因の1つになっている。

4 × ホルモン療法における抑うつ効果は、［内分泌的要因］が原因となっている場合には効果がある。一方、［心理社会的な要因］が原因の場合にはホルモン療法よりも抗うつ薬やカウンセリングが有効な場合が多い。全てのケースに「効果がない」とはいえない。

5 × 日本人は欧米人に比べて、肩こりや腰痛の症状を呈する割合が［多く］、欧米人ではのぼせやほてりが［多い］。

解説 037 慢性疲労症候群

正答 5

慢性疲労症候群（CFS）は過敏性腸症候群や線維筋痛症などとともに診察や検査で異常が認められない機能性身体症候群とされる疾患であり、心身症の一種と考えることもできる。うつ病との鑑別が問題になる。

1 ○ 男性より、［20～50］代の［女性］に多いとされる。

2 ○ ［筋肉痛］が認められることも多く、欧州やカナダでは［筋痛性脳脊髄炎］と呼ばれている。

3 ○ ［睡眠障害］も診断基準に入っている。

4 ○ ［倦怠感］が［6か月以上］続くことも診断基準に入っている。

5 × 身体活動に伴い症状が［悪化］することも診断基準に入っている。

メモ 慢性疲労症候群（CFS）

慢性疲労症候群（CFS）は、日常生活が著しく損なわれるほどの強い全身倦怠感が、休息しても改善せず［6か月］以上持続する状態で診断され、診察や検査で異常を認めないのが特徴である。原因は不明だがストレス因が深く関与していると推定される。厚生労働省の診断基準では、症状として上記の前提のほか、①労作後疲労感、②［筋肉痛］、③多発性関節痛、④頭痛、⑤咽頭痛、⑥［睡眠障害］、⑦［思考力・集中力低下］、⑧微熱、⑨［頸部リンパ節腫脹］、⑩筋力低下のうち5つ以上認めることが条件である。

問題 038 Check 第3回 問題064

1 歳半の男児 A。母親 B が A の高熱とけいれん発作を訴えて、病院に来院し、A は入院することとなった。これまでに複数の病院に通院したが、原因不明とのことであった。B は治療に協力的で献身的に付き添っていたが、通常の治療をしても A は回復しなかった。B は片時も A から離れずに付き添っていたが、点滴管が外れたり汚染されたりといった不測の事態も生じた。ある日突然、A は重症感染症を起こし重篤な状態に陥った。血液検査の結果、大腸菌など複数の病原菌が発見された。不審に思った主治医が B の付き添いを一時的に制限すると、A の状態は速やかに回復した。
A の状態と関連するものとして、最も適切なものを 1 つ選べ。

1 医療ネグレクト
2 乳児突然死症候群
3 乳幼児揺さぶられ症候群
4 反応性アタッチメント障害
5 代理によるミュンヒハウゼン症候群

問題 039 Check 第1回 追 問題027

神経性無食欲症について、正しいものを 1 つ選べ。

1 主な死因は自殺である。
2 摂食制限型は衝動性が高い。
3 有病率の男女比は約 1：2 である。
4 体重と体型に関する自己認識の障害がある。
5 WHO の基準で Body Mass Index〈BMI〉17kg/m^2 は、成人では最重度のやせである。

問題 040 Check 第1回 問題101

神経性無食欲症について、正しいものを 1 つ選べ。

1 経過中の死亡はまれである。
2 通常、心理療法によって十分な治療効果が得られる。
3 入院治療では、心理療法は可能な限り早期に開始する。
4 経管栄養で体重を増やせば、その後も維持されることが多い。
5 患者自身は体重低下に困っていないため、治療関係を築くことが難しい。

解説 038 1歳半男児・代理によるミュンヒハウゼン症候群（事例） 正答 5

事例の状態と関連するものを選択する問題である。複数の病院に通院したにもかかわらず原因不明であり、通常の医療をしても回復しなかった点、点滴管が外れるなど不測の事態が生じている点、また、母親の様子として治療に協力的で献身的という点がポイントである。

1 × ［医療ネグレクト］とは、子どもにとって必要な医療を親が受けさせないことをいう。母親Bは治療に協力的で献身的であるため、医療ネグレクトではない。

2 × ［乳児突然死症候群］とは、1歳以下の健康な乳児が睡眠中に予期せず突然死亡することをいう。よって、Aの状態はあてはまらない。

3 × ［乳幼児揺さぶられ症候群］とは、乳幼児を強く揺さぶることが原因で脳に損傷を来すことをいう。事例の文面からは揺さぶられたことは確認できない。

4 × ［反応性アタッチメント障害］とは、生後5歳未満までに養育者との愛着関係が持てず、人格形成の基盤において適切な人間関係を作る能力の障害であり、不適切な養育環境におかれた子どもにみられやすい。Aの状態はあてはまらない。

5 ○ ［代理によるミュンヒハウゼン症候群］とは、子どもの虐待における特殊型である。加害者は母親が多く、医師や医療スタッフに「熱心な母親」という印象を与える。子どもに病気を作り、巧妙な虚偽や症状を捏造する。献身的に面倒をみることによって自らの心の安定をはかることが特徴である。

解説 039 神経性無食欲症 正答 4

神経性無食欲症に関する基本的知識を問う問題である。

1 × 自殺も多いが約半数とされ、残り半数の死因は［低栄養］からくる飢餓や電解質異常などの［身体疾患］とされている。

2 × 衝動性が高いのは［過食・排出型］である。

3 × 有病率の男女比は［1:10］で、圧倒的に［女性］に多い。

4 ○ 神経性無食欲症にはボディイメージの障害があり、［やせているのに太っている］と認識している。

5 × 最重度のやせとは、BMI＝［15未満］を指す。

解説 040 神経性無食欲症 正答 5

神経性無食欲症の診断と治療に関する問題である。

1 × 神経性無食欲症では、低体重が過度に進み［飢餓状態で死亡］することもよくある。自殺もありうる。

2 × 現状では神経性無食欲症に確実に有効とされる特定の心理療法はないため、［折衷］的、［統合］的な方法がとられる。

3 × 入院治療では、まずは低体重や栄養状態、電解質バランスの補正などを初期に行い、［生命の危機］を脱する必要がある。

4 × 経管栄養で体重を補正しても、経口摂取に戻すとまた［やせ始める］ことがほとんどである。経管栄養の液や点滴を捨てたりしてごまかそうとすることもある。

5 ○ 患者には［ボディイメージ］の障害があり、やせているのにまだ太っていると主張するため、［治療関係］の構築が困難である。

問題 041 Check ☐☐☐ 第3回 問題104

神経性やせ症／神経性無食欲症の病態や治療について、正しいものを 1 つ選べ。

1 うつ病が合併することは少ない。
2 未治療時は、しばしば頻脈を呈する。
3 無月経にならないことが特徴である。
4 心理社会的要因に加え、遺伝的要因も発症に関与する。
5 未治療時に、しばしばリフィーディング症候群を発症する。

問題 042 Check ☐☐☐ 第2回 問題100

ナルコレプシーについて、正しいものを 1 つ選べ。

1 入眠時に起こる幻覚が特徴である。
2 治療には中枢神経遮断薬が用いられる。
3 脳脊髄液中のオレキシン濃度の上昇が特徴である。
4 笑いや驚きによって誘発される睡眠麻痺が特徴である。
5 耐え難い眠気による睡眠の持続は通常 2 時間から 3 時間である。

問題 043 Check ☐☐☐ 第3回 問題131

むずむず脚症候群について、正しいものを 2 つ選べ。

1 妊婦に多い。
2 鉄欠乏性貧血患者に多い。
3 運動によって症状は増悪する。
4 早朝覚醒時に出現する異常感覚が特徴である。
5 選択的セロトニン再取り込み阻害薬〈SSRI〉によって症状が改善する。

解説 041 神経性やせ症／神経性無食欲症

正答 4

神経性やせ症／神経性無食欲症の問題も出題率が高いので、診断基準だけでなく治療もおさえておきたい。

1 × 神経性やせ症にうつ病の合併は多く認められる。[自尊感情が低い]、過食嘔吐後に自責感情に強くとらわれるなどの傾向がある。

2 × 未治療時は、低栄養からくる [徐脈]（脈が遅くなること）を呈することが多い。

3 × [無月経] は神経性やせ症に多くみられる症状のひとつである。

4 ○ 神経性やせ症の人の生物学的第一親族は、神経性やせ症および神経性過食症を発症する危険が高い。

5 × [リフィーディング症候群] とは、慢性的な栄養不良状態にいきなり十分量の栄養補給を行うと発症する代謝障害のこと。心不全、呼吸不全、不整脈、意識障害、けいれん発作など多彩な症状がある。未治療時に起こるわけではない。

解説 042 ナルコレプシー

正答 1

ナルコレプシーは DSM-5 では睡眠―覚醒障害群に分類されており、中枢性過眠障害のひとつである。主な症状としては、過剰な眠気と睡眠発作、情動脱力発作、睡眠麻痺、入眠時幻覚が挙げられ、脳脊髄液中のオレキシン A（ヒポクレチン－1）濃度が極端に低下している。

1 ○ [入眠時幻覚] とは、覚醒から睡眠に移行する途中で生じる鮮明な悪夢体験の一種で、レム睡眠に関連した症状であり、ナルコレプシーの特徴的な症状のひとつであるとされる（ただし、健常人にもまれならず認められ、DSM-5 の診断基準には採用されていない）。

2 × 治療には中枢神経 [刺激薬]（モダフィニル、メチルフェニデートなど）が用いられる。

3 × 脳脊髄液中のオレキシンの濃度の [極端な低下] が診断基準のひとつに採用されている。

4 × 笑いや驚きによって、[情動脱力発作（カタプレキシー）] が引き起こされることが診断基準のひとつとされている。[情動脱力発作] とは強い感情（多くは笑ったときや冗談を言ったとき）によって引き起こされる一過性の筋緊張の消失である。[睡眠麻痺] とは一般に金縛りと呼ばれるレム睡眠に関連した症状で、健常人にもしばしばみられる。

5 × 耐え難い眠気による睡眠発作が繰り返されることがナルコレプシーの最も特徴的な症状であるが、睡眠発作の持続は通常 [20 分] 程度で、自然に目覚め、リフレッシュ感を伴う。

解説 043 むずむず脚症候群

正答 1、2

むずむず脚症候群（レストレスレッグス症候群：RLS）は、脚を動かしたい強い欲求にかられ、むずむずするような異常感覚を伴って睡眠が障害される症候群で、特発性と原因のある二次性がある。

1 ○ [妊婦] では、一般人口の 2～3 倍の有病率である。

2 ○ [鉄欠乏性貧血] によって起きる二次性のむずむず脚症候群がある。

3 × [運動] によって症状は改善する。

4 × [入眠] 時に出現する異常感覚が特徴である。

5 × [SSRI] によって症状が誘発されたり [増悪] したりすることが報告されている。

問題 044 Check ☑☑☑ 第3回 問題075

70歳の女性A。Aは最近、昼間の眠気が強くなったと訴える。夜間の睡眠は0時から6時頃までで変化はなく、毎日朝夕2回30分程度の散歩をしている。高血圧のため3年前から服薬しているが、血圧は安定しており、健診でもその他に問題はないと言われている。最近、就床すると、足に虫が這うように感じて眠れないことがある。昼間の眠気はあるが、何かをしていれば紛れる。週3回の編み物教室は楽しくて眠気はない。食欲はあり、塩分摂取に気をつけている。

Aへの睡眠衛生指導上の助言として、適切なものを2つ選べ。

1 散歩は、睡眠に良い効果があるので続けてください。
2 睡眠時間が足りないので早く床に就くようにしてください。
3 昼間に何かをして眠気が紛れるのであれば心配はいりません。
4 深く眠るために熱いお風呂に入ってすぐ寝るようにしてください。
5 足の不快感のために眠れないことについては、医師に相談してください。

加点のポイント 睡眠－覚醒障害とDSM-5

睡眠－覚醒障害が、DSM-5になって初めて独立した章として入ったことで、精神科医療における睡眠の重要性もますます認識されるようになってきている。それと呼応するように睡眠関連の出題が公認心理師試験においても増えている。しかしDSM-5の分類には呼吸関連睡眠障害の下位分類に概日リズム障害が置かれたり（概日リズム障害は呼吸障害ではない）、睡眠時随伴症の下位にむずむず脚症候群が置かれたり（むずむず脚症候群は睡眠関連運動障害とするべき）と、その病態生理からいくつか分類が理にかなわないものもあるので、注意が必要である。より正確には米国睡眠学会による「睡眠障害国際分類第3版（ICSD-3）」を参照すること。

問題 045 Check ☑☑☑ 第2回 問題011

秩序や完全さにとらわれて、柔軟性を欠き、効率性が犠牲にされるという症状を特徴とするパーソナリティ障害として、最も適切なものを1つ選べ。

1 境界性パーソナリティ障害
2 強迫性パーソナリティ障害
3 猜疑性パーソナリティ障害
4 スキゾイドパーソナリティ障害
5 統合失調型パーソナリティ障害

問題 046 Check ☑☑☑ 第1回 追 問題102

境界性パーソナリティ障害〈情緒不安定性パーソナリティ障害〉の特徴について、最も適切なものを1つ選べ。

1 他人の権利を無視し、侵害する。
2 他人の動機を悪意あるものとして解釈する。
3 過度な情動性を示し、人の注意を引こうとする。
4 社会的関係からの離脱と感情表出の範囲の限定が見られる。
5 対人関係、自己像及び感情の不安定と著しい衝動性を示す。

解説 044　70 歳女性・睡眠衛生指導（事例）

正答 1、5

臨床的に「むずむず脚症候群」（レストレスレッグス症候群）が疑われる症例である。これは脚を動かしたい強い欲求にかられ、むずむずするような異常感覚を伴って睡眠が障害される症候群で、夜間に悪化（worse at night）、足を休ませると悪化（worse at rest）、足を動かすと軽快（motor relief）を特徴とする睡眠障害である。

1 ○ 散歩などの軽い運動は、[睡眠衛生] 上推奨されるし、運動によってむずむず脚症候群の症状は軽減される。

2 × 必要な睡眠時間は議論があるが、6 時間から 8 時間の睡眠で最も抑うつ傾向が少なくなることがわかっている。このケースの夜間の睡眠は 6 時間確保されているので早く床に就く必要性はない。

3 × むずむず脚症候群の可能性があるので心配いらないとするべきではない。

4 × 熱い風呂に入ってすぐ床に就くのは、[深部体温] が上がって寝つきにくくなってしまうので、就寝の数時間前に入浴することが推奨される。

5 ○ むずむず脚症候群かどうか診断のため、医師の診察が必要である。

解説 045　パーソナリティ障害

正答 2

DSM-5 によるパーソナリティ障害（全般）の定義は、「その人の属する文化から期待されるものより著しく偏った、（中略）内的体験および行動の持続様式」とされている。パーソナリティ障害は A 群、B 群、C 群の 3 つの群に大別され、10 個に分類されている。

1 × [境界性パーソナリティ障害] は、対人関係、自己像、感情などの不安定性および著しい衝動性の広範な様式を特徴とする。

2 ○ [強迫性パーソナリティ障害] は、秩序、完璧主義、精神および対人関係の統制にとらわれ、柔軟性、開放性、効率性が犠牲にされる広範な様式を特徴とする。

3 × [猜疑性パーソナリティ障害] は、妄想性パーソナリティ障害ともいわれ、他人の動機を悪意あるものと解釈するといった、広範な不信と疑い深さを特徴とする。

4 × [スキゾイドパーソナリティ障害] は、社会的関係からの離脱、対人関係場面での情動表現の範囲の限定などの広範な様式を特徴とする。

5 × [統合失調型パーソナリティ障害] は、認知的または知覚的歪曲と風変わりな行動で特徴づけられる、社会的および対人関係的な欠陥の広範な様式である。DSM-5 では、統合失調症スペクトラムのひとつとしても位置づけられている。

解説 046　境界性パーソナリティ障害

正答 5

境界性パーソナリティ障害と他のパーソナリティ障害との違いを問う問題である。

1 × 他人の権利を無視し、侵害するのは、[反社会性パーソナリティ障害] の特徴である。

2 × 他人の動機を悪意あるものとして解釈するのは、[妄想性パーソナリティ障害] の特徴である。

3 × 過度な情動性を示し、人の注意を引こうとするのは、[演技性パーソナリティ障害] の特徴である。

4 × 社会的関係からの離脱と感情表出の範囲の限定がみられるのは、[シゾイド（スキゾイド）パーソナリティ障害] の特徴である。

5 ○ 対人関係、自己像、感情の不安定と著しい衝動性を特徴とするのは、[境界性パーソナリティ障害] である。

問題 047 Check 第4回 問題136

20歳の女性A。Aは、無謀な運転による交通事故や自傷行為及び自殺未遂でたびたび救急外来に搬送されている。また、Aは交際相手の男性と連絡が取れないと携帯電話を壁に叩きつけたり、不特定多数の異性と性的関係を持ったりすることもある。現在、救急外来の精神科医の勧めで、公認心理師Bによる心理面接を受けている。初回面接時には、「Bさんに会えてよかった」と褒めていたが、最近では、「最低な心理師」と罵ることもある。Aは、礼節を保ち、にこやかに来院する日もあれば、乱れた着衣で泣きながら来院することもある。心理的に不安定なときは、「みんな死んじゃえ」と叫ぶことがあるが、後日になるとそのときの記憶がないこともある。

DSM-5の診断基準に該当するAの病態として、最も適切なものを1つ選べ。

1 双極I型障害
2 素行症／素行障害
3 境界性パーソナリティ障害
4 反抗挑発症／反抗挑戦性障害
5 解離性同一症／解離性同一性障害

問題 048 Check 第1回 問題048

ICD-10の病的窃盗の診断基準及びDSM-5の窃盗症の診断基準のいずれにも含まれないものを1つ選べ。

1 窃盗行為は利得のためではない。
2 窃盗行為に及ぶ前に緊張感が高まる。
3 窃盗行為に及ぶとき解放感が得られる。
4 窃盗行為は少なくとも6か月間にわたって起こっている。

問題 049 Check 第1回 追 問題088

DSM-5に記載されている知的能力障害について、正しいものを1つ選べ。

1 幼少期までの間に発症する。
2 有病率は年齢によって変動しない。
3 IQが平均値より1標準偏差以上低い。
4 知的機能と適応機能に問題がみられる。
5 重症度は主にIQの値によって決められる。

問題 050 Check 第1回 追 問題052

DSM-5の神経発達症群／神経発達障害群について、正しいものを2つ選べ。

1 選択性緘黙が含まれる。
2 典型的には発達早期に明らかとなる。
3 知的障害を伴わない発達障害のグループである。
4 異なる神経発達症が併発することはほとんどない。
5 発達の里程標への到達の遅れだけでなく、過剰な兆候も含まれる。

解説 047 20 歳女性・境界性パーソナリティ障害（事例）

正答 3

境界性パーソナリティ障害は対人関係、自己像、情動などの不安定性および著しい衝動性の広範な様式で、成人期早期までに始まり、種々の状況で明らかになる。DSM-5 では 9 症状が挙げられているので確認しておこう。

1 × このケースでは明らかな［躁病エピソード］がないため双極 I 型障害とはいえない。この女性の気分は日によって変動するようにみえ、感情の波の変化とは考えられない。

2 × ［素行症／素行障害］では自傷や自殺未遂はなく、情動調節の問題もみられない。この障害は男性に多く、通常 13 歳以前から症状が認められ、16 歳以降の発症はまれである。また成人期までに大多数が寛解する。

3 ○ このケースでは［自傷行為］、自殺行動、無謀運転があり、心理師に対して［理想化とこき下ろし］をしている。男性に対する激しい怒りや不特定多数との性行為があり、感情の［不安定性］も認められる。記憶がないのは［一過性］の解離症状と解釈できる。

4 × 反抗挑戦性障害では［情動調節］の問題はみられるが、通常その怒りは他者に向かい自己に向けられることはない。この障害の初発期は通常就学前である。

5 × このケースでは後日記憶がないなど解離症状を思わせる記載もあるが、［解離性同一性障害］では他とはっきりと区別される複数のパーソナリティ状態の確認が必要である。

解説 048 窃盗症・病的窃盗

正答 4

病的窃盗（クレプトマニア）に関する問題である。

1 ○ 病的窃盗では［金銭的価値］に関係なく、ものを盗もうとする［衝動］に抵抗できない。

2 ○ 窃盗行為前には［緊張感］が高まる。

3 ○ 窃盗行為に及ぶときは［満足感、解放感］があるとされる。

4 × ICD-10 および DSM-5 ともに窃盗行為の期間については言及されていない。

解説 049 知的能力障害

正答 4

DSM-5 によって知的能力障害はそれまでの DSM-IV とは定義が変わったことを理解しているかを問う問題である。

1 × 知的能力障害は基本［生得的］に発症するが、発達期に起きた［外傷や感染症］でも発症する。

2 × 有病率は［年齢］によって変動する。

3 × IQ が平均値より 2 標準偏差以上低いことが通常とされる。DSM-5 では数値による分類は［廃止］された。

4 ○ DSM-5 では［知的機能］と［適応機能］の問題と定義されている。

5 × 重症度が IQ の値によって決められていたのは DSM-IV-TR、ICD-10 であり、DSM-5 では［概念的領域］、［社会的領域］、［実用的領域］に分けて総合的に評価する。

解説 050 神経発達症群／神経発達障害群

正答 2、5

神経発達症群／神経発達障害群に関する基本的知識を問う問題である。

1 × 選択性緘黙は、DSM-5 では［不安障害群］のカテゴリーに入れられた。

2 ○ 典型的には［2］歳頃までに明らかになる症候で発見される。

3 × 神経発達障害群には［知的障害］を伴うものと伴わないものが含まれる。知的障害を伴わない自閉症とされたアスペルガー障害は、DSM-5 では自閉スペクトラム症として包含されている。

4 × DSM-5 からは自閉スペクトラム症と AD/HD などの［異なる］と考えられた神経発達障害群の［併記］が可能となった。

5 ○ 神経発達障害群には［知的障害］のような知的な遅れだけでなく、［サバン症候群］のように限局的だが極めて特異な［優れた特性］を持つものも含まれる。

問題 051 Check ☐☐☐ 第4回 問題013

DSM-5の神経発達症群／神経発達障害群に分類される障害として、正しいものを1つ選べ。

1 素行症／素行障害
2 脱抑制型対人交流障害
3 神経性やせ症／神経性無食欲症
4 解離性同一症／解離性同一性障害
5 発達性協調運動症／発達性協調運動障害

問題 052 Check ☐☐☐ 第1回 問題132

注意欠如多動症／注意欠如多動性障害〈AD/HD〉の併存障害について、正しいものを2つ選べ。

1 環境調整と薬物療法とを考慮する。
2 成人期にしばしばうつ病を併存する。
3 養育環境は併存障害の発症に関係しない。
4 自尊感情の高低は併存障害の発症に関係しない。
5 児童期に反抗挑戦性障害を併存することは少ない。

問題 053 Check ☐☐☐ 第2回 問題093

注意欠如多動症／注意欠如多動性障害〈AD/HD〉の二次障害について、正しいものを1つ選べ。

1 素行障害が出現しやすい。
2 気分障害の合併率は5%以下である。
3 ペアレント・トレーニングは効果がない。
4 精神分析的心理療法は治療の第一選択である。
5 養育環境は二次障害の発症や程度に影響しない。

解説 051 DSM-5 の障害分類（神経発達症群／神経発達障害群）

正答 5

DSM-5 の 1. 神経発達症群／神経発達障害群では従来の知的障害と、自閉スペクトラム症や AD/HD などの発達障害、そしてチックなどの運動障害が包含されて分類されていることに注意すべきである。

1 × ［素行症／素行障害］は 15. 秩序破壊的・衝動制御・素行症群に分類されている。

2 × ［脱抑制型対人交流障害］は 7. 心的外傷およびストレス因関連障害群に分類されている。発達の遅れ、特に［認知や言語の遅れ］などとともに現れるが、アタッチメントの問題とされており神経発達症群には［入っていない］ことに注意が必要である。

3 × 神経性やせ症／神経性無食欲症は 10. 食行動障害および摂食障害群に分類されている。

4 × 解離性同一症／解離性同一性障害は 8. 解離症群／解離性障害群に分類されている。

5 ○ ［発達性協調運動症／発達性協調運動障害］は 1. 神経発達症群／神経発達障害群の運動症群／運動障害群に分類されている。

解説 052 注意欠如多動症／注意欠如多動性障害（AD/HD）の併存障害

正答 1、2

注意欠如多動症／注意欠如多動性障害（AD/HD）の併存障害としては、うつ、不安、情緒不安定、不眠、記憶障害、解離性障害、パーソナリティ障害、反抗挑戦性障害、素行障害などが知られている。

1 ○ AD/HD の併存障害の治療としてうつや不安に対する［薬物療法］と、AD/HD の特性に合わせた［環境調整］や認知行動療法など［心理社会的治療］が検討されるべきである。

2 ○ AD/HD では幼少期より［低い自尊感情］を持ち続けることが多く、成人になって［うつ病］を併発することが少なくない。

3 × 養育環境の影響で併存障害もかなり異なった病像を呈するのが普通である。例えばネグレクトなどの環境で育つと［解離性障害］や［境界性パーソナリティ障害］を併発することが多い。

4 × AD/HD では幼少期の自尊感情の高低は併存障害の病像に［大きく関係］する。

5 × AD/HD では児童期に反抗挑戦性障害を併発することは［多い］。

解説 053 AD/HD の二次障害

正答 1

AD/HD の二次障害は素行障害から気分障害と幅が広く、有病率も高いことや行動改善について理解しておこう。

1 ○ ［素行障害］（Conduct Disorder：CD、社会的な規範に対する反復的かつ複数の分野にわたる問題行動）は 55～85%の人が AD/HD を合併しているとされている。

2 × ［気分障害］の合併率は AD/HD 未罹患者より罹患者が有意に高い。

3 × ペアレント・トレーニングによる行動改善は［二次障害］を予防する。

4 × 精神分析的心理療法は治療の第一選択ではなく、［薬物療法］が第一選択である。

5 × 養育環境（自己肯定感を持てるかどうか）の善し悪しにより二次障害の発症や程度は大きく影響される。

問題 054 Check 第1回 追 問題101

突然の動作停止後にぼんやりとなり、口をもごもご動かしながら舌なめずりをして、自分の服をまさぐる動作が数分間みられる状態が月に数回あり、この状態があったことを覚えていない。この状態について、最も適切なものを 1 つ選べ。

1 せん妄
2 解離症状
3 欠神発作
4 単純部分発作
5 複雑部分発作

②向精神薬をはじめとする薬剤による心身の変化

問題 055 Check 第3回 問題106

向精神薬の薬物動態について、適切なものを 1 つ選べ。

1 胆汁中に排泄される。
2 主に腎臓で代謝される。
3 代謝により活性を失う。
4 薬物の最高血中濃度は、効果発現の指標になる。
5 初回通過効果は、経静脈的投与の際に影響が大きい。

問題 056 Check 第4回 問題106

抗認知症薬であるドネペジルが阻害するものとして、適切なものを 1 つ選べ。

1 GABA 受容体
2 NMDA 受容体
3 ドパミントランスポーター
4 アセチルコリンエステラーゼ
5 セロトニントランスポーター

解説 054 てんかんの鑑別

正答 5

意識障害、解離障害およびてんかん発作の特徴を問う問題である。

1 ✕ せん妄は、認知症に似ているが原因に伴って急激に発症する［意識障害］の一種であり、症状が日内変動し、基本的に［回復可能］な状態である。

2 ✕ 心的葛藤が［精神的］症状として出ることを解離という。［解離性健忘］、［解離性同一症（多重人格）］、離人症などに分類される。

3 ✕ 欠神発作は、発作の始まりから全大脳が発作に巻き込まれる［てんかん発作］であり、数十秒程度の［短時間の意識障害］を特徴とする。

4 ✕ 単純部分発作では発作中に意識障害を起こさないため、症状を全て覚えている。

5 ○ 「突然の動作停止後にぼんやりとなり、口をもごもご動かしながら舌なめずり」「自分の服をまさぐる動作」というのは［自動症］と考えられる。意識障害がみられ、また［記憶障害］もあるのは、まさに複雑部分発作の特徴である。

メモ 複雑部分発作

複雑部分発作は［意識障害］を伴い、後に健忘を残す発作である。通常は意識障害に続いて［自動症］と呼ばれる特徴的な行動が出現する。舌なめずり、口のもぐもぐ運動、ボタンいじり、立ったり座ったりなどがある。

解説 055 向精神薬の薬物動態

正答 1、3

薬物動態学とは、薬物の吸収、分布、分解、排泄などの薬物代謝を研究する学問である。

(注) 1、3 が正解のため、どちらも採点上の正解とされた。

1 ○ ［肝臓］から胆汁中に排泄されるものもあるが、［腎臓］から尿中に排泄されるものもある。また汗、唾液、母乳中にも排泄される。部分的に正しい。

2 ✕ 腎臓で代謝されるのは少数で、主には［肝臓］で代謝される。

3 ○ 代謝により活性を失うものもあるが、リスペリドンのように代謝によって［活性代謝物］パリペリドンとなるものもある。部分的に正しい。

4 ✕ 薬物の効果発現の指標としては、最高血中濃度でなく［有効血中濃度］のほうがより適切とされる。

5 ✕ ［初回通過効果］とは、摂取した薬物が全身へ循環する際に初めて肝臓を通して代謝される効果を示す。薬物が消化管から肝臓へいく［門脈系］を通過することが必要になるので、経静脈的投与では影響は小さい。

解説 056 抗認知症薬

正答 4

抗認知症薬のうちドネペジル、ガランタミン、リバスチグミンの 3 種は、アセチルコリンエステラーゼ阻害作用によって脳内のアセチルコリンの分解を阻害する働きにより、認知症の進行を遅らせると考えられている。

1 ✕ GABA 受容体はベンゾジアゼピン系の［抗不安薬・睡眠薬］の主たる標的であり、塩素イオンを細胞外から細胞内に流入させ GABA 神経系を興奮させる。

2 ✕ NMDA 受容体は抗認知症薬でも［メマンチン］によってその作用が阻害され、神経の過剰な興奮が抑えられることで、認知症に対する効果が想定されている。

3 ✕ ドパミントランスポーターはコカインやアンフェタミンなどの［精神刺激薬］によってその作用が阻害され、ドパミンの取り込みが阻害されたり逆輸送によるドパミンの放出を起こしたりする。

4 ○ コリンエステラーゼ阻害薬の適応症は Alzheimer 型認知症であるが、ドネペジルだけは 2014 年より Lewy 小体型認知症にも保険適応が追加された。

5 ✕ セロトニントランスポーターは［抗うつ薬］、特に SSRI/SNRI によってその作用が阻害され、セロトニンの作用がシナプスで増強されると考えられている。

問題 057 Check 第1回 問題055

向精神薬とその副作用の組合せで、正しいものを2つ選べ。

1 抗不安薬—身体依存
2 炭酸リチウム—甲状腺機能亢進症
3 非定型抗精神病薬—体重減少
4 メチルフェニデート—食欲亢進
5 選択的セロトニン再取り込み阻害薬〈SSRI〉—賦活症候群

問題 058 Check 第1回 問題104

副作用としてアカシジアを最も発現しやすい薬剤について、正しいものを1つ選べ。

1 抗うつ薬
2 抗不安薬
3 気分安定薬
4 抗精神病薬
5 抗認知症薬

問題 059 Check 第4回 問題105

依存を生じやすい薬剤として、適切なものを1つ選べ。

1 抗認知症薬
2 抗てんかん薬
3 三環系抗うつ薬
4 非定型抗精神病薬
5 ベンゾジアゼピン系抗不安薬

解説 057 向精神薬と副作用

正答 1、5

向精神薬とその副作用に関する問題である。

1 ○ 抗不安薬、特にベンゾジアゼピン系の抗不安薬では［精神依存］および［身体依存］が問題とされており、漫然とした長期投与は問題とされている。

2 × 炭酸リチウムでは、［甲状腺機能低下症］が副作用としては有名である。

3 × 非定型抗精神病薬、特に多受容体標的型抗精神病薬（MARTA）は、体重［増加］が副作用として問題になる。

4 × メチルフェニデートのような精神刺激薬は、食欲を［低下］させる。

5 ○ ［賦活症候群］とは、SSRI/SNRIの投与初期に現れる［気分の高揚］や［脱抑制］のこと。多くは一過性だが、症状が強いときは投与が中止される。

解説 058 薬剤による副作用

正答 4

向精神薬の中でアカシジアを起こしやすい薬剤に関する問題である。アカシジアとは、じっとしていることが苦痛で静座していることができなくなる症状で、ドパミン神経がブロックされた状態でよく起こる。

1 × 抗うつ薬の中で［SSRI/SNRI］ではあまりアカシジアは起こらない。三環系抗うつ薬ではたまにアカシジアが起こることがある（アモキサピンなど）。

2 × 一般的に使われるベンゾジアゼピン系の抗不安薬は逆にアカシジアを［抑制］する効果が期待される。

3 × 気分安定薬とされるバルプロ酸にはアカシジアは［少ない］。炭酸リチウム、カルバマゼピンにはほとんどない。ラモトリギンにはアカシジアはない。

4 ○ 抗精神病薬はドパミン神経の働きを［ブロック］するのが主たる効果なので、アカシジアを［起こしやすい］薬剤といえる。

5 × 抗認知症薬ではアセチルコリンの作用の増大による［攻撃性、不穏］などが副作用として出ることがあるが、アカシジアとは区別されるべき症状である。

解説 059 依存を生じやすい精神薬剤

正答 5

向精神薬で依存が問題となるのは主としてベンゾジアゼピン系の抗不安薬と睡眠薬、そして精神刺激薬と抗うつ薬のSSRIである。

1 × 抗認知症薬は認知症の患者に対して使用するため、依存ではなく怠薬が問題になる。

2 × フェノバルビタールやクロナゼパムなど例外もあるが、多くの抗てんかん薬は依存を生じやすいとまではいえない。

3 × 三環系抗うつ薬は通常副作用が患者にとって辛いため、依存を生じることは基本的にないと考えられる。

4 × 非定型抗精神病薬は、［定型抗精神病薬］に比べると軽減されているとはいえ副作用があり、患者はむしろ怠薬したがるのが通常である。

5 ○ ベンゾジアゼピン系の抗不安薬や睡眠薬は、［精神依存］だけでなく［身体依存］や［耐性］も生じるので、その使用には注意が必要である。

問題 060 Check 第3回 問題031

抗精神病薬を長期間投与された患者に多くみられる副作用のうち、舌を突出させたり、口をもぐもぐと動かしたりする動きが特徴的な不随意運動として、正しいものを 1 つ選べ。

1 バリズム

2 アカシジア

3 ジストニア

4 ジスキネジア

5 ミオクローヌス

問題 061  第1回 追 問題103

抗精神病薬の錐体外路系副作用として、正しいものを 1 つ選べ。

1 眠気

2 不整脈

3 認知機能障害

4 高プロラクチン血症

5 遅発性ジスキネジア

解説 060 抗精神病薬の副作用

正答 4

抗精神病薬の副作用としては錐体外路症状が代表的であり、パーキンソン症候群ともいう。小刻み歩行、動作緩慢（無動）、よだれ（流涎）、筋肉のこわばり（固縮）、手の震え（振戦）、アカシジア、ジストニア、ジスキネジアなどがある。

1 × ［バリズム（バリスムス）］は急速で粗大な下肢や上肢を投げ出すような不随意運動のこと。半側に起こることが多く［ヘミバリズム］という。

2 × ［アカシジア］は静座不能症ともいい、じっとしていられない、座っていられない、落ち着かないなどの感覚を示す言葉である。

3 × ［ジストニア］は舌、頚部、眼球、体幹などに生じる、つっぱるようなあるいはひねるような不随意運動のこと。

4 ○ ［ジスキネジア］は舌を突出させたり、口をもぐもぐと動かしたりするような不随意運動である。抗精神病薬を長期に投与されている患者に後からみられるようになるため、［遅発性ジスキネジア］という。

5 × ［ミオクローヌス］は、電撃的で突発的な筋肉の不随意運動のことで、ピクッと動く感じがある。

解説 061 抗精神病薬の錐体外路系副作用

正答 5

錐体外路症状は抗精神病薬などの副作用でよく起きる。パーキンソン症候群ともいう。

1 × 眠気は抗精神病薬の副作用としては多いが、パーキンソン症状ではない。

2 × 不整脈も抗精神病薬の副作用としてはあり得るが、パーキンソン症状ではない。

3 × 認知機能障害も抗精神病薬の副作用としてはあり得るが、パーキンソン症状ではない。

4 × 高プロラクチン血症も抗精神病薬の副作用としてはあり得るが、パーキンソン症状ではない。

5 ○ ジスキネジアは通常早期ではなく抗精神病薬を投与してからかなり長期間たった後に生じる。これを［遅発性ジスキネジア］という。

メモ　錐体外路症状（パーキンソン症候群）

小刻み歩行、動作緩慢、よだれ、筋肉のこわばり、手の震え、［アカシジア］（静座不能：じっとしていられずそわそわ落ち着かない）、［ジストニア］（舌、頚部、眼球のつっぱり）、ジスキネジア（口をもぐもぐ動かす）などがある。

加点のポイント　DIEPSS (Drug Induced Extra-Pyramidal Symptoms Scale)：薬原性錐体外路評価尺度とは

錐体外路症状を評価するために標準化されたスケール。各症状の重症度を4段階にわけ、歩行、動作緩慢、流涎、筋強剛、振戦、アカシジア、ジストニア、ジスキネジア、概括重症度の9項目について評価する。医師の診察時に診療報酬も算定できる。

問題 062 Check ☑☑☑ 第2回 問題070

28歳の男性A。Aは1か月前に幻覚妄想状態を発症し、1週間前に精神科病院を受診した。統合失調症と診断され、抗精神病薬の投与が開始された。本日の早朝、家族の呼びかけに反応がなく、無動であったため、精神科病院に救急車で搬送された。意識障害、40℃台の高熱、発汗、頻脈、血圧上昇、四肢の筋強剛及び振戦を認める。頭部CT検査と髄液検査に異常はなく、血液検査では、白血球数の増加、炎症マーカーの亢進及びクレアチンキナーゼ〈CK〉の著明な上昇を認める。尿は暗赤褐色である。
Aの病態について、適切なものを1つ選べ。

1 熱中症
2 悪性症候群
3 急性ジストニア
4 セロトニン症候群
5 単純ヘルペス脳炎

問題 063 Check ☑☑☑ 第1回 追 問題057

選択的セロトニン再取り込み阻害薬〈SSRI〉の副作用として、適切なものを2つ選べ。

1 心房細動
2 排尿障害
3 悪心・嘔吐
4 賦活症候群
5 起立性低血圧

解説 062 28 歳男性・悪性症候群（事例）

正答 2

統合失調症の薬物治療開始後 1 週間で突然発症した重篤な病態の鑑別診断が問われる事例である。症候としての特徴は意識障害、高熱、神経・筋症状である。この 3 つの徴候がそろう病態としては、ここまでの病歴からは、薬物による障害、特に悪性症候群を真っ先に疑う必要がある。

1 × ［熱中症］は、高温環境に長時間さらされるか高温環境下での労役作業などに伴って起こる体温調節機構の異常で、高熱、意識障害、横紋筋融解症（ミオグロビン尿）などの全身の重篤な症状を呈し、死亡に至る。本事例では、病態そのものは熱中症と類似しているが、高温環境や労役などの状況が把握されていないこと、発見が早朝であることなどから、積極的には考えにくい。しかし状況把握が不十分の可能性もあり注意が必要である。

2 ○ ［悪性症候群］は特定の［神経遮断薬］を使用した際に起こる、精神状態の変化、［筋硬直］、［高体温］、および自律神経の活動亢進を特徴とする。臨床的には、神経遮断薬による悪性症候群は［悪性高熱症］に類似する。統合失調症の治療薬である［定型抗精神病薬］、［非定型抗精神病薬］、制吐薬でも起こる。本事例では統合失調症の薬物治療開始後 1 週間で発症しており、第一に悪性症候群を疑うべきである。

3 × ［急性ジストニア］は、抗精神病薬の副作用として生じることがある。服薬後数日で起こる、筋の不随意収縮、頸部攣性捻転、舌の突出、四肢体幹の捻転、眼球上転などの不随意運動が主たる症状であり、この事例の病状とは異なる。

4 × ［セロトニン症候群］は発熱、発汗、下痢などの自律神経症状、精神症状としての見当識障害や焦燥、神経症状としてのミオクローヌスや反射亢進などがみられる。［選択的セロトニン再取り込み阻害薬（SSRI）］やモノアミン酸化酵素阻害薬（MAOI）投与によって起こる。悪性症候群に比べると症状の程度は軽い。本事例の症状はより激烈であり、抗うつ薬が投与されている可能性も低いのでほぼ除外できる。

5 × ［単純ヘルペス脳炎］は、急性のウイルス性脳炎としては頻度が［最も高い］。主に側頭葉と大脳辺縁系が障害され、発熱や髄膜刺激症状やけいれん、せん妄などの意識障害、嗅覚障害、幻覚、行動異常などが出現する。本事例では髄液所見と CT 所見に異常が認められないことでほぼ否定できる。

加点のポイント 悪性症候群の鑑別診断

悪性症候群の鑑別診断には、熱中症、［悪性高熱症］（全身麻酔中の筋弛緩薬投与による体温調節障害）が挙げられるが、この事例の発症状況からは考えにくい。感染症の除外は必要と思われる。確定診断には、血液検査、髄液検査、脳画像検査の結果が参考になる。

解説 063 SSRI の副作用

正答 3、4

SSRI の副作用を問う問題。

1 × 心房細動は、［三環系抗うつ薬］や［抗精神病薬］で起こり得る副作用である。

2 × 排尿障害は、［三環系抗うつ薬］や［抗精神病薬］、［抗パーキンソン薬］、［SNRI］で起こり得る。

3 ○ 悪心・嘔吐は、気分が悪くなり、吐き戻すことで、［SSRI］や［SNRI］の投与初期で起こり得る。

4 ○ 賦活症候群は、気分の高揚や脱抑制のことで、［SSRI］や［SNRI］の投与初期で起こり得る。

5 × 起立性低血圧は、［三環系抗うつ薬］や［抗精神病薬］、［βブロッカー］で起こり得る副作用である。

メモ SSRI/SNRI

SSRI/SNRI は投与初期には［悪心・嘔吐］を伴いやすく、消化管運動改善薬やスルピリドなどと併用することも多い。また投与初期に気分の高揚や脱抑制が起こることがあり、これを［賦活症候群］と呼ぶ。多くは一過性だが、症状が強いときは投与が中止される。

問題 064 Check ☑☑☑ 第2回 問題116

ベンゾジアゼピン受容体作動薬の副作用として、誤っているものを１つ選べ。

1 依存
2 健忘
3 せん妄
4 ふらつき
5 ジストニア

問題 065 Check ☑☑☑ 第3回 問題041

睡眠薬に認められる副作用として、通常はみられないものを１つ選べ。

1 奇異反応
2 前向性健忘
3 反跳性不眠
4 持ち越し効果
5 賦活症候群〈アクティベーション症候群〉

問題 066 Check ☑☑☑ 第3回 問題133

高齢者に副作用の少ない睡眠薬として、適切なものを２つ選べ。

1 バルビツール酸系薬剤
2 フェノチアジン系薬剤
3 オレキシン受容体拮抗薬
4 メラトニン受容体作動薬
5 ベンゾジアゼピン受容体作動薬

解説 064 ベンゾジアゼピン受容体作動薬の副作用

正答 5

ベンゾジアゼピン受容体作動薬は、中枢神経のベンゾジアゼピン受容体の刺激を通じて抑制性の神経伝達物質であるGABAの作用を増強させる薬物で、抗不安作用、鎮静催眠作用、筋弛緩作用、抗けいれん作用をもっており、抗不安薬と睡眠導入薬の大部分を占めている。

1 ○ [依存] は重要かつ高頻度な副作用である。
2 ○ [健忘] は特に睡眠薬として用いられるとき、高齢者に認められやすい。
3 ○ [せん妄] は奇異反応の一種と理解される。せん妄の治療にベンゾジアゼピン系の薬物を投与してはならない。
4 ○ ふらつきは [筋弛緩作用] の現れであり、老人では転倒による骨折など重大な事態を起こす可能性がある。
5 × 錐体外路症状や不随意運動を悪化させることは報告されていない。急性ジストニアに対する治療薬として用いられることもある。

メモ ベンゾジアゼピン受容体作動薬の副作用

副作用として、眠気、[ふらつき]、奇異反応（不安・焦燥・興奮・脱抑制行動など）、[依存]、[健忘] がある。依存は長期大量連用時のみならず、常用量依存も生じることが問題になっており、中断時にけいれん、[せん妄]、焦燥、不眠、発汗、嘔吐などが生じる。ベンゾジアゼピン受容体作動薬は、諸外国では有効性と副作用のトレードオフが指摘され、慎重な投与が推奨されてきたが、我が国では歴史的に高頻度に投薬されてきたことと離脱の難しさなどが近年問題になっている。

解説 065 睡眠薬の副作用

正答 5

睡眠薬、特にベンゾジアゼピン系の副作用としては翌朝の眠気、ふらつき、転倒、健忘、反跳性不眠、奇異反応などがあり、アルコールとの併用で起こりやすい。また依存、耐性が問題になる。

1 ○ [奇異反応] とは、薬物が本来生じるのと反対の現象が起きることで、睡眠薬では不眠・不穏・興奮などが起こり得る。
2 ○ [前向性健忘] とは、その事象から以降のことを忘れることで、睡眠薬服用の副作用で起こり得る。
3 ○ [反跳性不眠] とは、睡眠薬服用を急に止めると不眠が悪化する事象のこと。
4 ○ [持ち越し効果] とは、睡眠薬服用後翌朝になっても眠気やふらつきなどが残っている現象のこと。
5 × [賦活症候群（アクティベーション症候群）] は、通常SSRI/SNRIを投与初期に現れやすい気分の高揚や脱抑制のことで、睡眠薬では普通起こらない。

解説 066 睡眠薬の副作用

正答 3、4

睡眠薬は古くはバルビツール酸系が使用されていたが、1960年代よりベンゾジアゼピン系が主流となり自殺に使用しにくく安全性が高まった。しかし依存や筋弛緩性の問題があり、近年はオレキシンやメラトニンに作用する新しい機序の睡眠薬が多く処方されるようになってきている。

1 × [バルビツール酸系薬剤] は、依存を形成しやすく、過量服薬すると呼吸抑制を起こし死に至ることもある。
2 × [フェノチアジン系薬剤] は、抗精神病薬であり、錐体外路症状や抗コリン作用、過鎮静などを起こしやすい。
3 ○ [オレキシン受容体拮抗薬] は、反跳性不眠や依存性がなく、筋弛緩作用も少ないと考えられており、高齢者に推奨される。
4 ○ [メラトニン受容体作動薬] も、反跳性不眠や依存性がなく筋弛緩作用もないと考えられているので、高齢者に推奨される。
5 × [ベンゾジアゼピン受容体作動薬] は、過鎮静、転倒、筋弛緩作用、依存、健忘の問題があり、現在は高齢者にはあまり推奨されない。

問題 067 Check ☐☐☐ 第2回 問題031

オピオイドの副作用として頻度が高いものを 1 つ選べ。

1 下痢
2 疼痛
3 流涎
4 せん妄
5 錐体外路症状

③医療機関への紹介

問題 068 Check ☐☐☐ 第1回 追 問題028

初回面接中の来談者の発言のうち、すぐに精神科へ紹介すべきものとして、最も適切なものを 1 つ選べ。

1 最近、動悸と不安が続きます。
2 時々、記憶がなくなることがあります。
3 ショックなことがあって体が動きません。
4 あなたたちは私の秘密を知っているでしょう。
5 会社を解雇されました。皆、同じ苦しみを味わえばいい。

解説 067 オピオイドの副作用

正答 4

オピオイド（opioid）とは、麻薬性鎮痛薬やその関連合成鎮痛薬などのアルカロイドおよびモルヒネ様活性を有する内因性または合成ペプチド類の総称である。緩和医療における疼痛緩和の鍵となる薬物である。投与経路は、経口、注射、貼付など複数の形態がある。

1 × むしろ副作用としては［便秘］が必発になる。

2 × ［疼痛］緩和の目的で使用される薬物であり、疼痛があるとすればそれは副作用ではなく、効果不足あるいは投与法が不適切であるためと考えられる。

3 × 分泌抑制作用があるため、むしろ［口渇］が副作用として生じることがある。

4 ○ ［せん妄］はしばしば認められる副作用であり、対応としては、減量、オピオイドローテーション（使用しているオピオイド製剤の種類を変更すること）、全身状態や環境の改善を目指すケアなどが必要とされる。

5 × オピオイドの直接の副作用としての錐体外路症状の頻度は低い。オピオイドの重要な副作用である嘔気への対策として投与されるドパミン作動性の薬物等の副作用として錐体外路症状が生じることがある。

解説 068 精神科に紹介すべき初回面接来談者

正答 4

クライエントの病態水準を検討し、病態水準が重い場合はできるだけ早く精神科へ紹介する必要がある。

1 × 動悸、不安などはそれらの症状が生じる程度や頻度にもよるが、それほど緊急性は高くないと考えられる。

2 × 「記憶がなくなる」という症状から、［認知症］や［てんかん］、［解離性障害］などいくつかの疾患が想定される。医療機関を受診することが望ましいが、直ちに精神科を紹介しなければいけない症状ではない。

3 × ショックなこと（心理的要因）によって身体症状に影響が出ていることから、［身体症状症］の可能性が疑われる。その場合は、カウンセリングの対象である。

4 ○ 「あなたたちは私の秘密を知っているでしょう」の一文から、思考障害が推測され、［統合失調症］の可能性が疑われる。できるだけ早く精神科を受診することが望ましい。

5 × やや攻撃性が感じられるが、「皆、同じ苦しみを味わえばいい」という言葉からは［自傷］、［他害行為］を積極的に行おうとしている様子は感じられないため緊急性は高くないと考えられる。

加点のポイント 精神科へ紹介すべき状況

①うつ病で自殺念慮が強い、あるいは3ヶ月以上続くうつ状態
②双極Ⅰ型障害での躁状態
③統合失調症の幻覚妄想状態や、著しい興奮状態
④境界性パーソナリティ障害で自傷行為や過食拒食を繰り返す
⑤上記以外でも患者の生命になんらかの危険が及ぶと判断されるとき
⑥その他心理師の力量により支援が難しいと感じたとき

加点のポイント 精神科への紹介は病院を想定しよう

精神科クリニックでは精神保健福祉法に基づいた医療保護入院や措置入院などがただちに行えないなどのデメリットがある。精神科へ紹介するときは精神科病院を勧めることを念頭におこう。

第23章 公認心理師に関係する制度

①保健医療分野に関する法律、制度

問題 001 Check ☑☑☑ 第1回 問題057

医療法に規定されている内容について、正しいものを2つ選べ。

1 50床以上の病床を有する医療機関を病院という。
2 都道府県は医療提供体制の確保を図るための計画を定める。
3 病床の種類は、一般病床、療養病床及び精神病床の3種類である。
4 医療事故とは、医療に起因する又は起因すると疑われる、予期しなかった死亡又は死産をいう。
5 医療事故が発生した場合、直ちに調査を行い、事故に関与した医療従事者は調査結果を医療事故・調査支援センターに報告しなければならない。

問題 002 Check ☑☑☑ 第1回追 問題104

医療法に定めるものについて、正しいものを1つ選べ。

1 保健医療計画は市町村ごとに作成される。
2 三次医療圏は都道府県の区域を単位として設定される。
3 医療事故調査制度は医療事故の責任の明確化を目的とする。
4 医療施設は病床を有する病院と病床を有さない診療所とに区分される。
5 医療事故調査制度は医療に起因すると疑われるすべての死亡事故を対象とする。

メモ 医療圏

医療圏は一次から三次までである。

医療圏	内容	単位
一次医療圏	日常生活に密着した保健医療を提供する	基本的に［市町村］
二次医療圏	健康増進・疾病予防から入院治療まで一般的な保健医療を提供する	［複数の市町村］
三次医療圏	先進的な技術を必要とする特殊な医療に対応する	基本的に［都道府県］

問題 003 Check ☑☑☑ 第4回 問題031

医療法で規定されている医療提供施設として、正しいものを1つ選べ。

1 保健所
2 介護老人保健施設
3 市町村保健センター
4 地域包括支援センター
5 産業保健総合支援センター

解説 001　医療法　　正答 2、4

医療法は 1948（昭和 23）年に施行された医療提供施設や医療供給体制に関する法律である。

1 ×「病院」とは、医療法第 1 条の 5 に「医師又は歯科医師が、公衆又は特定多数人のため医業又は歯科医業を行う場所であつて、20 人以上の患者を入院させるための施設を有するものをいう」とある。そのため、50 床以上は誤りであり、正しくは［20］床以上の病床を有する医療機関となる。

2 ○ 都道府県は、「基本方針に即して、かつ、地域の実情に応じて、当該都道府県における医療提供体制の確保を図るための計画（医療計画）を定めるもの」とされている（第 30 条の 4）。

3 × 病床の種類は、［一般病床、療養病床、精神病床、感染症病床、結核病床］がある（第 7 条 2 項）。

4 ○ 医療事故とは、医療に起因するか、あるいは起因すると疑われる、予期しなかった死亡または死産をいう（第 6 条の 10）。

5 ×［病院等の管理者］は、医療事故が発生したときは、速やかに調査を行い、調査が終了したときは、遅滞なく、その結果を［医療事故調査・支援センター］に報告しなければならない（第 6 条の 11）。

（注）設問には「医療事故・調査支援センター」とあるが、正しくは「医療事故調査・支援センター」である。

解説 002　医療法　　正答 2

医療法の目的は、医療を提供する体制の確保と国民の健康の保持である。

1 × 保健医療計画は市町村ごとではなく［都道府県］ごとに作成される（医療法第 30 条の 4）。

2 ○ 三次医療圏は都道府県の区域を単位として設定される。

3 × 医療事故調査制度は医療の安全を確保するため、医療事故の［再発防止］を行うことを目的としている。個人の責任追及を目的としたものではない。なお、医療事故が発生した場合は医療事故が発生した医療機関において院内調査を行い、その調査報告を民間の第三者機関である［医療事故調査・支援センター］が収集・分析することとなっている。

4 × 医療法第 1 条の 5 に、「病院」とは、「［20］人以上の患者を入院させるための施設を有するもの」をいい、「診療所」とは、「患者を入院させるための施設を有しないもの又は［19］人以下の患者を入院させるための施設を有するものをいう」とある。診療所が病床を有さないとするのは誤りである。

5 × 医療事故調査制度の対象は、以下の①と②の双方に該当する場合である（第 6 条の 10）。

①すべての病院、診療所（歯科を含む。）又は助産所に勤務する医療従事者が提供した医療に起因する（又は起因すると疑われる）死亡又は死産

②医療機関の管理者が当該死亡又は死産を［予期］しなかったもの

解説 003　医療法で規定されている医療提供施設　　正答 2

医療法（1948（昭和 23）年）第 1 条の二 2 項では病院、診療所、介護老人保健施設、介護医療院、調剤を実施する薬局その他の医療を提供する施設を医療提供施設と規定している。

1 × 保健所は医療提供施設に含まれない。

2 ○［介護老人保健施設］は上記のとおり医療提供施設に含まれる。

3 × 市町村保健センターは医療提供施設に含まれない。

4 × 地域包括支援センターは医療提供施設に含まれない。

5 × 産業保健総合支援センターは医療提供施設に含まれない。

問題 004 Check 第3回 問題 032

医療法で、「高度の医療技術の開発及び評価を行う能力を有すること」が要件として定められている病院として、正しいものを 1 つ選べ。

1 救急病院
2 精神科病院
3 特定機能病院
4 地域医療支援病院
5 臨床研究中核病院

問題 005 Check 第1回追 問題 105

精神保健及び精神障害者福祉に関する法律〈精神保健福祉法〉の入院に関する規定について、正しいものを 1 つ選べ。

1 応急入院の入院期間は 24 時間以内に制限される。
2 任意入院者から退院の申出があったときは退院の制限はできない。
3 措置入院は自傷他害の恐れのある精神障害者を市町村長が入院させるものである。
4 医療保護入院者の退院請求は本人又は入院に同意した家族 1 名が行うことができる。
5 精神科病院の管理者は医療保護入院者の退院促進に向けて退院後生活環境相談員を選任しなければならない。

メモ 精神保健福祉法に基づく入院形態の種類

入院形態	内容	同意	精神保健指定医の診察	入院措置の権限
任意入院	・入院について本人の同意がある場合 ・本人の申出があれば退院可能 ・精神保健指定医が必要と認めた場合、**72 時間以内**の［退院制限］が可能	患者本人	必要なし	
医療保護入院	・自傷他害の恐れはないが、本人が入院を拒否しているなど、任意入院を行う状態にない場合 ・入院施設は精神科病院	家族等※のうち、いずれかの者の同意	1 名	精神科病院管理者
応急入院	・任意入院を行う状態になく、急を要し、家族などの同意が得られない場合 ・入院期間は **72 時間以内** ・入院施設は応急入院指定病院	不要	1 名	精神科病院管理者
措置入院	・入院させなければ［自傷他害の恐れ］がある場合 ・警察官などからの通報、届出等により都道府県知事が精神保健指定医に診察をさせる ・入院施設は国や都道府県等が設置した精神科病院と、措置入院に関わる指定病院	不要	2 名以上	都道府県知事
緊急措置入院	・措置入院の要件に該当するが、急を要し、措置入院の手順を踏めない場合 ・入院期間は **72 時間以内**	不要	1 名	都道府県知事

※「家族等」とは、配偶者、親権者、扶養義務者、後見人、または保佐人のことを指す。該当者がいない場合等は、市町村長が同意の判断を行う。

解説 004 医療法（医療施設の種類と役割） 正答 3

医療法における医療施設の種類とその役割に関する問題である。医療法の目的だけでなく、「病院」「診療所」「助産所」「特定機能病院」「地域医療支援病院」「臨床研究中核病院」の主な役割や承認要件などについても理解しておく必要がある。

1 × 救急医療において重要な役割を担う病院を［救急指定病院］という。救急指定病院は、消防法の「救急病院等を定める省令」によって定められている。

2 × 精神病床のみを有する病院を［精神科病院］という。精神科病院は医療法の規定に基づいた病院で、原則として都道府県に設置が義務づけられている。

3 ○ 特定機能病院は、第2次医療法改正（1992年）によって新設された。［高度の医療の提供］、［開発および評価］、［研修を行わせる能力］を有することなどが承認要件として設定されている（医療法第4条の2）。

4 × 地域医療支援病院は、第3次医療法改正（1997年）によって新設された。［紹介患者中心の医療の提供］、［救急医療を提供する能力］を有すること、［建物、設備、機器等を地域の医師等が利用できる体制］を確保していること、［地域医療従事者に対する研修］を行わせる能力を有することなどが承認要件として定められている（医療法第4条）。

5 × 臨床研究中核病院は、第6次医療法改正（2014年）によって新設された。臨床研究の立案および実施に関する役割、臨床研究の支援や相談に関する役割などを担う。研究実績や多施設共同臨床試験の実績、論文実績、他施設支援などが承認要件として定められている（医療法第4条の3）。

解説 005 精神保健福祉法 正答 5

精神保健及び精神障害者福祉に関する法律（精神保健福祉法）における入院形態には、任意入院、医療保護入院、措置入院、緊急措置入院、応急入院の5つがある。それぞれの特徴については必ず把握しておくこと。

1 × 応急入院の入院期間は［72］時間以内に制限される（第33条の7）。

2 × 精神科病院の管理者は、［72］時間に限り、精神保健指定医の判断により退院を制限することがある（第21条3項）。

3 × 措置入院は自傷他害の恐れのある精神障害者に対して［都道府県知事］の権限で行われる入院形態である（第29条）。

4 × 退院等の請求を行うことができるのは、精神科病院に入院中の［入院者本人］とその［家族等］（当該精神障害者の配偶者、親権を行う者、扶養義務者および後見人または保佐人）である。医療保護入院による入院時に当該入院時に同意を行った家族等に限らない。また、「1名」といった人数の指定もない。

5 ○ 精神科病院の管理者は医療保護入院者の退院促進に向けて入院後［7］日以内に、［精神保健福祉士］その他厚生労働省令で定める資格を有する者のうちから、［退院後生活環境相談員］を選任しなければならない（第33条の4）。2013（平成25）年の精神保健福祉法改正により義務づけられることとなった。

問題 006 Check ☑☑☑ 第3回 問題107

精神保健及び精神障害者福祉に関する法律〈精神保健福祉法〉に基づく精神障害者の入院について、正しいものを1つ選べ。

1 応急入院は、市町村長の同意に基づいて行われる。

2 措置入院は、72時間を超えて入院することはできない。

3 措置入院は、2名以上の精神保健指定医による診察を要する。

4 緊急措置入院は、家族等の同意に基づいて緊急になされる入院をいう。

5 医療保護入院は、本人と家族等の双方から書面による意思確認に基づいて行われる。

問題 007 Check ☑☑☑ 第3回 問題050

精神保健及び精神障害者福祉に関する法律〈精神保健福祉法〉について、<u>誤っているもの</u>を1つ選べ。

1 裁判官は、精神障害者又はその疑いのある被告人に無罪又は執行猶予刑を言い渡したときは、その旨を都道府県知事に通報しなければならない。

2 警察官は、精神障害のために自傷他害のおそれがあると認められる者を発見したときは、最寄りの保健所長を経て都道府県知事に通報しなければならない。

3 保護観察所の長は、保護観察に付されている者が精神障害者又はその疑いのある者であることを知ったときは、その旨を都道府県知事に通報しなければならない。

4 矯正施設の長は、精神障害者又はその疑いのある者を釈放、退院又は退所させようとするときは、あらかじめその収容者の帰住地の都道府県知事に通報しなければならない。

解説 006 精神保健福祉法（入院形態） 正答 3

精神保健福祉法における入院形態についての問題である。任意入院、医療保護入院、応急入院、措置入院、緊急措置入院の特徴や入院にあたって必要な条件については確実に理解しておきたい。

1 ×［応急入院］は、入院を必要とする精神障害者で、任意入院を行う状態になく、急速を要し、家族等の同意が得られない場合、［精神保健指定医］が緊急の入院が必要と認めたときに、［72 時間］を限度として行われる入院のことをいう。

2 ×［措置入院］は、入院させなければ［自傷他害］のおそれのある精神障害者で、2 名以上の精神保健指定医の診察の結果が一致して入院が必要と認められたとき、［都道府県知事］（または政令指定都市の市長）の決定によって行われる入院である。入院が 72 時間以内に制限されるのは、緊急措置入院である。

3 ○ 上述したように、措置入院では 2 名以上の精神保健指定医による診察が必要である。

4 ×［緊急措置入院］は、措置入院の要件に該当するものの、急を要し措置入院の手順が踏めない場合に精神保健指定医 1 名の診断によって行うことができる入院である。入院期間は［72 時間以内］に制限される。

5 ×［医療保護入院］は、入院を必要とする精神障害者で、自傷他害のおそれはないが、任意入院を行う状態にない（病識や治療の必要性を十分に理解していなかったり判断できなかったりする）場合に行われる入院のことをいう。精神保健指定医が入院の必要性を認め、家族等から同意が得られた場合、本人の同意は必ずしも必要でない。

加点のポイント 精神保健福祉法に基づく入院形態

精神保健福祉法に基づく精神科病院への入院形態（任意入院・措置入院・医療保護入院・応急入院・緊急措置入院）の対象、要件をおさえておこう。
また入院の形態によって、行ってもよい行動制限やその要件も違うので確認しておこう。

解説 007 精神保健福祉法 正答 1

精神保健福祉法では、下記の他に検察官による通報義務（第 24 条 1・2 項）についての規定がなされている。

1 × 精神保健福祉法において［裁判官］の通報義務に関する規定はなく、［検察官］に義務が課されている。

2 ○ 精神保健福祉法第 23 条に「警察官は、職務を執行するに当たり、異常な挙動その他周囲の事情から判断して、精神障害のために自身を傷つけ又は他人に害を及ぼすおそれがあると認められる者を発見したときは、直ちに、その旨を、最寄りの保健所長を経て都道府県知事に通報しなければならない」と示されている。

3 ○ 精神保健福祉法第 25 条に「保護観察所の長は、保護観察に付されている者が精神障害者又はその疑いのある者であることを知つたときは、速やかに、その旨を都道府県知事に通報しなければならない」と示されている。

4 ○ 精神保健福祉法第 26 条に「矯正施設の長は、精神障害者又はその疑のある収容者を釈放、退院又は退所させようとするときは、あらかじめ、左の事項を本人の帰住地（帰住地がない場合は当該矯正施設の所在地）の都道府県知事に通報しなければならない」と示されている。ここでいう［矯正施設］とは、拘置所、刑務所、少年刑務所、少年院、少年鑑別所、婦人補導院をいう。

問題 008 Check ☑☑☑ 第1回 問題058

精神保健及び精神障害者福祉に関する法律<精神保健福祉法>に基づく処遇について、正しいものを２つ選べ。

1 措置入院では手紙の発信が制限される。

2 任意入院の際は精神保健指定医の診察を要しない。

3 患者を隔離する際は精神保健指定医の診察を要する。

4 治療上の理由があれば、複数の患者を同じ病室に隔離することができる。

5 身体的拘束を行った場合は、身体的拘束を行った旨、身体的拘束の理由、開始と解除の日時などを精神保健指定医が診療録に記載する。

問題 009 Check ☑☑☑ 第2回 問題032

我が国の保険診療の制度について、正しいものを１つ選べ。

1 後期高齢者医療制度の対象は80歳以上である。

2 被保険者は保険医療機関に一部負担金を支払う。

3 審査支払機関は企業・事業所に負担金を請求する。

4 診療報酬は保険者から保険医療機関に直接支払われる。

5 保険薬局は処方箋を交付した保険医療機関に薬剤費を請求する。

解説 008 精神保健福祉法

正答 2、3、5

精神保健福祉法に基づく、入院に関する事項の問題である。精神保健福祉法、および「精神保健及び精神障害者福祉に関する法律第三十七条第一項の規定に基づき厚生労働大臣が定める基準」に目を通しておくとよい。

(注)2、3、5 が正解のため、2・3、2・5、3・5 のいずれの組合せも採点上の正解とされた。

1 × 精神科病院の管理者は、入院患者の医療または保護のために欠くことのできない限度において必要な行動制限を行うことができるが、信書（手紙）の受け渡しや、都道府県その他の行政機関の職員との面会の制限などはすることができない（「精神保健及び精神障害者福祉に関する法律」第 36 条 2 項）。

2 ○ 任意入院は本人の同意がある場合に行われ、精神保健指定医の診察は不要である。

3 ○ 「精神保健及び精神障害者福祉に関する法律」第 36 条 3 項には「第一項の規定による行動の制限のうち、厚生労働大臣があらかじめ社会保障審議会の意見を聴いて定める患者の隔離その他の行動の制限は、指定医が必要と認める場合でなければ行うことができない。」とある。一方「精神保健及び精神障害者福祉に関する法律第三十七条第一項の規定に基づき厚生労働大臣が定める基準」には「十二時間を超えない隔離については精神保健指定医の判断を要するものではないが、この場合にあつてもその要否の判断は医師によつて行われなければならないものとする。」とあるため、正解とも不正解とも言い切れず、正解として扱われたのではないかと推測される。

4 × 「精神保健及び精神障害者福祉に関する法律第三十七条第一項の規定に基づき厚生労働大臣が定める基準」に、隔離について「隔離を行つている閉鎖的環境の部屋に更に患者を入室させることはあつてはならないものとする。また、既に患者が入室している部屋に隔離のため他の患者を入室させることはあつてはならないものとする。」とあり、治療上の理由であっても複数の患者を同じ病室に隔離することはできない。

5 ○ 「精神保健及び精神障害者福祉に関する法律第三十七条第一項の規定に基づき厚生労働大臣が定める基準」に「身体的拘束に当たつては、当該患者に対して身体的拘束を行う理由を知らせるよう努めるとともに、身体的拘束を行つた旨及びその理由並びに身体的拘束を開始した日時及び解除した日時を診療録に記載するものとする。」とある。

解説 009 保険診療の制度

正答 2

保険医療費支払いの仕組みは下図のようになっている。

1 × [75] 歳以上が後期高齢者医療制度の対象となる。

2 ○ 被保険者は原則として 3 割の一部負担金を [保険医療機関] に支払う。高額療養費制度による支払上限額の設定もある。

3 × 審査支払機関は [医療保険者] に対して審査済み請求書を送り、請求金額の支払いを受ける。

4 × 診療報酬は [審査支払機関] を通じて保険医療機関に支払われる。

5 × 薬剤費については、[被保険者] は保険薬局の窓口で一部負担金を支払い、残りの費用については、[保険者] から審査支払機関を通じ、保険薬局に支払われることとなる。

●保険医療費支払いの仕組み

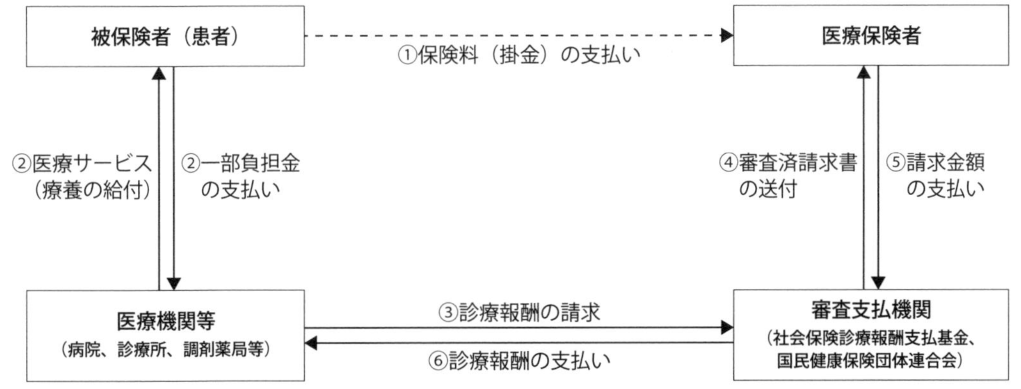

問題 010　Check ☐☐☐　第4回　問題030

特定健康診査と特定保健指導について、正しいものを１つ選べ。

1　公認心理師は、特定保健指導を行うことができる。
2　特定健康診査は、介護保険法に基づく制度である。
3　76 歳以上の者は、特定保健指導の対象とならない。
4　一定の有害な業務に従事する者は、特定保健指導を受けなければならない。
5　特定健康診査は、要支援状態にある 40 歳以上の者を対象として実施される。

②福祉分野に関する法律、制度

問題 011　Check ☐☐☐　第1回追　問題055

児童福祉法で定めている児童福祉施設として、正しいものを２つ選べ。

1　少年院
2　乳児院
3　教育相談所
4　児童相談所
5　母子生活支援施設

問題 012　Check ☐☐☐　第4回　問題107

児童福祉法に定められているものとして、正しいものを１つ選べ。

1　保護観察
2　合理的配慮
3　子どもの貧困対策
4　児童福祉施設における体罰の禁止
5　日本にいる子どもとの面会交流を実現するための援助

解説 010 特定健康診査と特定保健指導

正答 3

特定健康診査とは生活習慣病の予防のために行うメタボリックシンドロームに着目した健診のことである。特定保健指導とは特定健康診査の結果から生活習慣病の発症リスクが高い人に対して専門スタッフが行うサポートのことである。

1 × 特定保健指導を行うことができるのは医師、保健師、正看護師、[管理栄養士] のいずれかとされていて、公認心理師は含まれていない。

2 × 根拠法は [高齢者の医療の確保に関する法律]（2008（平成 20）年改正・施行）である。

3 ○ 対象年齢は [40～74 歳] とされている。

4 × 放射線業務、石綿業務、有機溶剤業務など、一定の有害な業務に従事する者に対しては、[労働安全衛生法] で [特殊健康診断の受診] が義務付けられている。

5 × 対象者は医療保険者とされている。

解説 011 児童福祉施設

正答 2、5

児童福祉法で定める児童福祉施設は、助産施設、乳児院、母子生活支援施設、保育所、幼保連携型認定こども園、児童厚生施設、児童養護施設、障害児入所施設、児童発達支援センター、児童心理治療施設、児童自立支援施設、児童家庭支援センターである（第 7 条）。

1 × 少年院は、[少年院法] に定められた施設で、家庭裁判所から保護処分として送致された少年の健全な育成を目的として矯正教育、社会復帰支援等を行う。

2 ○ 乳児院は、[児童福祉施設] であり、乳児を入院させて、これを養育することを目的とする施設である（第 37 条）。

3 × 教育相談所は、[地方教育行政の組織及び運営に関する法律] 第 30 条に定められた施設であり、都道府県と市町村が設置し、教育委員会が管理する。

4 × 児童相談所は [児童福祉法] 第 12 条に定められた施設であり、児童に関する相談を受け、必要に応じて専門的な調査、判定を行い、場合によっては児童福祉施設等への入所措置を行う機関である。

5 ○ 母子生活支援施設は、[児童福祉施設] であり、配偶者のない女子またはこれに準ずる事情にある女子とその者の監護すべき児童を入所させて、これらの者を保護することを目的とする施設と定められている（第 38 条）。

解説 012 児童福祉法

正答 4

児童福祉法は、全ての児童の適切な養育と心身の健やかな成長発達を保障するために定められたものである。

1 × [保護観察] は、少年を施設に収容せず、社会内で生活させながら、保護観察所の指導監督のもと更生を図る保護処分で、更生保護法に定められている。

2 × [合理的配慮] は、障害者が他の人と同様に人権と基本的自由を保障されるよう、障壁を取り除くことであり、障害者差別解消法により定められている。

3 × [子どもの貧困対策] は、子どもの貧困対策の推進に関する法律に定められている。この法律は、貧困の状況にある子どもが健やかに育成される環境を整備し、教育の機会均等を図るための対策を定めている。

4 ○ 児童福祉法第 47 条 3 項には、「児童福祉施設の長、その住居において養育を行う第六条の三第八項に規定する厚生労働省令で定める者又は里親は、入所中又は受託中の児童で親権を行う者又は未成年後見人のあるものについても、監護、教育及び懲戒に関し、その児童の福祉のため必要な措置をとることができる。ただし、体罰を加えることはできない」とあり、[児童福祉施設における体罰の禁止] が定められている。

5 × [日本にいる子どもとの面会交流を実現するための援助] は、ハーグ条約に定められている。この条約は、国境を越えた子どもの不法な連れ去りや留置をめぐる紛争に対応するための条約である。

問題 013　Check ☑☑☑　第3回　問題111

児童虐待防止対策における、児童相談所の体制及び関係機関間の連携強化について、不適切なものを 1 つ選べ。

1　児童心理司を政令で定める基準を標準として配置する。

2　第三者評価など、児童相談所の業務の質の評価を実施する。

3　都道府県は、一時保護などの介入対応を行う職員と、保護者支援を行う職員を同一の者とする。

4　学校、教育委員会、児童福祉施設等の職員は、職務上知り得た児童に関する秘密について守秘義務を負う。

5　家庭内暴力〈DV〉対策と児童虐待対応の連携を強化し、婦人相談所や配偶者暴力相談支援センターなどとの連携・協力を行う。

問題 014　Check ☑☑☑　第3回　問題118

児童虐待の防止等に関する法律〈児童虐待防止法〉が施行された 2000 年（平成 12 年）から 2018 年（平成 30 年）までの間、児童相談所における児童虐待相談対応件数は年々増加しているが、その背景として想定されるものの中で、不適切なものを 1 つ選べ。

1　警察との連携強化により、警察からの通告が急増した。

2　児童相談所全国共通ダイヤルの運用などにより、社会的意識が高まった。

3　相談対応件数全体におけるネグレクトによる通告件数の割合が急増した。

4　子どもの面前の家庭内暴力〈DV〉が心理的虐待に含まれるようになった。

5　きょうだい児への虐待は、他のきょうだい児への心理的虐待であるとみなされるようになった。

問題 015　Check ☑☑☑　第1回追　問題132

児童虐待への対応で法律に定められているものとして、正しいものを 2 つ選べ。

1　児童虐待を受けていると思われる児童を発見した者は通告する義務がある。

2　通告を受けた児童相談所はすべての事例について家庭内に立入調査を行う。

3　虐待を受けている児童を児童相談所が一時保護する場合、保護者の同意を得なければ保護してはならない。

4　児童養護施設に入所したケースについて、児童と保護者が家庭復帰を希望すれば家庭に戻さなければならない。

5　要保護児童の在宅支援においては、要保護児童対策地域協議会で関係機関が情報を共有し、協働して支援を行うことができる。

メモ　児童福祉法と児童虐待防止法の改正

2019（令和元）年、虐待相談件数の急増や虐待による子どもの死亡事件を背景として、児童虐待防止対策の抜本的強化を図るべく、児童福祉法と児童虐待防止法が改正された。
主なポイントとしては、①親権者等による体罰の禁止（児童福祉施設の長等も含む）②児童相談所の体制強化及び関係機関間の連携強化等である。詳しくは厚生労働省のホームページなどを参照のこと。

解説 013　児童虐待防止対策　　正答 3

児童相談所への虐待相談対応件数の増加に伴い、政府は「児童虐待防止対策の強化に向けた緊急総合対策」（平成 30 年 7 月 20 日）を決定し、対策を行っている。

1 ○ 児童福祉法で、児童心理司の数は「政令で定める基準を標準として［都道府県］が定めるものとする」と定められている（第 12 条の 3 第 7 項）。

2 ○ 児童虐待防止対策に関する関係閣僚会議の「児童虐待防止対策の抜本的強化について」（平成 31 年 3 月 19 日）の中に、「［第三者評価］など児童相談所の業務に対する評価を実施するよう努めるものとする」と記されている。

3 × 児童虐待防止法で、児童相談所の介入機能と支援機能の［分離］が定められている（第 11 条 7 項）。

4 ○ 児童虐待防止法で、学校、教育委員会、児童福祉施設等は「正当な理由がなく、その職務に関して知り得た児童虐待を受けたと思われる児童に関する秘密を漏らしてはならない」と定められている（第 5 条 3 項）。

5 ○ 厚生労働省の「児童相談所運営指針」には、児童相談所が連携すべき関係機関として、婦人相談所と配偶者暴力相談支援センターも記載されている。また、内閣府と厚生労働省からは、児童虐待とＤＶの特性、これらが相互に重複して発生していることを踏まえ、その他の関係機関も含む相互の連携協力をさらに強化するようにという「配偶者暴力相談支援センターと児童相談所等との連携強化等について」の通達が出されている。

解説 014　児童虐待防止法　　正答 3

児童虐待に関する相談対応については、内閣府の「子供・若者白書」を参考に現状を理解しておくことが重要である。令和元年版の第 3 章「困難を有する子供・若者やその家族の支援」の第 3 節に「特に心理的虐待が増加しており、この要因としては、児童が同居する家庭における配偶者などに対する暴力がある事案（面前 DV）について警察からの通告が増加していることや、児童相談所全国共通ダイヤルの 3 桁化（189）の広報、マスコミによる児童虐待の事件報道等により、国民や関係機関の児童虐待に対する意識が高まったことに伴う通告が増加していることが考えられる」とある。

1 ○ 厚生労働省「児童虐待防止対策の強化に向けた緊急総合対策」（平成 30 年 7 月 20 日）において児童相談所と警察の連携強化が示されており、こうした連携強化から、上記のように警察からの通告が増加していると考えられる。

2 ○ 上記の通り、児童相談所の全国共通ダイヤルの 3 桁化の効果が考えられる。

3 × 相談対応件数全体において、［ネグレクト］ではなく［心理的虐待］による通告件数の割合が急増した。

4 ○ 子どもの面前での家庭内暴力は心理的虐待に含まれる。

5 ○ きょうだいの虐待を目撃することも心理的虐待である。

解説 015　児童虐待への対応　　正答 1、5

児童虐待は非常に重要なテーマである。児童虐待に対する対応の流れと各部署の働き、対応のポイントをおさえておこう。

1 ○「児童虐待を受けたと思われる児童を発見した者は、速やかに、これを市町村、都道府県の設置する福祉事務所若しくは児童相談所又は児童委員を介して市町村、都道府県の設置する福祉事務所若しくは児童相談所に［通告］しなければならない」と定められている（児童虐待防止法第 6 条）。

2 × すべての事例ではなく、［児童虐待］が行われている恐れがあると認めるときには、立入調査を行うことができると定められている（児童虐待防止法第 9 条）。

3 × 一時保護は、原則として子どもや保護者の同意を得るが、子どもをそのまま放置することが［子どもの福祉を害する］と認められる場合には、この限りでないとされている（厚生労働省「児童相談所運営指針の改正について」第 5 章）。

4 ×［措置解除の条件］が定められており、親子関係の修復・改善がなされ、他に養育上の問題がないと認められれば、子どもを家庭に復帰させることになる（厚生労働省「子ども虐待対応の手引き：第 9 章」）。

5 ○［要保護児童対策地域協議会］は、地域に住む要保護児童の適切な保護のために、情報の交換や支援内容の協議を行うこととされている（厚生労働省「要保護児童対策地域協議会設置・運営指針第 1 章」）。

問題 016 Check ☑☑☑ 第1回 問題105

虐待など、父母による親権の行使が困難又は不適当な場合、子や親族などの請求により親の親権を一時的に停止することができるのは誰か。正しいものを 1 つ選べ。

1 知事

2 検察官

3 市町村長

4 児童相談所長

5 家庭裁判所（裁判官）

問題 017 Check ☑☑☑ 第2回 問題134

親権について、正しいものを 2 つ選べ。

1 親権には財産管理権は含まれない。

2 民法には親権喪失及び親権停止が規定されている。

3 児童相談所の一時保護には親権者の同意は必要でない。

4 里親に委託措置をする場合、親権者の同意は必要でない。

5 児童養護施設に入所措置する際、親権者の同意は必要でない。

問題 018 Check ☑☑☑ 第2回 問題052

障害を理由とする差別の解消の推進に関する法律について、正しいものを 2 つ選べ。

1 適切な配慮を行うためには医師の意見書が必要である。

2 行政機関は合理的な配慮をするように努めなければならない。

3 対象者の性別、年齢及び障害の状態に応じた配慮が行われる。

4 対象となる障害には、身体障害、知的障害、精神障害及び発達障害が含まれる。

5 事業者は、差別解消の配慮は負担の軽重にかかわらず必要があれば行わなければならない。

解説 016　親権を一時的に停止する権限

正答 5

親権の一時的な停止は家庭裁判所裁判官に権限があり、検察官か児童相談所長などが他の権限を持ちつつ児童虐待に対応している。

1 × 知事に親権停止の権限はない。

2 × 検察官は、家庭裁判所への［親権制限］の請求権をもつ。

3 × 市町村長にも親権停止の権限はない。

4 × 児童相談所長は一時保護にある子の親権が決定するまで、その親権を［代行］する役割を担う。

5 ○ 家事事件における子どもの［親権］を判断するのは家庭裁判所裁判官の役割である（民法第 834 条 2 項）。

解説 017　親権

正答 2、3

親権とは、未成年の子を持つ父母が、その子を監護、養育し、財産を管理するなどの権利や義務の総称をいう。

1 × ［民法］第 824 条において、「親権を行う者は、子の財産を管理し、かつ、その財産に関する法律行為についてその子を代表する」とされる（財産管理権）。

2 ○ 親権喪失は［民法］第 834 条、親権停止は［民法］第 834 条の 2 において定められている。

3 ○ 厚生労働省の「一時保護ガイドライン」によると、一時保護の決定に当たっては、子どもの権利擁護の観点から子どもや保護者に一時保護の理由、目的、予定される概ねの期間、入所中の生活などを説明し、同意を得て行うことが望ましいが、緊急保護の場合など、子どもの安全確保等のために必要と認められる場合には、［保護者の同意は必須ではない］。この場合にも、子どもへの説明は十分に行う必要があるとされる。

4 × 厚生労働省「里親委託ガイドライン」を参照すると、「家庭裁判所の承認を得て行う児童福祉法第 28 条措置を除き、［親権者］の意に反して措置を行うことはできないが、意向が確認できない場合は、可能である」とある。

5 × 一時保護の後に、引き離しが継続する（里親、児童養護施設、乳児院等に児童を委託する）場合には、［親権者］の同意が必要であり、同意しない場合は家庭裁判所の審判によって措置が行われる（児童福祉法第 28 条 1 項）。

解説 018　障害者差別解消法

正答 3、4

障害者差別解消法は、障害を理由とする差別の解消についての基本的な指針、国や地方公共団体、事業者の法的義務や努力義務などを定めている。その目的、対象、主な内容をおさえておこう。

1 × 障害者総合支援法のサービスを受けるためには区分認定のために医師の意見を聴くことが定められているが、障害者差別解消法では必ずしも必要ではない。

2 × 第 7 条 2 項に「行政機関等は、その事務又は事業を行うに当たり、障害者から現に社会的障壁の除去を必要としている旨の意思の表明があった場合において、その実施に伴う負担が過重でないときは、障害者の権利利益を侵害することとならないよう、当該障害者の性別、年齢及び障害の状態に応じて、社会的障壁の除去の実施について必要かつ合理的な配慮をしなければならない」とあり、［法的義務］である。

3 ○ 2 の記載の通り、障害者の［性別］、［年齢及び障害の状態］に応じた配慮を行う。

4 ○ 第 2 条 1 項に、対象は「身体障害、知的障害、精神障害（発達障害を含む。）その他の心身の機能の障害（以下「障害」と総称する。）がある者」と定められている。

5 × 第 8 条 2 項に事業者は「その実施に伴う負担が［過重でない］ときは」合理的配慮をするように努めなければならないと定められている。

問題 019 Check ☑☑☑ 第1回追 問題048

障害者の日常生活及び社会生活を総合的に支援するための法律〈障害者総合支援法〉に基づく地域移行支援の対象者として、正しいものを2つ選べ。

1 拘置所に収容されている障害者
2 児童福祉施設に通所している障害者
3 少年鑑別所に収容されている障害者
4 療養介護を行う病院に入院している障害者
5 地域活動支援センターに通所している障害者

問題 020 Check ☑☑☑ 第3回 問題121

発達障害者支援法について、不適切なものを1つ選べ。

1 発達支援には、医療的援助も含まれる。
2 支援対象には、18歳未満の者も含まれる。
3 支援対象には、発達障害者の家族も含まれる。
4 国の責務の他に、地方公共団体の責務も定められている。
5 支援は、個々の発達障害者の性別、年齢及び障害の状態に関係なく、一律に行う。

問題 021 Check ☑☑☑ 第1回追 問題058

高齢者虐待の防止、高齢者の養護者に対する支援等に関する法律〈高齢者虐待防止法〉について、正しいものを2つ選べ。

1 高齢者虐待を発見した場合の通報先は、都道府県である。
2 この法律の「養護者」とは、介護家族と養介護施設従事者のことをいう。
3 高齢者の保護だけではなく、家族等の養護者に対する支援も大きな目的の1つとしている。
4 生命又は身体に重大な危険が生じている高齢者虐待を発見した場合は、速やかに通報しなければならない。
5 高齢者虐待の種別は、身体的虐待、心理的虐待、介護・世話の放棄・放任（ネグレクト）及び性的虐待の4つである。

解説 019 障害者総合支援法－地域移行支援

正答 1、4

障害者総合支援法の中でも、地域移行支援についての問題である。この施策の主旨、目的、対象者を理解しておこう。

1 ○ 障害者総合支援法が 2012（平成 24）年 6 月に成立した際に、地域移行支援の対象に「その他の地域における生活に移行するために重点的な支援を必要とする者であって厚生労働省令で定めるもの」が追加され、[保護施設]、[矯正施設]（拘置所も含む）、[更生保護施設] などに入院している障害者も対象となった。

2 × 児童福祉施設に通所している障害者は、[児童福祉法] の対象である。

3 × 少年鑑別所は家庭裁判所からの観護措置の決定によって送致された少年を収容し、[専門的な調査や診断を行う施設] であるため、対象とはならない。

4 ○ [療養介護] を行う病院に入院している障害者は、第 5 条 20 項により対象と定められている。

5 × [地域移行支援] は施設入所している障害者が地域での生活に移行するための支援であり、[地域活動支援センター] は地域で生活する障害者の交流と自立を促す支援を行うところである。

解説 020 発達障害者支援法

正答 5

発達障害者支援法（発達障害のある人の早期発見と支援を目的にした、2004〈平成 16〉年に制定された法律）の条文についての知識を問う問題である。

1 ○ 専門的な医療機関の確保等として発達障害者支援法第 2 条 4 項に「この法律において「発達支援」とは、発達障害者に対し、その心理機能の適正な発達を支援し、及び円滑な社会生活を促進するため行う個々の発達障害者の特性に対応した [医療的]、福祉的及び教育的援助をいう」と規定されているので、医療的援助が含まれている。

2 ○ 第 2 条 2 項に「『発達障害児』とは、発達障害者のうち [18 歳未満] のものをいう」と規定されているので、18 歳未満の者も含まれる。

3 ○ 第 13 条に「発達障害者の [家族等] への支援」が規定されており、家族も含まれる。

4 ○ 第 3 条に「[国及び地方公共団体] の責務」が規定されており、地方公共団体の責務も定められ、第 4 条に「[国民] の責務」が定められている。

5 × 第 2 条の 2「基本理念」3 項に「個々の発達障害者の性別、年齢、障害の状態及び生活の実態に応じて」と規定されているので、一律ではない。

解説 021 高齢者虐待防止法

正答 3、4

高齢者虐待防止法についての問題である。虐待の種類、対象者、対応方法などの基本をおさえておこう。

1 × 高齢者虐待の通報先は、[市町村] である（第 7 条）。

2 × 「養護者」とは、「高齢者を現に養護する者であって [養介護施設従事者等以外] のもの」と定められている（第 2 条 2 項）。

3 ○ 市区町村は「高齢者及び養護者に対して、相談、指導及び助言を行う」（第 6 条）ことや、「養護者の負担の軽減のため、養護者に対する相談、指導及び助言その他必要な措置を講ずるものとする」（第 14 条）ことが定められている。

4 ○ 第 7 条に「養護者による高齢者虐待を受けたと思われる高齢者を発見した者は、当該高齢者の [生命又は身体] に重大な危険が生じている場合は、速やかに、これを市町村に通報しなければならない」と定められている。

5 × 高齢者虐待の種別は、[身体的虐待]、[心理的虐待]、[介護・世話の放棄・放任（ネグレクト）]、[性的虐待] に加えて、[経済的虐待] の 5 つである。

問題 022 Check 第3回 問題042

高齢者虐待の防止、高齢者の養護者に対する支援等に関する法律〈高齢者虐待防止法〉について、誤っているものを1つ選べ。

1 市町村は、高齢者を虐待した養護者に対する相談、指導及び助言を行う。
2 養護者又は親族が高齢者の財産を不当に処分することは虐待に該当する。
3 国民には、高齢者虐待の防止や養護者に対する支援のための施策に協力する責務がある。
4 警察署長は、高齢者の身体の安全の確保に万全を期するために、市町村長に援助を求めなければならない。
5 身体に重大な危険が生じている高齢者虐待を発見した者は、速やかに、そのことを市町村に通報しなければならない。

高齢者の虐待

高齢者の虐待には、児童虐待にも含まれる「身体的虐待」「心理的虐待」「ネグレクト」「性的虐待」のほかに「経済的虐待」も含まれる。
なお「経済的虐待」は障害者に対する虐待、配偶者に対する虐待にも含まれている。

問題 023 Check 第1回追 問題113

地域包括支援センターの業務について、誤っているものを1つ選べ。

1 権利擁護
2 総合相談支援
3 短期入所生活介護
4 介護予防ケアマネジメント
5 包括的・継続的ケアマネジメント支援

メモ 地域の総合相談支援業務

介護保険法115条の45第2項に、市町村は地域支援事業として「被保険者の心身の状況、その居宅における生活の実態その他の必要な実情の把握、保健医療、公衆衛生、社会福祉その他の関連施策に関する［総合的な情報の提供］、関係機関との連絡調整その他の被保険者の保健医療の向上及び福祉の増進を図るための総合的な支援を行う」と記載されている。

問題 024 Check 第1回追 問題134

介護保険法について、正しいものを2つ選べ。

1 保険者は市町村及び特別区である。
2 要介護者とは要支援状態にある65歳以上の者をいう。
3 国民は65歳に達すると保険料を納付する義務が生じる。
4 65歳以上の被保険者には受給のための特定疾病が政令で定められている。
5 医療保険者は介護保険事業が健全かつ円滑に行われるよう協力しなければならない。

解説 022 高齢者虐待防止法

正答 4

高齢者虐待防止法についての問題である。法の趣旨と内容をおさえておこう。

1 ○ 市町村は「高齢者及び養護者に対して、相談、指導及び助言を行うものとする」と定められている（第6条）。

2 ○ 「養護者又は高齢者の親族が当該高齢者の財産を不当に処分することその他当該高齢者から不当に財産上の利益を得ること」は［養護者による高齢者虐待］であると定義されている（第2条4項2号）。

3 ○ ［国民の責務］として、国民は「国又は地方公共団体が講ずる高齢者虐待の防止、養護者に対する支援等のための施策に協力するよう努めなければならない」と定められている（第4条）。

4 × 警察署長が市町村長に援助を求めるのではなく、市町村長が「警察署長に対し援助を求めなければならない」とされている（第12条2項）。

5 ○ 「養護者による高齢者虐待を受けたと思われる高齢者を発見した者は、当該高齢者の生命又は身体に重大な危険が生じている場合は、速やかに、これを市町村に通報しなければならない」と定められている（第7条）。

解説 023 地域包括支援センター

正答 3

厚生労働省のサイトに、地域包括支援センターについて「地域の高齢者の総合相談、権利擁護や地域の支援体制づくり、介護予防の必要な援助などを行い、高齢者の保健医療の向上及び福祉の増進を包括的に支援することを目的とし、地域包括ケア実現に向けた中核的な機関として市町村が設置」と記載がある。地域包括支援センターの業務には、以下4つの包括的支援事業と介護予防支援がある。

1 ○ 地域包括支援センターは、成年後見制度の活用促進や高齢者虐待への対応など、地域の高齢者の［権利擁護］業務を行う。

2 ○ 地域包括支援センターは、住民の各種相談を幅広く受け付ける［総合相談支援］業務を行う。

3 × 短期入所生活介護は、要介護者等が［老人短期入所施設］や［特別養護老人ホーム］に短期間入所し、入浴や排泄、食事などの日常生活上の世話や機能訓練などが受けられる、介護保険上の介護サービスである。利用者の家族の身体的、精神的負担の軽減が目的のひとつである。

4 ○ 地域包括支援センターは、［介護予防ケアマネジメント］業務を行う。［介護予防ケアマネジメント］は、高齢者の自立支援を目的とし、心身の状況、置かれている環境、その他の状況に応じて、対象者自らの選択に基づき、介護予防に向けたケアを検討することであり、地域包括支援センターがその役割を担う。

5 ○ 地域包括支援センターは、［包括的・継続的ケアマネジメント支援］業務を行う。専門職員（社会福祉士・主任ケアマネジャー・保健師）を配置し、地域における連携・協働の体制づくりや介護支援専門員に対する支援などを行う。

解説 024 介護保険法

正答 1、5

介護保険法は1997（平成9）年に制定された法律である。介護保険制度の基本とその仕組みを理解しておこう。

1 ○ 介護保険の保険者は全国の［市町村、特別区］（東京23区）である。被保険者は、65歳以上の［第1号被保険者］と、40歳から64歳までの医療保険加入者である［第2号被保険者］に分けられる。

2 × 要介護者とは、［要介護状態］にある65歳以上の人、また、政令で定められた特定疾病が原因で要介護状態にある40歳以上65歳未満の人である。

3 × 介護保険料の納付義務は［40］歳になった月からである。

4 × 特定疾病（老化に起因する疾病）が定められているのは、［40歳以上65歳未満］であり、それに該当した場合は、要介護認定を受けて要介護者として認められることがある。

5 ○ 介護保険法［第6条］に「医療保険者は、介護保険事業が健全かつ円滑に行われるよう協力しなければならない」と定められている。

問題 025 Check 第3回 問題 020

介護保険が適用されるサービスとして、正しいものを 1 つ選べ。

1 配食サービス
2 精神科訪問看護
3 介護ベッドの購入
4 住宅型有料老人ホーム
5 通所リハビリテーション

問題 026 Check 第1回 問題 120

配偶者に対する虐待への対応について、配偶者からの暴力の防止及び被害者の保護等に関する法律〈DV 防止法〉に定める内容として、誤っているものを 1 つ選べ。

1 婦人相談員は被害者に対して必要な指導を行うことができる。
2 被害者を発見した者が配偶者暴力相談支援センターへ通告することは、努力義務である。
3 医療関係者は、配偶者暴力相談支援センターなどの情報を被害者に提供することが求められている。
4 被害者を発見した者が警察に通報することには、刑法その他の守秘義務に関する規定によって制限が設けられている。

問題 027 Check 第1回 追 問題 096

配偶者からの暴力の防止及び被害者の保護等に関する法律〈DV 防止法〉について、正しいものを 1 つ選べ。

1 女性から男性への暴力は対象外である。
2 被害者の保護命令申立ては警察に対して行う。
3 保護命令のうち被害者への接近禁止命令の期間は 1 年間である。
4 婚姻関係以外の単なる同居中の交際相手からの暴力は対象外である。
5 緊急時の安全確保のための施設には、厚生労働大臣が定めた基準を満たした母子生活支援施設が含まれる。

解説 025 介護保険

正答 5

介護保険が適用されるサービスを確認しておこう。

1 × 配食サービスは介護保険外サービスである。

2 × 精神科訪問看護は、精神障害などがありながら地域で生活している人を医師の指示のもと医療スタッフが定期的に訪問する支援で、医療保険の適用となる。

3 × 介護ベッドは、レンタルの場合は介護保険が適用されるが、購入する場合は適用されない。

4 × 住宅型有料老人ホームそのものは、介護保険の適用とはならないが、そこに入居していても介護が必要な場合には、訪問介護として介護保険サービスを利用することができる。

5 ○ 通所リハビリテーションは、自宅で暮らす要介護者・要支援者が施設に通い、日常生活上の支援や生活機能向上のための機能訓練などを受けるサービスであり、介護保険が適用される。

メモ 介護用品

介護用品には、購入に介護保険が適用されるもの（特定福祉用具販売）と購入には適用されないがレンタルには適用されるもの（福祉用具貸与）がある。腰掛便座、入浴補助用具、簡易浴槽などは前者、車椅子や介護ベッドなどは後者である。

解説 026 DV 防止法

正答 4

DV 防止法は、配偶者からの暴力の防止と被害者の保護のために定められている。婚姻関係ではなく、内縁関係（事実婚）、同棲関係にある相手からの暴力であっても適用される。

1 ○ ［婦人相談員］は、配偶者からの暴力被害者の相談を受けることと必要な指導を行うことができると定められている（第 4 条）。婦人相談員は、婦人相談所、福祉事務所などに配置されている。

2 ○ DV の通告については［被害者本人］の意向が重視されており、被害者を発見した者の配偶者暴力相談支援センターへの通告は［努力義務］となっている（第 6 条 1・2 項）。

3 ○ 医療関係者は、DV の被害者を発見したときには、その者に対し、配偶者暴力相談支援センター等の利用について、その有する［情報を提供］するよう努めなければならないと定められている（第 6 条 4 項）。

4 × 被害者を発見して警察に通報しても、［守秘義務違反］などの罪には問われない（第 6 条 3 項）。

解説 027 DV 防止法

正答 5

DV 防止法（配偶者からの暴力の防止及び被害者の保護等に関する法律）について、その目的と対象者、保護内容などを確認しておこう。

1 × この法律では、配偶者からの暴力と定められており、［性別］は限定されない（第 1 条）。被害者の多くは女性ではあるが、男性の被害者もこの法律の対象となる。

2 × 保護命令の申立ては、［地方裁判所］に対して行う（第 11 条）。加害者の住所地（不明の場合は居所）、申立人の住所または居所、暴力または脅迫が行われた地を管轄する地方裁判所に申立書を提出する。

3 × 接近禁止命令は、［6 か月］が効力期間である（第 10 条 2 項）。再度の保護命令申立ては可能であるが、延長や更新ではなく新たな事件として審理される。

4 × 「配偶者」には、婚姻の届出をしていないが［事実上婚姻関係］と同様の事情にある者も含まれている（第 1 条 3 項）。

5 ○ 厚生労働省「母子生活支援施設運営指針」に母子生活支援施設の役割と理念として、「DV 防止法第 3 条の 4 に定める被害者を［一時保護する委託施設］としての役割もある」と示されている。

問題 028 Check ☑☑☑ 第2回 問題117

生活困窮者自立支援制度に含まれないものを１つ選べ。

1 医療費支援
2 家計相談支援
3 就労準備支援
4 子どもの学習支援
5 住居確保給付金の支給

③教育分野に関する法律、制度

問題 029 Check ☑☑☑ 第2回 問題043

教育基本法第２条に規定される教育の目標として、誤っているものを１つ選べ。

1 勤労を重んずる態度を養う。
2 自主及び自律の精神を養う。
3 豊かな情操と道徳心を養う。
4 個性に応じて進路を選択する能力を養う。
5 他国を尊重し、国際社会の平和と発展に寄与する態度を養う。

メモ 教育基本法第２条

第２条 教育は、その目的を実現するため、学問の自由を尊重しつつ、次に掲げる目標を達成するよう行われるものとする。
1 幅広い知識と教養を身に付け、真理を求める態度を養い、豊かな情操と道徳心を培うとともに、健やかな身体を養うこと。
2 個人の価値を尊重して、その能力を伸ばし、創造性を培い、自主及び自律の精神を養うとともに、職業及び生活との関連を重視し、勤労を重んずる態度を養うこと。
3 正義と責任、男女の平等、自他の敬愛と協力を重んずるとともに、公共の精神に基づき、主体的に社会の形成に参画し、その発展に寄与する態度を養うこと。
4 生命を尊び、自然を大切にし、環境の保全に寄与する態度を養うこと。
5 伝統と文化を尊重し、それらをはぐくんできた我が国と郷土を愛するとともに、他国を尊重し、国際社会の平和と発展に寄与する態度を養うこと。

解説 028 生活困窮者自立支援制度

正答 1

生活困窮者自立支援制度は、生活保護に至る前の自立支援策の強化を図ることと、生活保護から脱却した人が再び生活保護に頼ることのないようにするための支援を行う制度である。

1 × 医療費支援は、生活困窮者自立支援制度には含まれない。

2 ○ ［家計相談支援］は、家計状況を見直し、その立て直しを図るための支援である。

3 ○ ［就労準備支援］は、すぐに就労することが困難な場合、6 か月から 1 年の間、一般就労に向けた基礎能力を養いながら就労に向けた支援や就労機会の提供を行う支援である。

4 ○ ［子どもの学習支援］は、学習支援だけでなく、日常的な生活習慣、仲間と出会い活動ができる居場所づくり、進学に関する支援、高校進学者の中退防止に関する支援などを行う支援である。

5 ○ ［住居確保給付金の支給］は、離職などにより住居を失った、または失う恐れがある人に、就職に向けた活動をするなどを条件に、一定期間、家賃相当額を支給する支援である。

加点のポイント 生活困窮者自立支援制度

生活困窮者自立支援制度について、まとめて理解しておこう。

自立相談支援事業	自立のための具体的な支援プランの立案
住居確保給付金の支給	一定期間の家賃補助
就労準備支援事業	一般就労に向けた基礎能力の養成と就労支援
家計相談支援事業	家計の立て直しの支援
就労訓練事業	作業機会の提供や個別の就労支援プログラムによる、中・長期的な就労訓練事業（中間的就労）
生活困窮世帯の子どもの学習支援	子どもの学習支援や居場所づくり、進学支援、高校中退防止に関する支援など
一時生活支援事業	住居を持たない人、不安定な住居形態にある人への、一定期間、宿泊場所や衣食の提供

解説 029 教育基本法

正答 4

教育基本法第 2 条に規定されている教育の目標を正しく理解しておこう。

1 ○ 「職業及び生活との関連を重視し、勤労を重んずる態度を養う」とされている（第 2 条 2 号）。

2 ○ 「個人の価値を尊重して、その能力を伸ばし、創造性を培い、自主及び自律の精神を養う」とされている（第 2 条 2 号）。

3 ○ 「幅広い知識と教養を身に付け、真理を求める態度を養い、豊かな情操と道徳心を培う」とされている（第 2 条 1 号）。

4 × 「個性に応じて将来の進路を選択する能力を養う」とされているのは学校教育法第 21 条である。

5 ○ 「伝統と文化を尊重し、それらをはぐくんできた我が国と郷土を愛するとともに、他国を尊重し、国際社会の平和と発展に寄与する態度を養う」とされている（第 2 条 5 号）。

問題 030 Check 第1回 追 問題029

学校教育法に規定されている内容として、正しいものを1つ選べ。

1 学校には各種学校が含まれる。
2 中等教育学校の修業年限は3年とする。
3 校長は教育上必要があると認めるときは、児童生徒に転校を命じることができる。
4 市町村の教育委員会は、教育上必要があると認めるときは、児童生徒に懲戒を加えることができる。
5 市町村の教育委員会は、他の児童生徒の教育を妨げると認められる児童生徒があるときは、その保護者に対して、児童生徒の出席停止を命じることができる。

問題 031 Check 第4回 問題131

学校教育に関する法規等の説明として、誤っているものを1つ選べ。

1 学校教育法は、認定こども園での教育目標や教育課程等について示している。
2 学習指導要領は、各学校段階における教育内容の詳細についての標準を示している。
3 教育基本法は、憲法の精神を体現する国民を育てていくための基本理念等について示している。
4 学校保健安全法は、学校に在籍する児童生徒・教職員の健康及び学校の保健に関して示している。

問題 032 Check 第3回 問題122

学校教育法施行規則において、小学校及び中学校のいずれにも設置が規定されていないものを1つ選べ。

1 学年主任
2 教務主任
3 保健主事
4 教育相談主任
5 進路指導主事

解説 030 学校教育法

正答 5

学校教育法は、教育基本法に基づいて、学校制度の基本を定めた法律である。基本をおさえておこう。

1 × 学校教育法で定められている「学校」とは、「幼稚園、小学校、中学校、義務教育学校、高等学校、中等教育学校、特別支援学校、大学及び高等専門学校」である（第1条）。また、同法において、この第1条以外に学校教育に類する教育を行うものを「各種学校」と定義している（第134条）。

2 × 中等教育学校の修業年限は、[6] 年とされている（第65条）。中等教育学校は1つの学校として、中高一貫教育を行うことを目的としており、前期課程は中学校の基準を、後期課程は高等学校の基準を準用している。

3 × 転校を命じることができるとは定められていない。

4 × 教育上必要があると認める場合に、児童生徒に懲戒を加えることができるのは、[校長、教員] である（第11条）。

5 ○ 市町村の教育委員会は、他の児童を傷つけるような行為や授業を妨げるような行為を繰り返し行う児童がいるときは、その保護者に対して、児童の [出席停止] を命じることができる（第35条）。

解説 031 学校教育に関する法規

正答 1

学校教育に関する法規についての問題である。学校教育法、教育基本法、学校保健安全法など、主なものをおさえておこう。

1 × 幼保連携型認定こども園は、学校と児童福祉施設の性質をあわせもっているため、就学前の子どもに関する教育、保育等の総合的な提供の推進に関する法律（認定こども園法）で定められている。

2 ○ 学習指導要領は、全国どこで教育を受けても、一定の水準の教育を受けられるようにするため、[学校教育法] 等に基づき、教育課程（カリキュラム）の基準を定めている。

3 ○ [教育基本法] の前文に、「ここに、我々は、日本国憲法の精神にのっとり、我が国の未来を切り拓く教育の基本を確立し、その振興を図るため、この法律を制定する」とある。

4 ○ [学校保健安全法] 第1条に「この法律は、学校における児童生徒等及び職員の健康の保持増進を図るため、学校における保健管理に関し必要な事項を定める」とある。

解説 032 学校教育法施行規則

正答 4

学校教育法を実際に運用するために文部科学省が定めた学校教育法施行規則に定められた職制を問う問題である。

1 ○ 第44条に、小学校には [学年主任] を置くものと定められている。

2 ○ 第44条に、小学校には [教務主任] を置くものと定められている。

3 ○ 第45条に、小学校には [保健主事] を置くものと定められている。

4 × 教育相談主任という職名で学校内にいるが、学校教育法施行規則には定められていない。

5 ○ 第71条に、中学校には [進路指導主事] を置くものと定められている。

問題 033 Check ☑☑☑ 第2回 問題118

教育委員会が行う児童生徒に対する出席停止措置について、誤っているものを１つ選べ。

1 出席停止は児童生徒本人に対して命じられる。
2 出席停止を命ずる前に、保護者の意見を聴取する。
3 出席停止の理由及び期間を記載した文書を保護者に交付する。
4 出席停止は、公立の小学校、中学校及び義務教育学校に限られている。
5 出席停止は学校の秩序を守り、他の児童生徒の学習権を保障するために行う。

問題 034 Check ☑☑☑ 第3回 問題056

学校保健安全法及び同法施行規則について、正しいものを２つ選べ。

1 通学路の安全点検について、学校は一義的な責務を有する。
2 児童生徒等の健康診断を毎年行うかどうかは、学校長が定める。
3 学校においては、児童生徒等の心身の健康に関し、健康相談を行う。
4 市町村の教育委員会は、翌学年度の入学予定者に就学時の健康診断を行う。
5 児童生徒等の健康診断の結果が児童生徒と保護者に通知されるのは、30日以内と定められている。

問題 035 Check ☑☑☑ 第1回 問題038

いじめ防止対策推進法の内容として、誤っているものを１つ選べ。

1 「児童等」とは、学校に在籍する児童又は生徒をいう。
2 「児童等はいじめを行ってはならない」と定められている。
3 国及び学校には、それぞれ基本的な方針を策定する義務がある。
4 いじめを早期に発見するため、学校では在籍児童等に対して定期的な調査を実施するなど適切な対策をとる。
5 教育委員会は、児童等がいじめを行っていて教育上必要がある場合は、当該児童等に対して懲戒を加えることができる。

加点のポイント いじめ防止対策推進法

教育の分野においては、いじめ防止対策推進法は非常に重要である。これに関する問題も多く出題されているので、ポイントをおさえておこう。

解説 033　出席停止措置　　正答 1

児童生徒の出席停止については、学校教育法によって定められている。その運用については、文部科学省の「出席停止制度の適切な運用について」などを参照するとよい。

1 ×　市町村の教育委員会は、「性行不良であって他の児童の教育に妨げがあると認める児童があるときは、その［保護者］に対して、児童の出席停止を命ずることができる」（学校教育法第 35 条）。

2 ○　「出席停止を命ずる場合には、あらかじめ［保護者］の意見を聴取するとともに、［理由及び期間］を記載した文書を交付しなければならない」とされている（同法第 35 条）。

3 ○　同上により正しい。

4 ○　［公立小学校及び中学校］において、性行不良であって他の児童生徒の教育の妨げがあると認める児童生徒があるときは、市町村教育委員会が、その保護者に対して、児童生徒の出席停止を命ずることができる（同法第 35 条、第 49 条）。

5 ○　文部科学省の「出席停止制度の適切な運用について」に、「出席停止制度は、本人の懲戒という観点からではなく、［学校の秩序］を維持し、他の児童生徒の義務教育を受ける権利を保障するという観点」から設けられているとある。

解説 034　学校保健安全法　　正答 3、4

学校保健安全法とは、学校における児童生徒や職員の健康の保持増進と安全確保のために必要な保健管理、安全管理に関する必要事項を定めた法律である（第 1 条）。

1 ×　学校保健安全法第 27 条で、学校は「通学を含めた学校生活その他の日常生活における安全に関する指導」を行うことが定められているが、「通学路を含めた地域社会における治安を確保する一般的な責務は当該地域を管轄する［地方公共団体］が有するものである」（文部科学省「『生きる力』をはぐくむ学校での安全教育」、第 3 章）とされている。

2 ×　学校長が定めるのではなく、第 13 条によって「［学校］においては、毎学年定期に、児童生徒等（通信による教育を受ける学生を除く。）の健康診断を行わなければならない」と定められている。

3 ○　第 8 条で「［学校］においては、児童生徒等の心身の健康に関し、健康相談を行うものとする」と定められている。

4 ○　第 11 条で「市（特別区を含む。以下同じ。）町村の［教育委員会］は、学校教育法第 17 条 1 項の規定により翌学年の初めから同項に規定する学校に就学させるべき者で、当該市町村の区域内に住所を有するものの就学に当たつて、その健康診断を行わなければならない」と定められている。

5 ×　学校保健安全法施行規則第 9 条に 21 日以内と定められている。

解説 035　いじめ防止対策推進法　　正答 5

いじめ防止対策推進法におけるいじめの定義、対象、国や学校の責務などを理解しておこう。

1 ○　いじめ防止対策推進法における［児童等］とは、学校に在籍する児童または生徒のことをいう（第 2 条 3 項）。

2 ○　第 4 条に「児童等はいじめを行ってはならない」と定められている。

3 ○　文部科学大臣（国）は「いじめ防止基本方針」（第 11 条）を、学校には「学校いじめ防止基本方針」（第 13 条）を策定する［義務］があるとされている。なお、地方自治体については、「地方いじめ防止基本方針」を定めるように努める（第 12 条、［努力義務］）とされている。

4 ○　学校は「いじめを早期に発見するため、当該学校に在籍する児童等に対する［定期的な調査その他の必要な措置］を講ずるものとする」と定められている（第 16 条 1 項）。

5 ×　児童生徒への懲戒は［学校教育法］第 11 条の規定に基づき、［校長、教員］が行う（第 25 条）のであって、教育委員会にその権限はない。

問題 036

Check ☐☐☐ 第1回 追 問題043

いじめ防止対策推進法におけるいじめの定義として、最も適切なものを1つ選べ。

1 自分よりも弱い者に対し一方的に与える身体的・心理的な攻撃であること
2 身体的・心理的な攻撃が継続的に加えられ、相手が深刻な苦痛を感じていること
3 一定の人間関係のある者から、心理的、物理的な攻撃を受けたことにより、精神的な苦痛を感じていること
4 一定の人的関係のある他の児童生徒から、心理的又は物理的な影響を与える行為（インターネットを含む。）を受け、それによって心身の苦痛を感じているということ

問題 037

Check ☐☐☐ 第4回 問題049

いじめ防止対策推進法について、正しいものを1つ選べ。

1 学校は、いじめ問題対策連絡協議会を置くことができる。
2 学校は、いじめの防止に資するものとして、体験活動等の充実を図る。
3 学校は、地方公共団体が作成した、いじめ防止基本方針を自校の基本方針とする。
4 学校は、いじめ防止等の対策を推進するために、財政的な措置を講ずるよう努める。

問題 038

Check ☐☐☐ 第1回 追 問題030

学校運営協議会制度に基づくコミュニティ・スクールについて、正しいものを1つ選べ。

1 協議会は全校に設置が義務付けられている。
2 協議会の委員は、地域の住民から選出し校長が任命する。
3 協議会は教職員の任用に関して、教育委員会に意見を述べることができる。
4 協議会の委員に、当該学校に在籍する児童生徒の保護者を任命することは控える。
5 協議会が協議の結果を積極的に関係者に提供することは、児童生徒に影響するため控える。

解説 036 いじめの定義

正答 4

いじめ防止対策推進法の第2条に定められているいじめの定義は、暗記すること。

1 × いじめは「当該児童等が在籍する学校に在籍している等当該児童等と［一定の人的関係］にある他の児童等が行う」ものとされており、弱いものであるとの規定はない。

2 × 継続的であるとは限らず、［1回であっても］当該児童が心身の苦痛を感じればそれはいじめとなる。いじめかどうかの判断は、いじめられた児童生徒の立場に立つことが必要とされている。

3 × 心理的、物理的な攻撃ではなく、「心理的又は物理的な影響を与える行為（インターネットを通じて行われるものを含む。）」である。

4 ○ いじめの定義は「当該児童等が在籍する学校に在籍している等当該児童等と一定の人的関係にある他の児童等が行う心理的又は物理的な影響を与える行為（インターネットを通じて行われるものを含む。）であって、当該行為の対象となった児童等が［心身の苦痛］を感じているもの」とされている（第2条）。

解説 037 いじめ防止対策推進法

正答 2

社会が総がかりでいじめに対峙していくための基本的な理念や体制を整備する法律の制定の必要性から、2013（平成25）年6月28日に同法が成立し、同年9月28日から施行された。

1 × 学校ではなく、［地方公共団体］が、関係機関等の連携を図るため、学校、教育委員会、児童相談所、法務局、警察署、その他の関係者により構成されるいじめ問題対策連絡協議会を置くことができる。

2 ○ 第15条に「学校の設置者及びその設置する学校は、児童等の豊かな情操と道徳心を培い、心の通う対人交流の能力の素地を養うことがいじめの防止に資することを踏まえ、全ての教育活動を通じた［道徳教育］及び［体験活動］等の充実を図らなければならない」と定められている。

3 × 学校は、いじめ防止基本方針又は地方いじめ防止基本方針を参酌し、その［学校の実情］に応じ、当該学校におけるいじめの防止等のための対策に関する基本的な方針を定めるものとする。

4 × 学校ではなく、［国および地方公共団体］は、いじめの防止等のための対策を推進するために必要な財政上の措置その他の必要な措置を講ずるよう努めるものとすると定められている。

解説 038 コミュニティ・スクール

正答 3

コミュニティ・スクールとは学校運営協議会制度のことで、地方教育行政の組織及び運営に関する法律（第47条の5）に基づく、学校と保護者や地域の人々が協働しながら学校づくりを進める取り組みである。

1 × 教育委員会は、学校運営協議会（以下、協議会）を置くよう［努めなければならない］とあり、設置義務ではなく努力義務である（第47条の5）。

2 × 協議会の委員を任命するのは［教育委員会］である（第47条の5第2項）。

3 ○ 協議会は「対象学校の職員の採用その他の任用に関して教育委員会規則で定める事項について、当該職員の［任命権者］に対して意見を述べることができる」とされている（第47条の5第7項）。

4 × 協議会委員として「対象学校に在籍する生徒、児童又は幼児の保護者」も、協議会委員の任命対象である（第47条の5第2項）。その他に、地域住民、地域学校協働活動推進員、学校の運営に資する活動を行う者、教育委員会が必要と認める者が協議会の委員となっている。

5 × 協議会は、対象学校の運営と関係者の連携、協力のために必要な支援に関する協議の結果を［積極的に提供するよう努める］ものとされている（第47条の5第5項）。

問題 039

Check ☐☐☐ 第 1 回 追 問題 097

生徒指導提要（文部科学省）に示されている生徒指導として、正しいものを 1 つ選べ。

1 教育課程における特定の教科等で行われるもの
2 学校全体として計画的に取り組む進路指導（ガイダンス）
3 非行や暴力行為など問題行動を叱責・罰則によって抑制する教育活動全般
4 校則に基づいて児童生徒に対して行われる個別指導を中心とした教育活動全般
5 児童生徒の社会的な資質や行動力を高めることを目指して行われる教育活動全般

問題 040

Check ☐☐☐ 第 1 回 問題 027

特別支援教育について、正しいものを 1 つ選べ。

1 私立学校では実施されていない。
2 特別支援学校教諭免許状が必須である。
3 対象となる障害種別は発達障害と知的障害である。
4 特別支援学校及び特別支援学級の 2 か所で行われる。
5 就学に際して専門家及び保護者の意見聴取が義務づけられている。

問題 041

Check ☐☐☐ 第 1 回 問題 045

発達障害及びその支援について、正しいものを 1 つ選べ。

1 療育手帳を取得することはできない。
2 精神障害者保健福祉手帳を取得することはできない。
3 発達障害者支援センターの役割に診断は含まれない。
4 発達障害者支援法では注意欠如多動症／注意欠如多動性障害〈AD/HD〉は支援の対象に含まれない。

解説 039 生徒指導提要

正答 5

生徒指導提要とは、生徒指導に関する学校・教職員向けの基本書であり、小学校段階から高等学校段階までの生徒指導の理論・考え方や実際の指導方法等をまとめたもの。

1 × 生徒指導は、教育課程における特定の教科等だけで行われるものではなく、教育課程の［全ての領域］において機能することが求められている（第 1 章 1 節）。

2 × ［進路指導］は、生徒が将来の進路を適切に選択・決定していくための能力をはぐくむための教育活動であり、［生徒指導］は児童生徒の社会生活における必要な資質や能力をはぐくむための教育活動である。

3 × 叱責・罰則などによって問題となる行動が抑制されているという状態にとどまっているだけでは不十分で、そうした行動を自ら進んで行わなくなるよう、［児童生徒の内面］に変化が生じるようにする教育活動である（第 1 章 3 節）。

4 × ［個別指導］に限らず［集団指導］も行われる（第 1 章 1 節）。

5 ○ 生徒指導とは個性の伸長を図りながら、［社会的資質］や［行動力］を高めることを目指して行われる教育活動である（第 1 章 1 節）。

解説 040 特別支援教育

正答 5

2007（平成 19）年の学校教育法の改正で「特別な教育支援を必要とする児童に対して適切な特別支援教育を行うこと」が定められた。

1 × 全ての幼稚園、小学校、中学校、義務教育学校、高等学校、中等教育学校が対象であり（学校教育法第 81 条 1 項）、［私立も例外ではない］。

2 × 特別支援学校の教員は特別支援学校教諭免許状が必要であるが、特別支援学級担任や通級指導教室の教員は免許状を必要としない。

3 × 発達障害と知的障害のほか、［視覚障害者］、［聴覚障害者］、［肢体不自由者］、［病弱・身体虚弱者］、［言語障害］などが特別支援教育の対象となる。

4 × 特別支援教育は、［特別支援学校］、［特別支援学級］、［通級指導教室］の 3 か所で行われる。

5 ○ 小学校、中学校、特別支援学校への就学のときには、［専門家、保護者］からの意見聴取が義務づけられている（学校教育法施行令第 18 条 2 項）。

解説 041 発達障害とその支援

正答 3

発達障害とその支援については、発達障害者の自立と社会参加のための生活全般にわたる支援を目的として、発達障害者支援法が定められている。

1 × 発達障害であっても、［知的障害］を含む場合は療育手帳の対象である。地域によっても異なるが、IQ が概ね 75 以下の場合、その程度によって重度・中度・軽度に分けられ、手帳が交付される。

2 × 発達障害は精神障害者保健福祉手帳の［対象］であり、疾患により長期間、日常生活や社会生活に制約があり、支援が必要である場合に交付される。

3 ○ 発達障害者支援センターの業務は［相談支援］、［発達支援］、［就労支援］、［普及啓発・研修］であり、医学的診断はそこに含まれない。

4 × 発達障害者支援法では、発達障害は「自閉症、アスペルガー症候群その他の広汎性発達障害、学習障害、注意欠陥多動性障害その他これに類する脳機能の障害であってその症状が通常［低年齢］において発現するものとして政令で定めるもの」と定義されている（第 2 条 1 項）。

④司法・犯罪分野に関する法律、制度

問題 042

Check ☑☑☑ 第１回　問題 119

重大な加害行為を行った者の精神状態に関する鑑定（いわゆる精神鑑定）について、正しいものを１つ選べ。

1 裁判所が鑑定の結果とは異なる判決を下すことは違法とされている。

2 被告人が心神耗弱であると裁判所が判断した場合、罪を軽減しなければならない。

3 被告人が心神喪失であると裁判所が判断しても、他の事情を考慮した上で必ずしも無罪にする必要はない。

4 心神喪失者として刑を免れた対象者が、後に医療観察法に基づく鑑定を受けた場合、鑑定結果によっては先の判決が変更されることがある。

（注：「医療観察法」とは、「心神喪失等の状態で重大な他害行為を行った者の医療及び観察等に関する法律」である。）

問題 043

Check ☑☑☑ 第１回 追　問題 031

心神喪失等の状態で重大な他害行為を行った者の医療及び観察等に関する法律〈医療観察法〉に規定する内容として、正しいものを１つ選べ。

1 指定医療機関の指定は、法務大臣が行う。

2 精神保健観察の実施は、保護司が従事する。

3 対象となる行為には、恐喝や脅迫が含まれる。

4 精神保健参与員は学識経験に基づき、審判でその意見を述べなければならない。

5 被害者等は、裁判所の許可により審判を傍聴できるが、意見を述べることはできない。

問題 044

Check ☑☑☑ 第４回　問題 120

心神喪失等の状態で重大な他害行為を行った者の医療及び観察等に関する法律〈医療観察法〉について、誤っているものを１つ選べ。

1 通院期間は、最長５年以内である。

2 社会復帰調整官は、保護観察所に置かれる。

3 精神保健観察は、社会復帰調整官が担当する。

4 入院施設からの退院は、入院施設の管理者が決定する。

5 心神喪失等の状態で放火を行った者は、医療及び観察等の対象となる。

解説 042 精神鑑定・医療観察法

正答 2

医療観察制度の対象となるのは、6つの重大な他害行為（殺人、放火、強盗、強制性交等、強制わいせつ、傷害）であることは重要なポイントである。

1 × 裁判所では鑑定の結果を受けて、[裁判官]と[精神保健審判員（精神科医）]の合議体によって総合的に審判を行う（医療観察法第11条）。

2 ○ 心身耗弱者の行為は、その刑を軽減される（刑法第39条）。なお、[心神耗弱]は善悪の判断が著しく低下している状態を指す。

3 × [心神喪失]とは、精神障害などのため、善悪を判断して行動することが全くできない状態を指し、心神喪失者の不法行為を罰しないとされる（刑法第39条）。

4 × 心神喪失者とされた者は、その後の地方裁判所の審判によって入院、通院、不処遇の決定はなされるが、判決が変更されることはない。

解説 043 医療観察法

正答 5

心神喪失等の状態で重大な他害行為を行った者の医療及び観察等に関する法律（医療観察法）は心神喪失または心神耗弱の状態で、重大な他害行為を行った人に対して、適切な医療を提供し、社会復帰を促進することを目的とした制度である。

1 × 指定医療機関の指定は、[厚生労働大臣]が行う（第16条）。

2 × 精神保健観察の実施（継続的な医療を確保するための生活状況の見守り、必要な指導等）は、[社会復帰調整官]が従事する（第20条2項）。社会復帰調整官は、精神保健福祉士や精神障害者の保健及び福祉の専門的知識を有する者で、心神喪失者等の社会復帰支援等に従事する保護観察所の職員である。

3 × 対象となる行為は、重大な他害行為（殺人、放火、強盗、強制性交等、強制わいせつ、傷害）を指す（第2条）。恐喝や脅迫は重大な他害行為に含まれない。

4 × 学識経験に基づいて、審判で意見を述べる義務があるのは、[裁判官]と[精神保健審判員]である。[精神保健審判員]は、[精神障害者の医療]に関する学識経験に基づき、その意見を述べなければならない（第13条2項）。なお、精神保健参与員の関与としては、第36条に「裁判所は、処遇の要否及びその内容につき、精神保健参与員の意見を聴くため、これを審判に関与させるものとする」とあるが、意見を述べる義務はない。

5 ○ 被害者等は、裁判所の許可により審判を傍聴できるが（第47条）、意見を述べることはできない。意見陳述については、第25条2項に「対象者、保護者及び付添人は、意見を述べ、及び資料を提出することができる」とあるが、被害者等はここに含まれていない。

解説 044 医療観察法

正答 4

医療観察法（以下、同法）は2003（平成15）年に成立、2005（平成17）年に施行された。心神喪失または心神耗弱の状態で、重大な他害行為を行った人に、適切な医療を提供し、社会復帰を促進することを目的とした法律である。

1 ○ 「…（中略）…入院によらない医療を行う期間は、当該決定があった日から起算して3年間とする。ただし、裁判所は、通じて2年を超えない範囲で、当該期間を延長することができる」（同法第44条）とあり、正しい。

2 ○ 同法第20条にある通りで正しい。

3 ○ 精神保健観察は保護観察所における社会復帰調整官の役割の1つであり正しい。

4 × 退院の許可は裁判所が決定する（同法第51条）ので誤り。

5 ○ 放火は重大な他害行為の1つに含まれており、心神喪失の状態でこれを行った者は、医療及び観察等の対象となるので正しい。

問題 045　Check　第4回　問題108

少年法について、正しいものを１つ選べ。

1　少年とは、18歳に満たない者をいう。

2　少年の刑事処分については、規定されていない。

3　14歳に満たない者は、審判の対象とはならない。

4　審判に付すべき少年とは、刑罰法令に触れる行為を行った者に限定されている。

5　少年事件は、犯罪の嫌疑があるものと思料されるときは、全て家庭裁判所に送致される。

問題 046　Check　第1回 追　問題115

保護観察において受講が義務付けられた、医学、心理学、教育学、社会学その他の専門的知識に基づく、特定の犯罪傾向を改善するための体系化された手順による専門的処遇プログラムに該当しないものを１つ選べ。

1　暴力防止プログラム

2　飲酒運転防止プログラム

3　性犯罪者処遇プログラム

4　暴力団離脱指導プログラム

5　薬物再乱用防止プログラム

問題 047　Check　第2回　問題135

犯罪被害者等基本法について、正しいものを２つ選べ。

1　犯罪等とは、犯罪及びこれに準ずる心身に有害な影響を及ぼす行為を指し、交通事故も含まれる。

2　犯罪被害者等とは、犯罪等により害を被った者及びその家族又は遺族であり、日本国籍を有する者をいう。

3　犯罪被害者等基本計画の案を作成するなどの事務をつかさどる犯罪被害者等施策推進会議は、内閣府に置く。

4　犯罪被害者等のための施策とは、犯罪被害者等が、その受けた被害を回復し、社会に復帰できるための支援の施策である。

5　犯罪被害者等のための施策は、警察等刑事司法機関に事件が係属したときから、必要な支援等を受けることができるよう講ぜられる。

解説 045 少年法

正答 5

少年法は 1948（昭和 23）年に成立し、翌年施行され、非行少年の基本的な取り扱いを定めた重要な法律である。

1 × 「『少年』とは、二十歳に満たない者」（少年法第 2 条）であるので誤り。

2 × 「家庭裁判所は、…（中略）…刑事処分を相当と認めるときは、…（中略）…検察官に送致しなければならない」（少年法第 20 条）と刑事処分が規定されているため誤り。

3 × 「…（中略）…十四歳に満たない者については、都道府県知事又は児童相談所長から送致を受けたときに限り、これを審判に付することができる」（少年法第 3 条第 2 項）とあり、審判の対象になることがあるので誤り。

4 × 少年法第 2 条第 3 項には刑罰法令に触れる行為を行っていなくても、将来罪を犯すおそれがある虞犯少年も審判に付すべき対象として明記されている。

5 ○ いわゆる少年事件に関する家庭裁判所への「全件送致主義」であり、少年法第 41 条、第 42 条に示されている通りで正しい。

解説 046 保護観察の専門的処遇プログラム

正答 4

専門的処遇プログラムは、心理学等の専門的知識に基づき、認知行動療法（自己の思考（認知）の歪みを認識させて行動パターンの変容を促す心理療法）を理論的基盤として開発されたもので、体系化された手順によるものである。専門的処遇プログラムは 4 種ある。

1 ○ 2020（令和 2）年の処遇人数は 260 人（法務省「令和 3 年版 犯罪白書」より。以下同じ）。

2 ○ 2020（令和 2）年の処遇人数は 227 人。

3 ○ 2020（令和 2）年の処遇人数は 791 人。

4 × こうした具体的な対応者を限定したプログラムは該当しない。

5 ○ 2020（令和 2）年の処遇人数は 3,502 人。

解説 047 犯罪被害者等基本法

正答 1、3

犯罪被害者等基本法は、「犯罪被害者等のための施策に関し、基本理念を定め、並びに国、地方公共団体及び国民の責務を明らかにするとともに、犯罪被害者等のための施策の基本となる事項を定めること等により、犯罪被害者等のための施策を総合的かつ計画的に推進し、もって犯罪被害者等の権利利益の保護を図ることを目的」とされる（犯罪被害者等基本法第 1 条）。

1 ○ 犯罪の定義は「犯罪及びこれに準ずる心身に有害な影響を及ぼす行為をいう」（犯罪被害者等基本法第 2 条 1 項）とあり、交通事故を含むという記述そのものはないが、道路上の交通事故に係る危険運転致死傷及び業務上過失致死傷を含む。

2 × 犯罪被害者等とは「犯罪等により害を被った者及びその家族又は遺族」とあり、日本国籍の有無に関する記述はない（犯罪被害者等基本法第 2 条 2 項）。

3 ○ 犯罪被害者等施策は「犯罪被害者等基本計画」に基づいて推進されるが、［内閣府］に設置された「犯罪被害者等施策推進会議」で案が作成され、閣議決定の後に公表される。

4 × 犯罪被害者等のための施策は、「その受けた被害を回復し、又は軽減し、再び平穏な生活を営むことができるよう支援し、及び犯罪被害者等がその被害に係る刑事に関する手続に適切に関与することができるようにする」とある（犯罪被害者等基本法第 2 条 3 項）。「社会に復帰」が目的ではないので誤り。

5 × 犯罪被害者等のための施策は「犯罪被害者等が、被害を受けたときから」受けることができる（犯罪被害者等基本法第 3 条 3 項）。

問題 048　Check ☑☑☑　第4回　問題045

犯罪被害者等基本法に関する記述として、誤っているものを1つ選べ。

1　犯罪被害者等のための施策は、犯罪被害者等が被害を受けたときから3年間までの間に講ぜられる。

2　犯罪被害者等が心理的外傷から回復できるよう、適切な保健医療サービスや福祉サービスを提供する。

3　犯罪被害者等のための施策は、国、地方公共団体、その他の関係機関、民間の団体等との連携の下、実施する。

4　刑事事件の捜査や公判等の過程における犯罪被害者等の負担が軽減されるよう、専門的知識や技能を有する職員を配置する。

5　教育・広報活動を通じて、犯罪被害者等が置かれている状況や、犯罪被害者等の名誉や生活の平穏への配慮について国民の理解を深める。

問題 049　Check ☑☑☑　第3回　問題053

被害者支援の制度について、正しいものを2つ選べ。

1　被害者支援センターは、法務省が各都道府県に設置している。

2　受刑者の仮釈放審理に当たって、被害者は意見を述べることができる。

3　財産犯の被害に対して、一定の基準で犯罪被害者等給付金が支給される。

4　刑事事件の犯罪被害者は、裁判所に公判記録の閲覧及び謄写を求めることができる。

5　日本司法支援センター〈法テラス〉は、被疑者・被告人がしょく罪の気持ちを表すための寄附を受けない。

問題 050　Check ☑☑☑　第2回　問題103

成年後見制度について、正しいものを1つ選べ。

1　成年被後見人であっても選挙権は制限されない。

2　医療保護入院は補助人の同意によって行うことができる。

3　成年後見人に選任される者は、弁護士又は司法書士に限られる。

4　法定後見は簡易裁判所の審判により成年後見人等が選任される。

5　保佐人は被保佐人が行った食料品の購入を取り消すことができる。

解説 048 犯罪被害者等基本法

正答 1

犯罪被害者等基本法（以下、同法）は 2005（平成 17）年に施行された。その基本理念は、個人の尊厳が重んじられ、それにふさわしい処遇が受けられること、必要な支援が受けられることである。

1 × 同法第 3 条 3 項に「犯罪被害者等のための施策は、犯罪被害者等が、被害を受けたときから再び平穏な生活を営むことができるようになるまでの間、必要な支援等を途切れることなく受けることができるよう、講ぜられるものとする」とされており、「3 年」という期限は設けられていないので誤り。

2 ○ 同法第 14 条に示されている通りで正しい。

3 ○ 同法第 7 条に示されている通りで正しい。

4 ○ 同法第 19 条に示されている通りで正しい。

5 ○ 同法第 20 条に示されている通りで正しい。

解説 049 被害者支援制度

正答 2、4

被害者支援は、被害者支援センターや警察、検察庁、法テラス以外に、各地方自治体や医療機関、弁護士会によっても行われている。

1 × 被害者支援センターは、公益社団法人全国犯罪被害者支援ネットワークのもとに［民間］で設置された施設である。

2 ○ 更生保護における犯罪被害者等施策として、加害者の仮釈放・仮退院について、被害者は［地方更生保護委員会］に意見を述べることができる。

3 × ［犯罪被害者等給付金］は、犯罪により不慮の死を遂げた被害者の遺族や、障害が残った被害者、重大な負傷または疾病を受けた被害者に経済的支援を行うものである。財産犯被害には検察庁による［被害回復給付金支給制度］によって支援が行われている。

4 ○ 刑事事件が裁判所で審理されている間に、原則として、被害者や遺族は裁判所が保管する［公判記録の閲覧、謄写（コピー）］が認められている。

5 × 法テラスでは、［一般寄附］、道路交通法違反や覚せい剤取締法違反など「被害者のいない刑事事件」や「被害者に対する弁償ができない刑事事件」などの被疑者・被告人による［しょく罪寄附］、保護観察中、または保護観察を終了した人による［更生寄附］の 3 つの寄附を受け付けている。

解説 050 成年後見制度

正答 1

成年後見制度は、認知症、知的障害、精神障害などの理由で判断能力が不十分な人々を保護し、支援する制度である。禁治産者制度が改められ 2000（平成 12）年度からスタートした。成年後見制度に関する問題を解くにあたっては、「後見」「保佐」「補助」というキーワードも覚えておくとよい。

1 ○ 以前は公職選挙法に選挙権を有しない者として成年被後見人が挙げられていたが、平成 25 年 5 月に公職選挙法が改正され、［成年被後見人］も選挙権・被選挙権を有することになった。

2 × 医療保護入院は、本人より入院の同意が得られない場合に、［家族等］の同意に基づき入院させる形態である。「家族等」に後見人と保佐人は含まれるが、補助人は含まれない。補助人とは、自分の行為の結果について合理的な判断をする能力が不十分な場合に選任される保護者のことを指す。

3 × 成年後見人は誰でもなれる。ただし、未成年者・家庭裁判所で免じられた法定後見人等・破産者・被後見人に対して訴訟中か過去に訴訟をした者及びその配偶者並びに直系血族・行方の知れない者は成年後見人になれない。

4 × 法定後見は簡易裁判所ではなく［家庭裁判所］によって成年後見人等が選任される。

5 × ［重要な財産行為］に関しては保佐人の同意が必要だが、それ以外は自分 1 人で行うことができる。保佐人の同意を得ないで行った重要な財産行為は後で［取り消す］ことができる。ただし、日用品の購入などは保佐人の同意が必要ないため、後で取り消すことができない。

問題 051 Check ☐☐☐ 第4回 問題032

精神障害などにより、財産管理などの重要な判断を行う能力が十分ではない人々の権利を守り、支援する制度を何というか、正しいものを 1 つ選べ。

1 医療観察制度
2 介護保険制度
3 成年後見制度
4 障害者扶養共済制度
5 生活福祉資金貸付制度

⑤産業・労働分野に関する法律、制度

問題 052 Check ☐☐☐ 第1回 追 問題107

産業・労働分野の法令について、正しいものを 1 つ選べ。

1 労働基準法は、労働条件の平均的な基準を定めた法律である。
2 職業安定法は、労働者の地位を向上させることを目的としている。
3 労働組合法は、労働争議の予防又は解決を目的とする法律である。
4 労働安全衛生法は、労働委員会による争議の調整方法を定めている。
5 労働契約法は、使用者が果たすべき安全配慮義務について規定している。

問題 053 Check ☐☐☐ 第3回 問題108

労働基準法に基づく年次有給休暇について、正しいものを 1 つ選べ。

1 雇入れの日から3か月間継続勤務した労働者に対して付与される。
2 原則として、法定休日を除き連続して4日間以上の年次有給休暇の取得は認められていない。
3 週所定労働日数及び週所定労働時間によって、付与される年次有給休暇の日数が異なる場合がある。
4 パートタイム労働者への年次有給休暇の付与は、法による定めはなく、各事業者の方針によって決定される。
5 事業の正常な運営が妨げられる場合においても、労働者は希望した日に年次有給休暇を取得することができる。

解説 051　成年後見制度

正答 3

精神障害などにより、判断能力が不十分である人を法的に保護し支援するのが成年後見制度である。

1 ×　[医療観察制度] は、心神喪失者等医療観察法に基づき、心神喪失又は心神耗弱の状態で殺人、放火等の重大な他害行為を行った人の社会復帰を促進することを目的とした処遇制度である。

2 ×　[介護保険制度] は、介護保険法に基づき、介護を必要とする方が適切なサービスを受けられるように社会全体でサポートする保険制度である。

3 ○　[成年後見制度] は、判断能力が不十分なために財産管理や契約等の法律行為を行えない人を後見人等が代理することで、本人の権利を守り、支援する制度である。

4 ×　[障害者扶養共済制度] は、障害のある人を育てている保護者が毎月掛金を納めることにより、保護者が死亡または重度障害を負ったとき、障害のある人に終身一定額の年金を支給する制度である。

5 ×　[生活福祉資金貸付制度] は、低所得者や高齢者、障害者に対して資金の貸付けと必要な相談支援を行うことにより、安定した生活と在宅福祉および社会参加の促進を図るための制度である。

解説 052　労働 3 法

正答 5

労働 3 法（労働組合法、労働基準法、労働関係調整法）などの法規の目的を整理し、理解する必要がある。

1 ×　労働基準法第 1 条で、労働条件の [最低] の基準を定めている。

2 ×　職業安定法第 1 条で、各人にその有する能力に適合する職業に就く [機会] を与え、産業に必要な労働力を充足し、職業の安定を図るとともに、経済や社会の発展に寄与することを目的と定めている。

3 ×　労働組合法第 1 条で、労働者の [地位向上] のため、自主的に労働組合の結成の擁護を定めている。労働争議の予防あるいは解決を目的とするのは、[労働関係調整法] である。

4 ×　労働安全衛生法第 1 条で、職場における労働者の [安全と健康] の確保、快適な [職場環境] の形成の促進を定めている。労働委員会による争議の調整方法を定めているのは、[労働関係調整法] である。

5 ○　労働契約法第 5 条で、使用者への労働者の [安全] への配慮義務について定めている。

解説 053　労働基準法・有給休暇

正答 3

年次有給休暇とは、労働者の休暇日のうち、使用者から賃金が支払われる有給の休暇日のことである。

1 ×　雇入れの日から [6 か月以上] 継続勤務した労働者に対して付与される。

2 ×　年次有給休暇を取得する日は、労働者の指定によって変わるため、4 日間以上連続で申請をすることは可能である。ただし、事業の正常な運営が妨げられる場合は、その限りではない。

3 ○　年次有給休暇の付与日数は、継続勤務年数や週所定労働日数および週所定労働時間によって異なる。

4 ×　パートタイム労働者への年次有給休暇の付与は、[労働基準法] によって定められている。

5 ×　事業の正常な運営が妨げられる場合は、使用者が休暇日の変更を求めることが認められている。

メモ　年次有給休暇

雇入れの日から起算して 6 か月間継続勤務し、全労働日の 8 割以上出勤した労働者に対して使用者は年次有給休暇を与えることが必要。その後、継続勤務 1 年ごとに前 1 年間の全労働日の 8 割以上出勤した労働者に対して使用者は年次有給休暇を与えることが必要であり、事業場の業種や規模、パート、アルバイト等の呼称にかかわらず、また外国人技能実習生を含め、全ての事業場の労働者に適用される。

問題 054　Check ☑☑☑　第1回　問題028

産業保健について、正しいものを 1 つ選べ。

1　事業場を経営する者を管理監督者という。
2　労働者は自らの健康管理に関する安全配慮義務を負う。
3　ストレスチェック制度は労働者のうつ病の早期発見を目的とした取組である。
4　常時 50 人以上の労働者を使用する事業場は、産業医を選任しなければならない。
5　過労死等防止対策推進法における「過労死等」とは、業務における過重な負荷による脳血管疾患又は心臓疾患を原因とする死亡をいう。

問題 055　Check ☑☑☑　第1回 追　問題046

労働者派遣事業の適正な運営の確保及び派遣労働者の保護等に関する法律〈労働者派遣法〉について、正しいものを 1 つ選べ。

1　派遣労働者本人からの意見を聴取すれば、派遣労働者を 3 年を超えて派遣できる。
2　専門的知識や技術を必要とする 26 の業務に限り、派遣労働者を 3 年を超えて派遣できる。
3　60 歳以上の派遣労働者を派遣する場合は、派遣先の事業所における同一の組織単位に対し、3 年を超えて派遣できる。
4　事業所単位での派遣可能期間の延長があれば、派遣先の事業所における同一の組織単位に対し、3 年を超えて派遣できる。

問題 056　Check ☑☑☑　第1回　問題029

労働者の心の健康の保持増進のための指針の職場における心の健康づくりについて、最も適切なものを 1 つ選べ。

1　労働者の心の健康は、家庭や個人の問題とは切り離して捉える。
2　メンタルヘルス不調となった労働者の職場復帰の支援を行う活動は含まれない。
3　ストレスへの気づきや対処法などに関する教育研修と情報提供とが継続的かつ計画的に実施される。
4　メンタルヘルスに関する情報は、適切な対応に必要な情報が的確に伝達されるように加工せずに提供する。
5　「セルフケア」、「ラインによるケア」及び「事業場外資源によるケア」の 3 つが継続的かつ計画的に行われる。

解説 054 産業保健に関する制度・法律

正答 4

産業保健に関する制度および法律の基本を学習しておきたい。

1 × 「管理監督者」は労務管理について経営者と［一体的］な立場ではあるが、経営者とは異なり、労働者である。

2 × 労働契約法第5条「使用者は、労働契約に伴い、労働者がその生命、身体等の安全を確保しつつ労働することができるよう、必要な配慮をするものとする」という規定により［使用者］の責任である。

3 × ストレスチェック制度は、労働者の「『うつ』などのメンタルヘルス不調を［未然に防止］するための仕組み」である（厚生労働省「ストレスチェック制度導入マニュアル」より）。

4 ○ 労働安全衛生法施行令第5条の規定で［常時50］人以上の労働者を使用する事業場は、産業医を選任する必要がある。

5 × 過労死等防止対策推進法第2条（定義）に「『過労死等』とは、業務における過重な負荷による脳血管疾患若しくは心臓疾患を原因とする死亡若しくは業務における［強い心理的負荷］による精神障害を原因とする［自殺］による死亡又はこれらの脳血管疾患若しくは心臓疾患若しくは精神障害をいう」となっている。注意すべき点は、問題文に「過労死等」とあり、法律など明確な定義がある場合は、一部分だけ合致していても、誤りとされる場合がある。

解説 055 労働者派遣法

正答 3

労働者派遣法の派遣可能年限と例外について理解する。

1 × 派遣労働者本人からの意見を聴取するのではなく、［派遣先の事業所の過半数労働組合］（過半数労働組合がない場合は［過半数代表者］）からの意見を聴取して、派遣労働者を3年を超えて派遣できる（法40条の2の4項）。

2 × 期間制限のなかった専門的知識や技術を必要とする「26の業務」に関しては、2015（平成27）年の［労働者派遣法］改正により「26の業務」自体が［廃止］された。

3 ○ 派遣期間制限の例外として［無期雇用派遣］（無期雇用派遣社員として派遣会社と雇用契約をして、登録型派遣社員と同じに派遣先で派遣就業）、［60歳以上］の派遣労働者を派遣する場合は、派遣先の事業所における同一の組織単位に対し、3年を超えて派遣できる。

4 × 事業所単位での派遣可能期間の延長があっても、派遣先の事業所における［同一の］組織単位（「課」などが想定）では、［3］年を超えて派遣ができない。なお、同じ派遣労働者の場合、別の組織（異なる課など）への派遣はできる。

解説 056 労働者の心の健康の保持増進のための指針

正答 3

労働安全衛生法第70条の2第1項が根拠法である「労働者の心の健康の保持増進のための指針」の基礎を理解しておきたい。

1 × 「メンタルヘルスケアの基本的考え方」において、労働者の心の健康は、家庭・個人生活等の職場以外の問題は複雑に関係し、［相互に影響し合う］場合が多くあるとされている。

2 × 本指針では、メンタルヘルス不調となった労働者の職場復帰の支援を行う［三次予防］活動について述べられており、含まれる。

3 ○ 本指針ではメンタルヘルスケアの教育研修・情報提供を積極的に推進する必要性が述べられている。

4 × メンタルヘルスに関する情報は必要な情報が的確に伝達されるように、［集約・整理・解釈］するなど適切に加工した上で提供する必要がある。

5 × 「セルフケア」「ラインによるケア」「事業場内産業保健スタッフ等によるケア」「事業場外資源によるケア」の4つのケアが継続的かつ計画的に行われる。

問題 057 Check 第1回 問題112

労働者の心の健康の保持増進のための指針において、労働者への教育研修及び情報提供の内容に含まれないものを1つ選べ。

1 ストレスへの気づき方
2 職場環境の評価及び改善の方法
3 メンタルヘルスケアに関する事業場の方針
4 ストレス及びメンタルヘルスケアに関する基礎知識
5 ストレスの予防、軽減及びストレスへの対処の方法

問題 058 Check 第1回 問題135

労働安全衛生法に基づくストレスチェック制度について、正しいものを2つ選べ。

1 労働者はストレスチェックの受検義務がある。
2 精神保健福祉士はストレスチェックの実施者となれる。
3 全ての事業場でストレスチェックを実施する義務がある。
4 労働者のメンタルヘルス不調の未然防止を目的としている。
5 面接指導は、事業者に高ストレス者であることを知らせずに実施することができる。

問題 059 Check 第4回 問題052

雇用の分野における男女の均等な機会及び待遇の確保等に関する法律が示す、職場におけるセクシュアルハラスメントの防止対策について、誤っているものを1つ選べ。

1 労働者がセクシュアルハラスメントに関して事業主に相談したこと等を理由とした不利益な取扱いを禁止する。
2 紛争調整委員会は、セクシュアルハラスメントの調停において、関係当事者の同意を得れば、職場の同僚の意見を聴取できる。
3 労働者の責務の1つとして、セクシュアルハラスメント問題に対する関心と理解を深め、他の労働者に対する言動に必要な注意を払うことを定めている。
4 事業主は、他社から職場におけるセクシュアルハラスメントを防止するための雇用管理上の措置の実施に関して必要な協力を求められた場合に、応じるよう努めなければならない。

解説 057 労働者の心の健康の保持増進のための指針

正答 2

「職場における心の健康づくり - 労働者の心の健康の保持増進のための指針」のあらましを理解しておきたい。

1 ○ 「ストレスへの気づき方」は[労働者への教育研修・情報提供]に含まれている。

2 × 「職場環境の評価及び改善の方法」は[労働者への教育研修・情報提供]に含まれない。

3 ○ 「メンタルヘルスケアに関する事業場の方針」を告知することは[労働者への教育研修・情報提供]に含まれている。

4 ○ 「ストレス及びメンタルヘルスケアに関する基礎知識」は[労働者への教育研修・情報提供]に含まれている。

5 ○ 「ストレスの予防、軽減及びストレスへの対処の方法」は[労働者への教育研修・情報提供]に含まれている。

解説 058 ストレスチェック制度

正答 2、4

ストレスチェックの実施義務、実施者(ストレスチェック実施者とはストレスチェックを実施し、その結果を踏まえ、面接指導の必要性を判断する者のことである)について基礎的なことを理解しておきたい。

1 × ストレスチェックは労働者の義務ではなく、労働安全衛生法第66条の10の規定にあるように、[事業者]に[実施]義務がある。

2 ○ 医師、保健師の他に[精神保健福祉士、看護師]は所定の研修を受講することでストレスチェックの実施者になれる。また、2018(平成30)年の労働安全衛生規則の一部を改正する省令の施行により、[公認心理師、歯科医師]も所定の研修を受講することでストレスチェックの実施者となれることになった。

3 × 労働者が[50人以上]いる事業所がストレスチェックを実施する義務がある。

4 ○ 厚生労働省の「ストレスチェック制度導入マニュアル」に「労働者のメンタルヘルス不調の[未然防止]が目的」と書かれている。

5 × ストレスチェック結果は、原則[労働者の同意]があった場合のみ、事業者は内容を見ることができるが、高ストレス者が医師との面接指導を[希望]した場合にはストレスチェック結果の事業者への提供に[同意]がなされたものとみなされる。

解説 059 男女雇用機会均等法

正答 2

職場におけるセクシュアルハラスメントについては男女雇用機会均等法において定められている。また、職場におけるセクシュアルハラスメントを防止するために、事業主が雇用管理上講ずべき措置として、厚生労働大臣の指針により10項目の指針が定められているので、あわせて確認をしておく。

1 ○ 指針に「相談したこと、事実関係の確認に協力したこと等を理由として[不利益な取扱いを行ってはならない]旨を定め、[労働者に周知・啓発すること]」と定められている。

2 × セクハラ等の調停制度について、紛争調整委員会が必要を認めた場合には、関係当事者の同意の有無に関わらず、職場の同僚等も参考人として出頭の求めや意見聴取を行うことが可能。

3 ○ 指針に「職場におけるセクシュアルハラスメントに係る性的な言動を行った者については、厳正に対処する旨の方針及び対処の内容を就業規則その他の職場における服務規律等を定めた文書に規定し、管理・監督者を含む労働者に周知・啓発すること」が定められている。

4 ○ 事業主は、職場におけるセクシュアルハラスメントに係る相談の申出があった場合において、その事案に係る[事実関係を迅速かつ正確に確認]し、適正に対処するための措置を講じなければならない。

問題 060 Check ☑☑☑ 第1回 問題039

障害者の雇用の促進等に関する法律について、誤っているものを 1 つ選べ。

1 障害者の法定雇用率の算定基礎の対象には、精神障害者が含まれている。

2 募集、採用、賃金、教育訓練及び福利厚生施設の利用について、障害者であることを理由とする差別が禁止されている。

3 事業主は採用試験の合理的配慮として、例えば視覚障害者に対して点字や音声などで障害の特性に応じた必要な措置を行う。

4 障害者のみを対象とする求人など、積極的な差別是正措置として障害者を有利に取り扱うことは、禁止される差別に該当する。

5 事業主が必要な注意を払っても被雇用者が障害者であることを知り得なかった場合には、合理的配慮の提供義務違反を問われない。

解説 060　障害者の雇用促進

正答 4

障害者雇用促進法（障害者の雇用の促進等に関する法律）は 2016（平成 28）年に改正され、雇用分野における障害者の差別禁止と合理的配慮の提供を定めている。

1　○　法定雇用率の算定は、[身体障害者]、[知的障害者] とともに [精神障害者] も含まれている。従業員が一定数以上の規模の事業主は、従業員に対し一定の割合で障害者を雇用する義務がある（第 43 条 1 項）。

2　○　第 34 条、第 35 条に、障害者に対して、障害者でない者と [不当な差別的取扱い] をしてはならないと定められている。

3　○　事業主が採用試験において点字や音声などを使用することは、障害がある人が障害のない人と同様に試験を受けるための [合理的配慮] であり、企業に義務づけられているものである。

4　×　障害者を有利に取り扱うことについては、禁止されていない。

5　○　厚生労働省の [合理的配慮指針] の基本的な考え方に、「事業主が必要な注意を払ってもその雇用する労働者が障害者であることを知り得なかった場合には、合理的配慮の提供義務違反を問われない」と記載されている。

第24章　その他（心の健康教育に関する事項等）

①具体的な体験、支援活動の専門知識及び技術への概念化、理論化、体系化

問題 001

Check ☑☑☑　第1回 追　問題108

心理的支援活動を概念化、理論化し、体系立てていくために必要となる公認心理師の姿勢として、最も適切なものを1つ選べ。

1　実際のデータよりも、予想と仮説を重視する。
2　想定される結論に合致するようなデータを収集する。
3　自らが立脚する支援理論と整合するデータを基に理論化する。
4　クライエントの支援に有用でなければ、理論を修正することを検討する。
5　支援の事実を記述する場合は、クライエントの発話に限定して詳細に記載する。

問題 002

Check ☑☑☑　第4回　問題050

心理的支援活動の理論化について、最も適切なものを1つ選べ。

1　参加的理論構成者は、理論化を専門に行う。
2　地域援助においては、参加的理論構成者としての役割が必要になる。
3　臨床心理面接の事例論文においては、一般化に統計的手法が必須である。
4　量的データを扱う際には、研究者のリフレクシヴィティ〈reflexivity〉が重要である。

②実習を通じた要支援者等の情報収集、課題抽出及び整理

問題 003

Check ☑☑☑　第3回　問題058

公認心理師を養成するための実習で学ぶ際に重視すべき事項として、適切なものを2つ選べ。

1　自らの訓練や経験の範囲を超えたクライエントも積極的に引き受けるようにする。
2　実習で実際のクライエントに援助を提供する場合には、スーパービジョンを受ける。
3　実習で担当したクライエントに魅力を感じた場合には、それを認識して対処するように努める。
4　業務に関する理解や書類作成の方法を学ぶことよりも、クライエントへの援助技法の習得に集中する。
5　クライエントとのラポール形成が重要であるため、多職種との連携や地域の援助資源の活用に注目することは控える。

解説 001 公認心理師の姿勢

正答 4

公認心理師として、心理的支援活動をどう概念化、理論化、体系化するのかといった姿勢が問われている。

1 ×　予想と仮説は重要であるが、実際に収集したデータを適切に分析することが心理的支援活動の［妥当性］を得るために重要である。心理療法においても［エビデンスベースド］が重視されてきており、統計データなどの科学的根拠が求められるようになっている。

2 ×　想定される結論から外れるようなデータを削除したり、意図的に取らなかったりすることはデータの改ざんにあたり、［研究倫理違反］にあたる。

3 ×　特定の支援理論に固執することなく、それに［整合しないデータ］も重視しなければならない。

4 ○　心理的支援活動は［クライエントの益］となることが目的であり、そうでない場合には理論の修正が必要となる。

5 ×　クライエントの発話だけでなく、［非言語的メッセージ］や、［客観的情報］も記載する必要がある。

解説 002 心理的支援活動の理論化

正答 2

公認心理師は、心理的支援活動の実践を通じ、コミュニティ心理学の知見なども学びつつ、量的データのみならず質的データの分析を経て、理論化を目指すことが重要である。

1 ×　［参加的理論構成者］は、コミュニティ心理学において F.B. Tyler が「研究室から飛び出して、地域社会の問題に生活者の目線で実際に取り組んで、実践を通してそれを研究し理論化していくこと」と提唱した概念であるため、理論化のみを行うわけではない。

2 ○　コミュニティ心理学においては、地域援助を行う上で必要な役割として、社会変革者、地域のコンサルタント、地域の分析者、システムを組織化する人に加え、参加的理論構成者が挙げられているので正しい。

3 ×　臨床心理面接の事例論文では、内容について質的に検討することが主目的であり、統計的手法は一般的ではないので誤り。

4 ×　［リフレクシヴィティ］（reflexivity）は「反省性」や「再帰性」を意味するが、これが必要なのは量的研究でなく質的研究においてであるため誤り。

解説 003 公認心理師の養成

正答 2、3

公認心理師養成のための実習で重視すべきことに関する問題である。

1 ×　実習のみならず、公認心理師になった後も自分の［専門的能力の範囲内］で援助を行わなければならない。

2 ○　実習では、当該施設の実習指導者、または実習担当教員による指導を受けることになっており、実際のケースを持つ際にはスーパービジョンが必要である。

3 ○　クライエントに魅力を感じた場合は、自らの感情を認識し、それが治療の妨げにならないよう対処に努める必要がある。

4 ×　公認心理師となるためには、業務に関する理解や書類作成の方法も重要であるため、実習中にしっかりと学ぶことが大切である。

5 ×　多職種との連携や地域の援助資源の活用は公認心理師としての必須事項であり、実習の中で学ぶべきことである。

③心の健康に関する知識普及を図るための教育、情報の提供

問題 004 Check ☑☑☑ 第1回 追 問題135

健康日本21（第二次）について、正しいものを2つ選べ。

1 地域保健法の規定に基づく。
2 平均寿命の延伸が基本目標である。
3 生活習慣病の一次予防に重点を置いた対策を推進する。
4 高齢者の認知症の治療や介護の推進が目標の1つである。
5 小児科医と児童精神科医の増加が心の健康の目標の1つである。

問題 005 Check ☑☑☑ 第3回 問題135

健康日本21（第二次）において、こころの健康として数値目標が設定されている精神障害として、適切なものを2つ選べ。

1 依存症
2 気分障害
3 適応障害
4 発達障害
5 不安障害

問題 006 Check ☑☑☑ 第4回 問題122

公認心理師が、小学校高学年を対象に30分程度のいじめ予防プログラムの実践を依頼された。実施するプログラムを作成・評価する際の留意点として、不適切なものを1つ選べ。

1 小学校の教師に対して説明責任を果たす。
2 当該小学校におけるいじめ事象を聞き取る。
3 実践したプログラムの終了後に形成的評価を行う。
4 アクションリサーチの観点からプログラムを実施し、評価する。
5 参加児童に対して質問紙調査を実施し、アウトカムを査定する。

解説 004 健康日本 21（第二次）

正答 3、5

健康日本 21 は、「21 世紀における国民健康づくり運動」であり、日本に住む一人ひとりの健康を実現するために厚生労働省が行っている健康施策である。

1 × 健康日本 21 は、[健康増進法] 第 7 条に基づいて、厚生労働大臣が定める、「国民の健康の増進の総合的な推進を図るための基本的な方針」によって推進されている施策である。

2 × 健康日本 21 の基本目標は、平均寿命ではなく [健康寿命]（健康上の問題で日常生活に制限のない期間）の延伸である。

3 ○ 生活習慣を改善して生活習慣病等を予防する [一次予防] に重点を置いた対策を推進して、健康寿命の延伸等を図る。

4 × [生活習慣病] 及びその原因となる生活習慣等の課題について [9 分野] ごとの「基本方針」と「現状と目標」「対策」などを示したもので、高齢者の認知症の治療や介護については直接的な推進目標とはされていない。

5 ○ 小児人口 10 万人あたりの [小児科医・児童精神科医師] の割合の増加を目標として掲げている。

解説 005 健康日本 21（第二次）

正答 2、5

健康日本 21 については、厚生労働省の「健康日本 21（第 2 次）の推進に関する参考資料」（平成 24 年 7 月）に目を通しておこう。こころの健康については、適切な保健医療サービスを受けることで、重い抑うつや不安の軽減が期待されるため、気分障害・不安障害の数値目標が設定されている。

1 × 依存症の数値目標は設定されていない。

2 ○ 気分障害の数値目標は設定されている。

3 × 適応障害の数値目標は設定されていない。

4 × 発達障害の数値目標は設定されていない。

5 ○ 不安障害の数値目標は設定されている。

メモ 健康日本 21（第二次）

こころの健康に関して数値目標が設定されているのは、①自殺者数の減少、②気分障害・不安障害に相当する心理的苦痛を感じている者の割合の減少、③メンタルヘルスに関する措置を受けられる職場の割合の増加、④小児人口 10 万人あたりの小児科医・児童精神科医師の割合の 4 つである。

解説 006 いじめ予防プログラム

正答 3

公認心理師の学校におけるいじめ予防プログラムの作成、評価に関する問題である。

1 ○ いじめ予防プログラムに限らず、学校でプログラムを実施するにあたっては、教師に対する [説明責任] を果たさなければならない。

2 ○ 当該小学校にどのようないじめ事象があるかを聞き取り、その学校のニーズに合わせてプログラムを作成すべきである。

3 × [形成的評価] は、プログラム実施中に児童生徒の学習が成立しているかをその都度確認しながら行うことで、プログラムの終了後に行うことではない。プログラム終了後に行うのは [総括的評価] である。

4 ○ アクションリサーチは、現実問題の解決（改善）を目指した実践と研究のことである。いじめ予防プログラムは、当該小学校におけるいじめ予防を目指して実施され、実際に予防効果があったかという評価をすることが重要である。

5 ○ 参加児童に対する質問紙調査は、そのプログラムのアウトカム（結果・効果）を測定するために有効である。

問題 007 Check 予想問題 1

IOM のメンタルヘルス問題への対応について正しいものを 1 つ選べ。

1 予防は、診断可能な障害が発症する以前から発生した後まで行われる。

2 メンタルヘルス問題への対応は、予防、治療、寛解の 3 段階で設定されている。

3 普遍的予防は、まだリスクが高まっていない人々に対して行われる。

4 選択的予防は、精神障害の予兆はあるものの、まだ診断基準を満たしていない人に対して行われる。

5 IOM の予防に関する考え方は Caplan のものをもとにしている。

解説 007 IOMにおける予防

正答 3

G. Caplanの予防の考え方とIOMにおける予防の考え方の違いを理解しておこう。同じ言葉でも使い方が違っていることに注意しよう。

1 × IOMにおける予防の考え方は診断可能な障害が［発症する以前］の人に対してであって、発症した後は予防の対象ではない。

2 × メンタルヘルス問題への対応は、［予防］、［治療］、［維持］の3レベルである。

3 ○ ［普遍的予防］は一般大衆や精神障害の発症リスクが高まっていない人々が対象である。

4 × 精神障害の予兆となる軽微な徴候はあるが、まだ診断基準を満たしていない人に対して行われるのは［指示的予防］である。［選択的予防］は生物的、心理的、社会的要因を考えた時に精神障害を発症するリスクが高いと思われる人に対して行われる。

5 × G. Caplanの考え方は早期発見・早期治療により病が重篤化しないための介入（第二次予防）、疾病発症後の治療過程においてリハビリテーションによる機能の維持回復や再発防止の取り組み（第三次予防）も含まれており、IOMとは異なる。

加点のポイント　心の健康に関する教育と情報提供

24章は公認心理師法に定義されている通り、国民の心の健康の保持増進のために、心の健康に関する教育と情報提供が求められている。試験に出る割合としては少ないが、このことを意識して学ぶことが重要である。

MEMO

第2部

公認心理師としての対応事例

過去問題５回分（第１回・第１回追試・第２回・第３回、第４回）のうち、公認心理師としての対応が問われる事例問題を「第25章」としてまとめました。

第25章 公認心理師としての対応事例

①医療

問題 001

Check ☑☑☑ 第1回 追 問題 059

27歳の女性A、会社員。3年前から大きなプロジェクトの一員となり、連日深夜までの勤務が続いていた。気分が沈むため少し休みたいと上司に申し出たところ、認められなかった。徐々に不眠と食欲不振が出現し、出勤できなくなった。1週間自宅にいたが改善しないため、精神科を受診した。自責感、卑小感及び抑うつ気分を認め、Aに対して薬物療法が開始され、主治医は院内の公認心理師に面接を依頼した。
Aへの公認心理師の言葉として、最も適切なものを1つ選べ。

1 趣味で気晴らしをしてみましょう。
2 労働災害の認定を申請してはどうですか。
3 自分のことを責める必要はないと思います。
4 他の部署への異動を願い出てはどうですか。
5 私が代わりに労働基準監督署に連絡しましょう。

問題 002

Check ☑☑☑ 第1回 追 問題 153

50歳の男性A。うつ病の診断で通院中である。通院している病院に勤務する公認心理師がAと面接を行っていたところ、Aから自殺を計画していると打ち明けられた。Aは「あなたを信頼しているから話しました。他の人には絶対に話さないでください。僕の辛さをあなたに分かってもらえれば十分です」と話した。
このときの公認心理師の対応として、優先されるものを2つ選べ。

1 自殺を断念するように説得する。
2 自殺予防のための電話相談を勧める。
3 主治医に面接内容を伝え、相談する。
4 秘密にするという約束には応じられないことをAに伝える。
5 Aの妻に「話さないでほしい」と言われていることを含めて自殺の計画について伝える。

解説 001　27 歳女性・うつ病

正答 3

うつ病に対する公認心理師の対応を問う問題である。

1 ×　趣味で気晴らしというのは心理療法の基本とは外れており、友人の人生相談のようになってしまっている。

2 ×　労働災害の認定を勧めるのは、あくまでも本人の希望に沿ったものでなければ意見の押し付けになってしまう。

3 ○　うつ病では不必要に自責的感情が高まっているので、まず自責的になっている状態を和らげることは心理療法の基本として重要である。

4 ×　本人の希望なしに他の部署への異動を公認心理師から提案するのは心理療法の基本から外れている。

5 ×　公認心理師自身が本人の代わりになって労働基準監督署に連絡するのは心理療法の基本と外れている。あくまで本人の自主性を尊重するべきである。

解説 002　50 歳男性・通院中患者の自殺予告への対処

正答 3、4

自殺への対応を様々な面から理解しておく必要がある。

1 ×　自殺を断念するように説得するだけでは自殺予防には弱く、自殺をしない契約（契約を思い出し自殺にストレートに突き進まない予防策）をしつつ、医師へ連携することである。

2 ×　自殺予防のための電話相談を勧めるのは職務放棄に等しい。自殺をしない契約をしつつ、医師と連携することである。

3 ○　主治医に面接内容を伝え、相談することは守秘義務の例外状況にあたり、また、主治医の指示を受けることが優先されるものである。

4 ○　秘密にするという約束には応じられないことを A に伝えることは適切であり、自傷他害行為については守秘義務の範囲外である。

5 ×　A の妻に「話さないでほしい」と言われていることを含めて自殺の計画について伝えることはクライエントの親族にとっては過剰な負担となり不適切である。A の妻だけでは対処不可能な事態だからである。

加点のポイント　事例問題の解き方

事例問題は配点が高いため、できるだけ正解したい。そのためには、問題文と選択肢の中で、キーワードは何か（例えば「インフォームド・コンセント」など）、心理職として何が求められているのか（「連携」「アセスメント」「守秘義務」など）を考えよう。

問題 003 Check ☑☑☑ 第3回 問題146

55歳の男性A、会社員。Aは、意欲や活気がなくなってきたことから妻Bと共に受診した。Aは4か月前に部長に昇進し張り切って仕事をしていたが、1か月前から次第に夜眠れなくなり、食欲も低下した。仕事に集中できず、部下に対して適切に指示ができなくなった。休日は部屋にこもり、問いかけに何も反応しないことが多くなり、飲酒量が増えた。診察時、問診に対する反応は鈍く、「もうだめです。先のことが見通せません。こんなはずじゃなかった」などと述べた。血液生化学検査に異常所見はみられなかった。診察後、医師から公認心理師Cに、Bに対して家族教育を行うよう指示があった。
CのBへの説明として、不適切なものを1つ選べ。

1 薬物療法が治療の1つになります。
2 入院治療が必要になる可能性があります。
3 できる限り休息をとらせるようにしてください。
4 今は落ち着いているので自殺の危険性は低いと思います。
5 気晴らしに何かをさせることは負担になることもあります。

心理教育

［心理教育］およびクライエントの関係者に対する［コンサルテーション］は公認心理師の主な業務として［公認心理師法第2条］に定められている。
心理教育は、広く一般の人に行う場合は、心身の不調のサインを知らせ早期発見につなげる、病気に関する正しい知識を広めることで偏見をなくしていくなどの目的で行われている。
患者本人に対しての心理教育は、病気に関する正しい知識を持ってもらうことで、主体的に治療を受けるようになることや良くなっていけるという自己効力感を高めるなどを目的として行われる。長期にわたる服薬が必要な統合失調症や双極性障害などに特に必要とされている。心理教育は、患者本人だけでなく家族への心理教育を組み合わせることによって、より有効性を発揮することが明らかになっている。

問題 004 Check ☑☑☑ 第1回 追 問題075

45歳の女性。もともと緊張しやすい性格である。5年前、現在の会社に転職した頃に頭痛が続いたことがあったが、鎮痛薬を飲んでいるうちに消失した。3か月前に他部署から異動してきた部下の女性の仕事ぶりに対して不満を感じるが我慢をしていた。頭を絞めつける頭痛が毎日のように3〜4時間続くようになった。鎮痛薬を頓用していたが軽減しなかった。心療内科を受診後、公認心理師を紹介された。
公認心理師が行う提案として、適切なものを2つ選べ。

1 部下の女性と接する機会を減らす。
2 鎮痛薬の定期的な服薬によって痛みを減らす。
3 漸進的筋弛緩法によって心身の緊張を和らげる。
4 頭痛日誌によって状況と頭痛の強さの関連を理解する。
5 不満を言わないで済むように部下の女性の気持ちを理解する。

解説 003　55 歳男性・うつ病の家族への心理教育

正答 4

抑うつ状態の見立てとその支援法の知識を問う問題である。不眠、食欲不振、思考力低下、著しい落ち込みなどが認められるため、A の抑うつの程度は「中等度以上」と考えられる。

1 ○ 抑うつの程度が中等度以上の場合、［薬物療法］が治療のひとつになる。

2 ○ A の抑うつの程度は中等度以上と考えられるため、［入院治療］も選択肢のひとつとなる。

3 ○ 中等度以上の抑うつの場合、なによりもまず［休息］が必要になる。

4 × 問題文からは不眠、食欲不振、思考力低下、著しい落ち込みなどが認められ、症状は落ち着いていない。加えて「もうだめです」といった絶望的な発言からも自殺の危険性が低いとはいえない。

5 ○ 中等度以上の抑うつの場合は、前記の通り、なによりも休息が必要であり、動こうとすることは負担になることがある。

解説 004　45 歳女性・心身症

正答 3、4

本事例は、「もともと緊張しやすい」「5 年前、…（中略）…頭痛が続いたことがあった」とある。よって、ストレス反応が身体症状として現れる心身症に対する知識および治療的関わりを問う問題である。心身症は、環境的要因に加えて、本人の性格傾向やストレス対処スキルに何らかの課題を抱えていると指摘されている。

1 × 部下の女性と接する機会を減らすことは根本的解決にならない。場合によっては本人の自信の低下や回避行動の増幅につながる危険性がある。

2 × 根本的な改善ではない上に、薬物療法は心理師の職務ではなく［医師］の職務である。さらに、「鎮痛薬を頓用していたが軽減しなかった」とあるため、効果は期待できない。

3 ○ 心身症は、心身両面のアプローチが有効であるため、漸進的筋弛緩法によるリラクセーションは有効な治療法である。

4 ○ どのような状況で身体症状が現れるかを頭痛日誌によって認識することで、何に対してストレスを感じているか、対処法はどうしているかの気づきが得られるため、改善につながる。

5 × 心身症になる性格特性の 1 つに「自分の感情を言語化できない」といった特徴がある。本事例も「不満を感じるが我慢をしていた」とある。このような場合は過剰適応傾向であったといえる。よって、「不満を言わないで済むよう」という対処は逆効果である。

加点のポイント　初期対応を問う事例問題の考え方

過去の試験では「初回面接で」「まず行うべき対応」「現時点で最も適切な対応」という心理師の初期対応を問う問題が複数出題された。そこで留意しておきたいポイントを挙げる。

①クライエントの診断や処遇に関する選択肢は不適切である可能性が高い

これは、公認心理師法第 42 条 2 項の「主治の医師があるときは、その指示を受けなければならない」という条文にも関わってくる。診断や入院措置などの処遇の決定は医師が行うことであるという心理師の職域の認識が問われている。そのため、診断や処遇に関する決定をするかのような選択肢は間違いである。

②指示的な選択肢は不適切である可能性が高い

これも、心理師の基本的な態度に関するが、初期に最も大切にしたいのはクライエントとの信頼関係の構築であろう。初回面談の時点で、詳細な情報はわからないという条件下では、「まずクライエントに寄り添い、ニーズを把握する」という謙虚な姿勢が大切になってくる。そのため、指示的な内容の選択肢よりも、「ねぎらう」や「話を聴く」という選択肢の方が正解である可能性が高い。

③連携とインフォームド・コンセントを意識する

問題文と選択肢を眺めたとき、公認心理師だけの対応なのか、他職種や他機関と連携するかどうかが問われている問題がある。どちらが適切かはもちろん事例次第ではあるが、公認心理師法第 42 条 1 項に「関係者等との連携を保たなければならない」とあることは念頭に置いておきたい。その上で、ポイント①と②の点も考慮し、「連携したほうがいいようだ」と考えたら、個人情報の取り扱いとして、連携先に情報を提供していいかのインフォームド・コンセントが必要かどうか、選択肢にあるかどうかを検討する。このような流れで考えていくと正答率が上がるのではないかと考える。

つまり、心理師の職域および基本的職務態度を問われているということをおさえておきたい。

問題 005

Check ☑☑☑ 第1回 追 問題152

20歳の男性A、大学生。「誰かが自分の中に入ってくるから気持ちが悪い」と言い、半年前から大学を欠席するようになった。最近は「町中の人々が自分の命を狙っている。もう死ぬしかない」と言っていた。Aは包丁で自分を刺そうとしているところを発見され、家族に連れられて来院し、即日、医療保護入院となった。1か月後、病識はないものの、症状が改善したため退院することとなった。主治医は退院後の方針についてAの家族に説明した後、公認心理師に面接を依頼した。
公認心理師が行うAの家族への説明として、適切なものを2つ選べ。

1 精神症状は再発することがあります。
2 大学に休学の手続をとってください。
3 服薬の管理は本人に任せてください。
4 外来通院を続けるように支援してください。
5 入院前に思っていたことは妄想なので、もう考えないように説得してください。

問題 006

Check ☑☑☑ 第3回 問題069

16歳の女子A、高校1年生。Aは、食欲不振、るい痩のため1週間前から入院中である。高校に入学し、陸上部に入部した後から食事摂取量を減らすようになった。さらに、毎朝6時から走り込みを始めたところ、4か月前から月経がなくなり、1か月前から倦怠感を強く自覚するようになった。入院後も食事摂取量は少なく、「太ると良い記録が出せない」と食事を摂ることへの不安を訴える。中学校までは適応上の問題は特になく、学業成績も良好であった。自己誘発嘔吐や下剤の乱用はない。身長は159cm、体重は30kg、BMIは11.9である。
公認心理師のAへの支援として、不適切なものを1つ選べ。

1 食事へのこだわりを外在化する。
2 Aの家族に治療への参加を促す。
3 部活動への葛藤について傾聴する。
4 栄養士の助力を得て食事日記を付けることを勧める。
5 点滴を受けて、栄養状態を速やかに改善するように勧める。

問題 007

Check ☑☑☑ 第3回 問題070

72歳の男性A。Aは、高血圧症で通院している病院の担当医に物忘れが心配であると相談した。担当医の依頼で公認心理師Bが対応した。Aは、1年前より徐々に言いたいことがうまく言葉に出せず、物の名前が出てこなくなった。しかし、日常生活に問題はなく、趣味の家庭菜園を楽しみ、町内会長の役割をこなしている。面接時、軽度の語健忘はみられるが、MMSEは27点であった。2か月前の脳ドックで、頭部MRI検査を受け、軽度の脳萎縮を指摘されたという。
BのAへの助言として、不適切なものを1つ選べ。

1 高血圧症の治療を続けてください。
2 栄養バランスのとれた食事を心がけてください。
3 運動習慣をつけて毎日体を動かすようにしてください。
4 生活習慣病の早期発見のために定期的に健診を受けてください。
5 認知症の予防に有効なお薬の処方について、医師に相談してください。

解説 005　20 歳男性・統合失調症　正答 1、4

事例は被影響体験と被害妄想があり統合失調症と考えられるケースである。統合失調症患者の家族に対する対応を問う問題である。

1 ○ 病識がないとあるので、服薬アドヒアランスが悪くなり再発の危険性が常に考えられ、家族に対してもリスクを説明しておく必要がある。

2 × 現在は退院することになったので、大学に休学の手続きをとるかどうかは、症状その他本人が置かれた状況などによって総合的に決めるべきであり、公認心理師の方から提案するのは不適切である。

3 × 病識がないので、本人に服薬の管理を任せることはせず、家族がチェックする体制を敷くべきである。

4 ○ 病識がないので、服薬によって症状が改善すると本人は通院の必要性を感じなくなることが多い。再発を防ぐためには定期的な通院、服薬が必要なことを家族によく説明しておく必要がある。

5 × 妄想は患者自身にとっては心的現実なので否定してもその信念を変えることはできないし、患者を説得することはほぼ不可能である。

解説 006　16 歳女子・摂食障害　正答 5

摂食障害の事例である。これまでの経緯や身体症状から、A は神経性やせ症であると考えられる。状態としては BMI が 15 未満で最重度のやせであり、体重の回復を含めた身体面の改善がなにより重要である。

1 ○ 外在化の手法は摂食障害に対する精神療法において用いられる。

2 ○ 思春期の摂食障害の患者には家族療法が有用であることから、治療への参加を促す行為は適切である。

3 ○ 公認心理師として、A 自身の心の声に耳を傾けることは大切である。

4 ○ 食事の内容を記録する食事日記は摂食障害の治療において有効である。目標体重まで増やすためのカロリー量や食事量、目標達成後に体重を維持するためのカロリー量や食事量について栄養指導を受けることも重要である。

5 × 体重回復のため栄養状態の改善は重要であるが、「点滴を受けて、栄養状態を速やかに改善するように勧める」といった直接的な働きかけは公認心理師の支援としては適切ではない。

解説 007　72 歳男性・高血圧症と物忘れ　正答 5

事例に対し公認心理師としての適切な働きかけを選択する問題である。なお、MMSE における健常者群と MCI 群の最適カットオフ値は「27/28」であることから、A は MCI の状態であると考えられる。

1 ○ 高血圧症の治療に対する動機づけが低下しないよう、言葉をかけることは公認心理師の助言として適切である。

2 ○ 生活習慣病と認知症は関連することが知られている。そのため、バランスの取れた食生活を心掛けることは重要である。

3 ○ 食生活と同様、適度な運動を行うことは生活習慣病の予防になる。したがって、公認心理師として適度な運動をするよう助言することは適切といえる。

4 ○ 生活習慣病は認知症の発症リスクを高めるため、定期的に健診を受け、早期発見につなげることは大切である。

5 × 認知症治療薬は症状を緩やかにするものであり、予防に有効な薬はない。また、この時点で公認心理師として求められていることは、認知機能のアセスメントや物忘れに対する心配、不安への働きかけと思われる。

問題 008 Check 第2回 問題064

75歳の男性A。総合病院の内科で高血圧症の治療を受けている以外は身体疾患はない。起床時間は日によって異なる。日中はテレビを見るなどして過ごし、ほとんど外出しない。午後6時頃に夕食をとり、午後8時には床に就く生活であるが、床に就いてもなかなか眠れないため、同じ病院の精神科外来を受診した。診察時に実施した改訂長谷川式簡易知能評価スケール〈HDS-R〉は27点であった。診察した医師は薬物療法を保留し、院内の公認心理師に心理的支援を指示した。
Aに対する助言として、最も適切なものを1つ選べ。

1 寝酒は寝つきに有効かもしれません。
2 眠くなるまで布団に入らないようにしましょう。
3 1時間程度の昼寝で睡眠不足を補ってください。
4 健康のために、少なくとも8時間の睡眠が必要です。
5 午前中に1時間くらいのジョギングをしてみましょう。

問題 009 Check 第2回 問題138

25歳の男性A、会社員。3か月前にバイク事故により総合病院の救命救急センターに搬入された。意識障害はなく、胸髄損傷による両下肢完全麻痺と診断された。2週間前、主治医からAに、今後、両下肢完全麻痺の回復は期待できないとの告知がなされた。その後Aはふさぎこみ、発語が少なくなったため、主治医から院内の公認心理師Bに評価及び介入の依頼があった。Bが訪室するとAは表情がさえず、早朝覚醒と意欲低下が認められた。
このときのBの対応として、最も優先度が高いものを1つ選べ。

1 神経心理学的検査を行う。
2 障害受容プロセスを話題にする。
3 アサーション・トレーニングを導入する。
4 脊髄損傷の当事者の会への参加を勧める。
5 抑うつ状態が疑われることを主治医に報告する。

問題 010 Check 第1回 問題148

40歳の女性A。Aには二人の息子がいたが、Aの長男が交通事故に巻き込まれ急死した。事故から半年が経過しても、涙が出て何も手につかない状態が続いている。Aの状態を案じた夫に連れられて、カウンセリングルームに来室した。カウンセリングの中で、Aは「加害者を苦しめ続けてやる。自分はこんなに悲しみに暮れている。息子が亡くなったのに平気な顔で生活している夫の神経が信じられない」などと繰り返し語っている。
このときのAへの支援の在り方として、最も適切なものを1つ選べ。

1 加害者を苦しめ続けたいというAの気持ちを否定しない。
2 Aの安心を優先させるため「私はあなたを全部理解できる」と言う。
3 Aの話が堂々巡りになっているため、将来のことに話題を変える。
4 カウンセリングで良くなった担当事例を紹介して、Aを勇気づける。
5 Aの考えに同調し「確かにご主人の神経は信じられませんね」と言う。

解説 008　75 歳男性・不眠

正答 2

身体・精神問題がみられない高齢者からの「眠れない」という訴えへの助言に関する問題である。厚生労働省の資料などを参考に、高齢者の睡眠に関する知識を整理しておくことが求められる。

1 ×　アルコールは寝つきをよくするが、明け方の睡眠を妨げたり、習慣化し飲酒なしに眠れなくしてしまったりする可能性があるため避けたほうが望ましい。また、飲酒を続けることで血圧を高める可能性もあるため、高血圧症の治療を受けている A にはなおさら不適切である。

2 ○　「健康づくりのための睡眠指針 2014」の第 10 条によると、「眠くなってから寝床に入り、起きる時刻は遅らせない」とある。就床時刻はあくまで目安であり、その日の眠気に応じて眠くなってから寝床に就くことがスムーズな入眠への近道である。

3 ×　日中の 30 分以内程度の睡眠は夜の眠気に影響はなく、午後の眠気の改善や作業効率の向上に有効などの研究はあるが、本問においては選択肢 2 のように夜の睡眠の改善に関する助言が優先されると考えられる。

4 ×　成人の目安は 6 時間以上 8 時間未満とされるが、高齢になると若年期に比べて必要な睡眠時間は短くなる。年齢相応の適切な睡眠時間を目標にはしつつ、睡眠時間にこだわりすぎずに、日中の眠気など総合的に考えることが重要。

5 ×　運動習慣がある人のほうが不眠になりにくいという研究や、高血圧症の治療の一環として [運動療法] が用いられる現状などから、ジョギングが検討されていると思われる。しかし、睡眠不足の解消には [午後] の運動が適しているとの研究もあるため、年齢を考慮に入れた場合は、選択肢 2 のほうが助言としては適切である。

解説 009　25 歳男性・交通事故

正答 5

交通事故により中途障害となった男性への心理学的支援に関する事例問題である。中途障害者の場合、ある日突然、自分が置かれている状況が一変する。急に障害を持つことになるためショックも大きい。障害受容のプロセスについても理解しておく必要がある。A は障害発生初期のショック期の段階にあると考えられる。

1 ×　意識障害はなく、胸髄損傷による両下肢完全麻痺と診断されたことから、高次脳機能障害などは考えにくい。そのため、神経心理学的検査の優先度は低い。

2 ×　A が障害を受容していくことは大事なことであるが、現時点では抑うつ状態への介入が優先されるべき問題である。

3 ×　アサーション・トレーニングとは [自己表現] のトレーニングである。A は事故のショックでふさぎがちになり、現在抑うつ状態にあると考えられる。A の現在の状態像からアサーション・トレーニングは必要でない。

4 ×　当事者の会への参加を勧めることも必要に応じて行うことが望ましいが、現時点での優先度は低い。

5 ○　表情がさえず、早朝覚醒、意欲低下が認められたことから抑うつ状態にあることが推察される。脊椎損傷者の抑うつ状態は [自殺の危険因子] でもあるため、速やかに主治医に報告する。

解説 010　40 歳女性・交通事故の遺族

正答 1

家族を失った喪失体験の受容と悲しみからの回復を心理的に支援する事例である。クライエントの怒りと悲しみがないまぜになった心境にどの程度寄り添っていけるかがポイントになる。

1 ○　A の語る内容は加害者への怒りであるが、心理的な深い部分では長男を失った悲しみと傷つきがあり、まずは怒りの表出に寄り添う関わりが望ましい。

2 ×　支援者としては無責任な言葉である。実際には全て理解できないながらもそのように努めたいという姿勢を示すことが適切であろう。

3 ×　A は交通事故そのものに強いこだわりを捨てきれずにいるため、故意に支援者が話題を逸らすことは適切ではない。

4 ×　この場合、他の成功事例をいきなり A に示したとしても心理的な支えにはならないと考えられる。

5 ×　夫も長男を失った悲しみを A に伝えていないだけである可能性は高く、A が家族を否定する言葉に安易に同調することは望ましくない。

問題 011

Check ☑☑☑ 第4回 問題073

50歳の女性A。抑うつ気分が続いているために精神科に通院し、院内の公認心理師Bが対応することになった。7か月前にAの17歳の娘が交際相手の男性と外出中にバイクの事故で亡くなった。事故からしばらく経ち、Aは、事故直後のショックからは一時的に立ち直ったように感じていたが、3か月ほど前から次第に抑うつ状態となった。「どうしてあの日娘が外出するのを止めなかったのか」と自分を責めたり、急に涙があふれて家事が手につかなくなったりしている。

BのAへの対応として、不適切なものを1つ選べ。

1 悲しみには個人差があるということを説明する。
2 娘の死を思い出さないようにする活動がないか、一緒に探索する。
3 Aが体験している様々な感情を確認し、表現することを援助する。
4 子どもを亡くした親が体験する一般的な反応について、情報を提供する。
5 娘が死に至った背景について、多様な観点から見直してみることを促す。

問題 012

Check ☑☑☑ 第2回 問題062

31歳の女性A。身体疾患により一時危篤状態となったが、その後回復した。主治医は、再発の危険性はないと説明したが、Aはまた同じ状態になって死ぬのではないかという不安を訴え、ベッドから離れない。病棟スタッフからはリハビリテーションを始めるよう勧められたが、かえって不安が強くなり、ふさぎ込む様子がみえたため、主治医が院内の公認心理師に面接を依頼した。

公認心理師がまず行う対応として、最も適切なものを1つ選べ。

1 心理教育として死生学について情報提供を行う。
2 不安を緩和するためのリラクゼーションを行う。
3 再発や危篤の可能性が少ないことを引き続き説得する。
4 面接の最初に「あなたの不安はよく理解できる」と言う。
5 死の恐怖とそれを共有されない孤独感を話してもらい、聴く姿勢に徹する。

問題 013

Check ☑☑☑ 第2回 問題142

47歳の男性A。Aは、長年の飲酒、食習慣及び喫煙が原因で、生活習慣病が悪化していた。主治医はこれらの習慣は簡単には変えられないため、院内の公認心理師と共にじっくりと取り組むようカウンセリングをAに勧めた。Aは「酒もたばこも生活の一部だ」と話す一方で、「自分の身体のことは心配なので、この2週間はたばこの本数を毎日20本から15本に減らし、1日の最初の1本を遅らせている。酒はやめる気はない」と言う。

Aの行動変容の段階を考慮した公認心理師の対応として、最も適切なものを1つ選べ。

1 禁酒も始めるように促す。
2 生活習慣病への意識を向上させる。
3 禁煙のための具体的な計画を立てる。
4 飲酒と喫煙の害について心理教育を行う。
5 喫煙本数が増えないように現在の自分なりの制限を継続させる。

解説 011　50 歳女性・喪失体験による抑うつ状態　正答 2

対象喪失に伴う「悲嘆反応」に対する心理支援の基本的知識が問われている。悲嘆に対する心理支援を「グリーフ・ケア」という。グリーフ・ケアでは、基本的にその人の悲嘆過程を大切にし、感情の表出を共感的に受け止め、本人なりの意味づけを支えていく。

1 ○ 悲嘆反応は画一的な過程を経るものではないため、個人差があることは普通であるとの説明は、A に安心感を与えたり健全性を支えたりといった意味にもなる。

2 × 悲嘆反応に関しては感情の表出を大切にするため、「思い出さないように」するものではない。

3 ○ これはグリーフ・ケアで重要となる「感情表出」の説明であり、適切。

4 ○ 選択肢 1 の「個人差がある」ことの説明および「一般的な反応」の両方を伝えることで、見通しや自己理解につなげることができるため有効。

5 ○ グリーフ・ケアでは、本人なりの［意味づけ］を支えていく。そのために、「多様な観点から見直してみる」ことは適切である。

加点のポイント　悲嘆反応

大切な他者の死に代表される悲嘆反応は、ほとんどが 6 か月以内に回復する。6 か月以上続き、日常生活に支障をきたす場合を「複雑性悲嘆」という。

解説 012　31 歳女性・初回面接での対応　正答 5

不安感が強いケースに対する公認心理師の初回面接での対応を問う問題である。初回面接では、助言や具体的な治療法の実施よりも、クライエントとのラポールの形成が大事である。不安が強いクライエントであればなおさらに安心感を持ってもらう関わり方が求められる。

1 × 初回にクライエントに求められてもいないのに死生学の情報提供を行うことは、かえって不安感を強めてしまう危険性があり、控えるべきである。

2 × リラクゼーションが効果を持つのは、クライエントにそれを活用しようと思う気持ちができてからである。本事例は初回面接であり、いきなりリラクゼーションを用いるのは早計であり不適切。

3 × 再発や危篤の可能性が少ないことは主治医からすでに説明されているが、それでも不安が拭えない苦しみが本事例の主題である。執拗に説明を繰り返すことは、本人に「気持ちをわかってもらえない」と思わせる危険性があり不適切。

4 × 公認心理師はなによりもクライエント本人から話を聴いてからその気持ちに反応する。よって、面接の最初に「あなたの不安はよく理解できる」という発言は不適切であり、「何も知らないのにいい加減なことをいう人だ」と思われてしまう危険性がある。

5 ○ 本事例の主題である［不安感］に寄り添い、本人の話を［共感的］に傾聴することが初回では最も適切。

解説 013　47 歳男性・生活習慣病の心理的支援　正答 3

生活習慣病のクライエントに対する、心理的支援を問う問題である。クライエントの行動変容の段階を考慮する必要がある。

1 × 禁酒に関しては、今のところ本人はその意思がないため、この段階で禁酒も促すことは時期尚早である。

2 × 「自分の身体のことは心配である」と話し、生活習慣病を改善させたいという意識は持っていると思われる。

3 ○ 本人は自分なりにたばこの本数を減らす工夫をしており、行動変容の［準備期］にあると考えられる。したがって、適切な目標と行動計画を立てることで禁煙に向けての行動変容を促すことが適切な対応である。

4 × 飲酒と喫煙の害を説いても、防衛的になったり反感を強めたりして心理的支援を継続できなくなる危険性があるため、そのような行動は避ける。

5 × 本人なりに努力をしていることは認める必要があるが、「自分なりの制限」ではなく、指示や助言を通してより適切な行動計画を立てることが必要である。

問題 014 Check ☑☑☑ 第 3 回 問題 062

30 歳の女性 A、会社員。A は、精神科病院において入院治療を受けている。20 代後半より抑うつエピソードを繰り返していたが、医療機関の受診歴はなかった。入院の 1 か月ほど前から口数が多くなり、卒業後交流のなかった高校時代の友人たちに電話やメールで連絡を取るようになった。衝動的な買い物が増え、職場での尊大な態度が目立つようになった。心配した家族の支援で入院となり、1 か月が経過した。症状は改善しつつあるが、依然として口数は多く、睡眠は不安定である。A は、仕事を休んでいることへの焦りを主治医に訴えている。
この時点での公認心理師の A への支援として、最も適切なものを 1 つ選べ。

1 障害年金制度について情報を提供する。
2 幼少期の体験に焦点を当てた心理面接を行う。
3 会社の同僚に対する謝罪の文章を A と一緒に考える。
4 毎日の行動記録を表に付けさせるなどして、生活リズムの安定を図る。
5 A の同意を得て、復職の時期について職場の健康管理スタッフと協議する。

問題 015 Check ☑☑☑ 第 2 回 問題 076

58 歳の女性 A。1 年前に会社の健康診断で軽度の肥満と高血糖を指摘されたが、そのままにしていた。最近、家族に促されて総合病院の糖尿病内科を受診したが、自ら治療に取り組んでいくことに前向きになれない様子であった。そのため、多職種からなる治療チームで対応を検討することになり、そのメンバーである公認心理師に A に対する心理的支援が依頼された。
A に対する心理的支援を様々な職種と連携しながら進める上で、適切なものを 2 つ選べ。

1 心理面接で A から得た情報は、他職種から得た情報よりも常に重要である。
2 治療初期の心理的支援の主な目的は、服薬アドヒアランスを高めることである。
3 生物心理社会モデルに基づき、A の心理面だけでなく身体面や社会面も理解する。
4 A のセルフモニタリングから得られた情報を他職種と共有しながら、食事や運動の行動変容を進める。
5 医師、看護師、管理栄養士など多くの職種の専門性を活かすために他職種の行っていることに意見をしないようにする。

問題 016 Check ☑☑☑ 第 3 回 問題 138

37 歳の男性 A、会社員。A は、大学卒業後、製造業に就職し、約 10 年従事したエンジニア部門から 1 年前に管理部門に異動となった。元来、完璧主義で、慣れない仕事への戸惑いを抱えながら仕事を始めた。しかし、8 か月前から次第に仕事がたまるようになり、倦怠感が強まり、欠勤も増えた。その後、6 か月前に抑うつ気分と気力の低下を主訴に精神科を受診し、うつ病と診断された。そして、抗うつ薬による薬物療法の開始と同時に休職となった。しかし、主治医による外来治療を 6 か月間受けたが、抑うつ症状が遷延している。院内の公認心理師に、主治医から A の心理的支援が依頼された。
このときの A への対応として、最も優先されるべきものを 1 つ選べ。

1 散歩を勧める。
2 HAM-D を行う。
3 うつ病の心理教育を行う。
4 認知行動療法の導入を提案する。
5 発症要因と症状持続要因の評価を行う。

解説 014　30歳女性・精神科入院治療中の対応

正答 4

Aは、「抑うつエピソードを繰り返していた」「衝動的な買い物が増え」「尊大な態度」などといった記述から双極性障害の可能性が考えられる。その上で、双極性障害に対する適切な心理支援法の知識が問われている。

1 × まずは［症状を安定させること］が優先される。障害年金制度等の生活相談をするのは尚早である。

2 × 現状は「依然として口数は多く、睡眠は不安定」であるため、症状の沈静化に努める時期である。そのため、過去の振り返りをする段階ではない。

3 × 同僚への謝罪の文章を一緒に考えるというのは、Aに求められてもいないのにすべきことではない。

4 ○ 毎日の［行動記録］をつけることは、双極性障害に対する有効な治療法である。

5 × 症状が落ち着いていない現段階では、復職の時期を協議するのは時期尚早である。

解説 015　58歳女性・多職種連携と心理的支援

正答 3、4

多職種と協働する職場において、心理職として連携をとりながら心理的支援を行う上での対応を問う問題である。

1 × どの職種が得た情報も等しく大切であり、心理面接で得られる情報が他職種の得る情報よりも常に重要であるなどということはない。

2 × 現段階において服薬をしているかは不明であり、まずは食事療法や運動療法を優先的に考えるべきである。

3 ○ クライエント理解においては、［生物心理社会モデル］が重要であり、身体面、心理面、社会面を合わせて考えていくことが重要である。

4 ○ 多職種連携の中での心理的支援においては、そこで得た情報を他職種に提供し、共有しながら行動変容を進めていくことが重要である。

5 × 意見しないようにするというのは間違いである。お互いに意見を言い合い、クライエントにとってより効果的な治療を行うことが重要である。

解説 016　37歳男性・心理的支援

正答 5

うつ病と診断が下され、薬物療法のみでは改善されない抑うつ症状に対する心理的支援の知識を問う問題である。

1 × 抑うつの程度が重かった場合には、［散歩は適切ではない］ことがある。問題文からは抑うつの程度が定かではないので不適切となる。

2 × すでに［うつ病と診断がなされている］ため、うつ病の診断の判断材料となるHAM-Dを行うことは最も優先することではない。

3 × うつ病の心理教育は、クライエントの病気に対する理解を深めるために行う。Aはうつ病に対する理解がないために改善されないのかどうかは問題文からは判断できないため、最も優先されるべきものではない。

4 × 認知行動療法を行うためには、ある程度、治療目標を明確にすることと、抑うつの程度がある程度改善されていることが必要である。そのため不適切である。

5 ○ 問題文からは、うつ病の発症要因や症状持続要因に関する情報がほとんどない。適切な支援を行うには、事前にきちんとした［アセスメント］が必要である。そのため、まずアセスメントをすることが最優先にすべきことである。

加点のポイント　医療分野での公認心理師

医療分野においては、医師の指示のもと、コメディカルとの連携の中での対応が欠かせない。
事例問題についても、その点をまず第一に考え、次に公認心理師ができることやすべきことを選択しよう。

②教育

問題 017 Check ☑☑☑ 第1回 問題063

13歳の男子A、中学生。中学校のスクールカウンセラーから紹介されてB大学の心理相談室を訪れた。スクールカウンセラーからの依頼状では、クラスでの対人関係の困難と学習面での問題について対処するために心理検査を実施してほしいという内容であった。ところが、Aは検査のために来たつもりはなく、「勉強が難し過ぎる」、「クラスメイトが仲間に入れてくれない」、「秘密にしてくれるなら話したいことがある」と語った。
援助を開始するにあたって、インフォームド・コンセントの観点から最も適切な方針を1つ選べ。

1 保護者からの合意を得た上で適切な心理検査を実施する。
2 いじめが疑われるため、Aには伝えず保護者や教員と連絡をとる。
3 「ここでのお話は絶対に他の人には話さない」と伝えて話を聴いていく。
4 スクールカウンセラーから依頼された検査が問題解決に役立つだろうと伝えた上で、まずはAが話したいことを聴いていく。
5 スクールカウンセラーから依頼された検査をするか、自分が話したいことを相談するか、どちらが良いかをAに選んでもらう。

問題 018 Check ☑☑☑ 第1回 問題139

15歳の男子A、中学3年生。Aは不登校と高校進学の相談のため教育相談室に来室した。Aはカウンセリングを受けることに対して否定的であった。「カウンセリングに行かないと親に小遣いを減らされるので来た。中学校に行けないことについてはもう諦めている。通信制高校に進みたいが、親が普通高校へ行けと言うので頭にくる。毎日一人で部屋で過ごしているのは退屈なので友達と遊びに行きたいが、自分からは連絡できない」と言う。実際には、中学校の生徒に見られることを恐れて、近所のコンビニにも行けない状態だった。
作業同盟を構築するためのカウンセラーの最初の対応として、最も適切なものを1つ選べ。

1 カウンセリングがどのようなものかAに分かるように説明する。
2 通信制高校に合格するという目的を達成するために継続的な来室を勧める。
3 Aと親のどちらにも加担しないように中立的な立場をとることを心掛ける。
4 外に出るのを恐れているにもかかわらず、教育相談室に来られたことを肯定してねぎらう。
5 カウンセリングに行かないと小遣いを減らすと親から言われていることに「ひどいですね」と共感する。

解説 017　13歳男子・インフォームド・コンセント　正答 4

依頼状の内容と本人のニーズが食い違っていた場合、インフォームド・コンセントの観点から公認心理師はどうすべきかを問う問題である。

1 ×　13歳は未成年であるため保護者の合意は必要であるが、Aが納得していない状態で心理検査を行うべきではない。

2 ×　いじめが疑われたとしても、Aに伝えずに保護者や教員に伝えることはインフォームド・コンセントに反する。

3 ×　守秘義務には例外があることを伝える必要があり、「絶対に他の人には話さない」と言うのは適切ではない。

4 ○　依頼のあった検査のメリットを説明した上で、Aの意思を尊重するのが正しいインフォームド・コンセントの姿勢である。

5 ×　依頼のあった検査にも何らかの意味があるであろうことから、検査か話したいことを相談するか、という二者択一ではなく、Aの話を聴きながら依頼のあった検査を受けることを勧めていくのが適切である。

解説 018　15歳男子・作業同盟の構築　正答 4

作業同盟（治療同盟）を問う問題である。相談者が「カウンセリングを受けることに対して否定的」であることに注意し、その否定感を軽減させる関わり方を選択する。

1 ×　カウンセリングがどのようなものであるかという説明は重要である。しかし、「カウンセリングに否定的」であるため、相談者から質問がないにもかかわらず、カウンセラーから説明をすることは押し付けがましく受け取られかねない。よって、この場面では避けたい。

2 ×　継続や目的の設定は、否定的な態度が緩和されてからである。

3 ×　相談者に寄り添うことがまず重要である。

4 ○　相談者の状況や心情に理解し共感していると示すことは、拒否的態度を緩和させる可能性が高く、作業同盟の構築に大切である。

5 ×　問題文には、相談者本人の発言と実態が異なっていると記されている。よって、現段階で、相談者が本心を話しているとは限らない。また、どう受け取るかもわからない。その段階でカウンセラーが「ひどい」等と評価的発言をすることは危険である。

加点のポイント　教育分野における公認心理師

教育分野の対応事例は、小学校から大学まで、児童生徒、保護者から教員のコンサルテーションまで幅広く出題される。初期対応、アセスメント、本人のサポート、周りへの助言など、何が求められているのかをしっかりと見抜くことが大切である。

問題 019

Check ☑☑☑ 第3回 問題 060

15 歳の女子 A、中学 3 年生。A が人の目が怖くて教室に入れないということで、学校からの勧めもあり、公認心理師 B がいる市の相談センターに母親 C から相談申込みの電話があった。C の話によると、学校ではいじめなどの大きな問題はないが、1 か月前から不登校状態が続いているという。母子並行面接ということで受理し、面接を行うことになった。インテーク面接当日、A は、担当である B との面接が始まる際に、C との分離に不安を示した。インテーク面接の最中も、A の緊張は高く、なかなか自分の状態について語ることができなかった。
B が行うインテーク面接とその後の初期対応として、最も適切なものを 1 つ選べ。

1 A と C との関係性が面接に影響するため、母子同室面接は行わない。
2 A が未成年であるため、A の在籍校には A が来所したことを報告する。
3 人の目が怖い理由や原因について A に尋ね、まずはそれを意識化させる。
4 面接に期待していることを A に尋ね、B が最善の努力をすることを伝える。
5 言語面接が可能である場合、身体に作用するリラクセーション技法は用いない。

問題 020

Check ☑☑☑ 第1回 追 問題 149

15 歳の女子 A、中学 3 年生。最近、成績が下がっているため中学校の相談室の公認心理師に初めて相談に来た。A は成績低下の理由として、「集中力が落ちて勉強が手につかず、塾に行ってもほとんど頭に入ってこない」と話した。次第に口数が少なくなり、「両親が離婚を話し合っているため、自分の将来が不安で仕方ない」と絞り出すように言って涙をこぼした。
公認心理師の A への言葉として、最も適切なものを 1 つ選べ。

1 勉強が手につかないことは、辛く苦しいですね。
2 両親のことをここで話すことは勇気がいることでしたね。
3 成績は落ちても努力すれば、またすぐに上がってきますよ。
4 自分もまったく同じことを経験して苦しみましたが克服できました。

問題 021

Check ☑☑☑ 第1回 問題 071

15 歳の男子 A、中学 3 年生。A は非行傾向があり、中学校内で窃盗事件を起こし、学校の指導でスクールカウンセラーと面接した。両親は離婚しており、A と二人暮らしの実父とは関係が悪く居場所がないことなど、自分から家庭の事情を素直に話した。A とスクールカウンセラーとのラポールはスムーズに形成できたと考えられた。スクールカウンセラーは父親との関係が A の非行の背景にあると考え、継続面接の必要性を感じ週 1 回の面接を打診したところ、A は快諾した。しかし、翌週 A は相談室に来なかった。担任教師の話では、A は「あんな面接には二度と行かない」と話しているとのことだった。
A への対応として、最も適切なものを 1 つ選べ。

1 独自の判断で家庭訪問をする。
2 児童虐待を疑い、実母に連絡する。
3 A には伝えず父親を学校に呼び出す。
4 A の対人不信に留意し、面接の枠組みをしっかり保つよう工夫する。
5 A をよく知るクラスメイトに事情を話し、A を面接に連れて来てもらう。

解説 019　15歳女子・インテーク面接　正答 4

インテーク面接がどのような目的で行われるのか、そのためにどのような情報を聞き取ればよいのかなどについて確認しておこう。

1 × Aの不安や緊張が高すぎて話を聞けない場合には、母子同室面接を行うこともある。また、母子同室面接を行うことで母子の関係性をアセスメントすることも可能となる。

2 × 守秘義務があるため、AやCの許可なく勝手に在籍校に来所の報告を行わない。

3 × インテーク面接で、症状について詳しく聞きすぎて過剰に意識化させてしまうと、かえって症状を悪化させてしまう危険性もある。

4 ○ 面接に対する期待を尋ね、それに対して公認心理師が最善の努力をすることを伝えることは、面接を継続していき、問題解決をともに目指していくための動機づけを高めることになる。

5 × 言語面接が可能であっても、緊張や不安が高い場合、それを解きほぐすために身体に作用するリラクセーション技法を用いることもある。

解説 020　15歳女子・中学校相談室での対応　正答 2

初めて相談に来た生徒に対する言葉かけを問う問題である。

1 × Aは勉強が手につかないことに困ってはいるが、そこが1番つらいところではない。

2 ○ Aにとって両親のことが1番気にかかっていることで、絞り出すように口にしたことから、「よく話してくれました」とねぎらう言葉かけをすることは適切である。

3 × この時点で、気休めや励ましの言葉を口にすることは不適切である。

4 × 公認心理師がこのように自分のことを語ることは不適切である。

解説 021　15歳男子・スクールカウンセラーの対応　正答 4

非行傾向のある生徒に対するスクールカウンセラーの初期対応についての問題である。

1 × スクールカウンセラーは、家庭訪問が必要であると判断した場合には、[管理職] にその目的や必要性を説明し、許可を得て行う必要がある。

2 × 児童虐待が疑われるとすれば、[管理職] に報告し、管理職から [児童相談所等] に通告することが適切である。実母との関係性や家庭環境の詳細もわからない時点で、実母と連絡を取ることは適当であるとは言えない。

3 × 守秘義務と信頼関係の構築という観点から、Aに内緒で父親を呼び出すことは不適切である。

4 ○ Aの対人不信はもっともなことであり、Aがスクールカウンセラーと安定した信頼関係を築くことができるように、面接の枠組みを保つことが重要である。

5 × クラスメイトに働きかけることは、守秘義務と信頼関係の構築という点からも不適切である。

問題 022　Check　第1回 追　問題 067

14歳の女子A、中学2年生。Aの母親Bは、Aの不登校について相談するために、中学校のスクールカウンセラーを訪ねてきた。Aは、朝に体調不良を訴えて2週間ほど欠席が続くようになった。Bが理由を聞いてもAは話したがらず、原因について分からない状態が続いていると、Bは家庭での様子を説明した。学習の遅れも心配で、Aに対して登校を強く促す方が良いのか、黙って見守った方が良いのか判断がつかない。「担任教師の心証を悪くしたくないので、まずは担任教師に内緒で家庭訪問をしてAの気持ちを聴いてほしい」とBから依頼された。
このときのスクールカウンセラーの対応として、最も適切なものを1つ選べ。

1 Aが希望すれば家庭訪問をすると説明する。
2 管理職と相談して家庭訪問について検討する。
3 Aの様子を聴き、医療機関で検査や治療を受けるよう勧める。
4 「心配しなくて大丈夫です。そのうち解決しますよ」と励まし面談を終了する。
5 理由がはっきりしないのであれば、学校に行くよう促した方が良いと助言する。

問題 023　Check　第1回　問題 061

10歳の女児A、小学4年生。小学校への行きしぶりがあり、母親に伴われて教育相談室に来室した。母親によると、Aは学習にも意欲的で、友達ともよく遊んでいる。母親をよく手伝い、食前に食器を並べることは必ず行うので感心している。幼児期は泣くことも要求も少ない、手のかからない子どもだった。Aに聞くと、音読が苦手であり、予習はするが授業中うまく音読ができず、緊張して瞬きが多くなり、最近では家でも頻繁に瞬きをしてしまうという。また「友達には合わせているが、本当は話題が合わない」と話す。
Aの見立てと対応として、最も適切なものを1つ選べ。

1 チック症状がみられるため、専門医への受診を勧める。
2 うつ状態が考えられるため、ゆっくり休ませるよう指導する。
3 発達障害の重複が考えられるため、多面的なアセスメントを行う。
4 発達障害が考えられるため、ソーシャルスキルトレーニング〈SST〉を行う。
5 限局性学習症／限局性学習障害〈SLD〉が考えられるため、適切な学習方法を見つける。

問題 024　Check　第3回　問題 147

12歳の女児A、小学6年生。Aは、7月初旬から休み始め、10月に入っても登校しなかったが、10月初旬の運動会が終わった翌週から週に一度ほど午前10時頃に一人で登校し、夕方まで保健室で過ごしている。担任教師は、Aと話をしたり、保護者と連絡を取ったりしながら、Aの欠席の原因を考えているが、Aの欠席の原因は分からないという。スクールカウンセラーBがAと保健室で面接した。Aは「教室には絶対に行きたくない」と言っている。
BのAへの対応として、不適切なものを1つ選べ。

1 可能であれば保護者にAの様子を尋ねる。
2 Aがいじめ被害に遭っていないかを確認する。
3 家庭の状況について情報を収集し、虐待のリスクを検討する。
4 養護教諭と連携し、Aに身体症状がないかどうかを確認する。
5 Aが毎日登校することを第一目標と考え、そのための支援方法を考える。

解説 022　14 歳女子・不登校生徒の親への対応　正答 2

不登校対応に際してスクールカウンセラーである公認心理師はチーム学校・連携という考え方に則り行動することを理解する必要がある。

1 ×「担任教師に内緒で家庭訪問」をすることは、チーム学校・連携という考え方にはそぐわず不適切である。

2 ○ 管理職と相談して家庭訪問について検討することは、チーム学校・連携という考え方から妥当である。

3 × クライエントの姿を見ることなく、医療機関での検査や治療を提案することは不適切である。

4 × 励まして面談を終了してしまうのは、来談した母が今後の相談をする意欲を著しく失う行為であり、不適切である。

5 × 理由がはっきりしないのであれば、学校に行くよう促した方が良いと助言をしてしまうのはスクールカウンセラーとして見立てをする行為を放棄していることに等しいので不適切である。

解説 023　10 歳女児・登校しぶり　正答 3

主訴が「行きしぶり」である女児の相談について、相談背景を踏まえて多角的なアセスメントを行い、優先順位を考えながら必要な支援等を検討していく。

1 ×「緊張して瞬きが多くなる」などチック症状がみられるので専門医の受診も大切だが、他にも訴える症状があるため、現時点でチック症状に焦点を合わせるのは尚早。

2 × 明確なうつ症状はみられていないため現時点では適切ではない。

3 ○ 本文からは、少なくとも「瞬きが多くなる」「音読が苦手」などの［チック症状］や［限局性学習症／限局性学習障害（SLD）］の可能性が見受けられるため、発達障害の重複を念頭に置いて、多面的なアセスメントを行い、その後の支援を検討することが望ましい。［限局性学習症／限局性学習障害（SLD）］は、知的な発達に遅れはないのに、「読む」「書く」「計算する」といった特定のことがうまくできないものをいう。

4 × 発達障害の可能性は考えられるが、ソーシャル・スキルズ・トレーニング（SST）を行うと決めるのは尚早。

5 ×「音読が苦手」などから SLD の可能性は考えられるため、その場合に学習指導は適切だが、他の訴えもあるため、現時点では尚早。

解説 024　12 歳女児・登校しぶり　正答 5

原因はわからないが、教室には行きたくないという子どもは少なくはない。保健室登校や担任教師との会話やスクールカウンセラーとの面接など、本人ができていることを尊重し、焦らずに関わっていくことが重要である。

1 ○ 学校以外での情報を得るためにも、家庭での様子などを保護者に尋ねるのは適切である。

2 ○ 自分がいじめられていることを話したくない児童・生徒もいるため、本問の A もいじめがあることを話したくない気持ちから、原因がわからないと話している可能性は否定できない。いじめがあるに違いないと決めつけることは適切ではないが、A がいじめられているかもしれないという可能性を考えて本人や保護者、担任等に確認していくことも重要である。

3 ○ 2 と同様に、家庭での虐待が潜んでいる可能性もあるので、慎重に情報収集することは重要である。

4 ○ 体調不良等から学校に行くことを拒んでいる可能性もあるため、養護教諭と連携して慎重に確認をすることは重要である。

5 × A が登校をしない理由がわからない中で、毎日登校することを第一の目標とするのは適切ではない。

問題 025 Check 第1回 追 問題 070

15 歳の女子 A、中学 3 年生。8 歳で発達障害と診断されたが、A の保護者はその診断を受け入れられず、その後 A を通院させていなかった。A はクラスメイトとのトラブルが続き、半年前から学校への行きしぶりが続いている。A の保護者は、学校の A に対する対応に不満を持ち、担任教師 B に協力的な姿勢ではなかった。B の依頼を受けた公認心理師であるスクールカウンセラーが介入することになった。
A、A の保護者及び B に対する支援として、不適切なものを 1 つ選べ。

1 A に適した指導案を B に指示する。
2 学校に対する A の保護者の気持ちを受け止める。
3 学校全体で対応する視点を持つように B に助言する。
4 A の保護者と B に一般的な発達障害の特性について説明する。
5 A の保護者に A の医療機関への受診を検討するように勧める。

問題 026 Check 第3回 問題 153

14 歳の男子 A、中学 2 年生。A について担任教師 B がスクールカウンセラーである公認心理師 C に相談した。B によれば、A は小学校から自閉スペクトラム症／自閉症スペクトラム障害〈ASD〉の診断を受けているとの引継ぎがあり、通級指導も受けている。最近、授業中に A が同じ質問をしつこく何度も繰り返すことや、寝ている A を起こそうとしたクラスメイトに殴りかかることが数回あり、B はこのままでは A がいじめの標的になるのではないか、と危惧している。
C の対応として適切なものを 2 つ選べ。

1 保護者の了解を得て主治医と連携する。
2 周囲とのトラブルや孤立経験を通して、A に正しい行動を考えさせる。
3 A から不快な言動を受けた子どもに、発達障害の特徴を伝え、我慢するように指導する。
4 A の指導に関わる教師たちに、A の行動は障害特性によるものであることを説明し、理解を促す。
5 衝動的で乱暴な行動は過去のいじめのフラッシュバックと考え、過去のことは忘れるように A に助言する。

問題 027 Check 第3回 問題 154

中学校の担任教師 A。A は、同じ部活動の女子中学生 3 名について、スクールカウンセラー B に、次のように相談した。3 名は、1 か月ほど前から教室に入ることができずに会議室で勉強しており、A が学習指導をしながら話を聞いていた。先日、生徒たちの表情も良いため、教室に入ることを提案すると、3 名は「教室は難しいが、放課後の部活動なら見学したい」と言った。早速、A が学年教師の会議で報告したところ、他の教師から「授業に参加できない生徒が部活動を見学するのは問題があるのではないか」との意見が出された。
この場合の B の対応として、適切なものを 2 つ選べ。

1 部活の顧問と話し合う。
2 A に援助チームの構築を提案する。
3 B が学年教師の会議に参加して話し合う。
4 学年教師の会議の意見に従うよう A に助言する。
5 A がコーディネーターとして機能するように助言する。

解説 025 15歳女子・発達障害へのスクールカウンセラーの介入 正答 1

公認心理師が、これまでの経緯を踏まえた上で、保護者や担任教師へどのように助言、指導その他の援助を行うかを検討する問題である。

1 × 指導案を作成するにあたっての助言、指導、その他の援助は望ましいが、「指示する」というのは公認心理師法第2条の「定義」に挙げられている業務の観点からも適切とはいえない。

2 ○ 学校への不満だけでなく、診断の受け入れがたさや登校しぶりに苦慮している等の可能性もある。まずは受容的・共感的に保護者の気持ちを受け止める。

3 ○ 担任だけで対応するのではなくチーム学校として関わることが望ましい。

4 ○ 8歳時には発達障害を受け入れられない気持ちはあったが、その後クラスメイトとのトラブルもみられているため、改めて発達障害の特性やどのような援助が可能であるかなどを丁寧に説明していくことが重要である。

5 ○ 8歳以降、通院をしていないため、現在の状況を踏まえた医療機関の受診の検討も重要。無理に勧めず保護者の不安に寄り添うように説明を心がける。

解説 026 14歳男子・スクールカウンセラーの対応 正答 1、4

問題が生じ始めている生徒の初期段階における対応について問われている。当該生徒は、自閉スペクトラム症／自閉症スペクトラム障害（ASD）の診断を受けているが、ASDと問題との関連を丁寧に整理していくことが必要である。

1 ○ Aは過去に自閉スペクトラム症／自閉症スペクトラム障害（ASD）の診断を受けている。現状の通院状況は不明だが、トラブルが生じている状況であるので、可能であれば学校での様子を主治医に共有し、治療方針の検討が依頼できると望ましい。

2 × Aがトラブルをトラブルと認識しているかどうかは現在の情報では不明瞭である。トラブルや孤立経験から正しい行動を考えさせることの意義も一理あるが、まずは現状のトラブルがどのような要因から生じているかについての情報を収集していきたい。

3 × 他の生徒に対して、Aの障害に関する情報をむやみに他言するべきではない。

4 ○ Aが同じ質問を何度も繰り返すことや、クラスメイトに殴りかかろうとした背景には、自閉スペクトラム症／自閉症スペクトラム障害の特性がある可能性も考えられるため、まずはAが悪意を持っているわけではない可能性について、教師たちへ理解を促すことは重要であると考える。

5 × 過去のいじめのフラッシュバックが原因であるとの情報は得られていない。

解説 027 中学校教師・スクールカウンセラーの対応 正答 2、3

中学校での教員に対するスクールカウンセラーの対応について問う問題である。スクールカウンセラーに求められる業務については、文部科学省「スクールカウンセラーの業務」を参照のこと。

1 × まだ部活動に参加することの合意を他の教員たちから得られていないため、部活の顧問に話をするのは早計である。

2 ○ 援助チームを構築することで、Aが孤立することを避け、教員間で共通理解を促すことができると考えられるため、適切な対応である。

3 ○ Bが学年教師の会議に参加し、専門的立場から発言をし、話し合うことは適切な対応である。

4 × 一方的に従うのではなく、まずは他の教員たちとよく話し合い、理解してもらい、チームとして対応することを目指すべきである。

5 × Aは担任であり、この場合校内の連絡調整的なコーディネーターの役を担うことは適切ではない。教育相談コーディネーターもしくはスクールカウンセラーがコーディネーターとして機能すべきである。

問題 028　Check　第3回　問題145

20歳の女性A、大学2年生。Aは「1か月前くらいから教室に入るのが怖くなった。このままでは単位を落としてしまう」と訴え、学生相談室に来室した。これまでの来室歴はなく、単位の取得状況にも問題はみられない。友人は少数だが関係は良好で、家族との関係にも不満はないという。睡眠や食欲の乱れもみられないが、同じ頃から電車に乗ることが怖くなり、外出が難しいと訴える。
公認心理師である相談員が、インテーク面接で行う対応として、不適切なものを1つ選べ。

1　Aに知能検査を行い知的水準を把握する。
2　Aが何を問題だと考えているのかを把握する。
3　Aがどのような解決を望んでいるのかを把握する。
4　恐怖が引き起こされる刺激について具体的に尋ねる。
5　恐怖のために生じている困り事について具体的に尋ねる。

問題 029　Check　第3回　問題074

21歳の男性A、大学3年生。Aは将来の不安を訴えて、学生相談室を訪れ、公認心理師Bと面談した。Aは、平日は大学の授業、週末はボクシング部の選手として試合に出るなど、忙しい日々を送っていた。3か月前にボクシングの試合で脳震とうを起こしたことがあったが、直後の脳画像検査では特に異常は認められなかった。1か月前から、就職活動のためにOBを訪問したり説明会に出たりするようになり、日常生活がさらに慌ただしくなった。その頃から、約束の時間を忘れて就職採用面接を受けられなかったり、勉強に集中できずいくつかの単位を落としてしまったりするなど、失敗が多くなった。
BのAへの初期の対応として、不適切なものを1つ選べ。

1　高次脳機能障害の有無と特徴を評価する。
2　医師による診察や神経学的な検査を勧める。
3　不安症状に対して、系統的脱感作の手法を試みる。
4　現在悩んでいることを共感的に聴取し、問題の経過を理解する。

問題 030　Check　第4回　問題062

22歳の男性A、大学4年生。公認心理師Bが所属する大学の学生相談室に来室した。Aは、6つの企業の就職面接に応募したが、全て不採用となり、就職活動を中断した。その後、就職の内定を得た友人が受講している授業に出席できなくなり、一人暮らしのアパートにひきこもり気味の生活になっている。Aは、「うまく寝付けなくなって、何事にもやる気が出ず、自分でも将来何がしたいのか分からなくなって絶望している」と訴えている。
BのAへの初期対応として、最も適切なものを1つ選べ。

1　就職活動を再開するよう励ます。
2　抑うつ状態のアセスメントを行う。
3　保護者に連絡して、Aへの支援を求める。
4　発達障害者のための就労支援施設を紹介する。
5　単位を取得するために、授業に出席することを勧める。

解説 028　20歳女性・学生相談室の対応　正答 1

インテーク面接がどのような目的で行われるのか、そのためにどのような情報を聞き取ればよいのか、などについて確認しておこう。

1 ×　主訴としては「1か月前くらいから教室に入るのが怖くなった」ことであり、Aの単位の取得状況に現状では問題はみられていないという情報があることから、いきなり知能検査を実施することは不適切である。

2 ○　インテーク面接において、Aが何を問題だと考えているのかを把握することは、今後の対応を検討するためにも必要である。

3 ○　インテーク面接において、Aがどのような解決を望んでいるかを把握することは、今後の対応を検討するために必要である。

4 ○　インテーク面接において、恐怖が引き起こされる刺激について具体的に尋ねることは、Aの症状をアセスメントし、今後の対応を検討するために必要である。

5 ○　インテーク面接において、恐怖のために生じる困りごとについて具体的に尋ねることは、Aの症状をアセスメントし、今後の対応を検討するためにも必要である。

解説 029　21歳男性・学生相談室での初期対応　正答 3

アセスメントを行う際には、まずは器質性の障害の可能性から疑うようにしよう。また、高次脳機能障害ではどのような症状が生じやすいのかや、アセスメントの際に用いられることが多い神経心理学的検査などについても確認しておこう。

1 ○　ボクシングの試合で脳震とうを起こした直後の脳画像検査では異常はなかったが、物忘れや集中力の低下など、高次脳機能障害の可能性が疑えるような症状もみられる。

2 ○　脳画像検査では異常はなかったものの、物忘れや集中力の低下などが生じてきているため、先の検査では明らかにならなかった脳へのダメージが生じてきている可能性も考えられる。

3 ×　Aの主訴である「将来の不安」については、物忘れや集中力の低下などによる失敗が多くなったことによるものだと考えられる。そのため、まずは物忘れや集中力の低下に対する対応を検討するほうが先である。

4 ○　相談者の悩みや困りごとなどについて共感的に聴取し、問題の経過を理解しようと努めることはアセスメントの基本であり、結果的に高次脳機能障害の可能性の検討や今後の対応を検討することにもつながる。

解説 030　22歳男性・学生相談室での初期対応　正答 2

公認心理師試験では、「初期対応」を問う問題が頻出している。初期対応では、まず信頼関係（ラポール）を築くことおよび状態の把握（アセスメント）が重要である。

1 ×　「就職活動を再開するように」という助言は、状態が把握できておらず信頼関係も構築できていない初期には不適切である。

2 ○　抑うつ状態など、「アセスメント」は初期に行うべきことで適切。

3 ×　保護者への連絡は「秘密保持義務の例外事由」に該当しなければ、本人の許可なく行ってはいけない。加えて、第三者への連絡は初期でなくてもAからの信頼を喪失する危険性が高いため、慎重でなければならない。

4 ×　発達障害かどうか明白ではないため不適切。

5 ×　「授業に出席できない」というAの苦しみに寄り添うことが初期対応にはまず必要になる。授業に出席できる状態かどうかのアセスメントもまだ行われていない。そのため出席を勧める助言は時期尚早で不適切。

問題 031　Check ☐☐☐　第3回　問題 152

16歳の男子A、高校1年生。スクールカウンセラーBのいる相談室に来室した。最初に「ここで話したことは、先生には伝わらないですか」と確認した上で話し出した。「小さいときからズボンを履くのが嫌だった」「今も、男子トイレや男子更衣室を使うのが苦痛でたまらない」「こんな自分は生まれてこなければよかった、いっそのこと死にたい」「親には心配をかけたくないので話していないが、自分のことを分かってほしい」と言う。
BのAへの初期の対応として、適切なものを2つ選べ。

1　Aの気持ちを推察し、保護者面接を行いAの苦しみを伝える。
2　性転換手術やホルモン治療を専門的に行っている病院を紹介する。
3　誰かに相談することはカミングアウトにもなるため、相談への抵抗が強いことに配慮する。
4　クラスメイトの理解が必要であると考え、Bから担任教師へクラス全体に説明するよう依頼する。
5　自殺のおそれがあるため、教師又は保護者と情報を共有するに当たりAの了解を得るよう努める。

問題 032　Check ☐☐☐　第3回　問題 149

17歳の女子A、高校2年生。Aは、自傷行為を主訴に公認心理師Bのもとを訪れ、カウンセリングが開始された。一度Aの自傷は収束したが、受験期になると再発した。AはBに「また自傷を始めたから失望しているんでしょう。カウンセリングを辞めたいって思ってるんでしょう」と言うことが増えた。BはAの自傷の再発に動揺していたが、その都度「そんなことないですよ」と笑顔で答え続けた。ある日、Aはひどく自傷した腕をBに見せて「カウンセリングを辞める。そう望んでいるんでしょう」と怒鳴った。
この後のBの対応として、最も適切なものを1つ選べ。

1　再発した原因はB自身の力量のなさであることを認め、Aに丁重に謝る。
2　自傷の悪化を防ぐために、Aの望みどおり、カウンセリングを中断する。
3　再発に対するBの動揺を隠ぺいしたことがAを不穏にさせた可能性について考え、それをAに伝える。
4　自傷の悪化を防ぐために、Bに責任転嫁をするのは誤りであるとAに伝え、A自身の問題に対する直面化を行う。

問題 033　Check ☐☐☐　第1回 追　問題 139

17歳の男子A、高校2年生。スポーツ推薦で入学したが、怪我のため退部した。もともと友人は少なく、退部以降はクラスで孤立し、最近欠席も目立つようになっていた。「死にたい」と書かれたメモをAの保護者が自宅で発見し、スクールカウンセラーに面接依頼があった。保護者との面接では家庭環境に問題は特に認められず、Aは「死ぬつもりはない」と話したという。Aとの面接では、落ち着かずいらいらした態度で、「死ぬ方法をネットで検索している。高校にいる意味が無い」、「今日話したことは誰にも言わないでください」と語った。
スクールカウンセラーの判断と対応として、最も適切なものを1つ選べ。

1　自殺の危険は非常に低いが、Aを刺激しないよう自殺を話題にすることを避ける。
2　自殺の危険が比較的低いため、ストレスマネジメントなどの予防的対応を行う。
3　自殺の危険が比較的低いため、得られた情報は秘密にし、Aとの関係形成を図る。
4　自殺の危険が非常に高いため、Aの安全を確保して、医療機関の受診に結び付ける。
5　自殺の危険が非常に高いため、自殺企図を引き起こしたきっかけを尋ね問題の解決を図る。

解説 031　16 歳男子・性別違和への対応

正答 3、5

性別違和を学校内で児童生徒から相談を受けた際にどのようにスクールカウンセラーが対応を取るのかについて問う問題である。

1 ×「A の気持ちを推察し」とはあるが、本人からの口頭および書面での承諾を得ずに保護者面接を行い、A の苦しみを勝手に伝えるのは極めて不適切である。

2 × 性転換手術やホルモン治療はリスクが高い。相談を受けたからといってすぐに病院を紹介するのは極めて不適切である。

3 ○「話してしまった＝カミングアウトしてしまった」という後悔により、自殺を引き起こす可能性もあるので、選択肢のように相談への抵抗が強く、十二分な配慮をする必要がある。

4 × A からの承諾もなく、担任教師へ勝手に話すことはアウティング行為（他者の秘密を本人の許可なく別の人に伝えること）であり、極めて不適切である。

5 ○ 選択肢 3 の解説で書いたように、カミングアウト後に後悔の念により自殺をすることが十分に考えられるため、本人の了解を得た上で必要最小限の関係者と情報を共有することは適切な行為である。

解説 032　17 歳女子・自傷行為

正答 3

自傷行為に対する公認心理師の対応について問われている。

1 × B の関わりが再発に影響している可能性は否定できないが、原因はそれだけではない。また、ここで謝罪するという行為も不適切である。

2 × A は境界性パーソナリティ障害の可能性が考えられ、B に対する言動は試し行動と思われる。そのため、A の要求に全て応える行為は適切でない。

3 ○ 公認心理師自身が感じたことや考えたことを正直に冷静に伝えることは大切なことである。

4 × まずは A を受け入れ、理解することが大切である。責任転嫁をするのは誤りであると A に伝えることは A を否定することになる。事象の悪化を防ぐための対応として不適切である。

解説 033　17 歳男子・自殺念慮

正答 4

自殺念慮を持つ生徒に対するスクールカウンセラーの対応を問う問題である。スクールカウンセラーに限らず、心理職にとって自殺、自殺予防は非常に重要なテーマである。

1 ×「死にたい」というメモを残したり、死ぬ方法をネットで検索したりといった行動から、「自殺の危険が非常に低い」とは言えない。自殺の危険性を適切にアセスメントするためにも自殺の話題を避けずに死にたいという気持ちについて話をすることが重要である。

2 × 面接での落ち着かずにいらいらした態度は、自殺の危険性が高いことを示唆しており、ストレスマネジメントによる予防的対応では十分とは言えない。

3 × A の自殺の危険性は高く、この場合は A との関係形成よりも身の安全を守ることを優先すべきである。

4 ○ A の言動から自殺の危険性は高いと判断されるため、A の安全確保を第一に考える。

5 × 自殺の引き金となりそうな問題の解決は重要であるが、まずは安全確保が優先される。その後に問題解決を考える。

問題 034　Check ☑☑☑　第3回　問題071

22歳の男性A、大学4年生。Aは12月頃、就職活動も卒業研究もうまくいっていないという主訴で学生相談室に来室した。面接では、気分が沈んでいる様子で、ポツリポツリと言葉を絞り出すような話し方であった。「就職活動がうまくいかず、この時期になっても1つも内定が取れていない。卒業研究も手につかず、もうどうしようもない」と思い詰めた表情で語っていた。指導教員からも、日々の様子からとても心配しているという連絡があった。
Aの自殺のリスクを評価する際に優先的に行うこととして、不適切なものを1つ選べ。

1　絶望感や喪失感などがあるかどうかを確認する。
2　就職活動の方向性が適切であったかどうかを確認する。
3　現在と過去の自殺の念慮や企図があるかどうかを確認する。
4　抑うつ状態や睡眠の様子など、精神的・身体的な状況を確認する。
5　就職活動や卒業研究の現状を、家族や友人、指導教員に相談できているかどうかを確認する。

問題 035　Check ☑☑☑　第1回 追　問題144

大学の学生相談室のカウンセラーが、教員Aから以下のような相談を電話で受けた。
「先月、ゼミを1か月欠席している学生Bを指導するため面談しました。Bは意欲が減退し、自宅に引きこもり状態で、大学生にはよくある悩みだと励まし、カウンセリングを勧めましたがそちらには行っていないようですね。Bは私とは話せるようで、何回か面談しています。今日の面談では思い詰めた表情だったので、自殺の可能性を考え不安になりました。後日また面談することについてBは了承していますが、教員としてどうしたら良いでしょうか。」
このときのカウンセラーのAへの対応として、最も適切なものを1つ選べ。

1　Bの自殺の危険性は低いと伝え、対応はAに任せる。
2　カウンセラーがBと直接会ってからAと対応を検討する。
3　Bにカウンセリングを受けることを強く勧めるよう助言する。
4　Bの問題を解決するために継続的にAに面談することを提案する。
5　危機対応として家族に連絡し医療機関への受診を勧めるよう助言する。

問題 036　Check ☑☑☑　第3回　問題077

24歳の女性A、小学5年生の担任教師。Aの学級は、前任からの担任教師の交代をきっかけに混乱した状態に陥った。Aの学級の複数の児童が、授業中の私語や立ち歩きなどの身勝手な行動をしていた。学級のその他の児童たちは知らん顔で、学習にはある程度取り組むものの、白けた雰囲気であった。Aは学級を立て直したいが、どうすればよいか分からない。
スクールカウンセラーがAに対してこの学級についてのコンサルテーションを行う際に、重視すべき事項として、適切なものを2つ選べ。

1　保護者の意見
2　児童の家庭環境
3　個々の児童の学力
4　学級のルールの定着
5　教師と児童の人間関係

解説 034　22歳男性・自殺のリスク

正答 2

クライアントの自殺リスクの評価に関する問題である。厚生労働省による「自殺に傾いた人を支えるために－相談担当者のための指針－」を確認しておこう。

1 ○ 絶望感や喪失感は自殺のリスクを高めるので、確認する必要がある。

2 × 就職活動の方向性を見直すことは大切であるが、自殺リスクの評価のためには優先事項ではない。

3 ○ 現在あるいは過去に自殺の念慮や企図があることは自殺の危険因子であるので、確認する。

4 ○ 精神的・身体的な状況によっては自殺のリスクが高まるので、確認する必要がある。

5 ○ 周りに相談できる人がおらず、孤立していることは自殺の危険因子であるので、確認する。

解説 035　大学におけるコンサルテーション

正答 4

学生相談室のカウンセラーの教員との連携、対応を問う問題である。カウンセラーと学生はつながっていないが、教員と学生の間には信頼関係がある程度形成されていることに着目する。

1 × Bの自殺の可能性は低いとは言い切れず、カウンセラーと教員Aは連携して対応すべきケースであると考えられる。

2 × Bはまだ学生相談室には来ておらず、カウンセラーとの信頼関係も築かれていないため、本人が希望しない限りは直接会うことは不適切である。

3 × Aはすでにカウンセリングを受けることを勧めているにもかかわらずBは来室していないのだから、ここで強く勧めることはAとの信頼関係を損なうことにもなりかねない。

4 ○ BはAと面談することを了承しているのだから、そこにある程度の信頼関係はあると考えられる。よって、まずはAと継続的に会って問題の解決を考えることが最も現実的である。

5 × Bとの面談の約束ができているため、まずは家族に連絡する前にBと面談し、今の状況がどの程度危機対応を要する状況であるかを判断することが上策である。

解説 036　24歳女性・学級担任へのコンサルテーション

正答 4、5

担任の交代によって混乱が生じており、学級担任も困った様子が見受けられる。スクールカウンセラーとしてのコンサルテーションにおける優先度を検討する。

1 × 保護者の意見も重要だが、現状の優先度は他の選択肢より下がる。

2 × 担任の交代をきっかけに混乱が生じているので、児童の家庭環境も重要であるが、直接的な要因とは考えにくい。

3 × 個々の児童の学習能力も重要であるが、混乱の直接的な要因とは考えにくい。

4 ○ 授業中の私語や立ち歩きなどは、学級のルールの未定着による影響が考えられるため、担任が交代した段階で改めて確認をすることは優先度が高い。

5 ○ 担任の交代によって混乱が生じているので、最も優先度が高いものと考えられる。

問題 037

Check ☑☑☑ 第3回 問題150

9歳の男児A、小学3年生。Aは、注意欠如多動症／注意欠如多動性障害〈AD/HD〉と診断され、服薬している。Aは、待つことが苦手で順番を守れない。課題が終わった順に担任教師Bに採点をしてもらう際、Aは列に並ばず横から入ってしまった。Bやクラスメイトから注意されると「どうせ俺なんて」と言ってふさぎ込んだり、かんしゃくを起こしたりするようになった。Bは何回もAを指導したが一向に改善せず、対応に困り、公認心理師であるスクールカウンセラーCに相談した。
CがBにまず伝えることとして、最も適切なものを1つ選べ。

1 学級での環境調整の具体案を伝える。
2 Aに自分の行動を反省させる必要があると伝える。
3 Aがルールを守ることができるようになるまで繰り返し指導する必要があると伝える。
4 Aの年齢を考えると、この種の行動は自然に収まるので、特別な対応はせず、見守るのがよいと伝える。

③産業

問題 038

Check ☑☑☑ 第3回 問題063

45歳の男性A、市役所職員。Aは上司の勧めで健康管理室を訪れ、公認心理師Bが対応した。Aの住む地域は1か月前に地震により被災し、Aの自宅も半壊した。Aは自宅に居住しながら業務を続け、仮設住宅への入居手続の事務などを担当している。仮設住宅の設置が進まない中、勤務はしばしば深夜に及び、被災住民から怒りを向けられることも多い。Aは「自分の態度が悪いから住民を怒らせてしまう。自分が我慢すればよい。こんなことで落ち込んでいられない」と語る。その後、Aの上司からBに、Aは笑わなくなり、ぼんやりしていることが多いなど以前と様子が違うという連絡があった。
この時点のBのAへの対応として、最も適切なものを1つ選べ。

1 Aの上司にAの担当業務を変更するように助言する。
2 Aの所属部署職員を対象として、ロールプレイを用いた研修を企画する。
3 災害時健康危機管理支援チーム〈DHEAT〉に情報を提供し、対応を依頼する。
4 Aに1週間程度の年次有給休暇を取得することを勧め、Aの同意を得て上司に情報を提供する。
5 Aに健康管理医〈産業医〉との面接を勧め、Aの同意を得て健康管理医〈産業医〉に情報を提供する。

解説 037　9歳男児・注意欠如多動症／注意欠如多動性障害への対応　正答 1

注意欠如多動症／注意欠如多動性障害（AD/HD）のある児童を担当する学級担任へのコンサルテーションについて問う問題である。

1 ○ AD/HDへの対応は医療機関での投薬治療と並行して環境調整が必要なので、スクールカウンセラーは学級内の環境調整への具体案（教室内の刺激を減らす、与える情報を小分けにするなど）を伝えることが適切な行為である。

2 × AD/HDは衝動性の問題である。環境調整と投薬治療を行い、ある程度状態が改善してから反省を検討するものであり、それ以前に行うことではない。

3 × すでに担任は繰り返し指導を行っているので、この対応が最も適切とはいえない。

4 × AD/HDと診断され、問題行動により、本人も周りも困っているのに「特別な対応はせず、見守るのがよいと伝える」ことは何も相談に応えていないので不適切。

解説 038　45歳男性・災害関連業務に従事する市役所職員　正答 5

災害関連業務に従事する市役所職員のメンタルヘルス支援に関する問題である。A自身が被災しながらも日々の対応にあたっている点を考慮し、Aの状態をアセスメントする必要がある。

1 × 担当業務を変えることで何らかの変化がみられる可能性もあるが、A自身の状態は業務によるストレスのみとは考えにくく、根本的な解決にはならない。

2 × 研修の時期、対象、方法のいずれも疑問である。どのようなロールプレイを行うかもこの選択肢では判断できない。

3 × 災害時健康危機管理支援チームは、災害発生時に被災した地域の保健医療調整本部と保健所が行う保健医療行政の指揮調整機能等を応援する専門チームである。そのため、この事例の支援対象ではない。

4 × 休暇を取ることで一時的な負担の軽減にはなるかもしれないが、1週間休暇を取ったところで状況が改善するわけではないため、対応としてはあまり適切でない。

5 ○ Aの言動や上司によって報告されたAの様子から、Aは抑うつ状態にあると推察される。そのため、産業医との面接を勧め、情報を提供するなどの連携を取ることが求められる。

問題 039 Check □□□ 第3回 問題068

32歳の女性A、会社員。Aは、感情の不安定さを主訴に社内の心理相談室に来室し、公認心理師Bが面接した。職場で良好な適応状況にあったが、2か月前から動悸をしばしば伴うようになった。その後、異動してきた上司への苛立ちを強く自覚するようになり、ふとしたことで涙が出たり、これまで良好な関係であった同僚とも衝突することがあった。最近では、緊張して発汗することがあり、不安を自覚するようになった。
Bが優先的に行うべきAへの対応として、最も適切なものを1つ選べ。

1 休職を勧める。
2 瞑想を教える。
3 認知行動療法を勧める。
4 医療機関の受診を勧める。
5 カウンセリングを導入する。

問題 040 Check □□□ 第1回追 問題074

36歳の女性A、事務職。がん検診で乳がんが見つかった。通院のため、上司に事情を説明すると「がんの治療のことを考えたら、退職せざるを得ないね」と言われ、ショックを受けた。社内相談室の公認心理師に相談に来て、「もう立ち直れない。何も考えられない。退職するしかない」と訴えた。
Aへの公認心理師の対応として、不適切なものを1つ選べ。

1 Aの心理的な状態を把握し、産業保健スタッフと連携する。
2 休職して治療に専念し、完治したら職場復帰の手続をとるように助言する。
3 Aの要望に応じて、産業医から上司にAの病状や必要な配慮について説明できることを伝える。
4 社内の産業保健スタッフと医療機関とが連携し、仕事を継続しながら治療を受ける方法があることを説明する。

問題 041 Check □□□ 第3回 問題143

20代の男性A、会社員。Aは、300名の従業員が在籍する事業所に勤務している。Aは、うつ病の診断により、3か月前から休職している。現在は主治医との診察のほかに、勤務先の企業が契約している外部のメンタルヘルス相談機関において、公認心理師Bとのカウンセリングを継続している。抑うつ気分は軽快し、睡眠リズムや食欲等も改善している。直近3週間の生活リズムを記載した表によれば、平日は職場近くの図書館で新聞や仕事に関連する図書を読む日課を続けている。職場復帰に向けた意欲も高まっており、主治医は職場復帰に賛同している。
次にBが行うこととして、最も適切なものを1つ選べ。

1 傷病手当金の制度や手続について、Aに説明する。
2 Aの診断名と病状について、管理監督者に報告する。
3 職場復帰の意向について管理監督者に伝えるよう、Aに提案する。
4 職場復帰に関する意見書を作成し、Aを通して管理監督者に提出する。
5 Aの主治医と相談しながら職場復帰支援プランを作成し、産業医に提出する。

解説 039　32歳女性・感情の不安定　　正答 4

女性Aの症状や状況を整理して、必要な対応を検討する。各選択肢の対応が必ずしも間違っているわけではなく、問題文に記載の情報から判断し、優先度を検討することが求められている。

1 × 動悸や緊張からの発汗、ふと涙が出ることや不安などの症状、上司への苛立ち、同僚との衝突など職場における問題はあるが、通院やカウンセリングをしながらの就業も考えられるため、休職が妥当かは現状では判断が難しい。

2 × 瞑想をすることで感情の安定などを図れる可能性は考えられるが、Aに対して、現時点で瞑想が優先的な対応であるかの判断根拠に乏しい。

3 × 2と同様で、認知行動療法が適当かどうかの判断は難しい。

4 ○ すでにいくつかの症状が認められているため、医療機関の受診は妥当であり、よく似た病気の可能性を判断するための [除外診断] の優先度が高いと考えられる。

5 × 上司や同僚との衝突なども見受けられるので、対人関係に関してカウンセリングを導入することの意義はあると考えられるが、まずは医療機関の受診を優先し、カウンセリングの適応可否も含め、医師の指示を受けながら行うことが望ましいと考えられる。

解説 040　36歳女性・がん患者への心理的ケア　　正答 2

がん患者への公認心理師の職務を問う問題である。本人が適切な選択ができるようにサポートするという基本をおさえておくことが重要ポイントである。

1 ○ Aは自ら退職を望んでいるとは問題文からは見受けられない。いずれにしても、産業保健スタッフと連携し、Aが適切な選択をしてサポートが得られるよう調整する。

2 × Aの意思が決まっていない段階で心理師が決めることではない。さらに、休職するか否かの判断は医師とAが行うことである。

3 ○ 心理師はAに対してできるサポートをきちんと伝え、その上でAが適切な選択ができるよう支援する。そのサポートには、他職種との連携や環境調整が含まれる。よって、Aが望めば産業医から上司にAの症状等を説明できることを伝えるのは適切である。

4 ○ 急な病の宣告に際し、本人はどのような選択肢があるか知らないことも多い。そのため、退職だけではない選択肢があることを情報提供することは大切である。

解説 041　20代男性・うつ病による休職　　正答 3

職場の休職から復職までの関わりについては「心の健康問題により休業した労働者の職場復帰支援の手引き」などを参照し、当該者に対して、上司や人事、産業保健スタッフ、主治医などがどのように連携をしながら関わっていくかを整理しておくことが重要。

1 × 傷病手当金は、けがや病気のため労務不能になって3日間会社を休んだ上、第4日目以降から給付が始まる制度である。このため、3か月休職した時期にこの制度についての説明をするのは適切ではないと考えられる。また、外部のメンタルヘルス機関の公認心理師が制度や手続きの説明を担う可能性は低く、人事担当者や上司などが行う場合が多いと考えられる。

2 × Aの診断名や病状は、主治医から診断書等にて管理監督者に報告されることが多い。

3 ○ Aの抑うつ気分は軽快しており、睡眠リズムや食欲等も改善している。また、本人の職場復帰の意欲も高まっており、主治医から職場復帰への賛同も得られているので、職場復帰に向けて動き始めるには妥当と思われる。まずは、A自身から管理監督者に復帰の意向を伝えるのが適切と考えられる。

4 × 職場復帰に関して公認心理師としての「見立て」等を報告する可能性は考えられるが、職場復帰の可否に関する意見書は通常主治医から出される。

5 × 職場復帰支援プランは、主治医だけではなく、A本人や管理監督者、産業医等の関係者とともに作成すべきである。

問題 042 Check ☑☑☑ 第3回 問題144

35歳の男性A、会社員。Aは、製造業で1,000名以上の従業員が在籍する大規模事業所に勤務している。約3か月前に現在の部署に異動した。1か月ほど前から、疲労感が強く、体調不良を理由に欠勤することが増えた。考えもまとまらない気がするため、健康管理室に来室し、公認心理師Bと面談した。AはBに対して、現在の仕事を続けていく自信がないことや、部下や後輩の指導に難しさを感じていること、疲労感が持続していることなどを話した。前月の時間外労働は約90時間であった。
このときのBの対応として、最も適切なものを1つ選べ。

1 面談内容に基づき、Aに休職を勧告する。
2 Aの上司に連絡して、業務分掌の変更を要請する。
3 医師による面接指導の申出を行うよう、Aに勧める。
4 積極的に傾聴し、あまり仕事のことを気にしないよう、Aに助言する。
5 急性のストレス反応であるため、秘密保持義務を遵守してAの定期的な観察を続ける。

問題 043 Check ☑☑☑ 第4回 問題142

54歳の男性A、会社員。仕事への興味の減退を主訴に心理相談室に来室した。Aは、大学卒業後、技術系の仕事に就き、40歳代で管理職になった。4か月前にゴルフ友達が亡くなったのを機に不眠傾向となり、かかりつけ医から睡眠薬を処方された。しかし、症状は改善せず、体調不良を自覚して検査を受けたが異常は指摘されなかった。清潔な身なりで礼容は保たれているが、張りのない声で、「楽しい感情が湧かない」、「ゴルフが大好きだったのに行く気がしない」、「ふさぎ込んでいるので家庭の空気を悪くして申し訳ない」と述べた。飲酒習慣は晩酌程度という。
最も優先して確認するべきAの症状を1つ選べ。

1 易疲労感
2 希死念慮
3 自信喪失
4 早朝覚醒
5 体重減少

解説 042　35 歳男性・健康管理室の対応

正答 3

異動に伴う体調不良が見受けられるケースであるが、部下や後輩への関わり方、疲労感の蓄積、時間外労働時間などの課題を抱えている様子が見受けられる。労働安全衛生法では、長時間労働は医師による面接指導が義務化されているため、本問でもまずは産業医等との面談の機会を設定し、バイオ・サイコ・ソーシャルの観点から A の状態を見立てる必要がある。見立ての結果として、選択肢 1、2、5 などの対応を行うことも考えられるが、まずは時間外労働時間に関する面接を行い、必要な情報を得ることが優先される。

1 ×　上記の通り、まずは医師との面談の機会を設けることが優先であり、その結果として休職を勧告する可能性はあるが、現状の情報から休職を勧告するには時期尚早と考えられる。

2 ×　業務分掌の変更を要請することが適切かの判断に足る情報は得られていないと考えられる。いずれにしても上司への連絡の際には、公認心理師 B と上司との間で情報交換を行うことについて、A の同意を得ることが必要。

3 ○　労働安全衛生法により 1 か月あたりの時間外労働時間が 80 時間を超え、疲労の蓄積が認められる場合は、当該労働者からの申し出があれば、医師による面接指導を行うことが義務づけられているため、医師の面接指導は適当。

4 ×　時間外労働時間が面接指導に該当し、体調不良による欠勤も増えているなど、業務に支障が出ているため、傾聴や「気にしないように」という助言では不十分であり、具体的な対応を行うことが望ましいと考えられる。

5 ×　現時点では、急性ストレス反応を引き起こすような心的外傷体験などがあったかどうか判断するには情報が不足している。

解説 043　54 歳男性・優先して確認するべき症状

正答 2

うつ病が疑われる事例である。これまでの経緯や身体症状から、A はうつ病の可能性が考えられる。うつ病患者の生命予後を左右する最大の因子は自殺であるため、自殺予防対策の観点から希死念慮の有無を注意深く確認する必要がある。

1 ×　易疲労感や倦怠感もうつ病の症状であるが、生命予後を左右する症状ではない。

2 ○　うつ病患者は［自殺リスク］が高い。したがって、自殺予防対策の観点から、自殺の危険因子の評価、［希死念慮の有無］の評価が重要となる。

3 ×　自信喪失もうつ病の症状であるが、既に問題文の経緯や状況からうつ病の可能性が疑われるため、この事例では［自殺予防対策］を第一に考えなければならない。

4 ×　不眠傾向の症状があり既に睡眠薬の処方を受けている。状況が改善せず、うつ病の可能性があることから、［自殺のリスク］をアセスメントすることが優先される。

5 ×　体重減少もうつ病の症状であるが、選択肢 3 と同様に［自殺予防対策］の観点から考えると、他に優先して確認しなければならないことがある。

④福祉

問題 044 Check ☑☑☑ 第1回 問題059

3歳の男児。3日前に階段から落ち元気がないため診てほしいと母親に連れられて来院した。担当医師の診察結果では、頭部に裂傷と血腫、胸部に紫斑を認めた。胸部エックス線写真で肋骨に受傷時期の異なる複数の骨折を認めた。公認心理師は担当医師から対応を相談された。ソーシャルワーカーからは、男児の家族は1か月前にこの病院のあるA市に転居して来たと伝えられた。診療録によると、最近1か月の間に、小児科で脱水、皮膚科で熱湯による熱傷、外科では外傷による爪剥離と転倒による肋骨骨折の治療歴がある。
このとき公認心理師が提案する対応として、最も適切なものを1つ選べ。

1 児童相談所へ通報する。
2 母親に夫との関係について聴く。
3 母親に子育て支援団体を紹介する。
4 引き続き小児科外来での診療を勧める。
5 母親に今回と過去の受傷機転の詳細について問い質す。

問題 045 Check ☑☑☑ 第3回 問題076

5歳の男児A。Aは、実父からの身体的虐待が理由で、1か月前に児童養護施設に入所した。Aは、担当スタッフの勧めで同施設内に勤務する公認心理師Bの面談に訪れた。担当スタッフによると、Aは、入所時から衝動性・攻撃性ともに高かった。施設内では、コップの水を他児Cにかけたり、他児Dを椅子で殴ろうとしたりするなど、Aの暴力が問題となっていた。また寝つきが悪く、食欲にむらが見られた。Bとの面談でAは暴力の理由を「いつも僕が使っているコップをCが勝手に使ったから」「Dが僕の手首を急に掴んだから」と語った。また、「夜眠れない」と訴えた。
Bが初期に行う支援として、適切なものを2つ選べ。

1 遊戯療法を速やかに導入し、Aに心的外傷体験への直面化を促す。
2 受容的態度でAの暴力を受け入れるよう、担当スタッフに助言する。
3 コップ等の食器は共用であるというルールを指導するよう、担当スタッフに助言する。
4 Aの様子を観察し、Aが安心して眠れる方法を工夫するよう、担当スタッフに助言する。
5 衝動性や攻撃性が高まる契機となる刺激ができるだけ生じないように、担当スタッフと生活環境の調整を検討する。

解説 044　3歳男児・医師からの相談

正答 1

本問では児童虐待が疑われた児童への対応について問われている。

1 ○ 複数の外傷や熱傷、骨折など児童虐待において起こりやすい受傷が1か月という短期間に頻度高くみられており、虐待が疑わしい状況である。児童虐待防止法第6条に基づき、虐待を疑った時点で通告する。

2 × 詳細な家族関係は不明だが、夫婦関係に特化して聴くことはやや不自然。

3 × 母や家族の状況についての詳細は不明である。母への支援が必要な可能性は高いと考えるが、子どもの命を守るという緊急性の観点から通告が先決である。

4 × 継続的なフォローが可能であれば心強いことではあるが、子どもの身の安全を考えると、まずは虐待の可能性があるために通告が先決である。

5 × 受傷機転とは、打撲や骨折等の外傷を負うに至った原因や経緯のことをいう。受傷機転の詳細は重要だが、「問い質す」ことで母親が動揺し、子どもの身の危険につながることは避けたい。診察時に不自然にならぬよう機転の詳細を確認できると望ましいが、機転の確認に固執せずに子どもの安全確保を第一とする。

メモ　児童虐待防止法第5条（早期発見）と第6条（通告）

児童虐待の防止等に関する法律（児童虐待防止法）第5条

「学校、児童福祉施設、病院、都道府県警察、婦人相談所、教育委員会、配偶者暴力相談支援センターその他児童の福祉に業務上関係のある団体及び学校の教職員、児童福祉施設の職員、医師、歯科医師、保健師、助産師、看護師、弁護士、警察官、婦人相談員その他［児童の福祉に職務上関係のある者］は、児童虐待を発見しやすい立場にあることを自覚し、［児童虐待の早期発見］に努めなければならない。」

児童虐待の防止等に関する法律（児童虐待防止法）第6条

「児童虐待を受けたと思われる児童を発見した者は、速やかに、これを市町村、都道府県の設置する［福祉事務所］若しくは［児童相談所］又は児童委員を介して市町村、都道府県の設置する福祉事務所若しくは児童相談所に［通告］しなければならない。」

解説 045　5歳男児・身体的虐待の初期支援

正答 4、5

虐待を受けた子どもは、周囲への不信や衝動の制御の困難、攻撃的な言動や行動、落ち着かなさ、人との関わりの困難、自己評価の低さなどの課題を持つことがある。まずは、その子どもが安心して生活できる環境を整えることが大切である。

1 × 遊戯療法は効果的な可能性も考えられるが、心的外傷体験への直面化は大きな負担になる可能性があるため、まずは安心できる環境を整えることが優先。

2 × 虐待を受けた子どもの暴力を受容することによって、暴力は悪いものではないという学習を助長させてしまう可能性があるので適当ではない。

3 × ルールを指導することは重要であるが、暴力の背景には虐待の影響も考えられるため、初期の段階ではなく、安心感を得られはじめていく中で行う方が望ましい。

4 ○ Aが安心して生活できるようになるために、安心して眠れる方法を工夫することは優先度が高い。

5 ○ 意図せず衝動性や攻撃性が高まらないように環境調整を行うことは初期において重要である。

問題 046　Check ☑☑☑　第1回　問題 067

28歳の男性A、無職。Aは中学時代にいじめに遭い遅刻や欠席が増え、高校2年生のときに不登校となった。それ以来、自宅にひきこもり、アルバイトを試みた時期もあったが、最近はほとんど外出しない。普段はおとなしいが、家族がA自身の今後のことを話題にすると急に不機嫌になり、自分の部屋にこもってしまう。対応に苦慮した母親が精神保健福祉センターに来所した。
Aと家族に対するセンターの初期の対応として、最も適切なものを1つ選べ。

1　訪問支援を行う。

2　Aが同意した後に母親の相談に応じる。

3　Aの精神医学的評価に基づいて支援を検討する。

4　Aに対する家族の対応に誤りがないかどうかを話し合う。

5　即効性のある対処法を母親に教えて相談を継続する動機を高める。

問題 047　Check ☑☑☑　第2回　問題 065

26歳の男性A。Aの両親がひきこもり地域支援センターに相談のため来所した。Aは3年前に大学を卒業したが、就職活動を途中で中断し就職はしていない。1年前まではたまにアルバイトに出かけていたが、それ以降は全く外出していない。インターネットを介して知人と交流しているが、長時間の使用はない。独語や空笑は観察されず、会話や行動にも不自然さはないという。Aは医療機関への受診を拒絶している。
両親への対応として、最も適切なものを1つ選べ。

1　家族教室への参加を勧める。

2　インターネットの解約を助言する。

3　地域包括支援センターを紹介する。

4　精神保健福祉法に基づく移送制度の利用を助言する。

5　精神障害者相談支援事業所の利用について情報を提供する。

(注：「精神保健福祉法」とは、「精神保健及び精神障害者福祉に関する法律」である。)

解説 046 28 歳男性・ひきこもり 正答 3

精神保健福祉センターにおけるひきこもりに対する初期対応についての問題である。まず何をすべきなのかという観点から解答することが求められている。

1 × Aの状態を把握せずに、また信頼関係のない中でいきなり訪問支援を行うことは不適切である。

2 × 家族が困って相談に来る際、本人の同意を得られればベストであるが、実際には難しい。その場合、まずは家族の相談に乗り、そこからAに対する支援を考えることになる。

3 ○ 家族からの情報で、ひきこもりの背景に精神医学的評価によって精神障害の可能性があるかどうかをみることは最優先にすべきことである。それによって支援内容が違ってくるからである。

4 × 家族の対応方法についての検討は重要であるが、まずは本人の状態把握が必要である。

5 × 本人の精神医学的状態を把握した上で支援内容を検討し、母親にも継続的に相談に来てもらえるよう働きかける。

解説 047 26 歳男性・ひきこもり 正答 1

ひきこもりをしているA（要心理支援者）の家族に対する公認心理師としての関わり方が問われている問題である。

1 ○ 家族教室は要心理支援者の［家族］に病気についての知識などを習得してもらったり、日頃の不安や悩みを［共有］したりすることを目的とした［心理社会的］な介入である。様々な職種のスタッフが関わることがあるが、公認心理師の役割は大きい。

2 × 公認心理師として関わるということは、「心理学に関する専門的知識及び技術をもって関わる」ということである。インターネットの解約について助言することは公認心理師として求められている役割とはいえない。また、インターネットを介した知人との交流はAにとって大切なことと考えられるため、解約すること自体、適切とはいえない。

3 × 地域包括支援センターは、［介護保険法］に基づき設置された高齢者の総合的な相談窓口である。このため、26 歳のAは対象ではない。ひきこもりに特化した専門的な第一次相談窓口は、［ひきこもり地域支援センター］である。

4 × 移送制度は、［精神保健福祉法］第 29 条と第 34 条に基づくものである。精神疾患を有し精神科治療が必要かつ有効にもかかわらず、入院の必要性を認識できず治療を拒否する患者を医療に結びつけるための制度である。精神保健指定医の診察により、満たすべき要件が定められている。問題文からは、Aが精神障害である可能性は低いと考えられる（少なくとも重篤な問題はない）。また、知人との交流もできており、インターネットの利用も適切になされているので、判断能力などが著しく低下しているとは考えにくい。そのため、Aは入院の要件を満たしていない。

5 × 障害者相談支援事業所はあるが精神障害者相談支援事業所という機関はない。障害者相談支援事業所の利用対象者は、障害のある人や家族などの関係者で精神障害のある人も含まれる。Aに何らかの障害があるかどうかは不明であるため、利用について情報提供することは適切ではない。

加点のポイント 要心理支援者の関係者への支援

要心理支援者に対する関わりだけでなく、要心理支援者の関係者に対し、その相談に応じ、助言、指導その他の援助を行うことも公認心理師の業務として公認心理師法に明記されている。そのため、国家試験でも要心理支援者の関係者に対する関わり方を問う事例問題が多く出題されている。

⑤開業その他

問題 048 Check ☑☑☑ 第2回 問題063

32歳の女性。民間のカウンセリングセンターに電話で申し込んだ上で、来所した。申込時の相談内容には「夫婦の関係で困っている」と記載されている。
インテーク面接を担当する公認心理師が自己紹介や機関の説明をした上で、具体的に相談内容を聞き始める際の発言として、最も適切なものを1つ選べ。

1 今日は、どういうご相談でしょうか。
2 どうして、ご夫婦の関係が問題なのですか。
3 ご夫婦の関係についてのご相談ということですが、なぜここに相談を申し込まれたのですか。
4 お電話ではご夫婦の関係で困っていらっしゃると伺いましたが、ご結婚はいつなさったのですか。
5 お電話ではご夫婦の関係で困っていらっしゃるとのことでしたが、もう少しご事情をお話しいただけますか。

問題 049 Check ☑☑☑ 第2回 問題066

4歳の女児A。Aは2週間前に豪雨による水害で被災し、避難所で寝泊まりをするようになった。避難所では母親のそばを片時も離れなかった。10日前に自宅に戻ったが、自宅でもAは母親について回り、以前していた指しゃぶりを再びするようになった。夜静まると戸外の音に敏感になり、「雨、たくさん降ったね。川からゴーって音したね」と同じ話を繰り返した。被災から2週間がたつがAは保育園にもまだ行けないため、母親は保育園を巡回している公認心理師に、対応の仕方を尋ねてきた。
公認心理師の助言として、適切なものを1つ選べ。

1 通園させるように強く促す。
2 母子が少しずつ離れる練習をする。
3 指しゃぶりをやめさせるようにする。
4 災害時の様子を話し始めたら、話題を変える。
5 災害に関するニュースなどの映像を見せないようにする。

問題 050 Check ☑☑☑ 第4回 問題143

25歳の男性A、消防士。妻と二人暮らし。台風による大雨で川が大規模に氾濫したため、Aは救出活動に従事した。当初は被災住民を救出できたが、3日目以降は遺体の収容作業が多くなった。5日目を過ぎた頃から、同僚に、「自分は何の役にも立たない。何のために仕事をしているのか分からない。家ではいらいらして、妻に対してちょっとしたことで怒り、夜は何度も目を覚ましている」と話した。心配した同僚の勧めで、Aは医療支援チームの一員である公認心理師Bに相談した。
この段階でのBのAへの対応として、最も適切なものを1つ選べ。

1 もう少し働き続ければ慣れると伝える。
2 職業の適性に関する評価が必要であることを伝える。
3 家庭では仕事のつらさについて話をしないよう勧める。
4 他の消防士も参加できるデブリーフィングの場を設ける。
5 急なストレス状況でしばしばみられる症状であることを伝える。

解説 048　32 歳女性・公認心理師の初回面接開始時の発言　正答 5

カウンセリングの申し込みを受け、概ねの主訴を申し込み時に記載した後の初回面接開始時の心理師の発言を問う問題である。クライエントの主訴を聞き始める際の心理師の基本的態度、所作が問われている。

1 ✕ 申し込み時に記載したにもかかわらず、その内容を読んでいないかのように思わせる発言は、クライエントに不信感をもたらしてしまうため不適切。

2 ✕ まるで「夫婦関係が問題というのはおかしい」と言っているような発言であり不適切。来談するクライエントは傷つきやすい状態にある。発言には十分注意しなければならない。

3 ✕ 開始直後に聞くことではない。また、「通所機関を選んだ理由」は、相談機関には参考になってもクライエントにとってはさほど重要なことではない場合が多い。

4 ✕ こちらも開始直後に聞くことではない。選択肢 3 および 4 は、クライエントが話したいことよりも公認心理師が聞きたいことを聞いてしまっているため不適切。

5 ○ まずクライエントが訴えた内容を話してもらうよう促す発言が適切。

解説 049　4 歳女児・災害直後の女児に対する母親への助言　正答 5

災害直後の 4 歳女児の情緒的動揺に対する母親の対応に関する知識を問う問題である。災害直後の子どもの反応として、親から離れなくなったり、災害を思い出させるような遊びを繰り返したりなどといった行動が代表的である。

1 ✕ 本事例の主題は災害による［心的外傷］であり、まずは［安心感］を取り戻すことが重要となる。通園できないことが本事例の主題ではなく、安心感を取り戻し、自然に通園できるようになることを目指すことが適切であるため誤り。

2 ✕ 安心感を取り戻せるまでは、できるだけ母親がそばにいてあげたほうがいい場合が多い。

3 ✕ 指しゃぶりの頻発は［退行現象］とも捉えられ、安心感を取り戻そうと無意識に対処している場合が多い。そのため、無理にやめさせるのは逆効果になる。

4 ✕ 母親から意図的に聞き出すことは不適切だが、女児が自ら話し出したら止めずに聞いてあげることが心の傷を癒し、安心感につながる。

5 ○ 災害に関するニュースや動画を見せることは、受け身的な曝露になってしまう。よって、さらに不安や恐怖が高まってしまうとされているため、できるだけ見せないようにしたほうがよい。

解説 050　25 歳男性・自然災害の対応にあたる消防士への対応　正答 5

災害支援者のメンタルヘルスへの対応に関する問題である。災害支援に従事する人は、惨事ストレスと呼ばれる心理的負荷を負うことがある。特に遺体と関わる業務は支援者に大きなストレスがかかる。

1 ✕ 災害支援に従事する人に対しては、ねぎらいが大切である。また、惨事ストレスがみられている場合は、休息や見守りが重要である。働き続ければ慣れるなどと無責任に言うべきではない。

2 ✕ 既に生じている惨事ストレスのケアを行うべきである。公認心理師が職業適性の評価の必要性を話すことは適切ではない。

3 ✕ 信頼できる人に話をすることで、気分が軽くなることがある。話をしないように勧めるのは適切ではない。

4 ✕ 災害直後の心理的デブリーフィングは有害であることが報告されている。

5 ○ ［惨事ストレス］は「異常事態に対する正常な反応」であり、誰にでも起こり得る。公認心理師は、惨事ストレスの基礎知識や惨事ストレスの典型的な反応についての理解を促すよう努めることが望まれる。

問題 051 Check 第3回 問題142

55歳の男性A、会社員。Aの妻Bが、心理相談室を開設している公認心理師Cに相談した。Aは、元来真面目な性格で、これまで常識的に行動していたが、2、3か月前から身だしなみに気を遣わなくなり、部下や同僚の持ち物を勝手に持ち去り、苦情を受けても素知らぬ顔をするなどの行動が目立つようになった。先日、Aはデパートで必要とは思われない商品を次々とポケットに入れ、支払いをせずに店を出て、窃盗の容疑により逮捕された。現在は在宅のまま取調べを受けている。Bは、逮捕されたことを全く意に介していない様子のAについて、どのように理解し、対応したらよいかをCに尋ねた。
CのBへの対応として、最も優先度が高いものを1つ選べ。

1 Aの抑圧されていた衝動に対する理解を求める。

2 Aの器質的疾患を疑い、医療機関の受診を勧める。

3 Aに内省的構えを持たせるため、カウンセリングを受けるよう勧める。

4 Aに再犯リスクアセスメントを実施した後、対応策を考えたいと提案する。

5 Aの会社や家庭におけるストレスを明らかにし、それを低減させるよう助言する。

問題 052 Check 第4回 問題075

70歳の女性A。Aは、Aの夫である会社役員のBに付き添われ、開業している公認心理師Cのもとを訪れた。Bによると、Aは自宅近くのスーパーマーケットで大好きなお菓子を万引きし、店を出てから食べているところを警備員に発見されたとのこと。Aは、「万引きはそのときが最初で最後であり、理由は自分でもよく分からない」と述べるとともに、同居している半身不随のBの母親の介護を一人で行っているため自分の時間を持てないことや、Bが介護はAの仕事であると言っていることへの不満を述べた。AとBは、Cに対してAが二度と万引きしないようになるための助言を求めている。
CのAへの理解として、<u>不適切なもの</u>を1つ選べ。

1 Aは、窃盗症の疑いが強い。

2 Aは、ストレスへの対処力が弱まっている。

3 AとBの夫婦間コミュニケーションが不十分である。

4 Aにとっては、Bの母親の介護が負担になっている。

5 Aに器質的疾患があるかどうかを確認する必要がある。

解説 051　55歳男性・前頭側頭型認知症と思われるケースへの対応　正答 2

特に問題行動のない人生を送ってきたクライエントの中年期における突然の理解しがたい行動にはどのように対応をするかを問う問題である。

1　×　抑圧があるのであれば、逮捕などの状況で取り乱すなど理解可能な行動を取るはずであり、この対応は誤りである。

2　○　ある特定のことだけではなく、日常生活も職業生活にも急速な機能低下がみられるために器質性の疾患が問題行動の背景にある可能性が高く、特に年齢的に前頭側頭型認知症（ピック型認知症）の好発期であることから、この疾患が予想され、医療機関への受診を勧めるのが適切である。

3　×　行動水準の全般的な低下がみられるために、内省的な構えを持たせるためのカウンセリングは不適切である。

4　×　再犯というのは厳密にいえば、懲役に処せられた者が再び犯罪行為を行うことであり、現時点では逮捕され在宅での取り調べ中であり、再犯リスクアセスメントを実施する段階ではない。

5　×　行動水準が全般的に低下していることからストレス因の低減という方法は不適切である。

解説 052　70歳女性・万引き　正答 1

高齢者の心理的支援を行う上では、高齢であることに起因する諸事情を考慮しつつ、問題行動があればその原因を推定していくことが求められる。

1　×　DSM-5では、[窃盗症]は「物を盗もうとする衝動に抵抗できなくなることが繰り返される」とされているので、本事例のAは現時点で初犯であり、該当しない。

2　○　70歳とA自身が高齢であるが、義母の介護疲れのために自分の時間がとれず、気晴らしなどでストレスに対処できない状況であると判断できる。

3　○　Bは自身の母親を介護しているAに対し「介護はAの仕事である」と述べるなど、夫婦間の信頼関係が疑わしい言動がみられる。

4　○　Aにとって義母の介護は妻として義務的に行っている面もあり、夫のBはAに任せてしまっている状況がうかがえるため、かなりの負担になっていると考えられる。

5　○　Aが「理由は自分でもよく分からない」と述べている点から、70歳と高齢でもあり、認知症などの器質的疾患の可能性も考慮すべきである。

MEMO

第3部

本試験問題

公認心理師国家試験

第５回（令和４年７月17日実施）

Check　１回目／　月　日

Check　２回目／　月　日

Check　３回目／　月　日

公認心理師国家試験
第５回（令和４年７月17日実施）
〈午前〉

問題1　**個人情報の保護に関する法律における「要配慮個人情報」に該当するものを１つ選べ。**

1　氏名
2　掌紋
3　病歴
4　生年月日
5　基礎年金番号

問題2　**心理支援におけるスーパービジョンについて、最も適切なものを１つ選べ。**

1　最新の技法を習得することが主な目的である。
2　スーパービジョンの対象にアセスメントは含まれない。
3　異なる領域の専門家の間でクライエントの支援について話し合われる。
4　スーパーバイジーの心理的危機に対して、スーパーバイザーはセラピーを行う。
5　スーパーバイジーには、実践のありのままを伝える自己開示の姿勢が求められる。

問題3　**障害者の職業生活における自立を図るため、雇用、保健、福祉、教育等の関係機関との連携の下、障害者の身近な地域において就業面及び生活面における一体的な支援を行い、障害者の雇用の促進及び安定を図ることを目的とする施設として、最も適切なものを１つ選べ。**

1　就労移行支援事業所
2　精神保健福祉センター
3　障害者職業総合センター
4　障害者就業・生活支援センター
5　国立障害者リハビリテーションセンター

問題4 高い目標を立て、それを高い水準で完遂しようとする動機として、最も適切なものを 1 つ選べ。

1 親和動機

2 達成動機

3 外発的動機

4 生理的動機

5 内発的動機

問題5 心理学の実験において、独立変数と従属変数の因果関係の確かさの程度を表すものとして、最も適切なものを 1 つ選べ。

1 内的妥当性

2 収束的妥当性

3 内容的妥当性

4 基準関連妥当性

5 生態学的妥当性

問題6 重回帰分析において、説明変数間の相関の絶対値が大きく、偏回帰係数の推定が不安定となる状態を説明する概念として、正しいものを 1 つ選べ。

1 一致性

2 共通性

3 独自性

4 不偏性

5 多重共線性

問題7 観察法のチェックリスト法による 2 人の評定の一致の程度を表す指標として、最も適切なものを 1 つ選べ。

1 α係数

2 γ係数

3 κ係数

4 ϕ係数

5 ω係数

問題8 **ヒューリスティックスの説明として、適切なものを 1 つ選べ。**

1 いくつかの具体的事例から一般的、普遍的な法則性を結論として導く手続のことである。

2 外的な事象をもとに内的なモデルを構成し、その操作により事柄を理解する手続のことである。

3 一連の手順を正しく適用すれば、必ず正しい結果が得られることが保証されている手続のことである。

4 現在の状態と目標とする状態を比較し、その差異を最小化するような手段を選択していく手続のことである。

5 しばしば経験から導かれ、必ずしも正しい結果に至ることは保証されていないが、適用が簡便な手続のことである。

問題9 **子どものディスレクシアの説明として、最も適切なものを 1 つ選べ。**

1 知的能力障害(精神遅滞)を伴う。

2 生育環境が主な原因となって生じる。

3 文字の音韻情報処理能力に問題はない。

4 読字と同時に、書字にも障害がみられることが多い。

5 この障害のある人の割合は、言語圏によらず一定である。

問題10 **R.S. LazarusとS. Folkmanによるトランスアクショナルモデル〈transactional model〉の説明として、適切なものを1つ選べ。**

1 パニック発作は、身体感覚への破局的な解釈によって生じる。

2 抑うつは、自己・世界・未来に対する否定的な認知によって生じる。

3 無気力は、自らの行動と結果に対する非随伴性の認知によって生じる。

4 ストレス反応は、ストレッサーに対する認知的評価とコーピングによって決定される。

5 回避反応は、レスポンデント条件づけとオペラント条件づけの原理によって形成される。

問題11 **嚥下反射の中枢が存在する部位として、最も適切なものを 1 つ選べ。**

1 延髄

2 小脳

3 中脳

4 辺縁系

5 視床下部

問題12 **高次脳機能障害における遂行機能障害の説明として、最も適切なものを 1 つ選べ。**

1 話題が定まらない。

2 自発的な行動に乏しい。

3 行動の計画を立てることができない。

4 ささいなことに興奮し、怒鳴り声をあげる。

5 複数の作業に目配りをすることができない。

問題13 **コストに対する報酬の比が個人の期待である比較水準を上回る場合に当事者はその関係に満足し、一方、別の他者との関係におけるコストと報酬の比である選択比較水準が比較水準を上回る場合には、その関係に移行すると考える理論に該当するものを1つ選べ。**

1 バランス理論

2 社会的浸透理論

3 社会的比較理論

4 相互依存性理論

5 認知的不協和理論

問題14 **H.S. Sullivanの着想に基づく前青年期における互いの同質性を特徴とする仲間関係として、適切なものを1つ選べ。**

1 ピア・グループ

2 チャム・グループ

3 ギャング・グループ

4 セルフヘルプ・グループ

5 エンカウンター・グループ

問題15 **注意欠如多動症／注意欠如多動性障害〈AD/HD〉の児童へのアセスメントについて、最も適切なものを1つ選べ。**

1 親族についての情報を重視しない。

2 1歳前の行動特性が障害の根拠となる。

3 運動能力障害の有無が判断の決め手となる。

4 家族内での様子から全般的な行動特性を把握する。

5 保育園、幼稚園などに入園してからの適応状態に注目する。

問題16 **H. Ebbinghausが文章完成法を開発した際に、測定しようとした対象として、最も適切なものを1つ選べ。**

1 性格

2 病態

3 対人知覚

4 知的統合能力

5 欲求不満耐性

問題17 WAIS-Ⅳにおいて、制限時間のない下位検査を１つ選べ。

1 算数
2 パズル
3 絵の完成
4 行列推理
5 バランス

問題18 自分自身で一定の手順に従い、段階的に練習を進めることによって、心身の機能を調整する方法として、最も適切なものを１つ選べ。

1 森田療法
2 自律訓練法
3 シェイピング
4 スモールステップ
5 セルフ・モニタリング

問題19 T. Holmes らの社会的再適応評価尺度において、LCU 得点〈Life Change Unit score〉が最も高く設定されているライフイベントを１つ選べ。

1 親友の死
2 近親者の死
3 配偶者の死
4 本人の怪我や病気
5 経済状態の大きな変化

問題20 職場におけるメンタルヘルス対策として、G. Caplan の予防モデルに基づく二次予防に該当するものを１つ選べ。

1 職場復帰支援プランの作成
2 高ストレス者への医師による面接指導
3 メンタルヘルスケアに関する研修の実施
4 過重労働対策としての労働時間の上限設定
5 疾病を抱える労働者への治療と仕事の両立支援

問題21 T. Dembo と B. Wright らが提唱した障害受容の理論に関する説明として、正しいものを１つ選べ。

1 価値範囲を縮小する。
2 相対的価値を重視する。
3 失われた能力の回復を重視する。
4 精神障害の病識研究を端緒とする。
5 障害に起因する波及効果を抑制する。

問題22 **深刻な逆境経験がありながらも、良好な心理社会的適応を遂げる過程を示す概念に該当するものを1つ選べ。**

1 ジョイニング

2 レジリエンス

3 エントレインメント

4 ソーシャル・キャピタル

5 ソーシャル・インクルージョン

問題23 **認知症の行動・心理症状 [behavioral and psychological symptoms of dementia〈BPSD〉] について、最も適切なものを1つ選べ。**

1 生活環境による影響は受けない。

2 前頭側頭型認知症では、初期からみられる。

3 治療では、非薬物療法よりも薬物療法を優先する。

4 Alzheimer型認知症では、幻視が頻繁にみられる。

5 単一の妄想として最も頻度が高いのは、見捨てられ妄想である。

問題24 **特別な教育的支援を必要とする子どもへの就学相談や就学先の決定について、最も適切なものを1つ選べ。**

1 就学相談を経て決定した就学先は、就学後も固定される。

2 就学相談は、心理検査の結果を踏まえて就学基準に照らして進める。

3 就学相談のために、都道府県教育委員会は就学時健康診断を実施する。

4 保護者、本人等との合意形成を行うことを原則とし、市町村教育委員会が最終的に就学先を決定する。

5 就学先が決定した後に、保護者への情報提供として、就学と当該学校や学級に関するガイダンスを行う。

問題25 **少年院における処遇について、適切なものを1つ選べ。**

1 公共職業安定所と連携し、出院後の就労先の確保のため就労支援を行う。

2 矯正教育課程のうち医療措置課程の実施が指定されているのは、第2種少年院である。

3 在院中の少年に対して、高等学校卒業程度認定試験を受験する機会を与えることはできない。

4 仮退院中の少年の相談に応じることはできるが、退院した少年の相談に応じることはできない。

5 障害を有する在院者には、適当な帰住先の有無にかかわらず、出院後速やかに福祉サービスを受けられるよう特別調整を行う。

問題26 事業主が職場における優越的な関係を背景とした言動に起因する問題に関して雇用管理上講ずべき措置等についての指針（令和２年、厚生労働省）が示す、職場におけるパワーハラスメントの３つの要素に該当するものを１つ選べ。

1 上司による部下への行為
2 行為者が正規雇用労働者であるもの
3 ひどい暴言や名誉棄損などの精神的な攻撃
4 その行為により労働者の就業環境が害されるもの
5 当該労働者が通常就業している事業場で行われた行為

問題27 アレルギー反応によるアナフィラキシーの症状として、最も適切なものを１つ選べ。

1 顔の腫れ
2 手の震え
3 気道の拡張
4 血圧の上昇
5 脈拍の減少

問題28 慢性的なコルチゾールの過剰状態に伴う症状として、正しいものを１つ選べ。

1 低血糖
2 るい痩
3 眼球突出
4 けいれん
5 満月様顔貌

問題29 我が国における移植医療について、最も適切なものを１つ選べ。

1 移植件数が最も多い臓器は腎臓である。
2 臓器を提供する意思表示に年齢の制約はない。
3 移植を受けた患者に精神障害が生じるのはまれである。
4 肝移植の大部分は脳死後の臓器提供によるものである。
5 生体移植における提供者の意思確認は移植医療チームが行う。

問題30 DSM-5の回避・制限性食物摂取症／回避・制限性食物摂取障害の特徴として、最も適切なものを１つ選べ。

1 小児に特有である。
2 食べることへの関心を失う。
3 過度の減量を契機に発症する。
4 体型に対する認知に歪みがある。
5 文化的慣習によって引き起こされる。

問題31 **DSM-5 の月経前不快気分障害が含まれる症群又は障害群を 1 つ選べ。**

1 抑うつ障害群
2 不安症群／不安障害群
3 身体症状症および関連症群
4 双極性障害および関連障害群
5 心的外傷およびストレス因関連障害群

問題32 **睡眠薬として用いられるオレキシン受容体拮抗薬の副作用として、頻度が高いものを 1 つ選べ。**

1 依存
2 傾眠
3 呼吸抑制
4 前向性健忘
5 反跳性不眠

問題33 **自傷他害のおそれはないが、幻覚妄想があり、入院を必要とする精神障害者で、本人も入院を希望している。この場合に適用される精神保健及び精神障害者福祉に関する法律〈精神保健福祉法〉に基づく入院形態として、適切なものを 1 つ選べ。**

1 応急入院
2 措置入院
3 任意入院
4 医療保護入院
5 緊急措置入院

問題34 **小児科における公認心理師の活動の留意点に含まれないものを 1 つ選べ。**

1 家族は心理的支援の対象である。
2 治療すべき身体疾患を見逃さないよう連携を図る。
3 虐待に関わる証拠の発見収集はもっぱら医師に任せる。
4 疾患についての治療内容や自然な経過を知るようにする。
5 重篤な疾病の診療で疲弊した医療者を支えることは業務の1つとなる。

問題35 **低出生体重児及びその発達に関する説明として、不適切なものを 1 つ選べ。**

1 低出生体重児は、高体温症になりやすい。
2 低出生体重児は、単胎児よりも多胎児により多い傾向がある。
3 極低出生体重児は、運動障害や知的障害などの合併症の頻度が高い。
4 日本における低出生体重児の出生比率は、2005年以降9～10％である。
5 低出生体重児は、一般的に新生児集中治療室〈NICU〉などにおける医療ケアを要する。

問題36 **身体障害者福祉法施行規則別表第５号（身体障害者障害程度等級表）で定められている障害種に該当しないものを１つ選べ。**

1 視覚障害

2 肢体不自由

3 発達性協調運動障害

4 聴覚又は平衡機能の障害

5 音声機能、言語機能又はそしゃく機能の障害

問題37 **うつ病に対する認知行動療法の主な技法として、不適切なものを１つ選べ。**

1 認知再構成法

2 問題解決技法

3 活動スケジュール

4 持続エクスポージャー法

5 ソーシャル・スキルズ・トレーニング〈SST〉

問題38 **生物心理社会モデルに関する説明として、誤っているものを１つ選べ。**

1 心理的要因には、感情が含まれる。

2 生物的要因には、遺伝が含まれる。

3 社会的要因には、対処行動が含まれる。

4 多職種連携の枠組みとして用いられる。

5 生物医学モデルへの批判から提案されたモデルである。

問題39 **アクセプタンス＆コミットメント・セラピー〈ACT〉の説明として、誤っているものを１つ選べ。**

1 第3世代の行動療法と呼ばれる。

2 「今、この瞬間」との接触を強調する。

3 心理的柔軟性を促進させることを目指す。

4 理論的背景として対人関係理論に基づいている。

5 価値に基づいた行動を積み重ねていくことを重視する。

問題40 **緩和ケアの定義（2002年、WHO）の基本的な考え方について、誤っているものを１つ選べ。**

1 家族も対象とする。

2 QOLの改善を目指す。

3 疾患の終末期から開始する。

4 がん以外の疾患も対象とする。

5 スピリチュアルな問題に配慮する。

問題41　強制性交（強姦）等罪の犯罪被害者に認められる可能性があるものとして、誤っているものを 1 つ選べ。

1　加害者の刑事手続に参加すること

2　加害者の公判記録の閲覧及び謄写をすること

3　加害者の刑事裁判結果につき通知を受けること

4　加害者が少年の場合、加害者の少年審判を傍聴すること

5　加害者の刑事裁判で証言するときに付添人を付き添わせること

問題42　T. Ward らが提唱したグッド・ライブス・モデル〈Good Lives Model〉について、不適切なものを 1 つ選べ。

1　クライエントにとっての接近目標と自己管理を重視している。

2　性犯罪者のリラプス・プリベンション・モデルに基づいたモデルである。

3　人間の尊厳や権利を重視し、ポジティブ心理学的アプローチをとっている。

4　クライエントを社会の中に包摂し、その立ち直りへの動機づけを高めるものである。

5　一次的財〈primary goods〉とは人間が生きる上で必要なもので、行為主体性、友情など11の項目が挙げられている。

問題43　質的研究と関わりが深い研究方法や分析方法として、不適切なものを 1 つ選べ。

1　PAC分析

2　主成分分析

3　エスノグラフィー

4　複線径路・等至性アプローチ

5　グラウンデッド・セオリー・アプローチ

問題44　我が国における思春期・青年期の自傷と自殺について、適切なものを 1 つ選べ。

1　10代の自殺者数は、男性よりも女性の方が多い。

2　10代の自傷行為は、女性よりも男性の方が多い。

3　非致死性の自傷行為は、自殺のリスク要因ではない。

4　繰り返される自傷行為は、薬物依存・乱用との関連が強い。

問題45　大学における合理的配慮について、最も適切なものを 1 つ選べ。

1　発達障害のある学生が試験時間の延長を申し出た場合には、理由を問わず延長する。

2　弱視のある学生による試験時の文字拡大器具の使用を許可することは、合理的配慮に含まれる。

3　大学において何らかの支援を受けている発達障害のある学生は、我が国の大学生総数の約6%である。

4　大学においてピアサポーター学生が、視覚障害のある学生の授業付き添いをする場合、謝金支払いは一般的に禁止されている。

問題46　**母子保健法で規定されている内容として、正しいものを 1 つ選べ。**

1　産前産後の休業

2　乳幼児の予防接種

3　母子健康手帳の交付

4　出産育児一時金の支給

問題47　**職場における自殺のポストベンションとして、不適切なものを 1 つ選べ。**

1　必要に応じて専門職員による個別相談の機会を与える。

2　集団で行う場合には、関係者の反応が把握できる人数で実施する。

3　自殺の原因になったと推測される人間関係を含め詳細まで公にする。

4　強い心理的ショックを経験した直後の一般的な心身の反応について説明する。

問題48　**幻肢の説明として、不適切なものを 1 つ選べ。**

1　鏡を用いた治療法がある。

2　痛みやかゆみを伴うことがある。

3　上下肢を失った直後に発症する。

4　切断端より遊離したり縮小したりすることがある。

問題49　**学生相談に関する説明として、不適切なものを 1 つ選べ。**

1　学生相談では、カウンセラー、教職員、学生支援組織及び教育組織の連携と協働が重要である。

2　学生相談の対象は、深刻な困難を抱えている一部の学生ではなく、在籍する全ての学生である。

3　入学してくる多様な学生に対応するために、現在は、医学モデルでの対応が重要視されている。

4　学生相談では、個別面接のほか、合宿などを含めたグループカウンセリングやメンタルヘルス関係の講演会などが開催されている。

問題50　**J. T. Reason が提唱している安全文化の構成要素を表す内容として、不適切なものを 1 つ選べ。**

1　自らのエラーを率直に報告する。

2　定められた指揮系統に厳密に従う。

3　不可欠な安全関連情報を提供する。

4　安全に関する情報を基に正しい結論を導き出す。

問題51 **公認心理師としての実践において倫理的に問題とされる多重関係に該当するものを2つ選べ。**

1 適度に自分の経験を開示する。

2 クライエントから母親のイメージの投影を受ける。

3 心理職の同僚間で相互にコンサルテーションを行う。

4 終結を記念してクライエントとレストランで会食する。

5 税理士であるクライエントに確定申告を手伝ってもらう。

問題52 **多職種チームによる精神科デイケアにおいて、公認心理師が主に行う業務として、適切なものを2つ選べ。**

1 心理教育を行う。

2 作業プログラムを企画する。

3 利用者にピアカウンセリングを行う。

4 利用者の公的補助導入について助言する。

5 ストレスに関して個別相談を希望する利用者に面接する。

問題53 **ナラティブ・アプローチで用いられるナラティブの概念の説明として、適切なものを2つ選べ。**

1 ABCシェマの形式をとる。

2 内容であると同時に行為も意味している。

3 人間の認識形式の1つに位置付けられる。

4 一般的な法則を探求するための手がかりとなる。

5 語り手や環境とは切り離された客観的な現実を示すものである。

問題54 **コミュニティ・アプローチの説明として、正しいものを2つ選べ。**

1 意思決定プロセスは、専門家が管理する。

2 サービスの方略は、心理療法が強調される。

3 病因論的仮定は、環境的要因が重視される。

4 サービスのタイプは、治療的サービスが強調される。

5 マンパワーの資源は、非専門家との協力が重視される。

問題55 **障害者の権利に関する条約〈障害者権利条約〉の内容として、適切なものを2つ選べ。**

1 障害者の使用に特化した設計をユニバーサルデザインという。

2 障害者は、障害の程度に応じて居住する場所について制限される。

3 障害者権利条約を実施するための法令制定に障害者は積極的に関与する。

4 暴力等を経験した障害者の心理的回復のために適当な措置をとることが国に求められる。

5 必要な支援を行うことを目的として、支援者は本人の了解なしに個人情報を取り扱うことができる。

問題56 **不登校児童生徒への支援の在り方について（令和元年、文部科学省）の内容として、適切なものを2つ選べ。**

1 学校に登校するという結果を最終的な目標として支援する。

2 学習内容の確実な定着のために、個別の教育支援計画を必ず作成する。

3 組織的・計画的な支援に向けて、児童生徒理解・支援シートを活用する。

4 フリースクールなどの民間施設やNPO等との積極的な連携は、原則として控える。

5 校長のリーダーシップの下、スクールカウンセラー等の専門スタッフも含めた組織的な支援体制を整える。

問題57 **学校におけるいじめへの対応として、適切なものを2つ選べ。**

1 加害児童生徒に対して、成長支援の観点を持って対応する。

2 被害者、加害者、仲裁者及び傍観者といういじめの四層構造に基づいて事案を理解する。

3 当事者の双方に心身の苦痛が確認された場合には、苦痛の程度がより重い側へのいじめとして対応する。

4 保護者から重大な被害の訴えがあったが、その時点でいじめの結果ではないと考えられる場合は、重大事態とはみなさない。

5 いじめの情報が学校にもたらされた場合には、当該校に設置されている学校いじめ対策組織を中心に情報収集や対応に当たる。

問題58 **触法少年について、正しいものを2つ選べ。**

1 触法少年は、少年院に送致されることはない。

2 触法少年に対する審判結果は、被害者には通知されない。

3 触法少年とは、14歳未満で刑罰法令に触れる行為をした少年をいう。

4 触法少年は、警察官による事件の調査に関し、いつでも弁護士である付添人を選任することができる。

5 児童相談所は、警察から送致を受けた触法少年の事件については、家庭裁判所に送致しなければならない。

問題59 学習方法の違いにより学習内容の習得度に差があるかを検討する研究を行った。まず、参加した80名の生徒を無作為に2群（各40名）に分割して事前テストを行い、両群の能力が同等であることを確認した。そこで、一方を講義形式で学習する群、他方を協同学習で学習する群とし、学習後に事後テストを行った。事後テストの平均値（標準偏差）は、講義形式群67. 34（9.12）、協同学習群76. 40（8.79）であった。また、事前テストと事後テストの得点間の相関係数は、講義形式群0.66、協同学習群0.54であった。
学習方法の違いにより習得度に差があるかを検討する分析法として、最も適切なものを1つ選べ。

1 2群の事後テストの平均値を対応のあるt検定で分析する。

2 2群の事後テストの平均値を対応のないt検定で分析する。

3 2群の事前テストと事後テストの相関係数を対応のあるt検定で分析する。

4 2群の事前テストと事後テストの相関係数を対応のないt検定で分析する。

5 2群の事後テストの平均値と相関係数を被験者間2要因分散分析で分析する。

問題60 乳児50名を対象として、視覚認知機能を調べる実験を行った。まず、実験画面上に図形Aを繰り返し提示したところ、乳児は最初は画面を長く注視したが、その後、注視時間は減っていった。注視時間が半減したところで、画面上に図形Bを提示したところ、乳児の画面の注視時間が回復して長くなった。一方、異なる乳児50名を対象として、同様に画面上に図形Aを繰り返し提示し、注視時間が半減したところで、画面上に図形Cを提示した場合は、乳児の画面の注視時間は回復しなかった。
この2つの実験結果から解釈される乳児期の視覚認知機能の性質として、最も適切なものを1つ選べ。

1 図形Cよりも図形Bを選好注視する。

2 図形Bには馴化し、図形Cには脱馴化する。

3 図形Bよりも図形Cに強い親近性選好を示す。

4 図形Aの後に、図形Cよりも図形Bの出現を期待する。

5 図形Aと図形Bは区別するが、図形Aと図形Cは区別しない。

問題61 7歳の男児A、小学1年生。登校しぶりがあり、母親Bに伴われ市の教育センターに来室した。Bによると、Aは、「クラスの子がみんな話を聞いてくれない」、「授業で何をやったら良いのか分からない」と言っている。Bは、Aが教室内での居場所がないようで心配だと話した。公認心理師である相談員CがAに話しかけると、Aは自分の好きなアニメの解説を一方的に始めた。
Aに対する支援をするに当たり、Aの適応状況に関する情報収集や行動観察に加え、CがA自身を対象に実施するテストバッテリーに含める心理検査として、最も適切なものを1つ選べ。

1 AQ-J

2 CAARS

3 CAT

4 NEO-PI-R

5 WISC-Ⅳ

問題62 20歳の男性A、大学2年生。単位取得ができず留年が決まり、母親Bに連れられて、学生相談室の公認心理師Cが面接した。Bの話では、1年次からクラスになじめず孤立しており、授業もあまり受講していない。サークル活動やアルバイトもしておらず、ほとんど外出していない。昼夜逆転気味で自室でゲームをして過ごすことが多い。Aは、「何も困っていることはない。なぜ相談しなければいけないのか分からない」と、相談室に連れてこられたことへの不満を述べるものの、相談を継続することは渋々承諾している。
CのAへの初期の対応として、最も適切なものを1つ選べ。

1 情緒的側面に触れながら、問題への気づきを徐々に促す。

2 自室のゲーム機を片付けるといった刺激のコントロールを試みるよう促す。

3 問題状況を改善するための目標設定とその優先順位を検討するよう働きかける。

4 自分の価値観を点検し、自分の言動が周囲にどのような影響を与えるのかについて考えるよう促す。

5 授業に出ることについてポジティブなフィードバックを与えて、望ましい行動が強化されるよう働きかける。

問題63 **45 歳の女性 A、小学 4 年生の男児 B の母親。A は、B の不登校について、教育センターで教育相談を担当している公認心理師 C に相談に訪れた。親子並行面接の親面接において、A は B について少ししか話さず、結婚以来、夫から受けてきたひどい扱いについて軽い調子で話すことが多かった。C は、夫との関係で A が傷ついてきたものと推察しながらも、A の軽い話ぶりに調子を合わせて話を聞き続けていた。そのうちに C は A との面接を負担に感じるようになった。**
E.S. Bordin の作業同盟（治療同盟）の概念に基づいた、C の A への対応方針として、最も適切なものを 1 つ選べ。

1 Cを夫に見立てて、夫に言いたいことを口に出してみるロールプレイを提案する。

2 C自身が、面接を負担に思う自らの気持ちを逆転移と自覚し、その気持ちを重視する。

3 ここに相談に来ることでどんなことが違ってきたら良いと思うかを尋ね、目標について話し合う。

4 親子並行面接であることを踏まえ、Bへの関わり方を話題の焦点とし、話が他に逸れても戻すようにする。

5 Aが話している内容と、その様子が不調和であることを取り上げ、感情体験についての防衛への気づきを促す。

問題64 **14 歳の女子 A、中学 2 年生。1 学期に学校を休むことが多かったことを心配した母親 B に連れられ、夏休みに小児科を受診した。B によると A は、5 月の連休明けから頭が痛いといって朝起きられなくなり、遅刻が増えた。めまい、腹痛、立ちくらみがあるとのことで、6 月からは毎日のように学校を休むようになった。家では、午後になっても身体がだるいとソファで横になって過ごすことが多い。しかし、夕方からは友達と遊びに出かけ、ゲームやおしゃべりに興じることもある。排便によって腹痛が改善することはないという。**
A の状態の理解として、最も適切なものを 1 つ選べ。

1 不安症

2 統合失調症

3 過敏性腸症候群

4 起立性調節障害

5 自閉スペクトラム症

問題65 25歳の女性A、会社員。Aは、混雑した電車に乗って通勤中、急に動悸や息苦しさ、めまいを感じ、「このまま死んでしまうのではないか」という恐怖に襲われ、慌てて病院の救急外来を受診した。心電図などの検査を受けたが、異常は認められず、症状も治まったため、帰宅した。しかし、その日以来、突然の動悸や息苦しさなどの症状が電車内で繰り返し出現した。次第に電車に乗ることが怖くなり、最近は電車通勤ができていない。複数の医療機関で検査を受けたが、原因は特定されず、心療内科クリニックを紹介された。受診したクリニックの公認心理師にAの心理的アセスメントが依頼された。
Aの状態の理解として、適切なものを1つ選べ。

1 強迫観念

2 心気妄想

3 侵入症状

4 対人恐怖

5 予期不安

問題66 47歳の男性A、会社員。Aは不眠を主訴に妻Bに伴われて総合病院の精神科を受診した。2年前にAは昇進し、大きな責任を担うことになった。しかし、この頃から寝付きが悪くなり、飲酒量が増加した。最近は、Bの再三の注意を無視して深夜まで飲酒することが多い。遅刻が増え、仕事にも支障が生じている。担当医は、アルコール依存症の治療が必要であることを説明した。しかし、Aは、「その必要はありません。眠れなくて薬が欲しいだけです」と述べ、不機嫌な表情を見せた。一方、Bは入院治療を強く希望した。AとBの話を聞いた担当医は、公認心理師CにAの支援を依頼した。
現時点におけるCのAへの対応として、最も適切なものを1つ選べ。

1 入院治療の勧奨

2 自助グループの紹介

3 動機づけ面接の実施

4 リラクセーション法の導入

5 認知リハビリテーションの導入

問題67 50歳の男性A、会社員。Aは、1年前に職場で異動があり、慣れない仕事への戸惑いを抱えながら何とか仕事をこなしていた。8か月前から、気力低下が顕著となり、欠勤もみられるようになった。憂うつ感と気力低下を主訴に2か月前に精神科を受診し、うつ病の診断の下、当面3か月間の休職と抗うつ薬による薬物療法が開始された。Aは、2か月間の外来治療と休職により、気力低下や生活リズムは幾分改善し、復職に意欲はみせるものの、不安は残っている様子である。
改訂心の健康問題により休業した労働者の職場復帰支援の手引き（令和2年、厚生労働省）に基づき、現段階のAに必要な支援として、最も適切なものを1つ選べ。

1 試し出勤制度の活用

2 管理監督者による就業上の配慮

3 主治医による職場復帰可能の判断

4 産業医等による主治医からの意見収集

5 傷病手当金など経済的な保障に関する情報提供

問題68 78歳の女性A。3年前に夫と死別した後は、一人暮らしをしている。元来きれい好きで、家の中はいつもきちんと片付いていた。遠方に住む一人娘のBは、安否確認を兼ねて毎日電話でAと話をしている。Aは、2年ほど前から何度も同じ話を繰り返すようになり、半年前頃から、Bと午前中に電話で話したことを忘れて、1日に何度も電話をかけるようになってきた。心配になったBがAを訪問すると、家の中や外に大量のごみがあり、冷蔵庫に賞味期限切れの食材が大量に入っていた。Aの人柄が変わった様子は特にないが、Bが捨てるように説得しても、Aは食べられるから大丈夫と言って取り合わない。
Aの状況から考えられる病態として、最も適切なものを1つ選べ。

1 うつ病

2 ためこみ症

3 前頭側頭型認知症

4 持続性複雑死別障害

5 Alzheimer型認知症

問題69 4歳の男児A。Aの養育は精神障害のある母親Bが行っていた。1歳6か月時の乳幼児健診では、発語がなく、低体重で、臀（でん）部がただれていた。母子で自宅に閉じこもり、Bが不調のときは、Aは菓子を食べて過ごした。ある時、Aに高熱が続くため、小児科を受診したところ、感染症が疑われた。一方、う歯（虫歯）が多数あり、発語も乏しく低栄養状態もみられたため、児童相談所に通告された。Aの一時保護が医療機関に委託され、Aは入院加療となった。Aの入院中にBの精神症状が増悪したために、Aは、退院後に児童養護施設に入所することになった。
入所初期のAへの支援方針として、最も適切なものを1つ選べ。

1 リービングケアを開始する。

2 発語を促すために、言語聴覚療法を開始する。

3 Aのプレイセラピーを通して、トラウマ体験の表現を促す。

4 歯磨きや整髪、衣類の着脱などの身辺自立を優先して訓練する。

5 食事や就寝、入浴など、日課の一貫性が保たれるように工夫する。

問題70 14歳の男子A、中学2年生。Aはささいなきっかけからクラスメイトにひどく殴り掛かったことで生徒指導を受けた。その後、Aの欠席が多くなってきたことが気になった担任教師Bは、公認心理師であるスクールカウンセラーCにAを紹介した。Cとの面接において、Aは、父親が母親にしばしば激しく暴力を振るい、母親が怪我をする場面を見てきたと述べた。しかし、父親からAへの暴力はないという。
Cが優先的に行うべき対応として、最も適切なものを1つ選べ。

1 Aの家庭環境を詳細にアセスメントする。

2 外部機関と連携しAの発達検査を速やかに行う。

3 Bと協力してAと両親を交えた面談の場を設ける。

4 学校でカウンセリングを受けることをAの保護者に提案するよう、Bに伝える。

5 学校として児童相談所などに虐待の通告を行うために、管理職などに事実経過を伝える。

問題71 15歳の男子A、中学3年生。Aは、推薦で高校に進学が決まってから、友人Bとよく遊んでいた。ある日、Bがゲームセンター内の窃盗で逮捕された。Aは直前までBと一緒にいたが、警察で共犯ではないと認められた。動揺していたAは教師の勧めで、スクールカウンセラーCに話を聴いてもらった。AはCに、「その日は、Bが置きっぱなしの財布を見つけ、盗んで遊ぼうと誘ってきた。迷ったが、そうすれば進学できなくなり、親にも迷惑をかけると思い、Bにやめた方がいいと言って帰宅した」と述べた。
Bの非行にAが加担しなかった理由を理解する上で、適合する非行理論として、最も適切なものを1つ選べ。

1 A.K. Cohenの非行下位文化理論

2 E.H. Sutherlandの分化的接触理論

3 H.S. Beckerのラベリング理論

4 R.K. Mertonの緊張理論

5 T. Hirschiの社会的絆理論

問題72 23歳の男性A、会社員。大学時代はサークル活動で中心的な存在であった。入社2か月後に行われたストレスチェックの結果、高ストレス者に該当するか否かを判断する補足的な面接を公認心理師Bが行った。Aのストレスプロフィールは次のとおりであった。「心理的な仕事の負担」は質、量ともに低い。「仕事のコントロール度」、「技能の活用度」、「仕事の適性度」及び「働きがい」が低い。「上司からのサポート」と「同僚からのサポート」は高い。ストレス反応は「いらいら感」が強い。「仕事や生活の満足度」は低いが、「家族や友人からのサポート」は高い。
BのAへの面接で確認すべき事項として、優先度の高いものを1つ選べ。

1 長時間労働の有無

2 家庭生活のストレスの有無

3 精神的な疾患の既往の有無

4 職場の人間関係に関する問題の有無

5 仕事の与えられ方に関する不満の有無

問題73 21歳の女性A、理工系の大学3年生。中学校の理科教科の教師を目指し、専門科目に加えて教員免許取得に関する科目も履修している。しかし、最近アルバイトなどの経験を通して、他者と交流する活動や人に教えることへの興味が低いことに気が付いたため、大学卒業後の職業選択に迷っている。同じ学科の友人や先輩たちと進路について話し合いをするうちに、人と関わる教育などの活動よりも道具や機械を操作する活動に興味が強いことにも気が付いた。そこで、将来の進路として技術職に就くことを考えるようになった。
Aの興味や適性と考え直した進路との関係を説明する理論として、最も適切なものを1つ選べ。

1 D.E. Superのライフ・キャリア・レインボー

2 E.H. Scheinの3つのサイクル

3 J.D. Krumboltzの計画された偶発性

4 J.L. Hollandの六角形モデル

5 N.K. Schlossbergのトランジション

問題74　29歳の男性A、会社員。経理関係の部署から営業部に異動後半年経過した頃から、意欲が減退し、出社できない日もあり、上司から社内の心理相談室を紹介され、公認心理師Bが面接した。Aは、初めての営業の仕事であったが、同僚や上司にうまく頼ることができず、仕事になかなか慣れることができないという。Aは、もともとコミュニケーションが苦手なところがあったが、今では人と会うのも怖くなっており、また、取引先との円滑なやりとりができそうにないと、営業の仕事を続けることについての不安を訴えている。
Aのアセスメントにおいて、テストバッテリーに含める検査として、不適切なものを1つ選べ。

1　AQ-J

2　BDI-Ⅱ

3　IES-R

4　LSAS-J

5　STAI

問題75　22歳の男性A。Aは、同居している父親を台所にあった果物ナイフで切りつけ、全治1か月の怪我を負わせた傷害事件で逮捕された。Aに犯罪歴はない。Aの弁護人によると、Aは一人っ子で、両親との三人暮らしである。中学校入学直後から不登校になり、これまで短期のアルバイト経験はあったものの、本件当時は無職であった。動機についてAは、「近所の人たちが自分の秘密を全て知っているのは、親父が言っているからだ。昔から殴られていたことの恨みもあった。だから刺した」と述べている。
Aの情状鑑定で検討する事項として、誤っているものを1つ選べ。

1　性格の特性

2　認知の特性

3　家族の関係性

4　心神喪失状態の有無

5　犯行当時の生活状況

問題76　10歳の女児A、小学4年生。小学3年生の3月に限局性学習症／限局性学習障害〈SLD〉と診断された。新学期が始まり、スクールカウンセラーBはAの担任教師Cから、Aに対する支援について相談を受けた。Cの情報によると、Aはおとなしく穏やかな性格であり、他の児童との交流は良好である。一方で、語彙が乏しいため、自分の気持ちを適切に表現できない様子がみられる。授業中は、板書をノートに書き写すことに時間がかかっている。結果として、学習に遅れが生じている。
Bの最初の対応として、最も適切なものを1つ選べ。

1　個別の指導の時間をとるようCに助言する。

2　Aの感情の言語化を促すようにCに助言する。

3　Aに知能検査を実施して、認知機能の偏りを把握する。

4　授業中の学習活動を観察して、Aの学習方略とつまずきを把握する。

問題77 20歳の男性A。現在、精神科病院に入院中である。Aの母親はすでに他界している。Aは19歳のときに統合失調症を発症し、2回目の入院である。近々退院予定であり、退院後は、父親Bとの二人暮らしとなる。BはAに対して、「また入院したのは、自分で治そうという気がないからだ」、「いつも薬に頼っているからだめなんだ。もっとしっかりしろ」とたびたび言っている。Aの主治医は、公認心理師Cに退院後の再発予防に有用な支援を検討してほしいと依頼した。
このときCが実施を検討すべきものとして、適切なものを2つ選べ。

1 Aに対するSST

2 Bに対する回想法

3 Bに対する心理教育

4 Aに対するTEACCH

5 AとBに対するリアリティ・オリエンテーション

公認心理師国家試験

第５回（令和４年７月17日実施）

〈午後〉

問題78 **小児科外来で、医師が２日前に階段から転落した乳幼児の診察中に、虐待が疑われる外傷を認めた。医師が更に診察を行う間、乳幼児を連れてきた親の面接を依頼された公認心理師の対応として、最も適切なものを１つ選べ。**

1 親の生育歴を聞く。

2 親の悩みや感情を聞く。

3 受傷起点の詳細を聞く。

4 受傷と受診の時間差の理由を聞く。

5 他の家族が受傷に関与している可能性を聞く。

問題79 **高齢者福祉領域で働く公認心理師の業務について、最も適切なものを１つ選べ。**

1 利用者と家族が安全に面会できるように、感染症予防対策マニュアルを単独で作成した。

2 経済的虐待が疑われたが、当事者である利用者から強く口止めされたため、意向を尊重して誰にも報告しなかった。

3 カンファレンスで心理的アセスメントの結果を報告する際、分かりやすさを優先して専門用語の使用を控えて説明した。

4 訪問介護員から介護負担が大きい家族の情報を入手し、その家族宅を訪問して、要介護者に対してMMPIを実施した。

5 面接中に利用者の片側の口角が急に下がり、言語不明瞭になったが、話す内容がおおむね分かるため予定時間まで面接を継続した。

問題80 **G.W. Allport や R.B. Cattell らの特性論の考えを引き継ぎ、L.R. Goldberg が指摘した性格特性理論の基盤となっている統計手法として、適切なものを１つ選べ。**

1 因子分析

2 分散分析

3 共分散分析

4 重回帰分析

5 クラスター分析

問題81 感情が有効な手がかりになる際には、判断の基盤として感情を用いるが、その影響に気づいた場合には効果が抑制されると主張している感情に関する考え方として、最も適切なものを 1 つ選べ。

1 感情情報機能説

2 認知的評価理論

3 コア・アフェクト理論

4 感情ネットワーク・モデル

5 ソマティック・マーカー仮説

問題82 質的研究における、分析結果の解釈の妥当性を高める方法として、最も適切なものを 1 つ選べ。

1 インタビュー

2 コーディング

3 メンバー・チェック

4 アクション・リサーチ

5 グラウンデッド・セオリー・アプローチ

問題83 全対象者に一連の番号を付け、スタート番号を乱数によって決め、その後、必要な標本の大きさから求められた間隔で研究対象者を抽出する方法として、最も適切なものを 1 つ選べ。

1 系統抽出法

2 集落抽出法

3 層化抽出法

4 多段抽出法

5 単純無作為抽出法

問題84 注意の抑制機能に関連する現象として、最も適切なものを 1 つ選べ。

1 盲視

2 相貌失認

3 ファイ現象

4 McGurk効果

5 ストループ効果

問題85 特定の鍵刺激によって誘発される固定的動作に関連する用語として、正しいものを1つ選べ。

1 般化
2 臨界期
3 刻印づけ
4 生得的解発機構
5 プライミング効果

問題86 行動の学習について、正しいものを1つ選べ。

1 古典的条件づけでは、般化は生じない。
2 味覚嫌悪学習は、脱馴化の典型例である。
3 部分強化は、連続強化に比べて反応の習得が早い。
4 危険運転をした者の運転免許を停止することは、正の罰である。
5 未装着警報音を止めるためにシートベルトをすることは、負の強化である。

問題87 パーソナリティの5因子モデルのうち、開放性に関連する語群として、最も適切なものを1つ選べ。

1 寛大な、協力的な、素直な
2 怠惰な、無節操な、飽きっぽい
3 陽気な、社交的な、話し好きな
4 悩みがち、動揺しやすい、悲観的な
5 臨機応変な、独創的な、美的感覚の鋭い

問題88 脈絡叢（みゃくらくそう）で産生され、中枢神経系の保護と代謝に関わるものとして、適切なものを1つ選べ。

1 血液
2 粘液
3 組織間液
4 脳脊髄液
5 リンパ液

問題89 ある実験において、写真に写った本人は左右反転の鏡像をより好み、その友人は同じ人の正像をより好むという結果が得られたとする。この結果を説明する心理学概念として、最も適切なものを１つ選べ。

1 傍観者効果
2 単純接触効果
3 ピグマリオン効果
4 自己中心性バイアス
5 セルフ・ハンディキャッピング

問題90 J.J. Arnett が提唱した発達期として、正しいものを１つ選べ。

1 若者期〈youth〉
2 超高齢期〈oldest-old〉
3 ポスト青年期〈post adolescence〉
4 成人形成期〈emerging adulthood〉
5 成人後期移行期〈late adult transition〉

問題91 C.A. Rapp が提唱したストレングス・モデルの説明として、最も適切なものを１つ選べ。

1 強化子を積極的に活用する。
2 地域の資源を優先的に活用する。
3 クライエントに支援計画の遵守を指示する。
4 クライエントの症状や障害に焦点を当てる。
5 症状の消失をリカバリーの到達目標にする。

問題92 H.S. Sullivan の関与しながらの観察の説明として、最も適切なものを１つ選べ。

1 支援者と要支援者双方の相互作用の中で共有される治療構造のことである。
2 要支援者との関わりにおいて生じる、共感不全に注目した観察を基本とする。
3 支援者は、要支援者との関係で生じる事態に巻き込まれざるを得ないという認識を前提とする。
4 支援者が要支援者に対し、問題行動を修正する介入を行い、その効果を観察し分析することである。
5 投影同一化によって要支援者から投げ込まれたものとして、支援者が自己の逆転移を観察することである。

問題93 **質問紙法による心理検査の説明として、最も適切なものを 1 つ選べ。**

1 CAARSは、自閉スペクトラム症／自閉症スペクトラム障害の重症度を測定する。

2 GHQは、心理的ウェルビーイングを測定する。

3 IES-Rは、ストレッサーを測定する。

4 MASは、特性不安を測定する。

5 POMSは、認知特性を測定する。

問題94 **心理的アセスメントに関する説明として、最も適切なものを 1 つ選べ。**

1 心理的側面だけでなく、環境を評価することも重要である。

2 クライエントが物語を作る心理検査全般をナラティブ・アプローチという。

3 医師の診断補助として行う際は、客観的な心理検査のデータだけを医師に伝える。

4 目的は、初期に援助方針を立てることであり、終結の判断材料とすることは含まない。

5 テスト・バッテリーでは、検査者が一部のテストに習熟していなくても、他のテストによって補完できる。

問題95 **動機づけ面接の説明として、最も適切なものを 1 つ選べ。**

1 クライエントに自身の抵抗への気づきを促す。

2 クライエントのポジティブな面の承認は控える。

3 クライエントの問題についての例外探しをする。

4 ラディカル・アクセプタンスを基本的姿勢とする。

5 クライエントの変化に対する両価性に関わる問題を扱う。

問題96 **ストレス状況で副腎髄質から分泌が促進されるホルモンとして、最も適切なものを 1 つ選べ。**

1 インスリン

2 メラトニン

3 アドレナリン

4 コルチゾール

5 サイロキシン

問題97 **依存症者の家族や友人を主な対象とする自助グループに該当するものを 1 つ選べ。**

1 断酒会

2 ダルク〈DARC〉

3 アラノン〈Al-Anon〉

4 ギャンブラーズ・アノニマス〈GA〉

5 アルコホーリクス・アノニマス〈AA〉

問題98 **L. Temoshok と B.H. Fox が提唱し、がん患者に多いとされるタイプＣパーソナリティについて、最も適切なものを１つ選べ。**

1 競争を好む。
2 協力的である。
3 攻撃的である。
4 自己主張が強い。
5 不安を感じやすい。

問題99 **知的障害児の適応行動の評価で使用する心理検査として、最も適切なものを１つ選べ。**

1 CDR
2 WISC－Ⅳ
3 Vineland-Ⅱ
4 田中ビネー知能検査V
5 グッドイナフ人物画検査

問題100 **DSM-5 における素行症／素行障害の説明として、適切なものを１つ選べ。**

1 素行症を持つ人の反抗や攻撃性は、反抗挑発症を持つ人よりも軽度である。
2 素行症における虚偽性には、義務を逃れるためしばしば嘘をつくことが含まれる。
3 診断基準にある重大な規則違反には、性行為の強制、ひったくり及び強盗が相当する。
4 素行症は、発症年齢によって、小児期発症型、青年期発症型又は成人期発症型に特定される。
5 問題行動歴のない者でも、被害者を死亡させる重大事件を起こした場合には、素行症と診断される。

問題101 **発達障害者が一般就労を行おうとしているときに利用するサービスとして、最も適切なものを１つ選べ。**

1 行動援護
2 就労定着支援
3 就労継続支援B型
4 リワークによる支援
5 ジョブコーチによる支援

問題102 **職場のメンタルヘルス対策に関する内容として、最も適切なものを１つ選べ。**

1 人事労務管理とは切り離して推進する。
2 ストレスチェック制度とは独立した活動として進める。
3 家庭や個人生活などの業務に直接関係しない要因は、対策の対象外とする。
4 管理監督者は、部下である労働者のストレス要因を把握し、その改善を図る。
5 労働者の心の健康に関する情報を理由として、退職勧奨を行うことができる。

問題103 DSM-5の身体症状症および関連症群における身体症状症について、最も適切なものを1つ選べ。

1 身体の一部に脱力が起こる。

2 視覚や聴覚の機能が損なわれる。

3 疾患を示唆する身体症状を意図的に作り出している。

4 重篤な疾患に罹(り)患することへの強い不安がある。

5 身体症状に関連した過度な思考、感情または行動がある。

問題104 Basedow病の症状として、正しいものを1つ選べ。

1 動悸

2 便秘

3 寒がり

4 顔のむくみ

5 声のかすれ

問題105 難病の患者に対する医療等に関する法律〈難病法〉による「指定難病」について、正しいものを1つ選べ。

1 治療法が確立している。

2 発病の機構が明らかではない。

3 指定難病とされた疾患数は約30である。

4 医療費助成における自己負担額は一律である。

5 客観的な診断基準又はそれに準ずるものが定まっていない。

問題106 インスリン治療中の糖尿病患者にみられる低血糖の初期症状として、適切なものを1つ選べ。

1 血圧の低下

2 体温の上昇

3 尿量の増加

4 発汗の増加

5 脈拍の減少

問題107 強迫症の症状として、適切なものを1つ選べ。

1 儀式行為

2 欠神発作

3 常同行為

4 連合弛緩

5 カタレプシー

問題108 **向精神薬の抗コリン作用によって生じる副作用として、適切なものを 1 つ選べ。**

1 下痢

2 口渇

3 高血糖

4 眼球上転

5 手指振戦

問題109 **児童虐待の防止等に関する法律〈児童虐待防止法〉の内容として、正しいものを 1 つ選べ。**

1 親権停止の要件

2 社会的養護の種類

3 人身保護請求の要件

4 児童虐待を行った保護者への罰則

5 児童虐待に係る通告をした者を特定させるものの漏えい禁止

問題110 **労働安全衛生規則に定められている産業医の職務として、正しいものを 1 つ選べ。**

1 人事評価

2 健康診断の実施

3 従業員の採用選考

4 従業員の傷病に対する診療

5 職場におけるワクチン接種の実務

問題111 **A.R. Jonsen が提唱する臨床倫理の四分割表の検討項目に該当しないものを 1 つ選べ。**

1 QOL

2 医学的適応

3 患者の意向

4 周囲の状況

5 個人情報の保護

問題112 **A.E. Ivey と M. Ivey のマイクロカウンセリングにおける「かかわり行動」の重要な 4 要素に該当しないものを 1 つ選べ。**

1 声の調子

2 自己開示

3 言語的追従

4 視線の位置

5 身体的言語

問題113 **生後 1 年目までにみられる社会情動的発達に関わる現象として、不適切なものを 1 つ選べ。**

1 恥の表出

2 人見知り

3 怒りの表出

4 社会的参照

5 社会的微笑

問題114 **E. Kübler-Ross が提唱した死に対する心理的反応段階に含まれないものを 1 つ選べ。**

1 怒り〈anger〉

2 否認〈denial〉

3 受容〈acceptance〉

4 離脱〈detachment〉

5 取り引き〈bargaining〉

問題115 **DSM-5 の躁病エピソードの症状として、不適切なものを 1 つ選べ。**

1 離人感

2 観念奔逸

3 睡眠欲求の減少

4 目標指向性の活動の増加

5 自尊心の肥大、または誇大

問題116 **心理的な支援を行う際のインフォームド・コンセントの説明として、不適切なものを 1 つ選べ。**

1 リスクの説明を含む。

2 支援の経過に応じて常に行われる。

3 他の可能な支援方法の提示は控える。

4 文書だけではなく、口頭のみによる説明もある。

5 クライエントだけではなく、代諾者に対しても行われる。

問題117 **スクールカウンセラーが児童生徒理解を進める上で、不適切なものを 1 つ選べ。**

1 児童生徒に具体的な支援を行う前に詳細な心理検査を行う。

2 身体的、心理的及び社会的な側面からの理解を大切にする。

3 児童生徒の言動を批判したくなる場合でも、まずは共感的な態度で話を聴く。

4 作文や授業で制作した絵や造形物などの表現を通して児童生徒の理解に繋げる。

5 児童生徒の課題を深く理解するために、関係する教師が参加する事例検討会を開催する。

問題118 **障害を理由とする差別の解消の推進に関する法律の説明として、誤っているものを 1 つ選べ。**

1 行政機関と事業者における障害を理由とする差別が禁止されている。
2 国と地方公共団体だけでなく、国民の責務についても定められている。
3 判断能力が不十分な障害者に対する後見開始の審判について定められている。
4 「障害者の権利に関する条約」の締結に向けた国内法制度の整備の一環として制定されている。
5 障害の有無によって分け隔てられることなく、共生社会の実現に資することを目的としている。

問題119 **高等学校でスクールカウンセラーがストレスマネジメントに関する心理教育の授業を行う場合の内容や方法として、不適切なものを 1 つ選べ。**

1 筋弛緩法や呼吸法などの体験的な内容の導入は控える。
2 自分自身にあったコーピングを考えられるような内容にする。
3 自分自身の心身のストレス反応について理解できる内容を含める。
4 養護教諭や保健体育科の教師などと事前に打ち合わせて共同授業を行う。
5 進学や就職などの好ましい出来事であっても、それに伴う心身の変化に注意するよう助言する。

問題120 **公認心理師の行為のうち、登録が取り消される場合があるものを 1 つ選べ。**

1 公認心理師としての資質の向上を怠った。
2 公認心理師の信用を傷つける行為をした。
3 高校生のカウンセリングを行うに当たって、担任教師と連携しなかった。
4 クライエントの自殺を回避するために、面接で得た秘密を関係者に伝えた。

問題121 **BDI- Ⅱの説明として、最も適切なものを 1 つ選べ。**

1 うつ病の診断に単独で用いる。
2 最近1か月の状態を評価する。
3 体重減少を問う評価項目がある。
4 睡眠時間の増加を問う評価項目がある。

問題122 **児童生徒の自殺が発生した学校への緊急支援に関わる公認心理師の活動として、最も適切なものを 1 つ選べ。**

1 全体的対応ではなく、個別的対応に特化した支援に携わる。
2 児童生徒の混乱を防ぐため、事実に基づく正確な情報を早い段階で伝えることは控える。
3 トラウマ反応の予防のため、最初の職員研修において心理的デブリーフィングを実施する。
4 いらいらや食欲不振といった、心身の反応については、特殊な事態における一般的な反応であると児童生徒や関係者に伝える。

問題123 **高等学校における自殺予防教育について、最も適切なものを１つ選べ。**

1 生徒はゲートキーパー養成の対象ではない。

2 自殺の危機が迫っている場合の介入として行う。

3 自殺について教師と生徒が率直に話し合う機会を設ける。

4 自殺予防教育では、「死にたい」という生徒は自殺の心配がないことを説明する。

問題124 **いじめ防止対策推進法及びいじめの防止等のための基本的な方針（平成29年改定、文部科学省）の内容として、誤っているものを１つ選べ。**

1 学校いじめ対策組織に、スクールカウンセラーが参画する。

2 学校は、学校いじめ防止プログラムやいじめの早期発見・事案対処のマニュアルを策定する。

3 いじめの判断には、他の児童生徒からの行為で生じた被害者の心身の苦痛が客観的に認められる必要がある。

4 教職員がいじめ問題に対して適切な対処ができるよう、スクールカウンセラー等の専門家を活用した校内研修を推進する。

問題125 **E. Rodolfaらの提唱する心理職の基盤的コンピテンシーに該当するものを２つ選べ。**

1 介入

2 関係形成

3 反省的実践

4 コンサルテーション

5 心理的アセスメント

問題126 **地域包括ケアシステムについて、正しいものを２つ選べ。**

1 医療と介護の連携強化を図っている。

2 地域包括支援センターには、医師が常駐している。

3 利用者のケアが中心であり、権利擁護については取り扱わない。

4 地域ケア会議では、多職種が協働して個別事例の課題解決を図っている。

5 要介護者が介護施設に入所して、集団的ケアを受けることを目的としている。

問題127 **リラクセーションを主な目的とする技法として、適切なものを２つ選べ。**

1 自律訓練法

2 漸進的筋弛緩法

3 睡眠スケジュール法

4 トークン・エコノミー法

5 アサーション・トレーニング

問題128 C.R. Rogersのクライエント中心療法における共感的理解の説明として、適切なものを2つ選べ。

1 クライエントを知的に理解することではない。
2 進行中のプロセスとして保持すべき姿勢である。
3 セラピストによって、言語的、非言語的に伝えられる。
4 クライエントの建設的な人格変化の必要十分条件ではない。
5 クライエントの私的世界と一体化することを最優先とする。

問題129 睡眠時無呼吸症候群を疑わせる症状として、適切なものを2つ選べ。

1 血圧の低下
2 体重の減少
3 日中の眠気
4 寝付きの悪さ
5 激しいいびき

問題130 我が国の里親制度に関する説明として、正しいものを2つ選べ。

1 養子縁組里親は、家庭裁判所の審判により決定される。
2 親族里親は、祖父母等の親族が養育を行う里親制度である。
3 全ての里親は、子どもの日常生活にかかる費用の支給を受ける。
4 養育里親は、法律上の親子関係を成立させることを目的とする。
5 専門里親は、児童相談所に付設する施設において、子どもの保護を行う。

問題131 認知症の人の日常生活・社会生活における意思決定支援について、適切なものを2つ選べ。

1 本人の意思決定をプロセスとして支援するものである。
2 本人の意思を支援者の視点で評価し、支援すべきと判断した場合に行う。
3 本人が最初に示した意思を尊重し、その実現を支援することが求められる。
4 意思決定支援を行う上で、本人をよく知る家族も意思決定支援者の立場で参加する。
5 社会資源の利用で本人と家族の意思が対立した場合には、家族の意思決定を優先する。

問題132 軽度認知障害 [mild cognitive impairment〈MCI〉] に関する説明として、適切なものを2つ選べ。

1 不可逆的な状態である。
2 日常生活動作は低下している。
3 記憶障害は診断の必須要件である。
4 認知機能評価にはMoCA-Jが有用である。
5 DSM-5では、神経認知障害群に含まれる。

問題133 2006年（平成18年）に改正された教育基本法で、新たに規定された事項として、正しいものを2つ選べ。

1 社会教育

2 政治教育

3 教育の機会均等

4 生涯学習の理念

5 学校、家庭及び地域住民等の相互の連携教育

問題134 刑事施設において、受刑者に対して行われる特別改善指導に該当するものを2つ選べ。

1 家族関係指導

2 行動適正化指導

3 薬物依存離脱指導

4 自己改善目標達成指導

5 被害者の視点を取り入れた教育

問題135 雇用の分野における男女の均等な機会及び待遇の確保等に関する法律〈男女雇用機会均等法〉に基づいて事業主が行うべき雇用環境の整備として、適切なものを2つ選べ。

1 事業主が、女性労働者の婚姻、妊娠又は出産を退職理由として予め定めておくこと

2 労働者の採用に当たって、転居を伴う転勤に応じることができることを要件とすること

3 男女労働者間に生じている格差解消を目的として、女性労働者のみを対象とした取扱いや特別な措置をすること

4 事業主が女性労働者を深夜業に従事させる場合、通勤及び業務の遂行の際に男性労働者と同じ条件で措置を講ずること

5 事業主が労働者から性別を理由とした差別的な取扱いに関する苦情の申出を受けた際に、苦情処理機関に対し当該苦情の処理を委ねること

問題136 15歳の男子A、中学3年生。Aは、不登校状態のため友人と疎遠になり、話し相手は母親Bのみである。長年単身赴任をしている父親Cは、赴任先からたまに帰宅すると、Aの不登校についてAとBを厳しく叱り、母子は口をそろえてCの無理解をなじる。高校進学を控えるAに対して、Cは全日制高校への進学を勧めるが、AとBは、Cと言い争った末に、通信制高校への出願を決めた。
家族システム論の観点から、Aとその家族関係を説明する心理学概念として、最も適切なものを1つ選べ。

1 連合

2 自己分化

3 遊離家族

4 親役割代行

5 情緒的遮断

問題137 20歳の女性A、大学2年生。1か月前から男性Bと交際している。AはBが誰か別の人物と一緒に食事をしたり、自分が知らないうちに出かけた話を聞いたりすると不安が高まり、Bの行動に疑念を抱くという。AはBの行動を常に確認しないと安心できず、Bがソーシャル・ネットワーキング・サービス〈SNS〉に投稿する内容を常に確認し、Bの携帯端末の画面に表示される通知を頻繁にのぞき込んでしまう。そのことでAとBは言い争いをし、関係が悪化する状態が繰り返されている。
Aの状態として、最も適切なものを1つ選べ。

1 感情の誤帰属

2 恋愛の色彩理論におけるアガペ型

3 愛の三角理論におけるコミットメント

4 とらわれ型のアタッチメント・スタイル

5 同一性地位〈アイデンティティ・ステータス〉理論における早期完了

問題138 7歳の女児A、小学1年生。両親による身体的虐待やネグレクトにより4歳から児童養護施設で生活している。Aは、学業成績に問題はなく、質問への返答も的確である。その一方で、施設入所以来、笑うことがなく、苦痛や不平を一切訴えることがない。また、他人と交流せず孤立しており、Aはそれを苦痛に感じていないようであった。ある日、Aが学校で継続的ないじめを受けていることが発覚した。加害児童は、「Aは話しかけても無視するし、全然笑ってくれない」と話した。施設の担当職員に対しては入所時よりも若干柔らかい表情を示すようになってきている。
DSM-5の診断基準から考えられるAの病態として、最も適切なものを1つ選べ。

1 脱抑制型対人交流障害

2 心的外傷後ストレス障害〈PTSD〉

3 反応性アタッチメント障害／反応性愛着障害

4 自閉スペクトラム症／自閉症スペクトラム障害〈ASD〉

5 小児期発症流暢症（吃音）／小児期発症流暢障害（吃音）

問題139 23歳の女性A、会社員。高校時代にわいせつ行為の被害に遭った。大学卒業後、会社員となったが、今年の社員旅行の際に、仕事の関係者から性行為を強要されそうになり、何とかその場から逃げ出したものの、帰宅後に強い心身の不調を自覚した。その後3か月経っても症状が改善しないため、精神科受診に至った。同じような悪夢を繰り返し見ることが続き、よく眠れない。「このような被害に遭うのは、私が悪い」、「自分は駄目な人間だ」と話す。
Aの状態像を把握することを目的に、公認心理師が行う可能性のある心理的アセスメントとして、最も適切なものを1つ選べ。

1 CAPS

2 DN-CAS認知評価システム

3 JDDST-R

4 KABC-Ⅱ

5 TEG

問題140 公認心理師A。台風の被害が出たため、災害派遣チームの一員として避難所を訪れ、心理教育を目的に講習会を開くことになった。Aは、被災によるストレスについて講義をした後、一部の参加者が残って自発的な話し合いをもった。ある人が、「洪水で流された家があるが、自分の家は浸水もしなかった。申し訳ない」と涙ながらに語った。別の人は、「自分の家は浸水したが、家族は無事だった。家族に不明者がいるという話を聞くたびに、自分も罪の意識を感じる」と語った。二人の発言を、皆はうなずきながら聞いていた。
ここで生じているコミュニケーションについて、I.D. Yalomの集団療法の概念として、適切なものを1つ選べ。

1 普遍性

2 愛他主義

3 カタルシス

4 情報の伝達

5 希望をもたらすこと

問題141 17歳の男子A、高校2年生。Aは、監視されているという恐怖のため登校できなくなり、母親Bに連れられて高校のカウンセリングルームの公認心理師Cのもとへ相談に訪れた。Aは、1か月ほど前から、外出すると自分が見張られており、家の中にいても外から監視されていると感じ、怖くてたまらなくなった。「見張られていること、監視されていることは間違いない」、「自分が考えていることが他者に伝わってしまう」とAは言う。Aに身体疾患はなく、薬物の乱用経験もない。Bは、「カウンセリングによってAの状態を良くしてほしい」とCに伝えた。
この時点でのCによる対応として、最も適切なものを1つ選べ。

1 Aに対して支持的心理療法を開始する。

2 しばらく様子を見ることをAとBに伝える。

3 Aに対して集団でのSSTへの参加を勧める。

4 薬物療法が有効である可能性をAとBに説明する。

5 Bの意向を踏まえて、Aに対してカウンセリングを開始する。

問題142 45歳の男性A、会社員。総合病院の内科外来で2年前から2型糖尿病の薬物療法を受けている。不眠が近頃ひどくなり、内科の主治医に相談した。Aは、1年前から仕事が忙しくなり、深夜に暴飲暴食をすることが増えた。Aの体重が増加していることや、血糖値のコントロールが悪化していることをAの妻は心配しており、口げんかになることも多い。1か月前から、未明に目が覚め、その後眠れないようになった。日中は疲労感が続き、仕事を休みがちである。趣味にも関心がなくなった。心理的支援が必要と考えた主治医から院内の公認心理師Bへ依頼があった。
現時点におけるBのAへの対応として、最も優先すべきものを1つ選べ。

1 睡眠衛生指導
2 家族関係の調整
3 抑うつ状態の評価
4 身体イメージの評価
5 セルフ・モニタリングの導入

問題143 60歳の男性A、俳人。物忘れが最近増えてきたことを心配した同居の息子Bに連れられ、精神科クリニックを受診した。黙っているAに代わって話をしたBによると、Aは、半年前から膝が上がらなくなり、徐々に歩幅が小さくなった。今では、脚が左右に開き気味で、歩行が不安定である。また、3か月ほど前からトイレに行く頻度が増え、近頃は、間に合わずに尿を漏らすこともある。日中は、ぼんやりしていることが多く、楽しみにしていた地域の句会にもしばらく参加していない。一方で、夜間はよく眠れており、食欲も以前と変わらず、奇異な訴えもない。
Aに考えられる病態として、最も適切なものを1つ選べ。

1 正常圧水頭症
2 老年期うつ病
3 前頭側頭型認知症
4 Lewy小体型認知症
5 Alzheimer型認知症

問題144 32歳の女性A、会社員。Aは、持病の視神経炎が悪化し、ステロイドパルス療法を受けるため、総合病院に入院した。治療開始後5日目から、食欲低下と不眠が続いている。10日目の夜、病棟内を落ち着きなく歩き回り、看護師に不安やいらだちを繰り返し訴えた。意識障害はなく、原疾患以外の明らかな身体所見も認められていない。眼科の主治医から依頼を受けた精神科リエゾンチームがAの病室を訪問したところ、いらいらした様子で、「どうせ分かってもらえません」と言ったり、「私が悪かったんです」とつぶやいたりして、涙ぐんだ。
Aの症状として、最も適切なものを1つ選べ。

1 強迫行為

2 誇大妄想

3 前向性健忘

4 抑うつ気分

5 パニック発作

問題145 24歳の女性A。同居している男性Bから繰り返し暴力を受けている。ある日、怪我をしているAを心配して友人が問い詰めたところ、Bから日常的に暴力を受けていると語ったため、Bとの関係を解消し、家を出るように勧めた。一時は、「関係を解消しようかな」と言っていたAであったが、結局Bとの関係を解消することはなく、再び暴力を受けることになった。その後も周囲が関係の解消や相談機関への相談を勧めたことで、一時家を離れることもあったが結局はBの元に戻り、暴力を受けることを繰り返している。
このように暴力の被害者が、被害を受ける関係の中に留まり続ける現象を説明するものとして、最も適切なものを1つ選べ。

1 バウンダリー

2 ハネムーン期

3 複雑性PTSD

4 サバイバーズ・ギルト

5 トラウマティック・ボンディング

問題146 **２歳の女児Ａ。Ａは、生後間もない頃から乳児院で暮らしている。定期的に行われてきた発達検査では年齢相応の発達がみられ、入所直後から担当養育者となったＢとの間にも安定した関係がみられている。その後、Ａが２歳となり、Ａは同じ県内にある児童養護施設に措置変更されることになった。児童養護施設では保育士ＣがＡの担当になることが決まり、受け入れに向けた準備が進められている。**
この後、Ａが乳児院から児童養護施設へと措置変更となるプロセスにおける配慮として、最も適切なものを１つ選べ。

1 児童養護施設の受け入れ準備が整い次第、できるだけ早く措置変更をする。
2 Cが先入観を持たないようにするために、乳児院でのAの様子についてBからCに直接伝える機会は設けない。
3 乳児院で暮らす他の子どもへの影響を考慮し、他の子どもとの間ではAの措置変更に関することを話題にしない。
4 BがAと児童養護施設を訪問したり、Cが乳児院を訪れてAと交流するなど、ならし養育(訪問交流)の機会を設ける。
5 Bとの別れや乳児院を離れることはAにとってつらい経験となることを考慮して、措置変更に関することは直前までAに伝えない。

問題147 **14歳の女子Ａ、中学２年生。元気がないＡの様子を心配した担任教師ＢからスクールカウンセラーＣに相談があった。Ａは、おとなしく目立たない性格であり、成績は中程度である。学校生活では自信のない様子が目立つ。ＣがＡと面接を行ったところ、次のことが分かった。中学２年生でクラス替えがあり、女子生徒の間ではすでにソーシャル・ネットワーキング・サービス〈SNS〉のグループが複数できていた。Ａは孤立を感じ次第に登校が苦痛になってきた。厳格な親からSNSを禁止されており、いらいら感が高じ、自室にこもって、カッターで手首を傷つけるようになったという。**
Ｃの初期の対応として、最も適切なものを１つ選べ。

1 希死念慮の有無についてAに問うことは控える。
2 Aが手首を傷つけないようBに指導を依頼する。
3 直ちにAを精神科に紹介し、主治医の指示を待つ。
4 Aの自傷行為の習慣性についてのアセスメントを行う。
5 Bと連携してAがSNSのグループに入れるよう、親に働きかける。

問題148 20歳の男性A、大学工学部の2年生。Aからの申出はないが、Aの家族Bより、実験のあった日のAの疲労が激しいため、サポーターをつけてほしいと、学生相談室のカウンセラーCに相談があり、CはA及びBと3者面談を行った。Aは、小学校高学年時に児童精神科を受診し、発達障害の診断を受けた。以後、高校までは、授業中の課題や宿題について代替措置を講じてもらうなどの配慮を受けてきた。大学では、実験の際、指示の理解に時間がかかり、また手先が不器用で器具の扱いがスムーズにできないことで、教員にしばしば注意されている。授業時間が終わっても、居残りで実験をすることが多い。
合理的配慮について、CのBへの対応として、最も適切なものを1つ選べ。

1 支援方法はAとCの合意によって決められると説明する。

2 Aの精神障害者保健福祉手帳の取得が必須であると説明する。

3 合理的配慮を受けるには心理検査の結果が必要であることを説明する。

4 Aが、授業を担当する教員に配慮内容について直接交渉する必要があると説明する。

5 Cは、Aの意思を尊重しながら大学の学生支援の担当者に伝え、支援を依頼できると説明する。

問題149 16歳の女子A、高校1年生。Aは万引きをし、心配した両親に連れられて、市の教育相談室に来室し、公認心理師Bが面接した。Aは、2週間前に店でペンを1本盗んだことが発覚した。AはBに、「クラスメイトのCが私のペンを欲しがり、誕生日祝いにちょうだいとしつこくせがんできた。Cと気まずくなりたくないし、自分の物をあげるのは嫌だし、買うお金もないので、盗んで渡すしかないと思った。Cのせいで仕方なくやった」と述べた。
Aの主張について、G.M. SykesとD. Matzaが提唱した中和の技術によって説明する場合、用いられている技術として、最も適切なものを1つ選べ。

1 加害の否定

2 責任の否定

3 被害者の否定

4 非難者に対する非難

5 より高次な忠誠心への訴え

問題150 A社は、創業50年になる機械製造業の老舗である。ここ数年、心の健康問題を抱える従業員の割合が高止まりの傾向にあり、新しい経営陣が職場環境改善に取り組むことになった。企業内の公認心理師Bが、メンタルヘルス推進担当者の会議に向けて、何人かの従業員にヒアリングを実施したところ、過去の高業績に貢献した古参の従業員の発言力が強く、若手の従業員は意見が軽視されて、勤労意欲の低下がみられるということであった。
その背景にあるA社の組織の特徴として、最も適切なものを1つ選べ。

1 安全文化

2 権限委譲

3 属人思考

4 法令遵守

5 役割葛藤

問題151 22歳の男性A、無職。奇異な言動を心配した家族に連れられて精神科クリニックを受診した。同伴した家族によると、半年以上前からAは、「やっと分かりました」、「もう後戻りはできないんですね」などと独り言をつぶやきながら、にやにやと奇妙な笑顔を浮かべるようになった。Aに理由を聞いたが、まとまりのない内容で、何の話か分からなかったという。受診時、Aは主治医に対して、「このクリニックの駐車場には、赤いスポーツカーが停まっていました。あれは、お前も赤く燃えるように使命を果たせ、という私に向けられた啓示なのです」と訴えた。
DSM-5の診断基準に該当するAの病態として、最も適切なものを1つ選べ。

1 双極性障害
2 統合失調症
3 短期精神病性障害
4 全般不安症／全般性不安障害
5 統合失調型パーソナリティ障害

問題152 14歳の女子A、中学2年生。Aは、同級生からのいじめについて、同じ中学校に勤務しているスクールカウンセラーBに相談をしている。Aについて、教育相談コーディネーターの教師が中心となって支援チームの会議が開かれた。支援チームの会議には、Bのほかに、Aの担任教師と学年主任、養護教諭、生徒指導主事及び管理職が参加した。会議ではAの支援や学校としての対応をどのように行うかが検討された。
Bの会議での対応として、不適切なものを1つ選べ。

1 いじめに関する専門的な知見などを提供する。
2 いじめの重大事態かどうかの判断を主導する。
3 クラスや学年などで行う心理教育の実施について検討する。
4 Aの具体的な支援策に関わる教職員研修の実施について検討する。
5 守秘義務に配慮しながら、Aとの面接についての情報や見立てを提供する。

問題153 30歳の男性A、中学2年生の担任教師。Aは、担任をしている男子生徒Bから、中学1年生の初めての定期テストで、テストの成績が悪かったことについて相談を受けた。その際、「準備不足だったかな」と伝え、Bを励ました。その後も、AはBを同様に励まし続け、Bも努力を続けていたが、成績が下がってきている。
原因帰属の観点から、AのBへの言葉掛けとして、最も適切なものを1つ選べ。

1 上手くいかなかったのは、問題が難しかったからかもしれないね。
2 上手くいかなかったのは、努力がまだまだ足りなかったからかもしれないね。
3 上手くいかなかったのは、勉強方法が合っていなかったからかもしれないね。
4 上手くいかなかったのは、予想していなかった問題が出題されたからかもしれないね。

問題154 ９歳の男児Ａ、小学３年生。Ａの両親はけんかが絶えず、父親からの母子に対する暴力のため警察が出動することもあり、要保護児童対策協議会で支援が検討されていた。ある日、Ａが提出したテストの余白に、「しばらく前にママがいなくなりました。たすけてください」との記述を担任教師が発見した。これを受けて学校は直ちに、管理職、学年主任、担任教師、スクールカウンセラーなどを交えて対応を検討し、担任教師がＡに声掛けをするとともに、市の虐待対応担当課に通告することになった。
この状況における学校の対応として、適切なものを２つ選べ。

1 記述の内容について、Aの父親に確認する。

2 通告に至る事実関係を、時系列に沿って具体的に記録する。

3 声掛けの際には、AがSOSを出すことができた力を支持する。

4 担任教師がAに声掛けした後、管理職が現状をAに詳細に確認する。

5 声掛けの際には、Aの発言内容は誰にも言わないことをAに保証する。

MEMO

公認心理師国家試験

第5回（令和4年7月17日実施）

〈合格基準・正答〉

●合格基準

次の条件を満たした者を合格者とする。
総得点230点に対し、得点135点以上の者（総得点の60%程度を基準とし、問題の難易度で補正した。配点は一般問題が1問1点、事例問題が1問3点である）。

●正答

問題番号	正答番号
問1	3
問2	5
問3	4
問4	2
問5	1
問6	5
問7	3
問8	5
問9	4
問10	4
問11	1
問12	3
問13	4
問14	2
問15	5
問16	4
問17	4
問18	2
問19	3
問20	2

問題番号	正答番号
問21	5
問22	2
問23	2
問24	4
問25	1
問26	4
問27	1
問28	5
問29	なし
問30	2
問31	1
問32	2
問33	3
問34	3
問35	1
問36	3
問37	4
問38	3
問39	4
問40	3

問題番号	正答番号
問41	4
問42	2
問43	2
問44	4
問45	2
問46	3
問47	3
問48	3
問49	3
問50	2
問51	4、5
問52	1、5
問53	2、3
問54	3、5
問55	3、4
問56	3、5
問57	1、5
問58	3、4
問59	2
問60	5

問題番号	正答番号
問61	5
問62	1
問63	3
問64	4
問65	5
問66	3
問67	3
問68	5
問69	5
問70	5
問71	5
問72	5
問73	4
問74	3
問75	4
問76	4
問77	1、3
問78	2
問79	3
問80	1

問題番号	正答番号
問81	1
問82	3
問83	1
問84	5
問85	4
問86	5
問87	5
問88	4
問89	2
問90	4
問91	2
問92	3
問93	4
問94	1
問95	5
問96	3
問97	3
問98	2
問99	3
問100	2

問題番号	正答番号
問101	5
問102	4
問103	5
問104	1
問105	2
問106	4
問107	1
問108	2
問109	5
問110	2
問111	5
問112	2
問113	1
問114	4
問115	1
問116	3
問117	1
問118	3
問119	1
問120	2

問題番号	正答番号
問121	4
問122	4
問123	3
問124	3
問125	2、3
問126	1、4
問127	1、2
問128	2、3
問129	3、5
問130	2、3
問131	1、4
問132	4、5
問133	4、5
問134	3、5
問135	3、5
問136	1
問137	4
問138	3
問139	1
問140	1

問題番号	正答番号
問141	4
問142	3
問143	1
問144	4
問145	5
問146	4
問147	4
問148	5
問149	2
問150	3
問151	2
問152	2
問153	3
問154	2、3

〈午前〉解説

問題1　個人情報の保護　正答 3

個人情報保護に関する法律（個人情報保護法）は、公認心理師としておさえておかなければならない重要な法律である。

1 ×　氏名は、個人情報ではあるが、要配慮個人情報ではない。

2 ×　掌紋は、**個人識別符号**ではあるが（個人情報の保護に関する法律施行令第１条１号）、要配慮個人情報としては定められていない。

3 ○　病歴は、上記の通り、要配慮個人情報として定められている。

4 ×　生年月日は、個人情報ではあるが、要配慮個人情報ではない。

5 ×　基礎年金番号は、**個人識別符号**ではあるが（個人情報の保護に関する法律施行令第１条１号）、要配慮個人情報としては定められていない。

https://elaws.e-gov.go.jp/document?lawid=415AC0000000057
https://www.ppc.go.jp/files/pdf/290530_personal_cabinetorder.pdf

メモ　個人情報保護法第２条３項

この法律において「要配慮個人情報」とは、本人の人種、信条、社会的身分、病歴、犯罪の経歴、犯罪により害を被った事実その他本人に対する不当な差別、偏見その他の不利益が生じないようにその取り扱いに特に配慮を要するものとして政令で定める記述等が含まれる個人情報をいう。

問題2　心理支援におけるスーパービジョン　正答 5

スーパービジョンは、スーパーバイジーが自分の持っているケースについて、経験豊かなスーパーバイザーからの指導・助言を受けることである。

1 ×　スーパービジョンは専門性と資質の向上を図るものであるが、必ずしも最新の技法の習得が目的ではない。

2 ×　スーパーバイジーの行ったアセスメントに対する指導・助言も含まれる。

3 ×　クライエントの支援に対して、異なる領域の専門家の間で話し合うことは、**コンサルテーション**と呼ばれる。

4 ×　スーパーバイザーとスーパーバイジーは治療関係にはないため、セラピーを行わない。

5 ○　効果的なスーパービジョンのためには、スーパーバイジーが自分のケースについてや、自分自身の心のうちに起きていることをありのままにスーパーバイザーに伝えることが重要である。

問題3　障害者の就業や職業生活の支援　正答 4

障害者を雇用する企業に対して、サービスを提供したり、障害者の就職に向けた支援を実施したりする機関は複数あるので、公認心理師は各関係機関についてよく理解し、必要に応じてその利用について提案できるよう準備をしておきたい。

1 × **就労移行支援**は、障害者総合支援法に定められた障害福祉サービスのひとつである。**就労移行支援事業所**は、企業等への就労を希望する 18 歳以上 65 歳未満の障害や難病を有する人に対して、就労のために必要な知識や能力を身につけられるように支援を行う通所施設である。

2 × **精神保健福祉センター**は、精神保健福祉法に基づき、地域精神保健の保持と向上を目的として、各自治体内に複数箇所設置されている機関である。活動としては、心の問題で困っている本人や家族および関係者からの相談を受けている。デイケアや社会復帰のための指導と援助、精神保健に関する普及、啓発のための研修も行っている。

3 × **障害者職業総合センター**は、障害者の雇用の促進等に関する法律に基づき千葉県千葉市美浜区に設置されており、広域・地域障害者職業センターの運営、職業リハビリテーションに関する調査や研究、技法の開発及びその成果の普及等を行っている。問題文の「身近な地域」という記述から、障害者職業総合センターの趣旨とは合わない。

4 ○ **障害者就業・生活支援センター**は、各自治体内に複数個所設置されており、就職や職場への定着にあたって就業面における支援とあわせ、生活面における支援を必要とする障害者に対して、就業及びこれに伴う日常生活、社会生活上の相談・支援を一体的に行う機関である。職業生活を維持するための家庭生活面などでの困りごとも含め、地域の関係機関と連携を図りながら支援を行っている点から正答である。

5 × **国立障害者リハビリテーションセンター**は、埼玉県所沢市に設置されており、障害のある人に対するリハビリテーションを一貫した体系のもとに総合的に行う中核機関である。自立支援局・病院・研究所・学院を持ち、障害者の自立及び社会参加を支援し、障害者の生活機能全体の維持・回復のため、先進的・総合的な保健・医療・福祉サービスを提供している。国立障害者リハビリテーションセンターは、国に 1 か所設置されているため、問題文の「身近な地域」という記述に合わない。

問題4　動機づけの種類　正答 2

動機づけという人間の行動を起こすものについて各種類を確認しておこう。

1 × **親和動機**とは、他者と友好関係を樹立し、それを続けようとする動機である。

2 ○ **達成動機**とは、高い目標に対して高い水準でそれを達成しようとする動機である。

3 × **外発的動機**とは、報酬などの外からもたらされるものを得ることを目的に生じる動機である。

4 × **生理的動機**とは、生き物が生命を維持するために生じる生得的な動機である。

5 × **内発的動機**とは、個人の内部より起きた興味や関心によって生じる動機である。

問題5　妥当性　正答 1

本問題は実験法の妥当性だが、他にも質問紙法、観察法など用いる研究法によって妥当性の用い方も異なってくる。全ての具体例をカバーすることは難しいかもしれないが、複数の研究法による妥当性の検討例を見ておくと本問題には対応しやすくなるだろう。

1 ○ **内的妥当性**とは、観察された共変する 2 つの事象に因果関係があるかどうか、因果推論そのものに関する妥当性を意味する。

2 × **収束的妥当性**は、**構成概念妥当性**の一種であり、形式が異なる同一の構成概念を測定する心理尺度との相関関係が強ければ妥当性があるとみなす。

3 × **内容的妥当性**は、質問紙法などで作成した項目が各因子を構成する上で適切か、複数の研究者が意味内容をチェックして必要に応じて文を修正すること等をいう。

4 × **基準関連妥当性**は、その尺度の基準となるような明確な外的基準との相関関係を算出する等によって検討される。

5 × **生態学的妥当性**は、実験室で観察される現象が、人の日常活動の場で行っている行動とどの程度関連する意味を持つものかという観点を検討するものである。

問題6　重回帰分析　正答 5

本問題では、不偏性と一致性、共通性と独自性をセットにして理解しておくとよい。ちなみに、「共通性＝1－独自性」という式が成り立つので、因子分析に関する理解に役立ててもらいたい。

1　×　**一致性**とは、標本数が増えたときに母数と推定量が一致することを示すことを意味する。

2　×　**共通性**は、因子分析で各項目を因子が説明している割合のことをいう。

3　×　**独自性**は、因子分析で各項目を因子が説明できていない割合のことをいう。

4　×　**不偏性**とは、その推定量が平均的に過大にも過小にも母数を推定しておらず、推定量の期待値が母数に等しいことを意味する。

5　○　重回帰分析の説明変数に強い相関関係がある場合、（標準）偏回帰係数の推定が不安定となり、分析結果の信頼性に問題が出る。

問題7　観察法　正答 3

心理統計において最もよく用いられるのはα係数であるが、本問題のように、同じギリシャ文字を用いた係数として複数のものがあるので、整理しておくとよいだろう。

1　×　**α（アルファ）**係数は、心理尺度等、複数の変数のまとまりのよさを表す程度を表す指標である。

2　×　**γ（ガンマ）**係数は、順位相関係数の一種である。

3　○　**κ（カッパ）**係数とは、同じ対象に対して 2 つの評価間の一致度を表す場合に用いられる統計量のひとつである。

4　×　**φ（ファイ）**係数は、クロス集計表における行要素と列要素の関連の強さを示す指標である。

5　×　**ω（オメガ）**係数は、心理尺度等、複数のまとまりのよさを示すα係数に似た指標であり、各変数が共通因子から受けている影響を考慮して重みづけを行って算出する指標であるが、本問題の解答としては誤り。

問題8　ヒューリスティックス　正答 5

本問題では、特にアルゴリズムとヒューリスティックスの違いについておさえておくとよいだろう。

1　×　これは**帰納的推論**の説明であり、観察した事実や事象に基づいて、それらの事実や事象を生じさせている原因や法則性を推理することをいう。

2　×　これは**問題表象**に関する説明である。

3　×　これは問題解決のための一連の規則的な手続きを意味する**アルゴリズム**の説明である。

4　×　これはヒューリスティックスのひとつである**手段―目標分析**または**下位目標分析**に関する説明である。

5　○　ヒューリスティックスの説明を最も適切に行っている選択肢である。

問題9　ディスレクシアの特徴　正答 4

DSM-5 では、限局性学習症／限局性学習障害（SLD）のうち、読字の困難さの程度が重い場合には、代替的な用語としてディスレクシアを使用することが可能になった。ディスレクシア、SLD の診断基準について DSM-5 を確認しておくとよい。

1　×　知的能力の低さや教科学習の不足が原因ではなく、背景には**中枢神経系の機能**障害があると想定されている。

2　×　ディスレクシアは、その原因として中枢神経系に何らかの機能障害があると推定されているが、原因遺伝子の特定など明確な生物学的な要因については様々な説がある。現在も研究が進められている段階で、明確な根拠は実証されていない。少なくとも、出生後の親などの養育者の育て方や教育が原因ではないことは明らかである。

3　×　ディスレクシアは、音韻認識の発達が遅れることが示されており、読み書き障害の根底には、音韻情報処理能力および聴覚系の障害がある。

4　○　狭義には読みの障害であるが、通常、同時に書字にも困難を生じる。

5　×　**英語**など綴りと音との対応規則が複雑な言語で読みや書きの障害が生じやすく、読みの規則が明確な平仮名やカタカナ、表意文字である漢字を用いる我が国と比べると**英語圏**でディスレクシアの割合が多いとされている。

問題10　トランスアクショナルモデル（ストレス理論）　正答 4

トランスアクショナルモデルとは、R.S. Lazarus と S. Folkman によって提唱された心理学的ストレスモデルである。ストレッサーに対する認知的評価、コーピング、ストレス反応、再評価という過程が考えられている

1 × **パニック発作**は、身体感覚への破局的な解釈によって生じるが、これはトランスアクショナルモデルの説明ではない。

2 × **抑うつ**は、自己・世界・未来に対する否定的な認知によって生じるが、トランスアクショナルモデルの説明とは関係ない。

3 × 非随伴性認知とは、「自分の行動と望ましい結果が結びつかない」と認識することで、これにより**無気力**が生じる。しかし、これはトランスアクショナルモデルの説明ではない。

4 ○ トランスアクショナルモデルでは、ストレッサーに対する**認知的評価**（一次的認知評価と二次的認知評価）がなされ、選択された**コーピング**が実行される。

5 × これは回避反応についての説明であり、トランスアクショナルモデルの説明ではない。

問題11　嚥下反射と脳の働き　正答 1

中枢神経系の機能局在に関する問題である。嚥下反射とは、口の中に入れた食べ物を食道まで送る働きであり、無意識に行われる。

1 ○ **延髄**には、嚥下中枢があり嚥下中枢は錐体路と錐体外路の影響を受けている。また**延髄**には、呼吸中枢や心臓中枢など生命を維持するために重要な中枢が集まっている。

2 × **小脳**は、姿勢反射や平衡機能などの調節を行う役割を担っている。

3 × **中脳**には、視覚や眼球運動の中枢がある。

4 × **辺縁系**は、古皮質（海馬、脳弓、歯状回）、旧皮質（嗅葉、梨状葉）、中間皮質（帯状回、海馬回）、皮質下核（扁桃体、中隔、乳頭体）の総称であり、主に記憶や情動を司る部位が含まれる。

5 × **視床下部**は、摂食行動の中枢があり、自律神経や免疫機能などの調節を司っている。

問題12　高次脳機能障害　正答 3

遂行機能障害とは、目標の設定、計画の立案、計画の実行、効果的な行動ができなくなった状態を指す。また、柔軟性の低下や臨機応変な対応が難しくなることも遂行機能障害の特徴である。

1 × 話題の定まらなさには、主に記憶や注意などの認知機能が関連すると考えられるが、遂行機能障害の特徴ではない。

2 × 自発性の低下は、前頭葉機能の低下によりみられる症状である。

3 ○ 計画立案の困難さは、**遂行機能**障害の特徴である。

4 × 「ささいなことに興奮し、怒鳴り声をあげる」は**社会的行動**障害の特徴であり、易刺激性や易怒性という。

5 × 「複数の作業に目配りをすることができない」という特徴は**分配性注意**の障害である。

問題13　対人認知　正答 4

社会心理学においては、対人認知や対人関係における独特な理論が多くあるため、整理しておくとよい。

1 × **バランス理論**は、自分、他者、対象の3つの関係が常に均衡を保つよう態度変容が必要になると主張するものである。

2 × **社会的浸透理論**は、対人関係の発展と衰退の過程に関して提唱された理論であり、関係の進展は自己開示を通してなされていくとされるものである。

3 × **社会的比較理論**は、周囲の人々と自分を比較することで、自分の社会における位置を確かめる現象に関する理論である。

4 ○ **相互依存性理論**とは、対人関係の基本を社会的報酬あるいはコストの交換と考える理論である。

5 × **認知的不協和理論**とは、人が自身の認知とは別の矛盾する認知を抱えた状態、またそのときに覚える不快感に関する理論である。

問題14　発達段階とチャム・グループ　正答 2

H.S. Sullivan の前青年期段階における仲間関係（チャム・グループ）の名称と内容および他の発達段階における仲間関係（グループ）の名称と内容をおさえておこう。

1 × **ピア・グループ**とは、青年期におけるそれぞれの個別性・異質性を認め、異性をも包含したグループである。

2 ○ **チャム・グループ**とは、前青年期における多面的な境遇の Chum（仲間・親友）間における同質性・類似性を言葉により確かめあうグループである。

3 × **ギャング・グループ**とは、児童期中期以降に同一行動をとることでの一体感により作られたグループである。

4 × **セルフヘルプ・グループ**とは、共通の悩みや疾患を抱えた世代を超えた当事者達が問題解決のために感情の分かち合い情報の共有をするためのグループである。

5 × **エンカウンター・グループ**とは、人間関係の向上や個人としての成長を目指すグループ体験のために作られるグループである。

問題15　AD/HD（注意欠如多動症/注意欠如多動性障害）へのアセスメント　正答 5

AD/HD（注意欠如多動症 / 注意欠如多動性障害）の児童期におけるアセスメントについて必要なことを理解しておこう。

1 × AD/HD のアセスメントにおいて、親族（特に血縁者）に類似の障害を持つ人がいるかどうか確かめることは重要である。

2 × **1歳前の行動特性は感情も未分化**であり、身体的な発達も不十分なため、激しい行動をとることがみられるが AD/HD の根拠とするのは適切ではない。

3 × 運動能力障害の有無は**協調運動障害**のアセスメントのことであり、別のカテゴリーである AD/HD の判断の決め手とするものではない。

4 × AD/HD は家庭内では刺激が少なく、その傾向を示さないこともあり、**家庭内の行動特性**から全般的な行動特性を把握するのでは不十分である。

5 ○ 保育園や幼稚園は一般に刺激が多い場所であるために、**入園後の適応状態**は AD/HD のアセスメントに必須である。

問題16　文章完成法（SCT）　正答 4

文章完成法とは、未完成の文章を提示し、その後を記述させる投影法検査である。H. Ebbinghaus によって文章完成法は開発された。その後、A.F. Payne らによってパーソナリティの評定に使用されるようになった。

1 ×　H. Ebbinghaus が開発した際は**知的能力**を測定しようとしたため、性格ではない。

2 ×　病態を測定するものではない。

3 ×　現在の SCT の使用目的ではパーソナリティを評定するため対人知覚もある程度測定可能であるが、当初の測定目標ではない。

4 ○　H. Ebbinghaus は**言語連想法**に着想を得て、文章完成法を開発した。当初は知的能力の測定を目標としたため、正しい。

5 ×　欲求不満耐性を計る検査は一般に **P-F スタディ**が適切である。

問題17　WAIS-Ⅳ　正答 4

検査の改訂がなされた場合は、改訂内容について理解しておこう。また、ウェクスラー式知能検査は、改訂がなされても、以前からある下位検査の手続きに基本的には変更がない点もおさえておくとよい。

1 ×　算数の各問題には制限時間が決められている。

2 ×　パズルの各問題には制限時間が決められている。

3 ×　絵の完成の各問題には制限時間が決められている。

4 ○　行列推理には制限時間がない。

5 ×　バランスの各問題には制限時間が決められている。

問題18　自律訓練法　正答 2

「自分自身で一定の手順に従い、段階的に練習を進めることによって心身の機能を調整する方法」は、自律訓練法である。

1 ×　森田療法とは、主に不安神経症に用いられ、**「あるがまま」**を受け入れ、建設的に行動していこうとする療法である。

2 ○　自律訓練法とは、**J. H. Schultz** によって開発された**自己暗示法**。自己暗示によって段階的にリラックスしていくトレーニングである。

3 ×　シェイピングとは、行動療法で用いられる方法の 1 つで、最終的な目的となる行動を直ちに習得することが難しい場合に、**達成しやすい行動からスタート**し、段階的に最終的な行動変容につなげようとするものをいう。

4 ×　スモールステップとは、シェイピングの際に用いられる、**簡単なものから設定した目標**のことを指す。

5 ×　セルフ・モニタリングとは、**M. Snyde** が提唱した概念で、自分の思考や行動などを自分で観察することをいう。

問題19　社会的再適応評価尺度　正答 3

社会的再適応評価尺度は T. Holmes らによって開発されたストレス測定法のひとつであり、ライフイベント（生活の出来事）法と呼ばれる。43 項目のストレッサーからなる調査票で構成されており、各項目の LCU 得点が示されている。

1 ×　「親友の死」は、LCU 得点「37」であり、17 番目に高い順位のイベントである。

2 ×　「近親者の死」は、LCU 得点「63」であり、5 番目に高い順位のイベントである。

3 ○　「配偶者の死」は、LCU 得点「100」であり、最も高い順位のイベントである。

4 ×　「本人の怪我や病気」は、LCU 得点「53」であり、6 番目に高い順位のイベントである。

5 ×　「経済状態の大きな変化」は、LCU 得点「38」であり、16 番目に高い順位のイベントである。

問題20　職場における予防モデル　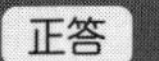 2

G. Caplan は、予防精神医学の概念において予防的介入を 3 つの段階に分けて示している。一次予防は未然防止（心理教育や啓発活動、健康増進など）、二次予防は早期発見・早期対応（健康診断など）、三次予防は再発防止や社会復帰（リハビリテーションなど）である。

1 × 職場復帰支援プランは、再発や再休職を予防するために作成するため三次予防である。

2 ○ ストレスチェック自体は、**一次予防**として実施されるが、高ストレス者は既にストレス過多な状態なので、医師面談の実施は早期発見、早期対応を行うことで疾病や重症化を予防する**二次予防**に該当する。

3 × 労働者が自分のストレス状況に気づくことを促し、対処法などを紹介し、メンタルヘルス不調となることを未然に防ぐために行う研修については**一次予防**である。

4 × 過重労働対策（時間外労働の上限設定や短縮、年次有給休暇の取得促進）は、**一次予防**である。

5 × 既にメンタルヘルス不調になっている労働者への対応であるため、治療と仕事の両立支援については、**三次予防**に該当する。

問題21　障害受容理論　正答 5

障害受容研究は、第二次世界大戦での戦傷者へのリハビリテーション医療をもとに概念化された理論を始めとして、その後、1950 年代から 60 年代の米国を中心に研究が盛んに行われるようになった。T. Dembo らの理論は、我が国に紹介された当時、高く評価された。その後の障害受容理論の変遷についても確認しておくとよい。

1 × 価値転換理論では、価値範囲を拡張させることを重視している。

2 × 相対的価値を重視するのではなく、相対的価値を資産価値に転換することを指摘している。

3 × 器官や機能を喪失したことにとらわれず、自分の大事なものは身体の外観ではなく内面であると考えている。

4 × 精神障害の病識研究ではなく、第二次世界大戦での戦傷者の研究を端緒とする。

5 ○ 障害における波及効果を抑制させることを述べている。

加点のポイント　T. Dembo と B. Wright らの価値転換理論

身体障害者の障害受容には様々な理論があるが、T. Dembo と B. Wright は、身体障害の障害受容では、以下 4 つの個人が持つ価値体系の側面の変化が本質であると述べた。

①価値範囲を拡大すること
②身体的外見を従属させること
③相対的価値を資産価値に変えること
④障害に起因する様々な波及効果を抑制すること

彼らの理論は価値転換理論と呼ばれ、障害者のリハビリテーションの実践や研究に大きな影響を与えた。

問題22　レジリエンス　正答 2

レジリエンスは、第二次世界大戦下のホロコーストで孤児になった子どもたちを追跡調査する過程で注目されるようになった。

1 ✕ **ジョイニング**とは、家族と信頼関係を結び、家族システムの一部としてセラピストが積極的に参加し、介入することを指す。

2 ○ **レジリエンス**とは、深刻な困難や脅威に直面している状況においても、良好な心理社会的適応を遂げる過程（うまく適応できる能力、うまく適応していく過程など）を示す概念のことをいう。

3 ✕ **エントレインメント**とは、対話中の話者間において、話し方や声の調子などの振る舞いが同調、類似する現象を指す。

4 ✕ **ソーシャル・キャピタル（社会関係資本）**とは、社会的関係やネットワーク、互酬性の規範、信頼等を含む概念とされ、社会における人間関係や職場の一体感などを示す。

5 ✕ **ソーシャル・インクルージョン（社会的包摂）**とは、全ての人々を孤独や孤立、排除や摩擦から援護し、健康で文化的な生活の実現につなげるよう、社会の構成員として包み支え合うという理念のことを示している。つまり、誰も排除されず、全員が社会に参画する機会を持つことである。

問題23　認知症の行動・心理症状（BPSD）　 正答 2

認知症の中核症状と行動・心理症状（BPSD）については毎年出題されている。どのようなものがそれぞれの症状にあたるのか知識を整理しておきたい。

1 ✕ 行動・心理症状は生活環境による影響を大きく受けるので、治療には環境を整えることも含まれる。

2 ○ 前頭側頭型認知症では、病初期より**脱抑制**や**常同行動**などの症状が目立つことが多く、行動・心理症状といえる。

3 ✕ 行動・心理症状の治療において、まず非薬物療法としての対応、ケア、環境調整などが優先となる。非薬物的介入を試みてから、必要な場合に薬物療法を進める。

4 ✕ 幻視が頻繁にみられるのは、**Lewy 小体型認知症**の特徴である。

5 ✕ 単一の妄想として最も代表的で多いとされるのは、**物盗られ妄想**である※。

（※参考文献：日本精神神経学会認知症委員会編『日本精神神経学会 認知症診療医テキスト 2 症例と Q&A に学ぶ』p.52, 新興医学出版社 2021）

問題24　特別な教育支援を要する子の就学　正答 4

文部科学省の特別支援教育に関する方針については「資料 1　特別支援教育の在り方に関する特別委員会報告 1」に目を通しておこう。この問題は「2. 就学相談・就学先決定の在り方について」を参照のこと。

https://www.mext.go.jp/b_menu/shingi/chukyo/chukyo3/siryo/attach/1325886.htm

1 ✕ 「就学時に決定した『学びの場』は固定したものではなく、それぞれの児童生徒の発達の程度、適応の状況等を勘案しながら柔軟に転学ができることを、すべての関係者の共通理解とすることが重要である」と書かれている。

2 ✕ 就学先の決定については「障害の状態、本人の教育的ニーズ、本人・保護者の意見、教育学、医学、心理学等専門的見地からの意見、学校や地域の状況等を踏まえた総合的な観点から就学先を決定することが適当である」とされており、就学相談において心理検査は必ずしも必要ではない。

3 ✕ **就学時健康診断**は、市町村の教育委員会が行うものである（学校保健安全法施行令第 1 条 2）。

4 ○ 「本人・保護者と市町村教育委員会、学校等が教育的ニーズと必要な支援について合意形成を行うことを原則とし、最終的には市町村教育委員会が決定することが適当である」とされている。

5 ✕ 就学に関するガイダンスは、就学相談の初期の段階で行うことが「就学後に学校で適切な対応ができなかったことによる二次的な障害の発生を防止する観点からも」必要であるとされている。

問題25　少年院における処遇　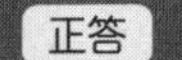 1

少年院は、在院者の特性に応じた適切な矯正教育その他の健全な育成に資する処遇を行うことにより、改善更生と円滑な社会復帰が図られている。

1 ○　キャリアカウンセリング等を通じて、在院者の就労への意欲喚起を行うとともに、将来的に就きたい仕事についてイメージを持たせる教育・支援が行われている。

2 ×　医療措置過程の実施が指定されているのは、**第３種少年院**である。

3 ×　義務教育や高等学校への進学等を希望する者に対して教科指導が行われており、希望する者には、高等学校卒業程度認定試験を受験する機会が与えられている。

4 ×　少年院では、出院後の進路・交友関係などについて悩みがある出院者やその保護者等からの相談に応じている。

5 ×　障害等により、自立が困難な者については、地域生活定着支援センター等と連携の上、スムーズに福祉サービスの利用につなげるとともに、**帰住先の確保**を行う。

問題26　職場におけるパワーハラスメント　正答 4

「事業主が職場における優越的な関係を背景とした言動に起因する問題に関して雇用管理上講ずべき措置等についての指針」（令和２年厚生労働省）によれば、職場におけるパワーハラスメントは、職場において行われる、①優越的な関係を背景とした言動であって、②業務上必要かつ相当な範囲を超えたものにより、③労働者の就業環境が害されるものであり、①から③までの要素を全て満たすものを指す。

1 ×　「優越的な関係」とは、単に「上司から部下への行為」という職務上の地位だけではなく、同僚や部下による言動であっても、業務上必要な知識や豊富な経験を有している場合は含まれる。

2 ×　正規雇用かどうかなどの雇用形態についての要素は含まれていない。

3 ×　ひどい暴言や名誉棄損などの精神的な攻撃については、要素としては含まれていない。

4 ○　その行為により労働者の就業環境が害されることは、３つの要素のうちのひとつである。

5 ×　通常の就業、つまり業務上必要かつ相当な範囲であれば、ハラスメントの要素としては含まれない。

問題27　アナフィラキシー　正答 1

アナフィラキシーショックは、日常生活においても食物アレルギーやワクチンなどに対する反応としてしばしば生じ、速やかな対応を必要とする。特徴的な症状をしっかり理解しておきたい。

1 ○　末梢血管の拡張と血管透過性の亢進に伴い、顔の腫れがみられることがある。

2 ×　交感神経の刺激症状により手の震えが生じる可能性はあるが、確実とはいえない。

3 ×　気道は平滑筋の攣縮によって**収縮**し、呼吸困難に陥ることがある。

4 ×　心拍出量の減少と末梢血管の拡張により、血圧が**低下**する。

5 ×　心拍出量の減少と末梢血管の拡張を補うために、脈拍が**増加**する。

問題28　ホルモン過剰症　正答 5

副腎皮質ホルモンの一種であるコルチゾールの慢性過剰状態は、腫瘍や薬剤の副作用として生じることがあり、クッシング症候群が有名である。各種ホルモンの過剰による基本的な症状を整理して理解しておきたい。

1 ×　副腎皮質ホルモンはインスリンの血糖降下作用に拮抗するため、血糖値の上昇がみられる。

2 ×　コルチゾールの慢性過剰状態の特徴は肥満であり、るい痩は**甲状腺機能亢進症**に特徴的な症状である。

3 ×　眼球突出は、Basedow 病などの甲状腺機能亢進症に特徴的な症状である。

4 ×　コルチゾールの慢性過剰状態において、けいれんは特徴的な症状とはいえない。

5 ○　クッシング症候群などのコルチゾールの慢性過剰状態においては、満月様顔貌や体幹部肥満などがしばしば認められる。

問題29　臓器移植　正答 なし

臓器移植は法的・倫理的な問題を含む高度なチーム医療である。臓器提供者（ドナー）、移植患者（レシピエント）およびその家族などへの広範な心理ケアが必要とされるため、正確な知識を持っておきたい。なお、この問題は「設問が不十分で正解が得られない」という理由により、全員正解として採点されることになった。

1 ○　日本臓器移植ネットワーク発足以来、腎臓の移植は一貫して臓器移植の大部分を占めている。

2 ○　臓器提供の意思表示そのものに年齢制限は存在しない。しかし、「臓器の移植に関する法律の運用に関する指針」には、臓器提供の意思表示について「15 歳以上の者の意思表示を有効なものとして取り扱う」と明記されており、14 歳以下の意思表示は無効である（提供拒否の意思表示は年齢にかかわらず有効）。したがって、この選択肢の記述は不十分であり、誤解を招く可能性がある。

3 ×　移植手術後のレシピエントの多くに精神障害が認められるという報告がある。

4 ×　我が国の肝移植の大部分を占めるのは生体肝移植である。

5 ×　臓器提供の意思確認は、移植医療チームとは独立に**移植コーディネーター**が行う。

問題30　回避・制限性食物摂取症／回避・制限性食物摂取障害　正答 2

DSM-5 においては、従来の診療に用いられてきた摂食障害の分類と定義が大幅に変更されている。神経性やせ症／神経性無食欲症との違いを明確に理解しておく必要がある。

1 ×　年齢を問わず生じることのある病態であり、小児に限定されるものではない。

2 ○　**回避・制限性食物摂取症／回避・制限性食物摂取障害**の特徴のひとつは、食事や食物への無関心である。

3 ×　過激なダイエットと発症との関係は明らかではない。

4 ×　自身の体型や体重に対する認知の変化が伴う場合は、神経性やせ症／神経性無食欲症に分類される。

5 ×　文化的慣習によって説明可能な障害は含まれない。

問題31　月経前不快気分障害　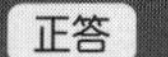 1

月経前不快気分障害（PMDD）は、女性のQOLに大きく影響し、生理に関連して多様な身体・精神症状を呈する病態であるが、DSM-5では抑うつ障害群に分類される。抑うつと不安は合併することも多いため、PMDD患者のケアには抑うつと不安の双方に対する配慮が必要である。

1　○　気分の落ち込みや、趣味などの以前好んでいた行動への無関心と活動低下がPMDDの特徴のひとつであり、これらの症候は**抑うつエピソード**に相当する。

2　×　PMDDにおける不安は、不安症群／不安障害群に含まれる病態（**パニック障害**や**全般性不安障害**など）の診断基準を満たすものではない。

3　×　PMDDの症状は身体症状だけに限定されるものではない。

4　×　双極性障害にみられる明らかな**躁病エピソード**は、PMDDでは認められない。

5　×　PMDDは、重大な**心的外傷**や急性のストレスによって生じるものではない。

問題32　オレキシン受容体拮抗薬の副作用　正答 2

現在我が国で処方されているオレキシン受容体拮抗薬には、スボレキサントとレンボレキサントがある。どちらも従来のベンゾジアゼピン系睡眠薬に比べて、依存性や転倒、呼吸抑制などのリスクが少なく、特に高齢者には推奨される。

1　×　上述の通りオレキシン受容体拮抗薬はベンゾジアゼピン系睡眠薬に比べて依存性のリスクは低いと考えられている。

2　○　薬剤の添付文書によると、傾眠の副作用としての出現割合はスボレキサントで4.7%、レンボレキサントで10.7%である。

3　×　上述の通り呼吸抑制はベンゾジアゼピン系睡眠薬や抗不安薬でよくみられる副作用である。

4　×　**前向性健忘**はベンゾジアゼピン系薬の過剰摂取や、アルコールとの併用で起こりやすい副作用である。

5　×　**反跳性不眠**はベンゾジアゼピン系薬を長期摂取した人が、急に服薬をやめたときに生じる強い不眠をいう。

問題33　精神保健福祉法に基づく入院　正答 3

精神保健福祉法に基づく入院形態には、任意入院・医療保護入院・応急入院・措置入院・緊急措置入院の5種類がある。「本人も入院を希望している」すなわち、本人の同意が得られている点がポイントである。

1　×　応急入院とは、入院の必要があると判断されたものの任意入院を行う状態になく、家族等の同意を得ることができない場合に行われる。精神保健指定医の診察によって72時間に限り、応急入院指定病院に入院させることができる。

2　×　措置入院は、入院させなければ自傷他害の恐れがあると判断された場合に行われる。精神保健指定医2名以上の診察結果の一致が要件となる。

3　○　任意入院は、本人に入院する意思がある場合に行われる。

4　×　医療保護入院は、医療と保護のために入院の必要があると判断され、患者本人の代わりに家族等が患者本人の入院に同意する場合に行われる。精神保健指定医1名の診察が必要となる。

5　×　緊急措置入院は、措置入院の要件に該当するが、急を要し、措置入院の手順を踏めない場合に行われる。精神保健指定医1名の診察によって入院させることができる。

問題34　小児科における公認心理師の活動　正答 3

小児科では、心理検査や発達検査、カウンセリングなどの心理的支援を医師や看護師をはじめとする他職種と連携しながら行う。選択肢として挙げられている留意点は小児科に限ったものではない。

1 ○ 公認心理師の業務のひとつである「要心理支援者の関係者への援助」には家族等に対する相談や助言、指導、その他の援助が含まれている。したがって、家族も心理的支援の対象である。

2 ○ 治療すべき身体疾患のみならず、要心理支援者が抱える問題を見逃さないようにするためには、医療従事者間の連携が必要不可欠である。

3 × 児童虐待の早期発見や虐待状況の把握、回復の支援などは公認心理師に求められる役割のひとつである。「もっぱら」医師に任せるというのは誤りである。

4 ○ 要心理支援者の疾患や疾患に対する治療の流れなどを把握しておくことは重要である。

5 ○ 小児科に限ったことではないが、公認心理師は要心理支援者や家族だけでなく、医療者（チームスタッフ）にも心理的支援を行うことが求められる。

問題35　低出生体重児　正答 1

低出生体重児とは、出生体重 2,500g 未満の新生児のことをいう。原因はさまざまであるが、早産と子宮内発育不全に大別される。出生後に、医療ケアが必要となる場合も多い。

1 × 低出生体重児は高体温症ではなく、**低体温症**に陥りやすい。

2 ○ 多胎児は、単胎児に比べて低出生体重児の割合が多い。そのため、低出生体重児特有の支援に加え、多胎児ならではの困難さも生じやすい。

3 ○ **極低出生体重児**（1500g 未満）は、脳性麻痺などの運動障害や知的障害などの合併頻度が高い。

4 ○ 出生数に占める低出生体重児の割合は 1980 年代から増加傾向にあったが、2005 年以降は 9～10%と横ばいである。

5 ○ 低出生体重児は身体の機能が未発達な状態で生まれてくるため、新生児集中治療室〈NICU〉で医療ケアを受けることが多い。

問題36　身体障害者福祉法施行規則別表第5号の対象障害の種類　正答 3

身体障害者福祉法施行規則別表第 5 号（身体障害者障害程度等級表）における障害の種類について正確に把握しておこう。

1 ○ **視覚障害**は、身体障害者障害程度等級表に記載されている。

2 ○ **肢体不自由**は、上肢、下肢、体幹と分けて身体障害者障害程度等級表に記載されている。

3 × **発達性協調運動障害**は、複数の身体各部位の協同運動が極端に困難な障害ではあるが、現時点では身体障害者障害程度等級表に記載されていない。

4 ○ **聴覚又は平衡機能の障害**は身体障害者障害程度等級表に記載されている。

5 ○ **音声機能、言語機能又はそしゃく機能の障害**は身体障害者障害程度等級表に記載されている。

メモ　身体障害者障害程度等級表に記載されている障害

①視覚障害
②聴覚又は平衡機能の障害
③音声機能、言語機能又はそしゃく機能の障害
④肢体不自由（上肢、下肢、体幹、乳幼児期以前の非進行性の脳病変による運動機能障害）
⑤心臓、じん臓若しくは呼吸器又はぼうこう若しくは直腸、小腸、ヒト免疫不全ウイルスによる免疫若しくは肝臓の機能の障害

問題37　うつ病に対する認知行動療法　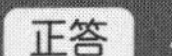 4

認知行動療法は新しい心理療法を生み出しながら発展を続けている。特定の病気に特化した認知行動療法もあるため、その知識を問う問題である。

1 ○ 認知再構成法とは、**「認知の歪み」**にアプローチすることで適応的思考に変化させようとするもの。うつ病に有効とされている。

2 ○ 問題解決技法とは、過去の振り返りや無意識の解釈をするのではなく、**問題の解決**のみに注目した認知行動療法のひとつ。うつ病にも使用される。

3 ○ 活動スケジュールは、認知行動療法の**行動活性化**で主に用いられるもので、うつ病にも使用される。

4 × 持続エクスポージャー法とは、**PTSD**に用いられる認知行動療法。PTSD以外の病気には使用しないため、間違い。

5 ○ ソーシャル・スキルズ・トレーニング（SST）とは、**社会的スキル**を獲得するためのトレーニング。うつ病に用いられることもある。

問題38　生物心理社会モデル　正答 3

生物心理社会モデルは心理職としてクライエントを統合的に理解するのに重要なモデルである。

1 ○ 心理的要因には、**感情**のほか、認知や対処行動、ストレスなどが含まれる。

2 ○ 生物的要因には、**遺伝**のほか、脳、神経、身体の構造などが含まれる。

3 × **対処行動**は、心理的要因に含まれる。社会的要因には、環境、組織、制度などが含まれる。

4 ○ クライエントを包括的に支援していくための多職種連携の観点において、他の専門職への連携やリファーを行うためにも有益な枠組みである。

5 ○ それまでの主流は生物医学モデル（Biomedical Model）で、生物的要因のみを治療対象としていたのに対し、**G.L. Engel**が批判して提唱したモデルである。

問題39　アクセプタンス&コミットメント・セラピー（ACT）　正答 4

アクセプタンス＆コミットメント・セラピー（ACT）とは、アクセプタンス（受容）とコミットメント（約束し行動に移す）を重視した認知行動療法である。

1 ○ アクセプタンス＆コミットメント・セラピー（ACT）は**第3世代の認知行動療法**とされている。

2 ○ **「今ここ」**を重視する。マインドフルネスの考え方をベースにしている。

3 ○ 「心理的柔軟性」とは、**気づきや開かれた心**を持ち、自分にとって**価値ある行動を取れる能力**を意味する。

4 × 対人関係理論とは、**精神看護の母H.E. Peplau**に由来する。ACTの説明ではない。

5 ○ アクセプタンス＆コミットメント・セラピーは「ACT（アクト）」と略されるように**行動**を重視している。その行動は、自分の価値に添った行動を指している。

問題40　緩和ケア　正答 3

WHOの緩和ケアの定義は、「生命を脅かす病に関連する問題に直面している患者とその家族のQOLを、痛みやその他の身体的・心理社会的・スピリチュアルな問題を早期に見出し的確に評価を行い対応することで、苦痛を予防し和らげることを通して向上させるアプローチ」である。

1 ○ 本人のみならず、その**家族も対象**としている。

2 ○ **QOL（生活の質）**を向上させるアプローチである。

3 × 疾患の終末期から開始されるのではなく、**診断されたときから開始**される。

4 ○ がんを代表とする**生命を脅かす疾患が対象**であり、がんに限定されない。

5 ○ スピリチュアルな問題とは、**実存的**と訳され、その人の生き方や価値観を意味する。緩和ケアにおいて、スピリチュアルな問題も考慮してケアがなされる。

問題41　強制性交等の犯罪被害者　正答 4

2017（平成 29）年に改正刑法が成立・施行され、それまでは親告罪であった性犯罪が強制性交等と強制わいせつが非親告罪化され、事件の認定をもって検察が事件を起訴できるようになった。

1 ○ 刑事事件の被害者は、裁判所の許可を得て、被害者参加人として刑事裁判に参加することができる。

2 ○ 刑事事件・少年事件ともに、犯罪被害者は事件記録を閲覧・コピーすることが認められている。

3 ○ 被害者等が希望する場合には、被害者等通知制度によって通知が行われる。

4 × 少年事件の傍聴が認められるのは、少年の故意の犯罪行為（殺人、傷害致死、傷害など）や交通事件（自動車運転過失致死傷）などにより、被害者が亡くなったり生命に重大な危険を生じさせた障害を負ったりした事件の被害者等である。

5 ○ 犯罪被害者が証言する場合、不安や緊張を緩和するため、家族等に付き添ってもらうことが認められている。

問題42　グッド・ライブズ・モデル　正答 2

グッド・ライブズ・モデル（GLM：Good Lives Model）は、性犯罪者の処遇がリスクマネジメントに集中しすぎていることへの批判として成立したもので、対象者の動機づけを高めるための取組を重視するものである。

1 ○ GLM は、接近目標などのポジティブな要素を取り込み、健康面などの自己管理を重視する。

2 × **リラプス・プリベンション・モデル**は、アルコール、薬物依存症の再発防止のための治療モデルとして開発され、回避目標の達成に主眼が置かれているため、GLM とは異なる。

3 ○ GLM は、性犯罪者処遇におけるヒューマニスティックでポジティブな処遇モデルである。

4 ○ GLM は、個人の社会における適応や動機づけを高めることを重視している。

5 ○ GLM には、**一次的財**（人間が生きる上で必要なもの）と**二次的財**（一次的財を獲得するための具体的な手段や活動）の 2 種類がある。

問題43　質的研究の分析と手法　正答 2

質的研究において使用される分析手法および研究手法についておさえておこう。

1 ○ **PAC 分析**とは、Personal Attitude Construct（個人別態度構造分析）のことで、個人の心理状態への質的分析と量的分析をあわせて行う質的研究の分析手法である。

2 × **主成分分析**とは、多くの変数を少ない変数へと置換し要約するデータの理解をしやすくする量的研究の分析手法である。

3 ○ **エスノグラフィー（Ethnography）**とは、研究者がある期間、対象へ直接参与し、そこで観察や聞き取りなどをする質的研究方法である。

4 ○ **複線径路・等至性アプローチ**とは、Trajectory Equifinality Approach（TEA）のことで、人間の成長における時間的な変化を、社会や文化や歴史との関係で見渡していく質的研究方法である。

5 ○ **グラウンデット・セオリー・アプローチ（Grounded Theory Approach）**とは、社会的現象についてのデータの収集および分析を行うことでデータを根拠としたグランド・セオリー（一般理論）を立てていく質的研究方法である。

問題44　思春期・青年期の自傷と自殺　正答 4

自殺の予防は公認心理師の重要な職務のひとつである。その実態を把握しておく必要がある。

1 × 10 代の自殺者数は、女性よりも男性が多い。

2 × 10 代の自傷行為は、男性より女性が多い。

3 × 非致死性の自傷行為であっても、自殺のリスクを高める。

4 ○ 繰り返される自傷行為は、薬物依存や乱用と関連が強く、**自殺のリスク**を高める。

問題45　大学における合理的配慮　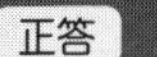 正答 2

大学において実施される合理的配慮の種類と手続きについて理解をしておこう。

1 ×　合理的配慮については、理由となるその配慮が妥当かを判断する材料として根拠資料の提出が必要となる場合もあり、理由を問わず延長とはならない。

2 ○　本人より申出があり、配慮が妥当か否かの根拠資料の提出があれば弱視による文字拡大器具の使用許可は合理的配慮である。

3 ×　大学における支援を受けている発達障害のある学生は 2021 年では約 8000 人弱であり、同年度の大学生は約 263 万人いるので、何らかの支援を受けている学生は 0.003%である。

4 ×　日本私立学校振興・共済事業団の補助金として「障害のある学生に対する具体的配慮の取組の授業等の支援の実施」というものがあり、それをピアサポーター学生への謝金に使うこともできる。

問題46　母子保健法　正答 3

母子保健法は、母親と乳幼児の健康の維持を図るために、母親と乳幼児の保健指導、健康診査、医療などについて定めた法律である。

https://elaws.e-gov.go.jp/document?lawid=340AC0000000141

1 ×　産前産後の休業については、**労働基準法**第 65 条に定められている。

2 ×　乳幼児の予防接種については、**予防接種法**に定められている。

3 ○　母子健康法第 16 条 1 に「市町村は、妊娠の届出をした者に対して、母子健康手帳を交付しなければならない」と母子健康手帳の交付について定められている。

4 ×　出産育児一時金は、**健康保険法**に基づく保険給付である。

問題47　職場における自殺のポストベンション　正答 3

自殺予防はプリベンション（prevention：事前対応）、インターベンション（intervention：危機介入）、ポストベンション（postvention：事後対応）の 3 段階に分類される。本問については、「職場における自殺の予防と対応（厚生労働省）」などを参照するとよい。

1 ○　ポストベンションにおいてはグループでの実施を行うことも少なくないが、グループの中では自分の気持ちを十分に表現できなかったと感じ、個別に話を聞いてほしいと考える人もいる。そのような場合は可能な限り早い段階で、専門家に話をしたり、助言を受けたりできる機会を設けることが重要である。

2 ○　ケアを行う際の集団の人数については、関係者の反応が十分に把握できる人数で実施をする。他者の自殺を経験した人がどれだけ精神的に動揺しているのか把握できる数に限ったほうがよいとされる（10 人くらいまで）。

3 ×　自殺の原因等については様々な噂や憶測が生じることがある。そのため、あくまでも事実を淡々と話すべきである。故人の非難や貶めるような発言は避けるべきであるが、故人の生前の様子をあまりに美化して語るのも逆効果となる。

4 ○　知人の自殺を経験した後には様々な複雑な反応が生じるとされるが、そのような症状が自分だけに起きている異常な反応と考え、誰にも相談できずに悩んでいることも少なくない。知人の自殺を経験した後に生じる可能性のある、うつ状態、不安障害、急性ストレス障害（ASD）、外傷後ストレス障害（PTSD）などの症状を説明しておくことは重要である。

メモ　職場における自殺予防

自殺のプリベンション：現時点で危険が迫っているわけではないが、その原因を取り除いたり、教育をしたりすることによって、自殺が起きるのを予防することを指す。
自殺のインターベンション：今まさに起きつつある自殺の危険に介入し、自殺を防ぐことである。
自殺のポストベンション：不幸にして自殺が生じてしまった場合に、遺された人々に及ぼす心理的影響を可能な限り少なくするための対策を意味している。

問題48　幻肢　正答 3

幻肢とは「事故などにより失われて客観的には存在しない四肢が存在している」という感覚経験である。幻肢に感じられる痛みは幻肢痛と呼ばれ、長期にわたるケアの対象となる。

1 ○ 患肢の代わりに鏡に映した健常肢を患者に見せながら運動させることで、幻肢痛が軽減するという報告がある。

2 ○ 幻肢には痛みや触覚などの感覚があるように感じられる。幻肢に伴う痛みは幻肢痛と呼ばれ、四肢切断患者の50～80%に認められる。

3 × 幻肢痛は上下肢を失った数日以内に発症することもあるが、数か月から数年後に生じることもある。

4 ○ 四肢切断直後の幻肢は失われた四肢と同じ大きさであることが多いが、時間が経つにつれて短くなったり、切断端と離れて部分的に残っていたりするように感じられることがある。

問題49　学生相談のあり方　正答 3

大学における学生相談のあり方や、またどのようなことを行うかについて理解をしておこう。

1 ○ 学生相談は独立単体で行うのではなく、**教職員、学生支援組織および教育組織**と連携・協働をする必要がある。

2 ○ 学生相談において、深刻な問題を抱える学生だけを対象とするのではなく、**新入学生全員への学校環境**への適応対応のように在籍学生全てを対象とする。

3 × 学生相談では、医学モデルという障害を個人の中にある問題とする考え方を重要視してしまうと、一部の学生にしか対応できないので不適切である。

4 ○ 学生相談では一対一の個別面接に限定せず、多様な問題への対応や心理教育及び環境へ学生が適応するための合宿、**グループカウンセリングおよびメンタルヘルス関係の講演会**を行う必要がある。

問題50　安全文化　正答 2

組織の構成員が安全の重要性を認識し、事故等の防止を含めた様々な対策を積極的に実行する姿勢や仕組みなどのあり方を安全文化という。J.T. Reasonは、安全文化を構成する4つの要素である①報告する文化、②正義の文化、③学習する文化、④柔軟な文化が重要であると指摘している。

1 ○ 自分のエラーを率直に報告するのは、**報告**する文化に該当する。

2 × 定められた指揮系統に従うことは重要だが、予想し得ない事態に直面した場合にマニュアルに頼らず臨機応変に対応できる柔軟な文化が重要である。

3 ○ 不可欠な安全関連情報の提供を奨励し、そうでない場合を制裁する信頼関係に基づくのは**正義**の文化に該当する。

4 ○ 安全に関する情報をもとに正しい結論を導き出すのは、**学習**する文化に該当する。

問題51　多重関係　正答 4、5

公認心理師の倫理を問う問題である。「多重関係」とは、「カウンセラーとクライエント」以外の関係性を持つことを意味し、倫理的に問題とされている。

1 × カウンセラーの自己開示は、カウンセリング内の話であるため、多重関係に該当しない。

2 × クライエントから受けた母親のイメージの投影も、カウンセリング内に起きていることであり、該当しない。

3 × コンサルテーションとは、支援対象者に対してより良いサポートを行うために支援者同士で話し合うものであるため、多重関係ではない。

4 ○ レストランでの会食は「クライエントとカウンセラー」という関係性から逸脱するものであり、多重関係を持ったとみなされる可能性がある。

5 ○ 「クライエントとカウンセラー」という関係性に加えて「税理士と依頼者」という関係性を結ぶことになるため、多重関係になる。

問題52　多職種チーム　正答 1、5

精神科デイケアとは、精神科の通所リハビリの一種であり、精神疾患を抱えている人を対象に治療やリハビリを行うところである。多職種で連携しながら意見交換を行うことが早期回復にもつながる。

1 ○ 要心理支援者や家族に対する心理教育は、公認心理師のみが実施するとは限らないが、公認心理師に期待される役割のひとつである。

2 × 作業プログラムの企画は、**作業療法士**が行うことが多い。

3 × ピアカウンセリングとは、**当事者同士**での相談支援を指す。公認心理師が直接行う業務ではない。

4 × 利用者の公的補助導入についての助言などは、主に**ソーシャルワーカー**が担当する。

5 ○ ストレスやストレスの対処法など心理的支援に関する個別相談は、公認心理師が行う。

問題53　ナラティブ・アプローチのナラティブ（物語）　正答 2、3

ナラティブ・アプローチにおけるナラティブ（narrative）の概念についておさえておこう。

1 × ABC シェマとは、**論理情動行動療法**における Activating event（反応を起こす出来事）、Belief（信念）、Consequence（結果）のことである。

2 ○ ナラティブとは、**語られた物語は内容**であり、同時に**行為**も意味をしている。

3 ○ ナラティブでは、人の語る物語は**その人の認識したものが反映**しているものとされている。

4 × ナラティブでは、一般的な法則ではなく、ナラティブを語る人を主体とした**個別・具体的な手がかり**である。

5 × ナラティブとは語り手や感情と密接な**主観的な出来事（物語）**である。

問題54　コミュニティ・アプローチ　正答 3、5

コミュニティ・アプローチは、これまでの伝統的心理臨床モデルを補う形で、社会や環境調整を重視しようという新しい視点を提供する取組である。

1 × **意思決定プロセス**は、専門家がユーザーと共に行うことが重視される。

2 × **サービスの方略**は、心理療法だけでなく多様なサービスを重視する。

3 ○ **病因論的仮定**は、個人の内的諸要因だけでなく、個人をとりまく環境的諸要因を重視する。

4 × **サービスのタイプ**は、予防的サービスが強調される。

5 ○ マンパワーの資源は、多様な人材によるサービスを志向するため、非専門家との協力が重視される。

問題55　障害者権利条約　正答 3、4

障害者の権利に関する条約（障害者権利条約）は「障害者の人権及び基本的自由の享有を確保し、障害者の固有の尊厳の尊重を促進することを目的として、障害者の権利の実現のための措置等について定める条約」（外務省）である。
https://www.mofa.go.jp/mofaj/fp/hr_ha/page22_000899.html

1 × ユニバーサルデザインは、「調整又は特別な設計を必要とすることなく、最大限可能な範囲で**全ての人**が使用することのできる製品、環境、計画及びサービスの設計」（第 2 条）である。

2 × 障害者には、「他の者と同じように居住の自由が保障されている」（第 18 条）。

3 ○ 「締約国は、この条約を実施するための法令及び政策の作成及び実施において、並びに障害者に関する問題についての他の意思決定過程において、障害者を代表する団体を通じ、障害者と緊密に協議し、及び障害者を積極的に関与させる」（第 4 条 3）とある。

4 ○ 「締約国は、あらゆる形態の搾取、暴力又は虐待の被害者となる障害者の身体的、認知的及び心理的な回復、リハビリテーション並びに社会復帰を促進するための全ての適当な措置（保護事業の提供によるものを含む。）をとる」（第 16 条 4）とある。

5 × 「締約国は、他の者との平等を基礎として、障害者の個人、健康及びリハビリテーションに関する情報に係るプライバシーを保護する」（第 22 条）とある。

問題56　不登校児童生徒の支援　正答 3、5

2016（平成28）年に我が国初の不登校を主たる対象とした法律である「教育機会確保法」が公布・施行されたことを受けて、義務教育の段階において、不登校児童生徒を含めた全ての子どもが普通教育に相当する教育を受ける機会を確保することとなった。これまでの「学校復帰を前提とした対策」から「社会的自立を重視する方向」へ転換し、教育支援センター（適応指導教室）など不登校児童生徒が通える場の整備が進められている。このような新しい流れについても法律や制度の更新とともに文部科学省のホームページを確認しておく必要がある。

1　×　不登校児童生徒が登校を無理強いさせられることなく、教育機会の確保を進めながら、本人の現在の思いや将来の希望を尊重した支援を行うことが重要である。つまり、不登校児童生徒に対して、必ずしも学校に登校することを最終的な目標として支援を行うわけではない。

2　×　「個別の指導計画」、「個別の教育支援計画」は、特別支援学級に在籍している児童生徒や通級による指導を受けている児童生徒対して作成・活用しなくてはならない。一方で、通常学級に在籍している児童生徒については、作成・活用に努めるとされており、可能な限り作成することを意味している。不登校児童生徒については、必ず作成するものではない。また、「学習内容の確実な定着のため」という表現は、児童生徒の実態に応じて適切な指導を行えるよう、一人ひとりの指導目標、指導内容や指導方法を明確にするために作成する個別の指導計画のことを指していると考えられるため、不適切である。

3　○　文部科学省は2019（令和元）年の通知内で、不登校における重点方策として「児童生徒理解・支援シート」を作成するなど個々の児童生徒に合った組織的な支援の必要性を提言していることから、正答である。

4　×　教育機会確保法が公布・施行後、不登校の子どもたちの「休養の必要性」や社会的自立のための多様な居場所として民間施設を含む「学校以外の教育の場の重要性」が認められた。したがって、学校内部の教職員や専門家だけでなく、地域にあるフリースクールやNPO等の民間施設と連携・協力することで不登校児童生徒の支援にあたることが有効である。

5　○　不登校に対する学校の基本姿勢として、校長のリーダーシップのもと、教員だけでなく、スクールカウンセラーやスクールソーシャルワーカー等の様々な専門スタッフと連携協力し、組織的な支援体制を整えることを挙げている。なお、不登校児童生徒に対する適切な対応のために、各学校において中心的かつコーディネーター的な役割を果たす教員を明確に位置づけることが必要であることについても指摘している。

加点のポイント　不登校児童生徒の支援の方針

これまでの「学校復帰を前提とした対策」から「社会的自立を重視する方向」へ転換し、教育支援センター（適応指導教室）など不登校児童生徒が通える場の整備が進められている。2019（令和元）年10月25日の文部科学省から出された通知「不登校児童生徒への支援の在り方について」によれば、「不登校児童生徒への支援は、『学校に登校する』という結果のみを目標にするのではなく、児童生徒が自らの進路を主体的に捉えて、社会的に自立することを目指す必要があること。また、児童生徒によっては、不登校の時期が休養や自分を見つめ直す等の積極的な意味を持つことがある一方で、学業の遅れや進路選択上の不利益や社会的自立へのリスクが存在することに留意すること」としている。

加点のポイント　個別の教育支援計画と個別の指導計画

個別の教育支援計画は、障害のある子ども一人ひとりのニーズを正確に把握し、教育の視点から適切に対応していくという考えのもと、長期的な視点で乳幼児期から学校卒業後までを通じて一貫して的確な教育的支援を行うことを目的として作成されるものである。個別の指導計画は、障害のある子ども一人ひとりのニーズに応じた指導目標や内容、方法等を示したものである。発達障害のある児童生徒の支援は、校内支援委員会またはコーディネーション委員会と呼ばれる組織を基盤とした行内体制の中、長期的視点で一貫して行う的確な支援の計画である「個別支援計画」と指導目標や内容、方法を示した「個別の指導計画」の作成と実施を通して行う。

問題57　学校におけるいじめへの対応　正答 1、5

いじめ防止対策推進法では、わが国の過去のいじめの定義や海外のいじめの定義より幅広い概念としていじめを捉えており、いじめが生じる場所としてインターネットなど学校内外を問わない。また、認知件数を性別でみると、男子の方が女子より多いこと、いじめの様態として、小学校、中学校、高等学校、特別支援学校、いずれの学校種でも「冷やかしやからかい、悪口や脅し文句、嫌なことを言われる」が過半数を占めていることをおさえておくとよい。

1 ○ 教育的配慮のもと、毅然とした態度で加害児童生徒を指導する一方で、謝罪や責任を形式的に問うことに主眼を置くのではなく、社会性の向上等、児童生徒の人格の成長に主眼を置いた関わりを行う。

2 × 森田（1994）※のいじめの四層構造では、被害者、加害者、**観衆**（はやしたてたり、面白がったりして見ている）および傍観者（見て見ない振りをする）を挙げている。なお、観衆はいじめを積極的に是認し、傍観者はいじめを暗黙的に支持し、いじめを促進する役割を担っていると考え、いじめの持続や拡大には、いじめる生徒といじめられる生徒以外の立場にいる生徒が大きく影響していると指摘している。

（※参考文献：森田洋司・清永賢二『いじめ――教室の病い』金子書房 1986）

3 × 苦痛や被害の軽重を比較するのではなく、双方に傷つきを抱えているという視点から支援していく必要がある。また、いじめ被害・加害の経験の両方ともある子どもは約 5 割存在しているといわれており、いじめ加害者、被害者の流動化が指摘されている。

4 × 文部科学省のガイドラインによれば、重大事態は、事実関係が確定した段階で重大事態としての対応を開始するのではなく、「**疑い**」が生じた段階で調査を開始しなければならない。また、国の基本方針において、「児童生徒や保護者からいじめられて重大事態に至ったという申立てがあったときは、その時点で学校が『いじめの結果ではない』あるいは『重大事態とはいえない』と考えたとしても、重大事態が発生したものとして報告・調査等に当たる」ものとされている。保護者からのいじめの訴えがあった場合、どんなささいなものであっても真剣に受け止め、速やかに教職員相互において情報交換するなどにより、適切かつ迅速な対応を図ることが求められる。

5 ○ 発見・通報を受けた教職員は一人で抱え込まず、**学校いじめ対策組織**に直ちに情報を共有する。その後は、当該組織が中心となり、速やかに関係児童生徒から事情を聴き取るなどして、いじめの事実の有無について確認を行う。事実確認の結果は、校長が責任を持って学校の設置者に報告するとともに被害・加害児童生徒の保護者に連絡する。

いじめの重大事態

いじめ防止対策推進法第 28 条に定める重大事態とみなす場合には、「いじめにより当該学校に在籍する児童等の**生命**、**心身**又は**財産**に重大な被害が生じた疑いがあると認めるとき」「いじめにより当該学校に在籍する児童等が**相当の期間**学校を欠席することを余儀なくされている疑いがあると認めるとき」とされている。

問題58　触法少年　正答 3、4

非行少年の分類については、触法少年、犯罪少年、虞犯少年、特定少年などとあわせて整理しておくとよい。

1 × 少年院法第 4 条によれば、少年院に収容されるのは 12 歳以上とあり、14 歳未満の触法少年であっても少年院に送致されることがある。

2 × 触法少年による犯罪行為の被害者は、少年の健全な育成を妨げる恐れのなく相当と認められる場合には、家庭裁判所から少年審判の結果等の通知を受けることができる。

3 ○ 刑法で 14 歳未満の少年には責任能力がないとされており、14 歳未満の少年が人を傷つけたり、物をとったり壊したりしても犯罪にはならない。

4 ○ 触法少年は、精神的に混乱しているため、警察官の調査に対して適切に対応することが困難なので、弁護士が付き添うことが適切である。

5 × 触法少年が警察から送致されると、児童相談所は少年や保護者から話を聴いて調査し、少年を家庭裁判所の審判に付すことが適当であると認めた場合に少年を家庭裁判所に送致する。

問題59　実験結果の分析方法（事例）　正答 2

本問題は、事前テストで平均値に差がなかったことを確認している点がポイントである。もし、事前テストで差があるか不明であれば、「学習方法（被験者間）×事前事後（被験者内）」の２要因混合計画による分散分析を行うのが適切となる。

1　×　対応のある t 検定は、被験者２人をペアにした場合や１人の被験者に２つの数値がある場合に適用される。

2　○　事前テストの２群の能力に差がないことが確認されているので、事後テストの２群の平均値を t 検定で比較する。この場合、２群の生徒は異なる40名ずつなので、対応のない t 検定となる。事後テストの２群の平均値に有意な差があれば、この場合は協同学習群のほうが講義形式群よりも習得度が高いといえる。

3　×　相関係数では習得度に差があるか検討できない。

4　×　分析すべきデータは平均値であり、また相関係数を t 検定で分析するというのは望ましくない。

5　×　平均値と相関係数を２要因分散分析で分析するという記述自体が実際にはあり得ないことである。

問題60　小児の視覚機能実験（事例）　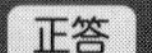 正答 5

乳児の視覚機能実験における選好注視（何を好んで見るか）および馴化と脱馴化（馴化とは刺激への反応が徐々に出なくなること、脱馴化とは馴化後に新たな刺激により反応を出し始めること）や親近性選好（見慣れた親しみのある対象を好むこと）を理解しておこう。

1　×　図形Ｃと図形Ｂの対比はこの実験では行われていないので選好注視するとはいえない。

2　×　図形Ｂへは馴化ではなく脱馴化し、図形Ｃには注視時間が回復しないので脱馴化しているとはいえない。

3　×　図形Ｃは図形Ａ提示により馴化後提示しても注視時間は回復をしないので親近性選好を示しているとはいえない。

4　×　図形Ａの後に図形Ｃの出現を図形Ｂよりも好むという実験及び結果は示されていない。

5　○　図形Ａの馴化後に図形Ｂを示すと脱馴化を示すので、乳児は区別をしているが、図形Ａの馴化後に、図形Ｃを示しても注視時間が回復しない（脱馴化が生じない）、つまり図形Ａと図形Ｃを区別していない。

問題61　7歳男児・テストバッテリー（事例）　正答 5

検査目的に即して、どの検査が必要かを考えよう。この事例では支援法を検討することが目的であり、そのためには基礎となる能力面のアセスメントが重要である。

1　×　AQ-Jとは、**自閉症スペクトラム指数日本語版（Autism-Spectrum Quotient Japanese Version）**のことであり、**ASD傾向**を評価することを目的とした質問紙検査である。この事例では、状況把握の弱さやコミュニケーションの一方通行性などを示唆する記述があるため、テストバッテリーに含める可能性はある。ただし、6歳から15歳までの間は保護者が子どもについて評定するため、直接Ａ自身を対象に実施するとはいえない。

2　×　CAARSとは、**Conners' Adult ADHD Rating Scales**のことであり、**成人**にみられる**ADHD関連症状を評価**することを目的とした検査である。**18歳**以上を対象年齢としている。

3　×　CATとは、標準注意検査法（Clinical Assessment for Attention）という注意力を評価する検査である。20歳から80歳代を対象年齢としている。

4　×　NEO-PI-Rとは、**NEO Personality Inventory Revised**のことであり、性格に関する**Big Five理論**に基づき、**性格の５次元**を評価するために開発された質問紙検査である。大学生から成人が対象年齢である。

5　○　WISC-Ⅳとは、**Wechsler Intelligence Scale for Children-Fourth Edition**のことであり、5歳0か月から16歳11か月の年齢の**知的能力水準**を評価する知能検査である。支援にあたり、Ａの全般的な知的能力水準や能力的な得意、不得意を把握することは重要である。

メモ　幼児・児童用のTATのCATについて

問題61の選択肢3について、幼児・児童用のTAT（Thematic Apperception Test：主題統覚検査）のCAT（Children's Apperception Test）もあり、こちらは投映法によるパーソナリティ検査である。アセスメントの目的によってはテストバッテリーに含む可能性もあるが、他の選択肢と比較して、支援を考える上で最も適切とはいえないため誤りである。

問題62　22歳男子学生・相談対応（事例）

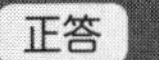 1

20歳男子学生への学校不適応に対して、教育相談での対応について適切な対応を問う問題である。

1 ○ 来談への意欲が高くはないので、クライエントの情緒的側面に触れることでラポールを形成しつつ、現時点で生じている問題への気づきを徐々に促していくことが初期の適切な対応である。

2 × クライエントが自発的にゲームへの長時間の依存による昼夜逆転の問題へと触れ始めた段階での対応であり、そういったクライエントからの話が出ていないので、初期対応としてはふさわしくない。

3 × 来談を始めたばかりで、クライエント自身に現時点で起きていることが十分に把握できているとは考えられないので、目標設定や優先課題の検討は初期対応としてはふさわしくない。

4 × 問題文においてクライエントの言動による周囲との軋轢などのことが出ていないので、このようなクライエントの述べていること以外の促しは不適切である。

5 × 複数回の相談を経てクライエントが授業に出始め、そのことの継続をクライエントも必要と望んだ時点で行動の強化を行うべきであり、初期対応としてはふさわしくない。

問題63　45歳女性・作業同盟（事例）

 3

「作業同盟」とは、カウンセラーとクライエントの協働関係の構築をいう。E.S. Bordinは作業同盟を、カウンセラー－クライエント両者の間における「カウンセリングの目標に関する合意」「カウンセリングにおける課題についての合意」「両者の間に形成される情緒的絆」の3要素からなるとした。

1 × 「夫に言いたいことをカウンセリングで行う」かどうかについてAの合意を得ていない段階で、Cが一方的に決めることではない。

2 × 公認心理師Cが自身の逆転移に気づくことは重要であるが、心理師側の気持ちを重視するものではない。

3 ○ E.S. Bordinの作業同盟の概念において**「目標に関する合意」**が挙げられている。

4 × 作業同盟はAとCで話し合って結ぶものであり、Cが話題を限定するものではない。

5 × カウンセリングで何を扱っていくかをAと話し合うことがまず必要であり、Cが1人で進めるべきではない。

問題64　不登校（事例）

 4

思春期の不登校に影響する要因は多数あるが、本例のように身体症状が大きく影響している症例は珍しくない。怠学と誤解されることやいじめなどの問題を含め、生物・心理・社会的なあらゆる方面からの情報を収集した上での判断とケアが求められる。

1 × 本例では不安が表出されていないため、どの種類の**不安症**にも当てはまらない。

2 × **統合失調症**に特徴的な幻覚・妄想などの**陽性症状**が認められず、友人との交流も保たれているため**陰性症状**も認められない。

3 × 腹痛が排便によって改善しないことから、**過敏性腸症候群**の可能性は低いと考えられる。

4 ○ **起立性調節障害**は思春期によくみられる病態であり、午前中に症状が強く午後は軽快するため、不登校の原因となりやすい。

5 × **自閉スペクトラム症**では、社会的コミュニケーションに持続的な欠陥が認められるが、本例では友人とのコミュニケーションに問題はみられない。

問題65　25歳女性・状態の理解（予期不安）（事例）　正答 5

この事例はパニック発作や広場恐怖（電車に乗れない）を認め、パニック障害のケースと考えられる。徴候として現れる広場恐怖のとき、患者は「また発作が起きるのではないか」という予期不安に駆られることが多い。

1 × 強迫観念は、強迫性障害でみられる症状であり、この事例には記載がない。

2 × **心気妄想**は、うつ病の三大妄想のひとつとして知られており、この事例には記載がない。

3 × 侵入症状（フラッシュバックなど）は、**心的外傷後ストレス障害**で認められる症状であり、この事例にはあたらない。

4 × 対人恐怖は、**社交不安症**や対人恐怖症でみられる症状であり、この事例にはあたらない。

5 ○ パニック障害において予期不安は特徴的なのでよく理解しておく必要がある。

問題66　50歳男性・アルコール依存症（事例）　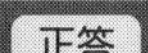正答 3

治療動機が低いケースに対する公認心理師の支援について問う問題である。アルコール依存症を抱えているAは問題意識が低いことが本ケースの特徴である。そのため、Aの問題意識を高め、課題に取り組もうと思えるように促す関わりが必要である。

1 × Bは入院治療を希望しているが、A自身にその意志は見受けられない。強制的に入院させる状態でもないため不適切。

2 × 自助グループとは、同じ課題を抱える者同士が**自発的に**支え合う活動のことである。参加に際しては自分の課題に対する問題意識が必要であるため、Aは参加の段階には至っていない。

3 ○ 動機づけ面接とは、**本人の変わろうとする意欲**を引き出し、**行動**を変えていけるよう**力づける面接**である。Aの現状に適している。

4 × ストレス対処のひとつとしてリラクセーション法を今後取り入れていくことは意味があるかもしれないが、まずAの治療動機が必要であるため現状では時期尚早である。

5 × 認知リハビリテーションとは、**高次脳機能障害**を対象とした日常生活や社会生活における困難さを改善させるものである。Aは高次脳機能障害ではない。

加点のポイント　J.O. Prochaskaの変化のステージモデル

J.O. Prochaskaは、生活習慣病やアルコール依存症等のクライエントが動機づけを持ち、行動を変えていく過程について、心理療法における行動変容ステージモデルを提唱している。

ステージ	状態	有効な支援例
前熟考期（無関心期）	自分の問題に気づいていない。問題を近々解決しようとする意志がない	変化をもたらす有益な情報を提供する
熟考期（関心期）	問題に気づき、近々解決したいと考えているが、行動には踏み切れない	動機づけ、取り組むことが可能な具体的な計画を立てる
準備期	変化したいという意志が明白で、いくつかの小さなことならばすぐに行える	実施可能な計画を作り、段階的な目標を立てる
実行期（6か月位）	行動が変化して6か月以内	変化に対するフィードバックや強化、問題解決技法等を用いる
維持期	行動変化から6か月以降も行動を維持する	コーピングや振り返りなどによって逆戻りを防止する

問題67　50歳男性・職場復帰支援（事例）　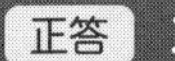 3

「改訂心の健康問題により休業した労働者の職場復帰支援の手引き」（令和２年、厚生労働省）では、職場復帰までのプロセスを大きく４つの段階に分けている。
第１ステップ「病気休業の開始及び休業中のケア」、第２ステップ「主治医による職場復帰可能の判断」、第３ステップ「職場復帰の可否判断及び職場復帰支援プランの作成」、第４ステップ「最終的な職場復帰の決定」である。問題文から、男性Ａのステップ段階は第１ステップから第２ステップへ進む段階である。

1　×　「試し出勤制度の活用」は、職場復帰が決定してからのステップであるため男性Aには時期尚早である。

2　×　「管理監督者による就業上の配慮」も職場復帰が決定してから行うべきものであるため時期尚早。

3　○　Aは症状の軽減を認めており、A自身も復職に意欲を示しているが不安、という状態であることから、第2ステップの**「主治医による職場復帰可能の判断」**が必要である。

4　×　「産業医等による主治医からの意見収集」は第3ステップに該当するため時期尚早。

5　×　「傷病手当金など経済的な保障に関する情報提供」は第1ステップで行うべきことである。

問題68　78歳女性・状態の理解（Alzheimer型認知症）（事例）　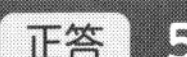 5

Alzheimer型認知症と、他の鑑別すべき疾患との違いをよく理解しておく必要がある。

1　×　うつ病には、認知症のような症状を呈する**仮性認知症**があるが、この事例では抑うつ状態を呈している証拠がなく、記憶障害に対する深刻さも認められない。むしろ指摘されても取り繕うなど認知症に特徴的な症状である。

2　×　**ためこみ症**は、認知症などの疾患は除外基準となっている。事例ではためこみの症状以外に、同じ話をする、話の内容を忘れて何度も電話をかけるなどの認知症を思わせる症状があるため該当しない。

3　×　前頭側頭型認知症は、脱抑制や常同行動を主症状とする認知症なので、臨床症状が合致しない。

4　×　**持続性複雑死別障害**は、親しい関係だった人の死後**12か月以上**にわたって続く悲嘆、思慕、悲しみ、泣きなどの症状を呈することを特徴とするが、事例には記載がない。

5　○　緩徐な発症、同じ話を繰り返す、健忘、取り繕い、**嗅覚障害**に起因すると思われる食物のためこみなど、Alzheimer型認知症を示唆する所見である。

問題69　被虐待児・児童養護施設入所初期の支援方針（事例）　正答 5

乳児院、児童養護施設、児童自立支援施設、児童心理治療施設についてそれぞれの施設の特徴、関連する専門職についてまとめておく必要がある。

1 × **リービングケア**とは、児童養護施設に入所した児童が施設を退所する前にその後の自立に向けた準備をする支援のことである。

2 × 発語を促すために、言語聴覚療法を行うことは入所初期に目標とすることではない。

3 × 入所初期の支援方針としては、プライセラピーによるトラウマ体験の表現を促すことは適切ではない。

4 × これまでに十分な養育を受けてこなかったと考えられるため、身辺自立は重要な課題であるが、最初に大枠として基本的な日課による生活のリズムを整えた後、一つひとつ達成できるように丁寧に働きかけていくことが望ましい。

5 ○ これまで精神障害を持つ母親から適切な養育を受けてこなかったことから、基本的な生活習慣やリズムが身についていないことが想定される。新しい生活環境である児童養護施設が安心、安全を感じる環境となり得るためには、基本的生活行為である食事、排泄、入浴、就寝といった日課を規則正しく行い、大きな枠組みを整えることが優先される。食事、就寝、入浴などの日課が決まっていることが、子どもにとって枠組みを与え、混乱を未然に防ぐための保障にもなり得る。

加点のポイント　児童養護施設

児童養護施設は、児童福祉法第 41 条に定められた「乳児を除いて、保護者のない児童、虐待されている児童その他環境上養護を要する児童を入所させて、これを養護し、あわせてその自立を支援することを目的とする施設」である。

問題70　14歳男子・面前でのドメスティック・バイオレンス（面前DV）（事例）　正答 5

子どもの前でのドメスティック・バイオレンス（DV）は面前 DV と呼ばれ、心理的虐待に入る。DV と虐待について正確に理解しておく必要がある。

1 × 家庭環境のアセスメントは重要であるが、虐待が疑われる場合には悠長なことは言っておられず、この事例では虐待の通告を優先すべきである。

2 × 検査は心理教育的アセスメントを行う中で必要に応じて活用することを検討するもので、A の発達検査を速やかに行うというのは的外れである。

3 × 両親を交えた面談の場を設けることは、父親から母親への暴力があるという A からの情報があるため慎重にするべきである。

4 × 学校内のカウンセリングのみで解決する問題ではない。児童虐待の背景には DV があり、DV のある家庭には、児童虐待が起こっていることを想定しながら、複数の機関が相互に連携協力して、家族を支援していく必要がある。

5 ○ 面前 DV に相当する事例と考え、児童虐待防止法第 6 条「児童虐待を受けたと思われる児童を発見した者は、速やかに福祉事務所・児童相談所に通告しなければならない。その場合、刑法 134 条等の秘密漏洩罪には該当しない」という通告義務に基づいて、通告のための行動を優先する。

加点のポイント　面前 DV

ドメスティック・バイオレンス（DV）とは、配偶者間の「身体的暴行」「心理的攻撃」「経済的圧迫」「性的強要」などのことであり、18 歳未満の子どもの前で配偶者や家族に対して上記のような行為をすることを**面前 DV**という。児童虐待防止法では、「児童が同居する過程における配偶者に対する暴力」は心理的虐待にあたる。警察庁の「令和 3 年における少年非行、児童虐待及び子供の性被害の状況」の統計によると、面前 DV の通告が年々増加しており、令和 3 年度の通告児童数は 4 万 5,972 人となっている（警察庁生活安全局少年課、2022 年）。

問題71　15歳男子・非行理論（事例）

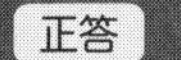
正答 5

多くの非行理論は、なぜ非行に走るのかを説明するが、社会的絆理論はなぜ多くの人は犯罪や非行を行わないのかに注目している点がポイントである。

1 × **非行下位文化理論**では、所属集団を求める人間の欲求は基本的なものであるとし、個人は集団に対して物質的資源と社会的受容を求めつつ、集団の中で一定の役割を果たして存在感を得たいと願うと考え、それによって非行や犯罪行動に向かうと考える。

2 × **分化的接触理論**は、個人が犯罪的分化を持つ集団に接触する度合いや頻度を重視し、法を破ることに対する望ましくない意味づけが、望ましい意味づけを超えるとき、人は非行に走ると考える。

3 × **ラベリング理論**は、「犯罪者」とラベル化することが、犯罪者を作り出すという考えである。

4 × **緊張理論**では、不平等な社会的緊張から個々人の心理的葛藤が高まり、非行や犯罪を促進する一因となると考える。

5 ○ **社会的絆理論**は、非行を行わない者は社会的な絆のためであると考えるため、Bが親や周囲の人に迷惑をかけたくないことから加担しなかったことが説明できる。

問題72　23歳男性・ストレスチェック（事例）

正答 5

ストレスチェックの結果から、受検者のストレス状態を構造的に捉えていき、受検者のストレスのポイントを探っていく。

1 × 「心理的な仕事の負担」は質・量ともに低いことから、長時間労働の可能性を検討する優先度は高くないと考えられる。

2 × 「家族や友人からのサポートは高い」ことから、プライベートについてはサポーティブな様子がうかがえるため、優先度は高くないと考えられる。

3 × 強いストレス反応として挙げられているものが「いらいら感」であり、精神的な疾患に関する症状に関連したものが挙げられていないため優先度は高くないと考えられる。

4 × 「上司からのサポート」「同僚からのサポート」は高いので、職場の人間関係についての優先度は高くないと考えられる。

5 ○ 「仕事のコントロール度」「技能の活用度」「仕事の適性度」「働きがい」が低いことから、仕事への満足度の低さが考えられるため、仕事の与えられ方に関する不満については、確認すべき優先度は高いと考えられる。

問題73　21歳女子学生・職業選択（事例）

正答 4

学生の職業選択の行動を説明する理論を理解しておこう。

1 × D.E. Superの**ライフ・キャリア・レインボー**とは、短期的な職業選択のものではなく、時間と役割を組み合わせた生涯のキャリアをライフ・キャリア・レインボーとして説明するものである。

2 × E.H. Scheinの**3つのサイクル**とは、短期的な職業選択のものではなく、人は組織との関係以外で3つの領域、①生物学的・社会的サイクル、②家族関係でのサイクル、③仕事とキャリア形成でのサイクルと関係を持ち、そしてこの3つのサイクルは相互に影響しているとしている。

3 × J.D. Krumboltzの**計画された偶発性**とは、偶発性・偶然性による出来事を積極的に取り込んでキャリア形成を行うことであり、この学生の行動はアルバイトの経験により考え始めただけで、この出来事を積極的に取り込んではいない。

4 ○ J.L. Hollandの**六角形モデル**とは、**RIASEC（リアセック）理論**ともいわれ、人は自己の性格に基づいてRealistic（現実的）、Investigative（研究的）、Artistic（芸術的）、Social（社会的）、Enterprising（企業的）、Conventional（慣習的）な性質を帯びた職業を選択するとされており、「技術職に就くことを考えるようになった」ということはRealistic（現実的）を持つ仕事を選択したということである。

5 × N.K. Schlossbergの**トランジション**とは大きな人生の転機をいうものであり、職業選択の緒についたばかりのことではない。

問題74　29歳男性・テストバッテリー（事例）　正答 3

この事例では対人関係の難しさや不安感などを訴えているため、そのような状態を評価するにはどのような心理検査を用いればよいかを考えよう。

1　○　AQ-J とは、**自閉症スペクトラム指数日本語版（Autism-Spectrum Quotient Japanese Version）**のことであり、**ASD 傾向**を評価することを目的とした質問紙検査である。この事例では、コミュニケーションの苦手さが ASD によるものかをアセスメントすることも必要であるため適切である。

2　○　BDI- II とは、**ベック抑うつ質問票（Beck Depression Inventory-second Edition）**のことであり、**抑うつ症状とその程度**を評価する質問紙検査である。この事例では、意欲の減退などが生じていることから、その程度をアセスメントするのは適切である。

3　×　IES-R とは、**改訂出来事インパクト尺度（Impact of Event Scale-Revised）**のことであり、**心的外傷性のストレス症状**を評価する質問紙検査である。この事例では、心的外傷性のストレス症状を示唆する記述がみられないため不適切である。

4　○　LSAS-J とは、**リーボヴィッツ社交不安尺度（Liebowitz Social Anxiety Scale）**のことであり、**社交不安障害の程度**を評価するための質問紙検査である。この事例では、コミュニケーションの苦手さや人と会うのが怖くなるなどがみられるため、社交不安障害の程度をアセスメントするのは適切である。

5　○　STAI とは、**状態・特性不安検査（State-Trait Anxiety Inventory）**のことであり、特定の場面で一過性に感じられるような不安である「**状態不安**」と、状況に左右されない比較的安定した不安である「**特性不安**」を測定することを目的とした質問紙検査である。この事例では、不安についての訴えがあるため、不安についてアセスメントを行うのは適切である。

問題75　22歳男性・情状鑑定（事例）　正答 4

情状鑑定とは、犯罪者の動機や原因を本人の性格や知能、生い立ちにさかのぼって分析することである。

1　○　情状鑑定では、本人のパーソナリティについても検討する。

2　○　情状鑑定では、本人の認知特性についても検討する。

3　○　情状鑑定では、家族の関係性についても検討する。

4　×　これは**精神鑑定**で行われるもので、被告人の責任能力の有無を判定することである。

5　○　情状鑑定では、犯行当時の生活状況についても検討する。

問題76　10歳女児・限局性学習症／限局性学習障害（事例）　正答 4

アセスメントは全ての心理支援の基盤であり、教育分野でのアセスメントのことを心理教育的アセスメントと呼ぶ。

1　×　個別の指導が必要である可能性はあるが、心理教育的アセスメントをした上でないと、何をどのように指導したらよいか、具体的な方針や内容が決まらない。

2　×　感情の言語化を促す必要があるかどうかは、心理教育的アセスメントを実施した後、決定することである。

3　×　直接授業の様子を観察して、具体的な学習の遅れを確認した後、必要に応じて WISC-V、KABC-II などの標準化された個別の知能検査を用いることを検討する。

4　○　心理教育的アセスメントでは、具体的にどの部分でどのように学習のつまずきが生じているのかを把握し、その実態や過程を理解する必要があり、まず当該児童生徒の行動観察を行う必要がある。

問題77　20歳男性・統合失調症の再発予防（事例）　 正答 1、3

統合失調症の治療および再発予防のためには、本人および家族に対し病気に関する正しい知識を教育すること（心理教育）が重要になる。父親Bは病気に関する知識がないことと、Aが父親含めた他者と適切に関わることができるスキルの会得が必要であると考えられる。

1　○　SSTは**社会的スキル**のトレーニングであるため、有効である。

2　×　回想法とは、**昔の経験や思い出を語る心理療法**で、主に**認知症**に用いられることが多い。

3　○　統合失調症は服薬が基本的に必須であることや、気持ちの問題で治るものではないという正しい知識をBに**心理教育**することが必要である。

4　×　TEACCHとは、**ASD（自閉症スペクトラム障害）**の当事者とその家族を対象とした**生涯支援プログラム**のことである。

5　×　リアリティ・オリエンテーションとは、日常生活の中で、時間や場所、天気などの**見当識**を伝え続けることで、**見当識障害**を改善する訓練のことである。

〈午後〉解説

問題78　虐待が疑われるケースの対応　正答 2

虐待の問題に関して、養育者に対するサポートを行うことも公認心理師の重要な役割の1つである。

1 × 優先すべきことは現在の環境や親の精神状態などであって、親の成育歴を聞く段階ではない。

2 ○ 虐待が疑われる場合、親に対して支援を提供することで**虐待の防止**につながることがある。そのため、親の感情や悩みを聞くことが重要になる。

3 × 心理師はまず親との**ラポールの形成**が必要である。そして困っていることに対して支援を受けられるようにサポートすることが重要である。受傷機転の詳細を聞くことは事情聴取のようになり、ラポール形成の妨げになる可能性がある。

注：問題文にある「受傷起点」は「受傷機転」が正しいと思われる。

4 × 時間差の理由についても、親に警戒心を抱かせる可能性があること、心理師の役目は事情聴取ではなく今後に活きるサポートの提供であるため、真っ先に優先される質問ではない。

5 × 家族構成を把握し、他の家族成員に対してもサポートが必要である場合もある。ただ、本ケースは初回であるため、まずは親の悩みや感情を聴くことに徹することが適切である。

問題79　高齢者福祉領域における業務　正答 3

高齢者福祉施設で働く場合、医師や看護師などの他職種との協働が重要になる。

1 × 感染予防対策マニュアルは組織で作成するものであり、心理師が単独で作成してはいけない。

2 × 組織の一員として**「チーム内守秘義務」**の立場に立ち、重要な情報はチーム内で共有すべきである。

3 ○ 多職種と協働する際、誰にでもわかる言葉で説明することが大切である。

4 × 介護負担が大きい家族の情報を得ることは重要ではあるが、家族宅の訪問やMMPIの実施は不適切である。

5 × 面接中に利用者に異変が起きたら無理に継続せず、**主治医の指示**を仰ぐべきである。

問題80　L.R. Goldbergの性格特性理論　正答 1

性格特性理論基盤となる統計手法で、特にL.R. Goldbergの5因子性格特性理論はどのような統計手法により見いだされたかを理解しておこう。

1 ○ **因子分析**とは、多変量データ（互いに関連を持つ多種類のデータ）が持つ共通因子を探り出すための手法であり、G.W. AllportやR.B. Cattellが過去に行った性格特性用語のクラスター分析で得たデータをL.R. Goldbergは因子分析を行うことで**5因子性格特性理論**を指摘している。

2 × **分散分析**とは、3グループの違いを求めるもので、L.R. Goldbergの5因子性格特性理論には用いられていない。

3 × **共分散分析**とは、3グループ以上の違いを求めるもので、L.R. Goldbergの5因子性格特性理論には用いられていない。

4 × **重回帰分析**とは、結果を示す数値と要因となる数値の関係を明らかにしていくもので、L.R. Goldbergの5因子性格特性理論には用いられていない。

5 × **クラスター分析**とは、ある集団の中から類似したものを集めてグルーピングするもので、G.W. AllportやR.B. Cattellはこの手法も使うことで性格特性論を作り上げている。

問題81　感情　正答 1

感情情報機能説についてその内容を覚えておこう。

1 ○ **感情情報機能説**とは、N. Schwartz. が提唱したもので、評価や判断をする際に、そのための手がかりが乏しい場合、自身の感情状態をその判断として用いるものであるが、感じている感情を評価に使うことが適切ではないと感じた場合、感情と判断のつながりが切れ、感情は評価や判断への反映が止まる、すなわち抑制されるとしている。

2 × **認知的評価理論**とは、状況の評価によって生じる感情が異なるとするものであり、I.J. Roseman は他者に関わるときは罪悪感、自己が関わるときは恥の感情が生じるとしている。

3 × **コア・アフェクト理論**とは、J.A. Russell の感情の次元論で感情は快－不快・睡眠－覚醒という 2 軸（2 次元上）に配置され、この 2 次元は神経生理学システムに依拠するというものである。

4 × **感情ネットワーク・モデル**とは、G.H. Bower によると知識間を結ぶネットワークに感情の結束点（ノード）を持ち、過去の出来事とそれに伴う感情表出が結びつくという仮説である。

5 × **ソマスティック・マーカー仮説**とは、A.R. Damasio が提唱したもので、人の行動には身体的な感情が深く関わり、それ故に行動は全て感情による影響が関わっているという仮説である。

問題82　質的研究の妥当性　正答 3

質的研究は、現象の詳細を主に言語的に記述し、そこでの直感を含めた検討を行うことにより、現象を解明する研究手法である。

1 × **インタビュー**とは、主に音声を介した言葉によるやりとりを通して、情報を得たりその相手を理解しようとしたりする営みのことをいう。

2 × **コーディング（コード化）**とは、質的データの一部にその特徴やエッセンス、顕著な特徴を捉えた単語や短い文章を付ける作業を指す。

3 ○ **メンバー・チェック**とは、データと暫定的な解釈を調査協力者や関係者と共有し、その分析結果が現実的に妥当なものかを確かめることをいう。

4 × **アクション・リサーチ**は、当事者と研究者がともに共同当事者としてことをなすことを通して、共同知を生み出すための研究活動のことをいう。

5 × **グラウンデッド・セオリー・アプローチ**とは、先行する理論や仮説からではなく、現場から直接得られた観察や発話の資料に基づいてボトムアップで理論モデルを構築する研究方法をいうため、適切とはいえない。

問題83　調査対象者の抽出方法　正答 1

標本抽出は、対象集団全ての構成要素を調べる全数調査が膨大な費用・労力・時間を要するため、対象集団の一部の構成要素だけを調べる標本調査を行う際の方法をいう。

1 ○ **系統抽出法（等間隔抽出法）**は、全対象者に一連の番号を付け、等間隔の番号を持つ要素を標本として抽出する方法である。

2 × **集落抽出法**は、全対象者を多数の部分集団に分割しておき、それらの部分集団の集合の中からいくつかの部分集団を無作為抽出し、抽出された部分集団に含まれる要素を全て標本とする方法である。

3 × **層化抽出法**は、全対象者をその内部では比較的均質と考えられるいくつかの部分集団に分割し、それぞれの部分集団から無作為抽出を行う方法である。

4 × **多段抽出法**は、全対象者をいくつかの部分集合に分割しておき、それらの部分集合の中から、いくつかの部分集合を抽出し、抽出された部分集団の各々から、またいくつかの要素を無作為抽出するという手続きを繰り返す方法をいう。

5 × **単純無作為抽出法**は、全対象者に一連の番号を付け、乱数表を用いて必要な標本数の抽出を行う方法であるが、決められた間隔での抽出を行うことはない。

問題84　注意の抑制機能　正答 5

注意の抑制機能に関連して生じるストループ効果という現象をおさえておこう。

1 × **盲視**とは、脳機能の障害によって視覚野が障害を受けていても脳の他の部分を迂回して情報が伝わり患者は見えていると意識はしていないが見えている状態である。

2 × **相貌失認**とは、脳機能の障害により人の顔や表情がわからず、個々人の顔の違いによる識別ができなくなる状態である。

3 × **ファイ現象（φ現象）**とは、実際には動いていないにも関わらず、運動知覚を生じさせる仮現運動のことである。

4 × **McGurk 効果**とは、音を知覚する際に聴覚情報と視覚情報の双方を使う場合に視覚優位によるズレが生ずることである。

5 ○ **ストループ効果**とは、文字意味と文字色を同時に目にすると、その 2 種類の情報が干渉し合うことで注意の抑制機能が低下する現象であり、それ用いた**ストループ・テスト**がある。

問題85　学習の基礎・初期学習　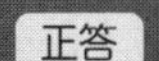 4

K. Lorenz の刻印づけなど、生物の生得的行動、本能について、過去の有名な報告とともにおさえておくこと。心理学概論の教科書や学習心理学の教科書には必ずトゲウオの防衛反応の例などが登場している。

1 × **般化（刺激般化）**とは、古典的条件づけでは、類似した特徴を持った条件刺激に対しても同じように条件反応が誘発されるようになることであり、オペラント条件づけでは、ある弁別刺激に物理的に類似した特徴を持った刺激のもとでも同じ行動が生起するようになることを指す。

2 × 初期経験による刻印づけはいつでも生じるわけではなく、孵化後のかなり早期の感受性の高い短期間でのみ生じることが知られており、この時期を**臨界期**と呼ぶ。臨界期は、動物がある特性を獲得するために生物学的に備わった限られた期間とも言い換えることができる。

3 × **刻印づけ**とは、成熟した状態で生まれてくるガンやカモなどの鳥類が、生後間もない限られた期間内に最初に出会った動く刺激に対して接近したり、その後を追従したりするようになる現象のことである。このような発達段階のごく初期にみられる特殊な学習のことを**初期経験**と呼ぶ。

4 ○ 動物の普段抑制されている本能（生得）的行動は、ある鍵となる刺激（鍵刺激）に出会うことで引き起こされ、この連続によって固定的動作が成立する。このメカニズムを**生得的解発機構**と呼ぶ。

5 × **プライミング効果**とは、先行する刺激（プライム）の処理が後に続く刺激（ターゲット）の処理に影響を及ぼす現象のことである。その処理の影響としては、促進、抑制のいずれの場合もある。プライミング効果は、人間の潜在記憶の過程やメカニズムの特性を映し出す現象であり、これまでの多くの記憶研究において欠かせない研究手法であり、認知心理学分野ではそのパラダイムが重要視されている。

問題86　条件づけ　正答 5

条件づけの用語について確認しておくこと。

1 × オペラント条件づけでも古典的条件づけでも、般化（刺激般化）という用語を用いる。古典的条件づけの**般化**とは、類似した特徴を持つ条件刺激に対しても同じように条件反応が誘発されるようになることである。例えば、レモンの写真を見ただけで唾液が分泌するようになった際、全く同じレモンの写真でなくても、違った写真やイラストであっても、同じように唾液の分泌が生じる場合などである。

2 × **味覚嫌悪学習**はガルシア効果とも呼ばれており、ある食べ物を食べた後に、吐き気や嘔吐、腹痛、下痢など消化器系の体調不良を経験した場合、その食べ物に対する嫌悪感や不快感が条件づけられるものである。これは古典的条件づけの一種である。**馴化**とは、刺激に対する慣れを示す現象のことであり、馴化が生じた後に新しい刺激を提示すると元の刺激に対する反応が回復することを**脱馴化**という。本問題の例では脱馴化に該当しない。

3 × 行動するたびに強化子を随伴させるのが**連続強化**、ある条件が満たされた場合のみ強化子を行動に随伴させるのが**部分強化**である。連続強化は行動の形成や獲得に必須の方法であり、一般的には部分強化に比べて反応の習得が**早い**。また、部分強化は、行動の維持に有効な方法であり、連続強化よりも消去までに時間や回数を要することが知られている。「反応の習得が早い」ではなく「消去抵抗が高い」であれば正答となる。

4 × 危険運転行動の結果として、行動前に存在していた好子である運転免許が停止される、使えなくなることにより、それ以降、危険運転行動が弱化されるということであれば、**負の弱化**である。**正の罰**とは、行動した結果、行動する前には存在しなかった嫌子が現れ、それによってやがてその行動が弱化することである。

5 ○ **負の強化**とは、ある行動をした結果、行動する前には存在していたものがなくなるという結果によって、今後その行動が増えたり強まったりすることである。この例では、シートベルトをする行動の結果、嫌子である未装着警報音がなくなる（止まる）ことで、その行動は強化されると考えられるため、正答である。

加点のポイント
強化と弱化における「正」と「負」

刺激が出現することを「**正**」、刺激が消失することを「**負**」、行動が増えることを「**強化**」、行動が減ることを「**弱化**」という。

問題87　パーソナリティの5因子モデル　正答 5

L.R, Goldbergのパーソナリティの5因子モデルをベースにした和田さゆりの論文「性格特性用語を用いたBig Five尺度の作成」の中で60項目を挙げていることを覚えておこう。

1 ✕ 「寛大な、協力的な、素直な」は、調和性（A：Agreeableness）のプラス評定である。

2 ✕ 「怠惰な、無節操な、飽きっぽい」は、誠実性（C：Conscientiousness）のマイナス評定である。

3 ✕ 「陽気な、社交的な、話し好きな」は、外向性（E：Extroversion）のプラス評定である。

4 ✕ 「悩みがち、動揺しやすい、悲観的な」は、情緒不安定性（N：Neuroticism）のマイナス評定である。

5 ○ 「臨機応変な、独創的な、美的感覚の鋭い」は、（経験への）開放性（O：Openness to Experience）の評定である（開放性についてはマイナス評定がない）。

メモ　和田の論文に基づき村上らが作成したBig Five尺度※

外向性	E+	話し好き、陽気な、社交的、活動的な、積極的な
	E-	無口な、暗い、無愛想な、人嫌い、意思表示しない、地味な
調和性	A+	穏和な、寛大な、親切な、良心的な、協力的な、率直な
	A-	短気、怒りっぽい、とげがある、かんしゃくもち、自己中心的、反抗的
誠実性	C+	計画性のある、無頓着な、軽率な、勤勉な、几帳面な
	C-	いい加減、ルーズな、怠惰な、成り行きまかせ、無精な、無頓着な、軽率な、無節操、飽きっぽい
情緒不安定性	N+	くよくよしない
	N-	悩みがち、不安になりやすい、心配性、気苦労の多い、弱気になる、傷つきやすい
（経験への）開放性	O+	独創的な、多才の、洞察力のある、想像力に富んだ、美的感覚の鋭い、頭の回転の速い、臨機応変な、興味の広い、好奇心が強い、独立した、呑み込みの速い

（※参考文献：村上宣寛他『主要5因子性格検査ハンドブック』p.109, 学芸図書 2008）

問題88　人体中枢神経系　正答 4

体液についての問題である。それぞれの体液が作られる場所や役割などをおさえておきたい。脈絡叢とは、左右の側脳室、第三脳室、第四脳室の内壁にある器官である。

1 ✕ 血液は、**骨髄**で産生・分泌される。

2 ✕ 粘液は、**粘液線**で産生・分泌される。

3 ✕ 組織間液は、各組織において細胞と細胞の間を満たしている。

4 ○ 脳脊髄液は、主に**脈絡叢**で産生・分泌され、中枢神経系を衝撃からの保護や代謝に関わる機能を有している。

5 ✕ リンパ液は、毛細血管から漏出した組織液がリンパ管に流入したものである。

問題89　社会的認知　 正答 2

社会的認知については、その他に対人魅力やステレオタイプと偏見など、様々な現象があるため、整理しておくとよい。

1 × **傍観者効果**とは、援助が必要な緊急の状況において、周りに多くの人がいることで、行動を起こさなくなる現象をいう。

2 ○ **単純接触効果**とは、繰り返し接触する人に好意を持つ現象をいう。本人にとって鏡に映った像は普段から繰り返し見ている自分であるし、友人はその人の正像を普段から見ているため、問題文を説明する上で適切である。

3 × **ピグマリオン効果**は、他者から期待されると成績が向上する現象をいう。

4 × **自己中心性バイアス**は、自分だけが知っている情報に左右されて、他人の心の状態を捉えてしまう傾向を指す。

5 × **セルフ・ハンディキャッピング**は、失敗を自分以外の外的要因に求め、成功の原因を自分の内的な要因に求める選択や行動の概念のことをいう。

問題90　J.J. Arnettの発達期　正答 4

J.J, Arnettの提唱した乳幼児期、児童期、青年期の次に続く「青年期とも成人期とも異なる成人形成期」を理解しておこう。

1 × 若者期（youth）とは、10〜20代の**思春期青年期世代**のことである。

2 × 超高齢期（oldest-old）とは、日本老年学会・日本老年医学会の提言により**90歳以上の人**を対象とすることとしている。

3 × ポスト青年期（post adolescence）とは、宮本みち子が提唱した**成人期への移行が長期化**したことにより新たに出現したライフステージである。

4 ○ 成人形成期（emerging adulthood）とは、青年期から成人期は単純な移行ではなく、多くは就業しつつ**アイデンティティ確立の模索をする時期**を指し、その期間をJ.J. Arnettは成人形成期と提唱している。

5 × 成人後期移行期（late adult transition）とは、D.J. Levinsonは成人期の発達段階説を提唱し、その中で、**60〜65歳**を成人期後期移行としている。

問題91　ストレングス・モデル　正答 2

C.A. Rappのストレングス・モデルは、リカバリー（その人の人生をとりもどすこと）のために、アスピレーション（熱望、夢、希望）に重点を置き、個人の強み（過去、現在、未来の全ての実験体験を含む）と地域の強みを活用し、新たな生活設計や具体化を図ろうとするものである。

1 × 強化子とは、学習理論において**行動を強化する刺激**を一般に意味する。ストレングス・モデルで重視するものではない。

2 ○ C.A. Rappのストレングス・モデルでは**「地域は資源のオアシス」**と提唱され、**「地域の強み」**を優先的に活用する。

3 × 支援計画の主体はクライエントであるため、支援者が遵守を指示するものではない。

4 × C.A. Rappのストレングス・モデルでは**「焦点は病理ではなく彼らの強み」**としている。

5 × ストレングス・モデルの特徴は「病理」に焦点づけるのではなく**「強み」を重視**する点である。病気を超えた自分自身の人生を生きることが到達目標であるため、症状の消失が到達目標ではない。

加点のポイント　ストレングスモデルの6原則（C.A. Rappら）

原則1　精神障害者は回復し、彼らの生活を改善し質を高めることができる。
原則2　焦点は病理でなく個人の強みである。
原則3　地域は資源のオアシスとして捉える。
原則4　クライエントは支援プロセスの監督者である。
原則5　ケースマネジャーとクライエントの関係が根本であり本質である。
原則6　我々の仕事の場所は地域である。

問題92　Sullivanの関与しながらの観察　正答 3

H.S. Sullivan の関与しながらの観察は頻出問題であるため、内容についてきちんとおさえておこう。

1 ×　治療構造とは、セラピストとクライエントの交流を規定する様々な要因と条件が構造化されたものをいい、面接場所や時間、料金といった外的構造と、治療目標や治療方法などの内定構造などが含まれている。そのため、H.S. Sullivan の関与しながらの観察とは異なる。

2 ×　H.S. Sullivan は要支援者との関係で生じる共感不全にのみ注目したわけではないため誤りである。治療者の共感不全に注目した人物としては、自己心理学の H. Kohut がいる。

3 ○　H.S. Sullivan は、精神医学は対人関係を研究する学問と考えていた。支援の場において支援者は面接の中で起こる事態の全てに深く巻き込まれ、そこから逃れられないため、常に要支援者との相互作用に注意を向けるべきとした。

4 ×　問題行動を修正する介入を行うのは行動療法・認知行動療法であり、H.S. Sullivan の関与しながらの観察とは異なる。

5 ×　投影同一化や逆転移は精神分析療法における概念であり、H.S. Sullivan の関与しながらの観察の概念とは異なる。

問題93　質問紙による心理検査　正答 4

各検査の略語と何を測定・評価する検査かについておさえておこう。

1 ×　CAARS（Conners' Adult ADHD Rating Scales）とは、**成人**にみられる **AD/HD 関連症状**を評価することを目的とした検査である。

2 ×　GHQ とは、精神健康調査票（The General Health Questionnaire）のことであり、**神経症者の症状**の把握や評価などを行うための質問紙検査である。

3 ×　IES-R とは、改訂出来事インパクト尺度（Impact of Event Scale-Revised）のことであり、**心的外傷性のストレス症状**を評価する質問紙検査である。

4 ○　MAS とは、顕在性不安尺度（Manifest Anxiety Scale）のことであり、**身体的**な徴候として表れる不安や**精神的**な徴候として表れる不安を含めた不安の**総合的な程度**を評価するための質問紙検査である。状況要因に影響されにくい人格特性としての特性不安を測定できる。

5 ×　POMS とは、気分プロフィール検査（Profile of Mood States）のことであり、気分や感情、情緒などの**主観的な側面から人の情動**を評価する質問紙検査である。

問題94　心理的アセスメント　正答 1

心理的アセスメントとはどういうことをいい、何のために行い、どのように行っていくのかなどをおさえておこう。

1 ○　人の心理は独立したものではなく、環境と相互作用しながら存在しているため、いかなる環境の上での心理状態かをアセスメントすることが重要である。

2 ×　ナラティブ・アプローチとは、社会構成主義という考え方に基づき、相談者や患者などが自由に語る物語（narrative）を通して問題の解決法を見出していくアプローチのことをいう。

3 ×　客観的な心理検査のデータだけでは、数値や結果だけが独り歩きをして、正しいアセスメントを行うことができない。そのため、いかなる状況の上で得られたデータなのか質的な分析も含めて医師に伝える必要がある。

4 ×　心理的アセスメントは、援助の終結まで絶えず繰り返し行われていくものである。そこには終結の判断材料とすることも含まれている。

5 ×　テスト・バッテリーにおいても、検査者は施行する全てのテストに習熟していることが求められる。そうではない場合、得られた検査結果が検査者が習熟していないために生じた結果かどうかの判断ができない。

問題95　動機づけ面接 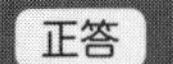 正答 5

動機づけ面接とは、クライエントが変わりたい方向に変わろうと思えるように援助する面接のことである。

1 ✕ クライエントの気づきを促すことは重要であるが、「抵抗」については気づきを促しながらも変化していく方向へ力づける必要がある。

2 ✕ 動機づけ面接では、クライエントが前向きな気持ちで「変わることができる」と思えるように力づけていく。そのため、**ポジティブな面の承認**は重要である。

3 ✕ 「例外探し」は**解決志向アプローチ**で用いられることの多い技法。動機づけ面接は、問題解決の前段階であるため、最も適切とはいえない。

4 ✕ ラディカル・アクセプタンスとは、**起きたことを受容して前に進む力**のことで「受け入れる技術」と訳されることもある。事実を受容することを重視するもので、動機づけ面接の基本姿勢ではない。

5 ○ 動機づけの段階でクライエントが抱える心理に「変わりたいけれど変わりたくない」といった**「両価性」**がある。この「両価性」を整理していくことで「変わりたい」というモチベーションが強まる可能性が高まる。

問題96　ストレスとホルモン分泌　正答 3

カテコールアミンとは、副腎髄質から分泌される神経伝達物質の総称である。ストレッサーを受けとると交感神経系の活動が高まり、副腎髄質のカテコールアミンがホルモンとして血中に放出される。

1 ✕ インスリンは、**膵臓**から分泌されるホルモンの一種である。食後などに血糖値が上昇すると分泌される。

2 ✕ メラトニンは、**松果体**から分泌されるホルモンの一種である。概日リズムの調整に関わる。

3 ○ アドレナリンは、**副腎髄質**から分泌が促進されるホルモンである。

4 ✕ コルチゾールは、**副腎皮質**から分泌されるホルモンの一種である。

5 ✕ サイロキシンは、**甲状腺**から分泌されるホルモンである。

問題97　自助グループ　正答 3

自助グループは、同じ問題を抱える人たちが集まり、お互いに支えあう活動をするグループである。

1 ✕ **断酒会**とは、酒害者当事者による自助グループである。家族も参加することがあるが、主たる対象者は当事者である。

2 ✕ **ダルク（DARC）**は、Drug Addiction Rehabilitation Center の略で、薬物依存者のためのリハビリ施設である。

3 ○ **アラノン（Al-Anon）**は、Alcoholics Anonymous Family Group で、アルコール依存症の家族や友人を対象とした自助グループである。

4 ✕ **ギャンブラーズ・アノニマス（GA）**は、Gamblers Anonymous で、ギャンブル依存の当事者のための自助グループである。

5 ✕ **アルコール・アノニマス（AA）**は、Alcoholics Anonymous で、アルコール依存の当事者のための自助グループである。

問題98　タイプCパーソナリティ　正答 2

特定の病気になりやすい性格の分類には、タイプ A、タイプ B、タイプ C、タイプ D がある。多くのがん患者に共通してみられる行動パターンや特徴を、タイプ C パーソナリティという。

1 ✕ 競争を好むのは、**タイプ A** パーソナリティの特徴である。

2 ○ 周囲の人々に協力的といった特徴は、**タイプ C** パーソナリティにおいてみられやすい。そのほか、**タイプ C** パーソナリティでは、ネガティブな感情表出をしない、忍耐強く控えめ、権威に対して従順などといった特徴を持つ。

3 ✕ 攻撃性の高さは、**タイプ A** パーソナリティの特徴である。

4 ✕ 自己主張の強さは、**タイプ A** パーソナリティの特徴である。

5 ✕ 不安の感じやすさは、**タイプ D** パーソナリティの特徴である。

問題99　知的障害児の適応行動の評価　正答 3

どのような検査かに加えて、対象年齢についても覚えておこう。

1 ×　CDRとは、臨床的認知症尺度（Clinical Dementia Rating）であり、**認知症の重症度**を評価する検査である。

2 ×　WISC-Ⅳとは、Wechsler Intelligence Scale for Children-Fourth Editionのことであり、**5歳0か月から16歳11か月まで**の年齢の**知的機能水準**を評価する検査である。

3 ○　Vineland-Ⅱとは、Vineland-Ⅱ適応行動尺（Vineland Adaptive Behavior Scale Second Edition）のことであり、**0歳0か月から92歳11か月まで**の年齢の**適応行動**を評価することを目的とした検査である。

4 ×　田中ビネー知能検査Ⅴは、**2歳から成人までの知的機能水準**を評価する検査である。

5 ×　グッドイナフ人物画検査とは、Draw A Man test（DAM）のことであり、**3歳から8歳6か月まで**の年齢を対象とした、**人物画**を描くことで**知的機能水準**を評価することを目的とした検査である。

問題100　素行症/素行障害（DSM-5）　正答 2

DSM-5における素行症の定義を細かいところまで知っていないと解答が困難な問題である。

1 ×　**反抗挑発症**の人の反抗や攻撃性は、典型的には素行症を持つ人の行動よりも重篤ではなく、人や動物に対する攻撃性、所有物の破壊、盗みや詐欺などは含まない。

2 ○　DSM-5の素行症の診断基準では、A基準の「**虚偽性や窃盗**」の中に義務を逃れるためにしばしば嘘をつくという項目が入っている。

3 ×　DSM-5では性行為の強制、ひったくり及び強盗は「**重大な規則違反**」ではなく「**人および動物に対する攻撃性**」に含まれている。重大な規則違反とは、13歳未満から始まる夜間外出や不帰宅、怠学などのことを指す。

4 ×　DSM-5における素行症は、発症年齢によって少年期発症型と思春期発症型そして特定不能の発症年齢のいずれかに下位分類される。

5 ×　被害者を死亡させる重大事件を起こしても、診断基準に合致する問題行動歴のない者は素行症とは診断されない。

加点のポイント　秩序破壊的・衝動制御・素行症群（DSM-5）

秩序破壊的・衝動制御・素行症群は情動や行動の自己制御に問題のある群である。それらのDSM-5による診断基準においては、素行症が行動の制御の問題に重点が置かれているのに対し、間欠爆発症では情動の制御の問題に重点が置かれている。この2つの中間に位置するのが反抗挑発症であり、行動と情動に均等に焦点があり、どちらの問題も他の二つより軽い傾向になる。

問題101　発達障害者の一般就労　正答 5

発達障害者に対する就労に関する支援として選択肢に挙げられたようなものがある。それぞれの対象者や目的などの整理を行うことが重要である。

1 ×　**行動援護**とは、知的障害や精神障害により、自分一人で行動することが著しく困難であって常時介護を要する障害者が受ける支援であり、外出前後の準備や外出時の介護などを行う。

2 ×　**就労定着支援**は、職場への定着を支援するサービスであり、就労継続支援や就労移行支援、自立訓練サービスなどを経験して障害者雇用での就労を含めた一般就労を経験した人が利用できるものである。

3 ×　**就労継続支援**は、一般的な事業所で働くことが困難な障害者に向けたサービスであり、就労継続支援A型と就労継続支援B型がある。このうち**B**型は年齢や体力などの面で雇用契約を結んで働くことが困難な人が、軽作業などの就労支援を受けることができるサービスである。

4 ×　**リワーク**は、気分障害などの精神疾患を原因として休職している労働者に対し、職場復帰に向けたリハビリテーションを実施する機関で行われているプログラムのことを指す。

5 ○　**ジョブコーチ**（職場適応援助）は、障害者の職場適応に課題がある場合に、職場にジョブコーチが出向いて、障害特性を踏まえた専門的な支援を行い、障害者の職場適応を図ることを目的として行われるものである。

問題102　職場のメンタルヘルス対策　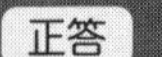 正答 4

メンタルヘルス不調は必ずしも個人の性格や考え方に起因するものではない。メンタルヘルス不調の背景には、長時間労働やハラスメント、人間関係等の職場環境が要因となっている場合がある。そのため、メンタルヘルス不調を単に個人の問題と捉えずに、個人での取組とともに、職場でもメンタルヘルス対策に取り組むことが重要である。

1 ✕　人事労務管理は、事業場内産業保健スタッフであり、人事労務管理上の問題点を把握し、職場復帰支援に必要な労働条件の改善や、配置転換、異動等についての配慮を行うため、連携していくことが肝要である。

2 ✕　ストレスチェック制度は、労働者のストレスの程度を把握し、労働者自身のストレスへの気づきを促すとともに、職場改善につなげ、働きやすい職場づくりを進めることによって、労働者のメンタルヘルス不調を未然に防止することを主な目的としているため、関連して進めていくことが重要である。

3 ✕　仕事と生活の調和（ワーク・ライフ・バランス）の重要性も指摘されているため、家庭や個人生活などについても対象とすることが望ましい。

4 ○　管理監督者は、事業場内産業保健スタッフ等と協力しながら職場環境等の問題点を把握し、それらの改善を図ることで職場復帰支援における就業上の配慮を履行する役割があるため、部下のストレス要因を把握し、その改善を図ることは重要である。

5 ✕　客観的に合理的理由を欠き、社会通念上相当であると認められない場合には解雇は無効である（労働契約法第 16 条）。会社の就業規則の内容によるが、労働者の病気や怪我などが業務に耐えられない程度のものであると客観的に判断できなければ、会社はそれを理由に解雇することは原則としてできない。

問題103　身体症状症および関連症群（DSM-5）　正答 5

DSM-5 における身体症状症とその関連症群との違いについて問う問題である。紛らわしいのでしっかり理解しておきたい。

1 ✕　身体の一部に脱力が起こるのは、**変換症／転換性障害**の症状である。

2 ✕　視覚や聴覚の機能が損なわれるのは、変換症／転換性障害の症状である。

3 ✕　疾患を示唆する身体症状を意図的に作り出しているのは、**作為症／虚偽性障害**の症状である。

4 ✕　重篤な疾患に罹患することへの強い不安があるのは、**病気不安症**の症状である。

5 ○　身体症状症では、身体症状に関連した**過度な**思考、感情または行動を特徴とする。

メモ　身体症状症（DSM-5）

DSM-5 における身体症状症の診断基準として以下のものが挙げられる（抜粋）

A. 1 つまたはそれ以上の、苦痛を伴う、または日常生活に意味のある混乱を引き起こす身体症状

B. 身体症状、またはそれに伴う健康への懸念に関連した過度な思考、感情、または行動で、以下のうちの少なくとも 1 つによって顕在化する。

1) 自分の症状の深刻さについての不釣り合いかつ持続する思考
2) 健康または症状についての持続する強い不安
3) これらの症状または健康への懸念に費やされる過度の時間と労力

問題104　Basedow病　正答 1

Basedow 病（甲状腺機能亢進症）は、甲状腺ホルモンの過剰分泌により生じる病態であり、頻脈・発汗亢進・眼球突出などを主な症状とする。甲状腺ホルモンの不足状態では粘液水腫と呼ばれる全く正反対の症状を呈するので、しっかり区別して覚えておきたい。

1　○　甲状腺ホルモンは全身の代謝を亢進させるため、頻脈・動悸などの症状を呈する。
2　×　便秘は甲状腺ホルモン不足時の症状のひとつである。
3　×　甲状腺ホルモンの過剰時は、全身の代謝が亢進するため体温の上昇と発汗が認められる。
4　×　顔のむくみは甲状腺ホルモン不足時の症状である。
5　×　声のかすれは甲状腺機能低下に伴う症状のひとつである。

問題105　難病法　正答 2

難病の患者に対する医療等に関する法律（難病法）は、「発病の機構が明らかでなく、かつ、治療方法が確立していない希少な疾病」（第 1 条）と定義される難病の患者のための法律である。
https://elaws.e-gov.go.jp/document?lawid=426AC0000000050_20180401_426AC0000000050

1　×　上記の通り、難病は治療法が確立されていない、と定義されている。
2　○　上記の通り、難病は発病の機構が明らかではない、と定義されている。
3　×　指定難病は 300 以上ある。
4　×　自己負担額は、世帯所得や疾病の状況によって変わる。
5　×　指定難病は、「当該難病の診断に関し客観的な指標による一定の基準が定まっていること」と定められている（第 5 条）。

問題106　低血糖　正答 4

糖尿病の治療中、治療薬の影響により血糖値の低下を認めることは珍しくない。放置すると意識障害などの重篤な状態に陥ることもあるので、初期症状への注意が必要である。

1　×　低血糖への反応により**アドレナリン**が分泌され、血圧は**上昇**する。
2　×　低血糖では多くの場合、発汗にともなって体温は**低下**する。
3　×　頻尿や尿量の増加は、むしろ**高血糖**の症状である。
4　○　副腎からのアドレナリンの分泌により、発汗の**増加**がみられる。
5　×　アドレナリンの分泌によって脈拍が**増加**し、動悸がみられることがある。

問題107　強迫症　正答 1

精神症候学に関する問題は例年出題されているので、代表的な精神症候についてその内容と、どのような疾患で起きるのかチェックしておこう。

1　○　強迫症において儀式行為はしばしば認められる強迫行為のひとつである。
2　×　**欠神発作**は、脳波で全般性の 3Hz spike & wave を特徴とするてんかん発作である。
3　×　常同行為は、前頭側頭型認知症や統合失調症、発達障害にみられる、同じ決まった運動や行動を繰り返すことである。強迫症でみられる強迫行為と違って心理的葛藤に乏しい。
4　×　**連合弛緩**は、統合失調症にみられる、思考のつながりが緩み、周囲からはその言動が理解し難くなる症状のことである。
5　×　**カタレプシー**は、緊張病症候群に認められる、意志発動の低下と非暗示性の亢進であり、**蝋屈症**などが含まれる。

問題108　抗コリン作用 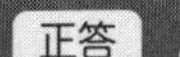 正答 2

抗コリン作用とはアセチルコリンの働きを阻害する薬理作用のことをいう。一般には副交感神経系の働きが抑制されることになるので、腸管蠕動低下、唾液分泌低下、縮瞳困難による羞明などが起こる。また多飲水や認知機能低下も生じる。

1 ✕ 抗コリン作用では腸管の動きが阻害されるために**便秘**となる。

2 ○ 唾液分泌が阻害され、**口渇**が生じる。

3 ✕ **高血糖**は抗精神病薬の副作用としてしばしば生じるが、抗コリン作用によるものではなく、ヒスタミンH1受容体遮断やセロトニン5-HT2C受容体遮断によると考えられている。

4 ✕ 眼球上転は眼筋の**ジストニア**の症状であり、パーキンソン症候のひとつで、ドパミン受容体遮断によって生じる。

5 ✕ 手指振戦もパーキンソン症候のひとつで、ドパミン受容体遮断によって生じる。

問題109　児童虐待防止法 正答 5

児童虐待の防止等に関する法律（児童虐待防止法）は、頻出の法律である、必ず内容を理解しておこう。

https://www.mhlw.go.jp/bunya/kodomo/dv22/01.html

1 ✕ 親権停止の要件は、**民法**834条の2により「父又は母による親権の行使が困難又は不適当であることにより子の利益を害するとき」と定められている。

2 ✕ 社会的養護は**児童福祉法**に基づく施策である。

3 ✕ 人身保護請求の要件は、人身保護規則第4条に定められている。

4 ✕ 虐待を行った保護者に対する指導については定められているが（第11条）、罰則については定められていない。

5 ○ 児童虐待防止法第7条に「市町村、都道府県の設置する福祉事務所又は児童相談所が前条第一項の規定による通告を受けた場合においては、当該通告を受けた市町村、都道府県の設置する福祉事務所又は児童相談所の所長、所員その他の職員及び当該通告を仲介した児童委員は、その職務上知り得た事項であって当該通告をした者を特定させるものを漏らしてはならない」と定められている。

問題110　労働安全衛生規則による産業医の職務 正答 2

産業医の職務を問う問題である。産業医の職務については労働安全衛生規則第14条に定められている内容を確認する。

1 ✕ 人事評価は、主に管理監督者や人事担当者が行うものであり、産業医は人事評価に関わらない。

2 ○ 健康診断の実施は、産業医の職務である。

3 ✕ 従業員の採用選考は、産業医の職務ではない。

4 ✕ 従業員の傷病に対する診療は、医療行為にあたり、労働安全衛生規則に定める産業医の職務に含まれない。

5 ✕ ワクチン接種の実務は、医療行為にあたり、労働安全衛生規則に定める産業医の職務に含まれない。

メモ　産業医の職務

①健康診断、面接指導等の実施およびその結果に基づく労働者の健康を保持するための措置、作業環境の維持管理、作業の管理等、労働者の健康管理に関すること。
②健康教育、健康相談その他労働者の健康の保持増進を図るための措置に関すること。
③衛生教育に関すること。
④労働者の健康障害の原因の調査および再発防止のための措置に関すること。

問題111　Jonsenの臨床倫理四分割表の検討項目　正答 5

臨床倫理四分割表は、倫理的な症例検討の考え方として A.R. Jonsen らによって示された。治療やケア方針を検討する際、四分割表にある各テーマ（医学的適応・患者の意向・QOL・周囲の状況）について情報を収集し、話し合いを行う。

1 ○ QOL のチェックポイントは、QOL の定義と評価、誰がどのような基準で決めるか、QOL に影響を及ぼす因子についてである。

2 ○ 医学的適応のチェックポイントは、診断と予後、治療目標の確認、医学の効用とリスク、無益性である。

3 ○ 患者の意向のチェックポイントは、患者の判断能力、インフォームド・コンセント、治療の拒否、事前の意思表示などである。

4 ○ 周囲の状況のチェックポイントは、家族など他社の利益、守秘義務、経済的側面、公共の利益などである。

5 × 個人情報の保護は、臨床倫理四分割表とは関連がない。

問題112　マイクロカウンセリング　正答 2

A.E. Ivey らによるマイクロカウンセリングにおける「かかわり行動」とは、クライエントと接するときの具体的な接し方を示したものである。

1 ○ **大きさやトーン、スピード**などの「声の調子」は「かかわり行動」の 4 要素の 1 つである。

2 × 「自己開示」は「かかわり行動」に含まれていない。

3 ○ 相槌を打つなどし、**クライエントの話を先回りしない**「言語的追従」は「かかわり行動」の 4 要素の 1 つである。

4 ○ **視線は合わせつつも凝視しない**などの「視線の位置」は「かかわり行動」の 4 要素の 1 つである。

5 ○ **表情や姿勢、動作**などの「身体的言語」は「かかわり行動」の 4 要素の 1 つである。

問題113　乳児期の社会的情動発達　正答 1

乳児期の社会的情動発達では何か月にどのような現象が起きているか把握しておきたい。

1 × 恥の表出は、M.S. Lewis 他によると **24 か月過ぎ**に生じる現象である。

2 ○ 人見知りは、**生後 6 か月**くらいから生じる現象である。

3 ○ 怒りの表出は、M.S. Lewis 他によると**生後 6 か月くらい**までに生じる現象である。

4 ○ 社会的参照は、**12 か月くらい**までに生じる現象であり、共同注意および 3 項関係への準備となるものである。

5 ○ 社会的微笑は**生後 5〜6 週目**からみられる現象である。

問題114　E. Kübler-Rossの死に対する心理的反応段階　正答 4

E. Kübler-Ross は「死の受容」の段階として「否認」「怒り」「取引」「抑うつ」「受容」の 5 段階のモデルを提唱した。

1 ○ **「怒り」**は「なぜ私だけがこんな目に」といった心情に代表されるものとして示されている。

2 ○ **「否認」**は、最初の段階として「現実を受け止められない」反応として挙げられている。

3 ○ **「受容」**は現実を受け入れる反応として示されている。

4 × 「離脱」という段階は含まれていない。

5 ○ **「取引」**は「良い行いをするので助けてください」というような心理状態を示している。

問題115　躁病エピソード（DSM-5）　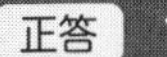 1

DSM-5 では躁病エピソードと軽躁病エピソードが区別され、それに伴ってそれぞれ双極I型障害と双極II型障害が診断されることに留意が必要である。躁病エピソードの診断基準では、基準 A で症状の持続期間を規定し、基準 B で個々の症状を定義している。

1 × 離人感は、解離症群、特に**離人感／現実感消失症**に起こる症状である。

2 ○ **観念奔逸**は、DSM-5 の躁病エピソードの診断基準 B に入っている。

3 ○ 睡眠欲求の減少は、診断基準 B に入っている。

4 ○ 目標指向性の活動の増加は、診断基準 A と B に入っている。

5 ○ 自尊心の肥大、または誇大は、診断基準 B に入っている。

問題116　インフォームド・コンセント　正答 3

インフォームド・コンセントとは「説明と同意」の意味で、クライエントが自身の病気や治療法を医師などからしっかりと説明を受けて納得して治療を進めるためのものである。

1 ○ メリットだけでなく**リスク**も説明する。

2 ○ 一度きりのものではなく、**必要に応じて常に**行われる必要がある。

3 × **他の可能な支援方法も提示**して、クライエントの希望を考慮する。

4 ○ 重要なことは文書で示すこともあるが、口頭のみの場合もある。

5 ○ クライエントだけでなく、後見人など代諾者にも行われる。

問題117　スクールカウンセリング　正答 1

児童生徒への援助は、学校・家庭・地域によるチーム学校の視点で行われる。スクールカウンセラーは、学校生活を送る中、悩みを抱える児童生徒やその関係者などの環境についての生態学的視点から包括的アセスメント、児童生徒への心理的支援、その関係者へのコンサルテーションを行う。

1 × 具体的な支援の前、支援の途中、支援の後で心理的アセスメントを行い続ける必要があるが、必ずしも心理検査を行うわけではなく、できれば、学校内での本人の行動観察、教職員、家族、地域や関係者などの情報から、統合的に周囲の環境や本人の様子の過去、現在、未来について検討する必要がある。詳細な検査をスクールカウンセラーが全く行わないわけではないが、それ以外に優先してやるべきことがある。

2 ○ 心理学の領域では、生物学（Bio）、心理学（Psycho）、社会学（Social）という 3 つの観点から多面的・多層的に捉えようとする「生物心理社会モデル」という考え方が注目されている。スクールカウンセリングなどの教育・学校領域において心理支援を行うにあたっても、児童生徒が抱える問題を児童生徒自身の個の問題としての生物・身体的側面だけでなく、社会的な環境側面、それらの相互作用によって生じる心理的な側面などを含めた生物心理社会モデルから見立てていくことが必要である。

3 ○ まず相談室に来室したクライエントである児童生徒の語りに対して、批判したり批評したりするのではなく、共感的な態度で耳を傾ける（傾聴）という姿勢や態度をとることで、信頼関係の基盤を作っていくことが重要である。

4 ○ 児童生徒に直接面接したり、授業の様子を観察したりするだけでなく、教室や廊下等に掲示されている描画、文章、造形物などの成果物の情報を収集することにより、児童生徒の心理状態を多面的にアセスメントする際に役立つ情報になる。

5 ○ 事例検討会は、児童生徒の周りにいる様々な立場の援助者（担任教師、学年の教師、養護教諭、管理職、スクールカウンセラー、スクールソーシャルワーカーなど）が集まり、それぞれの視点や専門性を活かして、子どもの情報を集約し、仮説や意見を出し合うことで、児童生徒の理解を生む機会となる。その結果、児童生徒の理解の深化や問題解決に導くためのより良い具体的な援助サービスの提供につながる。また、関係する教師にとって、多くの学びにつながる重要な校内研修の場や情報交換の場としても活用できる。

問題118　障害者差別解消法　正答 3

障害を理由とする差別の解消の推進に関する法律（障害者差別解消法）は頻出の法律である。誰に対して何が求められているのか、内容を理解しておこう。

1 ○ 第7条に「**行政機関等**における障害を理由とする差別の禁止」、第8条に「**事業者**における障害を理由とする差別の禁止」が定められている。

2 ○ 第3条には「**国及び地方公共団体**の責務」、第4条には「**国民**の責務」について定められている。

3 × 後見開始の審判とは、認知症、知的障害、精神障害などの精神上の障害によって判断能力が欠けているのが通常の状態の人を保護するための手続きであり、家事事件手続法に定められている。

4 ○ 内閣府の「平成28年版　障害者白書（概要）第2章障害者権利条約批准後の動き」に「日本国内では、条約の締結に先立ち、（中略）障害者差別解消法の成立及び障害者雇用促進法の改正（平成25（2013）年6月）など、様々な法制度整備が行われた」と書かれている。
https://www8.cao.go.jp/shougai/whitepaper/h28hakusho/gaiyou/h02.html

5 ○ 第1条に「もって全ての国民が、障害の有無によって分け隔てられることなく、相互に人格と個性を尊重し合いながら**共生する社会**の実現に資することを目的とする」と定められている。

問題119　スクールカウンセラーの心理教育の授業　正答 1

心理教育の授業はスクールカウンセラーの役割として文科省が定めている。

1 × 比較的手軽にできる体験的な内容は、心理授業には有効である。

2 ○ 画一的なストレスコーピングを教えるのではなく、生徒一人ひとりが自分に合ったコーピングを考えられる方がよい。

3 ○ ストレス反応は個人差があり、ストレスマネジメントのためには、自分のストレス反応を理解できるようにする。

4 ○ 養護教諭や保健体育科の教師と共同授業をすることで、より幅の広い授業を行うことができる。

5 ○ 好ましい出来事であってもストレスになり得ることを伝え、自分の心身の変化に注意を向けさせることが大切である。

問題120　公認心理師法における罰則　正答 2

公認心理師法は、公認心理師として働く上で遵守しなければならない法律である。必ず内容を確認しておこう。

1 × 第43条に「**資質向上の責務**」について定められているが、罰則規定や登録取り消しなどの行政処分はない。

2 ○ 第40条に「**信用失墜行為の禁止**」が定められており、第32条の2にこれに違反したときには文部科学大臣及び厚生労働大臣は登録を取り消すことができると定められている。

3 × 第42条には、他の関係者との「**連携等**」について定められているが、罰則規定や行政処分はない。

4 × 第41条には、「公認心理師は、正当な理由がなく、その業務に関して知り得た人の秘密を漏らしてはならない」とあるが、この場合はクライエントの自殺回避のための必要な行動であり正当な理由であると考えられる。

問題121　BDI-Ⅱ　正答 4

改訂された検査は出題されやすいので、どのような点が修正されたかをおさえておこう。

1 × どのような心理検査においても、単独の心理検査の結果のみで診断につながることはない。

2 × 過去2週間の状態を評価する。

3 × 体重減少に関する質問項目が削除された。

4 ○ 睡眠時間の増加についても評価できるように修正されている。

問題122　学校への緊急支援　 4

学校への緊急支援は公認心理師としての重要な職務である。基本事項をおさえておこう。

1 ✕ 緊急支援は、学校全体への対応と児童生徒への個別的な対応の両側面から行われるべきである。

2 ✕ 誤った情報や噂などによる混乱を避けるため、児童生徒の人権やプライバシーに留意しつつ、正確な情報を適宜伝える。

3 ✕ 初期の段階で大切なことは安全と安心感であり、トラウマとなった体験の詳細やそのときの感情を語らせることにより心身の状態をかえって悪化させることもあるので控える。

4 ○ 緊急事態においては、心身ともにストレス反応が起こることは一般的であることを伝えるのは重要である。

問題123　高校における自殺予防教育　正答 3

若年層の自殺は増加傾向にあり、日本社会にとって大きな社会問題である。今後、自殺予防教育は公認心理師に求められる重要な職務となると考えられる。文科省「子供に伝えたい自殺予防　学校における自殺予防教育導入の手引」参照。

https://www.mext.go.jp/component/b_menu/shingi/toushin/__icsFiles/afieldfile/2014/09/10/1351886_02.pdf

1 ✕ **ゲートキーパー**になるための年齢制限などはなく、誰もが自殺の危機にある人のそばに寄り添ってゲートキーパーの役割を果たすことができる。

2 ✕ 自殺予防教育は「**問題の早期認識**と**適切な援助希求**」の大切さを伝えるために行うものであって、危機的状況への介入とは目的が異なる。

3 ○ 自殺予防教育においては、自殺について話すことをためらわず、率直に話し合えることが重要である。

4 ✕ 「死にたい」という人は死なない、というのは誤解であり、助けを求めている声を受け止めることが自殺予防の第一歩であることを伝える。

問題124　いじめ防止対策推進法と基本方針　正答 3

文科省は「いじめの防止等のための基本的な方針」と「いじめの重大事態の調査に関するガイドライン」を出している。内容を確認しておこう。

1 ○ いじめ防止対策推進法第 22 条に、学校いじめ対策組織は「心理、福祉等に関する専門的な知識を有する者」により構成されると定められており、文科省の基本的な方針には、「可能な限り、同条の『心理、福祉等に関する専門的な知識を有する者』として、スクールカウンセラー・スクールソーシャルワーカーを参画させる」とされている。

2 ○ 文科省の基本的な方針には、学校が「学校いじめ防止プログラム」の、「早期発見・事案対処のマニュアル」の策定に取り組むようにとされている。

3 ✕ いじめ防止対策推進法第 2 条のいじめの定義には、「当該行為の対象となった児童等が心身の苦痛を感じているもの」と定められており、文科省の基本的な方針にも「いじめの判断は、いじめられた児童生徒の立場に立つことが必要である」とある。

4 ○ 「全ての教職員がいじめ防止対策推進法の内容を理解し、いじめの問題に対して、その態様に応じた適切な対処ができるよう、心理や福祉の専門家であるスクールカウンセラー・スクールソーシャルワーカー等を活用し、教職員のカウンセリング能力等の向上のための校内研修を推進する」とされている。

問題125　心理職の基盤的コンピテンシー　正答 2、3

E. Rodolfa らによってコンピテンシーのキューブモデルが提案されている。このモデルは、「基盤コンピテンシー」「機能コンピテンシー」「職業的発達の段階」の３次元から構成されている。

1 ✕ 介入は、機能コンピテンシーに含まれる項目であり、介入のための専門的技能を指す。

2 〇 関係形成は、基盤コンピテンシーにおける「治療関係」に該当すると考えられる。

3 〇 反省的実践は、基盤コンピテンシーに含まれる。自分の言動を振り返り、自身の能力や技能を認識し、必要に応じて修正していくことを指す。

4 ✕ コンサルテーションは、機能コンピテンシーに含まれる項目である。

5 ✕ 心理的アセスメントは、機能コンピテンシーに含まれる項目である。

メモ　心理職のコンピテンシー

コンピテンシーのキューブモデルにおける基盤コンピテンシーと機能コンピテンシーの職業的発達の内容をしっかりおさえておこう。

基盤コンピテンシー	機能コンピテンシー
1. 専門家としての姿勢	1. 心理的アセスメント
2. 反省的実践	2. 介入
3. 科学的知識と方法	3. スーパービジョン・教育
4. 治療関係	4. 研究と評価
5. 文化的ダイバーシティ	5. 管理・運営
6. 多職種協働	6. コンサルテーション
7. 倫理・法的基準と政策	7. アドボカシー

職業的発達
1. 博士課程教育
2. 博士課程の研修
3. 博士課程後のスーパーヴィジョン
4. 就職後の研修
5. 継続的なコンピテンシー

問題126　地域包括ケアシステム　正答 1、4

地域包括ケアシステムとは、地域に暮らす高齢者を包括的に支援するため、地域の実情に合った医療・介護・予防・住まい・生活支援が提供できる体制のことをいう。

1 〇 高齢者が住み慣れた場所で生活し、自分らしい暮らしを続けるためには、地域における医療と介護の連携が必要不可欠である。そのため、多職種協働により医療・介護の連携を強化することが推進されている。

2 ✕ 地域包括支援センターには、**保健師や社会福祉士、ケアマネジャー**が配置されているが、医師は常駐していない。

3 ✕ 地域包括支援センターは、高齢者の保健医療向上や福祉の増進を包括的に支援することを目的として設置されており、権利擁護のための業務は主な業務のひとつである。

4 〇 地域ケア会議では、５つの機能「個別課題解決機能」「ネットワーク構築機能」「地域課題発見機能」「地域づくり・資源開発機能」「政策形成機能」が期待されており、個別事例においては多職種が協働して課題解決を図る。

5 ✕ これまでの介護施設では集団的ケアが一般的であったが、個人としての尊厳を重視するため個別ケアへの移行が進んでいる。

問題127　リラクセーションの技法

正答 1、2

心身の緊張を和らげることを目的としたリラクセーション法には様々な手法がある。特に主要なものについては特徴などについておさえておきたい。

1 ○ 自律訓練法は、最も代表的なリラクセーション法である。J.H. Schultz によって開発された。

2 ○ 漸進的筋弛緩法は、意識的に筋肉を緊張させたり弛緩させたりすることを繰り返し、リラックスしていく方法である。E. Jacobson によって開発された。

3 × 睡眠スケジュール法とは、不眠症に対して用いられる認知行動療法の手法である。

4 × トークン・エコノミー法は、オペラント条件づけの原理を用いた行動療法の技法である。望ましい行動を示した場合に強化報酬を与え行動変容を行う。

5 × アサーション・トレーニングは、相手の意見を尊重しながら自己主張していく（相手も自分も大切にする）ためのコミュニケーションのトレーニングである。

問題128　クライエント中心療法における共感的理解

正答 2、3

C.R. Rogers は、治療的人格変化の必要十分条件として6つを示した。そのうち、「自己一致」「無条件の肯定的配慮」「共感的理解」はロジャーズの3原則として知られている。

1 × クライエントの私的世界を、あたかも自分自身の私的な世界であるかのように感じ取るためには、クライエントが表現することを知的に認識することも必要である。したがって、共感的理解には知的に理解することも含まれる。

2 ○ クライエント中心療法では、クライエントの「今ここ」での気持ちや気づきを大切にし、それに対して傾聴し、共感的理解を示す。

3 ○ 共感的理解は、言語と非言語の両方のコミュニケーションを用いて伝えられる。

4 × 共感的理解は、クライエントの人格が変容するための必要十分条件である。

5 × 「クライエントの私的世界を、あたかも自分自身の私的な世界であるかのように感じ取ること」が重要とされているが、一体化することとは異なる。また、最優先すべきものでもない。

問題129　睡眠時無呼吸症候群

正答 3、5

睡眠時無呼吸症候群（SAS：Sleep Apnea Syndrome）に関する問題である。精神疾患と合併することも少なくない。

1 × 無呼吸になり睡眠が一時的に中断されることで交感神経の働きが強くなり、その結果、血圧が上昇する。睡眠時無呼吸症候群では高血圧の合併が多い。

2 × 睡眠時無呼吸症候群では体重の増加がみられる。

3 ○ 睡眠時無呼吸症候群は十分な睡眠がとれないため、日中の眠気が強くなる。

4 × 睡眠時無呼吸症候群では「寝付きが悪い」という自覚症状は少ない。

5 ○ 睡眠時無呼吸症候群では、激しく大きないびきが出現する。これは、上気道がふさがることによって生じやすく、肥満傾向の人に多くみられやすい。

問題130　里親制度　正答 2、3

社会的養護のひとつである里親制度について、内容を理解しておこう（厚生労働省「里親委託ガイドライン」参照）。

https://www.mhlw.go.jp/stf/shingi/2r98520000018h6g-att/2r98520000018hlp.pdf

1 × **養子縁組里親**は、「要保護児童を養育することを希望する者であって、養子縁組によって養親となることを希望するもののうち、都道府県知事が児童を委託する者として適当と認めるものをいう」と定義されている。

2 ○ **親族里親**は「三親等以内の親族である者に子どもの養育を委託する制度」である。

3 ○ 「児童を里親に委託したときは、都道府県は、里親手当及び児童の養育に要する一般生活費、教育費等の費用（養子縁組里親及び親族里親については里親手当を除く）を、里親に対する**措置費**として支払い、国はその2分の1を負担する」とされており、日常生活にかかる費用は一般生活費として支給される。

4 × **養育里親**は養子縁組を目的としない里親である。法律上の親子関係を成立させる目的を持つ里親は養子縁組里親である。

5 × 里親制度は、「家庭での養育に欠ける児童等に、その人格の完全かつ調和のとれた発達のための温かい愛情と正しい理解を持った**家庭を与える**ことにより、愛着関係の形成など児童の健全な育成を図るもの」であり、**専門里親**は家庭でより専門的なケアを必要とする子どもの保護を行う。

問題131　認知症の人の意思決定　正答 1、4

本問については、厚生労働省が2015（平成27）年に公表した「認知症施策推進総合戦略」（新オレンジプラン）を参考にしたい。これは、団塊の世代が75歳以上となる2025年を見据えて策定されたもので、認知症の人の意思が尊重され、できる限り住み慣れた地域で暮らし続けることができる社会の実現を目指して、関係11府省庁と共同でまとめられた。

1 ○ 認知症の人の意思の尊重が重要とされる。

2 × 従来の認知症施策は認知症の人を支える支援者側の視点に偏りがちであったという観点から、新オレンジプランでは認知症の人やその家族の視点が重視されるようになった。

3 × 最初に示した意思が、その過程において変化していくことは十分考えられることであるため、そのときの意思や過程に寄り添うことを重要視する。

4 ○ 選択肢2の解説の通り、家族の視点も重要である。

5 × 対立の状況にもよるが、認知症本人の意思決定も尊重されるべきであり、対立した際に必ずしも家族の意思決定を優先するとは言い難い。

問題132　軽度認知障害（MCI）　正答 4、5

軽度認知障害（Mild Cognitive Impairment）とは、認知機能の低下を認めるが基本的な日常生活機能は自立し認知症とは診断されない状態を指す。※

1 × 軽度認知障害にはうつ病や身体疾患、薬剤性のものなども含まれ、必ずしも不可逆的な状態でなく可逆性のものがある。

2 × 基本的な日常生活動作は**自立**しているものを、軽度認知障害と診断する。

3 × 軽度認知障害はその記憶障害の有無によって、**健忘型MCI**と**非健忘型MCI**に分かれる。記憶障害が診断の必須条件というわけではない。

4 ○ 軽度認知障害の診断にあたり、その認知機能の評価にはMMSEでは十分とはいえず、**MoCA-J**（Montreal Cognitive Assessment-Japanese version）が推奨されている。※

5 ○ DSM-5では軽度認知障害（Mild Neurocognitive Disorder）は**神経認知障害群**に含まれている。

（※参考文献：日本精神神経学会認知症委員会編『日本精神神経学会 認知症診療医テキスト2 症例とQ&Aに学ぶ』pp.70-71, 新興医学出版社 2021）

問題133　改正教育基本法 

正答 4、5

時代の流れとともに、2006（平成 18）年に教育基本法が改正された。その内容についておさえておこう。

1 ✕ **社会教育**は、改正前から規定されていた。なお、「個人の要望や社会の要請にこたえ」という文言が加わり、「家庭教育及び勤労の場所その他」で行う教育という文言が削除された（第 12 条）。

2 ✕ **政治教育**は、改正前から規定されており、文言の修正があったのみである（第 14 条）。

3 ✕ **教育の機会均等**は、改正前から規定されており、文言の修正があったのみである（第 4 条）。

4 ○ **生涯学習の理念**は、第 3 条に新設された。

5 ○ **学校、家庭及び地域住民等の相互の連携協力**は第 13 条に新設された。

注：本問では設問に誤植があった。「連携教育」ではなく「連携協力」が正しい。

問題134　刑事施設における特別改善指導

正答 3、5

特別改善指導には、他に性犯罪再犯防止指導、交通安全指導、就労支援指導がある。

1 ✕ 特別改善指導で家族関係指導を行うことはない。

2 ✕ 行動適正化指導は、一般改善指導のひとつである。

3 ○ 薬物依存離脱指導は、警察等と協力しながら、暴力団の反社会性を認識させる指導を行い、離脱意志の醸成を図る。

4 ✕ 特別改善指導で自己改善目標達成指導を行うことはない。

5 ○ 被害者の視点を取り入れた教育では、罪の大きさや被害者等の心情等を認識させるなどし、被害者等に誠意を持って対応するための方法を考えさせる。

問題135　男女雇用機会均等法

正答 3、5

男女雇用機会均等法は、性別に関わらず労働者が均等な雇用の機会を得て、一人ひとりの能力や仕事に対する意欲によって、均等な待遇を受けられるようにすること、企業の制度や方針において性別による差別をなくしていくことを目的に定められている。

1 ✕ 婚姻、妊娠、出産を退職理由として予定する定めは禁止されている（第 9 条）。

2 ✕ 2014（平成 26）年 7 月、男女雇用機会均等法施行規則の改正で、全ての労働者の募集、採用、昇進、職種の変更をする際に、合理的な理由がないにもかかわらず転勤要件を設けることは、**間接差別**として禁止されている（男女雇用機会均等法施行規則第 2 条 2）。

3 ○ 特例として女性の優遇が認められる場合がある（第 8 条）。厚生労働省のパンフレット「男女雇用機会均等法の概要」（平成 31 年 3 月）にも「職場に事実上生じている男女間の格差を是正して、男女の均等な機会・待遇を実質的に確保するために、事業主が、女性のみを対象とするまたは女性を有利に取り扱う措置（**ポジティブ・アクション**）は法違反とはなりません」とある。

4 ✕ 男女雇用機会均等法施行規則第 13 条に「事業主は、女性労働者の職業生活の充実を図るため、当分の間、女性労働者を深夜業に従事させる場合には、通勤及び業務の遂行の際における当該女性労働者の安全の確保に必要な措置を講ずるように努めるものとする」と定められている。

5 ○ 男女雇用機会均等法第 15 条に「労働者から苦情の申出を受けたときは、苦情処理機関（事業主を代表する者及び当該事業場の労働者を代表する者を構成員とする当該事業場の労働者の苦情を処理するための機関をいう。）に対し当該苦情の処理をゆだねる等その自主的な解決を図るように努めなければならない」と定められている。

問題136　15歳男子・家族システム論（事例）　正答 1

家族システム論の基本的な用語である。意味を理解しておこう。

1 ○ **連合**とは、家族内のメンバーがある目的のために結合することで、この場合はAと母親Bが父親Cに対抗するために結合していると考えられる。

2 × **自己分化**とは、家族システムに所属しつつ、自分の個別性を確立している状態である。この家族においては、AとBの間に個人の個別性が確立されているとはいえない。

3 × **遊離家族**は家族メンバー間やサブシステムのコミュニケーションが遮断されていて、家族としてのまとまりがない状態であるが、この家族はむしろ境界があいまいで密着した**纏綿（てんめん）家族**であると考えられる。

4 × **親役割代行**は、子どもが親の役割を代行している状態を指すが、この場合Aが親の役割を果たしているとは考えにくい。

5 × **情緒的遮断**は家族メンバーに情緒的に巻き込まれないために、物理的、感情的に交流を避けようとするもので、この家族においてはそのように遮断している様子はみられない。

問題137　20歳女性・心理状態（事例）　正答 4

恋愛中のカップルにおける21歳女子学生Aの状態について適切な説明を求める問題である。

1 × D.G. DuttonとA.P. Aronの**「吊り橋実験」**で生ずる**感情の誤帰属**とは、原因を取り違えることであり、Aの状態を説明するのには不適切である。

2 × J.A, Leeの提唱した**恋愛の色彩理論**は6つの類型に恋愛を分類し、アガペ型は愛他的な愛のことなので、Aの状態を説明するのには不適切である。

3 × R.J. SternbergとM.L. Barnesの**愛の三角理論**では3要素として**親密性**、**情熱**、**コミットメント**で成り立つとされ、コミットメントは短期では愛するという決定、長期では愛を維持するための言動や約束であるため、Aの状態を説明するのには不適切である。

4 ○ K. BartholomewとL.M. Horowitsによる4カテゴリーアタッチメントスタイルを青年期の恋愛スタイルへ用いたD. ZeifmanとC. Hazanの研究から、Aの状態はアタッチメント・スタイルではとらわれ型と説明できる。

5 × J.E. Marciaの提唱した**同一性地位（アイデンティティ・ステータス）理論**の早期完了は、青年期におけるアイデンティティ確立の危機を経験することなく人生の価値観（職業・生き方）には積極的に関与することであり、Aの状態を説明するのには不適切である。

問題138　7歳女児・DSM-5から考えられる病態（事例）　 3

DSM-5において、反応性アタッチメント障害と脱抑制型対人交流障害は、通常認知と言語の遅れとともに現れるが、発達障害ではなく、心的外傷およびストレス因関連障害群に含まれることに留意が必要である。

1 × 脱抑制型対人交流障害では、反応性アタッチメント障害と逆で、ほとんど初対面の人物に対して、警戒感などがなく過度に馴れ馴れしい態度や行動をとるとされる。

2 × この事例では、両親による身体的虐待やネグレクトなどがトラウマになっている可能性はあるが、心的外傷後ストレス障害にみられるような**過覚醒**や**侵入症状**などは認められない。

3 ○ 反応性アタッチメント障害は、幼少期の著しく不遇な養育体験（身体的、心理的、性的虐待やネグレクト）に由来し、養育者である大人に対して、過度の恐れと警戒、攻撃などで通常の**愛着行動**を示さず、**自尊感情が低い**などを特徴とする。

4 × 笑うことがなく、苦痛や不平を訴えないなど、自閉スペクトラム症を思わせるところもあるが、学業成績に問題なく質問への返答も的確で、担当職員には若干柔らかい表情を見せるなどがあり合致しない。

5 × **小児期発症流暢症**で認められる**吃音**がないので合致しない。

問題139　23歳女性・心理的アセスメント（事例）

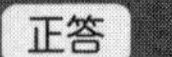
正答　1

この事例では3か月以上症状が改善しない、同じような悪夢を繰り返し見る、よく眠れない、否定的認知などがみられることから、PTSDの症状が疑われるため、どの心理検査を用いればよいかを考えよう。

1　○　CAPSとは、**DSM-5に準拠**したPTSD臨床診断面接尺度（Clinician Administered PTSD Scale）のことであり、**PTSD**に関する中核症状の頻度や強度を**構造化面接法**によって評価を行うことも目的としている。

2　×　DN-CAS認知評価システムとは、J.P. Dasの**PASS理論**を理論的基礎とした**認知処理過程**を評価することを目的とした検査のことであり、**5歳0か月から17歳11か月まで**の年齢を対象としている。

3　×　**JDDST-R**とは、**改訂日本版デンバー式発達スクリーニング検査（Revised Japanese Version of Denver Developmental Screening Test）**のことであり、**生後から6歳まで**の年齢を対象に**乳幼児の発達**を評価することを目的としている。

4　×　KABC-Ⅱとは、Kaufman Assessment Battery for Children Second Editionのことであり、**2歳6か月から18歳11か月まで**の年齢を対象として**認知能力**と**学力の基礎となる習得度**を評価することを目的とした検査である。

5　×　TEGとは、東大式エゴグラム（Tokyo University Egogram）のことであり、**16歳以上**の年齢を対象に、**交流分析理論**に基づき5つの**自我状態**から**性格**を評価することを目的とした検査であり、テストバッテリーに含める可能性はあるが、他の選択肢と比較すると、最も適切とは言えないため誤りである。

問題140　災害被災者・I.D. Yalomの集団療法（事例）

正答　1

I.D. Yalomは集団療法の治療因子として「普遍性」「愛他主義」「カタルシス」「情報の伝達」「希望をもたらすこと」「凝集性」「模倣行動」などを挙げている。問題文では、「他の人よりは被害が少なかった自分が申し訳ない」という「サバイバーズ・ギルト」について語られている。

1　○　治療因子としての**「普遍性」**とは、他の参加者も同じ体験をしていると知ることで「自分だけではない」と思えることである。問題文では「サバイバーズ・ギルト」を参加者が共有しており、「普遍性」が生じているといえる。

2　×　**「愛他主義」**とは、誰かの役に立ち誰かを喜ばせることで「自分は必要な存在なのだ」と感じられることである。

3　×　**「カタルシス」**とは、感情を出し、それを誰かに受け止めてもらうことで心の痛みが徐々に消化されていくことを意味する。

4　×　**「情報の伝達」**とは、生活や病気などについて役に立つ情報を共有することである。

5　×　**「希望をもたらす」**とは、「これからまたやっていけそうな気がする」等といった今後に向けた希望を感じられることを指す。

加点のポイント　I.D. Yalomは集団療法の治療因子

集団療法の効果について、Yalomは11の治療因子を挙げた。それは、①凝集性、②対人学習、③カタルシス、④普遍性、⑤愛他的体験、⑥希望をもたらす、⑦家族体験の修正、⑧情報の伝達、⑨ソーシャルスキルの発達、⑩模倣行動、⑪実存的因子である。
訳し方によって違いが出る言葉があるものの、概ねの趣旨は上記のようになる。

問題141　17歳男子・カウンセリングルームでの相談（事例）　正答 4

「監視されているという恐怖」「自分が見張られている」「自分が考えていることが他者に伝わってしまう」などの症状から統合失調症の急性期の症状が懸念されるケースへの対応についての問題である。

1 ✕ 支持的な心理療法も重要ではあるが、急性期の症状がみられる状況であるので医療機関の受診の優先度が高いと考えられる。

2 ✕ 「監視されていると感じる」など統合失調症の急性期の症状と思しき様子がみられるため、しばらく様子を見るというよりは、可能な限り早めの医療機関の受診が重要と考えられる。

3 ✕ SST とは**ソーシャル・スキルズ・トレーニング**のことで、社会で人とのかかわりに欠かせないスキルを身に付ける訓練のことをいう。本事例においても重要なアプローチではあると考えられるが、医療機関の受診の優先度が高いと考えられる。

4 ○ 医療機関の受診に伴い、薬物治療が有効である可能性が考えられる。そのことを家族・本人に伝えることが、医療機関への受診に結びつけることにもつながると考えられる。

5 ✕ カウンセリングも重要ではあるが、医療機関受診のほうが優先度が高いと考えられる。

問題142　45歳男性・身体医療における公認心理師の役割（事例）　 3

糖尿病など頻度の高い身体疾患のケアにおいても、心理的ケアが必要となることはしばしばある。身体医療における心理的介入の前提として、患者や家族との関係を丁寧に構築することが重要である。

1 ✕ A の不眠に影響していると思われる要因の評価を行うことなく睡眠衛生指導を行っても、有効であるとは考えにくい。

2 ✕ A の家族関係の調整を行う前に、十分な面接と情報収集、信頼関係の醸成が優先されるべきである。

3 ○ 不眠や活動性の低下に**抑うつ状態**が関係している可能性があるので、早急に評価を行う必要がある。

4 ✕ A が男性であり 1 型糖尿病ではないことから**摂食障害**の合併は考えにくいので、この場合には身体イメージの評価は重要ではない。

5 ✕ **セルフ・モニタリング**の導入は将来的には望ましいが、A の現状では困難であると思われる。

問題143　60歳男性・認知症（事例）　 1

認知症の病態には様々な種類が存在するが、本問題では事例にみられる特徴的な症候から認知症の種類を鑑別することが求められている。各病態の臨床的特徴を整理して覚えておきたい。

1 ○ **正常圧水頭症**では、認知障害・歩行障害・尿失禁の 3 つの徴候が特徴的であり、本例はその全てを示している。

2 ✕ **老年期うつ病**の患者は不眠を訴えることが多いが、本例では夜間は良眠している。

3 ✕ **前頭側頭型認知症**は人格変化と社会的な行動異常が主な特徴であり、健忘の程度は軽いことが多い。

4 ✕ **Lewy 小体型認知症**では夜間の幻視や睡眠時の行動異常が認められるが、本例ではそれらの症状がみられない。

5 ✕ **Alzheimer 型認知症**では、初期から中期までは歩行機能などの運動機能は保たれているが、本例では比較的早期から障害が顕在化している。

問題144　32歳女性・考えられる症状（事例）　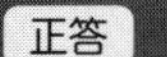 4

本事例は、おそらく多発性硬化症または視神経脊髄炎における球後視神経炎に対し、ステロイドパルス療法を行った結果、治療後原疾患あるいはステロイド投与によるうつ状態を呈したと解するべきである。

1　×　強迫行為は、それをしないでいると気が済まない儀式的行為であるから該当しない。

2　×　誇大妄想は、自我肥大的内容の妄想であるが本事例にはその記載がない。

3　×　**前向性健忘**とは、受傷時以降の新しい事柄が覚えられなくなることであるから該当しない。

4　○　落ち着きなく病棟を歩き回る、不安やいらだちなどはうつ状態に伴う**焦燥**と解釈される。「どうせ分かってもらえません」「私が悪かったんです」という発言は**自責感情**や微小妄想と考えられるので、抑うつ気分にあるとするのが妥当である。

5　×　パニック発作は、突然起こる動悸、呼吸困難、不安感などを主体とするので該当しない。

加点のポイント
ステロイドパルス療法

ステロイドパルス療法とは、1回に大量のステロイド（1g）を、数日間（3日間）連続で点滴投与することを1クールとして、1～3クール行う治療法で、自己免疫疾患などに施行される。

メモ　多発性硬化症（MS）※

中枢神経系に多発性に脱髄巣（髄鞘の障害巣）ができ、再発と寛解を繰り返して徐々に悪化していく疾患。原因は不明だが自己免疫と考えられている。20代から30代の女性で、高緯度地方の白人に多いとされる。脱髄の部位によって症状は様々だが、視神経（球後視神経炎）、運動、感覚、高次脳機能障害などを来す。精神症状としては抑うつと不安が多い。急性期の治療にはステロイドパルス療法や血液浄化療法が有効とされる。治療中にステロイド誘発性の精神症状が合併することもまれではない。

（※参考文献：尾崎紀夫他編『標準精神医学第8版』p.530, 医学書院 2021）

問題145　24歳女性・暴力被害者が被害関係に留まり続ける現象（事例）　正答 5

本問の選択肢に挙げられている用語は、虐待や暴力に関連して用いられることがある用語なので、それぞれの用語の意味をおさえておこう。

1 × **バウンダリー**は、目に見えない安全な人間関係の境界線のことを指す。これを超える際には同意が必要であるが、対等な関係ではない場合には相手からの要求を断るのが難しくなる。さらに、境界を越えることを断れなかった自分が悪いと被害を受けた人が自分自身を責めてしまうこともある。

2 × DVには一定のサイクルがあるといわれており、次の3つの時期があると言われる。①緊張期（ささいな出来事で加害者が苛々して、緊張が高まる時期）、②爆発期（高まった緊張を被害者への暴力という形で爆発させる時期）③**ハネムーン期**（暴力の後に二度と暴力を振るわないと約束し謝罪をするなど、うってかわったように優しくなる時期）。このため、被害者は加害者が悪い人ではないと感じて関係を維持し、再び緊張期が来ることが繰り返されやすい。

3 × **複雑性PTSD**（Complex Post-Traumatic Stress Disorder：CPTSD）とは、心身への組織的暴力、家庭内暴力や虐待など長期反復的なトラウマ体験の後にしばしばみられる感情などの調整困難を伴う心的外傷後ストレス障害（PTSD）である。国際疾病分類（ICD-11）においてはPTSDと区別された診断基準として記載されている。診断基準には、否定的自己概念、感情の制御困難及び対人関係上の困難といった症状がPTSDの諸症状に加えて認められることとされる。

4 × **サバイバーズ・ギルト**は、心的外傷反応の一部であり、被災者が生き残ったことや損失が少ないこと対して抱く罪悪感のことを指す。

5 ○ **トラウマティック・ボンディング**は、トラウマが起きている関係性の中で構築されるつながりを意味する概念である。トラウマのある関係性において相手と離れたくない、加害者を慕うなど感じてしまう心理状態を指す。

メモ　サバイバーズ・ギルトを持つ人への対応（日本災害看護学会より）

①災害においては、生存するか否かは無作為であり、生き残ったものはそれを受容しなければならないことを繰り返し伝える。
②生き残ったことを罰する必要のないことを知らせ、日常生活に復帰できるように支援する。
③生き残った人の考えや感情、活動が展望を持てるように支援する。
④支援したい、役に立ちたいと思っている生存者を支援計画に巻き込む。誰かの役に立ち、人助けをしているうちに生存したことへの罪悪感を小さくしていく。

問題146　2歳女児・児童養護施設への措置変更となるプロセス（事例）　正答 4

乳児院から児童養護施設への措置変更については、厚生労働省の「乳児院運営指針」および「乳児院運営ハンドブック」を参照のこと。
https://www.mhlw.go.jp/bunya/kodomo/syakaiteki_yougo/dl/yougo_genjou_05.pdf
https://www.mhlw.go.jp/file/06-Seisakujouhou-11900000-Koyoukintoujidoukateikyoku/0000080103.pdf

1 × ハンドブックでは「乳児院からの措置変更に伴うそれぞれの別れが障りにならないように、子どもが感じる負担は最小限に留めるためにも、児相や措置変更先等の関係機関に協力を求め、関係づくり等を含めた再出発支援に十分な時間を掛けることが望まれます」とされている。

2 × 厚生労働省の「乳児院運営指針」には、措置後の生活の安定を図るために、「前任の養育者や施設の担当者から後任の者へ適切に引き継ぐ」とあり、BからCへの引継ぎは重要である。

3 × 昨日までいた子どもが突然いなくなることは他の子どもにとっても不安を与えかねないので、Aが他の施設で暮らすことになることを伝えるほうがよい。

4 ○ 子どもが新しい環境に慣れるための機会を提供し、スムーズに新しい環境になじんでいけるよう、ならし養育（訪問交流）の機会を設けることが重要である。

5 × これまで愛着関係を築いてきた職員や慣れ親しんだ環境を離れることを、それぞれの子どもに合った形で伝えることが重要である。

問題147　14歳女子・スクールカウンセラーの初期対応（事例）　

自傷行為が見受けられる子どもへの対応について問われている。様々な対応が考えられるが、本問では初期対応を問われており、優先度をよく検討することも重要である。文部科学省の「自殺予防」のページ（https://www.mext.go.jp/a_menu/shotou/seitoshidou/1302907.htm）には様々な手引きなども掲載されているので参照することが望ましい。

1 × カッターで手首を傷つける行為が確認されているため、希死念慮を尋ねることはリスクアセスメントとして重要である。

2 × 手首の傷が増えないようにしたい気持ちは理解できるが、本人自身も傷つけたくて傷つけているわけではなく、なんとか生き延びるために自傷行為をしている場合もある。単に行為をやめさせようとすることはかえって関係性を閉ざしてしまうこともあるので、本人の苦しい気持ちを認めるような姿勢で関わることが重要である。

3 × 医療機関につなげていくことは今後の対応としては非常に重要な点であることは間違いないが、本人の抵抗も強いことが考えられる。「直ちに」紹介したい気持ちはあるが、本問においては選択肢４にあるように、もう少し自傷行為の習慣性などについてアセスメントの必要性があると考えられる。

4 ○ 自傷行為の詳細や背景などからアセスメントを行い、今後の対応を検討することが本問においては優先度が高いと考えられる。その結果、医療機関を紹介することなどは十分考えられる。

5 × 初期対応としては自傷行為のアセスメントが優先される。また、クラスでの孤立感などから登校が苦痛になっている様子も見受けられるが、親との関係性が良好なわけではないことが考えられるため、親への働きかけなども慎重さが必要であると考えられる。

メモ　自殺の危険性が高い場合の対応「TALK の原則」

Tell：言葉に出して心配していることを伝える
Ask：「死にたい」という気持ちについて、率直に尋ねる
Listen：絶望的な気持ちを傾聴する
Keep safe：安全を確保する

希死念慮をタブーのように扱うことが、子どもにとっては自殺を防ぐ方法など全くない絶望的な状態だと信じ込ませてしまう可能性もある（文部科学省「教師が知っておきたい子どもの自殺予防」https://www.mext.go.jp/b_menu/shingi/chousa/shotou/046/gaiyou/1259186.htm）。漠然とした不安を一人で抱えこんでいるよりは、問題について語り、言葉で表現できる方がよいとされるため、希死念慮について安全に話ができることは重要であると考える。

問題148　20歳男性・大学における合理的配慮（事例）　正答 5

大学における合理的配慮に関する支援については、独立行政法人日本学生支援機構の「合理的配慮ハンドブック～障害のある学生を支援する教職員のために～」を参照しておこう。

1 × 合理的配慮の内容を検討する際、大学等が一方的に決めるのではなく、障害のある学生本人の意思決定を重視する。障害のある学生の困り感やニーズを丁寧に聴き取るとともに、大学等としてできること、できないことを伝えるなど、建設的対話を重ねて双方が納得できる決定をしていく。

2 × 学生にとってどのような配慮が有効か、その配慮が妥当かを判断する根拠資料が求められる（メモ「根拠資料の例」参照）。全てが必要ということではなく、何らかの資料で機能障害の状況と必要な配慮との関連が確認できることが重要である。したがって、精神障害者保健福祉手帳の取得が必須とは限らない。

3 × 必ずしも心理検査の結果が必要とは限らない。

4 × 合理的配慮の内容は、授業担当者や特定の教職員の個人判断ではなく、委員会等で組織として最終決定がなされるようにする。したがって、直接交渉するのではなく、組織の担当部門が取りまとめることが望ましい。

5 ○ 合理的配慮については、学生本人の意思を尊重することが重要である。

メモ　根拠資料の例

・障害者手帳の種別・等級・区分認定
・適切な医学的診断基準に基づいた診断書
・標準化された心理検査等の結果
・学内外の専門家の所見
・高等学校・特別支援学校等の大学等入学前の支援状況に関する資料

問題149　16歳女子・中和の技術（事例）　正答 2

中和の技術は、法に触れる行為をした者が、自らの行為を正当化する方法のことをいう。

1 × **加害の否定**は、相手に対し害や損害を引き起こさなかったと主張するものである。

2 ○ **責任の否定**は、自分の行動は、自分が置かれた状況によって追い込まれた結果であると主張することである。

3 × **被害者の否定**は、被害者が犯罪者の犯した行動で被害を受けるに値すると主張するものである。

4 × **非難者に対する非難**は、犯罪行為を非難する人間も問題があり、犯罪者である自分を非難する資格はないと主張するものである。

5 × **より高次な忠誠心への訴え**は、自分の行動がより大きな利益のために行われているのであり、行動を正当化し得ると主張するものである。

問題150　創業50年製造業・組織の特徴（事例）　正答 3

組織風土（労働者間で共通の認識とされるような他の組織とは区別される独自の規則や価値観）や組織文化（従業員間で共有されている信念や前提条件、ルールのこと）は、労働者の動機づけや考えに影響を及ぼすものである。

1 × **安全文化**とは、組織の構成員が安全の重要性を認識し、事故等の防止を含めた様々な対策を積極的に実行する姿勢や仕組みなどのあり方をいう。

2 × **権限委譲**は、上司が持っている業務権限の一部を部下に与えることである。「エンパワーメント」と同じ意味でも用いられる。権限委譲は、委譲された社員の自律性を高めて組織全体のパフォーマンスを向上させることを目的とした取り組みである。

3 ○ **属人思考**とは、相手の地位や権威によって、指示の内容の良し悪しを決定する悪習のことを指す。

4 × **法令遵守**は、法令を守ることとなるが、近年では**コンプライアンス**のことを指し、モラルや倫理観のない言動はコンプライアンス違反に該当するとされる。法令に違反していないからといってコンプライアンス違反にならないとは限らないことも重要である。

5 × **役割葛藤**とは、自身が果たすべき複数の役割の中に、矛盾する役割が存在して板挟みになっている状態のことをいう。

問題151　22歳男性・DSM-5の診断基準に該当する病態（事例）　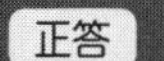 2

事例からDSM-5の診断基準に該当する病態を選択する問題である。提示された内容から、男性Aは奇異な行動や独語、連合弛緩、思考吹入などの症状が読み取れる。

1 ✕ 双極性障害は、躁状態とうつ状態を繰り返す。

2 ○ 統合失調症では、陽性症状や陰性症状、認知機能障害がみられる。本事例で示されているような奇異な行動、独語、思考の障害は統合失調症の代表的な症状である。

3 ✕ 短期精神病性障害は、統合失調症に類似した症状を示すが、急激に発症する点と症状の持続期間が1日以上かつ1か月未満という点で統合失調症とは異なる。本事例は半年以上前から症状がみられていることから、短期精神病性障害の基準には該当しない。

4 ✕ 全般不安症／全般性不安障害は、過剰な不安や心配（予期憂慮）によって日常生活に支障を来す。本事例で示されているような症状はみられない。

5 ✕ 統合失調症型パーソナリティ障害は、統合失調症に類似した症状を示すが、思考や行動の障害が統合失調症ほど異常なものではない。また、親族以外に親しい友人がいない、人と関わることを拒絶する、場にそぐわないような奇妙な服を着る、などの特徴がみられる。

問題152　14歳女子・支援チームの会議での対応（事例）　正答 2

いじめの対応については、文部科学省による事務連絡「いじめ防止対策推進法等に基づくいじめに関する対応について」を参考に、組織的な対応を行うことが求められる。

1 ○ スクールカウンセラーは、子どもたちの悩みを受け止め、学校におけるカウンセリング機能や教育相談体制の充実を図るために、心理臨床の専門的知識や経験を有する学校外の人材として活動することが求められている。

2 ✕ いじめの**重大事態**とは、①いじめにより生命、心身または財産に重大な被害が生じた疑いがあるとき（通称：**生命心身財産重大事態**）、②いじめにより相当の期間（30日間目安）学校を欠席することを余儀なくされている疑いがあるとき（通称：**不登校重大事態**）のことを指す。文部科学省「いじめの防止等のための基本的な方針」によれば、**学校の設置者**が、重大事態の調査の主体を判断する。

3 ○ 心理教育の実施について、学年の教員や担任と連携して心理臨床の専門的知識に基づいたコンサルテーションを提供することが求められる。

4 ○ 教育相談や児童生徒理解に関する研修の実施は、スクールカウンセラーの役割として求められている。

5 ○ スクールカウンセラーの役割として相談者への心理的見立て（アセスメント）と対応が求められている。また、学校における相談は集団守秘の考え方が重要であるが、生徒との守秘義務への配慮を考えることも重要である。

メモ　スクールカウンセラーの主な役割

1 児童生徒への相談・助言
2 教職員へのコンサルテーション（助言・協議・相談）
3 教育相談や児童生徒理解に関する研修
4 相談者への心理的見立て（アセスメント）と対応
5 保護者や関係機関との連携、コミュニティワーク
6 ストレスマネジメント等の予防的対応
7 学校危機対応における心のケア

問題153　30歳男性・原因帰属の観点からの言葉がけ（事例）　正答 3

出来事や結果の原因がどこにあるかを推論し、因果的な解釈を行うことを帰属という。自分の能力や性格などの要因に帰属する内的帰属と、周囲の状況などの外的要因に帰属する外的帰属などが挙げられる。本問においては、相談を受けた当初は「準備不足」に原因を帰属させていたが、その後、努力を続けているが成績が下がっている状況が生じている原因をどこに帰属させるかを検討する。

1 × 相談当初であれば、問題の難しさに帰属させることもあったかもしれないが、その後も努力を続けている状況で単に問題の難しさに帰属させるのは不適当と考えられる。

2 × 努力を続けてきた生徒に対して、努力不足に帰属させるのは、次の言葉がけとしては適切とはいえない。

3 ○ 努力はしてきているが、勉強の方法とテストがマッチしていなかった可能性は考えられるため、次の言葉がけとしては、選択肢の中では最も適切と考えられる。

4 × 「予想していなかった」というのは、勉強の不十分さに帰属されているため、今後の動機づけにはつながりにくいと考えられる。

問題154　9歳男児・虐待児童への学校の対応（事例）　正答 2、3

学校にて児童生徒への虐待が発覚した際には、文部科学省の「学校・教育委員会等向け虐待対応の手引き」などを参考に、組織として各関係機関との連携などを行いながら対応していくことが求められる。

1 × 保護者への確認をすることが、子どもにさらなる危害が加えられる可能性もあるため、慎重さが求められる。

2 ○ 虐待と疑われる事実関係は、時系列に沿って本人の発言内容も含めて具体的に記録することが重要である。その際に事実と推測を混同せずに記載することが重要である。

3 ○ 子ども自身、家庭内の秘密を暴露することで危害が及ぶ可能性や、自分が大変な状況にあることを恥ずかしく思うなど、様々な思いを抱えていたり、悩み抜いてSOSを出したりしたことも考えられる。また、SOSを出したことを後悔するようなことも考えられる。したがって、SOSを出せたことを支持していくことは非常に重要である。

4 × 子どもとの面接は原則一度だけ行うものであり、繰り返して聞くことはしない。子どもの記憶は変容しやすく、面接者が意図しなくても、面接者の態度等で事実と異なった内容になることもあり、さらに、同じことを何度も話すことが子どもへの負担になることもある。また、本問では担任が聞き取りを行っているが、担任はAに対して安心するような声掛けを行い、虐待に関する詳しい聞き取りは児童相談所職員や市町村の虐待対応担当課職員など専門の部署が対応するほうが望ましいと考えられる。

5 × 誰にも言わないなどの約束はせず、「あなたを守るためには他の人に話して一緒に考えることが必要である」ということを、根気強く子どもに伝えることも重要である。

MEMO

MEMO

執筆者紹介（50音順）

●岩瀬 利郎（いわせ・としお）

日本医療科学大学兼任教授／東京国際大学医療健康学部准教授。博士（医学）。埼玉石心会（狭山）病院精神科部長、武蔵の森病院院長、東京国際大学人間社会学部教授、同大学教育研究推進機構教授を経て現職。精神科専門医・指導医、睡眠専門医、臨床心理士、公認心理師。著書に『発達障害の人が見ている世界』（アスコム）など。メディア出演にNHK BSプレミアム「偉人たちの健康診断～徳川家康　老眼知らずの秘密～」、テレビ東京「主治医が見つかる診療所～寝起きの悪い人と寝起きのいい人の体は何が違うの～」など。

●翁長 伸司（おきなが・しんじ）

埼玉医科大学病院神経精神科・心療内科／埼玉医科大学かわごえクリニックこどものこころクリニック外来 臨床心理士。放送大学非常勤講師、中部学院大学非常勤講師、お茶の水女子大学非常勤講師。国立病院神経内科、スクールカウンセラー、大学院心理相談センター、大学非常勤講師などを経て現職。臨床心理士、公認心理師。

●斎藤 清二（さいとう・せいじ）

富山大学名誉教授。医学博士。新潟大学医学部医学科卒。富山医科薬科大学第3内科助教授、富山大学保健管理センター教授、立命館大学総合心理学部特別招聘教授などを歴任。医師、公認心理師。著書に『総合臨床心理学原論－サイエンスとアートの融合のために－』（北大路書房）、『公認心理師の基礎と実践21：人体の構造と機能及び疾病』（遠見書房）、『事例研究というパラダイム－臨床心理学と医学を結ぶ－』（岩崎学術出版社）等。

●下坂 剛（しもさか・つよし）

四国大学生活科学部准教授。博士（学術）。公認心理師。論文に「未就学児の親の育児関与とその規定因に関する研究」（共著、小児保健研究80巻）、著書に『人間の形成と心理のフロンティア』（共編著、晃洋書房）。

●田代 信久（たしろ・のぶひさ）

帝京平成大学人文社会学部准教授、帝京大学医療共通教育研究センター特任講師を兼任。脳外科・神経内科・内科心理職、スクールカウンセラー、ハローワーク心理職、湘央医療技術専門学校、帝京高等看護学院、近畿大学九州短期大学講師を経て現職。教育学修士、臨床心理士、公認心理師。著書に『スクールカウンセリングマニュアル』（共著、日本小児医事出版社）など。

●中村 洸太（なかむら・こうた）

駿河台大学、聖学院大学、ルーテル学院大学にて兼任講師。博士（ヒューマン・ケア科学）。心療内科・精神科クリニックや大学病院等を経て、現在は産業領域や教育領域を中心に臨床に携わる。精神保健福祉士、臨床心理士、公認心理師。著書に『メンタルヘルスマネジメント検定 Ⅱ種Ⅲ種テキスト＆問題集』（共編著、翔泳社）、『メールカウンセリングの技法と実際』（共編著、川島書店）など。

●松岡 紀子（まつおか・のりこ）

医療法人社団こころけあ 心理カウンセラー。公立小中学校スクールカウンセラー、私設相談室非常勤カウンセラー、心療内科クリニック心理職を経て、現職。成人の精神疾患や被害者支援を専門に医療臨床に従事。臨床心理士、公認心理師。

●三浦 佳代子（みうら・かよこ）

長崎純心大学人文学部地域包括支援学科准教授。博士（医学）。日本学術振興会特別研究員、富山大学エコチル富山ユニットセンター研究員、金沢大学保健管理センター助教などを経て現職。臨床心理士、公認心理師。公認心理師を目指す人のための情報サイト「公認心理師ドットコム」を運営。

●村上 純子（むらかみ・じゅんこ）

聖学院大学心理福祉学部心理福祉学科教授。博士（学術）。総合病院精神科、精神科クリニック、被災者ケアセンター勤務、公立小中高校のスクールカウンセラーなどを経て現職。臨床心理士、公認心理師。著書に『子育てと子どもの問題』（キリスト新聞社）。

●森田 麻登（もりた・あさと）

神奈川大学人間科学部助教。修士（医科学）、修士（臨床心理学）、修士（教育学）。臨床心理士、公認心理師。法務省心理技官、千葉県発達障害者支援センター相談員、筑波大学附属中学校スクールカウンセラー、帝京学園短期大学助教、身延山大学特任講師、植草学園大学講師、広島国際大学講師を経て現職。著書に『記憶心理学と臨床心理学のコラボレーション』（共著、北大路書房）。

執筆者調整・編集協力／中村 洸太、村上 純子

著者紹介

公認心理師試験対策研究会

心理に造詣が深い大学教員やカウンセラー、医師等の有志で構成される研究会。質の高い心理職の合格に向けて尽力している。

カバーデザイン　小口翔平＋須貝美咲＋青山風音（tobufune）
カバー・本文イラスト　ハヤシ フミカ
DTP　株式会社 トップスタジオ
第5回試験校正　うさぎくっきー

■会員特典データのご案内

本書とあわせて使っていただける便利な特典をご用意しました。ぜひ学習にお役立てください。
会員特典データは、以下のサイトからダウンロードして入手いただけます。
https://www.shoeisha.co.jp/book/present/9784798177342

●購入特典 PDF

「過去問掲載ページ一覧」…過去の試験問題が本書の何ページに掲載されているかが分かる一覧です。

●注意

※会員特典データのダウンロードには、SHOEISHA iD（翔泳社が運営する無料の会員制度）への会員登録が必要です。詳しくは、Web サイトをご覧ください。
※会員特典データに関する権利は著者および株式会社翔泳社が所有しています。許可なく配布したり、Web サイトに転載することはできません。
※会員特典データの提供は予告なく終了することがあります。あらかじめご了承ください。

心理教科書
公認心理師 完全合格問題集 第1回～第5回試験解説版

2022年 10 月 28 日　初版第1刷発行

著　　者　公認心理師試験対策研究会
発 行 人　佐々木 幹夫
発 行 所　株式会社 翔泳社（https://www.shoeisha.co.jp）
印刷・製本　日経印刷 株式会社

本書へのお問い合わせについては、8ページに記載の内容をお読みください。

造本には細心の注意を払っておりますが、万一、乱丁（ページの順序違い）や落丁（ページの抜け）がございましたら、お取り替えいたします。03-5362-3705までご連絡ください。

ISBN978-4-7981-7734-2　Printed in Japan